ACCESO GRATIS *a la Lectura en la Nube*

Para visualizar el libro electrónico en la nube de lectura envíe junto a su nombre y apellidos una fotografía del código de barras situado en la contraportada del libro y otra del ticket de compra a la dirección:

ebooktirant@tirant.com

En un máximo de 72 horas laborables le enviaremos el código de acceso con sus instrucciones.

MUJER Y DERECHOS HUMANOS

CARMONA VIII

MUJER Y DERECHOS HUMANOS

CARMONA VIII

Directores:

FRANCISCO INFANTE RUIZ
JAVIER DOMÍNGUEZ ROMERO

Coordinadoras:

AMANDA KALIL
DAVINIA CADENAS OSUNA

tirant lo blanch
Valencia, 2026

En caso de erratas y actualizaciones, la Editorial Tirant lo Blanch publicará la pertinente corrección en la página web www.tirant.com.

© TIRANT LO BLANCH
EDITA: TIRANT LO BLANCH
C/ Artes Gráficas, 14 - 46010 - Valencia
TELFS.: 96/361 00 48 - 50
FAX: 96/369 41 51
Email: tlb@tirant.com
www.tirant.com
Librería virtual: www.tirant.es
DEPÓSITO LEGAL: V-824-2026
ISBN: 979-13-7021-705-1
MAQUETA: Tink Factoría de Color

Si tiene alguna queja o sugerencia, envíenos un mail a: *atencioncliente@tirant.com*. En caso de no ser atendida su sugerencia, por favor, lea en *www.tirant.net/index.php/empresa/politicas-de-empresa* nuestro procedimiento de quejas.

Responsabilidad Social Corporativa: http://www.tirant.net/Docs/RSCTirant.pdf

Autores

Rommy Álvarez Escudero
Irene Aznar Sánchez-Parodi
Vincenzo Barba
Angela Busacca
Celia Carrillo Lerma
María Dolores Casas Planes
Giada Cascio
María Elena Cobas Cobiella
Javier Domínguez Romero
María José Fariñas Dulce
María Paz García Rubio
Juana María Gil Ruiz
María Isabel de la Iglesia Monje
Francisco Infante Ruiz
Amanda Kalil
Carmine Lazzaro
Andrea Macía Morillo
Giovanna Marchetti
María Teresa Martín Meléndez
Miriam Martín Paciente
Rita Mingolla
Claudia Andrea Moraga Contreras
Gloria Ortega Puente
María Luisa Palazón Garrido
Giuseppa Palmeri
María José Parejo Guzmán
María del Socorro Pensado Casanova
Stefania Pia Perrino
Domenica Pirilli
Carolina Riveros Ferrada
Paloma Rodríguez Martínez
Mª Elena Sánchez Jordán
María Dolores Santos Fernández
Ernesto Francisco Sarrión Hernández
Benedetta Sirgiovanni
Lisandra Suárez Fernández
Mónica Sumoy Gete-Alonso
Federica Maria Tescione
Belén Trigo García
Ana María Vega Gutiérrez
Paula Vega García

Índice

Sección IV
TRANSFORMACIONES FAMILIARES Y PERSPECTIVA DE GÉNERO EN EL DERECHO PRIVADO

Sección V
INTERSECCIONALIDADES: RELIGIÓN, MIGRACIÓN Y DISCRIMINACIÓN

SECCIÓN VI
TECNOLOGÍAS DIGITALES, PODER Y GÉNERO EN EL ESPACIO ALGORÍTMICO

SECCIÓN VII
DESARROLLO SOSTENIBLE, MEDIOAMBIENTE Y ECONOMÍA CON PERSPECTIVA DE GÉNERO

Sección VIII
IMAGINARIOS SOCIALES, CRÍTICA CULTURAL Y GÉNERO

Prólogo

El *Movimiento para la Feminización del Derecho Privado*, al que con profundo afecto denominamos simplemente *Movimiento Carmona*, nació como una plataforma transversal hace dieciséis años, durante los días 7, 8 y 9 de mayo de 2009, en la histórica ciudad de Carmona, fruto de la iniciativa y el impulso de varias Catedráticas de Derecho Civil y, de modo muy especial, de la recordada profesora Rosario Valpuesta Fernández, quien fuera Rectora de la Universidad Pablo de Olavide, de Sevilla.

Desde aquel encuentro fundacional, un número creciente de juristas —mujeres y hombres comprometidos con la defensa y la promoción de los derechos de las mujeres— ha continuado trabajando con constancia en la tarea de visibilizar los problemas que afectan al desarrollo de la vida y las relaciones de las mujeres, así como en el análisis de las respuestas, no siempre satisfactorias, que el ordenamiento jurídico ofrece a tales desafíos.

Hoy, el *Movimiento Carmona* constituye una plataforma intelectual rica, horizontal e igualitaria, integrada por un notable número de personas que lo siguen, así como por valiosas líneas de investigación centradas en la perspectiva de género aplicada al Derecho. Hasta la fecha, se han publicado siete obras colectivas que abordan, desde dicha perspectiva, una amplia gama de materias jurídicas, sociales y filosóficas.

El volumen **Mujer y Derechos Humanos. Carmona VIII**, que el lector tiene ahora en sus manos, prosigue este fecundo itinerario y aspira a ofrecer una aportación innovadora al pensamiento jurídico y social contemporáneo sobre la igualdad de género y los derechos humanos. Reúne las contribuciones presentadas en el **Congreso Carmona VIII "Mujer y Derechos Humanos"**, celebrado del 2 al 4 de noviembre de 2023.

Deseo expresar nuevamente mi gratitud a todas las personas que participaron mediante ponencias y comunicaciones, así como a quienes asistieron como congresistas. Mi reconocimiento especial se dirige al Comité Organizador, al Comité Científico y al equipo de la Sede de Olavide en Carmona, por su encomiable dedicación y su impecable desempeño, más allá del estricto cumplimiento del deber.

No se trata de una simple recopilación de estudios, sino de una auténtica *obra coral* que articula un diálogo interdisciplinar entre el derecho, la filosofía, la sociología, la cultura y la tecnología, en torno a una vocación común: la efectividad real de los derechos humanos de las mujeres. Este volumen refleja la madurez de un debate que ha evolucionado desde el reconocimiento meramente formal de la igualdad hacia la exigencia de una igualdad sustantiva y estructural, unida al potencial transformador de los derechos humanos para propiciar una profunda revisión de las estructuras sociales y jurídicas.

La riqueza de la obra radica en su capacidad para vincular diversas tradiciones académicas y experiencias jurídicas en torno a un eje compartido: la centralidad de la mujer como sujeto protagonista de la justicia social. A lo largo de sus páginas se advierte la continuidad del espíritu que ha animado los Congresos de Carmona desde su origen: la convicción de que el Derecho, cuando se piensa con perspectiva de género, se erige en instrumento de emancipación y en mecanismo de revisión crítica de las desigualdades históricas.

Expreso mi reconocimiento al riguroso y comprometido trabajo de las más de setenta autoras y autores que han contribuido a esta publicación. Cada capítulo ofrece una mirada singular a la compleja interrelación entre género, derechos humanos y estructuras jurídicas, confirmando que el pensamiento feminista no constituye un apéndice del Derecho, sino una forma de repensarlo desde su raíz.

Sobre la base de los cuatro ejes temáticos que vertebraron el Congreso Carmona VIII —(1) Problemas actuales de los derechos humanos de las mujeres en un mundo cada vez más cambiante; (2) Implicaciones de los derechos humanos en el Derecho Privado; (3) Mujeres y objetivos de desarrollo sostenible; y (4) Mujeres migrantes y derechos humanos—, el presente volumen se estructura en ocho secciones que recogen sistemáticamente las aportaciones de sus autoras y autores.

A continuación, se comentan brevemente las secciones. Las alusiones nominativas no pretenden otra cosa que ilustrar el espíritu del libro, pero no agotan, ni mucho menos, todos sus matices, perspectivas y riqueza de pensamientos, ni tampoco el extenso elenco de sus autores y autoras.

I. DERECHOS HUMANOS, IGUALDAD DE GÉNERO Y ENFOQUES JURÍDICOS ESTRUCTURALES

La primera sección inaugura el volumen con una reflexión fundacional: los derechos humanos solo alcanzan su plena efectividad cuando se interpretan y aplican desde una lectura de género. María José Fariñas Dulce reivindica una concepción material de la igualdad, superadora de la retórica formalista, que permita transformar las estructuras de poder que perpetúan la discriminación. Vincenzo Barba, por su parte, examina las implicaciones del enfoque de derechos humanos en el Derecho Privado, evidenciando como este ámbito, tradicionalmente considerado neutro, reproduce jerarquías y exclusiones de género.

Las aportaciones de María Elena Sánchez Jordán y de Carolina Riveros Ferrada junto con Rommy Álvarez Escudero amplían el horizonte de análisis. La libertad de asociación, los estándares interamericanos en materia de salud y los derechos de las pacientes, así como la relación entre igualdad y autonomía corporal, se presentan como campos en los que el Derecho aún debe consolidar garantías efectivas. Esta sección, en definitiva, invita a repensar los fundamentos estructurales del orden jurídico desde la dignidad y la autonomía de las mujeres.

II. VIOLENCIAS DE GÉNERO Y HERRAMIENTAS JURÍDICAS DE PROTECCIÓN

La segunda sección aborda uno de los núcleos más sensibles y complejos del debate: las diversas manifestaciones de violencia que atraviesan la vida de las mujeres y las respuestas, a menudo insuficientes, que el Derecho ofrece. Desde el análisis de Giovanna Marchetti sobre la violencia como causa de anulación contractual hasta los estudios que examinan la violencia digital, psicológica y económica, los trabajos reunidos ponen de relieve que la violencia de género no constituye únicamente un fenómeno penal, sino una realidad social estructural que permea las relaciones privadas, laborales, familiares y tecnológicas.

De particular relevancia resultan los estudios dedicados a la mutilación genital femenina, la violencia en redes sociales y el acoso en el deporte, donde se evidencia la tensión entre tradición, cultura y derechos fundamentales. María Dolores Casas Planes, al analizar el derecho a la indemnización de las víctimas de trata, cierra la sección subrayando la necesidad de un Derecho de daños con enfoque de género, que contemple no solo la reparación material, sino también la restitución simbólica y social.

III. DERECHOS SEXUALES Y REPRODUCTIVOS DE LAS MUJERES

Esta tercera sección constituye el núcleo ético del volumen. A través de las contribuciones de Andrea Macía Morillo, María Teresa Martín Meléndez, Isabel de la Iglesia Monje, Stefania Pia Perrino y Claudia Andrea Moraga Contreras, se examinan los derechos sexuales y reproductivos como un ámbito en el que la libertad, la autonomía y la dignidad de las mujeres se encuentran permanentemente amenazadas por los sesgos y manipulaciones de ciertos discursos biomédicos, religiosos, autoritarios o estatalistas.

Los capítulos destacan la importancia del consentimiento informado, la elección del lugar de parto, la reproducción *post mortem* y la crioconservación de gametos, mostrando como la tecnología puede convertirse tanto en una herramienta de emancipación como en un riesgo de control. El caso chileno relativo a las restricciones del aborto ilustra con crudeza las consecuencias de negar a las mujeres la capacidad de decidir sobre su propio cuerpo. En conjunto, esta sección reclama una ética pública de los derechos reproductivos fundada en la libertad, el cuidado y la corresponsabilidad.

IV. TRANSFORMACIONES FAMILIARES Y PERSPECTIVA DE GÉNERO EN EL DERECHO PRIVADO

La cuarta sección examina la familia como institución jurídica en permanente transformación. Frente a las estructuras patriarcales que aún subsisten, los capítulos reunidos, firmados por María Luisa Palazón Garrido, Celia Carrillo Lerma, Ernesto Francisco Sarrión Hernández y Belén Trigo García, proponen una lectura crítica del Derecho de familia desde la igualdad sustantiva.

Los análisis de las sucesiones internacionales, los matrimonios forzados y las limitaciones históricas de capacidad jurídica ponen de manifiesto como las normas civiles, bajo la apariencia de neutralidad, han contribuido a reproducir la subordinación de las mujeres. Destaca especialmente el estudio sobre el trabajo familiar, que plantea la tensión entre protección y trampa jurídica: una categoría que, amparada en la retórica del cuidado, puede perpetuar desigualdades económicas y sociales. Esta sección, en suma, reivindica la necesidad de reformular el Derecho privado para reconocer el valor social y económico del trabajo de las mujeres.

V. INTERSECCIONALIDADES: RELIGIÓN, MIGRACIÓN Y DISCRIMINACIÓN

La quinta sección desplaza el foco analítico hacia la interseccionalidad, entendida como la confluencia de múltiples ejes de opresión —género, religión, origen o condición migratoria— que configuran experiencias diferenciadas de vulnerabilidad. Las contribuciones de María José Parejo Guzmán, Ana María Vega Gutiérrez, Amanda Kalil, Giada Cascio y Giuseppa Palmeri ofrecen un panorama plural de los desafíos que enfrentan las mujeres en contextos de diversidad religiosa y movilidad humana.

Entre los temas abordados destacan la aplicación del principio de diligencia debida en los casos de asilo por violencia de género, los obstáculos para la adquisición de la nacionalidad y las múltiples formas de discriminación que afectan a las mujeres migrantes. Esta sección pone de manifiesto que el Derecho, si no adopta una lectura interseccional, corre el riesgo de invisibilizar a quienes sufren las formas más intensas y complejas de exclusión.

VI. TECNOLOGÍAS DIGITALES, PODER Y GÉNERO EN EL ESPACIO ALGORÍTMICO

En una época dominada por la inteligencia artificial y la digitalización de la vida social, la sexta sección aborda con singular actualidad las interacciones entre tecnología, poder y desigualdad de género. Las investigaciones de Carmine Lazzaro, Lisandra Suárez Fernández, Paula Vega García, Javier Domínguez Romero, Irene Aznar Sánchez-Parodi y María Elena Cobas Cobiella exploran como el espacio algorítmico influye en los derechos y libertades de las mujeres.

Los estudios analizan fenómenos como la discriminación algorítmica, los *deepfakes* de contenido pornográfico o la soledad de las personas mayores en entornos digitalizados, advirtiendo sobre los sesgos de género que pueden reproducirse en los códigos tecnológicos. Esta sección constituye una llamada de atención sobre la necesidad de reinterpretar los derechos humanos a la luz del poder digital, donde la supuesta neutralidad tecnológica puede convertirse en una nueva forma de patriarcado invisible.

VII. DESARROLLO SOSTENIBLE, MEDIOAMBIENTE Y ECONOMÍA CON PERSPECTIVA DE GÉNERO

La séptima sección sitúa la reflexión feminista en el marco de la Agenda 2030 y del concepto de desarrollo sostenible. Las aportaciones de Juana María Gil Ruiz, Paloma Rodríguez Martínez, María Dolores Santos Fernández y Miriam Martín Paciente ponen de relieve que la igualdad de género no constituye un objetivo aislado, sino una condición transversal para la consecución de la justicia laboral, ambiental, económica y social.

Los capítulos abordan cuestiones como el trabajo digno, las finanzas sostenibles, el emprendimiento femenino y la protección medioambiental desde un enfoque de género. Todos ellos confluyen en una misma idea rectora: sin igualdad no puede haber sostenibilidad. Esta sección articula un discurso transformador que enlaza la ética del cuidado con el derecho al desarrollo, ofreciendo claves para un modelo económico justo, inclusivo y respetuoso con los límites ecológicos del planeta.

VIII. IMAGINARIOS SOCIALES, CRÍTICA CULTURAL Y GÉNERO

La obra culmina con una sección de extraordinaria riqueza simbólica, dedicada a los imaginarios sociales y a la crítica cultural. Las contribuciones de Mónica Sumoy Gete-Alonso, Federica Maria Tescione y Benedetta Sirgiovanni ponen de relieve que el cambio jurídico no puede desvincularse del análisis cultural y lingüístico.

El estudio del universo cinematográfico de Almodóvar, las reflexiones sobre la igualdad de oportunidades y la exploración del lenguaje inclusivo en el Derecho privado evidencian que las representaciones, los relatos y las palabras constituyen también escenarios de disputa por la igualdad y por la efectividad de los derechos humanos. Esta última sección invita a comprender el Derecho no solo como norma, sino como discurso, esto es, como un instrumento que puede perpetuar o subvertir los imaginarios patriarcales.

EPÍLOGO

El volumen concluye con un sentido homenaje a Rosario Valpuesta Fernández, cuya labor pionera constituye un legado intelectual y ético para todas las generaciones comprometidas con la justicia de género. El epílogo, redactado con brillante y elegante factura por María Paz García Rubio, una de las fundadoras del *Movimiento Carmona* y figura esencial en su continuidad histórica, establece un diálogo con la memoria escrita de la querida profesora sevillana. A través de este diálogo, se evidencia como su pensamiento atraviesa de manera invisible todo el volumen, recordándonos que la igualdad constituye una tarea inacabada que demanda vigilancia constante, conocimiento profundo y acciones sostenidas.

* * *

"Mujer y Derechos Humanos. Congreso Carmona VIII" representa una obra de indudable necesidad. En un contexto marcado por retrocesos democráticos, negacionismos y discursos antifeministas, este libro reafirma el compromiso del pensamiento jurídico con la defensa de los derechos humanos, que solo pueden comprenderse cabalmente desde la inclusión efectiva de las mujeres y de todas las identidades diversas.

Cada página da cuenta de que la igualdad no es un destino alcanzado, sino un proceso histórico de lucha que requiere conciencia crítica, articulación institucional sólida y voluntad política. La contribución de las autoras y autores —procedentes de contextos nacionales e internacionales diversos, y desde enfoques jurídicos, sociales y culturales heterogéneos— constituye un ejemplo tangible de como la academia puede intervenir activamente en la transformación social.

Esta obra no se limita a diagnosticar las injusticias que enfrentan las mujeres en el marco del retroceso global de los derechos humanos; propone asimismo caminos y perspectivas de cambio.

A título personal, deseo dejar constancia de que presentar este libro constituye un honor y una responsabilidad. En él convergen rigor científico, sensibilidad ética y la convicción de que el Derecho puede y debe constituir un espacio de emancipación. Espero que sirva para renovar nuestro compromiso con una sociedad en la que los derechos humanos de todas las personas sean una realidad plena y universal.

Sevilla, 17 de octubre de 2025.

Francisco Infante Ruiz
Catedrático de Derecho Civil

Sección I

DERECHOS HUMANOS, IGUALDAD DE GÉNERO Y ENFOQUES JURÍDICOS ESTRUCTURALES

Mujer y derechos humanos: para que la igualdad sea un hecho

MARÍA JOSÉ FARIÑAS DULCE
Catedrática de Filosofía del Derecho
Universidad Carlos III de Madrid

1. INTRODUCCIÓN

En el año 2009 la profesora Rosario Valpuesta, Rectora de la Universidad Pablo de Olavide de Sevilla, impulsó, junto con otras colegas y amigas, la creación del denominado "Movimiento Carmona para la feminización del derecho privado". Un "Movimiento" innovador y valiente que, desde su creación, ha desarrollado una importante labor académica e intelectual en la búsqueda de nuevos paradigmas para conceptualizar y comprender la lucha por la igualdad de género en el ámbito jurídico.

Rosario Valpuesta siempre fue consciente de que una de las grandes injusticias de la humanidad ha sido —y a veces sigue siendo— la desigualdad, inferiorización, marginación e invisibilización de las mujeres respecto de los hombres. Pero, a pesar de los logros *iusfeministas* conseguidos, todavía quedan muchos desafíos culturales, políticos, económicos y legales pendientes en todo el mundo. El supremacismo masculino-patriarcal sigue siendo una realidad permanentemente amenazante para las mujeres y sus derechos.

Con frecuencia, los sistemas jurídicos y las interpretaciones jurisprudenciales han estado llenos de palabras y expresiones con las que los hombres han hablado de las mujeres en su nombre, usurpando su autonomía, olvidándolas o tutelándolas, invisibilizando sus capacidades y, lo que es más grave, legitimando un orden social productivo y reproductivo jerarquizado con un carácter claramente discriminatorio hacia las mujeres.

2. IGUALDAD FORMAL *VERSUS* IGUALDAD REAL

En las últimas décadas se ha debatido y escrito bastante sobre la polémica en torno a lo que se ha denominado la *feminización* de la Constitución y la necesidad de una Constituyente feminista[1], bajo el prisma de un nuevo paradigma cognitivo, que sería el del feminismo constitucional y/o la ciudadanía feminista. Se ha planteado también la oportunidad de interpretar finalistamente la Constitución, o, incluso, la necesidad de reescribirla conforme a una perspectiva de género e, incluso, la oportunidad de introducir o no en la misma un lenguaje inclusivo.

En definitiva, existe un reclamo evidente, aunque no siempre pacífico, de que las mujeres sean consideradas constitucionalmente como un sujeto político pleno con sus derechos fundamentales específicamente garantizados, ya que durante siglos no han estado incluidas en la construcción de la razón humana universal y abstracta que sirvió de base al desarrollo del derecho y del constitucionalismo modernos.

En efecto, durante los procesos constituyentes del siglo XIX y XX, la voz y la presencia de las mujeres han estado ausentes. Las teorías y los textos jurídicos liberales fueron hechos por hombres y, por lo tanto, el constitucionalismo ha tenido siempre un rostro masculino, construido esencialmente en base a la ubicación de las mujeres en el ámbito de la vida privada. El derecho, pues, no ha sido neutro ni objetivo, ha tenido género, y no ha sido precisamente femenino. Además, no olvidemos que el derecho no solo es un sistema de resolución de conflictos y establecimiento de reglas de juego, sino que tiene también la capacidad y/o el poder de crear subjetividades. Con ese poder, los sistemas jurídicos han creado tradicionalmente estructuras androcéntricas, basadas en derechos de y para los hombres. Han hablado en nombre de las mujeres, limitando su autonomía personal y sus derechos humanos. Parafraseando a Foucault, la élite jurídica masculina construyó una percepción unilateral de la verdad (y de la realidad) para perpetuar su poder estructural sobre las mujeres (Michel Foucault: 1998).

Yo creo que ha llegado el momento, después de muchos años de teorías, filosofías y luchas sociales feministas, en que las Constituciones democráticas cambien de paradigma y comiencen también a tener rostro de mujer e integren holísticamente una igualdad real y paritaria entre hombres y mujeres, para superar las violencias y desigualdades estructurales, que todavía persisten en nuestras sociedades y que sufren las mujeres (y sus hijos e hijas) por el hecho de ser mujeres.

---

[1] Uno de los textos pioneros y más interesantes, serios y documentados sobre este complejo tema es el publicado por la constitucionalista Itziar Gómez Fernández, *Constituyente feminista. Una reforma constitucional con perspectiva de género,* Madrid: Marcial Pons, 2017.

Lo que es cierto, o al menos es en lo que podemos estar de acuerdo mayoritariamente, es que el principio de la igualdad formal, consagrado en la mayoría de los textos constitucionales de las democracias liberales modernas, ya no es suficiente para la inclusión social de muchos colectivos vulnerables, pero tampoco lo es para la inclusión de las mujeres[2]. La gran promesa utópica de la universalidad de la igualdad formal de los sistemas jurídicos de la modernidad acaba incurriendo en una inversión ideológica. Y ello, porque se construyó sobre el paradigma de una supuesta *razón humana universal,* basada en la homogeneidad de un sujeto muy concreto, a saber, el hombre, blanco, propietario, libre y judeocristiano. Todo lo que no se acomodaba a ese modelo ideológico quedaba excluido o en los márgenes de dicha universalidad, generando posteriores conflictos sociales, identitarios y políticos.

Por ello, en muchas ocasiones la promesa utópica de la igualdad real se muestra como un objetivo inalcanzable, pero lo cierto es que, si no estamos incluidos todos y todas, la estructuración democrática de la sociedad es débil y los vínculos sociales son inconclusos. La igualdad no es un hecho, a pesar de que este es y ha sido el argumento común contra las reivindicaciones feministas.

Por otra parte, en muchos países, se han ido produciendo importantes avances legales y también jurisprudenciales, principalmente de la mano de los Tribunales y Cortes Constitucionales, en cuando impulsoras de cambios sociales, en el desarrollo de la igualdad con perspectiva de género, en la incorporación de la doctrina antidiscriminatoria, en la lucha contra la violencia estructural que sufren las mujeres, así como en la protección del medioambiente desde una perspectiva ecofeminista.

Sin minimizar estos logros (que lo son y muy importantes), creo que todo ello requiere ahora su reflejo en las Constituciones para reforzar y blindar dichos avances con las garantías constitucionales frente a posibles cambios o recortes que siempre acechan, pero también con el reconocimiento de nuevos derechos fundamentales para las mujeres. Además, existen argumentos sociales a favor, que tienen que ver con criterios de justicia social, democracia, participación, igualdad de género, con la superación de roles y estereotipos machistas persistentes, con la desarticulación del or-

---

2 Ruth Rubio Martínez y Octavio Salazar Benítez, *El orden de género en la Constitución española. Lecciones del pasado y propuestas de reconstrucción paritaria,* Comares, Granada, 2024, pp. 1 y ss., han denominado a esta insuficiencia como "el pecado original del constitucionalismo moderno".

den patriarcal dominante, con nuevas sensibilidades culturales y, por otra parte, con la puesta en práctica de diversos tratados internacionales ratificados por los Estados.

En definitiva, se podría afirmar que las Constituciones de los siglos XIX y XX han tenido género masculino e ideología conservadora y/o liberal y, además, si me permiten la licencia, han tenido un único color gris. Yo creo que las Constituciones del siglo XXI, y sus sistemas jurídicos, deberían ahora teñirse de colores para un horizonte utópico transformador: el rojo de la justicia social y la inclusión, el verde del ecologismo, el violeta del feminismo, el arcoíris multicolor de la diversidad étnica y humana y finalmente, el blanco de la paz. Aquí radican, a mi juicio, los grandes retos transformadores del constitucionalismo del siglo XXI, hacia una dimensión feminista, social, ecológica, inclusiva y pacifista.

Ante este horizonte utópico de cambio social y personal, quedan algunas cuestiones por resolver que se podrían sintetizar en estas dos grandes preguntas: ¿Cuál será la actitud que tomen los hombres ante los cambios generados por esta nueva realidad histórica, social y cultural? ¿Será la adaptación y la colaboración o será la resistencia y la melancolía por una superioridad amenazada y escindida? ¿Es necesaria también una revolución masculina que muchas mujeres llevan, llevamos, tiempo esperando[3], para alcanzar un nuevo pacto social de convivencia más inclusivo, igualitario, comunitario y sostenible?

Porque no nos engañemos, el supremacismo masculino sigue existiendo[4] y resistiéndose a un inevitable cambio histórico, pero además se sigue manifestando de manera trágica en muchas ocasiones: en feminicidios,

---

3 Parafraseo aquí el título de un importante libro sobre este tema del profesor Octavio Salazar, *El hombre que no deberíamos ser. La revolución masculina que tantas mujeres llevan siglos esperando*, Planeta, 2018, en que disecciona una lúcida crítica al patriarcado, que impuso una relación de dominio (los hombres) y subordinación (las mujeres). Propugna la construcción de un modelo de sociedad más democrático y sostenible, que pasa por la superación del patriarcado y del modelo cultural que lo sostiene que es el machismo.

4 El supremacismo masculino y el antifeminismo es la bandera de la mayoría de los partidos de la extrema derecha y de los diferentes políticos ultras, tanto en sus discursos teóricos de batalla contra "la ideología de género", como en las actitudes y prácticas de violencia o de odio contra las mujeres, que alientan constantemente. María José Fariñas Dulce, "Supremacismo y Fascismo", en A. Guamán, A. Aragoneses y S. Martín (dirs.), *Neofascismo. La bestia neoliberal*, Madrid: Siglo XXI de España Editores, 2019, pp. 107-121.

violencia de género y cultura machista de la violación (incluida la prostitución), pero también en la legitimación del deseo sexual asociado a la violencia contra la mujer o en la erotización de la violencia y especialmente ahora entre muchos jóvenes varones (que asocian: sexo=violencia=pornografía), en la normalización entre los jóvenes del *sexting*, en la todavía persistente mutilación sexual de niñas y adolescentes, en la *cyberviolencia* contra las mujeres, en la trata de mujeres con fines de explotación sexual cuyos datos actuales son realmente alarmantes, además de relaciones de dominación de diverso tipo como el acoso sexual en el ámbito laboral, en discriminaciones de *iure* y de *facto* y, finalmente, en nuevas manifestaciones digitales de misoginía y violencia contra las mujeres en lo que ya se denomina la *machoesfera*, así como el riesgo que el uso de técnicas de *deepfakes* tiene para la dignidad y la seguridad de las mujeres.

La realidad es que, entre las diversas desigualdades estructurales de género, la violencia contra las mujeres ocupa siempre un lugar prioritario en todos los datos estadísticos. Todavía algunos "hombres colectivamente se alzan sobre las mujeres, sometiéndolas por la apropiación de su cuerpo y la atribución de la función reproductora, criminalizando la lucha feminista como una 'peligrosa ideología de género' y exaltando el discurso épico de una masculinidad fuerte, por ejemplo, en algunos líderes políticos de extrema derecha..., con alardes de reinstaurar un 'orden masculino' hegemónico, supuestamente perdido y no exento de cierto victimismo (Fariñas Dulce: 2019, p. 111). Además, ahora muchos han perdido el miedo y la vergüenza a expresarlo abiertamente.

La extrema derecha global, de la mano de doctrinas religiosas fundamentalista, ha iniciado una batalla que podríamos denominar "anti-derechos" y negacionista, volviendo a cuestionar conquistas legales que afectan a la defensa de las mujeres contra los métodos habituales de violación, abusos, discriminación o violencia. Cuestionan, e incluso deslegitiman la existencia de la violencia de género y la ubican en el ámbito privado de la violencia intra familiar (que es la vulnerabilidad de la mujer en un contexto familiar), minusvalorando así el marco social estructural e institucional de dominación, subordinación y desigualdad real de las mujeres (que es el patriarcado), a la vez que legitiman los estereotipos y prejuicios de género tradicionalmente instalados en el imaginario social, así como las actuales narrativas reaccionarias antifeministas. Niegan derechos conquistados, a la vez que plantean de nuevo una postura patrimonialista de los derechos humanos, a los que consideran privativos solo para unos colectivos de personas.

3. LA CONSTITUCIÓN HA DE TENER ROSTRO DE MUJER

Si está claro que en los pactos constitucionales del siglo pasado las mujeres han estado ausentes, es el momento ahora de plantearnos cómo abordar nuevos pactos sociales y consensos constitucionales donde las mujeres y sus derechos tengan voz propia, y cómo implementar esto en disposiciones e instituciones igualitarias, que sin duda transformarán la sociedad.

Algunos derechos ya reconocidos, como los relacionados con educación, trabajo, condiciones salariales, paridad, conciliación de la vida laboral y personal, corresponsabilidad en el reparto equitativo de las tareas de cuidado, dependencia, salud, sanidad, participación política, presencia en centros de decisiones públicas y/o privadas (Parlamentos y Consejos de Dirección de Empresas Privadas), pensiones, derechos reproductivos y sexuales o acceso universal a la justicia, requieren ahora una actualización constitucional con perspectiva de género y de igualdad real entre hombres y mujeres.

Pero el objetivo no es sólo la defensa y protección de los derechos de las mujeres, sino también la mejora de la calidad democrática. Los derechos de las mujeres no son simplemente una cuestión de mujeres, sino de ciudadanía y de una plena estructuración democrática de nuestras sociedades, donde han de participar todos y todas. Y, por lo tanto, este no es sólo un cambio evolutivo y espontáneo en las sociedades del siglo XXI, sino que es un cambio revolucionario.

Digo que es revolucionario porque ha de implicar un cambio estructural de las reglas en el reparto equitativo del poder político, social, cultural y económico, que hasta ahora ha sido negado a las mujeres, pero que debería tener además una dimensión mundial no sólo en Occidente, sino también en el resto del planeta especialmente en aquellos lugares donde las mujeres sufren todavía formas brutales de discriminación y violencia. Un cambio social revolucionario que las haga saber también a todas *ellas* que forman parte de un *nosotras*.

La violencia de género y la degradación de la dignidad que las mujeres (y niños y niñas) han sufrido históricamente, y sufren todavía, merece un tratamiento específico, ya que constituyen una violación de los derechos humanos de las mujeres, según se ha reiterado en diferentes Convenciones Internacionales, y acentúa aún más la desigualdad real entre hombres y mujeres existente en nuestras sociedades. La persistencia e, incluso, el incremento de dicha violencia representa un claro fracaso democrático, educativo y pedagógico de nuestras democracias liberales y de los Estados de Derecho. Este fracaso se refleja en no saber afrontar socialmente por qué algunos hombres solo resuelven sus conflictos (ya sean personales, laborales, económicos o emocionales) acudiendo a actos de violencia y delincuencia contra las mujeres.

Y la solución, creo yo, no está en acudir al punitivismo, es decir, más cárcel, mayores penas privativas de libertad para violadores y asesinos —como desde muchos sectores políticos y sociales se reclama—, sino en afrontar la reeducación y la socialización de conductas desviadas lejos de esquemas patriarcales y machistas, que son los que las siguen reforzando, así como en implementar desde la infancia un aprendizaje global con perspectiva de género.

En definitiva, ¿cuáles sería las claves para un nuevo pacto social de convivencia desde una perspectiva feminista y eco-social? Sin pretensión de exhaustividad, señalaré algunas propuestas para conseguir que las Constituciones del siglo XXI y sus sistemas jurídicos derivados sean espacios donde todas y todos nos podamos reconocer como sujetos de derechos, podamos tener la oportunidad y/o capacidad de participar en el reparto del poder social, político, cultural y económico, y, de esta manera, acceder en igualdad a los mecanismos de la inclusión social.

1. Una *feminización* de la Constitución debería basarse inicialmente en el reconocimiento de una ciudadanía paritaria y de la paridad democrática[5] como principio constitucional en todos los procesos e instituciones decisorias, especialmente, en los Altos Cargos de la Administración Pública del Estado (Tribunal Constitucional, por ejemplo), así como en el ámbito privado de los Consejos de Dirección y Administración de las grandes empresas (incorporando, así, la democracia paritaria también en el ámbito del derecho privado)[6]. Además del reconocimiento de la igualdad formal, los textos constitucionales deberían acoger alguna referencia a acciones afirmativas, para evitar que éstas estén al arbitrio del gobierno de turno.

---

5 Recientemente Ruth Rubio y Octavio Salazar, *op. cit.*, pp. 8 y ss., han propuesto un interesante cambio de paradigma que permita transitar desde "el principio de igualdad al principio de paridad".

6 Véase sobre los argumentos para extender la democracia paritaria, también al ámbito social y económico, Martín Guardado, Sergio, "La necesaria construcción de una democracia paritaria para el Derecho Privado: la igualdad de género en los consejos de administración de las sociedades cotizadas", en *Femeris: Revista Multidisciplinar de Estudios de Género,* vol.5, nº 2, 20202, pp. 194-214.

Pero, además, la paridad democrática no ha de ser planteada sólo como una cuestión numérica o cuantitativa, sino que tiene que incorporar también una dimensión cualitativa, porque no se trata simplemente de que las mujeres se asimilen a los esquemas de gestión y dominación masculina. La diversidad de género es importante, pero no es suficiente. Debe barajarse también la diversidad de conocimientos, méritos, capacidades y experiencia plural, porque la presencia paritaria (a veces todavía negada por algunos e incluso cuestionada constitucionalmente en algunos países) ha de servir para ir cambiando las reglas del juego y los mecanismos de toma de decisiones[7]. De esta manera se podría ir transitando de la paridad democrática (por ejemplo, con las ya consolidadas cuotas electorales de género) hacia una plena ciudadanía paritaria[8], donde el ejercicio del poder de los hombres sobre las mujeres se vea limitado constitucionalmente.

2. El reconocimiento constitucional de un nuevo derecho fundamental de las mujeres a una vida autónoma y libre de violencias machistas por el hecho de ser mujer. Aunque en muchos países existen leyes contra la violencia de género, como en España, sin embargo, el refuerzo constitucional parece necesario para evitar retrocesos legislativos y confusiones conceptuales. La constitucionalización de este nuevo derecho evidenciaría que la violencia de género es una violación de los derechos humanos de la mujer, algo que debería estar claro para todos los operadores jurídicos (especialmente los integrantes del poder judicial), pero también para toda la sociedad. Erradicar la violencia de género no es sólo una cuestión de solidaridad y/o empatía con las víctimas, sino de derechos humanos y, por lo tanto, de justicia.

3. El reconocimiento de un derecho fundamental de las mujeres a su autonomía reproductiva, con un contenido prestacional, así como el compromiso de los poderes públicos para su garantía. El derecho a la interrupción voluntaria del embarazo, gratuito y seguro para todas las mujeres,

---

7 Entre los muchos trabajo y autores que han aportados ideas a favor de la construcción de una democracia paritaria, véase Salazar Benítez, Octavio, "El reto de la democracia paritaria", en Víctor Manuel Cuesta López y Dulce María Santana Vega (Coords.), *Estado de Derecho y discriminación por razón de género, orientación e identidad sexual* (pp. 89-108). Navarra: Aranzadi, 2014.

8 Véanse las propuestas sobre el tema de Rodríguez Ruiz, Blanca, "Paridad Ciudadana en términos de género: logos, tensiones y retos", en Ribotta, Silvina y Lema, Carlos (editores), *Mujeres y (des)igualdad de oportunidades. Análisis feministas del impacto de las injusticias estructurales y las tensiones coyunturales,* Madrid: Dykinson, 2023, pp. 65-84.

incluyendo una dimensión redistributiva e igualitaria en el desarrollo del derecho.

4. El constitucionalismo feminista, social y ecológico del siglo XXI debería incorporar la ética del cuidado mediante el reconocimiento general de un derecho fundamental al cuidado que favorezca, en primer lugar, el desarrollo de una nueva economía de los cuidados en las agendas legislativas y gubernamentales de los Estados democráticos, y, en segundo lugar, una desmercantilización de los derechos sociales, tan deteriorados en las últimas décadas por las estrategias neoliberales de privatización del vínculo social.

Paralelamente, el reconocimiento de un derecho a la conciliación de la vida personal, familiar y laboral como proyección del libre desarrollo de la personalidad, como sustento del sistema productivo y como superación de las relaciones de cuidado basadas hasta ahora en una desigualdad estructural El reconocimiento también de que el derecho a ser cuidado conlleva el derecho y el deber de cuidar que recae en todos y todas por igual (la *corresponsabilidad* parental, por ejemplo).

5. Sería necesario un blindaje constitucional del derecho a la educación, pública, laica y sin segregación, para evitar modificaciones legislativas de los gobiernos de turno y para evitar sentencias de Tribunales Constitucionales, como el español, que declaró constitucional la financiación pública de centros que segregan y diferencian por sexos, normalmente vinculados a la Jerarquía de la Iglesia Católica o a movimientos religiosos integristas, que se declaran anti feministas y combaten abiertamente lo que denominan como una "peligrosa ideología de género". Además, se debería incluir en el currículo escolar materias que fomenten la igualdad entre hombres y mujeres, la educación afectivo sexual, una educación en la diversidad, así como mecanismos de prevención de la violencia de género o violencia machista en los centros educativos.

6. Creo que es imprescindible también la incorporación de las reivindicaciones del movimiento ecofeminista y de la defensa de los bienes comunes de la humanidad. Las violencias estructurales, que han sufrido las mujeres, afectan también paralelamente a los recursos naturales y a los ecosistemas de nuestros territorios, que han sido, y lo siguen siendo, víctimas de un depredador ecocidio. El colapso ecológico es ya un hecho. Una *feminización* de la Constitución debería proteger el consumo equitativo de los recursos naturales como mecanismo para contrarrestar los efectos negativos de la *Nueva Lex Mercatoria* impuesta en las últimas décadas por los grandes oligopolios globales, especialmente ahora los tecnológicos.

Tradicionalmente, los textos constitucionales han pivotado sobre la lógica binaria de bienes privados *versus* bienes públicos, potenciando lo privado e individual sobre lo común[9]. Ahora bien, creo que la denominada revolución de los “bienes comunes” no se puede reconducir ya simplemente a los criterios redistributivos propios del Estado de Bienestar. El paradigma socialdemócrata es necesario ahora, pero no suficiente. Porque de lo que se trata es de acceder al reparto y gestión igualitaria del poder con vistas especialmente a garantizar la subsistencia de generaciones futuras en un entorno sostenible desde una perspectiva ecológica. En este sentido, se debería incorporar un derecho y un deber de actuar solidariamente con las personas y con el entorno medioambiental, que faciliten el desarrollo de políticas públicas de impacto comunitario. Así mismo la protección constitucional de un derecho fundamental a la subsistencia, donde se incorpore la vivienda, la salud, el agua, la energía, la luz…, se hace ahora más necesario que nunca.

Finalmente, todo pasa también por una reivindicación ya planteada en varias ocasiones, que es la de buscar refuerzos jurídicos a los derechos sociales de carácter emancipador, incorporándolos como derechos fundamentales. Los textos constitucionales del siglo pasado establecieron una jerarquía entre derechos, con diferentes garantías jurídicas entre ellos. Tanto Naciones Unidas, como el Comité de Derechos Económico, Sociales y Culturales, el Tribunal Europeo de Derechos Humanos, como la propia Carta Social Europea han defendido la indivisibilidad y la interdependencia de los derechos civiles, políticos, sociales, económicos, culturales y medioambientales para un adecuado funcionamiento democrático, así como para corregir desigualdades y procurar una mejora continua de la existencia humana.

4. A MODO DE EPÍLOGO

Todas estas propuestas señaladas en este Congreso Carmona VIII, y algunas más que se han quedado en el tintero, creo que representan ahora un imperativo ético, para que todos y todas podamos llevar una vida digna, autónoma y libre de todo tipo de discriminaciones públicas o privadas, y para que se nos garantice un mínimo vital de subsistencia.

---

[9] Para una etiología de lo “común”, puede consultarse el importante libro de Laval, Christian, y Dardot, Pierre, *Común: Ensayo sobre la Revolución del siglo XXI*, Barcelona: Gedisa, 2015.

Para ello es imprescindible re-formular el tránsito de la Ética al Derecho a través de la acción política. O, dicho de otra manera, intentar que el poder político alcance sus fines de justicia social, igualitaria y ecológica a través del Derecho para afrontar las complejidades del mundo que viene y, especialmente, para combatir las desesperanzas políticas generadas durante siglos por la acción pactada entre el patriarcado y el capitalismo. El reto, sin duda, es grande.

5. BIBLIOGRAFÍA

FARIÑAS DULCE, María José, "Supremacismo y Fascismo", en A. Guamán, A. Aragoneses y S. Martín (dirs.), *Neofascismo. La bestia neoliberal,* Madrid: Siglo XXI de España Editores, 2019, pp. 107-121.

FOUCAULT, Michel, *La verdad y las formas jurídicas,* Barcelona. Ed. Gedisa, 1998.

Gómez Fernández, Itziar, *Constituyente feminista. Una reforma constitucional con perspectiva de género,* Madrid: Marcial Pons, ediciones jurídicas, 2017

LAVAL, Christian, y DARDOT, Pierre, *Común: Ensayo sobre la Revolución del siglo XXI,* Barcelona: Gedisa, 2015

MARTÍN GUARDADO, Sergio, "La necesaria construcción de una democracia paritaria para el Derecho Privado: la igualdad de género en los consejos de administración de las sociedades cotizadas", en *Femeris: Revista Multidisciplinar de Estudios de Género,* vol.5, nº 2, 20202, pp. 194-214

RODRÍGUEZ RUIZ, Blanca, "Paridad Ciudadana en términos de género: logos, tensiones y retos", en Ribotta, Silvina y Lema, Carlos (editores), *Mujeres y (des)igualdad de oportunidades. Análisis feministas del impacto de las injusticias estructurales y las tensiones coyunturales,* Madrid: Dykinson, 2023, pp. 65-84.

RUBIO, Ruth y SALAZAR, Octavio, *El orden de género en la Constitución Española. Lecciones del pasado y propuestas de reconstrucción paritaria,* Ed Comares, Granada, 2024.

SALAZAR, Octavio, "El reto de la democracia paritaria", en Víctor Manuel Cuesta López y Dulce María Santana Vega (coords.), *Estado de Derecho y discriminación por razón de género, orientación e identidad sexual* (pp. 89-108). Navarra: Aranzadi, 2014.

SALAZAR, Octavio, *El hombre que no deberíamos ser. La revolución masculina que tantas mujeres llevan siglos esperando,* Editorial Planeta, 2018.

Implicaciones de los Derechos humanos en el Derecho privado

VINCENZO BARBA
Catedrático de Derecho Civil
Universidad de Roma "La Sapienza"

1. ACOTACIONES SOBRE EL TEMA

El abordaje de un tema como el de la "implicación de los Derechos humanos en el Derecho privado" es extremadamente difícil por diversas razones que están íntimamente ligadas tanto al ámbito de referencia, como al método con el que acometerlo.

En el primer sentido, la referencia a los Derechos humanos exigiría explicar qué son estos y si existe una diferencia sustancial entre ellos y los Derechos fundamentales.

El tema es extremadamente delicado y para no entrar en una disquisición en la que no puedo profundizar en este trabajo, me limito a partir de la consideración de que, en general, los Derechos humanos se refieren a los Derechos que se reconocen en los tratados y convenios internacionales, mientras que los Derechos fundamentales se refieren a los que se reconocen en las constituciones modernas. Se trata, como es obvio de una aproximación, que, además, por su propia naturaleza, está destinada a sufrir constantes interferencias, ya que en el fondo Derechos humanos y Derechos fundamentales coinciden a menudo.

Bajo otro ángulo de observación, la referencia al Derecho privado implicaría un análisis que abarcara desde el Derecho civil hasta el Derecho mercantil, desde el Derecho laboral hasta el Derecho internacional privado. Tal investigación es, por su amplitud, demasiado empeño para esta sede, por lo que me referiré más modestamente al Derecho civil, a sabiendas de que tampoco podré considerarlo en toda su complejidad, por lo que me limitaré a algunas incursiones concretas, que sólo pueden ser tomadas a ejemplos.

En cuanto al método de análisis con el que se puede investigar el tema, existen al menos tres perspectivas diferentes, cada una de las cuales es sumamente interesante. El tema podría abordarse desde una perspectiva puramente normativa, desde una perspectiva doctrinal o desde una jurisprudencial.

En la primera perspectiva, convendría observar atentamente qué cambios se han producido en el Derecho civil como resultado de los tratados y convenios internacionales[1], con la complicación adicional de que también sería necesario elegir un sistema estatal o, en una perspectiva más amplia, más de uno, para verificar qué instituciones del Derecho civil han sufrido una transformación radical[2].

Desde la segunda perspectiva, conviene comprobar cómo el discurso y la argumentación de los juristas ha cambiado a medida que la afirmación de los Derechos humanos se ha vuelto manifiestamente más significativa[3], también en el campo del Derecho privado.

---

1 Hay que considerar que, en el contexto de los convenios y tratados internacionales, los actos normativos de la Unión Europea cobran especial importancia, más aún si tenemos en cuenta que el propio Tribunal de Justicia, aunque con algunas salvedades, desde la famosa sentencia de 2014 (STJUE, 15 de enero de 2014. Asunto C-176/12. Association de médiation sociale contra Union locale des syndicats CGT, Hichem Laboubi, Union départementale CGT des Bouches-du-Rhône, Confédération générale du travail (CGT). ECLI: EU:C:2014:2), y más recientemente en la importante sentencia de 2016 (STJUE, 19 de abril de 2016. Asunto C-441/14. Dansk Industri (DI) v.Sucesores de Karsten Eigil Rasmussen. ECLI: EU:C:2016:278) ha afirmado que el Derecho de la unión debe prevalecer sobre el Derecho nacional, incluso cuando es invocado por un particular y en un asunto contra otro particular. En la última sentencia citada leemos en el párrafo 36: "Por otra parte, se desprende del apartado 47 de la sentencia Association de médiation sociale (C-176/12, EU:C:2014:2) que el principio de no discriminación por razón de la edad confiere a los particulares un Derecho subjetivo invocable como tal que —aun en los litigios entre particulares— obliga a los órganos jurisdiccionales nacionales a abstenerse de aplicar las normas nacionales incompatibles con dicho principio".

2 Para hacerse una idea de cuál ha sido la influencia de los derechos humanos, resulta muy útil el retrato del Derecho de familia español que propone María Paz García Rubio en su reinterpretación jurídica de la obra literaria Cinco horas con Mario. GARCÍA RUBIO, M.P.: "Una lectura jurídica de Cinco horas con Mario" (1966, "Cinco horas con Mario". Edición publicada en 2018 en la colección Austral de la editorial Planeta, sello editorial Destino)", en *Derecho y literatura en la novela de Miguel Delibes*, de NOEMÍ SERRANO ARGÜELLO, Thomson Reuters Aranzadi, Cizur Menor (Navarra), 2020, especialmente a partir dal párrafo: "Cómo se tratan las instituciones jurídicas en la novela".

3 Para darse cuenta de ello, basta considerar que, todavía en 1962, Francesco Carnelutti, en un ensayo en el que defendía la diferencia de trato entre hombres y mujeres, respecto al hecho del adulterio, que si lo cometía una mujer era un

Finalmente, en una tercera perspectiva, se podría realizar un análisis encaminado a resaltar qué influencia han tenido los Derechos humanos en la jurisprudencia de los tribunales nacionales e internacionales y, por tanto, cuáles han sido las repercusiones concretas que se han producido, incluso independientemente de las modificaciones formales del Derecho civil.

Evidentemente, en esta última perspectiva no sólo se debe elegir esencialmente uno o más sistemas de referencia, sino que resulta imprescindible verificar cuál ha sido el diálogo entre las diferentes Cortes de Justicia, es decir, el diálogo entre la jurisprudencia interna y la jurisprudencia supranacional.

Cada una de estas tres perspectivas merece una extensa reflexión, a fin de dar una imagen completa de la influencia de los Derechos humanos en el Derecho privado. Obviamente, una perspectiva tan amplia requeriría más que un estudio monográfico y no es compatible con la naturaleza de esta contribución.

Consciente de la necesidad de elegir, dedicaré las páginas siguientes a la tercera perspectiva apuntada, consciente de que no será posible eludir, aunque sea para reflejarlas de forma concisa, las otras dos. Evidentemente elijo el Derecho español y, en cierta medida, el italiano como ordenamientos jurídicos privilegiados respecto de los cuales realizar este análisis, comprobando también la importancia que ha adquirido el diálogo entre los Tribunales internos e internacionales.

Todo ello sin dejar de considerar que el discurso de los tratados y convenios internacionales no sólo no es un discurso meta positivo, sino que es un discurso que para cada ordenamiento jurídico debe ser considerado de Derecho positivo interno.

No podemos olvidar que la mayoría de los tratados internacionales de Derechos humanos forman parte integrante y sustancial de nuestros ordenamientos jurídicos. Nadie puede dudar de que estos tratados, aun ra-

---

delito, mientras que si lo cometía un hombre poco menos que una travesura, escribió estas duras y, hoy, repugnantes palabras: «Ora, per quanto le donne oggi vogliano nascondere (e a me sembra una pazzia) la loro diversità dall'uomo, non possono negare che la *turbatio sanguinis* costituisca il rischio dell'adulterio della moglie e non dell'adulterio del marito: il bastardo non è il corpus unum dell'uno e dell'altro dei coniugi; e una famiglia nella quale vivono dei bastardi non è unita o, almeno, è meno unita di quella che potrebbe e dovrebbe essere» (CARNELUTTI, F.: "Fedeltà coniugale e unità della famiglia", *Rivista di diritto civile,* 1962, I, p. 3 ss.).

tificados por una ley ordinaria, tienen una relevancia jerárquica superior, situándose, aunque con ciertas matizaciones, en el nivel constitucional o incluso supraconstitucional.

Esto es así no sólo en el ordenamiento español, donde existe incluso una norma expresa en este sentido (art. 10.2 CE, y para un caso concreto, art. 39.4 CE), sino también en ordenamientos como el italiano que, aunque no cuentan con una norma en la Constitución de contenido similar, exigen una reinterpretación de la teoría de las fuentes que lleva a conclusiones parecidas.

De acuerdo con la teoría más acreditada sobre la interpretación del Derecho italiano, aunque todavía existen algunas resistencias, la introducción de la Constitución de 1948 y, posteriormente, la adhesión a importantes Tratados europeos e internacionales de Derechos humanos ha supuesto un radical cambio del sistema de fuentes, que ha exigido una nueva hermenéutica. El paso de un sistema de fuentes cerrado a otro complejo y abierto, unido al reconocimiento normativo de principios y valores establecidos en la Constitución y en los Tratados, no sólo exige su aplicación inmediata y directa, incluso en las relaciones horizontales (la llamada Drittwirkung de los Derechos fundamentales [4]), sino que impone una reinterpretación de todo el Derecho civil.

---

[4] Me gustaría señalar que, dada la naturaleza de este trabajo, no entraré en el difícil debate sobre la eficacia directa de los Derechos fundamentales, que, como es bien sabido, se ha desarrollado a diversos niveles en el Derecho alemán y desde allí se ha extendido a otros ordenamientos jurídicos. Nadie niega que los Derechos fundamentales tengan relevancia normativa, del mismo modo que nadie pone en duda que sean una restricción para el Estado. Sobre lo que está abierto el debate, por todos conocido, es, por un lado, sobre la eficacia directa de estos Derechos fundamentales, es decir, sobre si pueden hacerse valer sin la mediación de una norma de aplicación, y admitiendo esta última posibilidad, sobre su eficacia horizontal, es decir, sobre si también pueden ser invocados directamente por un particular en una relación jurídica con otro particular. En este sentido, como es trillado, existe una posición según la cual los Derechos fundamentales no pueden aplicarse directamente porque tienen una doble naturaleza de prohibiciones de injerencia y de mandatos de protección, ambos dirigidos a los poderes públicos; existe otra posición doctrinal que defiende una eficacia horizontal mediata de los Derechos fundamentales entre particulares, lo que en otras palabras significa que será siempre necesaria la interposición del Estado entre los particulares para asegurar dicha eficacia; por último, existe una posición, a la que me adhiero por muchas razones que no pueden argumentarse adecuadamente aquí y para la que hay que remitirse a otros escritos, según la cual los Derechos fundamentales tienen eficacia directa e inmediata y, por tanto, pueden ser invocados incluso sin la

2. ELECCIONES DE LOS TRATADOS QUE IRÉ CONSIDERANDO AL FIN DE DEMOSTRAR LAS IMPLICACIONES DE LOS DERECHOS HUMANOS EN EL DERECHO CIVIL

Habiendo optado demostrar la implicación de los Derechos humanos en el Derecho civil desde una perspectiva netamente jurisprudencial, es imprescindible hacer una elección de textos internacionales, considerando la extraordinaria cantidad de tratados de Derechos humanos existentes y también con él fin de hacer la exposición un poco más ordenada.

Para dar cuenta de esta importancia en el ámbito del Derecho civil de nuestros días, consideraré, por razones de tiempo y espacio, y como muestra paradigmáticas, cuatro tratados internacionales de Derechos humanos que me parece que tienen singular relevancia en los cambios operados en nuestros respectivos ordenamientos jurídicos internos.

Esta elección conlleva dos advertencias básicas:

1) Cada Tratado o Convenio internacional de Derechos humanos nunca aborda un único aspecto y, en general, son textos normativos complejos que aspiran a regular una multiplicidad de cuestiones. No puedo considerar los tratados en su totalidad y, por lo tanto, sólo destacaré algún aspecto específico en cada uno de ellos que tenga especial relevancia para las relaciones civiles. Huelga decir que tendré en cuenta el tema de la mujer y, por tanto, el tema del género.

---

mediación de una norma de aplicación. Para un resumen eficaz de la doctrina alemana, véase, FEMIA, P.: *Drittwirkung: princípi costituzionali e rapporti privati. Un percorso nella dottrina tedesca,* Edizioni Scientifiche Italiane, Napoli, 2018, p. 3 ss.. Para un análisis de las diversas posturas véase, entre muchos: GARCÍA RUBIO, M.P.: "La eficacia inter privatos (Drittwirkung) de los Derechos fundamentales", en AA. VV, *Libro Homenaje a Ildefonso Sánchez Mera,* de, Consejo General del Notariado, Madrid 2002, pp. 297-314; PERLINGIERI, P.: *Il diritto civile nella legalità costituzionale secondo il sistema italo-europeo delle fonti, Vol. II, Fonti e interpretazione,* 4 ed., Edizioni Scientifiche Italiane, Napoli, 2020; ALEXY, R.:*Teoría de los Derechos fundamentales. Traducción y estudio introductorio de C. Bernard Pullido, 2ª ed.*, Centro de estudios Politicos y Costitucionales, Madrid 2007; ALFARO AGUILA-REAL, J.: "Autonomía privada y Derechos fundamentales", *Anuario de Derecho Civil,* 1993, pp. 57-122; AGUILERA RULL, A.: *Contratación y diferencia. La prohibición de discriminación por sexo y origen étnico en el acceso a bienes y servicios,* Tirant Lo Blanch, Valencia, 2013, pp. 32-65.

2) La elección de los Tratados y Convenios Internacionales de Derechos humanos, que he decidido tomar como paradigmáticos descansa no sólo en su importancia histórica, ni solo en la relevancia que han tenido y siguen teniendo en el reconocimiento de los Derechos de las mujeres en general, sino también teniendo en cuenta la época en que se aprobaron, con el objetivo de mostrar cómo ha ido cambiando con el paso del tiempo el enfoque y la trascendencia de los Derechos consagrados en ellos.

Los cuatro tratados que voy a considerar son los siguientes:

1. Convenio Europeo de Derechos Humanos, Roma, 4 de noviembre de 1950
2. Convención de las NU sobre la eliminación de todas las formas de discriminación contra la mujer de 18 diciembre 1979
3. Convención de las NU sobre los Derechos del Niño, 20 de noviembre de 1989
4. Convención de las NU sobre los Derechos de las Personas con Discapacidad, 13 de diciembre de 2006

Uno de los rasgos que todos estos tratados tienen en común y que, sin duda, constituye la característica más significativa de los cambios que se han producido en el Derecho civil es, a mi juicio, la impronta que conceden al principio de no discriminación. Un principio que ha ido ganando terreno a lo largo de la segunda mitad del siglo pasado y lo que va de este influyendo en todos los ámbitos del Derecho privado: del Derecho de la persona al Derecho de familia, del Derecho de sucesiones al Derecho contractual, extendiéndose también al ámbito del Derecho laboral, el mercantil el Derecho internacional privado, e incluso, más allá del Derecho privado, al Derecho penal.

Aunque aún estamos lejos de la plena aplicación del principio de no discriminación en todos los recovecos del Derecho interno, los signos de su influencia en todas las ramas del Derecho civil están a la vista.

Aunque he optado por demostrar la implicación de los Derechos humanos desde una perspectiva claramente jurisprudencial, no creo que podamos dejar, aunque sea con pinceladas, de dar una idea de cómo estos Tratados y Convenciones han afectado profundamente al Derecho legislado actual.

En primer lugar, incidiendo en las propias Constituciones posteriores a la Segunda Guerra Mundial, que, en gran medida, han hecho suyos, como Derechos fundamentales, muchos de los Derechos humanos reconocidos en los Tratados internacionales, hasta el punto de que algunos juristas, proclives a considerar los tratados internacionales como Derechos metanormativos o incluso como Derecho natural, se ha afirmado que las Constituciones han positivizado el Derecho natural.

Además, este impulso normativo no se detuvo en el nivel constitucional, ya que, en muchos países europeos, tras la aprobación de los principales Tratados internacionales y europeos de derechos humanos y en cumplimiento del nuevo orden establecido en las Constituciones, se llevaron a cabo reformas normativas muy importantes.

Por considerar sólo en los aspectos normativos más macroscópicos, basta pensar en las reformas de 1981 del Derecho de familia en España y la de 1975 en Italia, tanto en lo que se refiere al cambio del papel de la mujer, como a los regímenes patrimoniales en el matrimonio; en el Derecho de la persona, al reconocimiento de los Derechos fundamentales, incluido el Derecho al aborto (despenalizado en España en unos supuestos con la L.O. 9/1984, luego con la L.O. 2/2010 y regulada ahora por la L.O. 1/2023; admitido en Italia por la L. 194/1978) y el ejercicio de los Derechos políticos, cambió el rostro de este sector del ordenamiento; por su parte, en el Derecho de sucesiones, basta pensar en la progresiva eliminación de todas las normas que preveían y, en algunos países, siguen previendo el favor del varón o del primogénito en la sucesión; en el Derecho contractual, como ejemplo muy evidente, destaca la eliminación de las limitaciones de la capacidad de la esposa para contratar.

3. CONVENIO EUROPEO DE DERECHOS HUMANOS, ROMA, 4 DE NOVIEMBRE DE 1950

El principio de no discriminación, que constituye el núcleo de la Convención de las Naciones Unidas de 1979, se encuentra ya en germen en el Convenio Europeo de Derechos humanos (en adelante, CEDH) y en los convenios posteriores que he tomado como ejemplo.

En el CEDH, sólo se encuentra una referencia explícita a la mujer en el artículo 12, referido al Derecho a contraer matrimonio. El resto de las normas, tienen su destinatario en el genérico "toda persona" o "nadie", dependiendo de si la norma quiere reconocer un Derecho o excluir una situación o consecuencia.

Aunque la referencia a la mujer no es explícita, hay que reconocer, sin embargo, que muchas de esas normas, aunque en su genérico destinatario de toda persona, han tenido una influencia decisiva para eliminar la discriminación contra la mujer, ya que en muchos ordenamientos jurídicos europeos determinados Derechos y libertades, siendo indiscutibles para los hombres, eran de dudoso o menor alcance para las mujeres.

Para hacernos una idea, y partiendo de la importancia esencial que en el marco de este tratado tiene su aplicación por el TEDH, intérprete auténtico de su contenido, voy a recordar algunas sentencias que me parecen especialmente relevantes a los fines que nos ocupan.

La primera sentencia a la que me referiré es STEDH 16 de diciembre de 2010[5], que se refiere al Derecho de la mujer al aborto.

Este caso complejo se refiere a la difícil situación de tres mujeres de nacionalidad irlandesa que, debido a la situación de incertidumbre en su propio país, se ven obligadas a viajar a Inglaterra para abortar. Nos interesa especialmente la situación de la tercera de estas mujeres, que descubre que está embarazada tras someterse a una sesión de quimioterapia, tras lo que decidió interrumpir el embarazo, por el riesgo que su continuación del embarazo suponía para su salud y la del feto. La legislación irlandesa sobre el aborto, según la sentencia, no era nada clara y, además, el Estado, que tenía la obligación en virtud del artículo 40.3.3 de la Constitución irlandesa[6] de proporcionar información adecuada, no facilitó ninguna información a la mujer. En consecuencia, la mujer demanda al Estado irlandés por falta de un procedimiento que le permitiera determinar si tenía Derecho a un aborto legal en Irlanda por el riesgo que suponía su embarazo para su vida.

El Tribunal consideró que ni la consulta médica ni las opciones de litigio invocadas por el Gobierno constituían procedimientos eficaces y accesibles que permitieran a la demandante establecer su Derecho a un aborto legal en Irlanda. Consideró asimismo que la incertidumbre generada por la falta de aplicación legislativa del artículo 40.3.3 de la Constitución Irlandesa,

---

5 STEDH 16 de diciembre de 2010 (Caso A, B y C, contra Irlanda, Demanda n. 25579/05) ECLI: CE:ECHR:1985:0326JUD000897880.

6 40.3.3 «3º. El Estado reconoce el Derecho a la vida del niño nonato y, con la debida consideración a la igualdad, garantiza el respeto del Derecho a la vida de la madre, y, en la medida de lo posible, respetar y defender este Derecho en sus leyes. Esta subsección no limitará la libertad de viajar de nuestro Estado a otro Estado. Esta subsección no limitará la libertad de obtener o de poner a disposición en el Estado, en las condiciones que pueda establecer ley, informaciones relativas a los servicios disponibles legalmente en otro Estado.

y más concretamente por la falta de procedimientos eficaces y accesibles para establecer el Derecho al aborto en virtud de dicha disposición, había dado lugar a una sorprendente discordancia entre el Derecho teórico al aborto legal en Irlanda.

Se lee en los párrafos 263 y 264:

> 263. En consecuencia, el Tribunal considera que ni la consulta médica ni las opciones de litigio invocadas por el Gobierno constituían procedimientos eficaces y accesibles que permitieran a la tercera demandante establecer su Derecho a un aborto legal en Irlanda. Por lo tanto, el Tribunal no está obligado a abordar las alegaciones adicionales de las partes en relación con los plazos, la rapidez, los costes y la confidencialidad de dichos procedimientos internos.
> 264. El Tribunal considera que la incertidumbre generada por la falta de aplicación legislativa del artículo 40.3.3, y más concretamente por la falta de procedimientos eficaces y accesibles para establecer el Derecho al aborto en virtud de dicha disposición, ha dado lugar a una sorprendente discordancia entre el Derecho teórico al aborto legal en Irlanda por razón de un riesgo relevante para la vida de la mujer y la realidad de su aplicación práctica (véase Christine Goodwin, §§ 77-78, y S. H. and Others, § 74).

Sobre la base de estas consideraciones el Tribunal consideró que la falta de aplicación del artículo 40.3.3 por parte del Estado constituyó un incumplimiento del Derecho de la tercera demandante a que se respetase su vida privada, en violación del artículo 8 del Convenio.

> "267. En tales circunstancias, el Tribunal rechaza el argumento del Gobierno de que la tercera demandante no agotó los recursos internos. También concluye que las autoridades no cumplieron con su obligación positiva de garantizar a la tercera demandante el respeto efectivo de su vida privada debido a la ausencia de un régimen legislativo o reglamentario de aplicación que proporcionara un procedimiento accesible y eficaz mediante el cual la tercera demandante pudiera haber establecido si tenía Derecho a un aborto legal en Irlanda de conformidad con el artículo 40.3.3 de la Constitución.
> 268. En consecuencia, el Tribunal considera que se ha producido una violación del artículo 8 del Convenio."

Cabe señalar, sin embargo, que, aunque el Tribunal Supremo estimó la demanda y condenó al Estado irlandés, no apreció el Derecho a la indemnización por daños y perjuicios, ya que consideró que no "exista un vínculo causal establecido entre la violación constatada y la reclamación de la tercera demandante de daños materiales y morales en relación con su viaje para abortar a Inglaterra".

No menos importante es la STEDH 8 de diciembre de 2009[7], en la que una mujer gitana de nacionalidad española se quejaba de la denegación de la prestación de viudedad tras el fallecimiento de su pareja, también gitano de nacionalidad española, por la única razón de que no estaban casados ante la legislación española. En este caso, aunque pueda parecer lo contrario, no se trata de valorar si la prestación de viudedad también es debida en el caso de una pareja de hecho, cuestión que sin duda debería resolverse en términos negativos en el marco del ordenamiento español, debido también a la conocida doctrina del Tribunal Constitucional sobre la diferencia de trato jurídico entre matrimonio y parejas de hecho, sino de comprobar si en el caso concreto concurrían requisitos que pudiesen justificar el reconocimiento de dicha pensión.

La cuestión principal pivota, en efecto, en torno a la posibilidad de comprobar si un matrimonio celebrado según el rito gitano puede considerarse, desde el punto de vista del Derecho civil, no como una simple pareja de hecho, sino como un matrimonio nulo de buena fe, al haber sido tratado durante un tiempo por la administración española como un matrimonio a otros efectos. La Unión Romaní subraya que el matrimonio gitano no es diferente de otros tipos de matrimonio y que existe desde el momento en que un hombre y una mujer expresan su voluntad de vivir juntos con el deseo de fundar una familia, que es la base de la comunidad gitana.

El TEDH observa en primer lugar que:

> "57. El TEDH observa, en este caso que, cuando la demandante se casó en 1971 con arreglo a los rituales y tradiciones gitanos, sólo era posible en España, excepto previa declaración de apostasía, casarse de acuerdo con el rito del Derecho canónico de la Iglesia católica. El TEDH considera que no se podía exigir a la demandante, sin vulnerar su Derecho a la libertad religiosa, que se casara legalmente, es decir, según el Derecho canónico en 1971, cuando manifestó su consentimiento para casarse según el rito gitano.
> 58. Cierto es, que tras la entrada en vigor de la Constitución española de 1978 y en virtud de la Ley 30/1981, de 7 de julio (párrafo 26 anterior), la demandante habría podido contraer matrimonio civil. La demandante sostiene que, ella estaba convencida de buena fe de que el matrimonio celebrado con arreglo a los rituales y tradiciones gitanos acarreaba todos los efectos propios de esta institución."

Hecha esta aclaración, el punto en el que insiste el TEDH es verificar si el Estado español trató o no, con independencia de que no existiera un

---

7 STEDH 8 de diciembre de 2009 (Asunto Muñoz Díaz C. España, Demanda Nº 49151/07) ECLI: CE:ECHR:2009:1208JUD004915107.

matrimonio válido, a la mujer como si estuviera casada. Por lo tanto, se trata de evaluar el hecho de haber denegado a la demandante el Derecho a percibir una pensión de viudedad revela un trato discriminatorio basado en la pertenencia de la interesada a la minoría gitana, respecto de la forma en que la legislación y la jurisprudencia tratan situaciones análogas, cuando los interesados están convencidos de buena fe de la existencia de su matrimonio aun no siendo éste legalmente válido. A ese respecto él TEDH señala que durante muchos años el Estado español, a pesar de ser consciente de que no existía el matrimonio, trató a las mujeres como si estuvieran casadas y, muy concretamente, mediante la entrega de varios documentos de la Seguridad Social, especialmente el documento de afiliación al sistema, estableciendo su condición de esposa y madre de familia numerosa, situación considerada como especialmente merecedora de ayuda y que exigía, en aplicación de la Ley 25/1971 de 19 de junio, el reconocimiento de la condición de cónyuge.

Por lo tanto, el comportamiento mantenido por el Estado español durante muchos años reforzó la convicción de la mujer de que su matrimonio gitano contaba como matrimonio civil o de que no había ninguna diferencia real.

El TEDH afirma:

> 63. Para el TEDH, la buena fe de la demandante en cuanto a la validez de su matrimonio, confirmado con el reconocimiento oficial de su situación por las autoridades, ha generado en la interesada la legítima expectativa de ser considerada como esposa de M. D. y de formar junto a él una pareja casada reconocida. Tras el fallecimiento de M. D. es natural que la demandante haya alimentado la esperanza de que se le reconociera una pensión de viudedad."

Basándose en estos argumentos, el TEDH considera desproporcionado que el Estado español, que expidió un Libro de Familia a la demandante y a su familia, les reconoció el estatus de familia numerosa, les concedió asistencia sanitaria y recaudó las cotizaciones de su marido gitano en la Seguridad Social durante más de diecinueve años, no quisiera en consecuencia reconocer los efectos del matrimonio gitano en materia de pensión de viudedad.

En conclusión, él TEDH condena él estado por violación del art. 14 del Convenio[8].

---

[8] Cabe mencionar que esta decisión no fue decisiva en una sentencia más reciente del Tribunal Constitucional español, en la que se denegó a una mujer gitana el

derecho a una pensión de viudedad. Me refiero a STC 1/2021, de 25 de enero. ECLI: ES:TC:2021:1. Recurso de amparo 1343-2018. Promovido por doña Joaquina Cortés Cortés en relación con la sentencia de la Sala de lo Social del Tribunal Supremo que desestimó su demanda de reconocimiento de pensión de viudedad. Supuesta discriminación por razón de raza: denegación de la pensión de viudedad consecuencia de la inexistencia de unión matrimonial reconocida por el ordenamiento español (STEDH de 8 de diciembre de 2009, asunto Muñoz Díaz c. España). En esta sentencia, el Tribunal afirma, por un lado, que no puede hablarse de discriminación, ya que el trato jurídico diferente está justificado y, por otro, que no se cumple la condición de buena fe que había caracterizado el caso resuelto por el TEDH. Se lee en los fundamentos jurídicos: "Así, aunque en efecto la entonces demandante y su compañero de vida, como ocurre en esta ocasión, pertenecían a la comunidad gitana, se casaron según los rituales propios de su comunidad, tuvieron varios hijos, contaban con libro de familia y vivieron juntos durante un largo período de tiempo, desde la fecha de su matrimonio hasta el fallecimiento, lo cierto es que en el supuesto ahora analizado la demandante carecía de elementos objetivos en que fundar la convicción sobre la validez de su matrimonio y que su unión como convivientes tampoco estaba formalizada, ya que había excluido de forma voluntaria la utilización de cualquiera de las formas que le hubieran permitido lucrar la pensión de viudedad. Todo ello, sin perjuicio, claro está, de la fuerza de las creencias colectivas de una comunidad culturalmente bien definida, esto es, la idea de que el matrimonio contraído según sus propios ritos y tradiciones es válido para dicha comunidad, aunque no lo sea para las autoridades nacionales que ciertamente no le otorgan validez civil. Por otro lado, conviene subrayar que a diferencia del supuesto que examinamos en la STC 194/2014, de 1 de diciembre, en relación con un matrimonio contraído por el rito islámico carente de validez y eficacia para el ordenamiento jurídico español, no hay constancia alguna de que la administración reconociera la existencia y validez del matrimonio de la recurrente, sino que, por el contrario, en la documentación obrante en las actuaciones consta que el estado civil de la pretendida causante de la pensión de viudedad era soltera y extramatrimoniales los hijos habidos en común. Tampoco existen indicios de que administración alguna le hubiera reconocido los efectos propios de una persona con vínculo matrimonial. Por ello, como ya hemos adelantado en el fundamento jurídico 2 de la presente resolución, en esta ocasión no es posible atender a la buena fe de la demandante de amparo como canon de proporcionalidad en el juicio de la posible lesión del art. 14 CE, como hiciera en su día el Tribunal Europeo de Derechos Humanos en el asunto Muñoz Díaz c. España, pues la recurrente en amparo Sra. Cortés Cortés era plenamente conocedora de la falta de validez de su matrimonio, al haberse celebrado por un rito no reconocido por nuestro ordenamiento jurídico y tampoco formalizó en momento alguno su relación *more uxorio* en el modo exigido por la legislación para el reconocimiento de su derecho a la prestación de viudedad por el sistema nacional de Seguridad Social". Sin embargo, es importante recordar el voto particular de don Juan Antonio Xiol Ríos, que discrepa con la argumenta-

> 65. El TEDH considera que el rechazo al reconocimiento del Derecho de la demandante a percibir una pensión de viudedad constituye una diferencia de trato respecto al trato dado, por la Ley o la jurisprudencia, a otras situaciones que deben considerarse equivalentes en lo relativo a los efectos de la buena fe, tales como el convencimiento de buena fe de la existencia de un matrimonio nulo (artículo 174 de la Ley General de la Seguridad Social (LGSS), o la situación examinada en la Sentencia del Tribunal Constitucional no 199/2004, de 15 de noviembre de 2004 —párrafos 29 y 32 anteriores—, que concernía a la no formalización, por razones de conciencia, de un matrimonio canónico). El TEDH considera acreditado que, teniendo en cuenta las circunstancias del caso, esta situación constituye una diferencia de trato desproporcionado con respecto a la demandante en relación al trato reservado al matrimonio de buena fe.

Es muy relevante la STEDH 8 de noviembre de 2011[9], en la que una mujer alega la violación de los artículos 3, 8, 12, 13 y 14 del Convenio debido a su esterilización en un hospital público.

Una mujer de origen ético rumano, de 20 años, fue esterilizada durante la hospitalización para el parto de su segundo hijo. Según la narración de los hechos, los médicos extorsionaron a la mujer para que diera su consentimiento a la esterilización. En particular, durante el parto, cuando la mujer sentía dolores, los médicos le habrían dicho que un tercer embarazo y parto sería muy peligrosos para su salud y que por ello le proponían la esterilización. Según el relato, la información de los médicos fue muy superficial, la esterilización no era necesaria en absoluto y, lo que es peor, la mujer habría dado su consentimiento sin comprender plenamente el alcance. Ella alega que ella no dio un consentimiento pleno e informado a su esterilización tal y como requieren las normas internacionales.

Se lee en la sentencia:

> 15. La demandante alega que, después de varias horas de parto y estando con muchos dolores, el personal médico del Hospital de Prešov le preguntó si quería tener más niños. La demandante contestó afirmativamente pero el personal médico le dijo que, si tenía más niños, tanto ella como el niño mo-

---

ción y con la conclusión de que no existe una discriminación indirecta por razones de pertenencia a una minoría nacional en el trato normativo, administrativo y judicial dispensado a las uniones de vida celebradas conforme a las tradiciones culturales del pueblo romaní a los efectos de lucrar la prestación por viudedad y también con el restringido alcance que se reconoce a la STEDH de 8 de diciembre de 2009, asunto Muñoz Díaz c. España.

9 STEDH 8 de noviembre de 2011, (Asunto V.C. c. Eslovaquia Demanda núm. 18968/07) ECLI: CE:ECHR:2011:1108JUD001896807.

> rirían. La demandante comenzó a gritar y, como le convencieron de que el próximo embarazo sería fatal, les dijo a los médicos «hacer lo que tengáis que hacer». Entonces le pidieron que firmara en el registro del nacimiento debajo de la nota que indicaba que había solicitado la esterilización. La demandante no entendió el término «esterilización» y firmó el formulario por temor a que, de otra manera, las consecuencias fueran fatales. Al encontrarse en la última etapa del parto, su conocimiento y sus capacidades cognitivas estaban alteradas debido al parto y al dolor.

La mujer sufrió posteriormente graves problemas médicos y psicológicos derivados del procedimiento de esterilización; mostró síntomas de un falso embarazo; fue condenada al ostracismo por parte de la comunidad romaní y su marido, padre de su hija, la dejó en varias ocasiones debido a su infertilidad, hasta que en 2009 divorciaron. Asimismo, resulta que el procedimiento no suponía una necesidad inminente desde un punto de vista médico, ya que no era preciso ni para su vida ni mucho menos para salvaguardar su integridad física.

En este caso él TEDH condena al Estado tanto por violación del art. 3 del Convenio, sobre maltrato y tortura, y por violación del art. 8, sobre él respeto a la vida privada.

En la sentencia se afirma en primer lugar que él consentimiento no podía considerarse suficientemente informado:

> 112. En opinión del Tribunal, este enfoque no es compatible con los principios de respeto a la dignidad y a la libertad humanas consagrados en el Convenio y la exigencia de consentimiento informado establecida en los documentos internacionales a los que se hace referencia más arriba. En particular, no se desprende de los documentos presentados que la demandante estuviera plenamente informada sobre su estado de salud, el procedimiento propuesto y las alternativas a la misma. Además, al solicitar a la demandante su consentimiento para dicha intervención, mientras ella estaba de parto y poco antes de la realización de una cesárea, está claro que no le permitió tomar una decisión por su propia voluntad, después de examinar todas las cuestiones pertinentes y como hubiera querido, después de haber reflexionado sobre las implicaciones y discutido el asunto con su pareja.

Por ello, la esterilización, que constituye la mayor injerencia en el estado de salud reproductiva de una persona, debe considerarse ilegítima y, dadas las circunstancias en que se practicó, debe considerarse una verdadera tortura.

> 119. A pesar de no haber indicaciones de que el equipo médico actuó con intención de maltratar a la demandante, ellos, no obstante, actuaron sin tener en consideración el Derecho que tiene, como paciente, a la autonomía y a la elección. Para el Tribunal, el trato al que fue sometida, como se describe an-

teriormente, alcanzó el nivel de gravedad necesario para entrar en el ámbito del artículo 3.

Además, según él TEDH la conducta de los médicos supone al mismo tiempo una violación del respeto a la vida privada, entendido en su sentido más amplio como respeto a la identidad de la persona.

Tomando como punto de partida esta última decisión y tomando en consideración las dos anteriores, así como la jurisprudencia más reciente del TEDH, me parece necesario destacar la importancia que el artículo 8 del CEDH, sobre el Derecho al respeto de la vida privada y familiar, ha ido adquiriendo con el paso del tiempo por su notable influencia en los ordenamientos internos.

Esta norma, que en un principio sólo se aplicaba en los casos en los que se planteaba una cuestión de respeto a la vida privada en sentido estricto y, por tanto, a las decisiones relacionadas con el desarrollo de la personalidad en el contexto de la propia existencia, ha cobrado una importancia creciente, hasta el punto de convertirse en una norma a través de la cual se protege la dignidad humana.

En esta última sentencia, recogiendo la jurisprudencia anterior, se lee:

> 138. «La vida privada» es un término amplio, que abarca, inter alia, los aspectos físicos, psicológicos, de identidad social de un individuo, tales como el Derecho a la autonomía y el desarrollo personal, el Derecho a establecer y desarrollar relaciones con otros seres humanos y el Derecho al respeto por la decisión de ambos de tener o no tener un hijo (véase Evans contra el Reino Unido [GS] TEDH 2006, 19, núm. 6339/05, ap. 71, TEDH 2007-IV; o EB contra Francia [GS], núm. 43546/02, ap. 43, 22 de enero de 2008).
> 139. El principal objeto del artículo 8 es proteger al individuo contra las injerencias arbitrarias de las autoridades públicas. Cualquier injerencia en el primer párrafo del artículo 8 deberá ser justificado en términos del segundo párrafo, es decir, como «de acuerdo con la Ley» y «necesaria en una sociedad democrática» para uno o más de los objetivos legítimos enumerados en el mismo. La noción de necesidad implica que la injerencia corresponde a una necesidad social imperiosa y, en particular, que es proporcional a uno de los objetivos legítimos perseguidos por las autoridades (véase, por ejemplo, A, B y C contra Irlanda [GS], núm. 25579/05, apds. 218-241, 16 de diciembre de 2010).

El respeto a la vida privada se ha convertido, por tanto, en una norma clave en la protección del individuo, ya que puede abarcar múltiples aspectos de la identidad física y social de la persona y se extiende en particular a los aspectos relativos a la identidad personal. Él concepto de vida privada no se puede limitar al círculo interior, en el que el individuo puede vivir su propia vida personal sin interferencias externas, excluyendo a los demás de su propia vida, sino que debe abarcar también él Derecho a llevar una vida privada social, es decir, la posibilidad de establecer y desarrollar relaciones con los demás y con el mundo exterior, incluidas las actividades profesionales[10]. La importancia del artículo 8 en esta clave interpretativa ha adquirido

---

[10] Se debe tener en cuenta STEDH, 5 de septiembre de 2017 Asunto Bărbulescu c. Romania (Demanda nº 61496/08) ECLI: CE:ECHR:2017:0905JUD006149608. Se lee: "70. En esta fase de su examen considera útil subrayar que "vida privada" es un término amplio que no puede ser objeto de una definición exhaustiva (véase Sidabras y Džiautas contra Lituania, nº 55480/00 y nº 59330/00, párrafo 43, CEDH 2004 VIII). El artículo 8 del Convenio protege el Derecho al desarrollo personal (véase K.A. y A.D. contra Bélgica, nº 42758/98 y nº 45558/99, párrafo 83, 17 de febrero de 2005), ya sea en términos de personalidad (véase Christine Goodwin contra el Reino Unido [GC], nº 8957/95, párrafo 90, CEDH 2002-VI) o de autonomía personal, que es un principio importante que subyace a la interpretación de las garantías del artículo 8 (véase Pretty contra el Reino Unido, nº 2346/02, párrafo 61, CEDH 2002-III). El Tribunal reconoce que toda persona tiene Derecho a la privacidad, lejos de las miradas no deseadas (véase Smirnova contra Rusia, nº 46133/99 y nº 48183/99, párrafo 95, CEDH 2003 IX —extractos—). También considera que sería demasiado restrictivo limitar la noción de "vida privada" a un "círculo interno" en el que el individuo puede vivir su propia vida personal como desee, excluyendo así por completo el mundo exterior no comprendido en ese círculo (véase Niemietz contra Alemania, 16 de diciembre de 1992, párrafo 29, Serie A nº 251 B). Así pues, el artículo 8 garantiza un Derecho a la "vida privada" en sentido amplio, incluido el Derecho a llevar una "vida social privada", es decir, la posibilidad de que el individuo desarrolle su identidad social. A este respecto, el Derecho en cuestión consagra la posibilidad de acercarse a los demás para establecer y desarrollar relaciones con ellos (véase Bigaeva contra Grecia, nº 26713/05, párrafo 22, 28 de mayo de 2009, y Özpınar contra Turquía, nº 20999/04, párrafo 45 in fine, 19 de octubre de 2010).
71. El Tribunal considera que la noción de "vida privada" puede incluir las actividades profesionales (véase Fernández Martínez contra España [GC], nº 56030/07, párrafo 110, CEDH 2014 —extractos—, y Oleksandr Volkov contra Ucrania, nº 21722/11, párrs. 165-66, CEDH 2013), o las actividades que tienen lugar en un contexto público (véase Von Hannover contra Alemania (nº 2) [GC], nº 40660/08 y nº 60641/08, párrafo 95, CEDH 2012). Las restricciones a la vida profesional de una persona pueden caer en el ámbito del artículo 8 cuando repercuten en la manera en que construye su identidad social a desarrollar relaciones con los demás. Cabe señalar a este respecto que es en el curso de su vida laboral cuando la mayoría de las personas tienen una oportunidad significativa, si no la mayor, de desarrollar relaciones con el mundo exterior (véase Niemietz, citado anteriormente, párrafo 29)".
V., también, STEDH 17 de octubre de 2019, Asunto López Ribalda y otros contra España (demanda 1874/13 y 8567/13) ECLI: CE:ECHR:2018:0222JUD000058813.

una dimensión capital, hasta el punto de que esta norma también ha sido decisiva en todas las sentencias sobre gestación por sustitución, a las que me referiré en las páginas siguientes y con referencia específica al interés superior del menor.

Por último, aunque ha tenido una relevancia significativa la Convención sobre la eliminación de todas las formas de discriminación contra la mujer, de 18 de diciembre de 1979, no podemos olvidar la famosa STEDH, 25 de julio de 2017[11], cuya cuestión principal gira en torno a la indemnización debida a una mujer por las graves lesiones que sufrió como consecuencia de una intervención quirúrgica chapucera y, en particular, a la decisión del Tribunal de segunda instancia que había reducido considerablemente la indemnización basándose en un motivo manifiestamente discriminatorio.

En diciembre de 1993, una mujer ingresó en el servicio de ginecología de un hospital portugués, donde se le diagnosticó una afección ginecológica. Siguiendo un estando de infección, a principios de 1995, durante una consulta, se le propuso una intervención quirúrgica. El 21 de mayo de 1995 fue ingresada para ser intervenida quirúrgicamente de la glándula de Bartolino del lado izquierdo. El 22 de mayo de 1995 se le extirparon ambas glándulas, situadas a ambos lados de la vagina. En fecha desconocida, tras recibir el alta hospitalaria, empezó a experimentar dolores intensos y pérdida de sensibilidad en la vagina. También sufría incontinencia urinaria, tenía dificultades para sentarse y caminar, y ya no podía mantener relaciones sexuales. En fecha desconocida, se enteró durante una exploración en una clínica privada de que el nervio pudendo izquierdo había resultado dañado durante la operación.

El 26 de abril de 2000, la demandante interpuso una acción civil contra el Tribunal Administrativo de Lisboa reclamó una indemnización en concepto de reparación del daño moral y material. El tribunal estimó la demanda y reconoció a la mujer el Derecho a una indemnización por los daños y perjuicios sufridos de 80.000 euros.

El tribunal de segunda instancia, sin embrago, redujo el resarcimiento del daño sufrido por la mujer a 50.000 euros por las siguientes razones: a) sus problemas no eran nuevos: el único efecto de la intervención quirúrgica fue agravar una situación ya difícil, lo que debe tenerse en cuenta a la hora de evaluar los daños y perjuicios; b) la demandante era madre de dos

---

11 STEDH, 25 de julio de 2017, Asunto Carvalho Pinto De Sousa Morais C. Portugal (ECLI: CE:ECHR:2017:0725JUD001748415).

hijos y tenía ya 50 años; además a su edad el sexo ya no puede considerarse tan importante. Por ello, la mujer recurre al TEDH.

Según el TEDH, esta suposición refleja una visión tradicional de la sexualidad femenina —esencialmente vinculada a las funciones reproductivas de la mujer— e ignora su importancia física y psicológica para el desarrollo personal de la mujer. No sólo es, en cierto modo, moralizante, sino que tampoco tiene en cuenta los demás aspectos de la sexualidad femenina en el caso concreto de la demandante. En otras palabras, en el presente asunto, el Tribunal Supremo Administrativo formuló una presunción general sin tratar de verificar su validez en el caso particular de la demandante, que tenía cincuenta años en el momento de la operación en cuestión.

Además, el TEDH señala el grave contraste entre la posición adoptada con respecto a la demandante y la adoptada en dos sentencias dictadas en 2008 y 2014 relativas a dos recursos interpuestos por dos hombres, uno de cincuenta y cinco años y otro de cincuenta y nueve, que alegaban ser víctimas de una negligencia médica. En ambos casos, el Tribunal Supremo de Justicia consideró que el hecho de que los hombres ya no pudieran mantener relaciones sexuales normales había dañado su autoestima y les había causado una "terrible conmoción" y un "grave traumatismo psíquico"; además, y esto es de gran importancia, en ninguno de los dos casos el tribunal consideró apropiado reducir la medida de indemnización dada la edad de los dos hombres.

Según el TEDH el razonamiento del Tribunal Supremo Administrativo condujo a una diferencia de trato basada en el sexo y la edad de la demandante, lo que equivale a una violación del artículo 14 en relación con el artículo 8.

4. CONVENCIÓN SOBRE LA ELIMINACIÓN DE TODAS LAS FORMAS DE DISCRIMINACIÓN CONTRA LA MUJER (CEDM) DE 18 DICIEMBRE 1979

Pasemos ahora a los Tratados de Derechos humanos de las Naciones Unidas y empezamos por la Convención sobre la eliminación de todas las formas de discriminación contra la mujer, de 18 de diciembre de 1979 (en adelante CEDM) que, es obvio decir, gira integralmente en torno a la afirmación de los Derechos de las mujeres.

Como ya he anticipado, esta Convención tuvo gran importancia en modificaciones sustanciales del Derecho de familia español e italiano, pero ha tenido, asimismo, un gran protagonismo a la hora de realizar la igualdad entre hombres y mujeres.

Un primer ámbito en el que la Convención tuvo una importancia significativa se refiere a la cuestión de los títulos nobiliarios. Como es sabido de sobra, la disciplina de los títulos nobiliarios fue reformada, teniendo en cuenta la CEDM[12], con la Ley 33/2006, de 30 de octubre, sobre igualdad del hombre y la mujer en el orden de sucesión de los títulos nobiliarios (LITN), que eliminó sustancialmente el principio de la preferencia en la sucesión del título a la línea masculina, que, en cambio, todavía se mantiene a nivel constitucional, en el art. 57, apartado 1, en relación con la sucesión al trono, en la que se sigue prefiriendo "el varón a la mujer".

La primera sentencia del Tribunal Supremo español que merece ser mencionada es STS 15626/1989 de 28 de abril[13], que, incluso antes de que se modificara la ley de títulos nobiliarios, derogó esencialmente la legislación vigente en la parte que preveía la preferencia del varón a la mujer.

En particular, el Tribunal Supremo denunció la inaplicación de la Convención de Nueva York de 18 de diciembre de 1979, ratificada por España el 16 de diciembre de 1983 y, considerando discriminatorio el principio de masculinidad, estimó su derogación por inconstitucionalidad sobrevenida, con referencia a las sucesiones en títulos nobiliarios producidas a partir de la promulgación y vigencia de la Constitución Española.

El alto Tribunal tenía que determinar la preferencia entre los cuartos abuelos de los litigantes, que, al ser hijos de un mismo padre, se encontraban en igualdad de línea y grado, y, en particular, tenía que establecer si el Derecho al título nobiliario debe concederse a la hija mayor en lugar del hijo nacido más tarde.

---

12 Se lee en las exposiciones de motivos: "Esta plena igualdad del hombre y la mujer en todas las esferas jurídicas y sociales se reconoce en la Convención para la Eliminación de Todas las Formas de Discriminación contra la Mujer, adoptada en Nueva York el 18 de diciembre de 1979, y ratificada por España en 1984. El principio de plena igualdad entre hombres y mujeres debe proyectarse también sobre las funciones meramente representativas y simbólicas, cuando éstas son reconocidas y amparadas por las leyes.".

13 STS 15626/1989 de 28 de abril. Ponente: Alfonso Barcala Trillo-Figueroa - ECLI: ES:TS:1989:15626.

Se lee él la sentencia:

> "En efecto, este Tribunal Supremo en sus Sentencias de 20 de junio y 27 de julio de 1987 —obligado a ello por las expresas alusiones a la vigencia del principio de masculinidad, aducidas "in voce» y por escrito en los respectivos recursos— anticipó el criterio, que hoy reitera y proclama firme y solemnemente, como "causa decidendi» del recurso y cuestión de fondo en él planteada, que en la sucesión de títulos nobiliarios el principio de masculinidad o preferencia del hombre sobre la mujer, en igualdad de línea y grado, ha de estimarse discriminatorio y en consecuencia abrogado por inconstitucionalidad sobrevenida. Artículo 14 y Disposición derogatoria 3.a de la Constitución española, y, como luego veremos, Convención de Nueva York, de 18 de diciembre de 1979, ratificada por España el 16 de diciembre de 1983 y publicada en su integridad en el "Boletín Oficial del Estado» de 21 de mayo de 1984, que ha pasado a ser Derecho interno, preceptivo y vinculante en materia de "eliminación de todas las formas de discriminación de la mujer», con la única salvedad expresa de "las disposiciones constitucionales en materia de sucesión a la Corona española». Derecho interno preceptivo y vinculante en virtud de lo dispuesto taxativamente por el artículo 96.1 de la Constitución ("Los Tratados internacionales válidamente celebrados, una vez publicados en España, formarán parte del ordenamiento interno») y articulo 1.5 del Código Civil ("Las normas jurídicas contenidas en los Tratados internacionales no serán de aplicación directa en España en tanto no hayan pasado a formar parte del ordenamiento interno mediante su publicación integra en el "Boletín Oficial del Estado"»)".

Esta sentencia es de gran importancia porque, al apartarse precisamente del Convenio de 1979, al que hace una referencia expresa, acaba por derogar la legislación vigente e impone, aunque sea a nivel jurisprudencial, el principio de igualdad entre hombres y mujeres en la sucesión de los títulos nobiliarios. Reiteran tal doctrina las sentencias de 22 de marzo de 1991[14] y 24

---

14 STS 1763/1991, de 22 de marzo. Ponente: Rafael Casares Cordoba. ECLI: ES:TS:1991:1763, en cuyo fundamento segundo se lee: "De modo que, en todo caso, también ha de predicarse, con la mejor doctrina, la eficacia derogatoria de la Constitución — con ello se rechaza el motivo segundo del recurso— respecto de cualquier disposición y con mayor razón de las normas singulares reguladoras de un privilegio, no reconducible interpretativamente al marco constitucional, cuando su persistencia da lugar a una discriminación, esto es, una distinción de trato que, como dice el Tribunal Europeo de Derechos Humanos en Sentencias de 23 julio 1968 y 27 octubre 1975, carezca de justificación objetiva y razonable que actúe como elemento diferenciador. Y esta justificación diferenciadora no lo es, en modo alguno, la naturaleza, varón-mujer, cuya permanencia discriminatoria a la hora de aspirar a una dignidad, cargo o privilegio, aparece como una mineralización de tan tradicionales como insostenibles reglas, cuando no signo

de enero de 1995[15], aunque matizan que no puede tener efecto retroactivo dicho efecto derogatorio.

En el marco de este mismo asunto, quisiera destacar dos sentencias del Tribunal Supremo español, por su particular relevancia en materia de contratos una y de Derecho de Sucesiones, la otra. Sin embargo, hay que señalar que estas dos sentencias son posteriores a la entrada en vigor de la nueva Ley 33/2006 de Títulos Nobiliarios, y en ellas se plantea un problema de Derecho transitorio suscitado por el apartado tercero de la disposición transitoria única de la citada ley, cuyo texto originario fue modificado por la Ley 15/2015, de 2 de julio[16].

La primera sentencia es la STS 248/2012[17], en la que el Tribunal Supremo debe pronunciarse sobre la demanda de una mujer que impugnaba la validez de la escritura de cesión del título nobiliario que su madre había realizado a favor de su hermano menor. En concreto, la demandante entendía que se le debía reconocer su mejor Derecho por primogenitura a detentar el título en virtud de lo dispuesto en la Constitución Española, en la Convención de 1979, ratificada por España en 1984, y en la Ley 33/06 que proscribe la discriminación por razón de sexo.

Era necesario examinar si la transmisión del título nobiliario realizada por la madre, conforme a la legislación vigente con anterioridad a la entrada en vigor de la LITN, podía quedar sujeta a la aplicación de la nueva

---

de intolerancia a erradicar, porque es sabido que no hay racionalidad posible sin la aplicación de idénticos criterios a las situaciones objetivas del mismo tipo".

15 STS 255/1995, de 24 de enero. Ponente: Teofilo Ortega Torres. ECLI: ES:TS:1995:255.

16 Él apartado 3, antes de la modifica, tenía este texto: "3. No obstante lo previsto por el apartado 1 de esta disposición transitoria, la presente Ley se aplicará a todos los expedientes relativos a Grandezas de España y títulos nobiliarios que el día 27 de julio de 2005 estuvieran pendientes de resolución administrativa o jurisdiccional, tanto en la instancia como en vía de recurso, así como a los expedientes que se hubieran promovido a partir de aquella fecha, en la cual se presentó la originaria proposición de ley en el Congreso de los Diputados. La autoridad administrativa o jurisdiccional ante quien penda el expediente o el proceso concederá de oficio trámite a las partes personadas a fin de que aleguen lo que a su Derecho convenga de conformidad con la nueva Ley en el plazo común de cinco días.". Lo que cambia es lo siguiente, que he subrayado en él texto anterior: "así como a los expedientes que se hubieran promovido entre aquella fecha, en la cual se presentó la originaria proposición de Ley en el Congreso de los Diputados, y el 20 de noviembre de 2006, fecha de entrada en vigor de la presente Ley".

17 STS 248/2012 de 16 de enero - ECLI: ES:TS:2012:248.

ley, en virtud de la disposición transitoria única, apartado 3. Para resolver la cuestión era necesario partir de la distinción establecida por el Tribunal Constitucional entre irretroactividad propia e impropia, para determinar qué tipo de irretroactividad establece la DT única de la LITN. En esta materia el Tribunal Constitucional[18] ha distinguido entre aquellas disposiciones legales que con posterioridad pretenden anudar efectos a situaciones de hecho producidas o desarrolladas con anterioridad a la propia ley y ya consumadas, que ha denominado de retroactividad auténtica, y las que pretenden incidir sobre situaciones o relaciones jurídicas actuales aún no concluidas, que ha denominado de retroactividad impropia.

La DT única, apartado 3 de la LITN contempla una retroactividad que responde al tipo de retroactividad impropia, por cuanto incide en situaciones o relaciones jurídicas aún no definitivamente consagradas o agotadas. Partiendo de esta premisa, el Tribunal Supremo[19] afirma que en el caso que nos ocupa, el supuesto debía considerarse sometido a la nueva disciplina, dado que la transmisión de la posesión del título producida por la cesión no es una situación definitivamente agotada o consolidada.

La razón por la que la cesión de un título nobiliario no produce una situación jurídica definitiva radica en sus propias características. La cesión de un título nobiliario es un negocio jurídico gratuito, no conlleva la modificación o novación del orden sucesorio que corresponde seguir al título cedido y los llamados a suceder con preferencia al cesionario deben prestar su aprobación a la cesión, lo que supone la dejación por estos del Derecho al título que permite la ocupación de este por el cesionario.

Sobre la base de estos argumentos, el Tribunal Supremo considera ineficaz la cesión:

> La cesión de títulos nobiliarios efectuada con arreglo a la legislación vigente con anterioridad a la entrada en vigor de la LITN, en la que regía la aplicación del principio de varonía, se encuentra en el ámbito objetivo de aplicación retroactiva de la DT única, apartado 3 LITN, dado que la transmisión de la

---

18 STC, del Pleno, 27/1981, de 20 de julio de 1981 - ECLI: ES:TC:1981:27.

19 STS 2016/2008, de 3 de abril. Ponente: Juan Antonio Xiol Rios. ECLI: ES:TS:2008:2016, con la que se fija como doctrina jurisprudencial que: "la disposición transitoria única, apartado 3, de la Ley 33/2006, de 30 de octubre (RCL 2006, 1969), sobre igualdad del hombre y de la mujer en el orden de sucesión de los títulos nobiliarios se refiere no solo a los expedientes administrativos sobre títulos nobiliarios y a los recursos Contencioso-Administrativos contra las resoluciones dictadas por la Administración, sino también a los procesos entablados ante el orden jurisdiccional civil".

> posesión del título producida por la cesión no es una situación definitivamente agotada o consolidada.... La integración del título, conforme a lo dispuesto en el artículo 2. II LITN, implica que, con arreglo al orden regular de sucesión y atendiendo al principio de primogenitura —dado que los litigantes se encuentran en igualdad de línea y de grado—, la demandante, por ser la primogénita de la última poseedora —eliminados los efectos del principio de varonía— es la llamada a suceder con preferencia al demandado.
> En consecuencia, la cesión del título a favor del demandado queda viciada por la falta de la aprobación expresa de la demandante, que exige el artículo 12 del RD de 27 de mayo de 1912, y debe declararse la nulidad de dicha cesión administrativa, efectuada por Dña Carlota, en escritura pública de 22 de octubre de 1984, a favor del demandado, D. Miguel Ángel, que obtuvo la Real Carta de Sucesión el 23 de abril de 1985, y declarar el mejor y preferente Derecho de la demandante a la posesión del título

Aunque inspirada exactamente en los mismos principios, la solución adoptada por una sentencia posterior, STS 5094/2011[20], en la que se discutía la validez de un testamento en el que el padre atribuía el título nobiliario a su hijo, en lugar de a su hija mayor, fue exactamente la contraria.

La demandante y recurrente, reclamó, el 17 de noviembre de 2006, frente a sus dos hermanos menores, varones, los títulos nobiliarios de Marqués y Vizconde, de los que fue el último poseedor el padre de todos ellos. La atribución de los títulos a los dos hermanos varones demandados se hizo por el padre de los litigantes en testamento, en el que distribuyó los tres títulos de la siguiente forma: dos al hijo varón de mayor edad (el título principal y otro título) y uno al hijo varón de menor edad. La demandante, que es la primogénita, fue excluida de la distribución. El testamento se otorgó en el año 1974, el padre de los litigantes falleció en el año 1982 y las Reales Cartas de Sucesión les fueron otorgadas a los demandados en los años 1983 y 1985.

También en este caso, como en él anterior, hay que establecer si la nueva legislación podría aplicarse al caso, en virtud de la DT única, apartado 3 de la LITN que, como hemos dicho, es considerada por el Tribunal constitucional una norma de irretroactividad impropia.

Según el TS la distribución de títulos nobiliarios consiste en la facultad que tiene el poseedor de dos o más títulos que tenga más de un hijo, para distribuirlos — con la aprobación real. Acarrea, por lo tanto, una alteración del orden sucesorio normal e implica la novación del orden sucesorio primeramente establecido en la concesión, mediante la creación de nue-

---

20 STS 5094/2011, de 4 de julio - ECLI: ES:TS:2011:5094.

vas cabezas de línea sucesoria. La creación de una nueva cabeza de línea representada por los designados implica que, desde el momento en el que se hace efectiva la distribución, los descendientes de la persona que constituyó esa cabeza de línea tienen Derecho preferente a los de cualquier otra línea, antes de que se hubiese llevado a efecto la distribución.

Razonando de esta forma, hay que concluir que la distribución de títulos nobiliarios es definitiva y no puede verse afectada por la ley sobrevenida, siendo fuera del alcance de aplicación de la DT única, apartado 3.

> El acto de la distribución de los títulos no está en el ámbito objetivo de la retroactividad que contempla la DT única, apartado 3 LITN, dado que esta no incluye las situaciones consolidadas, sino que resulta aplicable la DT única, apartado 1, LITN con arreglo a la cual una transmisión no se reputa inválida por el hecho de haberse realizado al amparo de la legislación anterior.
> ... La distribución de los títulos hecha en testamento por el antecesor común de los litigantes, en 1974, se ajustó a los requisitos establecidos por la ley vigente en el momento de realizarse, por lo que el acto de la distribución quedó agotado con el ejercicio de la facultad, y produjo plenos efectos en el momento en el que se otorgaron las Reales Cartas de sucesión por distribución a favor de los dos demandados, en 1983 y en 1985, también ajustadas a la ley entonces vigente. Con ellos se crearon nuevas cabezas de línea agotando los efectos de la declaración de voluntad inicial mediante la modificación del régimen sucesorio de los títulos afectados.

El reparto de los títulos debe considerarse definitivo y, por tanto, no susceptible de ser modificado por la nueva ley y por la norma transitoria, porque el testamento, aunque redactado en 1974, entró en vigor en 1983, es decir, cuando se abrió la sucesión. El caso habría sido diferente si la sucesión se hubiera abierto en 2006, es decir, después de la entrada en vigor de la nueva ley. En ese caso, la distribución de los títulos nobiliarios, aunque hubiera sido realizada por el testador en 1974, no habría pasado a ser definitiva como consecuencia de la norma transitoria.

Finalmente, la última sentencia a la que quiero referirme es una sentencia del Tribunal Constitucional italiano de 2017[21], que se pronunció sobre la inconstitucionalidad de una ley regional de la provincia de Bolzano sobre el llamado "maso chiuso".

---

[21] Corte costituzionale, 14 luglio 2017, n. 193 - Pres. Grossi - Rel. Carosi (ECLI: IT:COST:2017:193). La sentencia se puede leer en *Famiglia e diritto*, 2/2018, pp. 121-126, con nota de BARBA, V.: "Maso chiuso tra tradizione sudtirolese e princípi identificativi del sistema ordinamentale", *Famiglia e diritto*, 2018, 2, pp. 126-141.

El "maso chiuso" es una explotación agrícola familiar con autonomía económica, compuesta por edificios, campos, prados, bosques y pastos, cuya regulación se encomendó inicialmente a la Ley de la Provincia Autónoma de Bolzano n. 33, de 25 de julio de 1978, y, posteriormente, a la Ley Provincial n. 17, de 28 de noviembre de 2001.

Se pide al Tribunal Constitucional italiano que se pronuncie sobre la legitimidad de la ley de 1978, que, aunque derogada por la ley de 2001, sigue aplicándose a todas las sucesiones abiertas antes de la entrada en vigor de la ley del 2001. Según la ley de 1978, en la sucesión legal de un "maso chiuso" siempre debía preferirse el hijo varón a la hija mujer. El Tribunal Constitucional italiano, partiendo de la idea de que esta norma, aunque tiene su propia historia y relevancia, la declaró constitucionalmente ilegítima, precisamente, por ser contraria a la Convención de la NU de 1979 y a la Constitución italiana.

En la sentencia se lee:

> In tale prospettiva, l'orientamento risalente non può essere oggi condiviso alla luce del principio di parità tra uomo e donna, il quale assume primazia indefettibile nella valutazione degli interessi di rango costituzionale sottesi all'esame della presente questione. L'evoluzione sociale e normativa intervenuta dopo la richiamata sentenza n. 40 del 1957 è inequivocabile, così da ritenere irreversibilmente superata l'applicazione del maggiorascato e —quel che qui più interessa— della prelazione maschile alla successione nell'assunzione del maso chiuso, la quale risulta quindi in contrasto con l'art. 3 Cost.

El Tribunal Constitucional no se limita a decir únicamente en qué medida el maso chiuso puede considerarse compatible con el ordenamiento jurídico italiano, es decir, qué adaptaciones normativas son necesarias para que se ajuste a los principios y valores normativos vigentes, sino que indica, con carácter más general, el control que el jurista está obligado a realizar respecto de cualquier otra institución jurídica, no sólo cuando es de tradición interna, sino más aún cuando procede de otros ordenamientos jurídicos, en virtud de la aplicación de una ley extranjera posibilitada por una disposición del d.i.p. o cuando se importa como consecuencia de un acto de autonomía privada.

Es necesario averiguar qué rasgos caracterizan su identidad, distinguiéndolos de las normas específicas, que marcan su regulación. En la medida en que los rasgos que caracterizan a la institución jurídica sean coherentes con los principios y valores normativos existentes, la institución tiene pleno derecho a la ciudadanía. En caso de contrariedad, la adaptación es indispensable.

El principio de prevalencia de los hijos varones sobre las hijas mujeres en la asignación del "maso chiuso", aunque pueda responder a una tradición de la institución jurídica, no puede ser aceptado en un ordenamiento jurídico en el que el principio de igualdad entre hombres y mujeres es un valor fundamental, también por los convenios internacionales. El ordenamiento jurídico no puede tolerar que se dicte ni una sola norma contraria a los derechos humanos y, entre ellos, la afirmación del principio de igualdad entre hombres y mujeres.

Aunque al principio de este escrito dije abiertamente que daría un sesgo puramente jurisprudencial, creo que es imprescindible, aunque sólo sea para notas lapidarias y fragmentarias, precisar que la CEDM ha asumido una importancia clave a nivel de la legislación europea, ya que fue la impulsora de la Directiva 2004/113/CE, de 13 de diciembre, por la que se aplica el principio de igualdad de trato entre hombres y mujeres en el acceso a bienes y servicios y a su suministro (Directiva 2004/113/ CE).

La importancia de esta directiva no requiere explicación, sobre todo si consideramos que por primera vez introduce el principio de igualdad en la materia de negociación y, en particular, en el contrato que, históricamente, se considera el reino de la libertad y, por tanto, un espacio normativo en el que es difícil coordinar autonomía y heteronomía. Todo esto ha impuesto un nuevo desafío al jurista contemporáneo: comprobar cómo combinar la autonomía negocial y el principio de no discriminación[22].

Esa Directiva ha sido transpuesta en Italia por el Decreto Legislativo 196/2007[23], de 6 de noviembre[24] y en España por la Ley Orgánica

---

[22] BARBA, V.: *Principio de no discriminación y contrato,* Colex, A Coruña, 2023 e *ivi* una amplia bibliografía.

[23] CHECCHINI, B.: *Discriminazione contrattuale e dignità della persona,* Giappichelli, Torino, 2019, p. 90 ss.

[24] Cabe señalar que el Decreto Legislativo 196/2007 traspone la Directiva 2004/113/ CE no introduciendo una ley nueva e independiente, sino modificando y completando el Decreto Legislativo 198/2006, de 11 de abril de 2006, Código de Igualdad de Oportunidades entre Hombres y Mujeres (en adelante: Decreto Legislativo 198/2006 o Código de Igualdad entre Hombres y Mujeres). En particular, el Decreto Legislativo 196/2007 introduce en el Código de Igualdad entre hombres y mujeres el Título II 2-bis, titulado "Igualdad de trato entre hombres y mujeres en el acceso y suministro de los bienes y servicios" (artículos de 55-bis a 55-decies). Por este motivo, aunque, desde un punto de vista formal, la disposición legislativa que transpone la Directiva 2004/113/CE es el Decreto Legislativo 196/2007, des-

3/2007[25], de 22 de marzo, que desarrolla el principio de igualdad de trato entre hombres y mujeres en lo que se refiere al acceso a bienes y servicios y a su suministro (en adelante LOIHM) y en fechas recientes Ley 15/2022, de 12 de julio, Integral para la igualdad de trato y no discriminación (en adelante, LIIT) y, finalmente, la Ley 4/2023, de 28 de febrero, para la igualdad real y efectiva de las personas trans y para la garantía de los Derechos de las personas LGTBI.

Las implicaciones del principio de no discriminación por razón de sexo o género en materia de contrato y negociación son muy amplias, hasta al punto que él mismo concepto de contrato o, mejor dicho, el concepto de autonomía, creo que exige un replanteamiento derivado, precisamente, de la incidencia de dicho principio. Como no puedo desarrollar aquí con detalle la idea y sus implicaciones, diré únicamente que afecta no solo a las negociaciones precontractuales, sino también el contenido del contrato y la ejecución, exigiendo al jurista un examen de los instrumentos de protección, es decir, de los remedios, con el fin de identificar, según los casos, aquel remedio que mejor se adapte a la protección de los intereses en juego. No sólo la nulidad del contrato o la nulidad parcial, sino también la responsabilidad, la modificación del contenido del contrato de acuerdo con la equidad o la buena fe, y la indemnización de daños y perjuicios. Para mayores detalles, me remito a un trabajo por extenso sobre el tema que, no obstante, no agota ni mucho menos uno de los temas más sugerentes en la nueva disciplina del contrato[26].

5. CONVENCIÓN SOBRE LOS DERECHOS DEL NIÑO, 20 DE NOVIEMBRE DEL 1989

Singular es, a los efectos que nos ocupan, la estructura de la Convención sobre los Derechos del Niño, que ni siquiera incluye la palabra "niña" en su denominación original, lo que me parece que merece ser destacado, sobre todo porque es un tratado diez años posterior a la CDEM. Es más, no hay ninguna referencia explícita a la niña, salvo en un considerando, en el que se afirma que las niñas constituyen un colectivo especialmente vulnerable.

---

de un punto de vista sustantivo la regulación está contenida en el Decreto Legislativo 198/2006 o Código de igualdad de oportunidades entre hombres y mujeres.

25 AGUILERA RULL, A.: *Contratación y diferencia. La prohibición de discriminación por sexo y origen étnico en el acceso a bienes y servicios*, cit., p. 238 ss.

26 BARBA, V.: *Principio de no discriminación y contrato*, cit., *passim*.

Con todo, la influencia de este Convenio en el Derecho civil ha sido decisiva sobre todo para el concepto de interés superior del menor[27], a la luz del cual se ha reinterpretado todo el Derecho de familia de los estados parte, en un intento de superar la visión adulto-céntrica que históricamente ha caracterizado este ámbito del Derecho.

En mi opinión, además, la especial aportación de este Convenio, desde una perspectiva de género, y su más importante influencia en los últimos años es, sin duda, la jurisprudencia que se ha producido, al unísono, en España e Italia sobre la gestación por sustitución. Me refiero, respectivamente, a las conocidas sentencias STS 277/2022 de 31 marzo (ECLI: ES:TS:2022:1153) e Cass. SS UU., 30 diciembre 2022, n. 38162.

Ambas sentencias afirman que la maternidad se determina a través del nacimiento y, por tanto, que es madre la mujer que da a luz. Sin querer entrar en el fondo de las sentencias, que requeriría mucho tiempo y mucha argumentación, me limito a observar que niegan la posibilidad de constituir la maternidad por la mera declaración y que la única forma de constituir la relación de paternidad o maternidad, en ausencia de una relación genética, es la adopción.

Sólo me queda señalar que estas soluciones, independientemente de si son aceptables o no, fueron adoptadas por los dos Tribunales Superiores, invocando el interés superior del menor. Sobre este punto me circunscribo a observar que la referencia al interés superior del menor no siempre es acertada y además no me parece correcto que el interés del menor deba prevalecer a priori.

Decir que a priori el interés del menor está por encima de todos los intereses que puedan estar implicados y que a priori todos los demás intereses deben necesariamente sucumbir ante él es incorrecto. Es necesaria siempre una ponderación adecuada[28], en cuya realización debe garantizar-

---

27 Entre muchos, ESCOBAR GALLARDO, P., y HERNÁNDEZ CÁDIZ, M.V.: *Interés superior del niño principio general del Derecho,* Editorial Hammurabi, Chile, 2018, p. 3 ss.; GARCÍA RUBIO, M.P.: "¿Qué es y para qué sirve el interés del menor?" *Actualidad Ibérico Americana,* 2020, n. 13, pp. 14-49; SENIGAGLIA, R.: *Autodeterminazione e minore età. Itinerari di diritto minorile,* Pacini, Pisa, 2019; p. 3 ss. BARBA, V.: "Autonomía progresiva e interés de la persona menor de edad", *Revista Cubana de Derecho,* n. 2 (julio-diciembre 2023), pp. 65-117; LENTI, L.: "Note critiche in tema di interesse del minore", *Rivista di diritto civile,* 2016, pp. 87, 93.

28 GARCÍA RUBIO, M.P.: "¿Qué es y para qué sirve el interés del menor?", cit., p. 25: «en caso de colisión o conflicto de intereses lo primero que ha de procurarse

se siempre que el interés superior de la persona menor de edad tenga la máxima prioridad. Esto no significa que tenga prioridad absoluta, ya que debe valorarse en función de cada caso concreto.

La Corte de casación italiana mantiene que la prohibición del GPA constituye un principio de orden público internacional y que por tanto no es posible reconocer un acto de nacimiento o una resolución extranjera que acredite la filiación a favor de los padres comitentes. De ahí, el único medio para determinar la filiación respecto del progenitor de intención es la institución italiana de la "adopción en casos particulares"[29]. Según la Corte de Casación, este instrumento debe considerarse coherente con las indicaciones ofrecidas por el Tribunal Europeo[30]. En primer lugar, la adopción en casos especiales, tras la sentencia del Tribunal Constitucional italiano 79/2022[31], crea una relación jurídica familiar similar a la que crea la adopción plena. En segundo lugar, para superar la crítica de que la adopción en casos especiales requeriría el consentimiento necesario del progenitor de intención, la Corte de Casación ofrece una interpretación evolutiva de esta regla. Precisa, de hecho, que el desacuerdo del progenitor genético no impide la adopción por parte del progenitor de intención, si responde concretamente al interés superior del menor. Con esta interpretación se excluye que el consentimiento del progenitor genético sea determinante

---

es el compromiso entre todos ellos, compromiso adecuado al caso concreto; en el supuesto de que dicho compromiso no sea posible, el interés del menor tiene la máxima prioridad y no puede ser meramente una de tantas cosas a tener en cuenta, por lo tanto, es evidente que el interés del menor ni es el único que ha de ser tenido en cuenta ni su consideración ha de ser, necesariamente, superior a la de otros intereses dignos de protección que también pueden tener la máxima prioridad y que incluso pueden ser los de otro menor».

29 Esta institución está regulada en el art. 44 de la ley italiana sobre la adopción, Ley 4 de mayo de 1983, n. 184.

30 Dictamen Consultivo del TEDH ("Grande Chambre") de 10 de abril de 2019 (demanda n. P16-2018-001) (consultable en: https://hudoc.echr.coe.int/eng#{%22itemid%22:[%22003-6380431-8364345%22]})

31 Esta importante sentencia del Tribunal Constitucional italiano (Corte costituzionale, 24 de febrero de 2022, n. 79 - ECLI: IT:COST:2022:79) ha declarado inconstitucional el artículo 55 de la Ley n. 184, de 4 de mayo de 1983, en la medida en que establece, por remisión al artículo 300, apartado 2, del Código Civil, que la adopción en casos particulares no induce a ninguna relación civil entre el adoptado y los parientes del adoptante. En consecuencia, la adopción en casos especiales ya no limita la relación entre adoptado y adoptado, pues implica el establecimiento de relaciones de parentesco entre el adoptado y todos los parientes del adoptado.

y esencial para llevar a cabo la adopción. Finalmente, queda la cuestión de la velocidad del mecanismo. Si bien la Corte afirma que el mecanismo debe considerarse adecuado, la argumentación es, desde este punto de vista, incompleta, ya que se sabe que no puede considerarse rápido y que, en la actualidad, sigue siendo un procedimiento que requiere un período importante de tiempo para que se complete.

La solución finalmente adoptada por el Tribunal de Casación, aunque todavía no puede considerarse plenamente satisfactoria, porque, desde mi punto de vista, persiste el problema de la insuficiencia del instrumento en relación con la velocidad de establecimiento de la relación parental, supera, al menos, el problema de la separación de trato respecto de la adopción plena y el obstáculo del consentimiento necesario del progenitor genético.

El último paso sería acelerar el proceso de adopción, para que pueda concluir en un tiempo suficientemente corto. A la espera de esto, o de una solución diferente que se espera del Parlamento, lo cierto es que, si bien se niega el reconocimiento del acto extranjero o de la resolución extranjera, se ha adoptado esencialmente una solución que permite la posibilidad de determinar la filiación con respecto al progenitor de intención. Una solución salomónica que, negando en abstracto la ciudadanía a la gestación por sustitución, que sigue siendo fuertemente condenada por el ordenamiento jurídico italiano, y negando toda posibilidad de reconocer los efectos de una gestación por sustitución creada en el extranjero, permita establecer la relación de filiación con el progenitor de intención.

Merece la pena hacer una última observación conclusiva. En todos estos supuestos suponemos que uno de los comitentes es también progenitor genético del niño nacido. En este caso, el mecanismo adoptado tanto en la sentencia italiana como en la española puede funcionar, aunque con las limitaciones señaladas. El problema, sin embargo, queda completamente sin respuesta en el supuesto de que ninguno de los comitentes sea el progenitor genético. En este supuesto, me parece dudoso que el mecanismo de la adopción pueda funcionar y no está nada claro cuál podría ser la respuesta del ordenamiento jurídico. En general, creo que en España hay, en todo caso, posibilidades de reconocimiento, aunque la última sentencia podría complicar el asunto; en Italia, en cambio, creo que no hay margen para resolver la cuestión. Por tanto, creo que el interés del menor no puede bastar en abstracto y que otros principios, como el fundamental art. 8 del CEDH antes mencionado, no pueden ofrecer mucha ayuda, con el paradójico resultado de que la influencia de los Derechos humanos está destinada a desvanecerse en estos supuestos.

Otra sentencia interesante, en la que se aplica la CDN con trascendencia mi juicio relevante desde una perspectiva de género es STS 587/2011 de 20 julio[32].

Dª Belen interpuso demanda de protección de honor e intimidad frente a su suegra, Dª Noemi, por las manifestaciones realizadas por esta relativas a que la hija de la demandante no era de su marido, sino que era fruto de una relación extramarital. Se plantea así un problema de colisión entre el Derecho al honor y la intimidad y la libertad de expresión e información, que debe solventarse a través de la técnica de la ponderación. Más allá de la difícil cuestión de la ponderación de estos dos intereses, respecto de la cual la sentencia reviste gran interés por indicar los criterios con arreglo a los cuales debe llevarse a cabo dicha ponderación, toma debidamente en consideración el interés del menor.

Desde esta perspectiva, la información y la opinión no pueden mantener su prevalencia sobre el honor del ofendido pues ningún interés tiene para el público en general ni para nadie en particular, el conocer la filiación de una persona, salvo para el propio hijo, Derecho que podría tener amparo en el artículo 39 CE y que es reconocido en el artículo 7 de la Convención sobre los Derechos del niño de 20 de noviembre de 1989 y en el artículo 12 de la Ley de Adopción Internacional 54/2007 de 28 de diciembre. Cuando además el hecho se dice de una persona casada, no solo se está comprometiendo el honor de la ofendida sino podría estar comprometiéndose el de su marido, que goza de una presunción legal (117 CC) de paternidad, al atribuir a su mujer una relación extramatrimonial del que habría nacido un hijo.

6. CONVENCIÓN SOBRE LOS DERECHOS DE LAS PERSONAS CON DISCAPACIDAD HECHA EN NUEVA YORK EL 13 DE DICIEMBRE DE 2006

La importancia de esta Convención es conocida por todos y su influencia en el Derecho civil ha sido absolutamente determinante, hasta el punto de que, como había anunciado MARIA PAZ GARCÍA RUBIO[33], antes de la reforma del Derecho español, debía suponer un giro copernicano en

---

32 STS 587/2011 de 20 julio (ECLI: ES:TS:2011:5754).

33 GARCÍA RUBIO, M.P.: "Algunas propuestas de reforma del Código Civil como consecuencia del nuevo modelo de discapacidad. En especial en materia de suce-

la legislación interna de los Estados parte. Ni que decir tiene, porque los lectores lo conocen perfectamente, que esta Convención no tiene la misma relevancia en todos los países europeos y, entre ellos, en Italia es sabido de sobra que ha suscitado muy poco interés tanto en la doctrina como en el legislador, que parece desinteresado por cualquier adaptación del Derecho civil.

No quiero volver sobre las pocas sentencias que se han dictado en Italia sobre el tema, la primera de las cuales ya he tenido ocasión de comentar en otro lugar[34].

Por el contrario, la importancia de esta Convención en España fue fundamental y determinó el cambio radical en los Derechos de las personas con discapacidad que instrumentalizó la muy conocida y explicada, aunque no siempre bien aplicada, Ley 8/2021, de 2 de junio, por la que se reforma la legislación civil y procesal para el apoyo a las personas con discapacidad en el ejercicio de su capacidad jurídica.

Sin embargo, lo que quiero señalar es que la influencia de la Convención en el ordenamiento jurídico español fue anterior a la propia reforma legal, aunque con diferente intensidad. En este sentido, aunque pueda parecer un análisis puramente histórico, me gustaría señalar una sentencia que me parece ilustrativa de la influencia de esta Convención en el Derecho español, antes de la reforma.

Quiero referirme a la STS 146/2018 de 15 marzo[35], en un caso que concierne la validez de dos testamentos otorgados por una mujer, ante de que se declarase su incapacidad, asumiendo los demandantes que la demandada no tenía capacidad bastante para otorgar los referidos testamentos al tiempo de su formalización. El TS desestima el recurso con el que se pide la anulación de los testamentos y lo hace a través de una interpretación de las normas a luz de la Convención.

El principio de presunción de capacidad, que ya resultaba de nuestro ordenamiento (art. 10 CE, art. 322 CC, art. 760.1 LEC, ha quedado refor-

---

siones, contratos y responsabilidad civil" *Revista de Derecho civil*, 2018, n. 3, (julio-septiembre), p. 173.

34 BARBA, V.: "Adopción de una mujer con discapacidad. Por fin la jurisprudencia italiana reconoce la importancia de la CDPD" en *Mujer, discapacidad y Derecho*, de BEATRIZ VERDERA IZQUIERDO (dir.), & JOAN ANDREU FERRER GUARDIOLA (coord.), Tirant lo Blanch, Valencia, 2023, pp. 87-106.

35 STS 146/2018 de 15 marzo (ECLI: ES:TS:2018:936).

zado por la Convención sobre los Derechos de las Personas con Discapacidad, hecha en Nueva York el 13 de diciembre de 2006. La Convención proclama como objetivo general el de promover, proteger y asegurar el goce pleno y en condiciones de igualdad de todos los Derechos humanos y libertades fundamentales por todas las personas con discapacidad, así como promover el respeto de su dignidad inherente (art. 1).

En consecuencia, se desestima el recurso asumiendo que no cabe basar la falta de capacidad para testar ni por analogía ni por interpretación extensiva de otra incapacidad.

La sentencia me parece importante porque demuestra que los convenios internacionales en los que se afirman los Derechos humanos pueden asumir una importancia determinante incluso antes de su transposición o antes de que se produzca una modificación del sistema de Derecho legislado. La importancia de la interpretación conforme a los principios y valores establecidos en las Convenciones internacionales, establecida explícitamente en la Constitución Española (art.10.2) e implícitamente en la Constitución Italiana, exige siempre una lectura del Derecho vigente conforme a dichas convenciones, aunque ello suponga una interpretación evolutiva, distinta de la anterior, o una interpretación en la que el respeto de la letra se hace menos decisivo, ya que debe darse prevalencia a la función que la norma asume sobre la base de nuevas Convenciones Internacionales sobre Derechos humanos.

Pues bien, mientras que la sentencia del Tribunal Supremo que acabo de mencionar me parece de gran importancia porque demuestra la relevancia que los Convenios Internacionales de Derechos humanos pueden tener sobre los Derechos civiles nacionales, también a nivel interpretativo, permitiendo nuevas exégesis de acuerdo con los principios y valores afirmados, justo en la posición contraria y como contrapunto me gustaría mencionar dos sentencias del TEDH, en las que me parece que se ha obviado por completo la importancia de la CDPD.

Esto es aún más grave si tenemos en cuenta no sólo que el TEDH no puede, en ningún caso, prescindir de un Convenio internacional tan importante, sino especialmente que tanto los países miembros del Consejo de Europa, como propia Unión Europea ha ratificado la CDPD y que se trata del primer tratado internacional ratificado por la Unión Europea a nivel comunitario.

Las dos sentencias a las que me refiero son muy decepcionantes, porque el TEDH ignora totalmente la CDPD, como si estos instrumentos internacionales no constituyeran un complemento imprescindible y actualizado del CEDH muchas décadas anterior, lo que podría haber llevado a decisiones muy diferentes.

En la STEDH de 11 de mayo de 2021[36] la madre de una mujer con una discapacidad psíquica recurre al Tribunal de Estrasburgo para que declare que la ley y las autoridades españolas habían actuado de forma discriminatoria al impedir que su hija pudiera ejercer su derecho al voto en las elecciones debido a su discapacidad. No cabe duda de que la legislación española de la época impedía a la mujer votar en las elecciones, pero tampoco cabe duda de que el TEDH pudiera haber admitido una interpretación diferente a la que adoptó, ya que una persona con discapacidad no puede ser discriminada por razón de su discapacidad y debe participar en la vida política, jurídica, económico y social en igualdad de condiciones que las demás. A pesar de ello, el TEDH, sin dar apenas relevancia a la CDPD, desestimó el recurso asumiendo que no había ninguna violación del principio de no discriminación por parte del estado español.

> 59. The Court reiterates that the presumption in a democratic State must be in favour of the inclusion of all, and that universal suffrage is the basic principle (see Hirst (no. 2), cited above, § 59; Sitaropoulos and Giakoumopoulos, cited above, § 67, and Scoppola (no. 3), cited above, § 82). This does not mean, however, that Article 3 of Protocol No. 1 guarantees to persons with a mental disability an absolute right to exercise their right to vote. Under this provision, these persons are not immune to limitations of their right to vote, provided that the limitations comply with the conditions set out above (see paragraphs 58 and 59 above). It is not for the Court to express an opinion on whether Article 29 of the CRPD imposes stricter obligations on the States that are parties to that convention. For the purpose of the interpretation of Article 3 of Protocol No. 1, the Court notes the fact that there is at present no consensus among the States Parties to Protocol No. 1 in the sense of an unconditional right of persons with a mental disability to exercise their right to vote. On the contrary, a majority of these States seems to allow for restrictions based on the mental capacity of the individual concerned (see paragraph 27 above).
> 61. By contrast, the Court has accepted as legitimate the aim of "ensuring that only citizens capable of assessing the consequences of their decisions and making conscious and judicious decisions should participate in public affairs" (ibid., § 38).

Sin embargo, se destaca el voto peculiar de Lemmens, quien precisamente pone de manifiesto el conflicto con la interpretación que hace el Comité de los Derechos de las Personas con Discapacidad sobre el contenido de los arts. 12 y 29 de la CDPD.

---

[36] STEDH de 11 de mayo de 2021. Asunto Caamaño Valle v. España. ECLI: CE:ECHR:2021:0511JUD004356417.

> I must admit from the outset that the majority's opinion is based on solid reasoning and that it is in line with the Court's existing case-law.[1] I believe, however, that the interpretation of the Convention in this area requires updating, and that an updated interpretation would necessarily lead to a different outcome in the present case.

La ironía del caso está en que mientras el TEDH mantiene la opinión expresada, incluso antes de su decisión el legislador español realiza esa adaptación legal y, en consecuencia, procede en el sentido contrario a lo que la resolución mantuvo (LO 2/2018, de 5 de diciembre, para la modificación de la LO 5/1985, de 19 de junio del Régimen Electoral General, para garantizar el Derecho de sufragio de todas las personas con discapacidad). Con el paradójico resultado de que en España la reforma legislativa se antepuso a la interpretación adaptativa, demostrando la insuficiencia de que la decisión del TEDH, que se queda muy corta.

El segundo caso al que quiero referirme lo resuelve la STEDH 18 de mayo de 2021[37] y se refiere a un supuesto de incapacitación relativa de una mujer. El caso concreto es muy particular tanto por los hechos como por el tipo de decisión que adoptaron los tribunales internos luxemburgueses, que acabaron acordando una medida de limitación del ejercicio de la capacidad de una mujer más allá de los supuestos expresamente regulados en el Derecho interno.

El recurso fue iniciado por una anciana que años antes había conocido a un joven con el que entabló una relación de confianza que fue definida como similar a la existente entre abuela y nieto. El tribunal de Luxemburgo dispuso una medida de "protección" de la mujer, ya que supuso que la anciana no era incapaz de actuar, pero sí necesita ser asistida y aconsejada en los actos de la vida civil, pues se trata de una persona vulnerable que después de su relación con el joven había tomado decisiones que no sabía justificar y que comprometían su patrimonio. Precisó que los gastos extraordinarios, las obras de renovación de uno de los inmuebles de la mujer, la retirada de dinero de sus cuentas de ahorro, la venta de bienes o la constitución de una sociedad requerían el acuerdo del curador.

La mujer inicia el procedimiento ante el TEDH alegando la violación del referido art. 8 CEDH.

---

[37] STEDH 18 de mayo de 2021. Asunto M.K. c. Luxemburgo. ECLI: CE:ECHR:2021:0518JUD005174618.

El TEDH opina que la medida d la curatela era adecuada y no constituye una injerencia en la vida privada de la mujer. Entiende que las autoridades luxemburguesas se han esforzado en atender al equilibrio entre el respeto a la dignidad y la autodeterminación de la anciana y la necesidad de protegerla y salvaguardar su interés; en consecuencia, la interferencia es proporcional y adaptada a la situación de vulnerabilidad de la interesada.

El verdadero problema de esta sentencia radica en que el TEDH no tuvo en cuenta la CDPD, y se limitó a una interpretación aislada del CEDH, de nuevo ignorando la necesaria protección en red de los Derechos humanos a través de todos los convenios internacionales señalados.

Según la CDPD, las personas con discapacidad deben tomar siempre las decisiones por sí mismas y la única medida que puede ordenarse es la de apoyo en el ejercicio de la capacidad jurídica. El titular de apoyo no puede en ningún caso tomar decisiones en nombre y por cuenta de la persona, sino únicamente asistirla y ayudarla para que la persona pueda tomar decisiones por sí misma. Además, cabe señalar que, según la CDPD, cualquier medida de apoyo nunca debe atender al interés superior de la persona con discapacidad, sino que debe garantizar la plena realización de los deseos, preferencias y voluntad de la persona con discapacidad.

Desde este punto de vista, la decisión del TEDH no puede ser compartida, porque ignora por completo los principios de la CDPD y considera conforme al CEDH, aislado de la CDPD, una medida de "protección" de la persona con la que se limita sustancialmente su ejercicio de la capacidad.

Por último, me gustaría recordar una sentencia del TEDH, en la que se presta especial atención a un niño con discapacidad, que, como la propia CDPD señala en varias ocasiones, necesita el máximo cuidado y protección debido a múltiples factores de vulnerabilidad. En la STEDH, 10 septiembre 2020[38] se condena a Italia a indemnizar los daños y perjuicios sufridos por los padres de una niña autista no verbal, que no tuvo, aunque sí tenía Derecho, apoyo escolar especializado durante sus dos primeros años en la escuela primaria. En su primer año de escuela primaria, la niña no gozó de esta asistencia especializada y al final del año, se decidió que repitiera el curso.

El Gobierno italiano no hizo nada a pesar de las numerosas solicitudes presentadas por los padres de la niña.

---

[38] STEDH, 10 septiembre 2020. Asunto G.L: contra Italia. ECLI: CE:ECHR:2020:0910JUD005975115.

Los progenitores, ante el inmovilismo del Estado, que no tomaba ninguna medida de apoyo escolar para su hija, y con el fin de evitar que se repitiera la experiencia del año anterior y, por tanto, que su hija no aprobara el curso, decidieron contratar y pagar personalmente a una persona que pudiera ayudar y apoyar a su hija durante las clases. En consecuencia, los progenitores solicitaron al Tribunal Administrativo italiano una indemnización por los daños sufridos. Mediante Sentencia de 27 noviembre 2012, el Tribunal administrativo regional italiano rechazó este recurso y estimó que el ayuntamiento había iniciado las gestiones necesarias a tiempo y tuvo en cuenta que la región había tenido que hacer frente a una reducción de los recursos concedidos por el Estado. Esta sentencia fue confirmada por el Consejo de Estado Italiano.

El TEDH observa, en primer lugar, que el sistema jurídico italiano garantiza, al menos en abstracto, el Derecho al aprendizaje de los niños en situación de discapacidad como una forma de educación inclusiva en las escuelas ordinarias. La tarea del Tribunal es, por tanto, verificar si las autoridades internas cumplieron, efectivamente, con las obligaciones que les correspondían en virtud del artículo 14 de la CDPD, relacionado con el artículo 2 del Protocolo núm. 1, respecto de los demandantes dentro de los límites de su margen de apreciación y si llevaron a cabo ajustes razonables para asegurarle a la niña el disfrute de los Derechos garantizados por el artículo 2 del Protocolo núm. 1 relacionado con el artículo 14.

> El Tribunal considera, de este modo, que el artículo 14 del Convenio debe interpretarse a la luz de las exigencias enunciadas en los textos mencionados y concretamente de la CDPD (véase el apartado 26 supra). Conforme a este instrumento, los "ajustes razonables" que las personas discapacitadas tienen derecho a esperar son "las adaptaciones y ajustes necesarios y apropiados que no impongan una carga desproporcionada o indebida", realizados "en función de las necesidades de una situación dada" para garantizar a esas personas "el disfrute o el ejercicio, en igualdad de condiciones que los demás, de los derechos humanos y las libertades fundamentales" (artículo 2, apartado 26, supra), y la discriminación basada en la discapacidad "comprende toda forma de discriminación, incluida la denegación de ajustes razonables".

Sobre la base de estas consideraciones, el TEDH condenó a Italia a pagar una indemnización por daños y perjuicios a los padres de la niña, asumiendo que se había producido una violación del artículo 14 Convenio en relación con el artículo 2 del Protocolo núm. 1. En particular, condena a Italia a abonar a los padres 2.520,00 euros en concepto de perjuicio material, 10.000,00 euros en concepto de daño moral y 4.175,00 euros en concepto de costas y gastos.

La sentencia merece ser destacada porque, contrariamente a lo que había sucedido en el Derecho interno, en el que se afirmaba esencialmente que el Estado italiano no era responsable por no haber ofrecido un apoyo escolar adecuado a una niña con una discapacidad grave, el Tribunal Europeo de Derechos Humanos llegó exactamente a la conclusión contraria, afirmando que esta conducta, en la medida en que restringía los Derechos humanos debía ser censurada. Además, la sentencia es muy importante porque, a diferencia de las anteriores (STEDH 18 de mayo de 2021; STEDH de 11 de mayo de 2021) propone una interpretación del CEDH a la luz de los principios de la CDPD y, por tanto, una interpretación de la discapacidad, ya no según un enfoque médico asistencial, sino según el nuevo enfoque social y de derechos humanos adoptado por la CDPD.

Una afirmación más de cómo la lectura de los mismos hechos a la luz de los Derechos humanos consagrados en los convenios y tratados internacionales influye en el Derecho civil, hasta el punto de permitir que se alcancen soluciones exactamente antitéticas a las que se llega sin tener en cuenta esa influencia.

7. DERECHOS HUMANOS Y NUEVA HERMENÉUTICA: DE LA TEORÍA DE LOS DERECHOS SUBJETIVOS A LA TEORÍA DE LOS REMEDIOS

Después del repaso que hemos hecho en los epígrafes precedentes, queda de manifiesto que la extraordinaria importancia e influencia de los Derechos humanos en el Derecho privado es incuestionable y, aunque aún estamos lejos de una plena afirmación y aplicación de estos, no se pueden ocultar los importantes avances que se han producido. El diálogo entre los tribunales nacionales e internacionales no sólo ha innovado el sistema, sino que también ha supuesto un impulso para nuevas reformas, proyectos de reformas y, sobre todo, una renovación del discurso de los juristas.

Sin embargo, aún queda mucho camino por recorrer, y en este difícil trecho no cabe duda de que todos y todas juristas tienen un importante papel que desempeñar y una responsabilidad que cumplir.

La jurisprudencia a la que me he referido, tanto la que ha aplicado plenamente los Derechos humanos, como la que, a través de una interpretación no siempre compartible, no ha dado a los Derechos humanos el espacio que necesitan, demuestra que, incluso antes de una reforma legislativa, siempre se puede lograr un cambio importante a través de la actividad interpretativa.

La afirmación de los Derechos humanos sancionados a nivel europeo e internacional por convenios y tratados exige un cambio importante de perspectiva y de método por parte de las y los juristas.No se trata tanto y no sólo de afirmar, lo que es reconocido de sobra por la doctrina y la jurisprudencia, el valor normativo de los tratados y, en consecuencia, el valor normativo de los principios y valores que en ellos se manifiestan, sino que se trata de cambiar el método con el que abordamos los retos y problemas contemporáneos.

Los Derechos humanos requieren un cambio metodológico importante respecto a aquél en el que se nos ha educado a los civilistas durante largas generaciones. El sistema normativo propio de los Códigos decimonónicos se fundaba esencialmente en la lógica del supuesto de hecho y, por tanto, en la teoría jurídica de la subsunción, según el cual era importante reconducir siempre el hecho concreto al supuesto de hecho descrito por la norma, para extraer después la consecuencia correspondiente. Este sistema, durante mucho tiempo, se consideró el único capaz y apto para garantizar la seguridad jurídica y sirvió para superar los particularismos que habían caracterizado al Derecho en la fase anterior a las codificaciones modernas.

El advenimiento de los tratados europeos y las constituciones largas cambia no sólo el sistema de fuentes, sino también necesariamente la teoría hermenéutica. El sistema de fuentes, complejo y abierto a las internacionales, requiere una nueva hermenéutica, que es a la vez sistemática y axiológica; lo primero porque hay que sistematizar un complejo de fuentes, y lo segundo porque el sistema expresa valores, que tenemos que realizar. La interpretación axiológica permite el control, de modo que la seguridad jurídica ya no está garantizada por la repetición de la solución, sino por su control sobre la decisión.

En definitiva, el sistema de principios y valores establecido en los Tratados y Convenios internacionales y luego en las Constituciones de la segunda mitad del siglo hace incompatible el método de la subsunción y exige pasar de un sistema basado únicamente en Derechos subjetivos a un sistema, más viene enfocado en los remedios.

Aunque no es posible, salvo de forma puramente teórica, distinguir el modelo basado en los Derechos del modelo basado en los remedios, y aunque ahora es superficial decir que *el primero es típico de los sistemas de civil law, mientras que el segundo es típico de los sistemas de common law*[39], difícilmente se puede ocultar que en todos los sistemas basados en los Derechos, en los que el Derecho (subjetivo) determina el alcance y el contenido de la protección, la ortodoxia de ellos deja espacio a las razones de los remedios[40]. Esta conexión con la teoría de los remedios conlleva consecuencias teóricas de no poca importancia y, entre ellas, podemos aislar al menos tres: el reconocimiento de que la autoridad judicial puede identificar rationes diferentes a las que contribuyeron a la atribución y configuración del interés protegido; una consecuente mayor discrecionalidad de la autoridad judicial y la prevalencia del criterio teológico sobre el literal-sistemático.

---

39 SAAVEDRA VELAZCO, R.: "¿Dónde existe un remedio, existe un Derecho? Apuntes sobre el aforismo *ubi remedium, ibi ius*", *Forseti. Revista De Derecho*, nº 3 (2019), p. 115, «cuando se usa el término tutela se expresa una reacción exógena a la situación comprometida, una reacción que únicamente se activa frente a algunas agresiones. Así las cosas, se distingue con claridad la existencia de la situación comprometida y la vía a través de la cual se la protege, toda vez que la tutela ofrecida tiene sólo por propósito la defensa de un aspecto concreto de la situación comprometida, mientras que el resto de sus facetas se defenderá con tutelas concebidas para reaccionar frente a esas otras agresiones... cuando en el Common Law se habla de remedio se recalca no sólo la vía a través de la cual se defenderá el interés conculcado, sino el procedimiento por el que se reconoce la propia existencia del Derecho. En síntesis, el remedio no se reduce a brindar el enforcement a un Derecho, en lugar de ello se erige —como sostuvo Holmes en el siglo XIX— en una predicción de cómo los tribunales resolverán, en última instancia, la controversia10 (o el enfoque del "bad man"); admitiéndose implícitamente que el interés merece una protección jurídica específica y no sólo su mera enunciación abstracta».

40 Para un ámbito muy concreto, resulta muy interesante el amplio estudio de OLIVA BLÁZQUEZ, F.: "El Derecho comparado como instrumento para la unificación y armonización internacional del Derecho de contratos", *Anuario de Derecho Civil*, LXXIV, n. IV (octubre-diciembre 2021), p. 1099 ss., que demuestra la importante influencia que ha tenido el Derecho comparado en la construcción del moderno Derecho supranacional de los contratos, siendo una herramienta básica para la unificación y armonización internacional del Derecho privado. El autor a p. 1132, afirma: «El common law y el sistema europeo-continental divergen de forma especialmente notable en la concepción del incumplimiento del contrato y del sistema de acciones-remedios derivados del mismo. El primero gira en torno al concepto unitario de breach of contract y de un sistema uniforme de remedies, mientras que en el segundo el propio concepto de incumplimiento es confuso y, además, el régimen de las acciones es difuso y disperso. ¿A qué se debe esta disparidad tan importante en el tratamiento de un fenómeno tan aparentemente símil? Pues, como señalaran Zweigert y Kötz, a la diferente forma en la que se contempla la relación jurídico-obligatoria en cada uno de los sistemas».

A partir de este importante camino, es opinión común que las protecciones ofrecidas por el ordenamiento jurídico ya no tienen que ajustarse rígidamente al Derecho vulnerado, confiando la identificación del interés protegido exclusivamente a la relación entre el Derecho subjetivo y la acción, sino que también pueden preceder a la enunciación del Derecho, según la locución latina ubi remedium, ibi ius. Todo ello ha conducido a una «progresiva redefinición de las competencias normativas entre el legislador y el juez judicial en beneficio de este último, que tiene la tarea de gobernar nuevas y diferentes raciones de las que han contribuido a definir la consistencia de la posición subjetiva conferida en abstracto ex ante»[41].

La creciente importancia de la teoría de los remedios se basa en el principio constitucional según el cual toda persona tiene Derecho a obtener la tutela efectiva para proteger sus Derechos e intereses legítimos (art. 24 Const. It. y art. 24.1 Const. Esp., pero también art. 13 CEDH y art. 47 Convención de Niza)[42], que configura la sede jurisdiccional como el lugar donde se satisface la necesidad de protección.

---

41 SMORTO, G.: "Sul significato di rimedi", *Europa e diritto privato,* 2014, 1, pp. 159-200. El autor a p. 200 concluye: «Tuttavia riconoscere le ragioni dei rimedi e il potere del giudice di tenerle in conto non significa ammettere un incontrollabile correttivo extralegale al contenuto del diritto, ma consentire all'ordinamento di fare ciò che ha sempre fatto: una valutazione delle attività umane al fine di ricollegarvi effetti giuridici, senza sacrificare reali bisogni di tutela in nome di illusorie ragioni di coerenza dogmatica».

42 MAZZAMUTO, S.: "La nozione di rimedio nel diritto continentale", *Europa e diritto privato,* 2007, n. 3, p. 588 s. «La prima comparsa della versione civilian del rimedio si presenta, dunque, come una conseguenza della discesa del principio di effettività di cui all'art. 24 Cost. e come un ripudio del concettualismo della tradizione continentale e degli antichi steccati tra diritto sostanziale e diritto processuale... La percezione che si ha del rimedio è ancora intuitiva, ma offre già alcuni essenziali elementi connotativi in linea con lo sviluppo storico della nozione: 1) il rimedio è espressione di un potere di reazione del singolo (o comunque presuppone l'impulso di parte) alla violazione di un ordine preesistente o alla sua inattuazione per il sopraggiungere di un ostacolo e, dunque, all'insorgere di un bisogno di tutela; 2) il bisogno di tutela si raccorda ad interessi che non sono necessariamente formalizzati in diritti soggettivi; 3) i rimedi costituiscono dispositivi tecnici immediatamente a ridosso del bisogno di tutela, che vengono distillati dall'intero armamentario concettuale del diritto sostanziale e processuale ed aspirano oramai ad una nuova tassonomia; 4) i rimedi vengono per lo più somministrati dal giudice sulla scorta di valutazioni che toccano persino l'adeguatezza, la proporzionalità, la ragionevolezza del rimedio medesimo».

El ordenamiento jurídico ya no se limita a identificar la consecuencia en caso de lesión del Derecho, sino que prevé la identificación de los intereses que merecen protección jurídica, sin establecer cuál debe ser el efecto en caso de vulneración y, más generalmente, su protección.

El remedio presupone un interés jurídico que ya ha sido valorado positivamente por el Derecho, pero que ha quedado insatisfecho, y se ofrece como medio para promover la satisfacción efectiva de ese interés. A diferencia de la teoría de los Derechos, en la que el ordenamiento jurídico no sólo identifica el interés, sino también la sanción contra el autor de la lesión, en la teoría de los remedios el ordenamiento jurídico identifica los intereses merecedores de protección, sin establecer previamente un efecto determinado. Esto significa que la teoría de los remedios, mucho más que la teoría de los Derechos requiere la actividad del intérprete, cuya tarea es establecer, en relación con los intereses protegidos, una consecuencia que sea efectiva, proporcionada y razonable.

Por otra parte, el remedio, al tener por objeto el restablecimiento de un orden jurídico violado o no realizado por la interposición incluso de un elemento externo (no necesariamente por una vulneración realizada por otros), es un instrumento puesto a disposición del particular ya sea por la ley o por la propia autonomía.

Con la teoría de los remedios, basada en el reconocimiento constitucional de la efectividad de la tutela, se hace indispensable discutir la razonabilidad y proporcionalidad de las consecuencias jurídicas. En la medida en que la consecuencia adversa para el autor de la conducta lesiva del interés era estrictamente establecida por el legislador, la función normativa se reducía a garantizar la realización de ese efecto. Cuando el ordenamiento jurídico no identifica de antemano la consecuencia adversa, sino sólo el interés protegido, se hace indispensable ponderar los intereses en juego, para identificar el efecto capaz de realizar el interés, que no necesariamente requiere protección en caso de vulneración (piénsese en las medidas cautelares, cuya disposición no se basa en una violación, sino en el riesgo de que se produzca).

Por lo tanto, todo el sistema de remedios debe replantearse desde una perspectiva funcional a la luz de los principios de proporcionalidad y efectividad, los criterios de adecuación y razonabilidad, los valores reconocidos por el Convenio Europeo de Derechos Humanos y, sobre todo, la necesidad de lograr un "juicio justo"[43] (art. 6 del CEDH). Los remedios son, en consecuencia, instrumentos de protección derivados de la normativa general o específica, que pueden extraerse de todo el armamento conceptual del Derecho sustantivo y procesal, pero que no pueden ser creados libremente por la autoridad judicial.

Los remedios se administran judicialmente sobre la base de valoraciones o ponderaciones que utilizan, sin perjuicio de la ineludible apreciación de los intereses, los criterios de adecuación, proporcionalidad y razonabilidad, sólo cuando lo permiten las normas específicas, las cláusulas generales o los principios directamente aplicables[44].

Los intereses, especialmente de naturaleza no patrimonial, no se prestan a la teoría de los Derechos, porque es difícil imaginar su protección en función de su lesión, sobre todo si tienen un alcance transversal que recorre todo el ordenamiento jurídico. El principio de no discriminación entre hombre y mujeres y más generalmente él principio de igualdad es un ejemplo evidente de lo que se acaba de decir. El ordenamiento jurídico identifica, mediante la técnica del principio, un interés que merece una amplia protección, sin identificar cuál es el efecto en caso de su vulneración, ya que también sería difícil pensar en todos los casos posibles de vulneración.

La transversalidad de un principio tan relevante y del valor que ese principio expresa solo puede protegerse según la lógica remedial, es decir, estableciendo que es un interés primario y que en todos los supuestos en los que es necesario ofrecer protección es posible experimentar todos aquellos efectos, primarios y secundarios, tomados de la constitución, los códigos, leyes especiales o del arsenal conceptual del Derecho sustantivo o procesal, que son potencialmente capaces de propiciar su realización.

---

43 PERLINGIERI, P.: *Il diritto civile nella legalità costituzionale secondo il sistema italo-europeo delle fonti, V, Tutela e giurisdizione,* 4 ed., Edizioni Scientifiche Italiane, Napoli, 2020, p. 73 ss.

44 MAZZAMUTO, S.: "La prospettiva dei rimedi in un sistema di civil law: il caso italiano", *Contratto e impresa* 2019, n. 3, p. 839, «La costruzione di un'idea più completa di rimedio segna un passo in avanti con la riflessione intorno al contratto che definisce i rimedi ad esso connessi come risposte a bisogni di tutela collegati alla procedimentalizzazione dell'affare nel rinnovato quadro del contratto, che non è più soltanto fonte di effetti (diritti di credito, diritti reali, garanzie, assistiti dai loro tipici mezzi di tutela) ma, per l'appunto, programma negoziale costellato di rimedi, che si ripropongono di eliminare i conflitti via via prodottisi nella formazione e nell'esecuzione del rapporto».

A partir de esta construcción conceptual, que constituye una representación sintética de la experiencia por la que atraviesan los ordenamientos jurídicos contemporáneos, también gracias al fuerte impulso de los Tratados y Convenios Europeos e Internacionales, es necesario plantearse los problemas jurídicos abordados, de está formas, respuestas nuevas y capaces de realizar un orden jurídico en él que los Derechos humanos sean no sólo formales sino sustantivos.

8. BIBLIOGRAFÍA

AGUILERA RULL, A.: Contratación y diferencia. La prohibición de discriminación por sexo y origen étnico en el acceso a bienes y servicios, Tirant Lo Blanch, Valencia, 2013.

ALEXY, R.:Teoría de los Derechos fundamentales. Traducción y estudio introductorio de C. Bernard Pullido, 2ª ed., Centro de estudios Politicos y Costitucionales, Madrid 2007.

ALFARO AGUILA-REAL, J.: "Autonomía privada y Derechos fundamentales", Anuario de Derecho Civil, 1993, pp. 57-122.

BARBA, V.: "Adopción de una mujer con discapacidad. Por fin la jurisprudencia italiana reconoce la importancia de la CDPD" en Mujer, discapacidad y Derecho, de BEATRIZ VERDERA IZQUIERDO (dir.), & JOAN ANDREU FERRER GUARDIOLA (coord.), Tirant lo Blanch, Valencia, 2023, pp. 87-106.

BARBA, V.: "Autonomía progresiva e interés de la persona menor de edad", Revista Cubana de Derecho, n. 2 (julio-diciembre 2023), pp. 65-117.

BARBA, V.: "Maso chiuso tra tradizione sudtirolese e princípi identificativi del sistema ordinamentale", Famiglia e diritto, 2018, 2, pp. 126-141.

BARBA, V.: Principio de no discriminación y contrato, Colex, A Coruña, 2023.

CARNELUTTI, F.: "Fedeltà coniugale e unità della famiglia", Rivista di diritto civile, 1962, I, p. 3 ss.

CHECCHINI, B.: Discriminazione contrattuale e dignità della persona, Giappichelli, Torino, 2019.

ESCOBAR GALLARDO, P.; HERNÁNDEZ CÁDIZ, M.V.: Interés superior del niño principio general del Derecho, Editorial Hammurabi, Chile, 2018.

FEMIA, P.: Drittwirkung: princípi costituzionali e rapporti privati. Un percorso nella dottrina tedesca, Edizioni Scientifiche Italiane, Napoli, 2018.

GARCÍA RUBIO, M.P.: "Algunas propuestas de reforma del Código Civil como consecuencia del nuevo modelo de discapacidad. En especial en materia de sucesiones, contratos y responsabilidad civil" Revista de Derecho civil, 2018, n. 3, (julio-septiembre), pp. 173-197.ç

GARCÍA RUBIO, M.P.: "¿Qué es y para qué sirve el interés del menor?" Actualidad Ibérico Americana, 2020, n. 13, pp. 14-49

GARCÍA RUBIO, M.P.: "La eficacia inter privatos (Drittwirkung) de los Derechos fundamentales", en AA. VV, Libro Homenaje a Ildefonso Sánchez Mera, de, Consejo General del Notariado, Madrid 2002, pp. 297-314.

GARCÍA RUBIO, M.P.: "Una lectura jurídica de Cinco horas con Mario" (1966, "Cinco horas con Mario". Edición publicada en 2018 en la colección Austral de la editorial Planeta, sello editorial Destino)", en Derecho y literatura en la novela de Miguel Delibes, de NOEMÍ SERRANO ARGÜELLO, Thomson Reuters Aranzadi, Cizur Menor (Navarra), 2020, pp. 205-233.

LENTI, L.: "Note critiche in tema di interesse del minore", Rivista di diritto civile, 2016, pp. 86-111.

MAZZAMUTO, S.: "La nozione di rimedio nel diritto continentale", Europa e diritto privato, 2007, n. 3, pp. 585-597.

MAZZAMUTO, S.: "La prospettiva dei rimedi in un sistema di civil law: il caso italiano", Contratto e impresa 2019, n. 3, pp. 831-845.

OLIVA BLÁZQUEZ, F.: "El Derecho comparado como instrumento para la unificación y armonización internacional del Derecho de contratos", Anuario de Derecho Civil, LXXIV, n. IV (octubre-diciembre 2021), pp. 1099-1260.

PERLINGIERI, P.: Il diritto civile nella legalità costituzionale secondo il sistema italo-europeo delle fonti, V, Tutela e giurisdizione, 4 ed., Edizioni Scientifiche Italiane, Napoli, 2020.

PERLINGIERI, P.: Il diritto civile nella legalità costituzionale secondo il sistema italo-europeo delle fonti, Vol. II, Fonti e interpretazione, 4 ed., Edizioni Scientifiche Italiane, Napoli, 2020.

SAAVEDRA VELAZCO, R.: "¿Dónde existe un remedio, existe un Derecho? Apuntes sobre el aforismo ubi remedium, ibi ius", Forseti. Revista De Derecho, nº 3 (2019), pp. 110-131.

SENIGAGLIA, R.: Autodeterminazione e minore età. Itinerari di diritto minorile, Pacini, Pisa, 2019.

SMORTO, G.: "Sul significato di rimedi", Europa e diritto privato, 2014, 1, pp. 159-200.

9. JURISPRUDENCIA

Tribunal Constitucional español

1. STC 1/2021, de 25 de enero. ECLI: ES:TC:2021:1.
2. STC, del Pleno, 27/1981, de 20 de julio de 1981 - ECLI: ES:TC:1981:27.

Tribunal Constitucional italiano

1. Corte costituzionale, 14 luglio 2017, n. 193 - Pres. Grossi - Rel. Carosi (ECLI: IT:COST:2017:193).
2. Corte costituzionale, 24 de febrero de 2022, n. 79 - ECLI: IT:COST:2022:79.

Tribunal Europeo de los Derechos Humanos

1. STEDH 16 de diciembre de 2010 (Caso A, B y C, contra Irlanda, Demanda n. 25579/05) ECLI: CE:ECHR:1985:0326JUD000897880.
2. STEDH 17 de octubre de 2019, Asunto López Ribalda y otros contra España (demanda 1874/13 y 8567/13) ECLI: CE:ECHR:2018:0222JUD000058813.
3. STEDH 18 de mayo de 2021. Asunto M.K. c. Luxemburgo. ECLI: CE:ECHR:2021:0518JUD005174618.
4. STEDH 8 de diciembre de 2009 (Asunto Muñoz Díaz C. España, Demanda Nº 49151/07) ECLI: CE:ECHR:2009:1208JUD004915107.
5. STEDH 8 de noviembre de 2011, (Asunto V.C. c. Eslovaquia Demanda núm. 18968/07) ECLI: CE:ECHR:2011:1108JUD001896807.
6. STEDH de 11 de mayo de 2021. Asunto Caamaño Valle v. España. ECLI: CE:ECHR:2021:0511JUD004356417.
7. STEDH, 10 septiembre 2020. Asunto G.L: contra Italia. ECLI: CE:ECHR:2020:0910JUD005975115.
8. STEDH, 25 de julio de 2017, Asunto Carvalho Pinto De Sousa Morais C. Portugal (ECLI: CE:ECHR:2017:0725JUD001748415).
9. STEDH, 5 de septiembre de 2017 Asunto Bărbulescu c. Romania (Demanda nº 61496/08) ECLI: CE:ECHR:2017:0905JUD006149608.
10. Dictamen Consultivo del TEDH ("Grande Chambre") de 10 de abril de 2019 (demanda n. P16-2018-001). Consultable en: https://hudoc.echr.coe.int/eng#{%22itemid%22:[%22003-6380431-8364345%22]})

Tribunal de Justicia de la Unión Europea

1. STJUE, 15 de enero de 2014. Asunto C-176/12. Association de médiation sociale contra Union locale des syndicats CGT, Hichem Laboubi, Union départementale CGT des Bouches-du-Rhône, Confédération générale du travail (CGT). ECLI: EU:C:2014:2
2. STJUE, 19 de abril de 2016. Asunto C-441/14. Dansk Industri (DI) v.Sucesores de Karsten Eigil Rasmussen. ECLI: EU:C:2016:278

Tribunal Supremo español

1. STS 146/2018 de 15 marzo. Ponente: Mª Angeles Parra Lucán. ECLI: ES:TS:2018:936.
2. STS 15626/1989 de 28 de abril. Ponente: Alfonso Barcala Trillo-Figueroa. ECLI: ES:TS:1989:15626.
3. STS 1763/1991, de 22 de marzo. Ponente: Rafael Casares Cordoba. ECLI: ES:TS:1991:1763.
4. STS 2016/2008, de 3 de abril. Ponente: Juan Antonio Xiol Rios. ECLI: ES:TS:2008:2016.
5. STS 248/2012 de 16 de enero - ECLI: ES:TS:2012:248.

6. STS 255/1995, de 24 de enero. Ponente: Teofilo Ortega Torres. ECLI: ES:TS:1995:255.
7. STS 5094/2011, de 4 de julio. ECLI: ES:TS:2011:5094.
8. STS 587/2011 de 20 julio. ECLI: ES:TS:2011:5754.

Libertad de asociación y principio de igualdad: reflexiones a propósito del caso de la **Esclavitud del Cristo**

Mª ELENA SÁNCHEZ JORDÁN
Catedrática de Derecho Civil
Universidad de La Laguna

A Teresita Laborda,
por su tesón y coraje

1. INTRODUCCIÓN

El presente trabajo tiene por objeto analizar la colisión entre dos derechos fundamentales garantizados en la Constitución (*Tol 173304*): el derecho de asociación, por un lado, y el de igualdad y no discriminación, por otro, conflicto que obliga a examinar, una vez más, la cuestión relativa al alcance de la autonomía privada en el ámbito del derecho de asociación —en concreto, en lo que atañe a su libertad de autoorganización—, así como la referida a la extensión del control judicial en materia de asociaciones y al ejercicio de ponderación que debe utilizarse para resolver el conflicto entre derechos fundamentales[1].

---

1 Se trata, en ambos casos, de cuestiones de las que se ha ocupado la doctrina a propósito del estudio de la eficacia de los derechos fundamentales entre particulares. Así, por ejemplo, entre muchas contribuciones, pueden destacarse las siguientes: ALFARO ÁGUILA-REAL, J., "Autonomía privada y derechos fundamentales", *Anuario de Derecho civil*, vol. 46, nº1, 1993, pp. 57 y ss.; GARCÍA RUBIO, "La eficacia *inter privatos* (*Drittwirkung*) de los derechos fundamentales", *Libro homenaje a Ildefonso Sánchez Mera*, vol. 1, Colegios Notariales de España, Madrid, 2002, pp. 297 y ss.; BILBAO UBILLOS, J.M., "Prohibición de discriminación y relaciones entre particulares", *UNED. Teoría y Realidad Constitucional*, nº 18, 2006, pp. 147 y ss. También se han analizado al hilo del examen concreto del alcance de la autonomía privada en relación con el derecho de asociación; *vid.*, por todos, FERRER RIBA, J. y SALVADOR CODERCH, P., "Asociaciones, democracia y *Drittwirkung*", en SALVADOR CODERCHI, P., FERRER RIBA, J. y VON MÜNCH, I., *Asociaciones, derechos fundamentales y autonomía privada*, Madrid, Civitas, 1997, pp. 55 y ss., y

La preocupación y el interés por la colisión entre estos derechos surge a raíz de la STS 925/2021, de 23 de diciembre (*Tol 8736742*), que estimó el recurso de casación interpuesto por la asociación religiosa demandada (la Pontificia, Real y Venerable Esclavitud del Santísimo Cristo de La Laguna, en adelante, la Esclavitud), en cuyos estatutos se impide a las mujeres asociarse, sentencia que ha sido recientemente anulada por la STC 132/2024, de 4 de noviembre (*Tol 10286987*), que resuelve a favor de la recurrente en amparo (demandante en la jurisdicción ordinaria), y declara que han sido vulnerados tanto su derecho a la no discriminación por razón de género como su derecho de asociación.

Para la adecuada comprensión de la cuestión planteada, se expondrá en primer lugar el supuesto de hecho que hace aflorar el litigio, para a continuación examinar el *iter* judicial seguido ante las distintas instancias de la jurisdicción ordinaria, dedicando una especial atención a la STS y a algunas de las que principales inconsistencias que se detectan en la misma, debilidades que son, en gran medida, las que llevan al TC a conceder a la demandante el amparo solicitado en su sentencia 132/2024 (*Tol 10286987*), que será objeto de estudio en último término.

2. LAS RESPUESTAS DE LA JURISDICCIÓN ORDINARIA

2.1. *El supuesto de hecho y las soluciones de primera y segunda instancia*

Resulta especialmente relevante dedicar unas líneas a la exposición del supuesto de hecho que da lugar al litigio que ha concluido con la estimación constitucional del amparo solicitado, ya que la STS 925/2021 (*Tol 8736742*) —anulada, como ya se ha dicho *supra*, por el TC—, funda su argumentación en una serie de precedentes jurisprudenciales que, sin embargo, se ocupan de supuestos de hecho distintos del que aquí nos ocupa, por lo que es de gran importancia delimitar los elementos fácticos del caso en cuestión. En este supuesto, el problema surge por la exclusión de las mujeres de la posibilidad de incorporarse como socias a la Esclavitud, asociación religiosa dotada de unos estatutos en cuyo art. 1 se dispone que "La Esclavitud del Santísimo Cristo de La Laguna es una asociación religiosa *de caballeros*...". Tras varios intentos infructuosos efectuados por distintas mujeres para ser admitidas como socias, la actora inicia su periplo judicial

---

ZUBERO QUINTANILLA, S., "Límites a la autonomía de la voluntad en las asociaciones privadas", *Anuario de Derecho civil*, vol. 71, nº 2, 2018, pp. 267 y ss.

solicitando, ante el Juzgado de primera instancia nº 2 de Santa Cruz de Tenerife, la declaración de nulidad del art. 1 de los estatutos de la asociación por vulnerar los derechos fundamentales de igualdad, no discriminación por razón de sexo y asociación.

La sentencia de primera instancia, con apoyo en abundante doctrina jurisprudencial tanto del TC como del TS en cuanto al alcance del derecho de autoorganización de las asociaciones, por una parte, y relativa al contenido esencial del derecho de asociación, por otra, realiza un ejercicio de ponderación entre dos de las dimensiones que presenta el derecho de asociación —la autoorganizativa, de un lado, y la vertiente *inter privatos*, entendida como derecho de los socios y de los aspirantes a serlo a no ser discriminados salvo que exista una justificación razonable para ello, de otro—. A partir de este modo de proceder, la juzgadora de instancia conecta el concepto de *base razonable*, elemento que permite limitar la facultad de autoorganización de la asociación, con el de posición privilegiada o dominante de la misma, y sostiene que, cuando se da esta última circunstancia, queda justificada —esto es, deviene razonable— la imposición de restricciones a aquella asociación que se sitúe en tal posición, justamente por el impacto que la exclusión podría tener sobre las oportunidades económicas y sociales de las personas discriminadas. En consecuencia, y haciendo particular hincapié en la posición privilegiada, de absoluto dominio y excluyente del resto de asociaciones que ostenta la Esclavitud en relación con todas las actividades religiosas, culturales y sociales relativas a la imagen del Cristo —tanto de las celebradas durante la Semana Santa en La Laguna, que es la ciudad de Tenerife con más tradición y relevancia pública de estos actos religiosos, como de las que tienen lugar durante las fiestas mayores que en honor al Cristo se celebran en la misma ciudad en el mes de septiembre—, la sentencia considera que la regla estatutaria que impide a la demandante ingresar en la asociación religiosa por la circunstancia de ser mujer no está justificada y que, además, carece de base razonable, "siendo por este motivo discriminatoria, de modo que la permanencia de la norma en los estatutos asociativos no puede ampararse en el derecho a la autonomía de la voluntad de la asociación", por lo que, siendo el motivo de exclusión "claramente contrario al derecho a la igualdad y al derecho a la no discriminación por razón de sexo, reconocidos en el art 14 de la CE (*Tol 173304*) y en los Tratados internacionales... y teniendo en cuenta la primacía, en nuestro caso, del derecho a la no discriminación por razón de sexo frente al derecho de autoorganización de la asociación demandada, procede declarar la nulidad del artículo primero de los Estatutos de la asociación demandada en la parte que excluye a la mujer como aspirante a ser socio de la misma, debiendo la asociación, por ello, remover los obstáculos que sean necesarios para facilitar su acceso" (F.D. 4º Sentencia del Juzgado de Primera Instancia nº 2 de Santa Cruz de Tenerife, de 11 de marzo de 2020, *Tol 7883681*).

La sentencia dictada en primera instancia, recurrida en apelación por la demandada, fue confirmada por la Audiencia provincial de Santa Cruz de Tenerife en sentencia de 22 de diciembre de 2020 (*Tol 9689740*). En su resolución, el tribunal no solo desestima íntegramente el recurso y reitera, entre otros argumentos, la notoria posición dominante de la asociación en los actos devocionales relacionados con el Cristo de La Laguna, sino que también precisa, en el fallo, que debe suprimirse el genitivo "de caballeros" del artículo 1 de los estatutos de la Esclavitud. La sentencia de la Audiencia es recurrida por la asociación demandada ante el TS mediante la interposición de un recurso extraordinario por infracción procesal y otro de casación, y, mientras que el primero es desestimado, el de casación se estima, por lo que el análisis de la sentencia dictada por el TS, al que se dedica el siguiente subepígrafe, se va a centrar únicamente en los principales argumentos empleados en dicha sentencia para acoger el recurso de casación.

2.2. La STS 925/2021, de 23 de diciembre: anotaciones críticas

La asociación demandante basa su recurso de casación en dos motivos: sostiene, por una parte, que la sentencia impugnada vulnera los arts. 22, 14 y 16 CE (*Tol 173304*), en relación con una serie de preceptos contenidos en la Ley Orgánica de Libertad Religiosa (*Tol 7171*), la Ley Orgánica 1/2002, de 22 de marzo, reguladora del Derecho de Asociación (en adelante, LODA, *Tol 143037*), el Acuerdo entre el Estado Español y la Santa Sede sobre asuntos jurídicos, y una serie de cánones del Código de Derecho Canónico (*Tol 709049*) e insiste en que el art. 1 de sus estatutos no infringe los derechos de asociación y no discriminación de la demandante. Por otra, considera que la sentencia recurrida contraviene tanto la jurisprudencia del TS que consagra el principio de autonomía y de autoorganización de las asociaciones de carácter religioso como la jurisprudencia sentada por el TEDH y el TJUE en la misma materia.

Partiendo de la base de que la controversia que se dirime en las distintas instancias —y que llega hasta el TC— es la relativa a la colisión entre el derecho de asociación y el principio de igualdad y no discriminación, el análisis de la STS se va a centrar en el tratamiento que en dicha sentencia se dispensa a dos aspectos claves: (i) al alcance del derecho de asociación, en su vertiente de facultad de autoorganización, y sus límites (o, expresado en otros términos, al alcance del principio de autonomía privada en el ámbito asociativo) y (ii) a la extensión del control judicial en materia de asociaciones y la necesaria actividad de ponderación que deben llevar a cabo los órganos judiciales cuando entran en conflicto derechos fundamentales.

2.2.1. El derecho de asociación y sus límites

En cuanto al alcance del derecho de asociación reconocido en el art. 22 CE (*Tol 173304*), la STS aborda esta cuestión distinguiendo la doble dimensión que conforma este derecho, que se concreta en el derecho de asociarse, por un lado, y en el derecho de las personas asociadas a establecer su propia organización, por otro, facetas que integrarían un principio más amplio, que es el principio de libertad[2]. Sin embargo, ha de tenerse en cuenta —y esta circunstancia no es tomada en consideración en la STS examinada— que este principio de libertad, que es coherente, además, con lo previsto en los arts. 9.2, 10 y 38 CE (*Tol 173304*) y 1.255 CC (*Tol 220310*), no es absoluto. Por un lado, porque, como afirma el propio TC en su STC 104/1999 (*Tol 81167*)[3], la CE (*Tol 173304*) reconoce a las asociaciones el derecho de organizarse libremente dentro de los límites previstos en el ordenamiento jurídico, admitiendo, por tanto, que el propio ordenamiento

---

2 Así, la propia STS 925/2021 (*Tol 8736742*), con cita de la STC 244/1991 (*Tol 81921*), destaca que el derecho de asociación se configura "como una de las libertades públicas capitales de la persona, al asentarse justamente como presupuesto en la libertad, viene a garantizar un ámbito de autonomía personal, y por tanto también el ejercicio con pleno poder de autodeterminación de las facultades que componen esa específica manifestación de la libertad".

3 En su F.J. II puede leerse que "El reconocimiento constitucional del derecho de asociación supone así la confirmación —y subsiguiente garantía— de la libertad que tienen los ciudadanos para fundar y participar en asociaciones. Ese derecho a asociarse se plasma, no sólo en la libre elección de los fines asociativos, sino también en la disponibilidad de organizarse libremente, sin otro tipo de condicionamientos que los dimanantes de los límites mismos que al efecto prevea el Ordenamiento jurídico. El aspecto central de la libertad de asociación va a situarse, por tanto, en la amplitud y extensión de esos límites, en función de los cuales se concretará la efectividad del derecho y el alcance de la libertad consustancial a su ejercicio. Por ello, esa libertad de asociación, calificada como derecho fundamental en la Constitución, dotado como tal de una más intensa protección previa y posterior, no tiene carácter absoluto y colinda con los demás derechos de la misma índole y los derechos de los demás, teniendo como horizonte último el Código Penal...".

puede establecer condicionantes a ese derecho de asociación. Y así, entre los límites constitucionalmente recogidos ha de mencionarse, en primer lugar, el principio de igualdad —contenido, como el de libertad, en el art. 9.2 CE (*Tol 173304*)—, principio que, como la libertad, es un valor superior del ordenamiento jurídico, encontrándose ambos reconocidos en el art. 1.1 CE (*Tol 173304*); en segundo término, ha de hacerse referencia al respeto a la dignidad humana, consagrada en el art. 10.1 CE (*Tol 173304*), que encabeza el Título que la norma suprema de nuestro ordenamiento dedica a los derechos y deberes fundamentales; debe aludirse, en tercer lugar, al principio de no discriminación, recogido, como derecho a la igualdad ante la ley, en el art. 14 CE (*Tol 173304*)[4]; debe recordarse, por último, que el art. 9.1 CE (*Tol 173304*) impone la sujeción de la ciudadanía y de los poderes públicos a la CE (*Tol 173304*) y al resto del ordenamiento jurídico. Por otro lado, porque el propio art. 1.255 CC (*Tol 220310*), que consagra el principio de autonomía de la voluntad en el ámbito contractual[5], también establece límites a dicho principio, al prohibir que los pactos, cláusulas y condiciones que las partes quieran incluir en los negocios que celebren entre ellas sean contrarios a la ley, la moral y el orden público.

Cabe afirmar, pues, que a pesar de la facultad de autoorganización que se reconoce a las asociaciones, los estatutos de los que se doten en ejercicio de su libertad de organizarse no pueden contener cláusulas contrarias a lo previsto en los arts. 9, 10 y 14 CE (*Tol 173304*), ni a las leyes, la moral y

---

4 En la doctrina se distinguen dos corrientes en relación con las nociones de igualdad y prohibición de discriminación: una considera que discriminación y desigualdad son conceptos diferentes (en esta línea, véase, CERDÁ MARTÍNEZ-PUJALTE, C., "Los principios constitucionales de igualdad de trato y de prohibición de la discriminación: Un intento de delimitación", *Cuadernos Constitucionales de la Cátedra Fadrique Furió Ceriol*, nº 50/51, 2005, pp. 196 a 198), mientras que, para la otra, que es la que considero mejor fundada, la prohibición de discriminación coincide con el principio de igualdad (formal) en su vertiente negativa, entendida como prohibición de tratamiento desigual entre personas que se encuentren en la misma situación (pueden citarse, aquí, LÓPEZ Y LÓPEZ, Á., "Estado social y sujeto privado: una reflexión finisecular", en *Quaderni Fiorentini*, nº 25, 1996, p. 433, e INFANTE RUIZ, F.J., "La consideración del principio de igualdad en el Derecho privado y la prohibición de discriminar", en GETE-ALONSO Y CALERA, M.C. (dir.) y SOLÉ RESINA, J. (coord.), *Tratado de Derecho de la persona física*, T.II, Thomson Reuters Civitas, Cizur Menor, 2013, pp. 684-687).

5 Y no cabe olvidar que la asociación es un contrato, como apunta ALFARO ÁGUILA-REAL, J., "La expulsión de asociados y la confianza en el Derecho Privado", *Anuario de Derecho civil*, vol. 50, nº 1, 1997, p. 159.

el orden público, en virtud de lo dispuesto en el ya mencionado art. 1.255 CC (*Tol 220310*).

Seguidamente, y partiendo de los razonamientos hasta aquí expuestos, se hará referencia a dos de los límites que son de aplicación a los estatutos de la Esclavitud, como son las leyes y el orden público.

En cuanto al necesario respeto a las leyes, parece posible sostener que los estatutos de la demandada contravienen la LODA (*Tol 143037*), que si bien excluye a las asociaciones religiosas de su ámbito de aplicación (art. 1.3), también afirma la aplicación supletoria de sus preceptos a las asociaciones de esta naturaleza (art. 1.3-II), lo que permitiría defender la sujeción de la Esclavitud a lo previsto en el art. 2.4 LODA (*Tol 143037*), que establece que "La constitución de asociaciones y el establecimiento de su organización y funcionamiento se llevarán a cabo dentro del marco de la Constitución, de la presente Ley Orgánica y del resto del ordenamiento jurídico" [6].

El *maltrato* dispensado por parte de la STS a la CE (*Tol 173304*) ha sido abordado antes; por lo que toca al olvido del *resto del ordenamiento jurídico*, referido tanto por el art. 2.4 LODA (*Tol 143037*) como por el art. 9.1 de la CE (*Tol 173.304*), resulta, por ejemplo, de la falta de toma en consideración de la Ley Orgánica 3/2007, de 22 de marzo, para la igualdad efectiva de mujeres y hombres [desde ahora, LOIEMH (*Tol 1042650*)]. Esta ley, aprobada en 2007, indica, en su exposición de motivos, que "Resulta necesaria, en efecto, una acción normativa dirigida a combatir todas las manifestaciones aún subsistentes de discriminación, directa o indirecta, por razón de sexo y a promover la igualdad real entre mujeres y hombres, con remoción de los obstáculos y estereotipos sociales que impiden alcanzarla. Esta exigencia se deriva de nuestro ordenamiento constitucional e integra un genuino derecho de las mujeres, pero es a la vez un elemento de enriquecimiento de la propia sociedad española..." y, también, que "El logro de la igualdad real y efectiva en nuestra sociedad requiere no sólo

---

6 También es de interés apuntar que el art. 4.5 LODA (*Tol 143037*) dispone que "Los poderes públicos no facilitarán ningún tipo de ayuda a las asociaciones que en su proceso de admisión o en su funcionamiento discriminen por razón de nacimiento, raza, sexo, religión, opinión o cualquier otra condición o circunstancia personal o social". No es de extrañar, en este sentido, que, tras la STS 925/2021 (*Tol 8736742*), el Cabildo de Tenerife (órgano de gobierno de ámbito insular) haya aprobado un acuerdo en virtud del cual ha decidido no conceder subvenciones a las asociaciones que apliquen cualquier tipo de discriminación a propósito de la admisión de personas asociadas.

del compromiso de los sujetos públicos, sino también de su promoción decidida en la órbita de las relaciones entre particulares", por lo que la propia LOIEMH (*Tol 1042650*) incorpora una serie de reglas expresas dirigidas a los particulares (así, por ejemplo, en materia de acceso a bienes y servicios, o de conformación de los consejos de administración de las sociedades mercantiles). Por no citar, tampoco menciona la Convención sobre la eliminación de toda forma de discriminación contra la mujer y que, aprobada en 1979, fue ratificada por España en 1984 (*Tol 72698*) —y que es conocida por sus siglas en inglés, CEDAW—, ni la Carta de los derechos fundamentales de la UE (*Tol 131225*), aprobada en 2007 y en vigor desde 2009, cuyo art. 21 prohíbe todo tipo de discriminación, al tiempo que proclama, en su art. 23, que "La igualdad entre hombres y mujeres será garantizada en todos los ámbitos...". Olvida, también, cualquier mención a la Declaración Universal de Derechos Humanos (1948), (*Tol 147461*); al Convenio Europeo de Derechos Humanos (aprobado en 1950, en vigor desde 1953), (*Tol 164153*), cuyo art. 11.2 reconoce el derecho de asociación, así como la posibilidad de restringirlo para proteger los derechos y libertades ajenos, contemplando a su vez de forma expresa en su art. 14 la prohibición de discriminación por razón de sexo; e, incluso, omite cualquier referencia a los Tratados primarios de la UE, en los que se recoge la no discriminación y la igualdad entre mujeres y hombres entre los valores comunes de la Unión Europea[7]. Por no mencionar, la STS tampoco alude al propio Estatuto de Autonomía de Canarias (*Tol 6879299*), reformado en 2018, y que en su vigente versión contiene varios preceptos relativos a la igualdad y a la prohibición de discriminación por razón de sexo[8].

---

7 En este sentido, el art. 2 del Tratado de la Unión Europea (versión consolidada, *Tol 5.557.284*) dispone: "La Unión se fundamenta en los valores de respeto de la dignidad humana, libertad, democracia, igualdad, Estado de Derecho y respeto de los derechos humanos, incluidos los derechos de las personas pertenecientes a minorías. Estos valores son comunes a los Estados miembros en una sociedad caracterizada por el pluralismo, la no discriminación, la tolerancia, la justicia, la solidaridad y la igualdad entre mujeres y hombres". A su vez, el art. 19.1 del Tratado de Funcionamiento de la Unión Europea [versión consolidada (*Tol 3711558*)] establece que "Sin perjuicio de las demás disposiciones de los Tratados y dentro de los límites de las competencias atribuidas a la Unión por los mismos, el Consejo, por unanimidad con arreglo a un procedimiento legislativo especial, y previa aprobación del Parlamento Europeo, podrá adoptar acciones adecuadas para luchar contra la discriminación por motivos de sexo, de origen racial o étnico, religión o convicciones, discapacidad, edad u orientación sexual".

8 Los más relevantes son los contenidos en sus arts. 11.1 y 2 ("1. Los poderes públicos canarios garantizarán las medidas necesarias para hacer efectivos los derechos

Por lo que se refiere al respeto que los estatutos deben al orden público, límite que viene impuesto a la autonomía de la voluntad de los particulares[9] por el art. 1.255 CC (*Tol 220310*), ninguna mención relevante al mismo se efectúa por la STS 925/2021 (*Tol 8736742*)[10], a pesar de que en el contundente informe evacuado por el Ministerio Fiscal en el marco de los recursos que son resueltos por la sentencia —informe en el que solicita la desestimación de ambos y la declaración de firmeza de la sentencia de apelación— afirma expresamente que "la autonomía de las asociaciones religiosas es total *en todo lo que no sea contrario a normas de orden público o constitucionales del Estado español*", reconociendo, pues, de forma clara que ninguna asociación, ni siquiera las de carácter religioso, pueden vulnerar el orden público con sus actuaciones. Y justamente a propósito del orden público constitucional, cabe señalar que el TC, en su STC 108/1989 (*Tol 81560*), ya apuntó que "el respeto de la igualdad ante la Ley se impone a los órganos del poder público, pero no a los sujetos privados, *cuya autonomía está limitada sólo por la prohibición de incurrir en discriminaciones contrarias al orden público constitucional, como son, entre otras, las que expresamente se indican en el art. 14 CE*". Por lo tanto, si conectamos esta afirmación del TC con lo que se acaba de decir en relación con el límite legal al derecho a la

---

de las personas a la igualdad, la no discriminación, la participación en la vida pública, al desarrollo económico, la libertad y el respeto a los derechos humanos. 2. Los poderes públicos garantizarán el derecho a la igualdad de trato y a la no discriminación por razones de sexo, género, nacimiento, etnicidad, ideas políticas y religiosas, edad, discapacidad, orientación o identidad sexual, enfermedad, lengua o cualquier otra condición o circunstancia personal o social. La prohibición de discriminación no impedirá acciones positivas en beneficio de sectores, grupos o personas desfavorecidas") y 17.1 ("Los poderes públicos canarios garantizarán la igualdad efectiva entre mujeres y hombres *en el ámbito público y privado*, y velarán por la conciliación de la vida familiar y profesional").

9 Sobre el orden público como límite a la autonomía contractual puede verse, por todos, OLIVA BLÁZQUEZ, F., "Límites a la autonomía privada en el Derecho de los contratos: la moral y el orden público", en *La autonomía privada en el derecho civil*, Thomson Reuters Aranzadi, Cizur Menor, 2016, pp. 333 y ss.

10 Aunque en ella sí que se alude al orden público, se hace solo a propósito del ejercicio del derecho a la libertad religiosa y de culto que garantiza el art. 16.1 CE (*Tol 173304*) y desarrolla la Ley Orgánica de Libertad Religiosa (*Tol 7171*), mas sin extraer conclusiones relevantes de la circunstancia de que el art. 3 de la recién citada Ley Orgánica disponga que el ejercicio de estos derechos solo se encuentra limitado por "la protección del derecho de los demás al ejercicio de sus libertades públicas y derechos fundamentales, así como la salvaguardia de la seguridad, de la salud y de la moralidad pública, elementos constitutivos del orden público protegido por la Ley en el ámbito de una sociedad democrática".

autoorganización de que gozan las asociaciones, es posible concluir que la STS objeto de examen parece ignorar que existe un importante *corpus* normativo de Derecho antidiscriminatorio, que está integrado por las leyes, tratados y convenciones a los que se ha ido haciendo referencia —y a los que cabe añadir, en la actualidad, la Ley 15/2022, de 12 de julio, integral para la igualdad de trato y la no discriminación (*Tol 9113969*)[11]— que conforma el orden público español, que era de aplicación al caso enjuiciado y que fue totalmente soslayado, pues es la norma la primera herramienta a la que debe recurrir un tribunal a la hora de resolver un caso concreto.

2.2.2. La extensión del control judicial en materia de asociaciones y la necesaria actividad de ponderación

En lo que interesa a la cuestión abordada en este apartado, se afirma por el TS (en el apartado 1.4 del F.J. VI de su sentencia) que la actividad de las asociaciones no está exenta de control judicial en un doble aspecto: en primer lugar, sus estatutos deben resultar conformes con la Constitución y con la legislación orgánica que desarrolla el derecho de asociación y, en segundo término, el derecho de los socios como miembros de la asociación "consiste en el derecho a que se cumplan los estatutos, siempre que estos sean conformes a la Constitución y a las leyes", de acuerdo con la STC 218/1988 (*Tol 80065*). Sin embargo, a renglón seguido matiza aquella aseveración y apunta que "una vez comprobada la legalidad de los estatutos, ese control tiene un alcance estrictamente formal". El problema que se

---

[11] Su art. 1 dispone: "1. La presente ley tiene por objeto garantizar y promover el derecho a la igualdad de trato y no discriminación, respetar la igual dignidad de las personas en desarrollo de los artículos 9.2, 10 y 14 de la Constitución.
2. A estos efectos, *la ley regula derechos y obligaciones de las personas, físicas o jurídicas, públicas o privadas*, establece principios de actuación de los poderes públicos y prevé medidas destinadas a prevenir, eliminar, y corregir toda forma de discriminación, directa o indirecta, en los sectores público y privado."
Por su parte, su art. 2.4 establece que "Las obligaciones establecidas en la presente ley serán de aplicación al sector público. También lo serán *a las personas físicas o jurídicas de carácter privado que residan, se encuentren o actúen en territorio español*, cualquiera que fuese su nacionalidad, domicilio o residencia, en los términos y con el alcance que se contemplan en la presente ley y en el resto del ordenamiento jurídico."
A su vez, su art. 3, al regular el ámbito objetivo de aplicación de la norma, afirma la aplicabilidad de la ley a la *afiliación y participación en organizaciones de interés social o económico* (art. 3.1.c) y al *ámbito de la cultura* (art. 3.1.g).

detecta aquí radica en que los estatutos no son conformes con la legalidad vigente, ya que no se ajustan a la CE (*Tol 173304*) ni a la importante batería de legislación antidiscriminatoria vigente en nuestro país a la que se acaba de aludir. En mi opinión, es evidente que la negativa a admitir mujeres en el seno de la asociación en un caso como el controvertido vulnera no solo el principio de no discriminación del art. 14 CE (*Tol 173304*), sino también la propia dignidad de la persona, recogida en el art. 10 como fundamento del orden político y de la paz social. En concreto, y en lo que atañe a la contravención de la dignidad de la persona, el Preámbulo de la CEDAW (*Tol 72698*) afirma que "la discriminación contra la mujer viola los principios de la igualdad de derechos y del respeto de la dignidad humana", mientras que en su art. 1 dispone que "A los efectos de la presente Convención, la expresión "discriminación contra la mujer" denotará toda distinción, exclusión o restricción basada en el sexo que tenga por objeto o por resultado menoscabar o anular el reconocimiento, goce o ejercicio por la mujer, independientemente de su estado civil, sobre la base de la igualdad del hombre y la mujer, de los derechos humanos y las libertades fundamentales en las esferas políticas, económicas, *social, cultural y civil o en cualquier otra esfera*". Parece claro, por lo tanto, que la negativa a admitir a las mujeres en la Esclavitud del Cristo encaja como un guante en la definición de discriminación contra la mujer que se contiene en la CEDAW (*Tol 72698*) y que es considerada expresamente una violación de la dignidad humana.

En ese mismo apartado I.V del F.J. VI de la STS 925/2021 (*Tol 8736742*) también se afirma que, por lo que toca al ámbito de actuación de los órganos sociales —y alude en este extremo a las decisiones sobre admisión o expulsión de socios—, el control judicial se ha de limitar a verificar que la decisión de aquellos contó con una base razonable [citando, en apoyo de esta aseveración, las SSTC 218/1988 (*Tol 80065*)[12], 56/1995 (*Tol 82796*) y 104/1999 (*Tol 81167*)], y que las normas aplicables por el órgano judicial son, en primer término, las contenidas en los estatutos siempre que no fuesen contrarias a la CE (*Tol 173304*) y a la ley. El problema radica, en este caso, es que no solo no se aprecia una base razonable que justifique la exclusión de las mujeres, sino que, además, la cláusula contenida en el art. 1 de los estatutos de la Esclavitud que impide la admisión de mujeres con-

---

[12] En esta sentencia se afirma que "El derecho de los socios como miembros de la asociación consiste en el derecho a que se cumplan los estatutos, siempre que estos sean conformes a la Constitución y a las leyes", conformidad con la normativa recién indicada que, como ya hemos explicado, no se da.

traviene tanto la CE (*Tol 173304*) como la legislación antidiscriminatoria, como se acaba de explicar.

En cualquier caso, es evidente que existe en este supuesto un conflicto entre el principio de libertad de asociación, en su vertiente de facultad de autoorganización, y el principio de no discriminación, ambos con respaldo constitucional, que ha de ser resuelto a través del mecanismo de la ponderación, que se utiliza para solucionar el conflicto entre los derechos fundamentales, singularmente en las relaciones entre particulares.

En este mismo caso se detecta, igualmente, una colisión entre la potestad autoorganizativa de la asociación y el derecho de la demandante a asociarse —que, recuérdese, es una de las facetas del derecho de asociación, en su dimensión *inter privatos*—, y que, como la colisión aludida *supra*, también puede expresarse como un conflicto entre el principio de libertad y el derecho a la igualdad de trato[13]. Al no ser absoluto ninguno de estos derechos, surge un conflicto de intereses causado por la colisión de derechos fundamentales, que se da al admitirse la *Drittwirkung* de los derechos fundamentales, que ha de ser sometida a control judicial cuando las reglas organizativas de la asociación contravengan normas imperativas o atenten contra principios constitucionales, como ha sostenido el TS en reiteradas ocasiones[14] y que se resuelve, como se acaba de indicar, mediante un ejercicio de ponderación.

A la hora de efectuar esa ponderación, el órgano judicial debe tener en cuenta una serie de factores que, de acuerdo con una parte de la doctrina que se ocupado de la cuestión, podrían resumirse en los siguientes[15]: a) la repercusión económica, social y cultural de la discriminación, que lleva a

---

13 Sobre la colisión entre el principio de autonomía de la voluntad y el derecho a la igualdad en el ámbito del Derecho privado, en concreto, en el acceso a bienes y servicios y su suministro, puede consultarse, por ejemplo, GARCÍA RUBIO, M.P., "Discriminación por razón de sexo y derecho contractual en la Ley Orgánica 3/2007, de 22 de marzo, para la igualdad efectiva de mujeres y hombres", *Derecho privado y Constitución*, nº 21, enero/diciembre 2007, pp. 142 y 143.

14 Así, por ejemplo, STS 13 julio 2007 (*Tol 1123941*), sobre inadmisión como socio a un club de golf, y STS 5 febrero 2013 (*Tol 3166244*), F.J.III.B, sobre interpretación de los estatutos de una asociación en relación con el derecho al voto.

15 Sobre los dos primeros criterios, véase BILBAO UBILLOS, J.M., *op. cit.*, pp. 155 a 157.; FERRER RIBA, J. y SALVADOR CODERCHI, P., *op. cit.*, pp. 103 a 106; CÁMARA LAPUENTE, S., "Comentario a a la sentencia de 13 de julio de 2007 (RJ 2007, 5069), *Cuadernos Civitas de Jurisprudencia Civil*, nº 77, mayo/agosto 2008, pp. 671-673.

afirmar que, cuanta mayor trascendencia tenga la asociación en la sociedad en la que desarrolla sus actividades, más limitadas están sus posibilidades de restringir la admisión de potenciales asociados[16]; b) la posición dominante o monopolística de la entidad discriminadora en la sociedad en la que lleva a cabo sus actividades —que, en mi opinión, está clara en nuestro caso, como resulta de las afirmaciones contenidas en las sentencias dictadas en las dos primeras instancias, esto es, por órganos judiciales con sede en Tenerife, que conocen bien la realidad social de la isla— y que el TS conscientemente ignora; y c) la posible afectación al núcleo esencial de la dignidad o integridad moral de la persona discriminada, que se encuentra estrechamente vinculada con el carácter público y notorio de tal vejación[17]. En nuestro caso, las mujeres devotas del Cristo no pueden procesionar detrás de la imagen del Cristo, en la calle, sino que quedan relegadas a las aceras, realidad que se puede comprobar por cualquiera que acuda a las procesiones de Semana Santa en La Laguna, y que para estas personas puede resultar denigrante. Sin embargo, el TS, tras una prolija argumentación y con cita de doctrina jurisprudencial constitucional, civil, contencioso-administrativa y europea —doctrina que podría afirmarse que no resulta pertinente en nuestro caso, al referirse a supuestos de hecho distintos del resuelto en la STS 925/2021 (*Tol 8736742*)[18]—, estima el recurso interpuesto por la asociación demandada, negando su condición de asociación dominante, por ser sus actividades y fines estricta y exclusivamente religiosos, sin admitir tampoco que ocupe una posición de monopolio en la organización de las actividades procesionales de la Semana Santa y otros actos de culto.

---

16 ZUBERO QUINTANILLA, S., *op. cit.*, p. 327.

17 Se trata de un aspecto que subraya ALFARO ÁGUILA-REAL, J., "Autonomía privada y derechos fundamentales", *op. cit.*, pp. 113 a 116.

18 Además, en el caso de las sentencias del TEDH citadas en la STS, responden a cuestiones planteadas en el marco de discriminaciones a sujetos concretos (y no a categorías de personas, como en el caso de nuestro interés); y ninguna de las sentencias dictadas por tribunales europeos se ocupa de la colisión entre el derecho de asociación y el principio de igualdad y no discriminación, sino que inciden en el principio de autonomía de la Iglesia y la necesidad de su preservación frente a injerencias injustificadas por parte del Estado. Sin embargo, en el caso que nos ocupa, la injerencia del Estado no solo estaría justificada sino que es, en mi opinión, obligada, por incumplir los estatutos de la asociación con uno de los principios básicos del orden constitucional: la igualdad entre mujeres y hombres y la consiguiente prohibición de discriminación por razón de sexo.

2.2.3. Crítica a la STS 925/2021

Ante los razonamientos efectuados por el TS, me gustaría volver sobre la posición monopolística o de especial relevancia de la Esclavitud del Cristo, ya que puede resultar decisiva para resolver la colisión entre derechos fundamentales. Esta posición dominante fue afirmada en primera instancia y en apelación, pero se niega por el TS[19] sobre la base del carácter religioso de sus actividades y fines, que resultan, por tanto, ajenos a toda connotación económica, profesional o laboral. Sin embargo, la posición dominante no es predicable únicamente de aquella entidad que ostenta una posición de exclusividad en el ámbito económico o laboral: también lo es de la que lo posee en el ámbito cultural y social, como afirman tanto el TS como el TC en distintas sentencias[20]. En nuestro caso, aunque en la STS 925/2021 (*Tol 8736742*) se afirma que no se aprecia una situación de monopolio o exclusividad en la organización de las actividades procesionales de la Semana Santa y otros actos de culto por parte de la asociación, en la sentencia de primera instancia, que fue la que valoró el material probatorio obrante en los autos y que fue dictada por un órgano judicial con sede en Tenerife, con lo que ello significa acerca del conocimiento de la realidad sociocultural de la isla, se indica que la Esclavitud del Cristo organiza una serie de actos de culto públicos y principales de la Semana Santa lagunera, entre los que se encuentran "la ceremonia del Descendimiento del Cristo, su besapiés en el Domingo de Ramos, el acompañamiento de la imagen en la procesión del Encuentro, y que en estos acontecimientos populares [que, en mi opinión, podrían calificarse también de culturales y sociales], que son claves de la tradición religiosa de esa localidad y determinantes de su idiosincrasia, la Esclavitud del Cristo ostenta una posición no solo privilegiada sino absolutamente dominante y excluyente del

---

19 Sí se acepta, en cambio, en el caso resuelto por la STS de 8 de febrero de 2001 (*Tol 25311*), relativa a la denegación de acceso a cinco mujeres a la comunidad de pescadores El Palmar en La Albufera, por considerarse que dicha negativa produce perjuicios económicos a las mujeres excluidas.

20 Lo afirma el propio TS en Sentencias (Sala 1ª) de 23 de junio (*Tol 963442*) y 30 de noviembre de 2006 (*Tol 1019376*), y el TC en STC 218/1988 (*Tol 80065*), en cuyo F.J. III afirma que "Lo dicho hasta ahora se refiere a lo que pudieran llamarse asociaciones puramente privadas. Una situación distinta surgiría si la expulsión del socio, por limitarse al supuesto que aquí interesa, se produjese en una asociación que, aun siendo privada, ostentase de hecho o de derecho una posición dominante en el campo económico, cultural, social o profesional, de manera que la pertenencia o exclusión de ella supusiese un perjuicio significativo para el particular afectado".

resto de asociaciones, de notable trascendencia en el ámbito religioso y, por ende, también cultural y social del municipio, hasta el punto de que ninguna otra hermandad puede realizar acto procesional u otra actuación religiosa, cultural o social relacionada con la imagen del Santísimo Cristo". La magistrada de instancia, que conoce mucho mejor la realidad social de La Laguna que los magistrados del TS —quienes, sin embargo, traen a colación argumentos que no tienen relevancia alguna para resolver la cuestión controvertida—, tuvo claro que, si se tiene en cuenta el contexto en el que se desarrollan las actividades de la asociación (Semana Santa en La Laguna, así como en las fiestas mayores de la ciudad) y la exclusividad en la organización de un importante número de actividades religiosas relativas al Cristo, circunstancias a las que pueden sumarse el arraigo de la asociación en la sociedad lagunera y la concesión de financiación pública para la realización de sus actividades, la Esclavitud ocupa una posición dominante.

Por lo tanto, puede concluirse que el rechazo a las mujeres como socias de la Esclavitud carece de justificación razonable (justificación que se encuentra analizada y descrita de forma prolija en la STC 149/2017, *Tol 6478625*[21]) y da lugar a una discriminación odiosa, que, en mi opinión, debería haber sido eliminada hace muchos años.

---

21 En cuyo F.J. IV puede leerse que "Una vez allanado el camino para entrar en el examen de la cuestión de fondo y en orden a determinar si se ha producido la infracción del derecho a la igualdad que las recurrentes invocan, es necesario recordar brevemente la doctrina constitucional que define el contenido del derecho fundamental invocado:

a) El derecho a la igualdad ante la ley reconocido en el artículo 14 CE (*Tol 173.304*) no implica en todos los casos un tratamiento legal igual con abstracción de cualquier elemento diferenciador de relevancia jurídica, de manera que no toda desigualdad de trato normativo respecto a la regulación de una determinada materia supone una infracción del mandato contenido en el artículo 14 CE (*Tol 173.304*), sino tan sólo «las que introduzcan una diferencia entre situaciones que puedan considerarse iguales, sin que se ofrezca y posea una justificación objetiva y razonable para ello, pues, como regla general, el principio de igualdad exige que a iguales supuestos de hecho se apliquen iguales consecuencias jurídicas», lo que veda la utilización de elementos de diferenciación que quepa calificar de arbitrarios o carentes de una justificación razonable.

Lo que prohíbe el principio de igualdad son las desigualdades que resulten artificiosas o injustificadas por no venir fundadas en criterios objetivos y razonables, de valor generalmente aceptado. También es necesario, para que sea constitucionalmente lícita la diferencia de trato, que las consecuencias jurídicas que se deriven de tal distinción sean proporcionadas a la finalidad perseguida, de suerte que se eviten resultados excesivamente gravosos o desmedidos. En resumen, el principio de igualdad, no sólo

Y que la decisión adoptada por esta sentencia no es razonable ni acorde con los tiempos que corren creo que queda de manifiesto si se plantea el siguiente interrogante: ¿hubiera adoptado el TS una decisión en el mismo sentido si la causa de exclusión de los socios hubiera sido la raza o la orientación sexual, esto es, si sus Estatutos prohibieran el acceso a hombres negros o a hombres homosexuales?

3. NOTAS SOBRE LA STC 132/2024, DE 4 DE NOVIEMBRE

Como era de esperar, la demandante-recurrida en el pleito resuelto por la STS 925/2021 (*Tol 8736742*) interpuso recurso de amparo contra dicha sentencia, recurso que ha sido recientemente resuelto por la STC 132/2024, de 4 de noviembre (*Tol 10286987*), que concede el amparo solicitado y declara la nulidad de la sentencia del TS tras afirmar que han sido vulnerados los derechos de la recurrente a la no discriminación por razón de género y de asociación.

La respuesta del TC, favorable a la estimación del amparo, se construye a partir de la ponderación de los derechos fundamentales en conflicto: en primer lugar, se examina si la exclusión de las mujeres prevista en los estatutos de la Esclavitud está amparada por la autonomía religiosa de la asociación, y se concluye que una restricción de los derechos de libertad, igualdad y no discriminación constitucionalmente reconocidos solo sería admisible si tal limitación quedara justificada por la necesidad de salvaguardar la autonomía de una asociación religiosa, en tanto manifestación del derecho a la libertad religiosa amparada en el art. 16 CE (*Tol 173304*), siempre y cuando existiera una amenaza probable y seria a dicha autonomía y la restricción fuera proporcional, amenaza que en este caso concreto no se aprecia, sin que tampoco existan razones de índole religiosa o moral que permitan justificar la restricción por parte de la Esclavitud de los derechos fundamentales de la recurrente. En segundo término, se analiza si dicha exclusión puede quedar amparada por la facultad de autoorganización de las asociaciones privadas, y se declara que "si bien una asociación privada ostenta el derecho a elegir libremente a quien asocia,

---

exige que la diferencia de trato resulte «objetivamente justificada», sino también que supere un «juicio de proporcionalidad» en sede constitucional sobre la relación existente entre la medida adoptada, el resultado producido y la finalidad pretendida (por todas, SSTC 104/2004, de 28 de junio, FJ 4, *Tol 451.061* y 112/2017, de 16 de octubre, FJ 3, *Tol 6390925*)".

esta facultad no puede suponer una discriminación por razón de género cuando la asociación ostente una posición «privilegiada» o «dominante» en el campo económico, cultural, social o profesional, de manera que la no pertenencia a dicha asociación suponga un quebranto objetivo de los intereses de las mujeres en dichos ámbitos", otorgando, pues, una importancia preeminente, a la hora de resolver la cuestión planteada, a la posición de dominio ocupada por la Esclavitud en relación con la realización de los actos devocionales relacionados con la imagen del Cristo de La Laguna, pues es justamente dicha circunstancia la que impide a la recurrente ejercer esa actividad de culto de dicha imagen en otra hermandad o cofradía del municipio. Tal razonamiento conduce al TC a afirmar que "la imposibilidad de ingresar en la Esclavitud por el simple hecho de ser mujer constituye una discriminación por razón de género prohibida por el art. 14 CE (*Tol 173304*) y que no queda tampoco amparada por la libertad de autoorganización de la Esclavitud [art. 22 CE (*Tol 173304*)]" y, en consecuencia, a conceder el amparo interesado por la recurrente.

En cualquier caso, que se trata de un supuesto complejo queda de manifiesto por la existencia de tres votos particulares (dos de ellos concurrentes) a la sentencia. El voto particular discrepante —formulado por dos magistrados— se aparta de la decisión mayoritaria y considera que el recurso de amparo debió ser desestimado, por entender que no queda acreditada la posición de dominio de la Esclavitud del Cristo, por la ausencia de ponderación entre el perjuicio supuestamente sufrido por la recurrente y por la injerencia en el derecho de asociación de la Esclavitud, mientras que los dos votos concurrentes, favorables al amparo, se apartan de la fundamentación jurídica de la sentencia; en especial, hacen particular hincapié en la omisión de la perspectiva de género en la argumentación empleada para alcanzar el fallo, precisando uno de ellos que los razonamientos de la sentencia debieron haberse centrado en dos cuestiones: por un lado, en el análisis de si es posible que una asociación limite el acceso a la misma por razón del sexo de una persona, considerando irrelevante a tales efectos que la asociación ejerza o no sus actividades en régimen monopolístico; por otro, en la relación entre el derecho a la libertad religiosa y la igualdad entre sexos, lo que hubiera obligado a centrar la atención en "la protección de la dimensión individual de la libertad religiosa de las mujeres, que han sido objeto de discriminaciones históricas en el seno de unas confesiones que forman parte de su propia identidad, personal y colectiva". Cabe concluir con una nota de optimismo, pues al menos en los votos particulares concurrentes se razona, de verdad, con perspectiva de género.

4. BIBLIOGRAFÍA

ALFARO ÁGUILA-REAL, J., "Autonomía privada y derechos fundamentales", *Anuario de Derecho civil*, vol. 46, nº1, 1993.

— "La expulsión de asociados y la confianza en el Derecho Privado", *Anuario de Derecho civil*, vol. 50, nº 1, 1997.

BILBAO UBILLOS, J.M., "Prohibición de discriminación y relaciones entre particulares", *UNED. Teoría y Realidad Constitucional*, nº 18, 2006.

CÁMARA LAPUENTE, S., "Comentario a a la sentencia de 13 de julio de 2007 (RJ 2007, 5069), *Cuadernos Civitas de Jurisprudencia Civil*, nº 77, mayo/agosto 2008.

CERDÁ MARTÍNEZ-PUJALTE, C., "Los principios constitucionales de igualdad de trato y de prohibición de la discriminación: Un intento de delimitación", *Cuadernos Constitucionales de la Cátedra Fadrique Furió Ceriol*, nº 50/51, 2005

FERRER RIBA, J. y SALVADOR CODERCH, P., "Asociaciones, democracia y *Drittwirkung*", en SALVADOR CODERCHI, P., FERRER RIBA, J. y VON MÜNCH, I., *Asociaciones, derechos fundamentales y autonomía privada*, Madrid, Civitas, 1997.

GARCÍA RUBIO, "La eficacia *inter privatos* (Drittwirkung) de los derechos fundamentales", *Libro homenaje a Ildefonso Sánchez Mera*, vol. 1, Colegios Notariales de España, Madrid, 2002.

— "Discriminación por razón de sexo y derecho contractual en la Ley Orgánica 3/2007, de 22 de marzo, para la igualdad efectiva de mujeres y hombres", *Derecho privado y Constitución*, nº 21, enero/diciembre 2007.

INFANTE RUIZ, F.J., "La consideración del principio de igualdad en el Derecho privado y la prohibición de discriminar", en GETE-ALONSO Y CALERA, M.C. (dir.) y SOLÉ RESINA, J. (coord.), *Tratado de Derecho de la persona física*, T.II, Thomson Reuters Civitas, Cizur Menor, 2013.

LÓPEZ Y LÓPEZ, Á., "Estado social y sujeto privado: una reflexión finisecular", en *Quaderni Fiorentini*, nº 25, 1996.

OLIVA BLÁZQUEZ, F., "Límites a la autonomía privada en el Derecho de los contratos: la moral y el orden público", en PARRA LUCÁN, M.Á. (coord.), *La autonomía privada en el derecho civil*, Thomson Reuters Aranzadi, Cizur Menor, 2016.

ZUBERO QUINTANILLA, S., "Límites a la autonomía de la voluntad en las asociaciones privadas", *Anuario de Derecho civil*, vol. 71, nº 2, 2018.

Pacientes mujeres: estándares internacionales actuales desde el sistema interamericano de derechos humanos[*]

CAROLINA RIVEROS FERRADA

Doctora en Derecho por la Ludwig-Maximilian-Universität, Múnich (Alemania)
Profesora titular
Facultad de Ciencias Jurídicas y Sociales
Universidad de Talca (Chile)

ROMMY ÁLVAREZ ESCUDERO

Profesora titular
Escuela de Derecho
Universidad de Valparaíso (Chile)

1. INTRODUCCIÓN

Los derechos humanos tienen un rol fundamental para poder garantizar sociedades más justas y respetuosas de la dignidad del ser humano. Históricamente, las mujeres han enfrentado múltiples formas de discriminación y desigualdad, lo que ha provocado la necesidad, en el ámbito internacional, de un marco de derechos humanos que reconozca y proteja sus derechos de una forma específica. De esta manera, en el ámbito internacional, se cuenta con la Convención sobre la Eliminación de Todas las Formas de Discriminación contra la Mujer (CEDAW) y la Convención de Belém do Pará. La relación que surge entre los derechos fundamentales y las mujeres es esencial para abordar las desigualdades estructurales que les afectan en todos los aspectos de la vida, incluyendo, entre otros, la educación, el trabajo, la participación política y la salud. En este último aspecto quisiéramos detenernos para analizar de qué manera el sistema interamericano ha desarrollado estándares para las mujeres en su calidad

* Trabajo desarrollado en el marco del proyecto ANID, Chile, Fondecyt Regular N° 1230210 "La protección a la privacidad, a la intimidad y a los datos personales (autodeterminación informativa) de los pacientes en el derecho chileno: revisión crítica a la luz de los estándares comparados e internacionales", de la cual la primera autora es la investigadora principal y la segunda autora es coinvestigadora.

de pacientes. Con todo, a pesar de los significativos avances de carácter normativo tanto a nivel internacional, regional como interno, persisten profundas desigualdades para la implementación de los derechos de la mujeres, enfrentando las pacientes de la región muchísimas barreras para el ejercicio pleno de sus derechos.

Conforme lo señala la Observación General N°14 de 2000 del Comité de Derechos Económicos, Sociales y Culturales de Naciones Unidas[1] relativo al art. 12 del Pacto Internacional de Derechos Económicos, Sociales y Culturales, desde la adopción de éste en el año 1966, la situación mundial de la salud ha experimentado importantes modificaciones incidiendo, consecuentemente, en su contenido y alcance e incorporando elementos determinantes a su respecto como el reconocimiento de la situación de vulnerabilidad de las personas pacientes y las diferencias basadas en la perspectiva de género.

En el ámbito regional la Convención Americana sobre Derechos Humanos[2], si bien, no se refiere expresamente en su texto a la salud y los derechos y deberes que conlleva, la evolución que comentamos se ha visibilizado mediante la interpretación sistemática, teleológica y evolutiva dada por los órganos del sistema americano al art. 26 del Pacto, incluyendo en el catálogo de derechos protegidos, los denominados derechos económicos, sociales, culturales y ambientales, en armonía con lo señalado por el Comité de Derechos Económicos, Sociales y Culturales antes mencionado. Es importante destacar que la Corte Interamericana de Derechos Humanos —en adelante Corte IDH—, por primera vez, en el caso Vilches y otros vs. Chile, aseveró que el derecho a la salud se encuentra amparado por el art. 26 de la Convención. Así, la labor tanto de la Comisión Interamericana de Derechos Humanos —en adelante CIDH—, como de la Corte IDH han sido relevantes en el reconocimiento del derecho a la salud, su incardinación con otras prerrogativas esenciales y a su alcance respecto grupos vulnerables, particularmente, en lo que interesa al presente trabajo, respecto las mujeres.

---

1 CESCR: «Observación general N°14: El Derecho al disfrute del más alto nivel posible de salud, 11/08/2000 E/C.12/2000/4» [en línea], (2000), <https://www.acnur.org/fileadmin/Documentos/BDL/2001/1451.pdf>, [Consulta: 19/12/2024], párr. 10, p. 3.

2 Convención Americana sobre Derechos Humanos (Pacto de San José de Costa Rica, 1969).

La interseccionalidad derivada de la calidad de mujer y paciente en numerosas ocasiones ha provocado la falta de un trato digno tanto por parte de los facultativos y de las entidades prestadoras de servicios sanitarios, como del Estado, develando además, una serie de discriminaciones múltiples en atención a otras categorías de vulnerabilidad que pueden añadirse, como, por ejemplo, ser menor de edad, refugiada, indígena, migrante, encontrarse en situación de discapacidad, ser habitante de zonas rurales o ser una persona mayor[3]. Así, las infracciones a los derechos esenciales de las mujeres que pueden presentarse a lo largo de su ciclo vital inciden en su derecho a la vida, a la integridad física y psíquica, a no ser torturada, a la intimidad, a la salud sexual y reproductiva y a su vida familiar, entre otros. La relevancia del enfoque de género en el derecho a la salud es esencial para poder abordar y comprender los contextos discriminatorios que se producen[4]. Las experiencias vivenciadas en las atenciones de salud están marcadas por construcciones sociales de género y por las diferencias biológicas. Hay diversos aspectos que son determinantes para modificar las desigualdades estructurales que viven las pacientes. Resulta necesario lograr un acceso igualitario a los servicios de salud; prevenir la violencia de género (doméstica, sexual, económica, obstétrica etc.); conseguir la apertura de servicios para el ejercicio de la salud reproductiva y sexual, con proyección en la planificación familiar, los controles durante el embarazo y parto seguro, entre otros.

En este contexto el presente trabajo se centrará en revisar casos emblemáticos en que la Corte IDH ha considerado vulnerados los derechos humanos de mujeres o niñas pacientes determinando responsabilidades en los Estados, analizando sucintamente, además, medidas cautelares adoptadas por la CIDH con objeto de evitar infracciones, los cuales involucran

---

3 COMISIÓN INTERAMERICANA DE DERECHOS HUMANOS: «Estándares jurídicos vinculados a la igualdad de género y a los derechos de las mujeres en el sistema interamericano de derechos humanos: desarrollo y aplicación. OEA Ser. L/V/II.143 Doc.60» [en línea], (2011), <https://www.oas.org/es/cidh/mujeres/docs/pdf/estandares%20juridicos.pdf>, [Consulta: 19/12/2024], p. 23. párr. 28; ASAMBLEA GENERAL DE NACIONES UNIDAS: «Declaración sobre la eliminación de la violencia contra la mujer. Resolución N°48/104, de 20 de diciembre de 1993» [en línea], (1993), https://www.ohchr.org/es/instruments-mechanisms/instruments/declaration-elimination-violence-against-women [Consulta: 19/12/2024.]; Convención Interamericana para prevenir, sancionar y erradicar la Violencia contra la Mujer "Convención de Belem do pará", (1994).

4 VIRGILIA COPELLO, N., "Manuela, víctima de los estereotipos de género", *UBP Revista Derecho y Salud*, 6,(7), 2022, 97-106, p. 103.

variados aspectos como la falta de acceso a la atención sanitaria, la denegación o suspensión de tratamientos médicos, las esterilizaciones forzadas y no consentidas y la violencia obstétrica.

Los casos que seguidamente analizaremos no solo obedecen a su vinculación con una transgresión al derecho a la salud que, cómo hemos indicado en líneas anteriores, es de reconocimiento relativamente reciente por la mencionada Corte Internacional, sino que busca subrayar también otros aspectos, por ejemplo, la interseccionalidad que actúa como una agravante en la región de América Latina.

2. MUJERES SOMETIDAS A ESTERILIZACIONES FORZADAS Y NO CONSENTIDAS

2.1. María Mestaza vs. Perú. Solución Amistosa de 10 de octubre de 2003[5]

El primer caso se refiere a la señora María Mamérita Mestanza Chávez contra el Estado peruano. Este caso se presenta ante la CIDH, y se funda en la violación de derechos humanos debido a una esterilización forzada que resultó en su muerte. La señora Mestanza Chávez era una campesina de aproximadamente 33 años, madre de siete hijos. Ella fue sometida a una esterilización quirúrgica forzada en marzo de 1998. Este procedimiento formaba parte de una política pública denominada Programa Nacional de Salud Reproductiva y Planificación Familiar (1996-2000), que priorizaba metas cuantificables para procedimientos de esterilización, afectando desproporcionadamente a mujeres indígenas y campesinas[6].

---

5 COMISIÓN INTERAMERICANA DE DERECHOS HUMANOS: «Informe N°71/03» [en línea], (2003), <https://cidh.oas.org/annualrep/2003sp/Peru.12191.htm> [Consulta: 21/01/2025.]

6 De acuerdo a Málaga: "Entre los años 1993 a 1999 se realizaron en el Perú, 314 605 esterilizaciones quirúrgicas, las cuales obedecieron a la implementación de una política de estado de "lucha contra la pobreza", en la que se establecieron metas que privilegiaban las opciones quirúrgicas sobre los métodos reversibles". MÁLAGA, E.: "Las esterilizaciones forzadas, los derechos reproductivos y el consentimiento informado", *Revista Peruana de Medicina Experimental y Salud Publica,* 30 (3), 2013: 521-30.

Tras el procedimiento, su salud se deterioró y falleció el 5 de abril de 1998 debido a una sepsis, según constaba en el certificado de defunción. En dicho contexto organizaciones no gubernamentales presentaron una denuncia ante la CIDH en junio de 1999 alegando violaciones de los derechos a la vida, integridad personal e igualdad ante la ley, entre otros. El 10 de octubre de 2003, ambas partes lograron un acuerdo de solución amistosa. De esta manera, el Estado peruano efectuó un reconocimiento de su responsabilidad internacional por la violación al derecho a la vida, a la integridad personal, a la igualdad y no discriminación, así como al derecho a la salud y a la libertad reproductiva de María Mestanza. (artículos 1.1, 4, 5 y 24 de la Convención Americana sobre Derechos Humanos, así como del artículo 7 de la Convención Interamericana para Prevenir, Sancionar y Erradicar la Violencia contra la Mujer).

Entre los compromisos asumidos por el Estado peruano, destaca la necesidad de realizar una investigación acuciosa de los hechos para determinar la responsabilidad de las personas involucradas tanto a nivel civil, penal como administrativo. Asimismo, un aspecto relevante fue la determinación de una compensación económica a los familiares de la mujer, incluyendo montos por daño material, moral y gastos asociados al tratamiento psicológico necesario para los beneficiarios. Es relevante señalar que el Estado también acordó brindar atención médica y psicológica a los familiares de la víctima, así como facilitar el acceso a programas educativos para los hijos de esta. Finalmente, el Estado peruano se comprometió a realizar reformas legislativas y políticas en torno a la salud reproductiva y la planificación familiar[7].

Este caso constituye un ejemplo paradigmático de cómo la CIDH reconoció las violaciones a los derechos reproductivos en el contexto de políticas estatales discriminatorias. Además, sentó un precedente importante para la región sobre la relevancia de proteger a las mujeres indígenas y pobres frente a las prácticas coercitivas que violan su autonomía y derechos fundamentales.

---

7 Las obligaciones del Estado peruano no han sido cumplidas a cabalidad. *Vid.* RAMÍREZ FIGUEREDO, S. y SEGOVIA PRIETO, H.: “Estudio de caso Mamérita Mestanza (MM) contra Perú”, *Perspectivas en Inteligencia,* 13 (22), Enero-Diciembre 2021, 115-135, p.121.

2.2. Caso I.V. vs. Bolivia. Sentencia de 30 de noviembre de 2016 (Excepciones Preliminares, Fondo, Reparaciones y Costas)[8]

En este segundo caso, que involucra a Bolivia, la Corte IDH estudió la situación de una paciente identificada como "I.V." a quien se le practicó una esterilización en un hospital público de La Paz en el año 2000. Al concurrir al hospital para dar a luz a su hija el personal médico decidió practicarle una ligadura de trompas sin obtener previamente su consentimiento. La paciente tras despertar de la operación fue informada del procedimiento efectuado. La Corte consideró que el consentimiento informado es fundamental, destacando, además, que este consentimiento debe ser previo, libre, pleno e informado, basado en una adecuada comunicación entre el personal médico y la paciente. Y, por consiguiente, declaró a Bolivia responsable por violaciones a los derechos a la integridad personal, libertad, vida privada y familiar, acceso a la información y garantías judiciales de I.V. Asimismo, ordenó al Estado indemnizar a la víctima, garantizar atención médica y psicológica, e implementar capacitaciones para personal de salud sobre consentimiento informado y derechos reproductivos.

En ambas sentencias se aprecia la importancia de proteger los derechos sexuales y reproductivos de las mujeres en contextos marcados por los estereotipos de género y la discriminación hacia mujeres.

3. MUJERES Y DENEGACIÓN DE TRATAMIENTOS MÉDICOS

3.1. Medidas cautelares[9] *Amelia en relación con Nicaragua. MC 43/10 de 26 de febrero de 2010*[10]

Este caso aborda la intervención de la CIDH la cual, el 26 de febrero de 2010, otorgó medidas cautelares a favor de una mujer nicaragüense identificada como "Amelia", madre de una niña de 10 años, quien padecía cáncer y debido a su embarazo no estaba recibiendo el tratamiento médico

---

8 CORTE INTERAMERICANA DE DERECHOS HUMANOS: «Caso I.V. vs. Bolivia» [en línea], (2016), <https://www.corteidh.or.cr/docs/casos/articulos/seriec_329_esp.pdf > [Consulta: 21/01/2025.]

9 El reglamento de la CIDH contempla en el artículo 25 las medidas cautelares.

10 COMISIÓN INTERAMERICANA DE DERECHOS HUMANOS:«MC 43-10-"Amelia",Nicaragua» [enlínea],(2013),<https://www.oas.org/es/cidh/decisiones/cautelares.asp?Year=2013&searchText=amelia> [Consulta: 21/01/2025.]

necesario para su enfermedad. El hospital le informó a Amelia que no se podría efectuar el tratamiento debido a que existía una alta probabilidad de que dicho tratamiento le provocase un aborto, a pesar de la opinión de sus médicos tratantes que recomendaron el inicio de forma urgente de un tratamiento de quimioterapia o radioterapia. En tal sentido la CIDH le pidió al Estado de Nicaragua que adoptase las medidas necesarias para asegurar el acceso al tratamiento médico requerido por Amelia para tratar su cáncer metastásico. El Estado de Nicaragua dentro del plazo otorgado informó a la CIDH que Amelia había comenzado con su tratamiento médico.

3.2. Medidas provisionales respecto de El Salvador. Asunto B. Resolución de 29 de mayo de 2013

Respecto al Estado de El Salvador es preciso señalar que existen varios acontecimientos en los cuales ha intervenido el sistema interamericano. En este caso, el 29 de mayo de 2013, la Corte IDH emitió medidas provisionales por el "Asunto B." contra El Salvador, puesto que una mujer identificada como "Beatriz", quien tenía 22 años, padecía lupus eritematoso sistémico y nefritis lúpica. Además, ella tenía un embarazo de alto riesgo puesto que el feto estaba diagnosticado con anencefalia lo que ponían en peligro su vida y también su salud. El ordenamiento jurídico salvadoreño considera prohibido cualquier tipo de aborto, lo que impedía que Beatriz pudiese acceder a la interrupción del embarazo. En este contexto, el CIDH le pide a la Corte IDH que adopte medidas provisionales para proteger su vida, integridad personal y salud. Tras ello, el 3 de junio de 2013, se realizó una cesárea a Beatriz, luego de pocas horas el recién nacido falleció debido a la anencefalia. Posteriormente, la Corte IDH ordenó levantar las medidas provisionales, ya que, las circunstancias de riesgo para Beatriz habían cesado.

3.3. Caso Artavia Murillo y otros (Fecundación in vitro) vs. Costa Rica. Excepciones Preliminares, Fondo, Reparaciones y Costas, sentencia de 28 de noviembre de 2012[11]

Se trata de un caso relativo al acceso a las tecnologías de reproducción asistida que afectó a nueve matrimonios que se encontraban en proceso

11 CORTE INTERAMERICANA DE DERECHOS HUMANOS: «Caso Artavia Murillo y otros (Fecundación in vitro) vs. Costa Rica» [en línea], (2012), < https://www.corteidh.or.cr/docs/casos/articulos/seriec_257_esp.pdf> [Consulta: 21/01/2025.]

de su utilización, el que se vió suspendido producto de una sentencia dictada en 2000 por la Corte Suprema de Costa Rica que declaró la inconstitucionalidad del Decreto Ejecutivo N°24029-S de 1995 que autorizaba la práctica de la fecundación in vitro para parejas conyugales y regulaba su ejecución. La Corte IDH determinó la afectación del derecho a la vida privada y familiar, a la integridad en relación con la autonomía personal, a la salud sexual y reproductiva, al derecho a gozar de los beneficios del progreso científico y tecnológico y al principio de no discriminación respecto los miembros de cada una de las parejas.

Si bien la condena al Estado de Costa Rica por la violación a los referidos derechos fue transversal respecto todos los miembros de las parejas afectadas, la Corte advirtió en el caso que "si bien la infertilidad puede afectar a hombres y mujeres, la utilización de las tecnologías de reproducción asistida se relaciona especialmente con el cuerpo de las mujeres. Aunque la prohibición de la FIV no está expresamente dirigida hacia las mujeres, y por lo tanto aparece neutral, tiene un impacto negativo desproporcional sobre ellas"[12].

El Tribunal Internacional resalta que el proceso inicial de fecundación in vitro fue interrumpido respecto varias de las parejas afectadas lo que "tiene un impacto diferenciado en las mujeres porque era en sus cuerpos donde se concretizaban intervenciones como la inducción ovárica u otras intervenciones destinadas a realizar el proyecto familiar asociado a la FIV. Por otra parte, las mujeres podrían acudir a la FIV sin necesidad de una pareja. La Corte concuerda con [el] Comité de la CEDAW cuando ha resaltado que es necesario considerar 'los derechos de salud de las mujeres desde una perspectiva que tome en cuenta sus intereses y sus necesidades en vista de los factores y los rasgos distintivos que las diferencian de los hombres, a saber: (a) factores biológicos [...], tales como [...] su función reproductiva'"[13].

La Corte IDH estableció que su sentencia constituye per se una forma de reparación, ordenando en ella a Costa Rica adoptar medidas urgentes para dejar sin efecto la prohibición de practicar la fecundación in vitro y para que las personas que deseen utilizarla, puedan hacerlo sin impedimento. Al efecto indica, además, el establecimiento de sistemas de inspección y control de calidad de las instituciones o profesionales que aplican

---

12 *Ibid.*, párr. 299, 94.

13 *Ibid.*, párr. 300, 94-95.

estas técnicas de reproducción humana y el deber para la institución de seguro social del Estado de incluir gradualmente el acceso a la fecundación in vitro dentro de sus programas y tratamientos de infertilidad en sus atenciones de salud de conformidad con el deber de garantía respecto al principio de no discriminación. Como reparación, además, la Corte IDH determina el deber del Estado de otorgar tratamiento gratuito psicológico a las víctimas y pagar las indemnizaciones por daño material e inmaterial.

4. MUJERES. EMERGENCIA Y VIOLENCIA OBSTÉTRICA

4.1. Caso Manuela y otros vs. El Salvador. Sentencia de 02 de noviembre de 2021 (Excepciones Preliminares, Fondo, Reparaciones y Costas)

En este caso la Corte IDH condenó al Estado de El Salvador. Manuela era una mujer de 33 años, analfabeta, con dos hijos menores, quien además vivía en una zona rural y sus condiciones de vida eran paupérrimas. En 2008, tuvo una emergencia obstétrica y sufrió una pérdida encontrándose en avanzado estado de su embarazo. Con posterioridad concurrió hasta un hospital público, tras la atención médica fue denunciada por la médico tratante debido a la sospecha de un supuesto aborto. Es menester recordar que en dicho país se sanciona toda clase de aborto. Manuela fue enjuiciada y condenada a 30 años de prisión por homicidio agravado. Ya, durante el embarazo, tenía ciertas protuberancias en su cuello, aunque ellas solo fueron diagnosticadas como un linfoma de Hodgkin, tras su encarcelamiento. Manuela no tuvo acceso a un tratamiento adecuado para este cáncer lo que provocó su rápido deterioro y su fallecimiento en 2010. Este caso fue denunciado ante el CIDH y el 2 de noviembre de 2021 la Corte IDH dictó una sentencia condenatoria contra El Salvador. Se estimó la violación por parte del Estado de los derechos a la vida integridad personal, salud, vida privada, garantías judiciales y protección judicial de Manuela. Se destacó por la Corte que la criminalización de las emergencias obstétricas afecta de manera intensa y desproporcionada a mujeres con situación de extrema pobreza, ruralidad y analfabetismo[14]. Es importante relevar que los derechos de Manuela se ven especialmente afectados de forma estructural por la denuncia del personal médico, la falta de un juicio justo y la escasa aten-

---

[14] RODRÍGUEZ ALARCÓN, J. y PERICO, M. F., "El impacto de la pobreza y la violencia en la salud y los derechos reproductivos de las mujeres en El Salvador", *Cadernos de Saúde Pública,* 36 (1), 2020, e00039119 p. 2.

ción médica que recibió Manuela durante el proceso y el cumplimiento de la pena.

El fallo fijó como medidas de reparación la indemnización a la familia de Manuela, atención médica y psicológica para sus hijos y la implementación de reformas legales. Asimismo, se instó a analizar la legislación penal sobre el aborto para evitar la criminalización de emergencias obstétricas.

Los casos de Nicaragua y El Salvador visibilizan las repercusiones que conlleva una prohibición absoluta del aborto y que, además, agudizan barreras de acceso a la salud de mujeres en situación de vulnerabilidad, como aquellas pacientes que habitan en zonas rurales, pertenecen a comunidades indígenas y que además viven en condición de pobreza extrema, es decir, mujeres que no pueden abortar bajo ninguna circunstancia, incluso en casos en que no existe un aborto sino una emergencia obstétrica y que encuentran barreras de acceso a la salud de carácter económicas, geográficas y/o culturales.

4.2. Caso Brítez Arce y otros vs. Argentina. Sentencia de 16 de noviembre de 2022 (Fondo, Reparaciones y Costas)[15]

En la sentencia de 16 de noviembre de 2022 la Corte IDH declara responsable a la República Argentina por la violación de los derechos a la vida, a la integridad y a la salud, consagrados en los artículos 4.1, 5.1 y 26 de la Convención Americana sobre Derechos Humanos.

Cristina Brítez Arce tenía 38 años y más de 40 semanas de embarazo al momento de su muerte. Era, además madre de dos hijos, un adolescente de, entonces, 15 años y una niña de 12. Durante su embarazo presentó varios factores de riesgo que se estimó no fueron atendidos de forma adecuada por el sistema de salud, en atención a su edad, un aumento de peso y antecedentes de presión arterial alta. El 1 de junio de 1992 acudió a un hospital público indicando molestias lumbares, fiebre y pérdida de líquido por sus genitales, practicándosele una ecografía que resultó indicativa de feto muerto, por lo que se le internó para inducirle el parto. La inducción del trabajo de parto se prolongó aproximadamente por tres horas y media, siendo trasladada con posterioridad a la sala de partos tras lo cual falleció.

---

15 CORTE INTERAMERICANA DE DERECHOS HUMANOS: «Caso Brítez Arce y Otros vs. Argentina» [en línea], (2022), < https://www.corteidh.or.cr/docs/casos/articulos/seriec_474_esp.pdf > [Consulta: 21/01/2025.]

El certificado de defunción identificó como causa del deceso paro cardio respiratorio no traumático.

En el caso, la Corte tuvo presente el informe de 2022 de la Oficina del Alto Comisionado de las Naciones Unidas para los Derechos Humanos, en el cual se sostiene que "[l]a normativa internacional de derechos humanos incluye el compromiso fundamental de los Estados de lograr que la mujer sobreviva al embarazo y el parto, como un aspecto de su disfrute de los derechos a la salud sexual y reproductiva y a vivir una vida con dignidad"[16]; y, el informe de 2010 de la misma Oficina al señalar "que las muertes maternas prevenibles pueden comprometer la responsabilidad del Estado no solo por la violación del derecho a la vida, sino también pueden implicar violaciones del derecho al disfrute del más alto nivel posible de salud física y mental, incluida la salud sexual y reproductiva, los derechos a la igualdad y no discriminación y los derechos a la información, educación y a disfrutar de los beneficios del progreso científico"[17], recordando que "el derecho a la salud durante el embarazo, parto y posparto, en tanto parte integrante del derecho al disfrute del más alto nivel posible de salud física y mental, debe satisfacer los elementos de disponibilidad, aceptabilidad, calidad y accesibilidad"[18].

Contexto en que, refiriendo la opinión consultiva 29 de 30 de mayo de 2022[19] de la misma Corte, aborda específicamente la violencia ejercida durante el embarazo, el parto y con posterioridad a él en el acceso a los servicios de salud, sosteniendo que constituye una violación de derechos

---

16 ORGANIZACIÓN DE NACIONES UNIDAS, CONSEJO DE DERECHOS HUMANOS: «Orientaciones técnicas sobre la aplicación de un enfoque basado en los derechos humanos a la ejecución de las políticas y los programas destinados a reducir la mortalidad y morbilidad prevenibles asociadas a la maternidad» [en línea], (2012), <https://documents.un.org/doc/undoc/gen/g12/148/50/pdf/g1214850.pdf> [Consulta: 21/01/2025.], párr. 8, p.4.

17 ORGANIZACIÓN DE NACIONES UNIDAS, CONSEJO DE DERECHOS HUMANOS: «Informe de la Oficina del Alto Comisionado de las Naciones Unidas para los Derechos Humanos sobre la mortalidad y morbilidad materna prevenible y los derechos humanos» [en línea], (2010), <https://documents.un.org/doc/undoc/gen/g10/129/52/pdf/g1012952.pdf> [Consulta: 21/01/2025.], párr. 10, 7.

18 CORTE INTERAMERICANA DE DERECHOS HUMANOS: «Caso Brítez Arce y Otros vs. Argentina», cit., párr. 72, 21.

19 CORTE INTERAMERICANA DE DERECHOS HUMANOS: «Opinión Consultiva OC-29/22. Enfoques diferenciados respecto de determinados grupos de personas privadas de la libertad» [en línea], (2022), <https://www.corteidh.or.cr/docs/opiniones/seriea_29_esp.pdf> [Consulta: 21/01/2025.]

humanos y una forma de violencia basada en el género denominada violencia obstétrica, la que comprende "todas las situaciones de tratamiento irrespetuoso, abusivo, negligente, o de denegación de tratamiento, durante el embarazo y la etapa previa, y durante el parto o postparto, en centros de salud públicos o privados"[20].

La violencia obstétrica ha sido conceptualizada como "aquella que ejerce el personal de salud sobre el cuerpo y los procesos reproductivos de las mujeres, expresada en un trato deshumanizado, un abuso de medicalización y patologización de los procesos naturales"[21]. En tanto que "la a OMS (2016) define la violencia obstétrica como el uso inapropiado de intervenciones médicas, la falta de respeto hacia la dignidad de la mujer, la negación de atención y tratamientos, o la falta de consideración de las preferencias y necesidades de las mujeres"[22].

Las víctimas de este tipo de violencia son las mujeres, sean niñas o adultas siendo los sujetos activos los profesionales del ámbito sanitario, contexto en que si bien la doctrina identifica diversas razones a su respecto, "especial mención merece la situación de saber-poder en que se encuentran los profesionales de la salud y frente a los cuales la mujer percibe que se debe limitar a obedecer"[23].

Para la Corte, la situación de la Sra. Brítez presentaba circunstancias que, "imponían un deber especial de protección en su favor, que obligaba a los médicos tratantes a brindar una atención diligente y reforzada, con una consideración especial debido a que se trataba de un embarazo de alto riesgo por la posibilidad que tenía de padecer preeclampsia y porque esta provoca altos índices de mortalidad materna"[24].

---

20 CORTE INTERAMERICANA DE DERECHOS HUMANOS: «Caso Brítez Arce y Otros vs. Argentina», cit., párr. 75, 22.

21 ORGANIZACIÓN PANAMERICANA DE LA SALUD: «*Violencia de género en Chile*» [en línea], (2013), <https://www.eme.cl/wp-content/uploads/ViolenciadegeneroenChile.pdf> [Consulta: 21/01/2025.], 65.

22 GERBALDO, M., "Violencia obstétrica y derechos humanos: reflexiones en torno a la sentencia Brítez Arce y otros Vs. Argentina, de la Corte Interamericana de Derechos Humanos", *Revista Derecho y Salud,* 8, 27 de diciembre de 2023, 235.

23 DIAZ GARCÍA, L., "Situación legislativa de la Violencia obstétrica en América latina: el caso de Venezuela, Argentina, México y Chile", *Revista de Derecho de la Pontificia Universidad Católica de Valparaíso,* 51, 06 de diciembre de 2018, 127.

24 CORTE INTERAMERICANA DE DERECHOS HUMANOS: «Caso Brítez Arce y Otros vs. Argentina», cit., párr. 82, 25.

La decisión que comentamos, tiene además la importancia de evidenciar el impacto sufrido por los hijos de la Sra. Brítez, quienes se encontraban al cuidado de su madre y que tras su fallecimiento, sumado al dolor por la pérdida sufrida, experimentaron el desmembramiento de su familia —en tanto que el mayor queda al cuidado de los abuelos, la más pequeña debió partir al campo con sus tíos— alterando sus proyectos de vida, la sentencia resuelve así que resultan afectados la integridad personal, el derecho a la protección a la familia y los derechos de la niñez haciendo responsable al Estado[25].

5. UNA NIÑA COMO PACIENTE. CASO VERA ROJAS Y OTROS VS. CHILE. SENTENCIA DE 1 DE OCTUBRE DE 2021 (EXCEPCIONES PRELIMINARES, FONDO, REPARACIONES Y COSTAS)[26]

Este caso visibiliza una serie de factores de interseccionalidad, se trata de una persona menor de edad, mujer, en situación de discapacidad, razón por la cual hemos considerado relevante su análisis dentro del presente trabajo.

Aborda la situación de Martina Vera Rojas, una niña diagnosticada con síndrome de Leigh, enfermedad neurológica progresiva que requiere cuidados médicos continuos. Sus padres, Carolina Rojas y Ramiro Vera, contrataron con una aseguradora privada —Isapre MasVida— un plan de salud que incluía una cobertura adicional para enfermedades catastróficas con objeto que la niña recibiera hospitalización domiciliaria desde noviembre de 2007.

En octubre de 2010, MasVida notificó a la familia la suspensión de la hospitalización domiciliaria argumentando que, según la Circular IF/N°7 de la Superintendencia de Salud, las enfermedades crónicas se encontraban excluidas de este beneficio[27]. La familia presentó un recurso de protección

---

25 *Ibid.*, párr. 97, 29.

26 CORTE INTERAMERICANA DE DERECHOS HUMANOS: «Caso Vera Rojas Otros vs. Chile» [en línea], (2021), <https://www.corteidh.or.cr/docs/casos/articulos/seriec_439_esp.pdf> [Consulta: 21/01/2025.]

27 Respecto a la situación del sistema de ISAPRE en Chile véase RIVEROS FERRADA, C.*et al.*: "Pacientes chilenos de grupos vulnerables: una mirada desde los pronunciamientos de la Corte Interamericana", *Iberoamérica,* 1, 2024, 114-135.

ante la Corte de Apelaciones de Arica que falló a su favor, sin embargo, la Corte Suprema revocó esta decisión. Posteriormente, la familia acudió a la Superintendencia de Salud y en abril de 2012 una jueza árbitro ordenó la reinstalación de la hospitalización domiciliaria para Martina.

El 1 de octubre de 2021, la Corte IDH resolvió la responsabilidad internacional de Chile por violar los derechos a la vida, integridad personal, salud, seguridad social y protección especial de la niñez respecto Martina Vera, determinando que la decisión de la Isapre MasVida, basada en una normativa estatal, puso en riesgo la vida y salud de la niña evidenciando una falta de regulación adecuada por parte del Estado sobre las aseguradoras privadas. Reconoció, además, que el sufrimiento y estrés experimentados por los padres constituyeron una violación a su integridad personal. También, la Corte ordenó a Chile asegurar la continuidad del tratamiento médico de Martina, proporcionar atención psicológica a sus padres, modificar la normativa para evitar futuras situaciones similares y pagar indemnizaciones por daños materiales e inmateriales.

Es preciso destacar que la Corte en esta sentencia establece la obligación que tiene el Estado en torno a reglamentar a las entidades privadas de salud para garantizar el acceso y la continuidad de los tratamientos esenciales, especialmente en casos de niños, niñas o adolescentes con condiciones de salud crítica[28]. Es decir, existe una especial protección de la niñez en el ámbito sanitario y ello está fundado en el interés superior de Martina, ya que fija un mandato para priorizar los derechos de una niña que posee además una discapacidad de ser atendida en su propio entorno familiar[29].

6. CONCLUSIONES

El análisis de ocho casos conocidos por los órganos del sistema interamericano de derechos humanos, emblemáticos para la región en materia de reconocimiento de los derechos de las mujeres, nos lleva a concluir que en numerosas ocasiones su calidad de paciente intensifica las diversas manifestaciones de discriminación que viven cotidianamente, motivo que

---

28 CÁCERES M.: "El derecho a la salud de los niños y niñas por la Corte Interamericana de Derechos Humanos", *Revista Derecho y Salud UBP*, 6 (7), 2022, 107-121.

29 COMITÉ DE LOS DERECHOS DEL NIÑO: «Observación General No. 9: Los derechos de los niños con discapacidad» [en línea], 2006, https://www.right-to-education.org/sites/right-to-education.org/files/resource-attachments/CRC_Observación_General_%209_ES.pdf [Consulta: 19/12/2024.]

obliga a los Estados a generar políticas públicas adecuadas frente al que todavía parece ser un gran desafío para Latinoamérica.

Así, se pone de relieve la necesidad de contar con el consentimiento informado de las pacientes, haciendo énfasis, en el caso de esterilizaciones permanentes, que los efectos en el ejercicio de los derechos reproductivos son absolutos y que este tipo de medidas no pueden formar parte de una política de Estado como fue comprobado en el caso de Perú.

De otra parte, la defensa de los derechos sexuales y reproductivos de las mujeres de la región ha impuesto a Estados como Nicaragua y El Salvador un estudio de sus normativas en torno al aborto puesto que, solo así será posible garantizar por parte de los Estados un trato digno y respetuoso hacia las pacientes de América Latina.

En un tema que convoca tanto a hombres y mujeres conjugando la autonomía en los tratamientos médicos, los derechos reproductivos, el derecho a gozar de los avances científicos y el derecho a la vida familiar, como lo es la utilización de técnicas de reproducción asistida, se advierte la repercusión que este tipo de tratamientos médicos y su suspensión genera, especialmente, para las mujeres pues es en sus cuerpos donde se concretizan las intervenciones siendo necesario comprender su derecho a la salud considerando los rasgos y factores distintivos que las diferencian de los hombres.

Respecto la violencia obstétrica, problema grave que afecta la salud y los derechos humanos de las mujeres a nivel mundial, en el primer caso contencioso llegado al conocimiento de la Corte se establece un nuevo estándar interamericano instando a los Estados a su prevención y erradicación, garantizando el pleno ejercicio del derecho a la salud materna con servicios especializados, dignos, libres de discriminación y violencia.

En el cruce de factores de interseccionalidad, finalizamos la revisión con el caso de una niña en situación de discapacidad, en que se ha reconocido en forma expresa el derecho a la salud, amparado por el artículo 26 de la Convención Americana sobre Derechos Humanos, destacando la relevancia en el acceso a la salud y la continuidad de los tratamientos.

Finalmente es posible destacar el impacto que todas estas atenciones sanitarias tienen en diversos derechos esencialmente relacionados con la vida, salud e integridad física y psíquica. Asimismo, el sistema interamericano ha destacado en los distintos procesos la intensa afectación que se produce en la vida privada de las pacientes mujeres de nuestro continente.

7. BIBLIOGRAFÍA

CÁCERES M.: "El derecho a la salud de los niños y niñas por la Corte Interamericana de Derechos Humanos", *Revista Derecho y Salud UBP,* 6 (7), 2022, 107-121.

DIAZ GARCÍA, L., "Situación legislativa de la Violencia obstétrica en América latina: el caso de Venezuela, Argentina, México y Chile", *Revista de Derecho de la Pontificia Universidad Católica de Valparaíso,* 51, 06 de diciembre de 2018, 123-143.

GERBALDO, M., "Violencia obstétrica y derechos humanos: reflexiones en torno a la sentencia Brítez Arce y otros vs. Argentina, de la Corte Interamericana de Derechos Humanos", *Revista Derecho y Salud,* 8, 27 de diciembre de 2023, 229-237.

MÁLAGA, E.: "Las esterilizaciones forzadas, los derechos reproductivos y el consentimiento informado", *Revista Peruana de Medicina Experimental y Salud Publica,* 30 (3), 2013: 521-30.

ORGANIZACIÓN PANAMERICANA DE LA SALUD: «*Violencia de género en Chile*» [en línea], (2013), <https://www.eme.cl/wp-content/uploads/Violenciadegeneroen-Chile.pdf> [Consulta: 21/01/2025.]

RODRÍGUEZ ALARCÓN, J. y PERICO, M. F.: "El impacto de la pobreza y la violencia en la salud y los derechos reproductivos de las mujeres en El Salvador", *Cadernos de Saúde Pública,* 36 (1), 2020, e00039119.

VIRGILIA COPELLO, N., "Manuela, víctima de los estereotipos de género", *UBP Revista Derecho y Salud,* 6, (7), 2022, 97-106, p. 103.

Sección II
VIOLENCIAS DE GÉNERO Y HERRAMIENTAS JURÍDICAS DE PROTECCIÓN

La violencia como causa de anulación del contrato en el prisma de la igualdad transformativa

GIOVANNA MARCHETTI
Unversità di Padova

1. INTRODUCCIÓN Y OBJETIVO DE LA INVESTIGACIÓN

El presente estudio analiza la violencia como causa de anulación del contrato en el contexto del sistema jurídico italiano, con especial referencia al tratamiento diferenciado entre hombres y mujeres previsto en el artículo 1435 del Código Civil italiano.

Dicha norma introduce un criterio de evaluación de la amenaza basado en parámetros como la edad, la condición de las personas y el sexo. El análisis se centra en las implicaciones de esta norma en términos de igualdad de género e igualdad transformativa.

La investigación examina el lenguaje legislativo como vehículo de estereotipos y prejuicios de género, destacando las discrepancias entre el artículo 1435 del Código Civil italiano y los principios constitucionales de igualdad y paridad de género, así como el progreso normativo internacional.

A través de una comparación con otros sistemas jurídicos, este trabajo propone una revisión crítica del artículo 1435 del Código Civil italiano, sugiriendo su modificación conforme a modelos inclusivos y no discriminatorios.

En conclusión, se subraya la necesidad de un enfoque integrado que combine la revisión normativa con acciones educativas y culturales para promover una auténtica igualdad sustantiva entre hombres y mujeres.

2. LOS ESTEREOTIPOS DE GÉNERO EN EL LENGUAJE DEL DERECHO PRIVADO COMO OBSTÁCULO PARA LA REALIZACIÓN DE LA IGUALDAD TRANSFORMATIVA

El Convenio de Estambul (Convenio del Consejo de Europa sobre prevención y lucha contra la violencia contra las mujeres y la violencia doméstica, adoptado el 11 de mayo de 2011) y la CEDAW (Convención sobre la Eliminación de Todas las Formas de Discriminación contra la Mujer, adoptada por la Asamblea General de las Naciones Unidas el 18 de diciembre de 1979) constituyen dos pilares fundamentales para la promoción de una igualdad de género que trascienda la mera paridad formal.

Ambos instrumentos buscan principalmente realizar una transformación cultural y estructural de la sociedad.

El Convenio de Estambul coloca la lucha contra la violencia de género como una herramienta esencial para garantizar los derechos fundamentales y la igualdad entre mujeres y hombres[1].

En particular, el artículo 12 del Convenio obliga a los Estados parte a promover cambios en los modelos culturales de comportamiento basados en la inferioridad de las mujeres o en roles estereotipados de género. Este mandato se traduce no solo en medidas punitivas contra quienes cometen actos de violencia, sino también en acciones educativas y legislativas destinadas a eliminar los estereotipos que perpetúan desigualdades y discriminaciones.

De manera similar, la CEDAW establece un marco normativo internacional que obliga a los Estados signatarios a eliminar todas las formas de discriminación contra las mujeres tanto en las relaciones públicas como en las privadas. El artículo 2 exige que los Estados adopten todas las medidas necesarias para modificar o derogar leyes, reglamentos y prácticas que constituyan discriminación contra las mujeres. Asimismo, el artículo 5 dispone que los Estados deben adoptar medidas adecuadas para «modificar los patrones socioculturales de comportamiento de hombres y mujeres con miras a eliminar los prejuicios y las prácticas consuetudinarias o de cualquier otra índole basadas en la idea de inferioridad o superioridad de uno u otro sexo, o en funciones estereotipadas de hombres y mujeres».

El Convenio de Estambul y la CEDAW comparten, por tanto, el objetivo de promover la igualdad transformativa, «que presupone la redefinición

---

1 Véase el artículo 1 de la Convención.

de las relaciones de género y la eliminación de roles estereotipados de hombres y mujeres»[2].

Una transformación de este tipo no solo se logra mediante la revisión de leyes discriminatorias, sino también a través de un replanteamiento de los modelos culturales y sociales, incluidas las representaciones de género vehiculadas por el lenguaje legislativo y jurídico.

En el contexto del derecho privado italiano, algunas disposiciones normativas han sido, y en parte siguen siendo, expresión de una visión patriarcal de la sociedad.

Esto fue particularmente evidente hasta la reforma del derecho de familia de 1975, ya que muchas normas de la época reflejaban explícitamente una jerarquía de género, relegando a la mujer a una posición de subordinación respecto al hombre, tanto en el ámbito familiar como en la gestión de los derechos patrimoniales y personales[3].

En la actualidad, aunque el marco normativo ha cambiado profundamente, persisten ciertas normas que traicionan un legado cultural patriarcal.

Un ejemplo emblemático es el artículo 143 *bis* del Código Civil, que regula el apellido de la esposa[4]. Esta norma, pese a su aparente neutralidad, perpetúa la idea de una prevalencia simbólica de la identidad masculina dentro de la familia[5].

---

2 Así, en referencia a CEDAW v. PITINO, A., "Gli stereotipi di genere in prospettiva giuridica, dalla Cedaw all'ordinamento italiano (con un cenno alla Francia)", en *DPCEonline*, 2021, p. 636.

3 Sobre este tema ver para todos CIAN, G., "Sui presupposti storici e sui caratteri generali del diritto di famiglia riformato", en *Commentario alla riforma del diritto di famiglia*, redactores Carraro, Oppo, Trabucchi, Tomo Primo, Parte prima, Cedam, Padova, 1977, pp. 23 - 77 (ahora en CIAN, G., *Scritti*, redactores De Cristofaro, Delle Monache, Girolami, Zaccaria, Wolters Kluwer - Cedam, Milano, 2023, pp. 1233-1325).

4 El artículo 143 *bis* del Código Civil establece que la esposa añade el apellido de su marido a su propio apellido y lo conserva durante su viudedad hasta que vuelva a contraer matrimonio.

5 Para una crítica de esta opción legislativa, que contrasta, además, con el principio de igualdad de los cónyuges establecido en el artículo 143 del Código Civil, véase DE CICCO, M. C., "Cognome della famiglia e uguaglianza fra coniugi", en *Trattato di diritto di famiglia,* diretto da Zatti, I, *Famiglia e matrimonio,* Giuffré, Milano, 2002, p. 735.

De igual manera, las normas que imponen automáticamente el apellido paterno a los hijos reflejan una concepción patriarcal de la familia, en contraste con el principio de igualdad de los padres y con el principio constitucional de igualdad entre hombres y mujeres, como ha reconocido en varias ocasiones el Tribunal Constitucional italiano, que por ello ha declarado su ilegitimidad[6].

Significativo es también el uso del término «padre de familia» presente en varias disposiciones del Código Civil italiano[7].

Esta expresión, lejos de ser una simple fórmula estilística, refleja claramente el contexto histórico en el que fue elaborado. La elección de señalar un modelo masculino, en lugar de una figura neutral como la «persona diligente»[8], implica una concepción de la mujer como ajena a la gestión racional y responsable de bienes o actividades cotidianas, relegándola a un papel secundario o exclusivamente afectivo.

Si bien estas disposiciones no producen efectos explícitamente discriminatorios en la práctica actual, especialmente a la luz de la evolución del derecho viviente, no puede ignorarse que conservan un valor simbólico que alimenta la persistencia de estereotipos de género.

El lenguaje normativo, de hecho, nunca es neutral: transmite y refuerza ciertas concepciones culturales. Y cuando estas concepciones se basan en lógicas patriarcales, el riesgo es que el propio derecho contribuya a obstaculizar la plena consecución de la igualdad sustantiva entre los géneros[9].

---

6 Entre las más recientes ver Tribunal Constitucional, 21 de diciembre de 2016, n.º 286, en *Famiglia e diritto*, 2017, 213, con una nota de AL MUREDEN, E., "L'attribuzione del cognome tra parità dei genitori e identità personale del figlio" pp. 213 – 224 y Tribunal Constitucional, 31 de mayo de 2022, nº 131, en *Famiglia e diritto*, con una nota de SESTA, M., "Le nuove regole di attribuzione del doppio cognome tra eguaglianza dei genitori e tutela dell'identità del figlio", pp. 871-896.

7 Véase el art. 1176 del Código Civil, según el cual en el cumplimiento de las obligaciones el deudor debe emplear la diligencia de un buen padre de familia, y el art. 1062 del Código Civil en materia de servidumbres constituidas mediante el uso de un padre de familia.

8 Véase el ejemplo de el Draf Common frame of reference que se refiere precisamente a la «persona razonable» (Artículo III.-2:106: Estándar de diligencia).

9 Sobre el lenguaje normativo, véase SCARPELLI, U., PINTORE, A., *Contributo alla semantica del linguaggio normativo,* Giuffrè, 1985; CONTE, A. G., *Filosofia del linguaggio normativo,* Giappichelli, Torino, 1989. Sobre la relación entre lengua y discriminación de género, véase SABATINI, A., *Raccomandazioni per un uso non sessista della lingua italiana,* Istituto Poligrafico e Zecca dello Stato, Roma, 1986.

En este escenario, resulta interesante analizar la referencia al sexo establecida por el artículo 1435 del Código Civil italiano con relación a la violencia como causa de anulación del contrato.

La norma, al menos en apariencia, tiene una intención protectora hacia la mujer y no discriminatoria.

Sin embargo, a la luz de las consideraciones realizadas sobre la importancia del lenguaje legislativo para la afirmación de la igualdad transformativa y, por ende, la eliminación de los estereotipos que este puede vehicular, es relevante verificar si la referencia explícita al sexo de la víctima, como uno de los parámetros de evaluación de la amenaza contenida en el artículo 1435 del Código Civil, constituye realmente un instrumento de protección para la mujer o, por el contrario, si actúa como un vehículo de discriminación. Si este fuera el caso, el artículo 1435 del Código Civil sería una norma lesiva de los principios constitucionales de igualdad sustantiva y paridad de género.

La investigación forma parte de una reflexión más amplia sobre la necesidad de revisar sistemáticamente el lenguaje legislativo y las disposiciones reglamentarias para eliminar todo rastro de prejuicios y estereotipos sexistas y promover así la consecución de una igualdad transformadora, en consonancia con los objetivos fijados por los convenios internacionales.

3. VIOLENCIA Y ANULACIÓN DEL CONTRATO EN EL CÓDIGO CIVIL ITALIANO: ¿UNA DISCRIMINACIÓN OCULTA?

El Código Civil italiano regula la violencia como vicio de la voluntad capaz de menoscabar la capacidad de autodeterminación del contratante en los artículos 1434-1438 del mismo código.

Se debate si esta normativa se aplica únicamente en los casos en que al contratante se le amenaza con un mal injusto (la llamada violencia moral, ejercida mediante medios psicológicos), como tradicionalmente se ha sostenido, o también en aquellos casos en que el contratante sufra una violencia física, al menos cuando esta sea tal que produzca una simple alteración de su voluntad y no una total anulación de la misma[10].

---

[10] Tradicionalmente se distinguía entre violencia moral y violencia física, causa de nulidad o inexistencia del contrato. En la actualidad, algunos consideran que esta

La violencia es causa de anulación del contrato siempre que sea determinante para el consentimiento y concurran las características enunciadas en el artículo 1435 del Código Civil.

El artículo 1435 del Código Civil dispone que, para ser causa de anulación del contrato, la amenaza debe tener una naturaleza tal que impresione a una «persona sensata», es decir, una «figura abstracta de persona normal»[11] y le haga temer exponer a sí misma y sus bienes a un mal injusto y considerable.

El parámetro de la «persona sensata» refleja la elección del legislador de adoptar un «criterio objetivo ponderado»[12] para evitar que la norma sea fuente de injusticias sustanciales, criterio que se matiza mediante la referencia a la edad, el sexo y la condición de las personas.

Para que la violencia sea causa de anulación del contrato, es necesario que la amenaza sea tal que infunda temor en una persona sensata de la misma edad, del mismo sexo y en la misma condición de la persona que la sufre.

Al leer el artículo 1435 del Código Civil, podría parecer que no todas las personas son sensatas e impresionables en igual medida.

La apreciación de la amenaza debe llevarse a cabo considerando la "categoría" a la que pertenece la víctima (adulto vs joven o anciano - hombre vs mujer) y sus condiciones, entre las que se incluyen, por ejemplo, la posición social, el nivel de educación y, en general, cualquier otro elemento

---

distinción ha quedado obsoleta. Parte de la doctrina para identificar la disciplina aplicable considera más correcto atender a los efectos realizados (coacción absoluta o relativa), que al tipo de violencia consumada (violencia moral o física). V. GALLO, P., "voce Violenza", in *Digesto Discipline Privatistiche., Sezione civile, Aggiornamento,* Utet, Torino, 2011, p. 907, CAVALLO BORGIA, R., "Dell'annullabilità del contratto", en *Commentario Scialoja - Branca,* Zanichelli, Bologna 1998, p. 329.

11 FIGONE, A., *La violenza,* en *Commentario Schlesinger,* Artt. 1434-1438, Giuffré, Milano, 2005, p. 334; D'AMICO, G., "Violenza. I. – Violenza in generale: d) Diritto privato", en *Enciclopedia del diritto.,* XLVI, Giuffrè, Milano 1993, p. 868; CAVALLO BORGIA, *cit.,* pp. 352-353; SACCO, R., "I costituenti del contratto", en SACCO, DE NOVA, *Il contratto,* in *Trattato Sacco,* Giappichelli, Torino, 1993, p. 454; TRABUCCHI, A., "Violenza (Vizio della volontà). Diritto vigente", en *Novissimo Digesto italiano,* XX, Utet, Torino, 1975, p. 946.

12 SANTORO PASSARELLI, F., *Dottrine generali del diritto civile,* 9ª ed., Jovene, Napoli, 1989, p. 167.

útil para determinar hasta qué punto la amenaza pudo haber impresionado a la víctima[13].

Después de leer la norma, uno no puede sino quedarse perplejo: de ella se deduce, en efecto, que hay personas que por edad y sexo son por definición más impresionables que otras y, por lo que interesa a nuestros fines, que la misma amenaza impresiona de manera diferente a las mujeres que a los hombres[14].

Las dudas aumentan si se considera que el artículo 1435 del Código Civil italiano es la única disposición normativa del Código Civil que contiene una referencia explícita al sexo, que en este caso «adquiere una función explícita de diferenciación»[15].

No solo eso. La presencia de esta norma en el Código Civil italiano marca la distancia entre este modelo y las disposiciones de ordenamientos cercanos al italiano y del derecho contractual europeo.

Es interesante observar que en materia de vicios del consentimiento los textos de *soft law* del derecho contractual europeo no hacen referencia a la edad ni al sexo de las personas[16], y que el Código Civil español en el artículo 1267, en la evaluación de la amenaza, solo toma en cuenta la edad y la condición de la persona.

Aún más relevante es la comparación con la disciplina francesa tras la reforma del derecho de las obligaciones de 2016[17]. El artículo 1112 del Código Civil francés antes de la reforma tenía un contenido similar al del

---

13 V. SACCO, R., *cit.*, p. 454; CAVALLO BORGIA, R., *cit.*, p. 355; D'AMICO, G., *cit.*, p. 868; GALLO, P., *cit.*, p. 908; FIGONE, A., *cit.*, p. 334

14 GALGANO, F., *Il negozio giuridico*, en *Tratt. Cicu – Messineo*, 2ª ed., Giuffrè, Milano, 2002, p. 339 afirmó que el legislador articula el concepto de hombre medio en relación con el género partiendo del supuesto de que las mujeres se asustan más fácilmente.

15 BASINI, G. F., "*«Matern aller Arten», o sia sulla impressionabilità del bel sesso, e sull'art. 1435 c.c.*", en *Obbligazioni e contratti*, 2007, p. 134 ss. El artículo 1435 del Código Civil también fue tratado específicamente por MINERVINI, E., "Esiste la categoria giuridica degli anziani (A proposito della violenza morale ed età)", en *Giurisprudenza italiana*, 1989, IV, p. 318 ss. que centró su análisis en la referencia a la edad.

16 Véase, en particular, el art. II - 7:206 del *Draft Common Frame of Reference* y el art. 4:108 de *Principles on European Contract law*.

17 Se hace alusión a la *Ordonnance* nº 2016-131 de 10 de febrero de 2016. La disciplina sobre Les vices du consentement se encuentra ahora en los artículos 1130 a 1144 del *Code Civil*.

artículo 1435 del Código Civil italiano e identificaba como parámetros de evaluación de la violencia la edad, el sexo y la condición de las personas.

El artículo 1130 del Código Civil reformado establece lo siguiente: «El error, el dolo y la violencia vician el consentimiento cuando son de tal naturaleza que, sin ellos, una de las partes no habría contratado o habría contratado en condiciones sustancialmente diferentes. Su carácter determinante se valora teniendo en cuenta a las personas y las circunstancias en las que el consentimiento fue dado», eliminando, por tanto, cualquier referencia al sexo de la víctima en la evaluación de la amenaza[18].

El artículo 1435 del Código Civil italiano, por el contrario, otorga un valor expreso al sexo de la víctima para la evaluación de la amenaza y parte del supuesto de que las mujeres pueden sentirse intimidadas con mayor facilidad que los hombres.

La idea subyacente a esta disposición normativa, es decir, que la mujer es una persona sensible de manera diferente al hombre, choca con el contexto socio-cultural actual y por eso la doctrina ha considerado la referencia al sexo como «un antiguo vestigio del pasado»[19] o, incluso, como «una desafortunada indicación» que refleja la concepción de una «presunta mayor debilidad de la mujer en la vida relacional»[20].

Desde esta perspectiva, el discurso podría cerrarse en pocas palabras y el artículo 1435 del Código Civil, en la parte en que se refiere al sexo, podría considerarse una disposición normativa innecesaria y superada.

Considerando lo que se ha dicho acerca de la importancia que tiene el lenguaje normativo para la afirmación de la igualdad transformativa y la eliminación de los estereotipos de género, según quien suscribe no se puede conformar con esta simplificación. De hecho, para ello, es necesario investigar más a fondo la razón subyacente al artículo 1435 del Código Civil y verificar cómo la norma se inserta dentro del proceso que ha implicado la protección y emancipación de la mujer.

---

18 DESHAYES, O., GENICON T., LAITHIER, Y.M., *Réforme du droit des contrats, du régime général et de de la preuve des obligations,* LexisNexis, Paris, 2016, p. 179; CHANTEPIE, G., - LATINA, M., *La réforme du droit des obligations,* Dalloz, Paris, 2016, p. 256.

19 ROPPO, V., *Il contratto,* en *Trattato Iudica - Zatti,* Giuffré, Milano 2011, p. 774 y también FIGONE, A., *cit.*, p. 103 y GALLO, P., *cit.*, p. 908.

20 BIANCA, C.M., *Diritto civile, 3, Il contratto,* 3ª ed., Giuffrè, Milano, 2019, p. 614.

El artículo 1435 del Código Civil, como se dirá a continuación, fue pensado como una disposición normativa destinada a proteger a la mujer, partiendo del supuesto de que la mujer merece una mayor protección que el hombre debido a su fragilidad[21].

Pero, ¿una norma que se basa en un estereotipo, en un prejuicio, es una norma que realmente protege al sujeto a favor del cual debería operar, o es una norma que alimenta esos mismos prejuicios y, por lo tanto, debe ser modificada?[22]

4. ANACRONISMO DE LA DISCIPLINA ITALIANA Y VIOLACIÓN DE LOS PRINCIPIOS CONSTITUCIONALES DE IGUALDAD Y PARIDAD DE GÉNERO

Los orígenes de la referencia al sexo por parte del artículo 1435 del Código Civil son antiguos.

La disposición normativa reproduce la contenida en el artículo 1112 del Código Civil italiano de 1865; norma que a su vez reproducía el texto del artículo 1112 del Code Napoléon, cuyas raíces se encuentran en los escritos de Pothier, donde se describía a la mujer como un sujeto frágil que se deja intimidar con mucha más facilidad que el hombre[23].

El artículo 1435 del Código Civil y sus antecedentes son, por lo tanto, el fruto de la concepción que relegaba a la mujer a una posición de inferiori-

---

21 Sobre el encuadramiento de la mujer como sujeto débil y la protección de la mujer v. POLETTI, D., "voce Soggetti deboli", en *Enciclopedia del diritto,* Annali VII, Giuffré, Milano, 2014, p. 971. Sobre este tema, véase también FORTINO, M., "voce Parità dei sessi", en *Enciclopedia del diritto,* XXXI, Giuffrè, Milano,1981, pp. 700 ss. En relación con el artículo 1435 del Código Civil, en el sentido de que «el sexo puede asumir una influencia diferente según las circunstancias y los períodos históricos», véase FRANZONI, M., "Il contratto annullabile", en *Trattato Bessone, Il contratto in generale,* Tomo VIII, redactores Di Majo, Ferri, Franzoni, Giappichelli, Torino, 2002, p. 334.

22 Sobre la relación entre estereotipos, prejuicios y desigualdades v. COSENZA, G., "Dagli stereotipi alle diseguaglianze di genere: un passo che si può (e deve) evitare", en *Percorsi di eguaglianza,* redactore Rescigno, Giappichelli, Torino, 2016, pp. 166 ss.

23 BASINI, G. F., *cit.*, p. 107.

dad[24]; una concepción que, a pesar de no estar presente en el Código Civil de 1865 ni en el Código Civil de 1942 con disposiciones normativas que otorgaran un valor expreso al sexo, continuó, como se ha dicho, manifestándose también en otros ámbitos del derecho privado[25].

Si miramos el artículo 1435 del Código Civil en su conjunto y nos detenemos en la función que desempeñan los tres parámetros allí indicados, que, como se ha mencionado, es la de matizar el criterio objetivo de la persona razonable abstracta, se puede decir que la norma —al menos en las intenciones del legislador— tenía como objetivo establecer un régimen protector favorable para la mujer y proteger la libre formación de su voluntad[26].

Pero admitamos también que esta es la función por la que la norma fue formulada históricamente, ¿el artículo 1435 del Código Civil realmente cumple con esta función protectora o, como hemos anticipado, es una norma discriminatoria y lesiva del principio de igualdad?

En dos contribuciones en las que, en el pasado, el tema ha sido objeto de profundización se han dado respuestas diferentes.

Ambas parten de la premisa de identificar el significado con el que se puede entender la referencia al sexo en la evaluación de la amenaza.

Según una primera tesis, la interpretación histórica de la norma y su tenor literal en su conjunto llevan a afirmar que en la base del artículo 1435 del Código Civil se encuentra el «prejuicio de una objetivamente "natural" mayor impresionabilidad de la mujer».

---

24 Sobre la rastreabilidad de esta idea hasta la elaboración canónica, véase también BASINI, G. F., *cit.*, p. 107. Sobre la persistencia de la discriminación de la mujer en el derecho canónico v. FORTINO, M., *cit.*, pp. 721 ss.

25 FALZEA, A., "voce Capacità (teoria generale)", in *Enciclopedia del diritto*, VI, Giuffré, Milano, 1960, p. 10 sobre la ausencia en el Código de 1865 de incapacidades jurídicas especiales imputables al sexo. Véanse las observaciones de FORTINO, M., *cit.*, p. 701 sobre el hecho de que, no obstante, pero en el ámbito del Derecho privado, las mujeres «siguen sometidas a una disciplina articulada sobre la desigualdad absoluta de los sexos».

26 Asimismo, en referencia al parámetro de la edad, se ha afirmado por la doctrina que se trata de una norma de protección de las personas mayores. Véase, por ejemplo, GALLO, P., *cit.*, p. 908.

En consecuencia, se ha dicho que el artículo 1435 del Código Civil, en la parte en que dispone que se tenga en cuenta el sexo, es constitucionalmente ilegítimo por violación del artículo 3 de la Constitución italiana[27].

Según una reconstrucción diferente, la presunta mayor debilidad de la mujer sobre la que se basa el artículo 1435 del Código Civil no depende de causas naturales, sino de condiciones externas que la han puesto en una situación de mayor vulnerabilidad respecto al hombre, y es en estos términos que se justifica la protección diferenciada prevista por la norma[28].

Para responder a la cuestión planteada, no considero determinante establecer si la referencia al sexo en el artículo 1435 del Código Civil se funda en el prejuicio de la natural inferioridad de la mujer o en la idea de que la mujer se encuentra en una condición de mayor vulnerabilidad debido a la presencia de factores externos que existían en el momento de la codificación, como por ejemplo el diferente grado de educación, su confinamiento dentro del ámbito doméstico y la realización de tareas principalmente familiares.

Sigue siendo una cuestión de inferioridad y, por lo tanto, dado que ese es el supuesto en el que se funda el artículo 1435 del Código Civil, la norma es discriminatoria y entra en contradicción con el camino que ha implicado la afirmación del principio de igualdad y con el principio de paridad de los sexos por las razones que expondré a continuación.

No es posible, ni sería útil en este momento, recorrer el camino que ha llevado al reconocimiento y la implementación del principio de igualdad entre hombres y mujeres en el sistema normativo italiano.

Para nuestros fines, es suficiente hacer referencia a las normas que componen el marco constitucional sobre la igualdad de sexos, es decir, los artículos 3, 29, 37, 48 y 51 de la Constitución italiana, y recordar que el proceso evolutivo que ha permitido la emancipación de la mujer de la función esencialmente familiar que tradicionalmente se le atribuía y la progresiva afirmación del principio de igualdad entre hombre y mujer pasó inicialmente por los intentos de implementación del principio de paridad de sexos en el ámbito del derecho laboral, extendidos luego a otros sectores, para continuar en el terreno de la adopción de las llamadas "acciones positivas", es decir, de las acciones jurídicas que prevén un tratamiento dife-

---

27 BASINI, G. F., *cit.*, pp. 107 ss.

28 MINERVINI, E., *cit.*, p. 319 afirmó que lo mismo ocurre con el requisito de edad y, por lo tanto, con referencia a las personas mayores.

renciado a favor de individuos que pertenecen a categorías consideradas desfavorecidas[29], y finalmente, hacia la afirmación y la implementación del principio de igualdad de oportunidades[30].

De este largo y arduo camino, interesa destacar un aspecto: la progresiva emancipación de la mujer y la implementación del principio de igualdad de sexos se han desarrollado por un lado a través de intervenciones dirigidas a introducir normativas protectoras de favor, y por otro lado, mediante iniciativas orientadas a eliminar las normas evidentemente discriminatorias y, asimismo, aquellas normas que bajo la intención protectora de la mujer ocultaban un tratamiento discriminatorio.

La luz que ha iluminado este proceso ha sido el principio constitucional de igualdad, que, por un lado, impone tratar de manera igual a situaciones iguales y de manera diferente a situaciones diferentes, y por otro lado, eliminar los obstáculos jurídicos, políticos, sociales y económicos para su plena implementación[31].

En este marco, para preservar la legitimidad constitucional del artículo 1435 del Código Civil en la parte en que establece un régimen diferenciado para hombres y mujeres en la evaluación de la amenaza, es necesario afirmar que la norma se encuentra entre aquellas que garantizan una protección diferenciada de la mujer debido al hecho de que hombre y mujer se encuentran en una condición diferente.

Desde esta perspectiva, el artículo 1435 del Código Civil podría leerse como una disposición normativa que autoriza un tratamiento de favor para la mujer, justificado precisamente por la diversidad existente entre hombre y mujer.

---

29 Sobre el tema v. CARTABIA, M., "Le azioni positive come strumento del pluralismo? ", en I *soggetti del pluralismo nella giurisprudenza costituzionale*, redactores Bin – Pinelli, Giappichelli, Torino, 1996, p. 65 ss.; D'ALOIA, A., *Eguaglianza sostanziale e diritto diseguale. Contributo allo studio delle azioni positive nella prospettiva costituzionale*, Cedam, Padova, 2002.

30 FORTINO, *cit.*, pp. 696 ss. y también GALOPPINI, A. M., *Il lungo viaggio verso la parità. I diritti civili e politici delle donne dall'Unità ad oggi*, Il Mulino, Bologna, 1980; DURVAL, "«Parità uomo-donna»", en *Dizionari del diritto privato*, redactore Irti, Vol. 2, Varese, 1981, pp. 307 ss.; ANTONIOLLI DEFLORIAN, L., "voce *Parità tra uomo e donna*", nel *Digesto Discipline privatistiche, Sezione civile, Aggiornamento*, Utet, Torino, 2000, p. 603 ss.

31 Sobre el principio de igualdad ver para todos PALADIN, L., *Il principio costituzionale d'eguaglianza*, Giuffrè, Milano, 1965 y CERRI, A., "voce Uguaglianza (principio costituzionale di)", en *Enciclopedia Giuridica Treccani*, XII, Roma, 1994.

Para verificar la validez de esta tesis, es necesario preguntarse qué tipo de diversidad justifica un tratamiento diferenciado, ya que si se tratara de la mera diversidad existente entre hombre y mujer, se desvirtuaría el proceso de emancipación del sexo femenino y de implementación del principio de igualdad de trato.

A este respecto, un punto interesante de reflexión es ofrecido por la interpretación dada por parte de la doctrina al artículo 37 de la Constitución italiana, que establece que «la mujer trabajadora tiene los mismos derechos y, a igual trabajo, la misma retribución que le corresponde al trabajador» y que «las condiciones de trabajo deben permitir el cumplimiento de su esencial función familiar y asegurar a la madre y al niño una especial protección adecuada».

Esta disposición normativa ha sido considerada como el resultado de un compromiso entre la posición laica favorable a la emancipación de la mujer y la posición católica que colocaba a la mujer «en la órbita de los sujetos débiles (al igual que los niños) que deben ser protegidos por leyes especiales»[32].

Según parte de la doctrina, a la luz de la progresiva afirmación del principio de igualdad entre hombre y mujer, el artículo 37 de la Constitución debe interpretarse en el sentido de que un tratamiento jurídico protectivo diferenciado se justifica únicamente por la única y única «diversidad biológica objetiva insuperable» entre hombre y mujer, es decir, la de la maternidad y el puerperio, pero no «a la luz de los roles que están vinculados a la figura femenina por un legado cultural e histórico»[33].

Se ha dicho también que «la implementación del principio de igualdad entre hombre y mujer conlleva la abolición de los regímenes protectores que no están vinculados a factores biológicos inmutables»[34].

Volviendo a la cuestión planteada y ampliando el discurso en una perspectiva más amplia, podemos decir que esta es la única diversidad que justifica la previsión de un régimen normativo diferenciado y protector para

---

32 ANTONIOLLI DEFLORIAN, L., *cit.*, pp. 604 s.

33 ANTONIOLLI DEFLORIAN, *cit.*, p. 605 y PESCATORE, R., "Donna lavoratrice: come il linguaggio costruisce il diritto e il diritto costruisce il linguaggio", en *70 anni dopo tra uguaglianze e differenza. Una riflessione sull'impatto del genere nella Costituzione e nel costituzionalismo,* redactores Pezzini - Lorenzetti, Giappichelli, Torino, 2019, pp. 268 ss.

34 ANTONIOLLI DEFLORIAN, L., *cit., ibidem.*

la mujer: una diversidad que depende precisamente de las diferencias biológicas no superables y no de condicionamientos externos o viejos legados culturales[35].

En el contexto del derecho privado, la existencia de una disciplina normativa protectora es, por lo tanto, legítima cuando está en juego la diversidad objetiva impuesta por la naturaleza entre la mujer y el hombre, pero no cuando el tratamiento de favor se basa en una visión estereotipada y vinculada a los prejuicios que presentan a la mujer como un ser vulnerable, frágil y dedicado a tareas domésticas y al cuidado de la familia.

De hecho, las normas que se basan en una representación estereotipada de la mujer contribuyen a alimentarla y, en consecuencia, dan lugar a una forma de discriminación[36].

Esta visión lleva a dudar de la utilidad y, aún antes, de la justificación de algunas formas de protección previstas a favor de las mujeres, como por ejemplo las "cuotas femeninas", es decir, la reserva en las listas electorales de un número determinado de puestos para candidatas del género femenino o en los órganos de administración y control de las empresas.

Esto es cierto, al menos en la medida en que se mire a las cuotas femeninas como una herramienta necesaria para apoyar a una categoría débil, incapaz de abrirse paso por sí misma, ya que en esta perspectiva, aunque genuinamente orientadas a salvaguardar el interés de la mujer, las cuotas femeninas subyacen la idea de que, aún hoy, sin estos mecanismos protectores, la mujer no podría afirmarse de la misma manera que el hombre, cuando, como se ha dicho, la única diversidad entre hombre y mujer que no depende de prejuicios y viejos estereotipos es la biológica[37].

Ahora bien, al considerar el artículo 1435 del Código Civil, es evidente que el régimen diferenciado previsto por la norma para la evaluación de la amenaza no se justifica a la luz de factores biológicos inmutables, sino que se basa en el prejuicio de la mayor impresionabilidad de la mujer, sin importar si depende de factores externos o causas naturales.

---

[35] Véanse también las reflexiones de FORTINO, M., *cit.*, p. 704.

[36] Véanse VANTIN, S., *L'eguaglianza di genere tra mutamenti sociali e nuove tecnologie. Percorsi di diritto antidiscriminatorio*, Pacini Giuridica, Pisa, 2018, p. 21.

[37] V. LORELLO, L., "Quote rosa e parità tra i sessi: la storia di un lungo cammino", en *Osservatorio AIC*, 2017, p. 2.

En consecuencia, la norma es discriminatoria y afecta de ilegitimidad constitucional, ya que vulnera el principio de paridad de sexos y de igualdad. Además, constituye un obstáculo para la afirmación de la igualdad sustancial entre hombre y mujer, siendo el vehículo a través del cual se perpetúa un estereotipo de género.

5. CONCLUSIONES Y PERSPECTIVAS: EL LENGUAJE DEL LEGISLADOR COMO HERRAMIENTA DE AFIRMACIÓN DE LA IGUALDAD TRANSFORMADORA

El análisis realizado ha puesto de manifiesto que la referencia al sexo en el artículo 1435 del Código Civil italiano constituye un vestigio de prejuicios históricos que, aunque inicialmente introducidos con una intención protectora, hoy resultan discriminatorios y contrarios a los principios constitucionales de igualdad y paridad de género.

Este dato resalta la urgencia de una revisión normativa que se alinee con los objetivos de igualdad sustantiva y transformadora, tal como se establece también en los convenios internacionales.

El artículo 1435 del Código Civil debería modificarse eliminando cualquier referencia al sexo, y esto es aún más necesario si se considera que el lenguaje jurídico, como vehículo de las normas y su interpretación, desempeña un papel central en la promoción o, por el contrario, en la perpetuación de las desigualdades de género.

Como se ha mencionado, la elección de palabras y fórmulas normativas nunca es neutra. Un lenguaje normativo inclusivo debe, por lo tanto, superar el uso de expresiones que refuercen modelos culturales patriarcales o que se basen en roles estereotipados.

En el caso del derecho italiano, muchos términos y conceptos hoy en día parecen anacrónicos e inadecuados respecto a los objetivos de paridad e inclusión establecidos tanto por el derecho interno como por los instrumentos internacionales, y entre estos se encuentra la referencia al sexo en el artículo 1435 del Código Civil.

La eliminación de esta disposición normativa de referencias al sexo y a otros criterios potencialmente discriminatorios, como la edad, se configura como un paso necesario para superar los estereotipos y promover un lenguaje normativo verdaderamente inclusivo.

El legislador italiano podría inspirarse en la reforma del ordenamiento francés, que ha demostrado cómo es posible armonizar los criterios objetivos de evaluación con el respeto de los principios de paridad e inclusión.

La revisión del artículo 1435 del Código Civil y, en general, del lenguaje normativo, debería ser parte de una estrategia más amplia destinada a crear un sistema jurídico que no solo reconozca formalmente la paridad de género, sino que también favorezca su plena implementación a través de la eliminación de cualquier obstáculo lingüístico, normativo y cultural.

La realización de una auténtica igualdad sustantiva requiere un enfoque integrado que combine la revisión de las normas, la adopción de un lenguaje jurídico inclusivo y una inversión en la formación y sensibilización cultural.

Las normas, de hecho, interactúan constantemente con las dinámicas culturales y sociales. Por esta razón, la superación de los estereotipos de género no puede limitarse a una mera reescritura de las disposiciones normativas, sino que debe involucrar al sistema jurídico en su totalidad y a la sociedad en su conjunto.

Un papel crucial lo desempeña la formación, tanto en el ámbito académico como en la práctica jurídica. La sensibilización de los operadores del derecho respecto a los estereotipos de género y su impacto en las interpretaciones normativas es fundamental para promover un enfoque verdaderamente igualitario[38].

6. BIBLIOGRAFÍA

BASINI, G. F., "«Matern aller Arten», o sia sulla impressionabilità del bel sesso, e sull'art. 1435 c.c.", en *Obbligazioni e contratti,* 2007, p. 134 ss.

BIANCA, C. M., *Diritto civile, 3, Il contratto,* 3ª ed., Giuffrè, Milano, 2019.

[38] El Convención de Estambul, en su Art. 15, se refiere explícitamente a la obligación de los Estados Partes de garantizar que los profesionales del derecho y de las fuerzas y cuerpos de seguridad reciban una formación adecuada sobre la violencia de género y la igualdad. Del mismo modo, el CEDAW, en la Recomendación General n.º 33 (2015), destaca la importancia de la formación jurídica para combatir la discriminación institucional y garantizar que el sistema jurídico funcione de manera inclusiva y equitativa.

CARTABIA, M., "Le azioni positive come strumento del pluralismo?", en *I soggetti del pluralismo nella giurisprudenza costituzionale,* redactores Bin-Pinelli, Giappichelli, Torino, 1996.

CAVALLO BORGIA, R., "Dell'annullabilità del contratto", en *Commentario Scialoja - Branca,* Zanichelli, Bologna, 1998.

CERRI, A., "voce Uguaglianza (principio costituzionale di)", en *Enciclopedia Giuridica Treccani,* XII, Roma, 1994.

CIAN, G., "Sui presupposti storici e sui caratteri generali del diritto di famiglia riformato", en *Commentario alla riforma del diritto di famiglia, redactores Carraro - Oppo - Trabucchi,* Tomo Primo, Parte prima, Cedam, Padova, 1977, pp. 23-77 (ahora en G. CIAN. Scritti, redactores De Cristofaro – Delle Monache – Girolami, Zaccaria, Wolters Kluwer - Cedam, Milano, 2023, pp. 1233-1325).

CHANTERPIE, G., LATINA, M., *La réforme du droit des obligations,* Dalloz, Paris, 2016.

COSENZA, G., "Dagli stereotipi alle diseguaglianze di genere: un passo che si può (e deve) evitare", en *Percorsi di eguaglianza,* redactore Rescigno, Giappichelli, Torino, 2016, pp. 166-175.

CONTE, A. G., *Filosofia del linguaggio normativo,* Giappichelli, Torino, 1989.

D'ALOIA, A., *Eguaglianza sostanziale e diritto diseguale. Contributo allo studio delle azioni positive nella prospettiva costituzionale,* Cedam, Padova, 2002.

D'AMICO, G., "Violenza. I. – Violenza in generale: d) Diritto privato", en *Enciclopedia del diritto,* XLVI, Giuffrè, Milano, 1993, p. 868.

DE CICCO, M. C., "Cognome della famiglia e uguaglianza fra coniugi", en *Trattato di diritto di famiglia, diretto da Zatti, I, Famiglia e matrimonio,* Giuffré, Milano, 2002.

DESHAYES, O., GENICON, T., LAITHIER, Y. M., *Réforme du droit des contrats, du régime général et de la preuve des obligations,* LexisNexis, Paris, 2016.

DURVAL, "Parità uomo-donna", en *Dizionari del diritto privato,* redactore Irti, Vol. 2, Varese, 1981, p. 307.

FIGONE, A., "La violenza", en *Commentario Schlesinger, Artt. 1434-1438,* Giuffré, Milano, 2005.

FORTINO, M., "voce Parità dei sessi", en *Enciclopedia del diritto,* XXXI, Giuffrè, Milano, 1981, pp. 700 ss.

FRANZONI, M., "Il contratto annullabile", en *Trattato Bessone, Il contratto in generale,* Tomo VIII, redactores Di Majo - Ferri - Franzoni, Giappichelli, Torino, 2002.

GALGANO, F., *Il negozio giuridico, en Trattato Cicu - Messineo,* 2ª ed., Giuffrè, Milano, 2002.

GALLO, P., "voce Violenza", in *Digesto Discipline Privatistiche,* Sezione civile, Aggiornamento, Utet, Torino, 2011, p. 907.

GALOPPINI, A. M., *Il lungo viaggio verso la parità. I diritti civili e politici delle donne dall'Unità ad oggi,* Il Mulino, Bologna, 1980.

LORELLO, L. V., "Quote rosa e parità tra i sessi: la storia di un lungo cammino", en *Osservatorio AIC,* 2017, pp. 1-19.

MINERVINI, E., "Esiste la categoria giuridica degli anziani (A proposito della violenza morale ed età)", en *Giurisprudenza italiana*, 1989, IV, p. 318 ss.

PALADIN, L., *Il principio costituzionale d'eguaglianza*, Giuffrè, Milano, 1965.

PESCATORE, R., "Donna lavoratrice: come il linguaggio costruisce il diritto e il diritto costruisce il linguaggio", en *70 anni dopo tra uguaglianze e differenza. Una riflessione sull'impatto del genere nella Costituzione e nel costituzionalismo*, redactores Pezzini - Lorenzetti, Giappichelli, Torino, 2019, pp. 265-282.

PITINO, A., "Gli stereotipi di genere in prospettiva giuridica, dalla Cedaw all'ordinamento italiano (con un cenno alla Francia)", en *DPCEonline*, 2021, pp. 619-638.

POLETTI, D., "voce Soggetti deboli", en *Enciclopedia del diritto*, Annali VII, Giuffrè, Milano, 2014, p. 964-980.

ROPPO, V., "Il contratto", en *Trattato Iudica – Zatti*, Giuffrè, Milano, 2011.

SABATINI, A., *Raccomandazioni per un uso non sessista della lingua italiana*, Istituto Poligrafico e Zecca dello Stato, Roma, 1986.

SACCO, R., DE NOVA, G., *Il contatto*, Giappichelli, Torino, 1993.

SANTORO PASSARELLI, F., *Dottrine generali del diritto civile*, 9ª ed., Jovene, Napoli, 1989.

SCARPELLI, U., PINTORE, A., *Contributo alla semantica del linguaggio normativo*, Giuffrè, 1985.

TRABUCCHI, A., "Violenza (Vizio della volontà). Diritto vigente", en *Novissimo Digesto italiano*, XX, Utet, Torino, 1975, pp. 941-953.

VANTIN, S., *L'eguaglianza di genere tra mutamenti sociali e nuove tecnologie. Percorsi di diritto antidiscriminatorio*, Pacini Giuridica, Pisa, 2018.

Dimensiones de la perspectiva de género en los casos de violencia sexual y digital contra las mujeres

MARÍA DEL SOCORRO PENSADO CASANOVA
Doctoranda en Estudios Interdisciplinares de Género
Universidad de Alcalá

1. INTRODUCCIÓN

La perspectiva de género es aquella herramienta que se ha traducido del *gender mainstreaming* presentada de manera formal en la Cuarta Conferencia Mundial sobre la Mujer de Naciones Unidas en 1995, en Beijing, China[1]. Su naturaleza va más allá de ser un elemento fundamental para analizar los casos de violencia contra las mujeres, ya que gracias a esta se hace posible la identificación y el estudio de las desigualdades entre todas las personas.

La manera en que incide el proceso de observación de un hecho bajo un enfoque de género modifica la percepción de una equívoca o falsa igualdad, puesto que demuestra las raíces de la violencia o discriminación por razón del género. Por esto, resulta imprescindible explorar las dimensiones que la perspectiva de género logra en la investigación de los casos de víctimas de violencia contra las mujeres. En el presente escrito, de forma particular se aborda una reflexión sobre su aplicación frente al análisis de dos modalidades de violencia, que con el impacto de las nuevas tecnologías en el Siglo XXI han sido visibilizadas y reconocidas para su prevención aún más que en años pasados, la violencia sexual y digital[2].

---

1 NACIONES UNIDAS, Informe de la Cuarta Conferencia Mundial sobre la Mujer, Beijing, 4 a 15 de septiembre de 1995, A/CONF.177/20/Rev.1.

2 MOHANTY, J.R. y SAMANTARAY S., "Cyber Feminism: Unleashing Women Power through Technology", en *Rupkatha Journal on Interdisciplinary Studies in Humanities*, vol. IX, no. 2, pp. 329-336.

2. PERSPECTIVA DE GÉNERO

De acuerdo con Marcela Lagarde, la inclusión de la perspectiva de género busca el logro de una contribución de la construcción subjetiva y social por permitir un nuevo significado a la historia, la sociedad, la cultura y la política desde las mujeres y con las mujeres[3]. De modo que su incorporación en el día a día permite forjar una visión integral en la que el histórico sistema patriarcal y de subordinación de la mujer frente al hombre, y la dominación de este se deja atrás, y se presenta así a la mujer como un sujeto y no como un objeto, tal y como lo ha sostenido Rosa Cobo al explicar la esencia del feminismo y su fin principal[4].

Sin embargo, en 30 años no ha resultado fácil para la comunidad internacional realizar la transversalización de la perspectiva de género, es decir, institucionalizarla en todos los espacios, por lo que quizá, para su entendimiento sea necesario reafirmar que esta pieza clave surgió para la erradicación de la desigualdad, la discriminación y la exclusión de las mujeres, por haber nacido con ese género, sin encontrar otro margen de distinción[5].

En este sentido, la perspectiva de género persigue la búsqueda y el logro del acceso para todas las personas a la igualdad formal de oportunidades, condiciones, derechos, poder, justicia, política, bienes materiales y culturales, entre otros. Si bien, desde Naciones Unidas se han señalado con claridad las estrategias para la integración de este enfoque a través de su normativa internacional y entidades como ONU Mujeres, las agendas y políticas públicas de los gobiernos de los países miembros no han conseguido una eficacia absoluta y en la actualidad se continúan presentando barreras técnicas para efectuar dicha inclusión[6].

---

3 LAGARDE, M., “La perspectiva de género”, en *Género y feminismo,* Desarrollo humano y democracia, Ed. Horas y Horas, España, 1996, pp. 13-38.

4 COBO, R. “Género”, en *10 palabras claves sobre mujer,* Ed.Verbo Divino. Estella Navarra. 1995, pp. 55-84.

5 FOCUS 2030: “¿Dónde encontrar datos sobre las desigualdades de género en el mundo?” [en línea], (2023), <https://focus2030.org/Donde-encontrar-datos-sobre-las-desigualdades-de-genero-en-el-mundo> [Consulta: 14/10/2024].

6 ONU MUJERES: “Incorporación de la perspectiva de género” [en línea], (2024), <https://www.unwomen.org/es/how-we-work/un-system-coordination/gender-mainstreaming> [Consulta: 17/10/2024].

3. VIOLENCIA DE GÉNERO Y CONTRA LAS MUJERES

El Instituto de la Mujer y para la Igualdad de Oportunidades define a la violencia de género como una de las manifestaciones de la desigualdad, subordinación y relaciones de los hombres sobre las mujeres, encontrando su razón en el afirmativo y la premisa de que se ejercita la violencia en su contra por ser mujeres que puedan pertenecer a cualquier estrato social, nivel educativo, cultural o económico[7]. Con la anterior definición es posible comprender que no importa qué, cómo, cuándo o dónde se encuentre o sea una mujer, esta puede ser víctima de violencia por la única razón de su género femenino.

Ahora bien, al hablar de violencia de género se alude a cualquier forma violenta que se ejerce sobre una persona por su identidad de género, y esta es la característica por la que se distingue la violencia de género frente a la violencia contra las mujeres. Esta última es definida como una forma específica de la violencia de género que puntualiza quién es la víctima, es decir, la mujer, por lo tanto, el alcance, la sujeto afectada y la causa son identificadas cuando se habla de violencia contra las mujeres, a pesar de que en diversos sitios se usen ambos términos de manera indistinta[8].

La sociedad internacional se ha visto en la necesidad de incorporar y adicionar a sus ordenamientos jurídicos nacionales diversas leyes de igualdad que garanticen la protección y la prevención de la violencia contra las mujeres, mismas que han sido creadas gracias al derecho internacional, es posible mencionar algunos instrumentos del sistema universal de derechos humanos desde Naciones Unidas como la Convención sobre la eliminación de todas las Formas de Discriminación contra la Mujer de 1979 (CEDAW), la Declaración de la Eliminación de la Violencia contra la Mujer de 1993 y la Declaración y Plataforma de Acción de Beijing Naciones Unidas de 1995[9]. Todas las normativas anteriores son un ejemplo de la promoción

---

7 INSTITUTO DE LA MUJER Y PARA LA IGUALDAD DE OPORTUNIDADES. MINISTERIO DE SANIDAD, SERVICIOS SOCIALES E IGUALDAD: "Definición de Violencia de Género" [en línea], (2024), <https://www.inmujeres.gob.es/servRecursos/formacion/Pymes/docs/Introduccion/02_Definicion_de_violencia_de_genero.pdf> [Consulta: 17/10/2024].

8 DELEGACIÓN DEL GOBIERNO CONTRA LA VIOLENCIA DE GÉNERO: "La violencia contra la mujer: definición" [en línea], (2024), <https://violenciagenero.igualdad.gob.es/definicion/> [Consulta: 20/10/2024].

9 NACIONES UNIDAS: "Igualdad de género" [en línea], (2024), <https://www.un.org/es/global-issues/gender-equality> [Consulta: 21/10/2024].

y el fomento de la lucha contra la violencia de género y de la protección de los derechos humanos de las mujeres en todos los ámbitos.

Asimismo, a nivel regional americano, la Convención Interamericana para Prevenir Sancionar y Erradicar la Violencia contra la Mujer de 1994, más conocida como la Convención de Belém Do Pará, marcó un hito para identificar los patrones y los tipos de violencia que se ejercen contra las mujeres[10]. Años más tarde, a nivel regional europeo, se emitió el Convenio del Consejo de Europa sobre prevención y lucha contra la violencia contra las mujeres y la violencia doméstica de 2011, más conocido como el Convenio de Estambul, que reforzó la obligación de los Estados europeos para la prevención de la violencia de género[11].

Desde el derecho de la Unión Europea también se ha promovido la lucha contra la violencia de género a través de diversos instrumentos como lo es la Directiva 2012/29/UE del Parlamento Europeo y del Consejo de 25 de octubre de 2012 por la que se establecen normas mínimas sobre los derechos, el apoyo y la protección de las víctimas de delitos, y la Estrategia para la Igualdad de género 2020-2025 de la Comisión Europea, por mencionar algunos[12].

A nivel nacional, en España se han emitido la Ley Orgánica 1/2004, de Medidas de Protección Integral contra la Violencia de Género, de 28 de diciembre, la Ley Orgánica 3/2007 para la Igualdad Efectiva de Mujeres y Hombres, de 22 de marzo, la Ley Orgánica 10/2022, de Garantía Integral de la Libertad Sexual, de 6 de septiembre, entre otras, que conforman el

---

10 COMISIÓN INTERAMERICANA DE DERECHOS HUMANOS, Violencia y discriminación contra mujeres, niñas y adolescentes: buenas prácticas y desafíos en América Latina y en el Caribe, OEA/Ser.L/V/II., Doc. 233, 14 de noviembre de 2019, párrs. 307-310.

11 CONSEJO DE EUROPA: "Convenio del Consejo de Europa sobre prevención y lucha contra la violencia contra las mujeres y la violencia doméstica (Convenio de Estambul) Preguntas y respuestas" [en línea], (2024), <https://rm.coe.int/istanbul-convention-questions-and-answers-spanish/1680944855> [Consulta: 22/10/2024].

12 COMISIÓN EUROPEA: "Estrategia para la igualdad de género" [en línea], (2024), <https://commission.europa.eu/strategy-and-policy/policies/justice-and-fundamental-rights/gender-equality/gender-equality-strategy_es> [Consulta: 24/10/2024].

marco legal para la igualdad entre mujeres y hombres, así como de prevención de la violencia de género[13].

La violencia de género y la violencia contra las mujeres lesionan los derechos humanos de las mujeres por lo que se requiere su eliminación y prevención para garantizar el estado de bienestar de toda la comunidad internacional, ya que todo acto violento tiene como resultado un daño físico, sexual o psíquico, en la vida pública y en la vida privada de las víctimas.

A pesar de que tanto la discriminación y la violencia contra las mujeres han sido identificadas, visibilizadas y se ha establecido normativa contra estas prácticas, así como para su prevención, las conductas sociales y las tradiciones que tienen su origen en el sistema patriarcal impiden avanzar al logro de la igualdad, y uno de los ejemplos más claros de esta problemática es la ausencia de perspectiva de género.

La presencia de estereotipos, la revictimización e impunidad durante la investigación de los casos de violencia de género y contra las mujeres, la falta de reparación del daño y atención integral, la omisión de apoyo, así como la falta de formación y concientización sobre las formas de prevenir la violencia son algunos elementos y acciones que demuestran una falta de inclusión de perspectiva de género[14].

3.1. Violencia sexual

Todos aquellos actos o tentativas de carácter sexual que sean cometidos sin el consentimiento de la persona a la que se dirigen constituyen violencia sexual. La violencia sexual es una de las consecuencias más presentes de las dinámicas de poder y la desigualdad entre las personas[15]. Las mujeres, adolescentes y niñas por el rol de su género femenino son las víctimas más afectadas de esta violencia.

Entre las manifestaciones de violencia sexual se encuentran las conductas de acoso, violación, explotación o trata de personas de tipo sexual. En el acoso sexual es posible identificar dos clases, la violencia sexual no física

---

13 MINISTERIO DE IGUALDAD: "Normativa en vigor" [en línea], (2024), <https://www.igualdad.gob.es/normativa/normativa-en-vigor/> [Consulta: 25/10/2024].

14 DE LAMO, I., "El «miedo a no ser creída» por los tribunales. Impunidad de la violencia sexual y domesticación femenina durante el siglo XXI en el Estado español", en *Revista de Investigaciones Feministas*, Vol. 13(1), 2022, pp. 329-341.

15 FEUEREISEN, P., *El abuso sexual*, Neo Person, México, 2006.

y física, en la primera se localizan todos los comentarios sobre el cuerpo de las personas, las miradas lascivas y las proposiciones sexuales[16]. Siempre se debe tener presente que el consentimiento de una persona es determinante para considerar si existe violencia sexual o no, ya que de carecer este, se confirma su presencia.

El segundo tipo es el acoso sexual físico el cual se constituye por la realización de tocamientos a una persona, o bien, por cualquier forma de contacto físico que sea de carácter sexual. Por otro lado, la violación, es una de las formas más extremas de violencia sexual y se califica por la penetración vaginal, anal u oral no consentida en cualquier parte del cuerpo de una persona[17]. Las conductas que configuran explotación sexual se reconocen por la captación de personas para manipularlas o por forzarlas a realizar actos de tipo sexual a cambio de recibir dinero, o algún otro tipo de favor, mientras que en la trata de personas con fines sexuales, si bien, es una forma de explotación sexual, es considerada como una manera de esclavitud.

Las modalidades de violencia sexual referidas pueden ocurrir en todos los ámbitos social, familiar, laboral, en espacios públicos y privados y tienen como consecuencia severos daños de tipo físico, mental y social para las víctimas. En el análisis de los casos de las víctimas de violencia sexual resulta elemental conocer el origen de las conductas de los agresores, mismo que puede determinarse si se aplica la perspectiva de género en el estudio de los mismos.

Sin embargo existen diversos factores que favorecen la problemática para efectuar el debido tratamiento de las víctimas de violencia sexual, así como la prevención de los actos que la configuran. Algunos ejemplos recaen en la falta de sensibilización social, ya que en ocasiones el valor de la prueba de la víctima es el único que puede estudiarse y existe una tendencia a revictimizar a las mujeres víctimas frente al testimonio que aportan sobre lo ocurrido. Otro conflicto es la falta de educación sexual que lleva a una ausencia de cultura del delito, que se traduce en que las víctimas no son capaces de declarar lo que les sucedió debido a un miedo o vergüenza que les genera el entorno cultural sostenido por un sistema patriarcal donde se encuentran[18].

---

16 *Idem.*

17 TEMKIN, J. y KRAHÉ, B., *Sexual assault and the justice gap: a question of attitude*, Oxford y Portland, Hart Publishing, 2008.

18 LAMAS, M., *Cuerpo, sexo y política*, Océano, México, 2013.

Asimismo, la falta de formación del personal policial, judicial y de salud en materia de derechos humanos y género provoca que la atención integral a las víctimas sea limitada tanto en el acceso a la justicia, como en los servicios médicos y psicológicos, situación que facilita la presencia de impunidad en los casos de las víctimas de violencia sexual, ya que no se encuentra o no se responsabiliza y sanciona al agresor y culpable de la comisión del delito[19].

3.2. Violencia Digital

Con la aparición de las nuevas tecnologías y el traslado de la vida presencial al espacio virtual se comenzó a evidenciar una nueva forma de violencia de género en Internet conocida como violencia digital. Esta violencia se desarrolla a través de las redes sociales y el ciberespacio en general con el fin de causar un daño, ejercer control y humillar a la víctima. Con el surgimiento de la violencia de género digital se denota al igual que con otros tipos de violencia las desigualdades de género y la forma tradicional de violencia contra la mujer.

Dentro de las manifestaciones de la violencia digital se encuentran la ciberviolencia de género, en la que se identifican el ciberacoso, las amenazas, la divulgación y difamación, más conocido como *doxing*, el sexteo o *sexting* y la violencia sexual, psicológica y emocional, sin dejar de mencionar a otras modalidades de violencia digital emergentes que puedan desarrollarse en el futuro[20]. La ciberviolencia de género comprende los ataques en línea cometidos a mujeres por razón de su género entre los que se observan mensajes sexistas caracterizados por misoginia e insultos que encaminan al acoso y al desprestigio de las víctimas.

Tal y como se refiere, el ciberacoso y las amenazas se presentan a través de mensajes ofensivos y por el ejercicio del conocido *stalking* digital en el que se lleva a cabo un seguimiento a todas las actividades de la víctima en su espacio cibernético. La divulgación y difamación, *doxing*, es la publicación no autorizada de la víctima sobre su información personal con la

---

19 *Ibid.*

20 GONZÁLEZ, S., *La violencia en la realidad digital. Presencia y difusión en las redes sociales y dispositivos móviles*, Egregius, España, 2018.

finalidad de generar un daño o exposición pública de rumores falsos para conseguir desacreditarla frente a los demás[21].

El sexteo o *sexting* no consensuado se denomina a la actividad de compartir todo tipo de material digital, imágenes, videos o mensajes de carácter sexual sin el consentimiento de la víctima para amenazarla, extorsionarla o humillarla frente a su espacio social, laboral, familiar, o cualquier otro. Es fundamental reconocer y visibilizar que las conductas que configuran la violencia de género digital pueden presentar actos constitutivos de violencia sexual, por lo que es posible confirmar que existen casos en los que concurren ambos tipos de violencia, sexual y digital, reconocidos como actos de violencia sexual digital o ciberviolencia de género sexual[22].

La ciberviolencia de género presenta a su vez graves problemas para su prevención, puesto que los agresores tienen como ventaja el anonimato que existe en espacio virtual. Además, algunos de los elementos que también dificultan la identificación y la correcta salvaguarda de los derechos humanos de las mujeres en Internet son la ausencia de sensibilización y educación en materia de igualdad y género, la normalización de la violencia en el entorno digital, la viralidad que experimenta el contenido en la web, los vacíos legales de delitos virtuales, la omisión de aplicar los protocolos de violencia de género en la vía digital y la falta de recursos para identificar y reconocer a los agresores en las plataformas virtuales[23].

Existen otros tipos de violencia de género que además de los previamente señalados se han reconocido como una combinación de violencia sexual y digital, el *grooming* sexual, que consiste en la manipulación psicológica mediante la web de personas adultas a menores de edad por medio del cual se incita a las víctimas a la aportación y envío de material sexual para cometer violaciones hacia su persona, y el *streaming* sexual sin consentimiento, a través del que se transmiten en vivo actos de tipo sexual o la gra-

---

21 PÉREZ, G., *Violencia digital y fake news: un atentado a la dignidad de la persona*, Tirant lo Blanc, Valencia, 2023.

22 CASTANO, C., *Las mujeres y las tecnologías de la información. Internet y la trama de nuestra vida*, Alianza Editorial, Madrid, 2005.

23 ORGANIZACIÓN DE LOS ESTADOS AMERICANOS: "Ciberviolencia y ciberacoso contra las mujeres y niñas en el marco de la Convención Belém Do Pará" [en línea], (2024), <https://lac.unwomen.org/sites/default/files/2022-11/MUESTRA%20Informe%20Violencia%20en%20linea%202.1%20%282%29_Aprobado%20%28Abril%202022%29_0.pdf> [Consulta: 27/10/2024].

bación de estos, y se difunde contenido sexual por medio de videollamadas sin autorización de las víctimas[24].

Las principales consecuencias y los daños en las víctimas del ejercicio de la violencia digital al igual que la violencia sexual son de tipo psicológicas, ya que experimentan ansiedad, depresión y pérdida de autoestima frente a los sentimientos de vergüenza, culpa y aislamiento social con la exposición de su intimidad sexual en el espacio virtual. Asimismo, también se presentan efectos negativos sociales, puesto que el impacto en sus relaciones personales llevan a la pérdida de apoyo entre su entorno por la estigmatización y revictimización de lo ocurrido.

Ahora bien, para reafirmar los desafíos a los que la sociedad se enfrenta en la prevención de la violencia digital, son en primer lugar, a la falta de tipificación específica en todos los tipos y clases de esta que se pueden presentar, en el anonimato de las plataformas digitales y en la falta de educación digital que conlleva a un mal uso de Internet en el que se experimenta una ausencia de seguridad y privacidad por parte de las víctimas, aunado a la falta de responsabilidad de las empresas de redes sociales e Internet, que carecen de mecanismos efectivos que actúen con prontitud para la eliminación de material sexual de víctimas que no han dado su consentimiento de divulgar o difundir su contenido sexual en la web[25].

4. ENFOQUE DE GÉNERO

La importancia de la perspectiva de género ha cobrado fuerza durante los últimos años gracias a la interpretación y aplicación de esta por las autoridades que se encargan de investigar, sancionar y prevenir la violencia contra las mujeres, ya que ha constituido un pilar en sus actuaciones y la formación de sus criterios. No obstante, aún se presentan fallas y omisiones en los procesos ministeriales y judiciales, lo que evita un resultado favorable para la protección y justicia de las víctimas. Por otro lado, la continuidad de las lesiones a los derechos humanos de las mujeres se debe a la normalización de la violencia, a la impunidad y a la polarización de grupos a favor y en contra de la lucha feminista de la cuarta ola, que está caracterizada por la explotación sexual y laboral, y la violencia sexual y digital.

---

24 *Ibid.*

25 NACIONES UNIDAS, Informe acerca de la violencia en línea contra las mujeres, A/HRC/38/47, 18 junio 2018.

Hoy nos enfrentamos a uno de los retos más importantes para el combate de la violencia contra las mujeres, el caso de la presencia de la violencia sexual y digital, plantea desafíos, ya que debe hacerse uso de la perspectiva de género para lograr su prevención y erradicación en el análisis de los casos que presenten diversos tipos de violencia al mismo tiempo[26]. Las dimensiones que la perspectiva de género debió alcanzar para analizar e investigar los casos de la violencia sexual ya debería ser un ejemplo, debido a que esta comenzó su tratamiento antes del desarrollo de la ciberviolencia[27].

No obstante, mientras evolucionó la transversalización de la perspectiva de género y su institucionalización, y esta se aplicó a los casos de violencia sexual, llegó el progreso tecnológico, con el que la violencia sexual migró a las plataformas digitales y se formó un nuevo tipo de violencia, la ciberviolencia de género, donde las conductas principales son la violencia y explotación sexual[28].

Por lo anterior, la visibilidad que debe brindarse a las situaciones que construyen y ejercen violencia contra las mujeres sexual y digital es imprescindible para detener su expansión[29]. El seguimiento de las campañas en contra de la violencia de género debe reforzar su camino y los resultados deben ser valorados con frecuencia para hallar los rezagos que existan y resarcir lo necesario a fin de concientizar y sensibilizar a la sociedad internacional del daño que es producido a las víctimas de violencia de género sexual y digital, de otro modo, las leyes de mujeres seguirán existiendo sin

---

26 EIGE: "Gender Equality Index 2020: Digitalisation and the future of work. European Institute for Gender Equality" [en línea], (2020), <https://eige.europa.eu/publications-resources/toolkits-guides/gender-equality-index-2020-report/gender-based-violence-enabled-digital-technology-new-occupational-hazard> [Consulta: 26/10/2024].

27 ORGANIZACIÓN DE LOS ESTADOS AMERICANOS: "Online gender-based violence against women and girls. Organization of American States" [en línea], (2020), <https://www.oas.org/en/sms/cicte/docs/Guide-basic-concepts-Online-gender-based-violence-against-women-and-girls.pdf> [Consulta: 27/10/2024].

28 ONU MUJERES: "Tech-facilitated gender-based violence" [en línea], (2024), <https://www.unwomen.org/en/what-we-do/ending-violence-against-women/faqs/tech-facilitated-gender-based-violence> [Consulta: 28/10/2024].

29 OHCHR: "The digital dimension of violence against women as addressed by the seven mechanisms of the EDVAW Platform. Council of Europe" [en línea], (2022), <https://www.ohchr.org/sites/default/files/documents/hrbodies/cedaw/statements/2022-12-02/EDVAW-Platform-thematic-paper-on-the-digital-dimension-of-VAW_English.pdf> [Consulta: 28/10/2024].

ser debidamente aplicadas y la erradicación de la violencia contra las mujeres no será una realidad.

En este trabajo se valoran cinco ejes para dimensionar la aplicación de la perspectiva de género en los casos de violencia sexual y digital, el aprendizaje, la interseccionalidad, la transversalidad, las estrategias, planes y políticas públicas y la sensibilización y formación. El primero, el aprendizaje, para la incorporación de una visión que identifique las desigualdades de género que fomentan la violencia en la educación sexual y digital. Con la implementación efectiva de formaciones en derechos sexuales y digitales se procede a motivar el consentimiento y los derechos a la privacidad, previniendo el acoso, las amenzas y la divulgación y difusión de contenido íntimo de mujeres.

En segundo lugar, la interseccionalidad a través de la que se dan a conocer las diferentes formas de violencia y de opresión por condiciones o aspectos como el género, la clase, la etnia, la edad, la identidad sexual y la discapacidad, que interactúan de manera distinta teniendo la posibilidad de causar uno o más daños a la víctima. En este eje, con la aplicación de la perspectiva de género se promueve la implementación y ejecución de estrategias que respondan a las necesidades y dificultades de grupos vulnerables específicos.

La transversalidad, como eje tercero, para lograr un enfoque de género en las políticas digitales, que si bien, se han desarrollado posteriormente a la protección de los derechos humanos en el plano presencial, son fundamentales para la cooperación de la justicia, tecnología, salud y educación en el presente con la finalidad de que la colaboración multisectorial aborde de una forma integral la lucha contra la violencia de género sexual y digital.

En cuarta posición, las estrategias, planes y políticas públicas, ya que su adopción garantiza que exista un fundamento de actuación, protocolos y manuales de protección integral, adiciones y reformas al marco legal en materia de igualdad de género, donde se construyan mecanismos de seguridad efectivos para las víctimas de ciberviolencia sexual. Además, en este ámbito es posible incluir un espacio de monitoreo y evaluaciones sobre el impacto con el objetivo de conocer los obstáculos hacia la prevención de la violencia contra las mujeres.

Por último, el quinto eje es la sensibilización y formación, que en línea con el eje de aprendizaje se coordinan para capacitar a todo el personal sobre el ejercicio de la ciberviolencia de género sexual que existe en la actualidad y se visibiliza la atención que se debe prestar a las víctimas y la prioridad que representa su prevención. En este aspecto es fundamental reconocer que también se debe fomentar un empoderamiento de las mujeres en el espacio de las nuevas tecnologías, para conseguir que su privacidad y seguridad se garantice en la web.

5. CONCLUSIONES

La violencia de género sexual y digital es una forma en la que se demuestra que la desigualdad por razón de género persiste en la sociedad y se ha incrementado con las nuevas tecnologías, por esto, se requiere reafirmar y reivindicar los derechos humanos de las mujeres, a la par de su salvaguarda para garantizar que no existan violaciones y se vulnere a personas a causa de un sistema patriarcal que ha prevalecido en las distintas culturas de la comunidad internacional[30].

La eficacia de la aplicación de la perspectiva de género es fundamental para realizar el análisis de los casos de víctimas de violencia de género sexual y digital tomando en cuenta todos los contextos social, cultural, económico y político, con la finalidad de reforzar el marco legal para la igualdad de género y la prevención de la violencia y la discriminación contra la mujer, así como para visibilizar la importancia de implementar y ejecutar políticas públicas que otorguen certeza a los mecanismos de protección de las víctimas y a la eliminación de la violencia.

En atención a la persistencia de la violencia y la discriminación contra las mujeres en los ámbitos familiar, laboral, político, religioso, educativo, cultural, económico y legal se requiere continuar aportando estudios y análisis sobre los obstáculos y las barreras técnicas que impiden garantizar la plena aplicación de la perspectiva de género, y con esta, el logro de su eficacia, por lo que deben prevalecer los aportes que desde la academia visibilicen, identifiquen y propongan soluciones posibles como los ejes aquí presentados para encaminar a un estado de bienestar de las mujeres.

---

30 NACIONES UNIDAS: "Glosario: Género y Tecnología" [en línea], (2024), Glossary: Gender and Technology. UN. En línea: <https://www.unwomen.org/en/how-we-work/innovation-and-technology/glossary?gclid=CjwKCAjw-vmkBhBMEiwAlrMeF2GoajL2yFLsJEMVIpu5qOkWonbv3dUXP6ph9ERqq7L3my0GVSz_khoC5U8QAvD_BwE> [Consulta: 27/10/2024].

6. BIBLIOGRAFÍA

CASTANO, C., *Las mujeres y las tecnologías de la información. Internet y la trama de nuestra vida,* Alianza Editorial, Madrid, 2005.

COBO, R. "GÉNERO", en *10 PALABRAS CLAVES SOBRE MUJER,* ed. Verbo Divino, Estella Navarra, 1995, pp. 55-84.

DE LAMO, I., "El «miedo a no ser creída» por los tribunales. Impunidad de la violencia sexual y domesticación femenina durante el siblo XXI en el Estado español", en *Revista de investigaciones feministas,* vol. 13(1), 2002, pp. 329-341.

FEUEREISEN, P., *El abuso sexual,* Neo Person, México, 2006.

GONZÁLEZ, S., *La violencia en la realidad digital. Presencia y difusión en las redes sociales y dispositivos móviles,* Egregius, España, 2018.

LAGARDE, M., "La perspectiva de género", en *Género y feminismo, desarrollo humano y democracia,* ed. Horas y Horas, España, 1996, pp. 13-38.

LAMAS, M., *Cuerpo, sexo y política,* Océano, México, 2013.

MOHANTY, J.R. Y SAMANTARAY S., "Cyber Feminism: unleashing women power through technology", en *Rupkatha Journal on Interdisciplinary Studies in Humanities,* vol. IX, no. 2, pp. 329-336.

PÉREZ, G., *Violencia digital y fake news: un atentado a la dignidad de la persona,* Tirang lo Blanch, Valencia, 2023.

TEMKIN, J. Y KRAHÉ, B., *Sexual assault and the justice gap: a question of attitude,* Oxford y y Portland, Hart Publishing, 2008.

Violencia psicológica y violencia económica: la violencia en los hogares de las mujeres extranjeras

Armas recurrentes que vulneran sus derechos

GLORIA ORTEGA PUENTE
Universidad Autónoma de Barcelona (UAB)

«Si denuncio dice que no me dejará volver a casa. Dice que yo me quedaré en la calle y que me quitará a mi hijo.»

K.

«Nos ha vaciado los armarios, nos ha quitado la comida y todas nuestras cosas. Las ha guardado en su cuarto y lo ha cerrado con llave. Se encierra con nuestra hija hasta altas horas de la madrugada con la televisión encendida o el móvil para impedir que pasemos tiempo juntas. (...) Si sigo adelante no nos arreglará los papeles.»

V.

1. INTRODUCCIÓN

La violencia económica y las amenazas de causar un perjuicio a los hijos e hijas por parte del hombre son una constante en numerosas situaciones de violencia contra la mujer.

A pesar de que el ordenamiento español cuenta con un amplio abanico normativo en protección de los derechos de la mujer ante la violencia de género, todavía no se ha conseguido una protección efectiva en muchos casos. El número de denuncias por violencia de género sigue incrementando[1] y el número de muertes no deja de aumentar.

---

1 Según información del Portal Estadístico de la Delegación del Gobierno contra la Violencia de Género, las denuncias por violencia de género en 2019 fueron 168.168 y, en el año 2023, 199.166. Las mujeres asesinadas en manos de su pareja o expareja ascienden en 2019 a 56 víctimas y en el año 2023 a 58 víctimas. Los datos

Las mujeres extranjeras cuya regularización administrativa pende del hombre que las maltrata soportan otro factor adicional que las sitúa en una situación vulnerable[2] y que constituye un elemento de discriminación interseccional. El no contar con dicho apoyo puede abocarlas a una situación irregular —carecer de autorización administrativa para permanecer en el territorio español— en la que ya no pueden trabajar o incluso residir en España. Muchas de las mujeres que se hallan en este contexto de incertidumbre no pueden procurarse su propio sustento más allá de la economía sumergida y se ven abocadas a una situación de precariedad, además de estar expuestas a una posible expulsión del territorio español.

En el año 2021, las víctimas cuyas citas figuran *ut supra*, K. y V[3]., denunciaron la violencia que sufrían en manos de sus parejas. Las asistí como letrada durante todas las fases procesales. Confiaron en el sistema y se armaron de valor para denunciar su situación en comisaria y ante el juzgado de guardia cuando fueron emplazadas. Tras la ratificación de su denuncia en sede judicial y de varias comparecencias, al cabo de unos meses, no quisieron seguir adelante con el proceso penal. Es por este motivo por el que no puedo citar la referencia de la resolución judicial que pudiera haber recaído en su caso.

Sus voces se perdieron en el tedioso y largo camino judicial, al que se le unió el desasosiego y la soledad que hallaron cuando quisieron acudir a los otros servicios de la Administración, acaparados por tanto trabajo y, en sus casos, según ellas manifestaban, con muy poca sensibilidad y empatía hacia las mujeres víctimas de violencia extranjeras.

---

de 2024 no han sido actualizados todavía, en el momento que se escriben estas líneas (noviembre 2024) asciende ya a 39. En cuanto al asesinato de los hijos, los menores asesinados en manos del agresor fueron 3 en el año 2019 y 2 en el año 2023. En el mes de julio de 2024, los hijos menores víctimas mortales ascendían ya a 10. Fuente consultable en: https://estadisticasviolenciagenero.igualdad.gob.es/ (última consulta 07/11/2024).

2 Tal y como ya se constataba, entre otros muchos, por la ONU en su Recomendación general nº35 sobre la violencia por razón de género contra la mujer, CEDAW/C/GC/35, de 26/07/2017. Consultable en: https://www.ohchr.org/es/documents/general-comments-and-recommendations/general-recommendation- no-35-gender-based-violence.

3 Corresponden a dos mujeres asistidas por la autora como víctimas de violencia de género en el Turno de Oficio especializado de asistencia a víctimas de violencia de género del partido judicial de Terrassa (Barcelona) durante el año 2021.

La formación de los operadores jurídicos y sensibilización en materia de derechos de las mujeres ante la violencia de género y de los derechos de los niños, niñas y adolescentes todavía no son una realidad en nuestro Estado. Ello se agrava con la falta de especialización de la justicia en muchos partidos judiciales, aun a pesar de que es una reclamación cada vez más acuciante. Sin embargo, su implementación, a pesar de ser tan necesaria, parece lejana. Este contexto dificulta garantizar la protección de los derechos de las mujeres y los niños, niñas y adolescentes que sufren la violencia en sus hogares.

2. DOS SUPUESTOS (LAMENTABLEMENTE) COMUNES

K. decidió definitivamente denunciar estar sumida en un contexto de violencia psicológica y económica. Como he referido, lo hizo en sede policial y también en sede de instrucción. El detonante que la empujó a denunciar fue un puñetazo que le propinó su marido en una discusión habitual una noche cualquiera. El matrimonio, ambos extranjeros, tienen un hijo en común, por aquél entonces, en el año 2021, de siete años de edad. Este presenciaba día tras día la violencia contra su madre. Ese día no fue una excepción. En el juzgado no se valoró la violencia psicológica ni económica ejercida por el marido durante años al no existir denuncias previas y al no contar la víctima con pruebas suficientes que acreditaran los hechos que relataba, aun a pesar de que la víctima describía en reiteradas ocasiones dichos episodios, de forma verosímil y sin contradicciones[4].

Sin embargo, tan sólo fue objeto de instrucción la agresión física, que estaba acreditada con un parte de lesiones emitido por el facultativo que la atendió en urgencias y también por el informe del médico forense que asistió a la víctima el día de la guardia. El resto de manifestaciones efectuadas por K. eran desoídas en la declaración que se registró en sede de instrucción. A pesar de que la víctima relataba una situación de maltrato habitual y su declaración era verosímil y carente de inexactitudes y de contradicciones, el proceso penal se incoó limitándose a valorar el último episodio de maltrato.

---

4 En cuanto a los elementos a tener en cuenta para valorar la credibilidad de la víctima vid. STS 678/2019, de 6 de marzo (*Tol 7105682*).

Tras la declaración de la víctima y la declaración del investigado —cuya defensa consistió en negar los hechos y, para más inri, manifestar que era la denunciante quien le había agredido a él—, se dictó una orden de protección conforme al artículo 544 ter de la LECrim[5]. En su virtud, entre las medidas penales y otras civiles, se atribuyó el uso del domicilio familiar a madre e hijo. En este caso la familia vivía en el domicilio familiar en base a un contrato de arrendamiento en el que como parte arrendataria figuraba exclusivamente el marido, pues era el único que contaba con capacidad económica suficiente. La atribución del uso del domicilio familiar fue notificada a la parte arrendadora.

No obstante, el acusado convino con el propietario arrendador poner fin al contrato en cuanto fue adoptada la medida cautelar, con el objetivo de que madre e hijo no pudieran seguir residiendo en el domicilio. En aras de conseguir su propósito, el acusado y el arrendador formalizaron un documento —a todas luces nulo— para poner fin al contrato de arrendamiento sobre la vivienda familiar.

En este contexto, tras la firma del documento, el arrendador aprovechó que a mediodía K. se ausentaba del domicilio para ir a buscar a su hijo a la escuela y entró al domicilio. Una vez allí, cambió la cerradura y se encerró dentro junto a otros dos hombres. Cuando el menor y su madre llegaron a casa, ya no pudieron entrar. Tras una denuncia contra el propietario por coacciones, en la que se solicitó la medida cautelar de restitución de la posesión, K. pudo volver con su hijo a su hogar. Madre e hijo pasaron sin comida, dinero ni pertenencias cuarenta horas en la calle. K. no quiso denunciar a su marido por estos hechos.

K. nunca se sintió respaldada por los servicios de apoyo a la víctima. Un año y medio más tarde ella y su hijo volvieron a convivir con su agresor. K. afirmaba que no era posible regularizar la situación a su hijo puesto que su situación administrativa dependía del marido y no pudo hallar la forma de procurarse sustento suficiente para sí misma y para su hijo. Su marido no le ayudaba a mantener al hijo, a no ser que volviera a casa. Las ayudas tardaban demasiado y se vio privada de las mismas al no querer seguir adelante con la acusación.

---

5 Real Decreto de 14 de septiembre de 1882, por el que se aprueba la Ley de Enjuiciamiento Criminal (*Tol 214466*).

También en el año 2021, otra víctima, V., dio el paso para tratar de poner fin a las amenazas de su marido y a la presión y violencia a la que se hallaban sometidas ella y sus hijas. El marido, español, no había regularizado la situación migratoria de su mujer en España ni la de su hija en común, de seis años de edad. Amenazaba constantemente a V. con no hacerlo y con dejarla en la calle y atribuirse la custodia individual de la hija, según él al no contar V. con un trabajo declarado ni con un domicilio propio.

V. fue asistida en dependencias policiales y al día siguiente fue emplazada ante el Juzgado para tomarle declaración. Al igual que en el anterior caso, se esforzó por explicar con los detalles que se le iban requiriendo sus vivencias y los episodios de violencia que sufría.

En este caso, su marido, escondía y almacenaba todos los enseres básicos de la vivienda y los alimentos en una habitación cerrada con llave. En esta habitación había instalado la nevera y otros electrodomésticos, para evitar que V. pudiera usarlos. Pero lo peor para V. es que el marido se encerraba con llave en su habitación con la hija en común para impedir que madre e hija pasaran tiempo juntas. V. no podía entra en la habitación, aunque le rogara y chillara de impotencia. V. relataba que la hija se pasaba cada día viendo la tele y comiendo golosinas hasta medianoche. Además, el padre le permitía hacer todo lo que la madre no consideraba adecuado para su bienestar y crianza. La hija cada día estaba psicológicamente peor, alejada de su madre y en medio de un conflicto permanente.

A pesar de denunciar las amenazas, peleas continuas y vejaciones que le profería su marido delante de su hija menor, tampoco se valoró la situación de violencia económica ni psicológica a la que ella y su hija estaban sometidas. En la instrucción de la causa el órgano jurisdiccional sólo se centró en analizar qué había ocurrido el día en el que se decidió a denunciar. En la declaración de la víctima, se le formularon en reiteradas ocasiones preguntas relativas a cuál era el motivo de su denuncia —¿pretendían acaso que fuera espurio?—, acerca de por qué no había denunciado antes, acerca de si tenía nueva pareja o acerca de si buscaba o no otro trabajo. Estas preguntas podrían incluso llegar a entenderse por parte de la defensa del acusado, pero la mayor insistencia provenía del juzgador y del Ministerio Fiscal. Pueden hacerse una idea de la indignación de algunas personas que nos hallábamos en aquella sala.

3. UNA VIOLENCIA EXTENDIDA

Ya el Convenio de Estambul[6] en su artículo 4.3. exige a los Estados miembros del Consejo de Europa que las medidas para proteger los derechos de las víctimas se apliquen sin discriminación alguna. En el precepto se pone énfasis en que no cabe la distinción por razón de sexo, género, raza, color, lengua, religión, opiniones, *origen*, pertenencia a minorías, capacidad económica, nacimiento, orientación sexual, edad, estado de salud, discapacidad, estado civil, el estatuto de *emigrante* o de refugiado, o cualquier otra situación.

Asimismo, este instrumento recoge explícitamente tanto a la violencia psicológica como a la violencia económica como violencia doméstica y como actos de violencia contra las mujeres, a los que, ampliamente define como una violación de sus derechos humanos[7].

Sin embargo, en el contexto estatal, la Ley Orgánica 1/2004, de 28 de diciembre, de Medidas de Protección Integral contra la Violencia de Género[8], todavía no contempla expresamente la violencia económica, más allá de hacer alusión a ella en el contexto de la regulación del Fondo de garantía de pensiones tras la reforma operada por la Ley Orgánica 10/2022, de 6 de septiembre, de garantía integral de la libertad sexual[9]. Este tipo de violencia sigue teniendo escasa consideración a pesar de su gravedad. Esta violencia amenaza la seguridad económica de las víctimas, así como su potencial de autosuficiencia e incluye múltiples dimensiones, como el control económico de la víctima, el sabotaje laboral o la explotación económica[10],

---

6 Convenio del Consejo de Europa sobre prevención y lucha contra la violencia contra las mujeres y la violencia doméstica (Convenio de Estambul) de 11 de mayo de 2011. Consultable en: https://rm.coe.int/1680462543 (última consulta 27/06/2024). En el Convenio se define la violencia contra las mujeres como "todos los actos de violencia basados en el género que implican o pueden implicar para las mujeres daños o sufrimientos de naturaleza física, sexual, psicológica o económica, incluidas las amenazas de realizar dichos actos, la coacción o la privación arbitraria de libertad, en la vida pública o privada".

7 En virtud del artículo 3 del ya citado Convenio de Estambul.

8 Ley Orgánica 1/2004, de 28 de diciembre, de Medidas de Protección Integral contra la Violencia de Género (*Tol 7928789*).

9 Ley Orgánica 10/2022, de 6 de septiembre, de garantía integral de la libertad sexual (*Tol 9180525*).

10 Estudio de la violencia económica contra las mujeres en sus relaciones de pareja o expareja publicado en 2019 por el Ministerio de Igualdad, disponible en: https://violenciagenero.igualdad.gob.es/wp- content/uploads/RE_Violencia_eco-

lo que redunda considerablemente en la capacidad económica de la víctima y supone la merma de las posibilidades de escapar del ciclo de violencia en la que se halla inmersa.

En cuanto a la violencia psicológica, a pesar de su reconocimiento en la antedicha ley, por su propia naturaleza no resulta sencilla de acreditar. Y es que, esta violencia no se circunscribe a un único hecho aislado, sino que perdura durante tiempo de forma habitual y puede ser tremendamente sutil pero devastadora. A pesar de que las principales normas aludan a ella, su constatación y prueba es difícil en un proceso penal y a no ser que se haya llevado a cabo una labor tediosa —y, lo peor, arriesgada— para reunir pruebas suficientes que documenten o acrediten las manifestaciones de la víctima, el juzgado instructor, muchas veces no especializado en la materia, probablemente reducirá la investigación al episodio reciente que se relata en la denuncia.

Este episodio al que se circunscribe el proceso normalmente coincide con el hecho detonante que lleva a la mujer a denunciar —eso cuando no es demasiado tarde— o bien a los hechos que relatan testigos que han presenciado u oído un determinado suceso que da lugar a la incoación de oficio del proceso penal.

Tanto la violencia económica como la violencia psicológica contra la mujer tiende a extenderse a otras personas que son importantes para ella —especialmente de forma atroz hacía los hijos e hijas—. De ahí que se alerte de que esta violencia se expande o se extiende a las personas familiares o allegadas importantes para la víctima. En los casos en los que se utiliza el bienestar de los hijos o hijas de la mujer para causarle daño, como los casos de las víctimas que aquí se relatan, se perjudica de forma irreversible y devastadora a los menores. Estos niños y niñas, además de ser también víctimas y de estar sufriendo en un contexto de violencia con las graves consecuencias inherentes a esta situación, son usados por el agresor a su antojo contra la madre, sufriendo una violencia por partida doble.

---

nomica.pdf (última consulta 29/08/2024). En este también se hace referencia al Proyecto europeo ECOVIO Economic violence: opening pathways to guarantee women and children's fundamental rights (2020-2021), coordinado por la Universidad de Extremadura, en el que se recoge que el abuso económico de género consiste en ejercer un control sobre el acceso de la mujer a los recursos económicos, limitar su capacidad para mantenerse a ella misma y a sus hijos e hijas. Vid. https://economic-genderviolence.eu/ (última consulta 29/08/2024).

Ante esta situación, el legislador ha reaccionado —aunque de forma tardía— introduciendo la violencia vicaria como violencia de género comprendida en la LO 1/2004[11] y cada vez se intenta sensibilizar y concienciar acerca del peligro de esta violencia y visibilizar las múltiples conductas que podrían subsumirse en este tipo de violencia en la que se utiliza al menor como instrumento[12]

4. LA SITUACIÓN MIGRATORIA COMO ESPECIAL COMPONENTE DE VULNERABILIDAD

En materia de protección de los derechos de las mujeres contra la violencia de género, España ha promulgado múltiples instrumentos que tienen implicaciones transversales. Sin embargo, en el ámbito del derecho de extranjería, a pesar de que las normas administrativas se han modificado para introducir elementos de protección de las mujeres extranjeras en situación irregular víctimas de violencia de género estas normas "aún no han atendido al concepto holístico de la violencia de género"[13]

Y todo ello a pesar de que la mujer extranjera víctima de violencia se halla por su condición de inmigrante en un contexto más desfavorecedor o vulnerable. Puede por su condición de extranjera tener dificultades es-

---

11 En virtud de la Ley Orgánica 8/2021, de 4 de junio, de protección integral a la infancia y la adolescencia frente a la violencia (*Tol 8451569*), se introdujo el párrafo 4º del artículo 1 de la Ley Orgánica 1/2004 relativo al objeto de la Ley, en cuya virtud "La violencia de género a que se refiere esta Ley también comprende la violencia que con el objetivo de causar perjuicio o daño a las mujeres se ejerza sobre sus familiares o allegados menores de edad por parte de las personas indicadas en el apartado primero".

12 La Delegación del Gobierno contra la violencia de género del Ministerio de Igualdad, advierte como ejemplos de violencia vicaria sobre los hijos e hijas: utilizar a los hijos/as para hacer daño a la madre, amenazar con quitarle los hijos/as a la madre, amenazar con matar a los hijos/as, detener los tratamientos médicos de los hijos/as cuando no están con la madre, utilizar los momentos de intercambio de las visitas o estancias para insultar, amenazar o humillar a la madre en presencia de los hijos/as, o; entre otras, hablar mal de la madre o de la familia materna en presencia de los hijos/as. Consultable en: https://www.igualdad.gob.es/wp-content/uploads/violencia_vicaria_lectura_facil.pdf (última consulta 20/07/2024).

13 *Vid.* RUIZ SUTIL, C., "Derecho antidiscriminatorio en el contexto de las migraciones", Revista Española de Derecho Internacional, n.º 73-2, julio de 2021, pp. 417-423.

tructurales para acceder a un empleo, lograr una estabilidad económica, puede sufrir discriminación por ser extranjera, y, además, en muchos casos se encuentra sola sin lazos familiares cercanos más allá de sus hijos y el agresor.

En este sentido, múltiples estudios apuntan a que las mujeres inmigrantes se encuentran con particularidades que suponen barreras a la hora de denunciar el maltrato de forma segura. Concretamente, aluden al débil capital social de la víctima, alentado por no contar en España con lazos familiares y por la promesa del agresor de regularizar su situación administrativa, lo que las sume en una situación de dependencia y otorga al agresor poder sobre la víctima para subordinarla. Además, refieren la falta de especialización y de sensibilidad en relación con la situación de especial vulnerabilidad de la mujer extranjera[14]

A todo ello se le aúna otra circunstancia que es obviada en los supuestos de violencia contra la mujer. Y es que debería atenderse a las singularidades de los colectivos de las mujeres migrantes y tener en cuenta su marco social y cultural concreto. Estamos muy lejos aún de la tan necesaria plena especialización de los órganos jurisdiccionales y administrativos, por lo que hacer posible esta sensibilización atendiendo a cada mujer y a sus circunstancias migratorias concretas, previo análisis y asesoramiento preciso, lamentablemente parece que queda a años luz.

La Ley Orgánica 4/2000, de 11 de enero, sobre derechos y libertades de los extranjeros en España y su integración social[15] contempla en su artículo 19 como supuesto de reagrupación familiar en circunstancias especiales cuando la cónyuge reagrupada fuera víctima de violencia de género[16]. En tal caso, si fue reagrupada por su marido o exmarido podría obtener una

---

14 Investigadoras de la Asociación *Por Ti Mujer, Red Aminvi, Mujeres Supervientes de Violencia de Género* y *Platform for International Cooperation on Undocumented Migrants,* en su Informe "Violencia de Género en mujeres inmigrantes residentes en España", 2021, Consultable en: https://asociacionportimujer.org/wp-content/uploads/2022/03/Informe-final-PICUM-Violencia-de- Genero-2021.pdf (última consulta 27/07/2024).

15 Ley Orgánica 4/2000, de 11 de enero, sobre derechos y libertades de los extranjeros en España y su integración social (*Tol 116973*).

16 Situación ampliable —afortunadamente, pero desde hace poco— a las mujeres extranjeras víctimas de violencia de género que, aun no estando reagrupadas por su marido, sean beneficiarias de una situación regular temporal, de conformidad con la Instrucción SEM 2/2021, consultable en: https://www.inclusion.gob.es/documents/410169/2181659/21124_Instruccion_violenciadegenero.

autorización de residencia independiente, a pesar de no contar con medios económicos suficientes para cubrir sus propias necesidades[17].

Ahora bien, siguiendo con este mismo texto, en su artículo 31 bis se prevé que si la mujer extranjera víctima de violencia de género se hallara en situación irregular no se incoará el preceptivo expediente administrativo sancionador para resolver sobre su situación y, que, para el caso en que existiera un expediente sancionador ya iniciado, se suspendería su tramitación. Todo ello, según la norma, en aras de garantizar el reconocimiento de los derechos contenidos en la Ley Orgánica 1/2004 y preservar a la víctima de una situación de vulnerabilidad. Se estipula que la autorización de residencia y trabajo por circunstancias excepcionales puede ser solicitada por la mujer extranjera en el momento en el que se haya sido dictada una orden de protección a su favor, o bien cuando exista informe del Ministerio Fiscal en el que se haga constar que concurren en el supuesto indicios de violencia de género.

También se establece que la mujer puede solicitar una autorización de residencia por circunstancias excepcionales a favor de sus hijos/as menores de edad o que tengan una discapacidad y no sean objetivamente capaces de proveer a sus propias necesidades, o una autorización de residencia y trabajo en caso de que fueran mayores de dieciséis años y se encontraran en España en el momento de la denuncia.

No obstante, a pesar de ello, en este mismo precepto, artículo 31 bis, se establece que esta autorización no se resolverá hasta que finalice el procedimiento penal, sin perjuicio de que, si lo considera la autoridad competente, pueda conceder las autorizaciones solicitadas de forma provisional. En tal caso, las autorizaciones serían concedidas de forma definitiva cuando el proceso penal concluya con una sentencia condenatoria o con una resolución judicial en la que conste que la mujer ha sido víctima de violencia de género pero que se ha archivado la causa por encontrarse el

---

pdf/4e6 f809a-c122-d84a-add1-82147556ef86?t=1677241706956 (última consulta 20/07/2024)

17 Según información extraída del mismo Portal Estadístico de la Delegación del Gobierno contra la Violencia de Género, en el año 2019 fueron concedidas 1.167 autorizaciones de residencia y trabajo de mujeres extranjeras víctimas de violencia, mientras que esta cifra ha ido aumentando considerablemente a lo largo de los años: 2.593 en el año 2020, 3.581 en el año 2021, 4.269 en el año 2022, y 5.537 en el año 2023.

investigado en paradero desconocido o haber sido expulsado del territorio español.

En consecuencia, esto conlleva que si no se pudiere acreditar la comisión del delito —ya sea porque no concurren los elementos del tipo, pero también en el común caso en el que no exista prueba suficiente— o ante también el frecuente supuesto en el que la víctima no quiera o no vea claro proseguir con la acusación[18], el resultado previsto por la ley y que se explicita en el mismo precepto analizado es que se incoará o se reactivará el expediente administrativo sancionador por infracción de la ley de extranjería, en el que puede acordarse la expulsión de la persona irregular del territorio español.

En la práctica esto choca frontalmente con los supuestos en los que a pesar de haber existido y seguir existiendo una situación de violencia de género, no se adopta en la fase de instrucción la orden de protección y puede que no se cuente todavía en esta fase procesal con un informe del Ministerio Fiscal en el que se haga constar que concurren indicios de violencia. Esta situación, además, se ve prolongada en el tiempo debido a la lentitud en la tramitación de los procedimientos judiciales, atendiendo al colapso de la Administración de justicia.

Asimismo, como ya he referido, podría darse la situación en la que la víctima, comúnmente para evitar un mal a su pareja o para no afectar a sus hijos o hijas, o para evitar no ser creída, o por no sentirse protegida, no quiera denunciar, o, una vez realice el paso, no quiera proseguir con la acusación y trate de disminuir los efectos de su denuncia —en la medida en que pueda—, o incluso no quiera declarar siquiera en fase de instrucción a pesar de que exista una situación de violencia.

Esto deja fuera de la posibilidad de optar por una regularización de su situación migratoria a múltiples mujeres. Cabe plantearse incluso si la regulación tan dura respecto a la exigibilidad de los requisitos indicados es disuasoria para la mujer víctima de violencia de género que se plantea si denunciar o no a su agresor. Ya en este sentido, el Grupo de Expertos en la

---

[18] Si bien el Tribunal Supremo ha adoptado la postura de no aplicar la dispensa de no declarar a la víctima pareja o expareja del investigado si formuló la denuncia en instrucción —puesto que, a su entender, ello es incompatible con la denuncia que la mujer ha formalizado—, existen estrategias procesales en sede judicial que, dependiendo del supuesto, pueden facilitar o tratar de conseguir el sobreseimiento durante la fase de instrucción del investigado o la absolución en la fase de enjuiciamiento del acusado.

Lucha contra la Violencia contra la Mujer y la Violencia Doméstica (GREVIO) recogió en su primer informe de evaluación en España (2020)[19] que era necesario revisar por el legislador el estándar de suficiencia probatoria para la concesión de una autorización de residencia provisional a mujeres inmigrantes víctimas de violencia.

Siguiendo con este Informe, el Grupo de Expertos constató que las mujeres víctimas de violencia de género que son extranjeras representan un elevado porcentaje de víctimas atendiendo al número de denuncias y al conformar un numero de población mucho menor. El informe pone de relieve la existencia de un sesgo institucional contra las mujeres inmigrantes víctimas. El Grupo de Expertos recoge la terrible afirmación de que algunas de las mujeres inmigrantes que fueron asesinadas por su pareja podrían seguir con vida "si hubieran contado con una respuesta institucional más rápida y eficaz"[20].

Volviendo al alto nivel de exigencia probatoria, afortunadamente, el legislador parece que dio un paso adelante con el Real-Decreto-ley 9/2018, de 3 de agosto, de medidas urgentes para el desarrollo del Pacto de Estado contra la violencia de género[21]. Esta norma modificó la LO 1/2004 en su artículo 23, relativo a la acreditación de las situaciones de violencia de género, ampliando los posibles supuestos de acreditación de una situación de violencia para el acceso por parte de las mujeres a los derechos contenidos en la norma. Así, además de las vías ya previstas —la orden de protección y el informe del Ministerio Fiscal— estas nuevas vías de acreditación son el informe de servicios sociales, el informe de los servicios especializados,

---

19 Informe (2020) acerca de la evaluación sobre las medidas legislativas y de otra índole que dan efecto a las disposiciones del Convenio del Consejo de Europa sobre Prevención y Lucha contra la violencia contra las Mujeres y la Violencia Doméstica (Convenio de Estambul) en España. Consultable en: https://violencia-genero.igualdad.gob.es/marco-internacional/informesgrevio/ (última consulta 29/07/2024).

20 Añado aquí, que cabría aquí plantearse la posibilidad de reclamar por daños al Estado en base al incumplimiento de la diligencia debida que le es exigible.

21 Real-Decreto-ley 9/2018, de 3 de agosto, de medidas urgentes para el desarrollo del Pacto de Estado contra la violencia de género (*Tol 6677693*). En concordancia con esta norma fue dictada la Resolución de 2 de diciembre de 2021, de la Secretaría de Estado de Igualdad y contra la Violencia de Género, por la que se publica el Acuerdo de la Conferencia Sectorial de Igualdad, de 11 de noviembre de 2021, relativo a la acreditación de las situaciones de violencia de género, BOE nº297, de 2 de diciembre de 2021, BOE-A- 2021-20570, que establece los modelos y trámites para la solicitud de reconocimiento como víctima de violencia.

o de los servicios de acogida competentes; o, además por cualquier otro título, siempre que ello esté previsto en las disposiciones normativas de carácter sectorial que regulen el acceso a cada uno de los derechos y recursos. No obstante, el contenido del precepto —incomprensiblemente—

no fue trasladado a la Ley de extranjería hasta la publicación del nuevo Reglamento de Extranjería que viene a ampliar los supuestos en los que en este marco puede acreditarse la situación de víctima de violencia para acomodar la normativa relativa a extranjería al contenido de la LO 1/2004[22].

Así las cosas, para las mujeres víctimas de violencia de género que además son extranjeras y que no se hallan en situación regular, como K. y como V., el riesgo de enfrentarse a una expulsión del territorio nacional o no poder optar por una ayuda —con la que muchas veces alimentan solas a sus hijos—, o no poder acceder a un lugar donde vivir de forma segura, es, a todas luces, inasumible. Nuestros testimonios relataban las múltiples barreras que hallaban a la hora de tramitar una posible ayuda y el retraso en su concesión, en caso de ser aprobada. En línea con estos extremos, expertos han detectado y reiterado que es necesaria la existencia de servicios adecuados adaptados a la situación específica y compleja de las mujeres inmigrantes, así como la coordinación entre los distintos posibles recursos[23].

5. A MODO DE CONCLUSIÓN

A pesar de la voluntad del legislador de proteger a la mujer de las distintas violencias machistas de las que es víctima, aún queda un largo camino por recorrer. La violencia estructural que sufren muchas mujeres pervive y va en aumento. La violencia hacia la mujer es feroz, extensa, y afecta a otros miembros de la familia, especialmente a los hijos e hijas, y a todos ellos afecta en múltiples dimensiones de su vida.

---

[22] Real Decreto 1155/2024, de 19 de noviembre, por el que se aprueba el Reglamento de la Ley Orgánica 4/2000, de 11 de enero, sobre derechos y libertades de los extranjeros en España y su integración social. BOE-A-2024-24099. Entrada en vigor: 20/05/2025.

[23] Así, en este sentido lo constataban el *Grupo de Expertos GREVIO* en su Informe (op. cit.) y también, entre otras, investigadoras de la *Asociación Por Ti Mujer, Red Aminvi* y *Mujeres Supervientes de Violencia de Género* y *Platform for International Cooperation on Undocumented Migrants,* en su Informe "Violencia de Género en mujeres inmigrantes residentes en España", 2021, (op.cit).

Para poder asistir y atender a las víctimas es absolutamente necesaria, de una vez por todas, la especialización de todos los operadores que intervienen en todas las fases de atención a las víctimas, tanto en el ámbito judicial, como en el ámbito administrativo, en su sentido más amplio. Ello pasa por una formación específica de la materia capaz de remover los estereotipos y dogmas patriarcales arraigados y por una dotación de recursos suficiente.

El origen o el ser inmigrante es un elemento que, en muchos supuestos, provoca que la víctima se halle en una situación todavía más vulnerable. Las normas de extranjería deben ser revisadas y adaptadas desde una perspectiva de género, en consonancia con los cambios legislativos que han ido proliferando. Estas normas no pueden entenderse adaptadas si no coadyuvan con la amalgama de normas existente para la protección de la mujer contra la violencia.

Las mujeres víctimas de violencia que se hallan en situación irregular no están protegidas por el ordenamiento jurídico. La actual regulación disuade a las víctimas de pedir ayuda. El riesgo a una posible expulsión, la falta de recursos y la lentitud del sistema son factores que contribuyen al sometimiento de la mujer en manos del agresor.

Se han tratado de recoger algunas líneas de K. y V. Estas dos mujeres además de haber sido víctimas de violencia por parte de su agresor, su marido, han sufrido las consecuencias de un sistema que no ha sido capaz de protegerlas, ni a ellas ni a sus hijos e hijas.

6. BIBLIOGRAFÍA

AZCÁRRAGA MONZONÍS, C. "La mujer extranjera víctima de violencias. Un estudio sobre la evolución de la extranjería y la protección internacional en la última década", *Revista Electrónica De Estudios Internacionales*, n.º 46, diciembre de 2023, pp. 413-443.

DEL CASTILLO FALCÓN CARO, M. "Maltrato al menor y violencia vicaria. Análisis jurídico-penal de la incidencia de las principales reformas legislativas operadas en este marco delictivo", en *La protección jurídica del menor*, Tirant lo Blanch, Valencia, 2024, pp. 93-118.

GÓMEZ ROMERO, M.J., "Mujeres extranjeras víctimas de violencias sexuales. Una mirada a la legislación vigente en España", en *Intervención con población vulnerable a la violencia y la exclusión*, Dykinson, 2023, pp. 103-116.

MARÍN DE ESPINOSA CEBALLOS, E., "La protección penal del menor en supuestos de violencia vicaria y de feminicidio: las reformas de la Ley Orgánica 1/2004 de 28 de diciembre y de los arts. 46 y 140 bis del Código Penal", *Revista de Derecho Penal y Criminología*, n.º 29, enero de 2023, pp. 233-264.

RUIZ SUTIL, C., "Derecho antidiscriminatorio en el contexto de las migraciones", *Revista Española de Derecho Internacional*, n.º 73-2, julio de 2021, pp. 417-423.

RUIZ SUTIL, C., *Las violencias de género en entornos transfronterizos,* Dykinson, 2023.

MIRANDA, J. K. y varios "Perspectivas de niños y niñas sobre crecer en hogares con violencia de género en la pareja", *Anales de psicología,* vol. 37, nº1, enero de 2021.

Mutilación genital femenina: una práctica arcaica que hay que erradicar. Panorama normativa y tendencias mundiales

RITA MINGOLLA

1. INTRODUCCIÓN

En el ámbito de los derechos humanos, la inercia cultural es una de las condiciones fundamentales que siguen produciendo desigualdad entre el género masculino y femenino. En el contexto socio-histórico basado en la "ley del padre"[1], las mujeres siempre han sido colocadas en la sombra

---

1 Más allá de la perspectiva convencional, los sociólogos también coinciden en que las raíces del patriarcado se basan en una concepción relacionada con los roles de género, es decir, el conjunto de normas y comportamientos que regulan las acciones de los individuos en un contexto social determinado. Este sistema se traduce en el privilegio reservado a los hombres y el control ejercido sobre todos los aspectos de la vida, lo que conduce inevitablemente a la subordinación y marginación de las mujeres. Aunque el propio Hegel no utilizó el término "patriarcado" en el sentido actual, sus conferencias filosóficas en "*El origen de la familia, la propiedad privada y el Estado*" proporcionan un marco conceptual que ha influido profundamente en la forma en que se han legitimado los roles de género y la dominación masculina en las sociedades modernas. Sólo con la llegada de las ciencias sociales y la aparición de enfoques críticos, como el feminismo y la antropología cultural, comenzó a cuestionarse esta visión. El término moderno para explicar los fenómenos sociales a través de la biología es *sociobiología*. Los sociobiólogos utilizan la genética para interpretar la vida social, incluidos los roles de género. Según esta perspectiva, *el patriarcado* es el resultado de la biología intrínseca y no sólo del condicionamiento social. Uno de los sociobiólogos contemporáneos más conocidos es Steven Goldberg, sociólogo del City College de Nueva York. En 1973, Goldberg publicó *The Inevitability of Patriarchy (La inevitabilidad del patriarcado)*, en el que proponía una interpretación biológica de la dominación masculina. Sostiene que la dominación masculina es un fenómeno universal, determinado por nuestra constitución biológica. Una importante teoría sociobiológica evolutiva sobre el origen del patriarcado se basa en la idea de que las hembras, que generalmente invierten más energía en la reproducción que los machos, se convierten en un recurso disputado. Esta teoría se conoce como *el principio de Bateman*, según el cual las hembras tienden a preferir a los machos que pueden controlar más recursos

con la creciente necesidad de rebelarse contra la hegemonía masculina, es decir, contra la violencia física y psicológica perpetrada contra ellas. Esto hace imposible ignorar los retos socioeconómicos que, en su complejidad, plantea la sociedad contemporánea hasta el punto de sentir la necesidad de revisar los paradigmas de pensamiento, acción y relaciones interpersonales en los que se basa. A pesar de que la Organización Mundial de la Salud (OMS) se ha dedicado con gran dedicación a construir una base sólida para la protección de los derechos humanos, incluyendo la constitución de la "*Carta Internacional de Derechos Humanos*" en 1948, además de promover la celebración de otros acuerdos supranacionales como la "*Carta Asiática de Derechos Humanos y de los Pueblos*" y la "*Comisión Africana de Derechos Humanos y de los Pueblos*", el pleno respeto de estos derechos sigue siendo una meta lejana.

Los individuos y, en una dimensión más amplia, la comunidad, no pueden pasar por alto la diversidad de los distintos tejidos sociales que existen sobre el terreno. Las organizaciones deben aspirar a superar las divisiones sociales y cooperar para hacer frente a los retos globales, garantizando el pleno respeto de los derechos humanos en todo el mundo.

Debido al efecto de la globalización, los conceptos fundamentales de las ciencias sociales (cultura, identidad, diferencia y pertenencia) [2] han

---

para garantizar su bienestar y el de su descendencia. En consecuencia, este mecanismo genera una presión selectiva sobre los machos para que sean competitivos y acumulen recursos para sobresalir sobre otros machos. Las teorías sociobiológicas del patriarcado se contraponen a las teorías de la construcción social, que hacen hincapié en cómo determinadas culturas producen y perpetúan los roles de género. Las teorías de la construcción social sostienen que los roles de género no están determinados biológicamente, sino que se construyen a través de interacciones sociales, normas culturales e instituciones, lo que contrasta con las explicaciones sociobiológicas, que ven el patriarcado como una consecuencia de la evolución y la selección natural. Desde la década de 1970, con el feminismo de la segunda ola y el aumento de la participación femenina en el mercado laboral, *las teorías construccionistas* han recibido más atención. Académicas como Judith Butler han desarrollado aún más estos conceptos, introduciendo la idea de que el género es una "*performance*", es decir, un conjunto de actos repetidos que construyen nuestra identidad de género.

[2] En el mundo contemporáneo, la cultura ya no es un elemento estático e inmutable, sino un proceso en evolución. Este cambio se alimenta del contacto y la relación con otras culturas, fomentando una interacción dinámica que enriquece las sociedades y las identidades individuales. La globalización, las migraciones y los avances tecnológicos han acelerado este proceso, creando un paisaje cultural cada

sufrido un cambio radical y, por lo tanto, su redefinición en función de un contexto mundial en constante evolución hace necesario considerar al mismo tiempo la complejidad de las identidades culturales, las diferencias y las prácticas tradicionales. Un ejemplo de multiculturalismo donde las diferencias son evidentes entre las tradiciones occidentales y las de otros países es la *mutilación genital* femenina (MGF), que afecta profundamente a la conciencia individual y a la representación de la individualidad, siendo una práctica ilegal, integra la violación de los derechos humanos de las mujeres que son parte inalienable, integral e indivisible de los derechos humanos universales. La persistencia de esta práctica en algunas partes del mundo es alimentada por algunos como la desigualdad de género, la religión o la tradición con el fin de controlar la sexualidad femenina y el cuerpo de la mujer, cuyo antagonista es el pensamiento occidental, así como la adaptación en los países de inmigración, que amenaza la costumbre de las comunidades que mantienen viva la cultura local, además de la creencia errónea de que la mutilación genital femenina es un acto necesario para decretar el paso de las niñas a la edad adulta.

En cuanto a la definición, en 1991, durante la "*Tercera Conferencia sobre Prácticas Tradicionales Relacionadas con la Salud de la Mujer y el Niño*", organizada por el Comité Interafricano en Addis Abeba, introdujo el término "*mutilación genital*", que no es aceptado pacíficamente por las culturas que lo practican, lo que desencadenó cuestionamientos sobre la definición y la

---

vez más fluido e interconectado. La identidad cultural, antes percibida como una pertenencia fija y monolítica, se ve ahora como un entretejido de múltiples influencias, derivadas tanto de la historia personal y familiar como de las experiencias vitales y los contactos con otras culturas. Cada individuo puede identificarse con tradiciones, lenguas y valores diferentes, construyendo una identidad que se adapta y transforma con el tiempo. Este fenómeno pone de relieve que la cultura no es un elemento rígido, sino un mosaico en constante composición. En este contexto, la diferencia cultural ya no se percibe como una barrera infranqueable entre grupos sociales, sino como una oportunidad de crecimiento y comprensión mutua. El otro, que antes podía considerarse extranjero o amenazador, se convierte en un interlocutor con un punto de vista diferente, capaz de ofrecer nuevas perspectivas y enriquecer el diálogo intercultural. Este enfoque favorece una sociedad más abierta, en la que la diversidad se valora como un recurso en lugar de temerse como un obstáculo. Ante esta evolución, resulta esencial promover el diálogo y la educación interculturales, para desarrollar una mayor conciencia de la complejidad de las identidades y de la riqueza del encuentro entre culturas diferentes. Sólo mediante el reconocimiento y el respeto de la pluralidad cultural será posible construir un futuro basado en la coexistencia pacífica y la valorización de la diversidad como elemento de fuerza y de innovación social.

terminología sin tener en cuenta el contexto sociocultural en el que estas prácticas están arraigadas.

En 1997, la OMS da una definición más específica a estas prácticas de "*mutilación genital femenina*" (MGF), que incluye "*todos los procedimientos que impliquen la extirpación parcial o total de los genitales externos femeninos u otras intervenciones nocivas en los órganos genitales femeninos, tanto por razones culturales como por otras razones* no terapéuticas"[3]. Además, clitoridectomía, escisión, sutura[4], circuncisión, corte, modificación genital, *sunna* o *Ñyakaa*, son las diferentes denominaciones que hacen referencia al fenómeno de la mutilación genital femenina. La terminología "*mutilación*" utilizada por la OMS refleja fielmente la naturaleza de estas prácticas, que son perjudiciales para la salud física y mental de las mujeres y niñas que se someten a ellas, ya que causan un dolor extremo, complicaciones médicas, traumas psicológicos y problemas de salud a largo plazo. El uso de este lenguaje sigue siendo un debate abierto en la búsqueda de una terminología respetuosa con las prácticas locales, ya que suscita preocupación por su posible inadecuación a la hora de considerar la dimensión sociocultural pero, no obstante, capaz de poner de manifiesto la violación de los derechos humanos que estas prácticas conllevan[5].

---

3 OMS, "*Female Genital Mutilation: a joint WHO/UNICEF/UNFPA statement*", Organización Mundial de la Salud, Ginebra, 1997, p.3. Fuente: www.who.int.

4 Las mujeres somalíes suelen utilizar el término "sutura", en Pasquinelli C., "*Antropologia delle mutilazioni genitali*", Aidos, 2000, disponible en www.aidos.it.

5 Independientemente de la validez científica de esta crítica, es importante subrayar que son las propias mujeres sometidas a MGF las que impugnan el uso de este término, ya que perciben estas prácticas exclusivamente en términos positivos. De hecho, las consideran pasos necesarios e inevitables en el crecimiento de su persona, o incluso acontecimientos centrales en su vida o en la vida de la comunidad a la que pertenecen, sin tener en cuenta las graves y permanentes consecuencias somáticas y psíquicas que la MGF conlleva para sus víctimas. A este respecto, se ha propuesto una interpretación según la cual la MGF se inscribe en la categoría más amplia de las intervenciones permanentes y no terapéuticas de "modificación" practicadas en todo el cuerpo de la mujer. Aunque el término "modificación" parece más neutro que el de "mutilación" y, por tanto, parece más sensible al contexto sociocultural en el que se arraiga la MGF, es igualmente importante subrayar que las controversias terminológicas no deben ocultar la dramática realidad de los efectos psicofísicos profundamente invalidantes en las víctimas de tales prácticas. M. Fusaschi, "*I segni sul corpo. Per un'antropologia delle modifiche dei genitali femminili*", Bollati Boringhieri, Turín, 2003.
En primer lugar, hay que reconocer que el término "mutilación genital femenina" sigue siendo el más utilizado y el que mejor se ajusta al enfoque científico de la

2. DISCIPLINA INTERNACIONAL, EUROPEA Y NACIONAL

2.1. Internacional

Las organizaciones internacionales condenan la MGF mediante campañas de prevención e información respaldadas por un corpus legislativo que pretende proteger los derechos humanos de las mujeres y los niños frente a prácticas nocivas y discriminatorias. A continuación se detallan por orden ascendente las distintas iniciativas internacionales e instrumentos jurídicos establecidos:

a) en 1979 con la Convención sobre la Eliminación de Todas las Formas de Discriminación contra la Mujer (CEDAW), que promueve la igualdad de la mujer y exige a los Estados firmantes que tomen medidas para proteger los derechos de la mujer mediante la promulgación de leyes, reglamentos, costumbres o prácticas discriminatorias basadas en el concepto de desigualdad de género[6]. Una *Recomendación* posterior *del Comité de Seguimiento de la CEDAW* mencionaba explícitamente la eliminación de la MGF.

b) en 1989 se aprobó la Convención Internacional sobre los Derechos del Niño (CDN), ratificada por 192 Estados y adoptada por la Asam-

---

OMS. La clasificación de los distintos tipos de MGF se basa precisamente en este marco teórico, sin olvidar que la distinción propuesta por la OMS puede resultar a veces ambigua, debido a varios factores. En primer lugar, los distintos tipos de MGF se distinguen no sólo en función de la gravedad de las consecuencias clínico-patológicas, sino también según la zona geográfica y el contexto sociocultural. Además, existen formas intermedias, y las mujeres y niñas pueden someterse a estas operaciones en un periodo de tiempo que va desde el nacimiento hasta poco antes del matrimonio. Así pues, la ausencia de una referencia precisa a la edad depende tanto de las tradiciones específicas de la cultura del individuo como de las dificultades encontradas para realizar estas prácticas en un contexto migratorio. Para más detalles: OMS, "*Female Genital Mutilation: An overview*", Organización Mundial de la Salud, Ginebra, 1998p. 6 y ss.

6 Los artículos 2 y 5, respectivamente, establecen: "*Los Estados se comprometen a adoptar todas las medidas apropiadas, incluso de carácter legislativo, para enmendar o derogar cualquier ley, disposición, reglamento, costumbre o práctica que constituya discriminación contra la mujer por parte de cualquier persona organización o empresa*" y "*Los Estados adoptarán todas las medidas para modificar los patrones socioculturales y de conducta hombres y mujeres, y para alcanzar la eliminación de los prejuicios y las prácticas consuetudinarias o de otra índole que estén basados en la creencia de la inferioridad o superioridad de cualquiera de los sexos (…)*".

blea General de la ONU en Nueva York, con una referencia específica a la protección de los niños, especialmente las niñas, frente a todas las formas de violencia física y mental, incluidos abusos como la mutilación genital femenina;

c) en 1990 se firmó la Carta Africana sobre los Derechos y el Bienestar del Niño, Con este tratado, 47 Estados africanos se comprometieron a tomar medidas para abolir las prácticas perjudiciales para el bienestar y el desarrollo de los niños, incluidas las costumbres discriminatorias basadas en el género[7];

d) la Asamblea General de las Naciones Unidas con la Resolución 48/104 de 20 de diciembre de 1993 adoptó la Declaración sobre la Eliminación de la Violencia contra la Mujer, dando fuerza a la Convención de 1979, considera que esta declaración contribuirá al fortalecimiento y desarrollo del proceso de eliminación de todas las formas de discriminación contra la mujer (Art. 2);

e) en 1996 se celebró la Conferencia Mundial sobre Población y Desarrollo de El Cairo, que promovió explícitamente la práctica de la MGF en los países donde se lleva a cabo y el apoyo contextual a las organizaciones no gubernamentales y religiosas e instituciones comunitarias que combaten esta costumbre[8];

f) en 1997, en Ginebra, se emitió una Declaración Conjunta de la OMS, UNICEF y UNFPA en la que se atacaba directamente la MGF por constituir una violación de los derechos humanos fundamentales, incluido el derecho a la salud y a la seguridad personal.

Como resultado de todas estas iniciativas que representan esfuerzos internacionales conjuntos para condenar, prevenir y acabar con la MGF, en 2003 la Unión Africana (UA) adoptó el Protocolo de Maputo[9] (Mozambi-

---

7 El artículo 21 establece que "*los países que ratifiquen la presente Carta tomarán todas las medidas apropiadas para abolir las prácticas consuetudinarias que sean perjudiciales para el bienestar, el crecimiento y el desarrollo normales del niño, así como las costumbres y prácticas que lo discriminen por razón de su sexo o de cualquier otra condición*".

8 El artículo 7.40 establece: "*Los gobiernos y las comunidades deben poner fin urgentemente a la práctica mutilación genital femenina y proteger a las mujeres y las niñas de esas prácticas innecesarias y peligrosas…*".

9 El borrador, presentado en junio de 1995 en Addis Abeba (Etiopía) durante una reunión de Jefes de Estado y de los Estados miembros de la UA, se firmó en 2003 y no entró en vigor hasta 2005, cuando se consiguieron las 15 ratificaciones necesarias.

que) sobre los Derechos de la Mujer, que es sustancialmente significativo porque, por primera vez en la historia, presenta una condena formal de la Mutilación Genital Femenina (MGF)[10]. Los Estados firmantes son 46 países de la Unión Africana y sólo 25 la han ratificado; concebida para abordar y promover los derechos de la mujer en diversas esferas de la vida, desde la política a la social y personal, y que en su artículo 5, titulado "*Eliminación de prácticas nocivas*", hace hincapié en la igualdad de género y entre hombres y mujeres, así como en la promoción de la autonomía e independencia de la mujer en la toma de decisiones sobre su vida personal a través de la sensibilización, el apoyo y la protección a las víctimas y la prohibición de prácticas específicas[11].

De ahí que, como destaca el artículo 5(b), el Protocolo de Maputo sea la primera condena auténtica de la MGF, un instrumento jurídico fundamental decidido a reconocer y condenar explícitamente esta práctica que daña

---

[10] Países signatarios: Argelia, Angola, Benin, Burkina Faso, Burundi, Camerún, República Centroafricana, Chad, Costa de Marfil, Comoras, Yibuti, República Democrática del Congo, Guinea Ecuatorial, Etiopía, Gabón, Gambia, Ghana, Guinea-Bissau, Guinea, Kenia, Libia, Lesoto, Liberia, Madagascar, Malí, Mozambique, Mauricio, Namibia, Nigeria, Níger, Ruanda, Sudáfrica, República Árabe Saharaui Democrática, Senegal, Seychelles, Sierra Leona, Somalia, Sudán, Suazilandia, Tanzania, Togo, Túnez, Uganda, Zambia y Zimbabue. Países ratificantes: Angola, Benín, Burkina Faso, Cabo Verde, Comoras, Yibuti, Gambia, Ghana, Libia, Lesoto, Liberia, Malí, Malawi, Mozambique, Mauritania, Namibia, Nigeria, Ruanda, Sudáfrica, Senegal, Seychelles, Tanzania, Togo, Zambia, Zimbabue.

[11] El artículo 5 dice fielmente en el idioma original lo siguiente: "*Los Estados Partes prohibirán y condenarán todas las formas de prácticas nocivas que afecten negativamente a los derechos humanos de la mujer y que sean contrarias a las normas internacionales reconocidas. Los Estados Partes adoptarán todas las medidas legislativas y de otra índole que sean necesarias para eliminar esas prácticas, incluidas: (a) Creación de conciencia pública en todos los sectores de la sociedad respecto de las prácticas nocivas mediante programas de información, educación formal e informal y divulgación; b) Prohibición, mediante medidas legislativas respaldadas por sanciones, de todas las formas de mutilación genital femenina, escarificación, medicalización y para-medicalización de la mutilación genital femenina y todas las demás prácticas a fin de erradicarlas; c) Prestación del apoyo necesario a las víctimas de prácticas nocivas 10 Protocolo de la Carta Africana de Derechos Humanos y de los Pueblos relativo a los derechos de la mujer en África mediante servicios básicos como servicios sanitarios, apoyo jurídico y judicial, asesoramiento emocional y psicológico, así como formación profesional para que sean autosuficientes; d) Protección de las mujeres que corren el riesgo de ser sometidas a prácticas nocivas o a cualquier otra forma de violencia, abuso e intolerancia*". Puede encontrarse más información en el siguiente sitio web: https://au.int/en/treaties/protocol-african-charter-human-and-peoples-rights-rights-women-africa.

la integridad física y psicológica de las mujeres, subrayando la importancia de ponerle fin.

Es consecuencia de la Declaración de El Cairo para la Eliminación de la MGF, adoptada el 28 de junio de 2003 por 28 países africanos y árabes durante la conferencia regional de la ONU organizada en El Cairo. Se insta a los gobiernos a que actúen con la intención de reconocer y proteger los derechos humanos fundamentales de las niñas y las mujeres aplicando la Declaración mediante la aprobación de leyes que garanticen el respeto de los derechos fundamentales[12].

El Protocolo de Maputo, considerado la "*piedra angular*" de la conducta contra la MGF, sirvió a la Organización Mundial de la Salud para instar a la comunidad internacional a erradicar esta práctica inhumana. De hecho, la Resolución de la Asamblea Mundial de la Salud de 2008 puso de manifiesto la profunda preocupación por las graves afecciones que la mutilación conlleva para la salud de mujeres y niñas. El texto enumera múltiples razones para prohibir la MGF, haciendo hincapié en el hecho de que estas prácticas violan directamente varios derechos humanos fundamentales, entre ellos:

- el derecho a la no discriminación: la MGF acentúa y resalta la desigualdad de género y la discriminación contra la mujer, violando los principios establecidos por la Declaración Universal de Derechos Humanos y la Convención sobre la Eliminación de Todas las Formas de Discriminación contra la Mujer (CEDAW). *Declaración Universal de los Derechos Humanos, CEDAW, Recomendación General nº 14 sobre la circuncisión* femenina)
- derecho a la vida y a la supervivencia: La MGF puede provocar la muerte o graves consecuencias para la salud de niñas y mujeres, violando así el derecho a la vida consagrado en el Pacto Internacional de Derechos Civiles y Políticos. (*Art. 6, Pacto Internacional de Derechos Civiles y Políticos*)
- derecho a la salud: Estas prácticas provocan daños físicos y problemas de salud a las mujeres, violando su derecho a un nivel de salud

12 La Declaración proponía *"integrar en el contexto de una legislación más amplia que tenga en cuenta otras cuestiones como la igualdad de género, la protección frente a todas las formas de violencia contra las mujeres y los niños, la salud reproductiva y los derechos de las mujeres y los niños"*, para más detalles: https://digitallibrary.un.org/record/505224?v=pdf.

aceptable, consagrado en diversos convenios y declaraciones internacionales.

- el derecho a la educación: la MGF suele interrumpir la educación de las niñas y mujeres afectadas, negándoles el derecho a la educación. Se hace hincapié en ello en la Estrategia de la OMS para eliminar la *mutilación* genital *femenina (OMS, Eliminating* female *genital mutilation. An interagency statement,* 2008) y en la *Estrategia mundial para impedir que los profesionales de la salud practiquen la mutilación genital* femenina (*OMS, Global strategy to stop health care providers from performing female genital mutilation, 2010*), así como en las directrices estratégicas a escala mundial, en colaboración con otros organismos y organizaciones de las Naciones Unidas. La OMS afirma que, aunque se han logrado ligeros avances mediante la introducción de organismos internacionales de vigilancia y la revisión del marco jurídico, se requieren esfuerzos coordinados a nivel mundial, legislativo y educativo para proteger los derechos fundamentales de las mujeres y las niñas.

Existe una promoción absoluta de la lucha contra la MGF por parte de la ONU, que actúa con declaraciones y resoluciones para reconocerla como una forma de violación de los derechos humanos dada su naturaleza dañina, física y psicológica, con el compromiso de no permitir que los Estados utilicen tradiciones, creencias religiosas o costumbres como justificación. En apoyo de esta directriz, el Relator Especial sobre la tortura y otros tratos o penas crueles, inhumanos y degradantes, en el informe de 2008, y la Relatora Especial sobre la violencia contra la mujer, en la declaración de 2009, afirman que la MGF se considera un verdadero acto de tortura que causa dolor y compromete la integridad física de la persona.

En este sentido, la Asamblea General intervino con la *Resolución 62/133, de 18 de diciembre de 2007,* Intensificación de los esfuerzos para eliminar todas las formas de violencia contra la mujer, en la intensificación de los esfuerzos para eliminar todas las formas de violencia contra la mujer, amonestando a los Estados que utilizan sus tradiciones y creencias religiosas o costumbres como justificación para causar violencia contra la mujer. Considerando esencial que los estados adopten leyes que respeten el fenómeno y sean proactivos en el empoderamiento de las mujeres, concienciando y educando a las comunidades sobre los derechos humanos. Esta conducta de la Asamblea General de las Naciones Unidas es aún más pronunciada y evidente en el artículo 1 de *la Resolución 67/16, de 20 de diciembre de 2012, Intensificación de los esfuerzos mundiales para la eliminación de la mutilación ge-*

nital femenina[13], en la que denuncia explícitamente que la MGF y todas las costumbres asociadas pueden causar graves daños a las personas, tanto físicos como morales, instando a los Estados a iniciar la rápida erradicación de estas prácticas, ya que constituyen una violación significativa de los derechos humanos.

2.2. Europa

La Unión Europea no dispone de una legislación específica unificada que trate exclusivamente de la violencia contra las mujeres y la violencia doméstica. Sin embargo, desde la década de 1990, ha habido directivas, reglamentos y propuestas que abordan diversos aspectos de esta cuestión. Entre ellos cabe citar:

- *Resolución del Parlamento Europeo de la UE sobre la MGF en Egipto B4-0655,0672,0689/199*[14]: condena la MGF en todas sus formas y considera inaceptable utilizar la religión y/o la costumbre como justificación de tales prácticas contra las mujeres. Por ello, el Parlamento Europeo pide a los Estados miembros que castiguen a quienes practican clandestinamente la MGF en los Estados miembros y que refuercen sus disposiciones legislativas contra tales acciones.
- *Resolución del Parlamento Europeo sobre la MGF 2001/2035*[15]: pide a los Estados miembros que tipifiquen como delito todos los tipos de MGF, independientemente de la existencia de consentimiento de la víctima, y que colaboren para armonizar la legislación vigente y elaborar legislación específica si la existente es inadecuada. Además, califica la mutilación genital femenina *"como una forma de violación de los derechos humanos que debe perseguirse tanto civil como penalmente*" y

---

[13] Con el fin de intensificar los esfuerzos mundiales contra la mutilación genital femenina: *"[...] el empoderamiento de las mujeres y las niñas es fundamental para romper el ciclo de discriminación y violencia y para la promoción y protección de los derechos humanos, incluido el derecho al más alto nivel posible de salud mental y física, incluida la salud sexual y reproductiva, y exhorta a los Estados Partes a que cumplan sus obligaciones*" (Asamblea General, Resolución 67/146, 20 de diciembre de 2012).

[14] Véase: https://eur-lex.europa.eu/legal-content/IT/TXT/PDF/?uri=CELEX:52018IP0033&rid=42.

[15] Véase: https://www.europarl.europa.eu/doceo/document/TA-5-2001-0475_IT.html?redirect.

"[...] cualquier forma de mutilación genital femenina como un delito específico[...]".

- *Resoluciones de 24 de marzo y 26 de noviembre de 2009*[16]: el Parlamento Europeo condena cualquier tipo de MGF *"[...] como un acto de violencia contra la mujer que constituye una violación de sus derechos fundamentales, en particular de su derecho a la integridad personal y a la salud física, mental, sexual y reproductiva [..]"e insta a todos los Estados miembros a "[...] rechazar cualquier referencia a prácticas o tradiciones culturales, tradicionales y religiosas como atenuante en casos de violencia contra las mujeres, incluidos los denominados delitos de honor y la mutilación genital femenina".*
- una de las directivas significativas es la Directiva 2012/29/UE[17] por la que se establecen normas mínimas sobre los derechos, el apoyo y la protección de las víctimas de delitos que sustituye a la Decisión marco 2001/220/JAI (Directiva sobre los derechos de las víctimas), que también se aplica a las víctimas de la mutilación genital femenina. Esta Directiva pretende garantizar el respeto de los derechos de las víctimas de la violencia de género en todas las fases del proceso penal.
- *Resolución del Parlamento Europeo, de 6 de febrero de 2014,* sobre la Comunicación de la Comisión titulada: *"Hacia la eliminación de la mutilación genital femenina*" (2014/2511(RSP)[18]: se compromete a utilizar los fondos de la UE para prevenir estas prácticas y mejorar el apoyo prestado a las víctimas y se compromete asimismo, junto con el Servicio Europeo de Acción Exterior, a reforzar el diálogo internacional y promover la investigación con el fin de identificar claramente a las mujeres y niñas en situación de riesgo; reitera su llamamiento a los Estados miembros para que hagan uso de los mecanismos existentes, en particular la Directiva 2012/29/UE, incluida la formación de profesionales con el fin de proteger a las mujeres y las niñas y perseguir, condenar y castigar a los responsables de delitos de mutilación genital femenina, incluso si se cometen fuera de las fronteras del Estado miembro de que se trate pide, por lo tanto, que se incluya el principio de extraterritorialidad en las disposiciones de Derecho penal de

---

16 Véase: https://www.europarl.europa.eu/doceo/document/TA-7-2009-0098_IT.html.

17 Véase: https://eur-lex.europa.eu/legal-content/IT/ALL/?uri=celex:32012L0029.

18 Véase https://eur-lex.europa.eu/legal-content/IT/TXT/PDF/?uri=CELEX:52014IP0105(01.

todos los Estados miembros para que el delito pueda perseguirse en los 28 Estados miembros de la misma manera; pide a la UE y a los Estados miembros que aún no han ratificado el Convenio de Estambul del Consejo de Europa sobre prevención y lucha contra la violencia contra las mujeres que lo hagan sin demora para que el compromiso de la UE esté en consonancia con las normas internacionales y promueva un enfoque holístico e integrado de la violencia contra las mujeres y la mutilación genital femenina

- *Resolución del Parlamento Europeo de 12 de febrero de 2020* establece con "*Una estrategia de la UE para acabar con la mutilación genital femenina en todo el mundo*" (2019/2988(RSP) que "*existe una necesidad urgente de intensificar y coordinar los esfuerzos en curso para poner fin a esta práctica a nivel local, nacional, regional e internacional, aprovechar estos esfuerzos y lograr un cambio radical y duradero a través de estrategias eficaces y globales*", con el objetivo de poner fin a la mutilación genital femenina, destacando la urgencia de abordar la MGF como una grave violación de los derechos humanos, resaltando la gravedad de la violencia contra las mujeres y las niñas, así como la grave desigualdad de género.
- El 3 de marzo de 2022, la Comisión Europea para la Igualdad de Género comunica una estrategia esbozada para el periodo 2020-2025[19] "*Una Unión de Igualdad: La Estrategia para la Igualdad de Género 2020-2025*" que representa un compromiso significativo en la promoción de la igualdad de género y en la lucha contra las desigualdades generalizadas que persisten en la sociedad. Su ámbito de aplicación abarca múltiples áreas, desde las desigualdades estructurales hasta la discriminación y la violencia de género, con el objetivo de crear una Europa en la que estas cuestiones dejen de ser una realidad. Esta estrategia destaca varios objetivos y acciones políticas clave:
  1. eliminar la violencia de género: mediante políticas específicas, apoyo a las víctimas y castigo a los agresores;
  2. lucha contra la discriminación de género: tanto en el lugar de trabajo como en otros ámbitos sociales, garantizando la igualdad de oportunidades y de trato entre hombres y mujeres;

[19] En consonancia con el primer Plan de Acción Estratégico de la UE sobre Igualdad de Género es el cuatrienio 2016-2020 (GAP II).

3. superar las desigualdades estructurales: implica cambios sistémicos para hacer frente a las desigualdades salariales, de acceso a la educación, la salud y las oportunidades profesionales;
4. promover la diversidad y la inclusión: garantizar que las mujeres y los hombres, así como las niñas y los niños, sean libres de seguir sus opciones vitales sin restricciones basadas en el género;
5. garantizar la igualdad de oportunidades en la participación social y económica: permitir que todos participen plenamente y desempeñen funciones de liderazgo por igual, independientemente de su sexo.

El objetivo último de esta estrategia es crear una Europa en la que la igualdad de género no sea sólo un objetivo, sino una realidad tangible. Esto implica un cambio cultural, legislativo y social que permita a hombres y mujeres contribuir por igual a la sociedad, reflejando plenamente la diversidad y riqueza de las perspectivas de género.

- El 8 de marzo de 2022, la Comisión propone una directiva del Parlamento Europeo y del Consejo para combatir la violencia contra las mujeres y la violencia doméstica en la Unión Europea. La nueva normativa se centra en la definición de delitos específicos, entre ellos la mutilación genital femenina y la violencia en línea[20]. La directiva propuesta también pretende garantizar que los implicados:

---

[20] Esta propuesta se basa en el artículo 82, apartado 2, en relación con el artículo 83, apartado 1, del TFUE. El artículo 83, apartado 1, del TFUE establece la base jurídica de las normas mínimas sobre la definición de los delitos y las sanciones penales en relación con la explotación sexual de mujeres y niños y los ciberdelitos. El término "explotación sexual" que figura en el artículo 83, apartado 1, del TFUE puede entenderse como cualquier abuso real o tentativo de una situación de vulnerabilidad, de un desequilibrio de poder o de confianza, incluido, aunque no exclusivamente, el hecho de obtener una ventaja monetaria, social o política de un acto sexual con otra persona. La connotación de explotación puede referirse a la adquisición de poder o dominio sobre otra persona con fines de gratificación sexual, ganancia financiera y/o promoción profesional: elementos, éstos, que constituyen el requisito previo para el delito de violación y mutilación genital femenina. La mutilación genital femenina es una práctica de explotación llevada a cabo con el propósito de preservar y afirmar el dominio sobre mujeres, niñas y niños y para ejercer control social sobre su sexualidad. A veces se practican en el contexto de matrimonios infantiles o forzados o de violencia doméstica, y son un reflejo del típico desequilibrio de poder que existe en esos casos entre mujeres y hombres, desequilibrio también presente en la violación. El concepto de "ciber-

1. Acceso a la justicia: Las víctimas tendrán derecho a acceder a una reparación legal contra sus agresores.
2. Derecho a reclamar una indemnización: las víctimas tendrán la posibilidad de reclamar una indemnización por los daños sufridos.
3. Acceso a servicios de apoyo: Habrá acceso a líneas de ayuda gratuitas y centros especializados en ayudar a las víctimas de la violencia, incluidos los centros de crisis por violación.

Estas medidas pretenden garantizar un nivel mínimo de protección a las víctimas de la violencia contra las mujeres y la violencia doméstica en todos los Estados miembros de la Unión Europea. La propuesta pretende abordar diversas formas de violencia y proporcionar a las víctimas las herramientas necesarias para recibir apoyo, protección y justicia.

- El 9 de junio de 2023, el Consejo acordó su posición general sobre la propuesta de Directiva para prevenir y combatir la violencia contra las mujeres y la violencia doméstica. La nueva Directiva tipificaría los siguientes delitos en la UE:
  - mutilación genital femenina
  - acoso en línea
  - abuso sexual en línea
  - intercambio no consentido de material íntimo o manipulado
  - incitación al odio o a la violencia en línea.

El objetivo de esta Directiva es proporcionar un marco jurídico general para combatir eficazmente la violencia contra las mujeres y la violencia do-

---

delincuencia“ del artículo 83, apartado 1, del TFUE abarca los delitos contra las tecnologías de la información y la comunicación o relacionados intrínsecamente con su uso. El uso de tales tecnologías como medio para lanzar un ataque puede amplificar la gravedad del delito en términos de cantidad, calidad, intensidad, duración y selección de objetivos, hasta un punto que no puede lograrse por otros medios. Las normas mínimas de esta propuesta para los delitos constitutivos de violencia en línea contra las mujeres cubren este tipo de delitos, intrínsecamente ligados al entorno en línea y al uso de estas tecnologías. El artículo 82, apartado 2, del TFUE proporciona la base jurídica para establecer normas mínimas relativas a los derechos de las víctimas de delitos en la medida necesaria para facilitar el reconocimiento mutuo de las sentencias y resoluciones judiciales y la cooperación policial y judicial en asuntos penales con dimensión transfronteriza.

méstica en toda la Unión. Para ello, refuerza e introduce medidas relativas a: la definición de los delitos y las infracciones punibles, la protección de las víctimas y el acceso a la justicia, la asistencia a las víctimas, la prevención, la coordinación y la cooperación. En relación con estos delitos, la propuesta contiene disposiciones sobre penas, circunstancias agravantes, jurisdicción y plazos de prescripción. La mutilación genital femenina, por ejemplo, será punible en todos los Estados miembros con una pena máxima de al menos cinco años de prisión.

El marco de las normas internacionales para prevenir y combatir la violencia contra las mujeres y la violencia doméstica es el Convenio de Estambul. Se trata de un tratado internacional cuyo objetivo es prevenir y combatir la violencia contra las mujeres y la violencia doméstica, proteger a las víctimas y garantizar que los agresores no queden impunes. Fue aprobado por el Comité de Ministros del Consejo de Europa en Estambul el 7 de abril de 2011 y abierto a la firma el 11 de mayo de 2011[21].

El Convenio entró en vigor el 1 de abril de 2014 y, de conformidad con su artículo 75, la Unión puede ser parte en él. De conformidad con las Decisiones (UE) 2017/8651 y (UE) 2017/8662 del Consejo, el Convenio se firmó el 13 de junio de 2017 en nombre de la Unión por lo que respecta a las materias reguladas por el Convenio que son competencia exclusiva de la Unión Europea y a otras materias que son competencia de los Estados miembros. La celebración del Convenio en nombre de la Unión contribuirá a la realización de la igualdad entre hombres y mujeres en todos los ámbitos, como valor y objetivo fundamental de la Unión que debe perseguirse en todas sus actividades, de conformidad con los artículos 2 y 3 del Tratado de la Unión Europea, el artículo 8 del Tratado de Funcionamiento de la Unión Europea y el artículo 23 de la Carta de los Derechos Fundamentales de la Unión Europea. La violencia contra las mujeres no es sólo un delito, sino también una violación de los derechos humanos de las mujeres y una forma extrema de discriminación, que hunde sus raíces en la desigualdad de género y contribuye a ella. Al comprometerse a aplicar

---

21 Cabe destacar que Turquía fue el primer país en ratificar el Convenio de Estambul en marzo de 2012, pero en marzo de 2021, Turquía causó preocupación internacional al revocar su participación en el Convenio mediante un decreto firmado por el presidente Erdoğan. La revocación de la participación de Turquía en el Convenio suscitó varias críticas y preocupación entre los activistas de derechos humanos y las organizaciones internacionales que luchan contra la violencia de género, ya que el Convenio de Estambul es un instrumento crucial en la lucha contra la violencia contra las mujeres y la violencia doméstica.

el Convenio, la Unión confirma su compromiso de combatir la violencia contra las mujeres en su territorio y a escala mundial, y refuerza su acción política y su marco jurídico sustantivo en el ámbito del Derecho procesal penal, que reviste especial importancia para las mujeres y las niñas. En febrero de 2023, el Consejo solicitó al Parlamento Europeo su aprobación para adoptar la decisión sobre la celebración del Convenio por la UE. El 1 de junio de 2023, el Consejo adoptó la Decisión sobre la adhesión de la UE al Convenio.

En Italia, el Convenio de Estambul fue ratificado tras la aprobación unánime del texto en la Cámara de Diputados el 19 de junio de 2013, con el voto favorable del Senado por una abrumadora mayoría de 274 votos a favor y una abstención.

En España, se firmó el 11/05/2011, se ratificó el 10/04/2014 y entró en vigor el 1/8/2014. Entre sus avances respecto a leyes anteriores —incluida la Ley Integral contra la Violencia de Género en España (2004), considerada pionera en su momento— está el centrarse no solo en la prevención de la violencia y la protección de las víctimas, sino también en la persecución y castigo de los agresores. También condena cualquier práctica contra las mujeres que no acepte las tradiciones culturales como atenuante. Tras la polémica suscitada por la sentencia de La Manada dictada en abril de 2018, también se abrió el debate sobre la necesidad de abordar cambios legislativos, con la ley aprobada por el Congreso el 27 de mayo de 2022.

Además, todos los años el Consejo de la Unión Europea, en el Informe Anual de la UE sobre los Derechos Humanos y la Democracia en el Mundo, habla de la mutilación genital femenina, y la acción europea, más recientemente, está evolucionando con la planificación de las Estrategias de la UE.

2.3. Italia

La Resolución 2001/2035 INI del Parlamento Europeo[22] trata de la Mutilación Genital Femenina (MGF) y se basa en las disposiciones establecidas por la Conferencia Mundial de la ONU sobre la Mujer celebrada en Pekín en 1995. El texto de la resolución condena enérgicamente la práctica de la MGF y pide a cada Estado miembro de la UE que adopte

---

22 Véase la página 6 de este documento *Resolución del Parlamento Europeo sobre la MGF 2001/2035.*

medidas legislativas que tipifiquen esta práctica como delito. Esto subraya la importancia de contar con leyes claras y definitivas contra la MGF para combatir esta violación de los derechos humanos. La adopción de medidas legislativas a nivel nacional es un paso significativo hacia la erradicación de la MGF y demuestra un compromiso concreto para combatir esta práctica nociva y violatoria de los derechos humanos fundamentales de las mujeres y las niñas.

En Italia se han dado varios pasos significativos que demuestran el compromiso del país para prevenir y combatir esta práctica:

a) Ley nº 7 de 9 de enero de 2006: Esta ley establece disposiciones específicas para abordar el problema de la MGF. Introdujo el concepto de extraterritorialidad, por el que la MGF se penaliza incluso cuando se practica en el extranjero. La pena es de prisión de hasta 12 años. Nuestro legislador, para abordar el problema de la difusión de la MGF en nuestro país, optó por una doble vía: por un lado, la de la información y la prevención; por otro, la de la represión, configurando un caso ad hoc y endureciendo el tratamiento penal. De hecho, la Ley Consolo (Ley 9.1.2006, nº 7 llamada "Ley Consolo" por el nombre del senador, Giuseppe Consolo, que presentó el proyecto al Senado de la República), en el aspecto preventivo-informativo, prevé: del artículo 1 al artículo 5 los fines en referencia a los artículos 2, 3 y 32 de la Constitución italiana, las actividades de promoción y coordinación por parte de la Presidencia del Consejo de Ministros y del Departamento de Igualdad de Oportunidades, las campañas de información sobre el carácter represivo de estas prácticas previstas en el artículo. 583-bis del Código Penal por el Ministro de Igualdad de Oportunidades de acuerdo con el Ministro de Sanidad, Educación, Universidad e Investigación, Trabajo y Política Social, Asuntos Exteriores e Interior, la formación del personal sanitario y el establecimiento del número de teléfono gratuito.

   Mientras que, del artículo 6 al artículo 9, se prevé, en particular en el artículo 6 la introducción de un nuevo delito titulado "*Práctica de mutilación de órganos genitales femeninos*"[23] dentro del Código Penal con el artículo 583-bis y 583-ter "Penas accesorias", así como la

[23] Reglamento que regula la responsabilidad administrativa de las personas jurídicas, empresas y asociaciones, incluidas las que carecen de personalidad jurídica, de conformidad con el artículo 11 de la Ley nº 300 de 29 de septiembre de 2000.

disposición, con revisión del Decreto Legislativo 231/2001[24] tras el artículo 25-quater, del artículo 25 quater. 1, que establece que, como consecuencia del delito contemplado en el artículo 583-bis del Código Penal, se aplicará a la entidad en la que se cometió el delito una multa de entre 300 y 700 cuotas y las sanciones de inhabilitación previstas en el apartado 2 del artículo 9 por un período no inferior a un año. Si se trata de una entidad privada acreditada, se revocará su acreditación.

- Directrices del Ministerio de Sanidad en el artículo 4 de la Ley 7/2006[25] dirigidas a los profesionales sanitarios, así como a otros profesionales que trabajan con comunidades de inmigrantes procedentes de países donde se llevan a cabo prácticas de mutilación genital femenina, con el fin de llevar a cabo actividades de prevención, asistencia y rehabilitación de mujeres y niñas ya sometidas a estas prácticas.

---

24 Después del artículo 583 del Código Penal se inserta el texto siguiente: "Artículo 583-bis. *(Prácticas de mutilación de los órganos genitales femeninos)*. Será castigado con la pena de prisión de cuatro a doce años el que, sin necesidad terapéutica, causare la mutilación de los órganos genitales femeninos. A los efectos del presente artículo, se entenderá por prácticas de mutilación de los órganos genitales femeninos la clitoridectomía, escisión e infibulación y cualquier otra práctica que cause efectos de la misma naturaleza. Será castigado con pena de prisión de tres a siete años quien, en ausencia de necesidades terapéuticas, cause, con el fin de perjudicar las funciones sexuales, lesiones en los órganos genitales femeninos distintas de las indicadas en el primer párrafo, de las que resulte una enfermedad corporal o mental. La pena se reducirá hasta en dos tercios si la lesión es leve. La pena se aumentará en un tercio cuando las prácticas mencionadas en los párrafos primero y segundo se cometan en perjuicio de un menor o si el acto se comete con ánimo de lucro. Las disposiciones del presente artículo se aplicarán también cuando el acto sea cometido en el extranjero por un ciudadano italiano o un extranjero residente en Italia, o en perjuicio de un ciudadano italiano o un extranjero residente en Italia. En este caso, el culpable será castigado a petición del Ministro de Justicia. Artículo 583-ter. *(Pena accesoria)*. La condena de un profesional sanitario por alguno de los delitos previstos en el artículo *583-bis* llevará aparejada la pena accesoria de inhabilitación para el ejercicio de la profesión de tres a diez años. La condena será notificada al Colegio de Cirujanos y Odontólogos".
2. En el artículo 604 del Código Penal, en la primera frase, las palabras: "por un extranjero" se sustituyen por las palabras: "por el extranjero" y, en la segunda frase, las palabras: "el extranjero" se sustituyen por las palabras: "el extranjero".

25 Para más información: https://www.salute.gov.it/imgs/C_17_pubblicazioni_769_allegato.pdf.

- En 2009, el Gobierno italiano también creó la Comisión para la prevención y el contraste de las prácticas de mutilación genital femenina en el Departamento de Igualdad de Oportunidades, en aplicación de la Ley 7/2009.
- En noviembre de 2010, el Ministerio del Interior activó también el número gratuito 800 300 558, destinado a recibir denuncias de cualquier persona que tenga conocimiento de prácticas de mutilación genital femenina en territorio italiano y a facilitar información sobre organizaciones de voluntariado y centros sanitarios que operan en comunidades de inmigrantes procedentes de países donde se llevan a cabo dichas prácticas.

b) Ley 119 de 2013 contra el feminicidio[26]: aunque centrada en el fenómeno del feminicidio, esta ley contribuyó a sensibilizar y prevenir la violencia contra las mujeres, incluida la MGF.

c) Acuerdo entre el Estado y las Regiones n.º 256, de 20 de diciembre de 2012: este acuerdo hizo hincapié en la importancia de la colaboración entre el Gobierno central y las regiones para abordar la cuestión de la MGF y la violencia contra las mujeres.

Además, se contemplan estrategias a través del Plan Estratégico Nacional sobre Violencia Machista contra las Mujeres para el trienio 2021-2023 en Italia, que en continuidad con el anterior Plan Estratégico 2017-2020 contempla un enfoque cuádruple, recordando aspectos fundamentales del Convenio de Estambul, que son:

1. Prevención: este eje se centra en la adopción de estrategias para prevenir la violencia machista contra las mujeres. Incluye acciones de sensibilización, educación e información dirigidas a la población. El objetivo es intervenir antes de que se produzca la violencia, promoviendo una cultura de respeto e igualdad de género.
2. Protección y apoyo: este eje trata de la protección de las víctimas de la violencia. Incluye acciones para garantizar un apoyo adecuado a las mujeres víctimas de la violencia, incluidos servicios de atención, refugios seguros y apoyo jurídico y económico.
3. Enjuiciamiento y Castigo: este eje pretende garantizar el castigo de los autores de actos de violencia. Se centra en la persecución judicial de quienes cometen actos de violencia contra las mujeres, promo-

[26] Véase https://www.lexitalia.it/leggi/2013-119.htm

viendo la aplicación estricta de la ley para garantizar justicia a las víctimas.

4. Asistencia y promoción: este eje abarca diversas acciones para garantizar la asistencia a las mujeres en situación de vulnerabilidad. Incluye el apoyo a las mujeres migrantes o víctimas de discriminación múltiple, la promoción de la autonomía económica y laboral y la puesta a disposición de las mujeres de lugares y recursos seguros.

El Departamento de Igualdad de Oportunidades se encarga de coordinar y aplicar el Plan, tratando de dar respuestas concretas a estas prioridades. El aumento de los fondos asignados a través de la Ley de Presupuestos 2023, que asciende a 10 millones de euros, eleva la financiación total del Plan a 15 millones de euros a partir de 2023, lo que permite destinar más recursos a iniciativas para combatir la violencia de género. El objetivo general es continuar y reforzar la acción del Gobierno para abordar el complejo problema de la violencia contra las mujeres mediante la aplicación de medidas eficaces coherentes con lo que ya se ha logrado en planes anteriores.

3. ESTADÍSTICAS DEL FENÓMENO

La práctica de la mutilación genital femenina es un problema muy extendido en varios países del mundo y tiene consecuencias devastadoras para la salud física y mental de las niñas y mujeres afectadas.

En el estudio geográfico detallado de África, la estadística más alta de aplicación de la MGF se encuentra en Somalia con un 99,2%, seguida de Yibuti con un 94,9%, Guinea 94,5%, Mali 88,6%, Egipto 87,2%, Sudán 86,6%, Sierra Leona 86,1%, Eritrea 83%, Burkina Faso 75,8%, Mauritania 66,4%, Etiopía 65,2%, Guinea-Bissau 52,1%, Liberia 44,4%, Costa de Marfil 36,7%, Chad 34,1%, Senegal 24%, República Centroafricana 21,6%, Kenia 21%, Nigeria 19,5%, Tanzania 10%, Benín 9,2%, Togo 3,4%, Ghana 2,4%, Níger 2%, Camerún 1,4% y Uganda 0,3%[27]. La reducción de la edad a la que se practica la mutilación genital femenina en algunos países es igualmente preocupante, ya que reduce las oportunidades de intervención y protección de las niñas.

---

27 Base de datos mundial de Unicef, Mutilación genital femenina (MGF), data.unicef.org.

Además, la persistencia de esta práctica en muchas naciones, con cifras tan elevadas en algunos países como Yibuti, Guinea, Malí y Somalia, exige esfuerzos más centrados e intensivos para abordar este reto. Mientras, países como Nigeria y Kenia muestran variaciones significativas en cuanto a datos y tendencias relacionados con la mutilación genital femenina, con aumentos en algunos grupos demográficos y cambios en las edades a las que se produce la práctica. Analizando todos los países constituyentes de África en su conjunto, es inequívoco que la presencia de la práctica de la mutilación genital femenina está más presente en el cinturón del Sahel y se extiende como la pólvora en algunos países vecinos, pero se atenúa o desaparece si nos dirigimos hacia Sudáfrica, donde otro tipo de problema —los matrimonios precoces— está significativamente presente.

El otro continente considerado en términos de comparación es Asia, ya que muestra una escasa incidencia de las mutilaciones genitales femeninas, de hecho, sólo tenemos un 18,5% en Yemen, un 12,9% en las Maldivas y un 7,4% en Irak. En cambio, muestra claramente otro tipo de problema generalizado, el de los matrimonios precoces, como en África Central y Austral.

Por lo tanto, comparando los dos continentes analizados, surge claramente que, en una visión global, África representa el primer continente del mundo que sufre la práctica de la mutilación genital femenina, mientras que, Asia se presenta con un porcentaje muy bajo de la práctica de la MGF, pero surge otro fenómeno que no debe ser subestimado: los matrimonios precoces, que representa el problema fundamental del continente asiático, ya que, el estudio reveló un porcentaje muy alto igual al encontrado por África con la MGF.

Lamentablemente, la pandemia de COVID-19 ha contribuido a exacerbar esta situación y a perturbar los programas e iniciativas destinados a proteger a las niñas de la MGF. Las medidas de aislamiento y el cierre de las escuelas brindaron oportunidades para prácticas nocivas como la MGF, ya que las niñas se quedaron en casa sin la protección y la distracción que proporcionan la educación y la socialización. Además, las medidas contra la pandemia han limitado el acceso, la prestación de servicios y las intervenciones de prevención, tanto en términos de coordinación sobre el terreno como de sensibilización y asistencia directa. La situación es preocupante porque la pandemia ha generado mayores riesgos para las mujeres y los niños en general, no sólo por la MGF, sino también por otras formas de violencia, como la violencia doméstica, los matrimonios forzados, la explotación infantil y el abandono escolar. Esto implica una serie de retos complejos que requieren una acción coordinada e inmediata para proteger los derechos y la seguridad de mujeres y niños. La advertencia de Unicef sobre la cuestión de la mutilación genital femenina pone de manifiesto una situación preocupante.

Las estadísticas de Unicef son alarmantes: más de 200 millones de mujeres vivas han tenido que someterse a la MGF y, en los últimos 20 años, se ha duplicado el porcentaje de mujeres que se han resistido a ella, de las cuales 52 millones, es decir, una de cada cuatro, la han sufrido a manos de personal sanitario. La medicalización de la práctica está cada vez más extendida, con el doble de porcentaje entre las adolescentes. Según investigaciones estadísticas, la MGF está activa en más de 30 países de África y Oriente Próximo, y el fenómeno afecta también a mujeres inmigrantes que viven en Europa Occidental, Norteamérica, Australia y Nueva Zelanda. Las cifras no dejan de crecer y, en parte debido al fenómeno migratorio, ahora también están presentes en países donde antes eran desconocidas: en Estados Unidos, por ejemplo, el número de intervenciones se ha triplicado en los últimos años. Según una estimación aproximada, el número de mujeres que han sufrido mutilación genital femenina en sus países de origen y que residen actualmente en Italia asciende aproximadamente a 88.000 mujeres, de las cuales más de 7.000 son niñas. A nivel mundial, con datos recogidos en 2021 en 31 países, las investigaciones sobre el fenómeno revelan que hasta el 34% de las adolescentes de entre 15 y 19 años han sufrido este tipo de práctica, frente al 41% en 2011. La prevalencia de la mutilación contra las mujeres en algunos países sigue siendo elevada, y países como Yibuti, Guinea, Malí y Somalia registran un número desproporcionado de víctimas de estas prácticas: el 90% de las niñas de Yibuti, Guinea, Malí y Somalia son víctimas de esta mutilación. En la mitad de los países evaluados, la mutilación genital femenina se practica en los grupos de edad más jóvenes. En Nigeria, los casos de MGF aumentaron del 16,9% en 2013 al 19,2% en 2018 de niñas de 0 a 14 años, además de ser el tercer país del mundo con cerca de 19,9 millones de supervivientes de esta práctica. En Kenia, la edad media para someterse a la MGF ha disminuido de 12 a 9 años en los últimos 30 años, pero también se ha producido un descenso en el mismo periodo.

4. CONCLUSIONES

Sin embargo, aunque ha habido avances, esta práctica sigue siendo un problema importante en muchas zonas, especialmente en contextos de conflicto, pobreza y desigualdad, lo que subraya la urgencia de una acción global para combatir esta violación de los derechos humanos, especialmente tras la pandemia sanitaria que ha ralentizado a la vez que bloqueado todas las acciones para erradicar el fenómeno. En particular, la igualdad entre mujeres y hombres y la no discriminación son valores y derechos fundamentales de la Unión consagrados respectivamente en el artículo 2 del Tratado de la Unión Europea y en los artículos 21 y 23 de la Carta de los Derechos Fundamentales de la Unión Europea, el incumplimiento de estos principios a través de la violencia contra las mujeres socava el derecho de las mujeres, las niñas y los niños a la igualdad en todas las esferas de la vida.

La Unión Europea ha logrado avances significativos en la última década en la promoción de la igualdad de género a través de una legislación sólida, esfuerzos para integrar la perspectiva de género y legislación para abordar desigualdades específicas: 14 de los 20 primeros países del mundo en la aplicación de la igualdad de género son Estados miembros de la UE[28]. El Índice de Igualdad de Género de la UE muestra que, aunque los Estados miembros obtuvieron una puntuación media de 67,4 sobre 100 en 2019 (un modesto aumento de 5,4 puntos desde 2005), todavía hay mucho trabajo por hacer, a pesar de, hay mejoras en la educación, hay disparidades significativas en el empleo, los salarios, la atención, los niveles de poder y las pensiones. La violencia de género, incluidos el acoso y los abusos, sigue siendo un problema alarmante, de hecho, movimientos como #MeToo han sacado a la luz el sexismo y los abusos generalizados a los que se enfrentan a diario mujeres y niñas, al tiempo que las han empoderado para hacer públicas sus experiencias y buscar justicia por medios legales a través de una plataforma.

En conclusión, aunque la pandemia ha provocado un aumento del índice de implantación de esta práctica, como también indican los datos fa-

---

[28] Aunque ningún país ha alcanzado aún la igualdad de género, según el *Informe Mundial sobre la Brecha de Género 2023*, Islandia se mantiene en primer lugar, seguida de Noruega y Finlandia. En el extremo opuesto se encuentra Afganistán. Italia ocupa el puesto 79 de 146 países, por detrás de Georgia, Kenia y Uganda, con un deterioro de 13 posiciones respecto al año anterior. En particular, se observa un fuerte retroceso en la participación y representación femenina en la política, que cae del puesto 40 al 64. En cuanto a la participación y las oportunidades económicas, se observa una ligera mejora, con un avance del puesto 110 al 104, aunque se mantiene en la parte baja de la clasificación. Por el contrario, las puntuaciones del acceso a la educación y la sanidad, así como las perspectivas de vida, se mantienen sin cambios.

cilitados y estimados por el UNFPA (Fondo de Población de las Naciones Unidas), actualmente 4,3 millones de niñas corren el riesgo de someterse a estas prácticas nocivas, y se prevé que los casos aumenten anualmente hasta alcanzar los 4,6 millones en 2030, en comparación con hace 30 años, se ha producido una disminución real de la probabilidad de que una niña sufra mutilación genital femenina. Si bien es crucial contar con un marco legislativo sólido, un cambio efectivo requiere algo más que normas jurídicas, es decir, se necesita una estrategia integral que incluya también sensibilización pública, programas de defensa y participación de la comunidad, especialmente de figuras influyentes, para erradicar la MGF y garantizar los derechos de las mujeres y las niñas y proporcionarles apoyo físico y moral.

A pesar de ello, sigue siendo un reto importante intentar eliminar esta práctica para 2030, tal y como se recoge en el Objetivo de Desarrollo Sostenible de la ONU, todos los estamentos de la sociedad deben comprometerse y cooperar para emprender estas acciones que promuevan una sociedad en la que todas las mujeres y niñas tengan los mismos derechos y oportunidades, por lo que es un compromiso imperativo abolir la mutilación genital femenina.

5. BIBLIOGRAFÍA

ARTÍCULO 4 de la Ley 7/2006, República Italiana.

BASE DE DATOS MUNDIAL DE UNICEF, Mutilación genital femenina (MGF), data.unicef.org.

LEY nº 7 de 9 de enero de 2006, República Italiana.

LEY nº 119 de 2013 contra el feminicidio, República Italiana.

FUSASCHI, M., *I segni sul corpo. Per un'antropologia delle modificazioni dei genitali femminili*, Bollati Boringhieri, Turín, 2003.

OMS, "*Female Genital Mutilation: a joint WHO/UNICEF/UNFPA Statement*", Ginebra, 1997.

OMS, "*Female Genital Mutilation: An overview*", Ginebra, 1998.

ONU, "*Carta de fecha 14 de octubre de 2003 dirigida al Secretario General por el Representante Permanente de Egipto ante las Naciones Unidas*", Asamblea General de la ONU, El Cairo, 2003.

PASQUINELLI, C., " *Antropologia delle mutilazioni genitali*", Aidos, 2000.

PARLAMENTO EUROPEO, "*Resolución sobre Tolerancia cero con la mutilación genital femenina (MGF)* (2017/2936(RSP))", 7 de febrero de 2018.

RESOLUCIÓN DEL PARLAMENTO EUROPEO, de 7 de febrero de 2018, sobre "Tolerancia cero con la mutilación genital femenina (MGF)"; (2017/2936(RSP)).

RESOLUCIÓN DEL PARLAMENTO EUROPEO sobre las mutilaciones genitales femeninas (2001/2035(INI)) de 20 de septiembre de 2001 - Bruselas.

RESOLUCIÓN DEL PARLAMENTO EUROPEO, de 26 de noviembre de 2009, sobre la eliminación de la violencia contra las mujeres Directiva 2012/29/UE del Parlamento Europeo y del Consejo, de 25 de octubre de 2012, por la que se establecen normas mínimas sobre los derechos, el apoyo y la protección de las víctimas de delitos y se sustituye la Decisión marco 2001/220/JAI.

RESOLUCIÓN DEL PARLAMENTO EUROPEO, de 6 de febrero de 2014, sobre la Comunicación de la Comisión titulada: "Hacia la eliminación de la mutilación genital femenina"; (2014/2511(RSP).

Menores y redes sociales: una frontera peligrosa para la violencia de género

DOMENICA PIRILLI

1. MARCO GENERAL

La proliferación del uso de las redes sociales por parte de los menores es un fenómeno irreversible[1] que, si bien por una parte ha creado nuevas oportunidades comunicativas y relacionales, convirtiéndose en una herramienta para expresar la propia personalidad en la red, por otra ha puesto de relieve considerables cuestiones críticas en relación con la protección de los menores[2], en particular de sexo femenino. Basta pensar en los numerosos casos de *ciberacoso*[3], *porno-venganza* y *sextorsión*, que afectan sobre todo a las menores de edad, como revelan los datos de la Policía italiana.

Se trata de un problema social y transversal, que no casualmente ve a las instituciones de la Unión y a los gobiernos de muchos países activos en la identificación de estrategias comunes para combatir el fenómeno, como por ejemplo el *We protect global alliance to end child sexual exploitation online*: un programa de cooperación internacional en el que participan 97 gobiernos, 32 empresas tecnológicas y 33 organizaciones de la sociedad civil; que en el informe 2023 señala que "*El volumen de denuncias en materia de abuso sexual infantil ha aumentado un 87% desde 2019*" y que "*el volumen de imágenes sexuales "autogeneradas" de niños de 7 a 10 años de 2020 a 2022 ha aumentado un 360%*".

Los datos sobre *ciberacoso* (en sus múltiples variantes) también son alarmantes: la gran mayoría de las víctimas menores de edad son de sexo femenino; y en países, como España el porcentaje supera el 70%.

---

1 ANDREOLA, E., *Minori e incapaci in* internet, Napoli, 2019, p. 49.

2 VIRGADAMO, P., *Minori e nuovi media,* in *Diritto civile minorile,* (a cura di) CORDIANO, A. e SENIGAGLIA, R., Napoli, 2022, p. 367 ss.; ANDREOLA, E., *Misure cautelari a tutela dei minori nei social network,* en *"Fam. dir."*, 2021, p. 849 ss.

3 BATTELLI, "Minori e social network: cyberbullismo e limiti della parental responsibility", en "Corr. Giur.", 2021, p. 1269 ss.

La mayor incidencia de abusos se da en situaciones de especial vulnerabilidad como por ejemplo por motivos de género, raza e/o discapacidad.

Italia aprobó en 2017 la Ley n° 71 en materia de *ciberacoso*, que en el art. 1 se define como "*cualquier forma de presión, agresión, acoso, chantaje, insulto, denigración, difamación, usurpación de identidad, alteración, adquisición ilícita, manipulación, tratamiento ilícito de datos personales de menores, realizado por medios telemáticos, así como también la difusión de contenidos en línea dirigidos a uno o más miembros de la familia del menor cuyo propósito intencional y predominante sea aislar a un menor o a un grupo de menores mediante la realización de un abuso grave, un ataque dañino o su ridiculización*".

La legislación prevé que el menor mayor de 14 años pueda solicitar directamente que se oculte el sitio web o que se elimine el material que lo perjudica, facilitando de este modo la denuncia incluso en aquellos casos en los cuales el menor no quiere (o se avergüenza de) implicar a sus padres.

Desde la perspectiva del derecho penal, se remite principalmente a la legislación en materia de actos persecutorios —de acoso— como se deduce de las sentencias de la *Corte Suprema* italiana[4].

Al mismo tiempo, los centros escolares están obligados a designar a una persona como responsable exclusivo para los casos de acoso escolar (y *ciberacoso*).

En una dimensión educativa/preventiva, la normativa en materia de educación cívica de 2019 incluye la educación digital.

En cuanto a la *porno-venganza*, los datos son igualmente alarmantes y el tenor de las consideraciones al respecto sigue siendo el mismo; los casos que afectan a menores, principalmente de sexo femenino, en Italia desde el año pasado se han visto incluso duplicados. El delito está regulado por el Código Penal y se divide en dos hipótesis diferentes, según la persona que difunda las imágenes.

En la lucha contra la violencia de género, también resulta de particular relevancia la Ley n° 69, de 19 de julio de 2019, sobre protección de víctimas de la violencia doméstica y de género (el llamado Código Rojo) y la legislación sobre matrimonios forzados, incluida en el Código Penal, para combatir el trágico fenómeno de las niñas esposas.

---

4 Cass. Pen. Sez. V, 28623/2017.

2. PERFILES DE DERECHO CIVIL. RESPONSABILIDAD PARENTAL Y NECESIDADES EDUCATIVAS

La realidad virtual pone de manifiesto la particular condición de vulnerabilidad juvenil femenina en la red, como caldo de cultivo de la violencia de género.

Desde el punto de vista del derecho civil, surgen al menos tres perfiles:

a) en primer lugar, debe valorarse la responsabilidad de los padres en relación con las necesidades educativas[5] y de control de las actividades de los menores en la red, respecto de las cuales la valoración debe basarse principalmente en su capacidad de discernimiento;

b) a continuación, debe prestarse atención a los daños derivados de los delitos cometidos *en línea* por menores y a la determinación de los límites de la responsabilidad de los padres con arreglo al artículo 2048 del Código Civil;

c) por último, un tercer perfil se refiere a la protección de los datos personales de los menores, reglamentada tras la promulgación del Reglamento 679 de 2016, el RGPD (Reglamento General de Protección de Datos), así como a la necesidad de un sistema de control del acceso de los menores a las plataformas.

En esta última dimensión, no debe subestimarse el potencial de la inteligencia artificial: en términos positivos, como una sofisticada herramienta de verificación; y en términos negativos, como un medio para disfrazar la propia identidad o llevar a cabo conductas lesivas.

Es necesario partir de la dialéctica actual entre padres/hijos, considerar la cuestión educativa como preeminente, valorar las luces y sombras de las normas de protección de menores en la dimensión *online*, conscientes de la necesidad de encontrar un equilibrio entre el derecho del menor a acceder a la red y las necesidades de protección del mismo menor y de terceros.

En relación con la primera de las cuestiones, es decir, la responsabilidad parental esta es sin duda una de las más debatidas en la dialéctica de las relaciones en el seno de la familia.

---

[5] NICOLUSSI, A., *Il tempo e i tempi dell'educazione. Spunti introduttivi*, en *Ephemerides iuris canonici*, 2021, 61, n. 1, p. 69 ss; AGOSTINELLI, B., "L'educazione della prole tra antiche prerogative genitoriali e nuovo interesse del minore", *Riv. dir. civ.*, 2021, p. 162.

La evolución legislativa de la patria potestad a la responsabilidad se produjo en Italia con la aprobación de la reforma de la filiación de 2012/2013[6], y es quizás uno de los mayores indicadores de un cambio de paradigma en las relaciones paterno-filiales. La reforma, de hecho, al reforzar la posición del menor, ha puesto el acento en una perspectiva más propiamente educativa y moral. El cambio de léxico[7] parece corresponder con el desplazamiento del centro de gravedad de las facultades a los deberes que incumben a los padres: "*la autoridad deja paso, a lo largo de dos siglos de codificación, a la protección y a la solidaridad familiar*".

Las disposiciones relativas a la responsabilidad parental y a su ejercicio deben leerse en esta lógica a la luz de los principios que inspiraron la reforma y, en particular, de las normas establecidas en el artículo 315 bis del Código Civil, que consagran ahora los derechos y deberes del niño[8] (el llamado estatuto de los derechos del niño) y que, al establecer las coordenadas educativas de los padres, recuerdan la necesidad de respetar las inclinaciones y aspiraciones naturales del niño.

Las normas sobre responsabilidad también deben coordinarse con las relativas al derecho del menor a ser escuchado, emblemáticas de la importancia cada vez mayor de la opinión del niño en todos los procedimientos que le conciernen y también, significativamente, tras la reforma *Cartabia*, en la previsión del artículo 145 del Código Civil. La norma —de escasa aplicación práctica— en el contexto de los derechos y deberes derivados del matrimonio, establece que, en caso de desacuerdo entre los cónyuges, se podrá solicitar la intervención del juez. En la actualidad, tras la reforma, los hijos menores de 12 años también serán escuchados, si tienen capacidad de discernimiento, con lo que se reconoce implícitamente la repercusión en los hijos de los asuntos relativos a sus padres.

Aunque no es esta la sede para tratar el tema en profundidad, también es digna de mención la evaluación de la capacidad de discernimiento que resulta necesaria para el posterior desarrollo de la investigación por dos razones principalmente:

---

6 LENTI, R., *Diritto della Famiglia*, Milano, 2021, p. 286.

7 GIARDINA, F., ""Morte" della potestà e "capacità" del figlio", *Riv. dir. civ.*, 2016, p. 1609 ss.

8 CIANCI, A., *La nozione di responsabilità genitoriale*, en BIANCA, C.M. (a cura di), *La riforma della filiazione*, 2015, p. 585.

1. la perspectiva jurídica de la protección de la infancia ha estado ligada durante mucho tiempo a la reglamentación prevista en el código que, al vincular la adquisición de la capacidad de obrar a la mayoría de edad (art.2), y al dictar, por otra parte, las normas sobre la patria potestad (primero paterna, luego parental), fijaba las coordenadas de la posición del niño entre el ordenamiento jurídico y la familia. Las transformaciones progresivas que han afectado la dinámica de las relaciones en el seno de la familia y que han situado al niño cada vez más en el centro de esta[9], junto con la madurez progresivamente mayor de los menores, han inducido al legislador a intervenir, permitiendo que los menores tengan posibilidad de "autodeterminarse" en relación con determinadas opciones y que, poco a poco, expresen su punto de vista en los procedimientos que les conciernen, en razón, precisamente, de su capacidad de discernimiento;
2. la opinión del menor, estrechamente correlacionada con su capacidad de discernimiento, asume cada vez mayor relevancia y, aunque las normas pertinentes están en su mayor parte incorporadas en el Código de Procedimiento Civil, el perfil sustantivo de la protección sigue siendo preponderante. El derecho a ser escuchado no cambia radicalmente transformándose en un instrumento de prueba *sic et simpliciter* sino que mantiene sus propia naturaleza permitiendo al menor expresarse, también —o quizás sobre todo— para hacer efectivo el objetivo de su *best interest.*

El derecho del niño a ser escuchado, además, surge fisiológicamente y encuentra una posición primordial no en el contexto procesal sino en el seno de la familia, como mecanismo de funcionamiento de la función educativa y como tal contribuye al crecimiento del niño.

Surge así la especial relevancia del derecho a la educación, que debe ser valorado a la luz del nuevo contexto social y que podría leerse en términos del "derecho a recibir la enseñanza necesaria para alcanzar la plena madurez moral y social" incluida, en lo que aquí interesa, la socialización "*en línea*".

En el trasfondo de esta lectura se encuentra la búsqueda de un difícil equilibrio entre el margen de discrecionalidad educativa de las familias y la necesidad de que la educación de los menores y los métodos utilizados

---

[9] SESTA, M., "La prospettiva paidocentrica quale fil rouge dell'attuale disciplina giuridica della famiglia", en *Fam. dir.*, 2021, p. 763 ss.

no entren en conflicto con el sistema de valores fundamentales que el ordenamiento jurídico debe garantizar.

Entre ellos destaca principalmente el respeto al género y a la diversidad y vulnerabilidad, como componentes de un "mínimo ético" educativo, una especie de conjunto básico de valores que cada individuo debe recibir en el contexto de su propia familia. En esta dimensión, es indispensable recordar lo dispuesto en el artículo 29 de la Convención de Nueva York sobre los Derechos del Niño, que subraya que la familia debe educar al niño para vivir en la sociedad civil de acuerdo con los principios de paz, tolerancia, dignidad y solidaridad.

En el contexto de nuestra carta constitucional, sólo cabe hacer referencia, en primer lugar, a los artículos 2, 3, 30 y 31; en particular, al artículo 30, que califica el derecho a educar como un derecho y un deber de los padres, reconocido como garantía de los intereses de los menores; lo que tiene inevitables repercusiones sociales en un contexto en el que se ha pasado a una concepción eminentemente personal de la relación paterno-filial y en el que asistimos a una aceleración del proceso de crecimiento y socialización.

La reforma de 1975 eliminó la referencia a la educación conforme a la moral, la reforma de la filiación de 2012 vinculó el derecho-deber de educar a la responsabilidad parental, delimitándolo como parte (y núcleo esencial) de la misma.

En cuanto al contenido de la obligación de educar, aun compartiendo el supuesto de que no sería admisible un programa educativo *heterodirigido*, no se puede negar la necesidad de definir las coordenadas a las que debe vincularse el ejercicio de la función educativa.

En la relación familia/Estado, la autonomía de la primera debe ser ciertamente defendida; si bien existe, comprensiblemente, un interés del Estado en que las familias eduquen a sus hijos de acuerdo con los valores expresados por nuestro ordenamiento constitucional, por otra parte, no se puede negar a la familia la misma libertad que se concede al individuo, con el evidente límite del abuso de la misma.

Además, debe tenerse en cuenta el aumento del número de familias cuyos miembros tienen tradiciones y costumbres diferentes: en tales casos, no es extraño que surjan diferencias (y conflictos), por ejemplo, en relación con el distinto grado de libertad concedido a los menores y al diferente papel que se le reconoce a las mujeres, incluso a las menores de edad[10].

En el difícil equilibrio entre el ejercicio de la responsabilidad parental, el derecho y el deber de educar y el respeto a la identidad del menor, se impone la dialéctica entre autoridad y libertad, disminuyendo la primera en proporción a la conciencia y capacidad de discernimiento del menor: una cosa es hablar de hijos y otra muy distinta referirse a "menores mayores", quizá próximos a la mayoría de edad, aunque la mayoría de las normas se refieran genéricamente a la categoría "menores".

3. DELITOS COMETIDOS EN LÍNEA POR MENORES Y RESPONSABILIDAD DE LOS PADRES EN VIRTUD DEL ARTÍCULO 2048 DEL CÓDIGO CIVIL

Los datos comunicados, aunque parciales, muestran cómo la cuestión de los menores (especialmente de sexo femenino) víctimas de conductas *en línea* (la mayoría de las veces penalmente relevantes) se ha convertido en un problema social. Muy a menudo la infracción es cometida por otro menor[11], más o menos consciente de las consecuencias de sus actos.

La relación entre la responsabilidad parental (y el ejercicio de la función educativa) y la responsabilidad parental (*aquiliana*) al tenor del artículo 2048 del Código Civil —al marcar la transición de la necesidad de prevenir a la necesidad de reparar— requiere una reflexión más profunda.

La norma codificada establece que los padres son responsables de los daños causados por los hijos menores, salvo que pueda probar que el hecho no podía evitarse. Clásicamente se hace referencia a la culpa *in educando* e *in vigilando.* Se plantea, por tanto, el problema de superar la presunción de culpabilidad de los padres ante las conductas ilícitas en Internet de sus hijos; y por tanto de nuevo surge la cuestión de la educación.

Si bien resulta clara —y compartible— la necesidad de adoptar un criterio de responsabilidad que garantice el resarcimiento de los daños sufridos, no es tan fácil probar, en sentido positivo, que se ha impartido una

---

10 DI ROSA, G., *Relazioni familiari e sviluppo della persona,* en *Nuova giur. civ. comm.*, 2021, p. 644.

11 F. Scia, "Minori e illeciti digitali nel sistema della responsabilità civile", en *Nuove leggi civ. comm.*, 2021, p. 559 ss.

"buena" educación capaz de haber conseguido evitar la comisión de delitos por parte de los menores, sin perjuicio de que en el contexto de tales delitos sería necesario hacer una diferenciación, que escapa el alcance de estas reflexiones.

Lo que no puede obviarse, sin embargo, en la dimensión que nos ocupa, es que los delitos cometidos *en línea* por menores reflejan a menudo el desprecio a la dignidad, a la vida, a la diversidad, incluso a la diversidad de género.

Que la responsabilidad pueda atribuirse exclusivamente a las deficiencias educativas de los padres es, en efecto, una afirmación que merecería una adecuada (y difícil) comprobación.

Ciertamente, la jurisprudencia ha establecido desde hace tiempo que "*la responsabilidad de los padres por los actos ilícitos cometidos por el menor que convive con ellos, prevista en el artículo 2048 del Código Civil, está relacionada con los deberes imperativos que les impone el artículo 147 del Código Civil y la consiguiente necesidad de una constante labor educativa. Por ello, para eludir esta responsabilidad, deben probar que han impartido a su hijo una enseñanza adecuada y suficiente para establecer una correcta vida de relación, no teniendo importancia a estos efectos la prueba de circunstancias tales como la edad del hijo*"; y añade que "*la 'culpa in educando' no sólo se da cuando los padres no prueban haber impartido al hijo la educación e instrucción adecuada a sus condiciones sociales y familiares, sino también cuando la propia forma en que se produjo el hecho revela una educación en sí misma deficiente*".

Recientemente nuestro Tribunal Supremo ha tenido ocasión de (re) afirmar que "*la responsabilidad de los padres en virtud del artículo 2048 del Código Civil italiano es (también) una forma de responsabilidad directa por su propio acto —en particular, por no haber impedido el acto dañoso con un comportamiento, una educación y una supervisión adecuados—*"[12]. Esta responsabilidad también puede ser concomitante con la del hijo, de conformidad con el artículo 2043 del Código Civil.

Además, en relación con la educación "*La inadecuación educativa puede inferirse de las modalidades del propio ilícito, que bien pueden revelar el grado de madurez y educación del menor*"[13].

---

12 Cass. Civ., sez. III, 13/02/2023, n. 4303.

13 Cass. civ., Sez. III, Ordinanza, 29/09/2023, n. 27680.

Es cierto que el criterio de responsabilidad adoptado por el legislador —con la consiguiente atribución casi automática a las deficiencias educativas de los padres— responde a la necesidad de indemnizar los daños sufridos por las víctimas; sin embargo, no es infrecuente que los menores actúen apartándose conscientemente de los parámetros educativos familiares o no se percaten de las consecuencias de su propia conducta, amplificada por la red.

También aquí entra en juego la capacidad de discernimiento, cuya valoración dependerá en función de la edad y las circunstancias del caso concreto. En una sentencia de mérito de hace algunos años, a propósito de la divulgación de fotos de desnudos difundidas a través de una red social, leemos: "*Los hechos —el de la publicación en Facebook, pero también las cesiones individuales [...] de fotos de desnudos de una chica de la misma edad— expresan, en sí mismos, una deficiencia educativa de los entonces menores, que se mostraron carentes del necesario sentido crítico, de una capacidad de discernimiento y de orientación consciente de sus elecciones en el respeto y protección de los demás. Capacidades que, en cambio, ya deberían haber disfrutado en relación con la edad que poseían. Y esto resulta evidente en la medida en que algunos de sus compañeros, habiendo recibido la foto, no la divulgaron*".

Si tuviéramos que sintetizar la argumentación realizada hasta ahora, la elección sería obligada: La educación se desarrolla en una pluralidad de facetas: educación a las relaciones (familiares y no familiares), al respeto (al otro y a la diversidad y vulnerabilidad), y al diálogo (escucha en la familia y fuera de ella).

Pues bien, si la intención del legislador —puesta de manifiesto por las disposiciones de la Ley 71— es orientar el comportamiento juvenil, y si "*cada menor tiene el derecho primario a que todo adulto, que tenga algún tipo de responsabilidad hacia él, actúe en su interés específico e individual*", no puede olvidarse cómo en este proceso concurren junto a los padres otros actores en este delicado proceso que comprende una pluralidad de intereses: los educadores/responsables. Por otro lado, el Estado "*protege a la infancia y a la juventud, fomentando las herramientas necesarias para ello*" y las intervenciones legislativas, a distintos niveles, así lo demuestran.

Con respecto a la culpa *in vigilando* resulta necesario realizar consideraciones que van en una dirección distinta. El poder/deber de vigilancia de los padres debe evaluarse hoy a la luz de las transformaciones que han afectado a las relaciones familiares en las últimas décadas y que ven ahora a los menores mucho más autónomos y activos en la dimensión social que hace unas décadas.

El uso de la tecnología ha acelerado aún más este proceso y ha hecho aún más difícil el control parental, planteando de hecho la cuestión del equilibrio entre la necesidad de que los padres controlen las actividades *en línea* de sus hijos y el derecho de estos a participar activamente en las redes sociales.

4. MENORES Y PROTECCIÓN DE DATOS: ENTRE EL GDPR Y LA I.A. ALGUNOS ELEMENTOS DE REFLEXIÓN

El tercer perfil del que nos ocupamos se refiere a los datos personales, su tratamiento, el umbral de edad para dar el consentimiento y las posibles infracciones.

El Reglamento 2016/679, conocido como RGPD, define las coordenadas de protección respecto al tratamiento de datos personales, delimitando las fronteras dentro de las cuales se jugaría la "*eficacia de la protección de la persona respecto a la evolución de las nuevas tecnologías*"[14].

Teniendo en cuenta la condición vulnerable de los menores, directamente proporcional al uso que ellos hacen de la web y las redes sociales, el considerando 38 del RGPD establece que *"Los niños merecen una protección específica de sus datos personales, ya que pueden ser menos conscientes de los riesgos, consecuencias, garantías y derechos concernientes al tratamiento de datos personales"* y el considerando 58 establece que *"dado que los niños merecen una protección específica, cualquier información y comunicación cuyo tratamiento les afecte debe facilitarse en un lenguaje claro y sencillo que sea fácil de entender"*.

La reglamentación específica del tratamiento de datos personales se encuentra en el art. 8 que establece que: "*en relación con la oferta directa a niños de servicios de la sociedad de la información, el tratamiento de los datos personales de un niño se considerará lícito cuando tenga como mínimo 16 años. Si el niño es menor de 16 años, tal tratamiento únicamente se considerará lícito si el consentimiento lo dio o autorizó el titular de la patria potestad o tutela sobre el niño, y solo en la medida en que se dio o autorizó*".

Los Estados miembros podrán establecer por ley una edad inferior a estos efectos, siempre que no sea inferior a 13 años. Italia ha elegido el

---

[14] BATTELLI, "Il trattamento dei dati nel prisma della tutela della persona minore d'età", en *Dir. inf.*, 2022, p. 267.

umbral de los 14 años (Decreto Legislativo N° 101 de 2018), España, por ejemplo, los 13 años: una reducción del umbral de edad previsto para la adquisición de la capacidad de obrar, una especie de "capacidad especial de obrar" obviamente limitado al otorgamiento del consentimiento para la circulación de sus datos, actividad especialmente arriesgada para los menores, y que debería conllevar un cierto rigor en la verificación por parte de los responsables del tratamiento.

Y, sin embargo, la forma de adquirir el consentimiento, junto con las herramientas para verificar la edad —así como la identidad de quienes ejercen la patria potestad en el caso de menores de 14 años— constituye un punto débil en el sistema, dada la insuficiencia de los medios utilizados; y la referencia a las "tecnologías disponibles" que tampoco puede considerarse exhaustiva, como demuestran varios hechos conocidos, entre los que basta recordar el caso de la plataforma *Tik Tok*. En ese caso, el *Garante* [autoridad italiana] para la protección de datos personales prohibió el tratamiento de datos relativos a personas cuya edad no pudiera establecerse con certeza, sugiriendo el posible uso de sistemas de inteligencia artificial para realizar dicha verificación (comprobación de la edad).

Un segundo perfil, estrechamente vinculado al primero, se refiere a la posibilidad —dada la dificultad (*rectius*: la falta de rigor) de verificar la edad del usuario— de que se creen varias identidades digitales, con la consecuencia, en relación con los fenómenos que nos ocupan, de que se amplifique aún más el delito al dar la sensación, por ejemplo a un menor víctima de *ciberacoso* o de *porno venganza*, de que se encuentra frente a muchos perseguidores.

Otros riesgos en materia de protección de datos se derivan del uso cada vez más frecuente de chatGPT[15] (Generative Pre-trained Transformer).

¿Puede la inteligencia artificial pasar de ser una fuente potencial de riesgo a una valiosa herramienta de prevención? Probablemente sí; en esta lógica, la promulgación del *A.I. act*, especialmente en lo que respecta a la regulación de los denominados riesgos inaceptables, será de gran ayuda.

El texto legislativo sobre I.A. se basa de hecho en la clasificación del riesgo, respecto a derechos considerados patrimonio constitucional común en Europa.

---

15 ARNAUDO, L. y PARDOLESI, R., "Ecce robot. Sulla responsabilità dei sistemi adulti di intelligenza artificiale", en *Danno Resp.*, 2023, p. 409 ss.

En conclusión, si bien desde hace tiempo los menores son objeto de una atención especial tanto desde el punto de vista de las relaciones en el seno de la familia como en lo que respecta a sus actuaciones en el contexto social de referencia, determinadas cuestiones, como las de los abusos en línea y los sistemas de control de acceso a las plataformas digitales, requieren intervenciones más estrictas y globalmente sinérgicas.

Sin sacrificar la ya ineludible dimensión relacional que proporciona la red y respetando la cada vez mayor capacidad de autodeterminación de los menores (en particular de los "menores mayores"), resulta necesario que el papel de los adultos, la educación (incluida la digital) y las medidas reguladoras estén dirigidas de forma unísona a garantizar una protección adecuada en función de la edad y, consideración aún más importante, en la dimensión que nos atañe específicamente, poner freno a los fenómenos que hemos tratado, utilizando también, en su caso, el potencial de las nuevas tecnologías.

El "derecho al deporte" de las mujeres y la protección contra el acoso y la conducta (sexual) abusiva

ANGELA BUSACCA
Università Mediterranea di Reggio Calabria

1. INTRODUCCIÓN. LA EVOLUCIÓN DEL DEPORTE FEMENINO COMO ESPEJO DE LA REALIDAD SOCIAL

En primer lugar, tengo que ofrecer mi más sincero agradecimiento al Comité Científico y a los organizadores del Congreso que me han permitido estar aquí para compartir algunas reflexiones sobre este tema de estudio querido para mí. Me gustaría empezar hablando de un episodio que tuvo un amplio eco mediático y que involucró a la máxima dirección de la Real Federación Española de Fútbol (RFEF) con motivo del pasado Mundial Femenino[1]. Todos ustedes recordarán que en la euforia de la entrega de premios por el triunfo en el torneo, el Presidente de la RFEF besó apasionadamente a la capitana de la selección nacional, quien se mostró muy sorprendida por el gesto y, aunque no lo rechazó de inmediato, no dejó de manifestar su oposición a lo sucedido, al considerar el gesto no solo inapropiado sino francamente agresivo y con un claro trasfondo sexual[2]. El

---

1 Se hace referencia es a la edición de 2023 del Mundial Femenino, ganado por la selección española de fútbol contra la selección inglesa por 1-0 en la final disputada en el Estadio Australia de Sídney el 20 de agosto de 2023; sobre la victoria española, SALAZAR MANRIQUE, H. D., *Campeonas. Las 23 gladitoras españolas*, Lantia, Sevilla, 2023.

2 Estos son los hechos: el 20 de agosto de 2023, en la ceremonia de entrega de premios por la victoria en la Copa Mundial de Fútbol, el Presidente Federal tomó con ambas manos el rostro de la capitana y la besó en los labios. Desde su regreso al vestuario y en los días siguientes, la capitana tuvo oportunidad de volver al asunto, manifestando que no le agradó el comportamiento del presidente e suponiendo que dicho comportamiento probablemente no hubiera sido el mismo con el capitán de la selección masculina.

asunto, como se ha dicho, no sólo desató un acalorado debate mediático[3], sino que también dio origen al movimiento "Se acabó"[4], considerado una especie de "Mee Too" del fútbol español. Las consecuencias inmediatas para el presidente de la RFEF fueron: a nivel internacional, una suspensión por parte de la FIFA, inicialmente por 90 días, y posteriormente una prohibición "de toda actividad relacionada con el fútbol a nivel nacional e internacional" por un período de tres años; a nivel nacional: una denuncia por acoso sexual por parte de la capitana[5], una firme toma de postura en favor de las jugadoras por parte de la federación, con la destitución del comisario técnico y otros miembros del cuerpo técnico que lo habían defendido y, en septiembre (2023), la dimisión del mismo presidente de la RFEF; en todas las entrevistas y conferencia de prensas, el presidente declaró que dejaba su cargo por el bien del fútbol español, sin dejar de manifestar su buena fe y la ausencia de cualquier intención agresiva o acosadora en el beso incriminado.

El caso citado y el nacimiento del movimiento "Se acabó" representan un paradigma claro del cambio de consideración del deporte femenino[6] y de la necesidad de proteger a las deportistas contra conductas, tanto físicas

---

3 MARTÍNEZ GUIJARRO, D., BARRERA UTRERA, J., "Media and perception of the population in the Rubiales case", *Revista De Estudios Socioeducativos. ReSed,* 12/2024, p. 37; ADÁ-LAMEIRAS, A., ABUÍN-PENAS J., BLANCO-RUIZ, M., "Dar voz a las protagonistas: El impacto de las redes sociales como fuente de información en el caso de Jennifer Hermoso y el movimiento #SeAcabó", *DIGITOS —Revista de comunicacion Digital—*, nº10/2024, Monografico Compromisos éticos de la comunicación y del periodismo con los feminismos y la sostenibilidad de las vidas, 46.

4 ZUGASTI, I., *Se acabò. La doble victoria de las campeonas del mundo,* Ediciones Alternativa Ebook, 2023.

5 El juicio penal por acoso se celebrará en febrero de 2025. También serán llevados a juicio el director deportivo de la selección masculina, el ex entrenador de la selección femenina y el ex responsable de marketing de la federación: este último, de hecho, habría presionado a la capitana en varios momentos para que hiciera declaraciones sobre un supuesto consentimiento al beso.

6 Desde un punto de vista puramente deportivo, la victoria en el Mundial adquiere un fuerte valor simbólico, como bien resume Salazar Manrique: "cuando Irene Paredes levantó la copa del mundo, un velo cayó para revelar no sólo las proezas logradas en el campo de juego, sino también el intrincado encaje de los sueños, sacrificios y pequeñas revoluciones que esta selección tejió en su camino hacia la inmortalidad (...) El fútbol femenino en España no es en lo absoluto una simple historia de deporte, es una historia de lucha y de resistencia, de oposición, de frustración y, afortunadamente, de triunfo. Es el reflejo de un país que aprende,

como psicológicas, que pueden constituir acoso y abuso sexual: el caso del "beso no consentido" ocurrido en España, de hecho, se suma a otros casos, a menudo mucho más graves, de acoso y abuso sexual presentes, en varios niveles, en el mundo del deporte y que solo recientemente han surgido y han recibido la atención adecuada.

Desde la denuncia pública de Simon Biles en los Estados Unidos hasta las diversas investigaciones iniciadas en varias federaciones deportivas nacionales de Europa[7], el sistema deportivo ha tenido que tomar conciencia de la existencia y difusión de conductas abusivas y acosadoras, si no directamente violentas, hacia las deportistas y, al mismo tiempo, de la falta de instrumentos para implementar una protección eficaz y eficiente. Si nos fijamos en la normativa de justicia deportiva, de hecho, sólo recientemente se han introducido figuras de delitos deportivos relacionados con el acoso sexual[8] y se han hecho más estrictas las sanciones, hasta llegar a la expulsión perpetua del sistema deportivo[9].

---

que crece y, finalmente, que celebra el esfuerzo de sus 23 guerreras que bordaron sobre su escudo la primera estrella".

7 Principales investigaciones sobre el tema en: SIMONELLI, D., *Impunità di gregge. Sesso, bugie e omertà nel mondo dello sport*, Chiarelettere, Milano, 2021; GRILLO, R., "Abusi sessuali e bullismo nello sport", *Rivista di diritto ed economia dello sport*, 2020, 31; permítanme también la referencia: BUSACCA, A., "Il fenomeno degli abusi sessuali nel mondo sportivo", en BRAVO BOSCH, M.J., IGLESIAS CANLE, I. C. (dir.), *Libertad sexual y violencia sexual*, Tirant Lo Blanch, Valencia, 2022, p. 515.

8 Teniendo siempre en cuenta que el sistema deportivo es un sistema sectorial y autonómico, parece oportuno recordar también que los tipos de infracciones deportivas quedan, en cuanto a calificación y sanción, a la determinación autónoma de las Federaciones Deportivas. Como consecuencia de ello, según se señala mejor en el siguiente apartado 3, los casos de acoso y abuso, aunque penalmente relevantes, fueron poco previstos y catalogados como casos de delitos deportivos. La motivación para esto residía principalmente en la (presunta) extrañeza de dichas conductas al mundo del deporte, que se basa en el principio de lealtad, de modo que cualquier hipótesis de delitos sexuales se reconducía al ámbito más general de los delitos deportivos por violación de los principios de lealtad y corrección, así como de las obligaciones de conducta de los miembros. Sólo en los últimos años, a raíz de los resultados de las investigaciones realizadas en diversas federaciones y de la difusión del fenómeno, se han introducido figuras específicas de actividad ilícita relacionada con el acoso y abuso sexual, con la previsión de sanciones específicas.

9 La expulsión perpetua por delitos sexuales es una innovación bastante reciente en varios sistemas deportivos: en la experiencia italiana, de hecho, la modificación de l'artículo 7.4 de los principios rectores del CONI, que prevé la expulsión perpetua para todas las federaciones deportivas nacionales, fue aprobado solo en

La conciencia más madura de un "deporte seguro" para niñas, jóvenes y niñas exige una protección que no sólo sea formal en papel, sino requiera, además de las sanciones, el contraste y la prevención para evitar la reincidencia de conductas acosadoras y abusivas. Esta conciencia, además, constituye uno de los aspectos de la evolución del deporte femenino, que, durante las primeras décadas del siglo XXI, está dando pasos decisivos hacia el objetivo de la igualdad de género, en la línea de los resultados ya alcanzados en el siglo XX. El número de deportistas femeninas aumenta constantemente y cada año más niñas practican deportes a nivel amateur y competitivo.

Aunque, como se verá a continuación de estas consideraciones, en los últimos años se han alcanzado una serie de resultados, también en materia de reconocimiento en la ley del trabajo deportivo femenino, de protección asistencial y de protección de la maternidad, así como de formación de jóvenes deportistas, parece oportuno destacar que en el mundo del deporte, desafortunadamente, siempre están presentes diferentes perfiles de desigualdad de género, tanto en referencia al ámbito de la práctica deportiva, como sobre todo en referencia al acceso a funciones directivas: en esto, lamentablemente, el "techo de cristal" todavía parece resistente y difícil de romper.

La evolución del deporte femenino en los siglos XX y XXI refleja los logros sociales y jurídicos de la condición femenina en la compleja evolución de la contemporaneidad: mirando a los Juegos Olímpicos, se desprende que desde la falta de admisión o a lo sumo de "tolerancia" para algunas atletas en las primeras ediciones (1896 y 1900), pasando por la institucionalización de las primeras competiciones femeninas en 1920, la participación femenina se ha ampliado progresivamente, alcanzando casi la paridad numérica en las últimas ediciones[10]. También la participación femenina a

2021; anteriormente, de hecho, una persona condenada en una federación deportiva podía, estando todavía bajo sanción, solicitar la afiliación a otra federación deportiva distinta, pudiendo así permanecer en el sistema deportivo.

10 El crecimiento constante de la participación femenina en los Juegos Olímpicos alcanza un hito significativo con los Juegos Olímpicos de París (verano) de 2024, que serán recordados como los "Juegos Olímpicos de la Igualdad de Género", con 5.250 atletas masculinos y 5.250 femeninos participando por igual. Las estadísticas y la información sobre los atletas que compiten se pueden leer en línea: https://www.olympics.com/it/olympic-games/paris-2024. Para obtener una visión general de la participación de las mujeres en los Juegos Olímpicos: KRIEGER, J., PARKS PIEPER, L., *Women in the Olympics,* Common Ground Research Networks,

los Juegos Olimpicos fue importante para superar algunos momentos de crisis debidos a las restricciones impuestas en algunos estados para la práctica deportiva femenina: las indicaciones del COI contribuyeron de hecho, en ocasiones, a la afirmación de reglas más liberales[11].

Con referencia a las organizaciones deportivas internacionales y nacionales, desde las primeras décadas del siglo XX hemos asistido al reconocimiento de sectores femeninos en casi todas las federaciones deportivas y, en consecuencia, a la creación de asociaciones y al aumento constante de las afiliaciones femeninas, incluso en disciplinas tradicionalmente consideradas masculinas, como, precisamente, el fútbol. Sin embargo, a lo largo del siglo XX y principios del XXI, el desarrollo del deporte femenino ha sido constante pero limitado (y fuertemente discriminado) por la falta de reconocimiento del carácter profesional de las deportistas y, en diversos ordenamientos jurídicos, por la falta de reconocimiento de la práctica deportiva como actividad laboral, con las correspondientes protecciones asistenciales y de seguridad social. Respecto a este último punto, basta pensar que incluso un país con una larga tradición deportiva como Italia, ha reconocido el deporte femenino como un trabajo deportivo en todos los aspectos solo desde 2023, después de la reforma general del sistema deportivo y el reconocimiento del papel y las protecciones del trabajador deportivo, sin más distinciones de género.

Para contrastar la discriminación existente, se han llevado a cabo varias actividades a nivel internacional: se ha institucionalizado la celebración periódica de una Conferencia "Mujer y Deporte" y, desde 1995, se ha creado la Comisión Mujer y Deporte, con fines consultivos sobre estrategias para contrastar las desigualdades de género.

También la Unión Europea ha incrementado significativamente sus políticas para contrastar la discriminación en los últimos años y, en el ámbito de los proyectos en materia de deporte, ha creado un "Grupo de Alto Nivel" sobre igualdad de género en el deporte y ha impulsado una serie de programas: en 2014 la "Propuesta de acciones estratégicas 2014-2020"; en 2018/2019 el primer proyecto conjunto UE-CoE "All In"; en 2022, las

---

2023; CANTARELLA, E., MIRAGLIA, E., *Le Protagoniste. L'emancipazione femminile attraverso lo sport,* Feltrinelli. Milano, 2021.

11 Permítanme también la referencia: BUSACCA, A., "Parità di genere e non discriminazione delle donne nello sport", en C. PARRINELLO (a cura di) *Uguaglianza uomo-donna: storia di un'incompiuta. Atti del Convegno di Messina, 12-13 novembre 2018,* ESI, Napoli, 2019, 121.

"Recomendaciones y plan de acción del Grupo de Alto Nivel sobre Igualdad de Género en el deporte" y, por último, en 2023 hasta 2025, el nuevo proyecto conjunto UE-CoE "All In Plus".

De una mirada global a las acciones más recientes emprendidas para contrastar la discriminación de género, tanto a nivel de los sistemas estatales nacionales y supranacionales como a nivel de los sistemas deportivos, dos principales líneas de intervención parecen requerir mayor atención: por una parte, la valorización de la actividad de las deportistas como trabajadoras y profesionales y, por otra, el fortalecimiento de las protecciones contra toda conducta acosadora y abusiva, en particular aquella de naturaleza sexual.

En relación con la segunda de las líneas indicadas y centrando la mirada en el sistema deportivo, parece significativo proponer una breve comparación entre las normativas de Italia y España que tienen en común, precisamente en estos años, procesos de reforma de los sistemas deportivos nacionales en el marco de los cuales se refuerza particularmente la atención a la igualdad de género y la lucha contra cualquier forma de discriminación contra las mujeres y también contra categorías de deportistas que puedan parecer más vulnerables y expuestas a conductas acosadoras y abusivas.

2. LA PRÁCTICA DEPORTIVA COMO DERECHO PERSONALÍSIMO

Antes de las consideraciones sobre la validez de las reformas, parece oportuno, sin embargo, recordar brevemente el marco general en el que, entre reglas y prácticas, se inscribe el deporte femenino para verificar si, y en qué medida, puede configurarse efectivamente un "derecho al deporte" y cómo se protege este derecho para las niñas, las jóvenes y las mujeres.

Para confirmar la existencia de un "derecho al deporte", el principal punto de referencia sólo puede ser la Carta Olímpica[12], que constituye la fuente suprema de todo el sistema deportivo internacional y proclama,

---

12 El texto de la Carta Olímpica, en la versión vigente a partir del 23 de julio de 2024, puede leerse, en español, en https://stillmed.olympics.com/media/Documents/International-Olympic-Committee/IOC-Publications/ES-Olympic-Charter.pdf. Sobre el papel y el valor de la Carta Olímpica: MUNIZ PÉREZ, J. C., "Coubertin y la Carta Olímpica: un ejemplo de constitución transnacional o constitución blanda", *Materiales para la Historia del Deporte*, 23/2022, 20.

en el punto n° 4 de los Principios Fundamentales del Olimpismo que "la práctica del deporte es un derecho humano", y luego "toda persona debe tener la posibilidad de practicar deporte sin discriminación de ningún tipo y dentro del espíritu olímpico, que exige comprensión mutua, espíritu de amistad, solidaridad y juego limpio". El sistema deportivo, por tanto, sitúa la práctica deportiva como un derecho fundamental de la persona humana, correlacionándolo con los valores de lealtad, inclusión, solidaridad y oposición a cualquier forma de discriminación. Se reconoce el acceso a la práctica deportiva en igualdad de condiciones a todas las personas, sin distinción de género o edad y mucho menos de etnia o ciudadanía, en nombre de un valor universal de solidaridad que se concreta además en garantizar a los individuos con capacidades diferentes la posibilidad de practicar actividades deportivas adaptadas, tanto en la dimensión amateur como en la dimensión competitiva. Lo indicado en la Carta Olímpica se refleja luego en los Estatutos de los Comités Olímpicos Nacionales y en las Cartas Federales de las Federaciones Deportivas Internacionales y Nacionales que prevén, como principio fundamental, la lucha contra cualquier forma de discriminación y exclusión de la práctica deportiva. Es precisamente para proteger este principio que se han dado casos de sanciones o exclusión de competiciones a aquellos Comités Olímpicos Nacionales que han adoptado políticas discriminatorias en función de la etnia o del género, avalando las opciones políticas de los Estados a los que pertenecen[13].

Más allá de los límites del sistema deportivo, en la última parte del siglo XX y en las primeras décadas del siglo XXI, la consideración del deporte como un derecho personal ha encontrado reconocimiento, a nivel supranacional, en diversos Tratados Internacionales, dirigidos a la promoción y protección de ciertas categorías de sujetos que parecen más expuestos al riesgo de discriminación, como las mujeres y los menores y también los sujetos con discapacidad[14]. El Tratado de Funcionamiento de la Unión

---

13 En la historia de los Juegos Olímpicos, podemos recordar la larga descalificación de Sudáfrica, que no fue admitido en los Juegos de Tokio 1968 como consecuencia de las políticas de apartheid; El COI dio un ultimátum y, cuando éste expiró, comunicó su no admisión a los Juegos Olímpicos que se extendió hasta la edición celebrada en Barcelona en 1992, tras la abolición de la segregación racial. De nuevo, cabe recordar que durante los Juegos Olímpicos de Londres 2012, algunos Comités Olímpicos de países de Oriente Medio fueron "advertidos" por la falta de representación femenina y evitaron la exclusión sólo remediando la situación y también convocando a algunas atletas femeninas para el equipo olímpico.

14 La referencia es a la Convención de las Naciones Unidas sobre los Derechos del Niño de 1989 (el texto completo se puede leer en https://www.garanteinfanzia.

Europea, que exalta su especificidad y su función social y educativa[15], y las constituciones de varios Estados miembros de la UE[16], entre ellos España[17] y, recientemente, Italia[18], se expresan de manera diferente, no en términos

---

org/convenzione-diritti-infanzia-adolescentei), a la Convención de las Naciones Unidas sobre la eliminación de todas las formas de discriminación contra la mujer de 1979 (https://www.pariopportunita.gov.it/it/politiche-e-attivita/attivita-internazionali-ed-europee/convenzione-per-levoluzione-di-tutte-le-forme-di-discriminazione-contro-le-donne-cedaw), a la Convención de las Naciones Unidas sobre los Derechos de las Personas con Discapacidad de (el texto completo se puede leer en https://www.osservatoriodisabilita.gov.it/it/documentazione-relativa-alla-convenzione-delle-nazioni-unite).

15 El artículo 165 del TFUE establece que “la Unión contribuirá a promover los aspectos europeos del deporte, teniendo en cuenta sus características específicas, sus estructuras basadas en el voluntariado y su función social y educativa”. Sobre la relevancia europea de la actividad deportiva y los principales perfiles europeos del derecho deportivo: MARTINES, F., “Lo sport nell’ordinamento giuridico dell’Unione Europea”, en D’ASCOLA S. (a cura di) *Diritto dello Sport. Percorsi interdisciplinari*, Pacini, Pisa, 2024, 17; BASTIANON, S., *Diritto Europeo dello Sport*, Giappichelli, Torino, 2011.

16 En particular, la Constitución portuguesa reconoce expresamente el derecho al deporte (art. 79, apartado 1: Toda persona tiene derecho a la cultura física y al deporte), destacando también el papel del Estado en la orientación y garantía de este derecho, en colaboración con los demás grupos sociales y en condiciones de seguridad (art. 79, apartado 2: Corresponde al Estado, en colaboración con las escuelas, las asociaciones y las comunidades deportivas, promover, estimular, orientar y apoyar la práctica y la difusión de la cultura física y del deporte, así como prevenir la violencia en el deporte). En las Constituciones de otros Estados miembros de la UE (España, Italia, Polonia, Croacia, Grecia, Lituania, Rumanía, Bulgaria, Hungría) se apoya y promueve el deporte como una actividad con un profundo valor social y de protección de la salud y el bienestar humanos. Sobre este tema, véase LUBRANO, E., “Il diritto allo sport come diritto fondamentale anche in una prospettiva costituzionale”, *Diritti Fondamentali*, 2/2020, 234.

17 La Constitución Española reconoce la promoción del deporte dentro de las políticas sociales y económicas; en particular, el art.43 apartado 3 establece que “los bienes públicos promoverán la educación sanitaria, la educación física y el deporte. Asimismo, facilitará el uso adecuado del ocio”. Sobre el tema: ALLUE BUIZA A., “El deporte como derecho constitucionalmente protegido (artículo 43.3 de la Constitución Española)”, en *Estudios sobre la Constitución Española: casa del profesor Jordi Solé Tura*, Congreso de los Diputados, 2008, 1015.

18 Con la ley constitucional n° 1/2023 se insertó un nuevo párrafo al final del art.33 de la Costitucion Italiana: “La República reconoce el valor educativo, social y de promoción del bienestar psicofísico de la actividad deportiva en todas sus formas”. La introducción del último párrafo del art. 33 en la Constitución representa el momento final de una larga temporada de reformas del sistema deportivo y se

de derechos individuales, sino más bien en términos de reconocimiento del valor de la actividad deportiva para el individuo.

A pesar de la generalidad de algunas formulaciones y la citación de los valores de la práctica deportiva, no hay duda de que las disposiciones de las distintas Constituciones pueden leerse como el reconocimiento del derecho al deporte como un derecho social hacia el cual los Estados deben actuar como garantes del acceso a la práctica deportiva para todos, tanto desde la perspectiva de la lucha contra la discriminación como desde la de la promoción de la participación con intervenciones en las instalaciones y con apoyo, incluso financiero, a las categorías más expuestas a situaciones de malestar social.

Un mayor reconocimiento del derecho al deporte puede encontrarse en algunas de las más recientes reformas de las leyes, entre las que se encuentra, precisamente, la ley española n° 39/2022, de 30 de diciembre, del Deporte, por la que se sustituyó a la anterior ley orgánica de 1990. El artículo 2 apartado I de la ley, de hecho, establece que "el deporte y la actividad física se consideran actividades esenciales. Todas las personas tienen derecho a la práctica de actividades físicas y deportivas, libres o voluntarias, de acuerdo con lo establecido en esta ley", siguiendo con la indicación "Se entienden incluidas a los efectos de esta ley todas las modalidades de actividad física que se realicen mediante la participación, individual o colectiva, organizada o no, profesional o no, con objetivos relacionados con la mejora de la condición física, mental o emocional, con la consecución de resultados en competiciones o actividades deportivas, con la adquisición de hábitos deportivos saludables o con el empleo activo. del tiempo libre, realizado en instalaciones públicas o privadas, o en el medio natural"[19].

---

considera una especie de declaración implícita del valor del deporte como derecho social, aunque los más críticos no han dejado de notar que una formulación que, además del reconocimiento, indicara también su protección, según el modelo de la anterior ley n° 280/2003 sobre la autonomía del sistema deportivo y la división de competencias, habría sido más completa e incisiva. Sobre el tema: L. Santoro, L'inserimento dello Sport in Costituzione: i prodromi e la portata della novella costituzionale, in Rivista di diritto sportivo, 2024, p. 47.

19 Por otra parte, la ley italiana ha mantenido una formulación más general: en el art.2 del Decreto Legislativo 36/2021 se lee: "El ejercicio de la actividad deportiva, tanto si se realiza de forma individual como colectiva, tanto en forma profesional como amateur, es libre". Esta formulación retoma la inicialmente contenida en el art.1 de la ley n° 91/81 (sobre el deporte profesional).

3. PROTEGER EL "DERECHO AL DEPORTE" DE LAS NIÑAS, LAS JÓVENES Y LAS MUJERES: ENTRE LA BÚSQUEDA DE LA IGUALDAD Y LA LUCHA CONTRA LA DISCRIMINACIÓN

Las declaraciones solemnes de la Carta Olímpica y de las Cartas Constitucionales de varios Estados, basadas en el principio de igualdad y por tanto dirigidas "a todas las personas", no siempre han encontrado respuesta en la práctica, especialmente a la luz de una cierta visión tradicional y más bien patriarcal de la práctica deportiva. No es sorprendente, por tanto, que, en algunos Tratados y Convenciones internacionales, destinados a proteger a las categorías sociales consideradas más vulnerables o expuestas a la discriminación, se reafirme en varias ocasiones la protección del derecho al deporte. En este punto, podemos recordar cómo el derecho al deporte fue reconocido en la Convención de Nueva York del 18 de diciembre de 1979 sobre la eliminación de todas las formas de discriminación contra la mujer: los artículos 10 y 13 tienen por objeto garantizar la participación en el deporte y la educación física (art. 10) y en actividades recreativas, deportivas y culturales (art. 13); esta doble consideración implica un paso más respecto a la protección del acceso a la práctica deportiva, ya que, en la referencia a los diferentes ámbitos de la "vida económica y social" que hace el art.13, pueden incluirse todas las vertientes de la actividad deportiva, más allá del valor amateur y recreativo, por tanto también el valor económico y la actividad laboral del deporte femenino.

En las últimas décadas, varios documentos internacionales y europeos han destacado la necesidad de reforzar la protección del derecho a la práctica deportiva de las mujeres en todos los grupos de edad: desde la protección de la educación física de las niñas y las jóvenes en las escuelas, pasando por la práctica de deportes amateurs y/o competitivos por parte de las mujeres, hasta la oferta de programas de actividad física dirigidos a las mujeres de mayor edad, con vistas a proteger su salud y su calidad de vida. Sin embargo, desde el punto de vista del deporte como actividad laboral, se ha tratado constantemente de igualar el tratamiento de los trabajadores deportistas hombres con el de las trabajadoras deportistas mujeres; se han presentado programas para garantizar la educación escolar y universitaria, en paralelo a la carrera competitiva, así como programas para la continuación de la carrera en el ámbito deportivo de las deportistas mujeres, una vez cesada su actividad competitiva. Entre los diversos documentos internacionales sobre el tema, podemos recordar la Carta Internacional de la UNESCO para el Deporte y la Educación Física de 1978, la Declaración de

Pekín de 1995, el dossier de la ONU "Mujeres, género, equidad y deporte" de 2007 y, en el contexto europeo, la Carta Europea de los Derechos de la Mujer en el Deporte, presentada por primera vez en 1985 y posteriormente reelaborada y actualizada en 2010, también siguiendo los resultados de la consulta sobre el Libro Blanco del Deporte de 2007. Durante las primeras décadas del siglo XXI, además, la UE ha trabajado constantemente para promover la igualdad de género también en el ámbito del deporte, implementando una serie de programas y centrándose mucho en la formación y promoción de las jóvenes deportistas; a este respecto, podemos recordar que la igualdad de género en el deporte es una de las principales acciones de los programas Erasmus+Sport, dirigidos a escuelas, universidades y clubes deportivos no profesionales. Finalmente, las políticas de promoción de la igualdad y lucha contra la discriminación de género encontraron confirmación y respuestas a nuevas peticiones en la reunión del Consejo de la UE "Educación, Juventud, Cultura y Deporte" de noviembre de 2023, durante la que se aprobaron las Conclusiones del Consejo y de los representantes de los gobiernos de los Estados miembros sobre la mujer y la igualdad en el sector del deporte[20].

Con referencia a las fuentes del sistema deportivo, tanto a nivel nacional como internacional, la proclamación solemne del deporte como un derecho humano reconocido "para todas las personas" se confirma en los Estatutos y Cartas Federales, que enfatizan el principio de igualdad y la lucha contra toda forma de discriminación.

Consultando los Estatutos del Comité Olímpico Nacional Italiano (CONI) y del Comité Olímpico Español (COE), ambos dan importancia primordial a la lucha contra cualquier forma de discriminación para garantizar a cada individuo la igualdad de oportunidades en el acceso a la práctica deportiva. El articulo 2 (funciones disciplinarias y reglamentarias) del Estatuto del CONI prevé: "El CONI, en el ámbito del sistema deportivo, establece principios contra la exclusión, las desigualdades, el racismo y contra la discriminación basada en la nacionalidad, el sexo y la orientación sexual y toma y promueve iniciativas apropiadas contra todas las formas de violencia y discriminación en el deporte"; igualmente, el artículo 2 (competencias) del Estatuto del COE, en sentido similar, disponía: "Corresponde al Comité Olímpico Español (...) d) proceder contra cualquier forma

---

[20] El informe de la reunión y los comunicados de prensa relacionados están disponibles en línea en https://www.consilium.europa.eu/it/meetings/eycs/2023/11/23-24

de discriminación en el deporte por motivos raciales, religiosos, políticos, de sexo o de cualquier otra índole; e) luchar contra cualquier forma de violencia en el deporte, y contra el uso de sustancias y procedimientos prohibidos por el Comité Olímpico Internacional o las Federaciones Deportivas Internacionales, con pleno sometimiento al Código Mundial Antidopaje".

Como ya se ha mencionado, el principio de igualdad y la lucha contra cualquier forma de discriminación o exclusión basada en el género se reafirman y promueven en todas las Cartas Federales, que, como indican los Comités Olímpicos Nacionales, deben basarse en la garantía de los principios de igualdad de oportunidades, democracia y representatividad, tanto en lo que respecta a la práctica deportiva como a la organización federativa, previendo así un principio de igualdad también para el acceso a funciones directivas.

Las estadísticas más recientes en Italia (informe: los números del deporte en Italia, 2022[21]) destacan cómo el número de afiliaciones femeninas está en constante crecimiento y cómo, incluso después de los años de pandemia, que provocaron un mayor número de abandonos de la práctica deportiva entre las mujeres, no solo se ha producido un aumento de la práctica deportiva, sino también del acceso a funciones directivas y ejecutivas, con un aumento de más del 20% respecto al número de gerentes femeninas en 2018, aunque todavía con un valor absolutamente inferior al de los gerentes masculinos.

La eficacia de la protección del derecho al deporte de las niñas, las jóvenes y las mujeres se ha enriquecido, en los últimos años, con una connotación adicional: la madura conciencia de la presencia de situaciones de abuso y acoso, perpetradas por deportistas, entrenadores e incluso gerentes masculinos, en detrimento de los deportistas femeninas y, en consecuencia, de la necesidad de preparar medidas para prevenir y contrastar el acoso y las conductas abusivas para castigar a los autores y promover una cultura del respeto. A raíz de algunos episodios que, como ya se ha mencionado, han suscitado un considerable clamor mediático, se han iniciado una serie de investigaciones por parte de los fiscales federales del deporte

---

21 "El informe sobre los números del deporte pretende describir toda la estructura deportiva y promocional que forma parte del CONI, a partir de la cual es posible desarrollar conocimientos y reflexiones sobre la difusión territorial y la evolución temporal del deporte en Italia": el informe completo se puede consultar en https://www.coni.it/images/numeri_dello_sport/INDS_2021-2022_REPORT_COMPLETO__GN_11-07-2024_DEF.pdf.

y, en paralelo, varias asociaciones han realizado análisis y encuestas, recogiendo datos sorprendentes sobre el número de acosos y abusos que las deportistas, especialmente las más jóvenes, que declaran haber sufrido o arriesgado sufrir, llegando incluso a decidir abandonar la actividad deportiva para no correr mayores riesgos[22].

La aparición y las dimensiones del fenómeno han llevado a varios sistemas deportivos a intervenir para reforzar la protección de las deportistas femeninas contra conductas abusivas y de acoso, tanto con intervenciones directas en los códigos y reglamentos de justicia, previendo la introducción del acoso y el abuso como figuras autónomas de delitos deportivos, como mediante la estipulación de memorandos de entendimiento y acuerdos con los órganos de investigación estatales. En Italia los acuerdos se firmaron en particular con algunas dependencias del Ministerio Público, para una colaboración más estrecha en caso de acoso y abuso sexual[23]; de esta manera será posible una colaboración más estrecha entre los órganos de instrucción, manteniendo la autonomía de los dos procedimientos, el penal y el deportivo, que, aunque pueden llevarse a cabo en paralelo, siguen siendo independientes. En particular, debe recordarse que la pendencia del procedimiento penal no tiene efecto suspensivo sobre el procedimiento deportivo; en cuanto al resultado de la misma, parece oportuno recordar que toda sentencia absolutoria en un proceso penal no tiene efectos vinculantes sobre la decisión y sanción en el proceso deportivo y que toda condena penal que haya adquirido firmeza o cualquier acuerdo de culpa-

---

22 Entre los informes más significativos destacamos el de la asociación Changethegame.org, según el cual más del 20% de los entrevistados declaró haber sufrido conductas abusivas de carácter sexual, con o sin contacto físico, y más del 60% declaró haber sufrido algún tipo de acoso durante la práctica deportiva.

23 Durante el año 2024 se firmaron varios memorandos de entendimiento entre la Fiscalia General Deportiva, CONI y el Ministerio Público en varios distritos judiciales. Las líneas generales de los protocolos establecen que en caso de investigaciones sobre acoso, abuso y violencia sexual contra personas integrantes de una federación deportiva nacional o de una disciplina deportiva afín, se informe oportunamente a la Fiscalía General del Deporte; en particular, el Ministerio Público estará obligado a proporcionar toda la información relativa a las investigaciones sobre violencias y abusos que ya no estén cubiertos por el secreto y a su vez podrá solicitar información sobre el papel, las actividades realizadas y las denuncias o los procedimientos disciplinarios pendientes (o concluidos) relacionados con los sospechosos. La Fiscalia General de la República, a su vez, estará obligada a proporcionar la información solicitada y deberá informar oportunamente a la fiscalía federal competente para la apertura del procedimiento disciplinario correspondiente.

bilidad son relevantes en el proceso deportivo únicamente a los efectos de la constatación del hecho, siendo los órganos de justicia deportiva autónomos e independientes para determinar el alcance de la sanción deportiva.

4. UN NUEVO Y MÁS COMPLETO CONCEPTO DE "DEPORTE SEGURO": LAS MEDIDAS PARA GARANTIZAR EL PRINCIPIO DE IGUALDAD Y LUCHAR CONTRA CUALQUIER FORMA DE ACOSO O ABUSO SEXUAL EN LA RECIENTE REFORMA ITALIANA

La oportunidad de promover el deporte femenino desde la perspectiva de la igualdad de género y al mismo tiempo la necesidad de combatir los fenómenos de acoso y abuso sexual en el deporte han llevado a importantes intervenciones en las recientes reformas del sistema deportivo que se han implementado en España[24] e Italia[25]. En particular, con referencia a la reforma del sistema deportivo implementada en Italia después de un largo y difícil proceso regulatorio, parece oportuno señalar que entre las innovaciones más significativas están la adopción de códigos de conducta y las nuevas figuras profesionales con la función de tutelar a las categorías

---

24 Con referencia a la nueva ley del deporte española, considérese el art. 4 (Marco específico para la promoción de la igualdad efectiva en el deporte) que establece medidas y métodos para la aplicación efectiva del principio de igualdad y en su apartado 5 se refiere expresamente a la prevención y lucha contra el abuso sexual: "Las federaciones deportivas españolas y las ligas profesionales deberán contar con *un protocolo de prevención e actuación ante situaciones de discriminación, abusos o acoso sexual y acoso por razón de sexo o autoridad* en el seno de aquellas, que deberán poner a disposición de las entidades deportivas integrantes de las distintas competiciones, para su suscripción por éstas. A efectos de dar cumplimiento a lo anteriormente señalado, el Consejo Superior de Deportes pondrá a disposición de las federaciones deportivas españolas y de las ligas profesionales un protocolo, en los términos que se indiquen. De acuerdo con dicho protocolo, cualquier actuación que pueda ser considerada discriminación, abuso sexual o acoso sexual y/o acoso por razón de sexo o autoridad deberá ser puesta en conocimiento del órgano sancionador dependiente del Consejo Superior de Deportes, para su sanción como falta grave de acuerdo con lo establecido en el artículo 105".

25 En general, sobre la reforma del ordenamiento deportivo en Italia: SANTORO, L., LIOTTA, G., *Commento alla riforma dello sport (legge delega 86/2019 e decreti attuativi 28/2/2021 nn. 36, 37, 38, 39 e 40)*, Palermo University Press, Palermo, 2021; M. PITTALIS, *Ripartire con lo sport. Impianto valoriale di una riforma "in progress"*, Ledizioni, Milano, 2021.

más vulnerables de atletas y funciones de control e intervención para evitar el establecimiento y la persistencia de situaciones "tóxicas" dentro de los clubes deportivos: el "safeguarding officer"[26] (oficinista /oficial de salvaguardia).

Las disposiciones del Decreto Legislativo n. 36/2021[27] (sobre las asociaciones deportivas y el trabajo deportivo) y el Decreto Legislativo n. 39/2021[28] (sobre simplificaciones para las asociaciones deportivas) han establecido, de hecho, una serie de nuevas obligaciones, con plazos previstos a lo largo del año 2024, para reforzar lo que podría definirse como una "protección global" del deportista, declinando el concepto de "deporte seguro" ya no sólo con referencia a la integridad física y al "riesgo permitido" en relación a posibles lesiones físicas, sino sobre todo con referencia a la salud mental, al bienestar y a la dimensión emocional-relacional de la vida asociativa y de la práctica deportiva.

La importancia de una figura profesionalmente cualificada, capaz de interactuar con los deportistas y ofrecer la asistencia más adecuada, parece fundamental teniendo en cuenta las peculiares modalidades que pueden asumir las conductas abusivas y de acoso en el mundo del deporte: sólo en un número limitado de casos, de hecho, se producirán situaciones de sen-

---

26 Entre los primeros en estudiar la nueva legislación: BASTIANON, S., COLUCCI, M., *Il safeguarding in ambito sportivo*, SLPC, 2024 (https://www.rdes.it/GUIDA%20SAFEGUARDING%20SPORT_IV.pdf).

27 Decreto legislativo 28 de febrero de 2021, n° 36, "Aplicación del artículo 5 de la Ley de 8 de agosto de 2019, n. 86, sobre la reorganización y reforma de las disposiciones relativas a los organismos deportivos profesionales y amateurs, así como al trabajo deportivo" el texto original fue posteriormente integrado y modificado por el Decreto Legislativo n° 163 de 5 de octubre de 2022 y el Decreto Legislativo n.° 163 de 28 de agosto de 2023. 120. Sobre el tema: NUNIN, R., "Introduzione. La riforma del lavoro sportivo: un intervento atteso, complesso, discusso" en *Variazioni su temi di diritto del lavoro,* 2024, 284; LIOTTA, G., SANTORO, L., *Lezioni di diritto sportivo,* Milano, Giuffrè, 2023 ("Il lungo e accidentato cammino della riforma dello sport", 1 y "Il contratto di lavoro in ambito sportivo", 188); Monaco, M. P., "Il lavoratore sportivo: definizioni e tipologie contrattuali alla luce della riforma", *Giornale di diritto amministrativo,* 2024, 45.

28 Decreto legislativo 28 de febrero de 2021, n° 39, "Aplicación del artículo 8 de la Ley 8 de agosto de 2019, n. 86, relativa a la simplificación de los procedimientos relativos a las organizaciones deportivas"; Sobre las implicaciones generales de la reforma para los clubes deportivos: GAMBINO, A. M., OCCORSIO, V., "Le società sportive", en MAZZAMUTO, S., PARDOLESI, R., SANTORO, L., (a cura di) *Scritti di diritto sportivo in onore di Giuseppe Liotta,* Palermo University Press, Palermo, 2024, 485.

sacionalismo o violencia con opresión y coerción física, mientras que en la mayoría de los casos la conducta acosadora se desarrollará en un ambiente deportivo tóxico o corromperá una relación deportista/entrenador o deportista/gerente que, desde una base de confianza y colaboración, podría llevar a la degeneración del abuso. Estas situaciones, además, podrían verse agravadas por el silencio de las víctimas o, peor aún, por decisiones inadecuadas dentro de las mismas asociaciones deportivas, como no denunciar al autor de la conducta y optar por soluciones "internas" a menudo marcadas por el compromiso. Precisamente para evitar que se repitan situaciones de este tipo, la reforma ha obligado a nombrar una persona cualificada externa a la organización deportiva, con la función de supervisar y verificar la implementación concreta de los códigos de conducta y de las políticas de protección de la igualdad y de lucha contra la discriminación.

El corto período de tiempo transcurrido desde la entrada en vigor de las nuevas normas no permite una evaluación concreta del impacto de la reforma y los cambios reales probablemente se apreciarán en los próximos años; sin embargo, sigue pareciendo significativo que la relevancia mediática y social y los movimientos de opinión desarrollados para combatir el acoso y el abuso sexual hayan conducido a cambios decisivos y reformas regulatorias en el mundo del deporte. La esperanza es que lo alcanzado no sea considerado un punto de llegada, sino sólo una etapa más en el largo y difícil camino hacia la igualdad de género real y efectiva en todos los ámbitos de la vita diaria, pero sobre todo en la cultura y la mentalidad de la sociedad.

5. BIBLIOGRAFÍA

ADÁ-LAMEIRAS, A., ABUÍN-PENAS, J., BLANCO-RUIZ, M., "Dar voz a las protagonistas: El impacto de las redes sociales como fuente de información en el caso de Jennifer Hermoso y el movimiento #SeAcabó", *DIGITOS – Revista de comunicacion Digital*, n 10/2024-Monografico Compromisos éticos de la comunicación y del periodismo con los feminismos y la sostenibilidad de las vidas.

BASTIANON, S., *Derecho deportivo europeo*, Turín, 2011.

BASTIANON, S., COLUCCI, M., "Il safeguarding in ambito sportivo, SLPC, 2024", il testo è consultabile on line all'indirizzo https://www.rdes.it/GUIDA%20SAFEGUARDING%20SPORT_IV.pdf

BUSACCA, A., "Il fenomeno degli abusi sessuali nel mondo sportivo", in BRAVO, M. J., IGLESIAS CANLE, I. C. (dir.), *Libertad sexual y violencia sexual*, Valencia, 2022.

BUSACCA, A., "Parità di genere e non discriminazione delle donne nello sport", in PARRINELLO, C. (a cura di) Uguaglianza uomo-donna: storia di un'incompiuta. Atti del Convegno di Messina, 12-13 novembre 2018, Napoli, 2019.

CANTARELLA, E., MIRAGLIA, E., *Le Protagoniste. L'emancipazione femminile attraverso lo sport,* Milano, 2021.

DE MIGUEL, N., *Jugonas, El futbol de las mejores jugadoras y arbitras del mundo,* ed. La esfera de los libros XXI, 2024.

FORSYTH, J., ROBERTS, C. M., *Women's Football. From science to high performance,* Ed. Routledge, NY, 2025.

GAMBINO, A. M., OCCORSIO, V., "Le società sportive", in MAZZAMUTO, S., PARDOLESI, R., SANTORO, L., *Scritti di diritto sportivo in onore di Giuseppe Liotta,* Palermo, 2024.

GRILLO, R., "Abusi sessuali e bullismo nello sport", in *Rivista di diritto ed economia dello sport,* 2020.

LIOTTA, G., SANTORO L., *Lezioni di diritto sportivo,* Milano, 2023

MONACO, M. P., "Il lavoratore sportivo: definizioni e tipologie contrattuali alla luce della riforma", *Giornale di diritto amministrativo.*

NUNIN, R., "Introduzione. La riforma del lavoro sportivo: un intervento atteso, complesso, discusso", in *Variazioni su temi di diritto del lavoro,* 2024.

PITTALIS, M., *Ripartire con lo sport. Impianto valoriale di una riforma "in progress",* Milano, 2021.

SALAZAR MANRIQUE, H. D., *Campeonas. Las 23 gladitoras espanolas,* ed. Lantia, 2023.

SANTORO, L., "L'inserimento dello Sport in Costituzione: i prodromi e la portata della novella costituzionale", *Rivista di diritto sportivo,* 2024.

SANTORO, L., LIOTTA, G., *Commento alla riforma dello sport (legge delega 86/2019 e decreti attuativi 28/2/2021 nn. 36, 37, 38, 39 e 40),* Palermo, 2021.

SIMONELLI, D., *Impunità di gregge. Sesso, bugie e omertà nel mondo dello sport,* Milano, 2021

TOGNON, J., *Le minacce dello sport contemporaneo,* Padova, 2023.

ZUGASTI, I., *Se acabò. La doble victoria de las camponas del mundo,* Ediciones Alternativa Ebook, 2023.

El derecho de daños como respuesta a la mujer víctima de trata con fin de explotación sexual: el trascendente alcance del derecho a la indemnización del daño (Barreras, buenas prácticas y recomendaciones en el ámbito europeo)

MARÍA DOLORES CASAS PLANES

"La compensación no solo juega un rol principal en términos de compensación monetaria sino en términos del sentimiento personal de la víctima de que se está haciendo justicia".

(Suzane Hoff, La Strada International, 2018)

El presente trabajo tiene como finalidad, por un lado, el estudio crítico de una de las respuestas legales de Derecho privado ante la trata de la mujer con fines de explotación sexual que no han sido tan estudiadas ni evidenciadas: *el derecho a la reparación y, más en concreto, a la compensación económica adecuada en forma de indemnización,* perteneciente al Derecho de Daños como contenido del Derecho civil de obligaciones. Y, por otro lado, y como propósito más relevante, concienciar y fundamentar que la *compensación representa justicia para las víctimas.* Puesto que, en atención al enfoque integral que combina las perspectivas de la represión penal y de la atención a las víctimas, la importancia de la reparación a la víctima cada vez obtiene más predicamento en la actualidad para evitar su re-victimización[1]. Es

---

1 Debe consolidarse la perspectiva de los Derechos humanos en todas las disposiciones relativas a la trata, incorporando medidas eficaces de prevención, protección y asistencia adecuada a las víctimas y sus familiares directos, así como de indemnización y reparación integral, incluyendo el decomiso e incautación de bienes productos de delito (LUCEA SÁENZ, A., *Erradicar la trata de personas. Una cuestión de Derechos Humanos,* Sepín, Madrid, 2017, p. 205 y HARVARD LAW REVIEW AS-

sabido que, a pesar de estar ante una de las más graves violaciones de los derechos humanos, la atención por las autoridades y operadores jurídicos se viene centrando en la lucha contra el crimen organizado y no en las víctimas y sus derechos; y este es el prisma bajo el que se enfoca el presente estudio, enmarcado, a su vez, en las respuestas del Derecho privado civil a la problemática presente, rama del Derecho cuya vocación es la inveterada defensa de la persona.

Tras lo expuesto, y en orden a constatar el objetivo anterior, el trabajo abordará, en un primer momento, sumariamente, los datos más relevantes sobre la trata de personas con fin de explotación sexual en el siglo XXI, así como de la normativa internacional y nacional que consagra, en específico, el derecho a la reparación de la víctima. Para pasar a indagar tanto en las barreras existentes para el acceso a dicho derecho como en las buenas prácticas consagradas en países pertenecientes al sistema jurídico tanto Civil como del *Common Law*; haciendo referencia, de igual modo, a las recomendaciones absolutamente pertinentes provenientes de instancias internacionales. Y todo ello con el objetivo, finalmente, de acometer una sucinta crítica de las luces y sombras de los artículos 43 a 46 del *Anteproyecto de la Ley Orgánica Integral Contra la Trata y Explotación de los Seres Humanos (LOTR)*, de 29 de noviembre de 2022[2]. Y, para ello, teniendo como guía el informe del Pleno del Poder Judicial y la Estrategia de la UE para la erradicación de la trata de seres humanos para los años 2021-2025, la cual incluye entre sus prioridades dotar de instrumentos para que dicha compensación se haga efectiva, como el uso sistemático de investigaciones financieras en las investigaciones policiales y la incautación y confiscación de los activos de los delincuentes para que pueden utilizarse para indemnizar a las víctimas. Sería de justicia, y esperemos que su promulgación ofrezca respuesta esperanzadora a las críticas emanadas del Informe de 2024 sobre la Trata de Personas en España llevado a cabo por el Departamento de US que pone de manifiesto que "*el Gobierno no compensó económicamente a ninguna*

SOCIATION, "Remedying the injustices of human trafficking through tort law", *Harvard Law Review*, núm. 119, 2006, pp. 2574-2595).

2 El Anteproyecto ha sido retomado por el Gobierno para su futura tramitación, tras su paralización en la anterior legislatura por la convocatoria de elecciones, el 8 de marzo de 2024, día internacional de la mujer. Vid. https://www.lamoncloa.gob.es/consejodeministros/referencias/Paginas/2024/refc20240308.aspx#anteproyecto. Y, ESTIARTE, V.C., GARGALLO, P.A, *La trata de seres humanos tras un decenio de su incriminación. ¿Es necesaria una ley integral para luchar contra la trata y la explotación de seres humanos?*, Tirant lo Blanch, Valencia, 2022.

víctima, al no haber ningún fondo destinado para ello; y, aunque con frecuencia concedió indemnizaciones a las víctimas, pocas llegaron a cobrar efectivamente la indemnización por parte de los traficantes condenados"[3].

Por último, creo firmemente que todo lo anterior ha de complementarse con medidas eficaces para la prevención, sobre todo, educativas y de creación de una conciencia social que conlleve cambios radicales del modelo de consumo y productivo[4]. No obstante, y como síntesis, se podría decir que, al menos, y desde el marco teórico, es el inicio de una nueva perspectiva, la de los derechos humanos, quedando por valorar su implementación en el futuro inmediato.

1. LA TRATA DE LA PERSONA EN EL SIGLO XXI. UNA REALIDAD INVISIBLE

La trata de personas es una realidad oculta para la sociedad, tras la que se esconde un lucrativo, repugnante y abyecto negocio que se ha convertido en el segundo más rentable del mundo tras el narcotráfico; tal y como lo ilustra el que en España la explotación sexual de las víctimas haya generado entre 3.000 y 3.700 millones de euros anuales[5]. Al margen de los datos mundiales y europeos, es desalentador que España sea el primer país de Europa y el tercero a nivel mundial en consumo de prostitución. Según los datos del CITCO del Plan Nacional *contra la Trata y Explotación de Seres Humanos,* 2021-2023 nuestro país ha sido tradicionalmente lugar de tránsito de trata, concretamente, entre los años 2017 y 2020, las Fuerzas y Cuerpos de Seguridad del Estado comunicaron la identificación formal como víctimas de trata de seres humanos de 1.250 personas, entre ellas se encontraban 60 menores de edad, y en el ámbito de la trata sexual, y paralelamente a lo que se constata a nivel mundial, las mujeres y niñas sufren de manera desproporcionada esta finalidad: el 97% fueron mujeres y ni-

---

3 "Informe sobre la trata de personas 2024: España. Departamento de Estado de Estados Unidos (US. Department of State)" [en línea] (2024), https://www.state.gov/reports/2024-trafficking-in-persons-report/spain/ [consulta 17/01/2025].

4 Https://ec.europa.eu/commission/presscorner/detail/es/ip_21_1663

5 *Vid.* Ministerio de Sanidad, Servicios Sociales e Igualdad, *Plan Integral de lucha contra la trata de mujeres y niñas con fines de explotación sexual 2015-2018,* 2015, pp. 35-36.

ñas, situándose la media de edad entre los 33 y 37 años y las nacionalidades en la rumana, colombiana y española[6].

Más en concreto, y en lo que respecta a su definición, según el art. 3 UN Palermo Protocolo (2000), que complementa la Convención NNUU contra el Crimen Organizado Transnacional, la trata de personas se define como: "*la captación, el transporte, traslado, la acogida o recepción de las personas, recurriendo a la amenaza o al uso de la fuerza o a otras formas de coacción, al rapto, al fraude o al engaño, al abuso de poder o de una situación de vulnerabilidad o a la concesión o recepción de pagos o beneficios para obtener el consentimiento de una persona que tenga autoridad sobre otra, con fines de explotación*"[7]. De dicho precepto se han de resaltar las siguientes ideas claves: i) el delito de trata conlleva un concepto ideal de transporte por el que una persona es 'sacada de un contexto determinado' siendo objeto de una relación de poder para facilitar su explotación, ya sea, sexual, laboral, para la comisión de delitos; mendicidad, matrimonio forzado, extracción de órganos, adopción ilegal, etc., ii) el consentimiento de la víctima es irrelevante cuando el autor ha utilizado cualquiera de las modalidades descritas, presumiéndose la vulnerabilidad en el menor de edad[8]. iii) su naturaleza no internacional, debiéndose prescindir, tal y como matiza el Anteproyecto LOTR, de toda referencia al territorio español y a la víctima nacional o extranjera, a diferencia del delito de tráfico ilegal de personas (*smuggling)* que siempre reviste un carácter voluntario y una naturaleza internacional[9]. iv) Y, por último, la trata de personas (que no requiere para su existencia la explotación o que se cumpla su finalidad) se debería, en mi opinión, regular de modo integral, junto con la incriminación de las modernas formas de esclavitud, tal y

---

6 *Vid. El Plan Estratégico Nacional contra la Trata y Explotación de Seres Humanos,* 2021-2023 [en línea], 2023, https://www.interior.gob.es/opencms/pdf/prensa/balances-e-informes/2021/220112_Plan_nacional_TSH_PENTRA_FINAL_2021_2023.pdf, pp.26-27

7 Para un análisis de la normativa que regula la trata de personas a nivel internacional y nacional, *Ibidem,* pp. 10-23.

8 Entre los medios se ha puesto de manifiesto por nuestro Alto Tribunal que el rito del vudú continúa siendo un medio de coacción para mujeres provenientes de algunos países de África. En concreto, es de interés consultar la Sentencia del Tribunal Supremo de 24 julio de 2019 (*Tol 7431979).*

9 MILANO, V., "Protección de las víctimas de trata con fines de explotación sexual: estándares internacionales en materia del enfoque de derecho humanos y retos relativos a su aplicación en España", *Revista electrónica de estudios internacionales,* n.32, 2016, pp. 1-54; GALLAGHER, A., *The International Law of Human Trafficking,* Cambridge University Press, 2010, pp. 83 y 336.

como lo aborda el Anteproyecto LORT; así como consagrar, explícitamente, que el delito de trata implica una serie de violaciones de sus derechos, desde la restricción de movimientos y la confiscación de sus salarios hasta graves actos de violencia y abusos; detectándose que las redes criminales intentan en la actualidad recurrir a tácticas más sutiles para evitar que la víctima tome conciencia de su situación[10].

En definitiva, la trata de personas se nutre de la pobreza, los desequilibrios sociales y la desigualdad de género, tal y como lo constata los datos publicados por el *Conter-Traffiking Data Collaborative*[11].

2. EL DERECHO A LA REPARACIÓN: DEFINICIÓN Y REGULACIÓN JURÍDICA. LA IMPORTANCIA DE SU CONCESIÓN

2.1. En torno a la concepción omnicomprensiva de reparación y su regulación jurídica

Según la teoría general es sabido que el deber de reparación es un concepto amplio que comprende las siguientes formas: a) *restitución*: como restablecimiento de la libertad, del disfrute de los derechos humanos, de la identidad, de la vida familiar y de la ciudadanía, retorno a su lugar de residencia, reinserción laboral y devolución de sus bienes. En general, se ha definido como la obligación de devolver a la víctima a la situación anterior a la violación de sus derechos humanos, lo que resulta extremadamente difícil en relación con las víctimas de la trata de seres humanos, especialmente con fines de explotación sexual; b) *rehabilitación* que incluye atención médica y psicológica, así como servicios jurídicos y sociales; c) *satisfacción y garantías de no repetición*: que comprende una variedad de medidas, prestando especial atención a la no divulgación de información que

---

10 Tal y como lo refleja el hecho de que los tratantes compartan algo de dinero con ellas para crear la apariencia de que son libres o cómplices o las controlan a través de los teléfonos móviles o cámaras de vigilancia, sin necesidad así de estar en todo momento a su lado (AA.VV. "Estudio diagnóstico: La trata de mujeres y niñas con discapacidad con fines de explotación sexual en España", *Observatorio Estatal de la Discapacidad*, 2022, p.12).

11 Como el primer centro mundial de datos sobre tata de las personas que publica datos armonizados de organizaciones de lucha contra la trata de todo el mundo. *Vid* https://www.ctdatacollaborative.org/page/about

pueda exponer o re-victimizar a las víctimas. Estas medidas van desde la aplicación de sanciones judiciales o administrativas a los responsables de violaciones de los derechos de las víctimas hasta la incorporación del tema en la enseñanza del derecho internacional de los derechos humanos, así como en los materiales educativos a todos los niveles y la publicación de la sentencia; d) y, por último, la *indemnización de daños y perjuicios* a través tanto de la institución jurídica de la *responsabilidad civil (ex delicto)* para compensar monetariamente o *in natura* el daño patrimonial y moral, basada en la ilicitud del hecho y regida por el 'principio de indemnidad', como de los llamados *mecanismos colectivos de indemnización de daños*, en expresión de Viney, cómo serían los fondos estatales cuya creación fomentan los instrumentos internacionales como expresión directa de la solidaridad social y regidos por el 'principio de indemnización tasada'; encuadrándose ambos en el Derecho de Daños[12].

Su consagración legislativa reside, esencialmente, por una parte, a nivel internacional en los '*Principios y directrices básicos sobre el derecho de las víctimas de violaciones manifiestas de las normas internacionales de derechos humanos y de violaciones graves del derecho internacional humanitario a interponer recursos y obtener reparaciones*' (Resolución 60/147 aprobada por la Asamblea General el 16 de diciembre de 2005) y, como instrumento internacional de ámbito regional, en el valioso Convenio nº 197 del Consejo de Europa *sobre la lucha contra la trata de seres humanos*, hecho en Varsovia el 16 de mayo de 2005, ratificado por España el 29 de febrero de 2009. Y, a nivel europeo, en la Resolución del Parlamento Europeo, de 10 de febrero de 2021, *sobre la aplicación* de la Directiva 2011/36/UE (2020/2029 (INI) *relativa a la prevención y lucha contra la trata de seres humanos y a la protección de las víctimas,* que se convirtió en uno de los documentos de referencia en relación a los derechos de las víctimas de trata de seres humanos (la cual España no ha traspuesto); el Protocolo 2014 del Convenio sobre el Trabajo y la Directiva 2012/29/UE del Parlamento Europeo y del Consejo, de 25 de octubre de 2012, *por la que se establecen normas mínimas sobre los derechos, el apoyo y la protección de las víctimas de delitos*[13]. Sin olvidar el más reciente y provechoso Reglamento de la UE 2018/1805 *sobre el mutuo reconocimiento de órdenes de*

---

12 *Vid.* por todos, LLAMAS POMBO, E, *Manual de Derecho Civil,* Tomo VII, Derecho de daños La Ley, 2ª edición, 2024; YZQUIERDO TOLSADA, M. *Responsabilidad civil extracontractual. Parte General,* Dykinson, Madrid, 2023.

13 Y la Directiva 2012/29/UE del Parlamento Europeo y del Consejo, de 25 de octubre de 2012, por la que se establecen normas mínimas sobre los derechos, el apoyo y la protección de las víctimas de delitos.

retención y confiscación ante las dificultades de la localización y embargo de bienes en casos transfronterizos. Por otra parte, a nivel nacional, su regulación se caracteriza por su dispersión, de la cual es dable resaltar la configuración del delito de trata ex art. 177 bis a través de las reformas en 2010 y 2015 del Código Penal 1995, reforzando la responsabilidad penal de las personas jurídicas (artículo 31 bis), el decomiso de los bienes procedentes del delito (artículo 127 y ss.), y los delitos de explotación sexual infantil; junto con los arts. 109 y ss. y 116 y concordantes del mismo cuerpo legal que regulan la responsabilidad civil *ex delicto.* Junto a la Ley 4/2015, of 27 abril, *del Estatuto de la Víctima,* y la más reciente la LO 10/2022, 6 de septiembre, *de garantía integral de la libertad sexual,* que incluye la trata de seres humanos con el propósito de explotación sexual en su ámbito de aplicación en orden a acceder a sus derechos (art. 3). Sin obviar, finalmente, el valioso *Protocolo marco para la protección de las Víctimas de Trata de Seres Humanos* de 28 octubre 2011 como mecanismo de cooperación institucional dado que España no transpuso la Directiva UE 2011, tal y como se ha indicado anteriormente[14].

Una vez expuesto el marco teórico, ha de retomarse la idea sobre la trascendencia que supone para la víctima el acceso a la indemnización, pues a mayor consciencia del vínculo: *pobreza-vulnerabilidad-re-victimización* más se comprenderá la relevancia de hacer efectivo el derecho a la ayuda a las víctimas a recuperarse y empezar de nuevo. Esta convicción está respaldada fuertemente por los testimonios de víctimas de trata en diferentes países de la UE[15]. Pero a la vez, garantizar la compensación a la víctima enviaría un

---

14 El problema principal para la efectividad del derecho a la reparación es la previa identificación formal de la víctima. Para ello, ha sido un gran avance la Resolución de 7 Julio 2022, *relativa a la acreditación administrativa de estatuto de víctima,* que consagra la identificación informal por *ONGs* dando derecho a la víctima a servicios *médicos, sociales, administrativos, etc.,* frente a la identificación formal que es necesaria para la reparación a la víctima y que ha de llevarse a cabo por las Fuerzas y Cuerpos de Seguridad del Estado, problemática en la que no podemos indagar al desbordar el objeto del trabajo.

15 SERENI, A., *Real People. Real lives. Ten years of advocacy for victims of slavery in the UK,* Anti-Slavery International for The Anti-Trafficking Monitoring Group, London, pp.14-17. [en línea] 2019 https://www.antislavery.org/atmg-10-years/ [consulta 17/01/2025]. Y Women's Link Worldwide, *La trata de mujeres y niñas nigerianas: esclavitud entre fronteras y prejuicios,* 2014, Parte 2, pp.2-8. Generalmente, debido a los fallos en el sistema tanto por parte del país de origen, en este caso Nigeria, y el de destino, en este caso España, estas niñas y mujeres vuelven a caer en las manos

mensaje a los traficantes de que dichos crímenes no les van a ser rentables, al ser estos, según datos de Europol, altamente lucrativos[16].

2.2. En concreto, la indemnización de los daños patrimoniales y morales: lesiones gravísimas a las víctimas y el problema de su cuantificación

De modo previo, estimo de interés recordar que lo que es objeto de indemnización para la víctima de un acto ilícito dañoso, derive de un ilícito civil como penal, es el daño patrimonial y/o moral derivado de la lesión a un bien material o de la personalidad. El problema es que en España se utiliza el mismo término para dos conceptos que son diferentes, no existiendo, por tanto, el *tertium genus* del daño corporal al consistir en el daño patrimonial y moral derivado de una lesión a la integridad física de la persona. Aplicando lo expuesto al caso de trata con fines de explotación sexual se puede afirmar que se producen lesiones numerosas y gravísimas tanto a su integridad física a consecuencia de los actos de violación, agresión sexual, embarazo, enfermedades de transmisión sexual y de adquisición y desarrollo de drogodependencias para evadirse tanto de la angustia emocional, como a su integridad psíquica al ser muy común los problemas de salud mental a largo plazo. En este sentido, las investigaciones llevadas a cabo a nivel psiquiátrico demuestran que un porcentaje muy significativo de estas víctimas desarrollan desde un trastorno de ansiedad general y trastorno de estrés postraumático hasta un trastorno de pánico[17]. En defi-

---

de los tratantes, al ser objeto nuevamente de abusos para ser trasladadas otra vez a España (fenómeno del *re-trafficking*).

16 Ref. *The THB Financial Business Model. Assessing the Current State of Knowledge.* July 2015, Europol, La Haya, 2015, p. 12, en TORRES FERRER, C. "La trata de derechos humanos como criminalidad económica: análisis jurisprudencial", *Anuario de Derecho Penal y Ciencias Penales,* vol. LXXVI, 2023, np.3, p. 373. Europol ofreció en 2015 una estimación sobre los beneficios derivados de este negocio ilegal, valorándolos en 29,4 billones de euros, de los cuales 25,8 billones se corresponderían con la trata con fines de explotación sexual.

17 RAMOS GASCÓN, M., *La evaluación psicopatológica de las víctimas de trata de seres humanos con finalidad de explotación sexual,* [en línea], 2019, http://www.phit.ub.edu/wp-content/uploads/2018/12/MarRamos.pdf; ZIMMERMAN C. *et al.*, "Stolen smiles: the physical and psychological health consequences of women and adolescents trafficked in Europe. The London School of Hygiene & Tropical Medicine", London, [en línea], 2006, http://ec.europa.eu/anti-trafficking [consulta 28/01/2025]; MELANIE, A./ OSTROVSCHI, N *et al.*, "Risk factors for mental disorders in women survivors of humantrafficking", 13 BMC *Psychiatry,* 2013, LEVI-

nitiva, estas lesiones a su integridad física como psíquica citadas son las que causan los daños y perjuicios indemnizables a la víctima ex art. 1106 CC: el daño tanto patrimonial que comprende el daño emergente y el lucro cesante como el daño moral (dolor, humillación, ansiedad, sufrimiento, tristeza, intranquilidad, sentimientos de inferioridad, etc.). Al hilo de la gravedad de las lesiones descritas se pondrá de manifiesto la injusticia que suponen las cuantías a las que condenan los Tribunales españoles, algunas nada proporcionales al daño sufrido.

Más allá, la cuantificación de dicho daño es unas de las cuestiones más dudosas y controvertidas, sobre todo la del daño moral por su componente de subjetividad[18]. En concreto, en el caso de la víctima de trata con fines de explotación sexual dicha problemática se agudiza pues el daño moral solo puede llegar a ser establecido mediante un juicio global basado en el sentimiento social de reparación del dolor producido por la ofensa padecida y dirigida a proporcionar en la medida de lo humanamente posible una satisfacción como compensación al sufrimiento que se ha causado. Esto conlleva que los jueces tengan en cuenta datos que, en numerosas ocasiones, los obvian por desconocimiento al depender de la cultura, procedencia y situación particular de la víctima, entre otros, la humillación y la pérdida de dignidad asociada a ser forzada a la prostitución; o el hecho de que algunas de las mujeres y niñas explotadas en la prostitución pueden ser condenadas al ostracismo, estigmatizadas y excluidas por sus familias y comunidades de origen.

Al margen de las dificultades expuestas para la cuantificación del daño moral y de la mayor objetividad que envuelve la cuantificación del daño patrimonial, la discusión en este caso versa sobre cómo valorar las violaciones múltiples sufridas por la víctima, así como determinar el criterio a utilizar para acometer el cálculo del daño patrimonial o la compensación económica por el trabajo o los servicios prestados por la víctima: i) aquel que otorga una compensación por la '*oportunidad de ganancia perdida*', teniendo como ventaja evitar las discusiones sobre la legalidad/ilegalidad de

---

NE, J., "Mental health issues in survivors of sex trafficking", *Cogent Medicine,* vol 4, 2017, issue 1 [enlínea], https://www.researchgate.net/publication/312097148_Mental_health_issues_in_survivors_of_sex_trafficking [consulta 22/01/2025].

18 GÓMEZ LIGÜERRE, C., "Concepto del daño moral", en *El daño moral y su cuantificación* (Dirs. Gómez Pomar, F./ Marín García), Bosch, Barcelona, 2015, pp. 27-78 y 65-67 con referencia a Geistfeld, Mike, "Placing a price on pain and Suffering: A Method for Helping Juries Determine Torts Damages for Nonmonetary Injuries", *California Law Review,* vol. 83, núm. 3, 1995, p. 773-852.

la prostitución y considerando, simplemente, el período de tiempo en el que la mujer fue privada de la oportunidad de desempeñarse en un trabajo en orden a reclamar, al menos, el salario correspondiente a ese período (caso británico At and others v Dulghieru and another, 2003)[19]. ii) Frente al enfoque que radica en basar la compensación a otorgar a la víctima como indemnización por daño patrimonial en la *'reclamación de los salarios no pagados'*, lo cual no está exento de dificultad en contextos en los que el trabajo sexual no se acepta como concepto. No obstante, esta segunda perspectiva fue iniciada en los Países Bajos, como país que legaliza la prostitución, y está teniendo seguimiento en la actualidad[20].

En concreto, a nivel jurisprudencial, los tribunales españoles parecen entender que solo es indemnizable el daño moral sufrido por la víctima de trata humana, sobre todo con fin de explotación sexual, tal y como lo refleja la primera sentencia en España por trata interna de personas, en concreto la SAP de Sevilla de 9 de junio de 2020 *(Tol 8648741)* en el que se condena a los acusados a un delito de trata de personas en concurso medial con un delito de prostitución coactiva, pero con las circunstancias atenuantes de confesión y drogadicción y, al mismo tiempo, a la indemnización a la víctima de 30.000 euros por daño moral. A pesar de las críticas expuestas, en lo que concierne a la *prueba del daño moral*, y siendo regla general que el daño moral habrá de ser, en lo posible, objeto de la debida probanza o demostración por parte del perjudicado ex art. 117 LEC, en el caso en estudio son significativos los pronunciamientos judiciales que afirman, a mi parecer de modo justo y certero, la presunción del daño moral[21].

---

19 Se defiende, incluso, que habría que tener en cuenta en dicha valoración la pérdida de oportunidades, como el empleo o la educación, y la pérdida de ingresos o del potencial de ganancia, así como el curso que podría haber tomado la vida de una mujer si no hubiera sido víctima de la trata y si el hecho de ser víctima de la trata causó un daño grave al plan de vida de la mujer (LAM, J/ SKRIVANKOVA, K., *Opportunities and obstacles: ensuring access to compensation for traffked persons in UK*, ed. Antislavery International, 2009, p.13).

20 SKRIVANKOVA, K., "Reparaciones efectivas para víctimas de trata de personas-indemnización para víctimas", *Reparación integral: un derecho de las víctimas de trata*, Ministerio de la Defensa y Embajada británica en Argentina, Buenos Aires, 2018, pp. 101- 115, en especial, pp. 110-111.

21 "*La trata de seres humanos es un delito que necesariamente y por su propia naturaleza ha de producir en el sujeto pasivo un daño moral, que precisamente por ello no es está siquiera necesitado de una especial probanza* (SAP de Sevilla de 20 de octubre de 2016).

3. SÍNTESIS DE BARRERAS, BUENAS PRÁCTICAS Y RECOMENDACIONES EN EL ÁMBITO EUROPEO

A pesar del marco legal existente, se constata que las *barreras legales, procesales, financieras y prácticas* que existen en la actualidad hacen muy difícil que las víctimas de trata y explotación tengan acceso a una reparación efectiva, incluida la indemnización. Las consecuencias de dichas dificultades, de diferente carácter y naturaleza, se reflejan en el estudio *Justice at Last* llevado a cabo por La *Strada International* en el 2018 de más de sesenta casos de víctimas de la trata de personas y delitos conexos, entre ellas españolas[22], de cuyos resultados se infiere que solo el veinticinco por ciento de las víctimas a quiénes se le concedió la indemnización, finalmente, la recibieron, identificando grandes diferencias en las cuantías y lentitud en los procesos[23].

i) En concreto, y aunque no se puede indagar en las mismas en toda su profundidad, las barreras se pueden dividir en tres categorías: en primer lugar, las relativas a la situación de *vulnerabilidad de la víctima* que se concretan, por una parte, en la falta de confianza en la ley; en el inadecuado acceso a la información al tener la víctima derecho solo en el proceso criminal a una traducción gratuita, excluyendo al civil y administrativo (en la mayoría de las ocasiones la información se proporciona utilizando un formulario estándar escrito en el idioma local y en una complicada terminología jurídica) y, solamente, en el primer contacto (art. 4 Directiva 2012) que es cuando la víctima tiene más problemas para asimilarla; y en la

---

22 Este proyecto es el consorcio coordinado por La Strada International y tiene como socios: Bulgaria (Animus Association), Czech Republic (La Strada), Spain (SICAR cat and Proyecto Esperanza), Germany (KOK), Austria (LEFO), Netherlands (FairWork), Ireland (MRCI), Romania (Adpare), Macedonia (Open Gate/ La Strada) and Serbia (ASTRA). *Vid.*, "Justice at last", [en línea], 2018, https://www.justiceatlast.eu/justice-at-last/ [consulta 20/01/2025].

23 Para profundizar, *vid.* SORRENTINO, L., "Legal Assessment. Compensation practices. Working paper", *Justice at Last. European Action for compensation for victims of crime,* La Strada International, pp. 11-12 [en línea], 2018, https://www.proyecto-esperanza.org/wp-content/uploads/2019/04/Justice-at-Last-Working-Paper-Legal-assessment-Compensation_practices-La-Strada-International-2018-Liliana_Sorrentino.pdf[consulta 20/01/2025]. Y, "Documento de Análisis e incidencia política", *Justice al last,* ob,cit, [en línea], https://www.justiceatlast.eu/wp-content/uploads/2019/06/Justice-at-Last-LSI-2019-Policy-Paper_240519_DEF.pdf. Y, VVAA. "Strategies to End Double Violence Against Undocumented Migrant Women: Protecting Rights and Ensuring Justice" [en línea], 2012, www.picum.org, [consulta 20/01/2025].

privación de denuncia segura violando el art. 8.5 Directiva 2012 que conmina a que se realice una estricta separación entre el control y la aplicación de la ley de inmigración y la protección de los derechos fundamentales. Y, por otra parte, en *la falta de asistencia legal especializada,* pues es contradictorio que mientras los servicios de apoyo a las víctimas son proporcionados principalmente por las ONGs, la financiación estatal para garantizar las medidas de apoyo establecidas por los instrumentos internacionales es, o bien inexistente, o bien limitada al estar solamente disponibles para los procesos criminales y sin la calidad requerida, excluyendo de los mismos a los migrantes indocumentados que sufren deportación durante los procesos civiles (lo cual mejora de modo loable el art. 44.3 Anteproyecto LOTR), a lo que se une el hecho de estar ante *procesos complejos y largos*[24]. En segundo lugar, las barreras relativas a *otros actores implicados* que se precisan en *la falta de formación e implicación de aquellos actores jurídicos* que juegan un papel clave, dado que la policía, los fiscales, los abogados y los jueces no siempre son conscientes de la importancia crucial de la indemnización de las víctimas, ni están siempre plenamente informados y sensibilizados sobre los derechos de las víctimas de delitos y los procedimientos de remisión nacionales e internacionales en relación con reclamación de indemnizaciones[25].

Y, por último, pero no por ello menos importante, *existen los obstáculos relacionados con un sistema defectuoso de ejecución de sentencias de indemnización,* sobre todo en los casos transfronterizos, lo cual está rodeado de una complejidad en la que no se puede indagar por desbordar el objeto del

---

24 Los Estados miembros de la UE deberían desarrollar formas de acelerar los procedimientos, aplicando bien el procedimiento de adhesión en los procesos penales en materia de indemnización (en lugar de remitir la demanda de indemnización a un proceso civil, en el que la víctima soporta la carga de la prueba y paga las tasas judiciales) o, bien, las órdenes de indemnización impuestas por los jueces.

25 Por ejemplificar, se recurre al argumento de la ilegalidad y la inmoralidad para rechazar las reclamaciones, bien negando la concesión de la indemnización por el daño patrimonial o lucro cesante derivado de la prostitución debido a la supuesta inmoralidad o ilegalidad del trabajo sexual; bien rechazando la indemnización por el daño patrimonial derivado de los salarios impagados basándose en que el trabajador fue contratado de forma irregular y dicha concesión constituiría un beneficio injustificado. Inclusive, el hecho de que las sentencias no explican su razonamiento de modo suficiente respecto a la concesión y cuantificación de la solicitud de indemnización, tiene implicaciones negativas para el derecho de las víctimas a ejercitar el derecho a recurrir las sentencias. De modo esperanzador, existen avances como la creación de la Red Europea de Abogados impulsada por el Consejo de Europa (https://www.coe.int/en/web/anti-human-trafficking/lawyers-network)

trabajo. Pero de modo sintético, con demasiada frecuencia, los delincuentes desaparecen, ocultan sus bienes y son insolventes, de tal modo que sólo una pequeña proporción de los activos delictivos derivados de la trata y los delitos conexos se localiza, se incauta y se confisca (las medidas con las que suelen contar son la anotación o los embargos preventivos, antes de la celebración del juicio, pero dependen siempre de la localización de estos bienes embargables). Y lo que es más importante, en la mayoría de los casos las investigaciones penales no suelen incluir investigaciones financieras en profundidad, al no dar prioridad el Ministerio Fiscal a la confiscación y el decomiso de los bienes producidos por la explotación, con el fin de garantizar que las víctimas reciban una compensación[26]. Sin embargo, esta obligación de confiscación surge de la Convención de las Naciones Unidas contra la Delincuencia Organizada Transnacional. (art. 12) y de la Guía Anotada del Protocolo contra la Trata de Personas de la ONU que conmina a que: "Los activos deben utilizarse para pagar la indemnización, la restitución y los daños causados a las víctimas de la trata y la asistencia integral en los países de destino, tránsito y origen de las víctimas de la trata. Los gobiernos no deben utilizar el producto de la trata para otros fines y quienes lo hagan son culpables de beneficiarse de los delitos cometidos por los traficantes. *Los bienes de la trata representan el producto del trabajo forzado, del sufrimiento y de las violaciones de los derechos humanos que sufren los seres humanos y las víctimas de la trata y, por lo tanto, estos bienes deben distribuirse en beneficio de las víctimas de la trata"*.

ii) Una vez abordadas las barreras, es de todo punto de interés traer a colación, sucintamente, algunas *buenas prácticas* en torno a la compensación de la víctima. En primer lugar, respecto a la regulación jurídica de la acción de responsabilidad civil, al margen de ser España un referente, como es sabido, en habilitar la acción civil dentro de la investigación penal[27]; en USA la *Traffiking Protecting reauthorization* 2008 consagra que los tri-

---

26 Para ello consultar FERČÍKOVÁ KONEČNÁ.I., "Working paper. Cooperation on access to compensation on cross-border situtation", Justice al Last, [en línea], 2018, https://www.justiceatlast.eu/publications/compensation-in-cross-border-context/ [consulta 22/01/2025]. Resaltar, al respecto, la labor de La *Camden Assets Recovery Interagency Network* (CARIN), como red Informal de operadores jurídicos que, no obstante, tienen como límite el acceso a bases de datos nacionales.

27 En los arts. 108 LECrim y 11 Ley 4/2015, del Estatuto de la Víctima del delito, se regula la obligación del Ministerio Fiscal de requerir una indemnización a las víctimas y ejercitar la acción civil junto con la penal, a excepción de la renuncia de la víctima o su reserva para ejercerla, posteriormente, en la jurisdicción civil, y

bunales federales de EE.UU ordenarán la restitución por cualquier delito cometido en virtud de la legislación contra la trata. Y en sentido parecido, la *Modern Slavery Act 2015*, section 8, prevé que si el Ministerio Fiscal no solicita la indemnización (ni la víctima) los Tribunales tienen la facultad de ordenarla como parte de la sentencia, y aunque es discrecional se exhorta y alienta a los tribunales en dicho sentido. En segundo lugar, respecto a la *especialización de los actores jurídicos* es loable la labor que acometen Alemania, los Países Bajos y, especialmente, Austria donde la financiación está legalmente asegurada, garantizando que los abogados reciban una formación específica por el Colegio de abogados. En tercer lugar, es encomiable que se *garantice la efectividad del cobro de la indemnización* a la víctima de trata a través de dos mecanismos: por un lado, el más favorable en mi opinión al regirse por el principio de indemnidad, la responsabilidad civil subsidiaria del Estado en los Países Bajos que consagra el derecho de la víctima de trata, a quien le han concedido el derecho a ser indemnizado en el curso de un procedimiento penal, a recibir del Estado dicha indemnización como anticipo, y sea el Estado el que asuma la responsabilidad de recuperar el importe del delincuente, ejercitando el correspondiente derecho de repetición[28]. Y, por otro lado, la creación de fondos estatales que concederían a la víctima de trata una indemnización tasada, como es el establecimiento en Argentina en 2014 del Fondo de Asistencia Directa a las Víctimas del Delito, en el marco del Consejo Federal para la Lucha contra la Trata y la Explotación de Personas y para la Protección y Asistencia a las Víctimas, teniendo como fin primordial cubrir los montos de restitución que eventualmente fijen los Jueces cuando no haya sido posible obtener ese dinero a partir del proceso de recuperación llevado a cabo en la causa[29]. Asimismo, el Anteproyecto LORP en España prevé dicho mecanismo colectivo, tal y como se desarrollará más detenidamente en el siguiente epígrafe.

---

esto con independencia del papel que asuma el MF por la víctima en el proceso penal.

28 MARKOVA, D., "Victims Nedds Assessments. Working Paper", en *Justice at Last.* ob.cit, [en línea], 2018, https://www.justiceatlast.eu/wp-content/uploads/2019/06/Justice-at-Last-Working-Paper-Victims%E2%80%99-Needs-Assessment-Diliana-Markova.pdf. p. 10.

29 MÁNGANO, M.A./COLOMBO, M., "Breves notas sobre la reparación a las víctimas de trata de personas a través del recupero de activos" y RODRÍGUEZ, M.V., "Amicus curia y el derecho a la reparación en *Reparación integral: un derecho de las víctimas de trata de personas,* ed. Ministerio Público de la Defensa, Buenos Aires, 2018, respectivamente, pp.86-99 y pp. 22-23.

iii) Finalmente, y teniendo como base lo anteriormente expuesto, se pueden concluir una serie de *recomendaciones* llevadas a cabo, sobre todo, por la Resolución del Parlamento Europeo de 10 febrero de 2021 *sobre la aplicación de la Directiva de 2011 relativa a la prevención y la lucha contra la trata de seres humanos y la protección de sus víctimas*[30], y la nueva Estrategia de la Unión Europea de lucha contra la trata de seres humanos (2021-2025), centrada, junto a la prevención del delito y el enjuiciamiento de los traficantes y la protección *en el empoderamiento de las víctimas*[31]. En concreto, se hará referencia a las relativas a la investigación financiera y a la prevención de *la re-victimización,* sin poder abordar las cuestiones relacionadas con la identificación de la víctima, la función especializada de los actores jurídicos y los supuestos transfronterizos. En concreto, en r*elación a las investigaciones financieras,* se insta a los Estados al uso sistemático de investigaciones financieras y otros instrumentos de investigación eficaces que puedan proporcionar diferentes tipos de pruebas para reducir la carga de las víctimas y sus declaraciones durante los procedimientos de obtención de pruebas[32].

---

30 https://www.europarl.europa.eu/doceo/document/TA-9-2021-0041_ES.html y MARKOVA, D., *op. cit.*, pp. 19-22.

31 Https://ec.europa.eu/commission/presscorner/detail/es/ip_21_1663

32 Para ello indagar en FERČÍKOVÁ KONEČNÁ, *op.cit.*, pp. 39-50, que indica que el Reglamento (EU) 2018/1805 del Parlamento Europeo y del Consejo de 14 noviembre, *sobre el reconocimiento mutuo de las órdenes de decomiso,* insta a los Estados a concienciar sobre la posibilidad de que las víctimas denuncien el delito desde otro país de la UE distinto de donde se produjo el delito y formar a todas las partes interesadas para que apoyen a las víctimas en los procedimientos judiciales y en la reclamación de indemnizaciones, teniendo como consecuencia la implementación de mecanismos alternativos para denunciar el delito y testificar en un país distinto al del enjuiciamiento, incluido el apoyo a los testimonios en vídeo. Y, a nivel ejecutivo, el Reglamento establece que los Estados miembros deberían crear, por una parte, '*unidades nacionales multidisciplinares de aplicación de la ley en materia de trata de seres humanos*', las cuales deberían de funcionar como puntos de contacto para las agencias de la UE, en particular Europol, y transmitir la información recogida a las unidades nacionales de Europol (aumentar la cooperación policial y judicial transfronteriza). Y, por otra, '*una plataforma de la UE de organizaciones de la sociedad civil y proveedores de servicios*' que trabajen en la protección y asistencia a las víctimas en los Estados miembros y en terceros países seleccionados. Más allá, los expertos recomiendan establecer técnicas de investigación especiales y con base legal que se apliquen en toda la UE: escuchas telefónicas, pago de dinero a informantes, técnicas y herramientas similares a las utilizadas en las investigaciones del tráfico de drogas. Estas técnicas y herramientas no deben limitarse a las investigaciones relativas a los niños víctimas de la trata y han de incluir los avances tecnológicos, incluidos los teléfonos inteligentes e Internet·

Más en concreto, se advierte que éstas deberían comenzar lo antes posible por la Policía y el Ministerio Fiscal. A mayor abundamiento, existe una propuesta de todo punto de interés elaborada por el llamado grupo de expertos Oñati en 2018 en orden, por una parte, a que se modifique la Directiva del 2011 en el sentido de sustituir la expresión de que los jueces 'podrán' por 'deberán' confiscar y embargar los bienes de los traficantes. Y, por otra parte, a que al inicio de la investigación se realice un inventario completo de los bienes (lista original de bienes) la cual podrá compararse con lo que el esfuerzo del proceso de prosecución descubre (lista final de activos), posibilitando fácilmente el registro de las discrepancias (propuesta 1 y 2 para modificar el art. 7 Directiva 2011). En definitiva, como sostienen Jones y Winterdyk, otro de los pilares consistiría en evitar la práctica muy común de que la indemnización concedida por la víctima se entregue directamente al traficante para evitar represalias, de tal modo que habría modificar la Directiva 2011 en el sentido de que las órdenes de indemnización se mantengan confidencialmente de forma indefinida, que no estén sujeta a impuestos y que deban interpretarse de forma amplia, incluyendo, por ejemplo, la contratación por parte de una empresa y/o la cantidad monetaria[33].

4. SUCINTA REFERENCIA CRÍTICA A LOS ARTÍCULOS 43 A 46 DEL ANTEPROYECTO LOTR

España daría un paso hacia la justicia con las víctimas de trata, en lo que concierne a garantizar su derecho a la compensación, con la promulgación de La Ley Orgánica Integral contra la Trata y la Explotación de Seres Humanos, cuyo Anteproyecto se ha referenciado al inicio del estudio.

Tras un sumario análisis se puede afirmar que el Anteproyecto, de modo provechoso, regula la desvinculación de los derechos de víctima (entre ellos el de indemnización) de su denuncia y de su participación en el proceso penal (art. 31), y la inclusión del lucro cesante entre los conceptos que deben ser objeto de resarcimiento, debiéndose hacer el pago de la indemnización, aunque la víctima regrese a su país de origen o a otro país (art. 32). Asimismo, de modo loable, se regula la creación del Fondo para la indemnización de las víctimas de trata y de explotación (FIVTE),

---

33 JONES, J./WINTERDYK, J., "Human Trafficking: Challenges and Opportunities for the 21 st Centery. Outcomes and Proposals" *Oñati Socio-legal Series,* vol. 8, núm.1, [en línea], 2018, https://opo.iisj.net/index.php/osls/article/view/920/1083.

adscrito a la Administración General del Estado a través del Ministerio del Interior, teniendo como objeto garantizar la financiación del derecho a la indemnización y restitución de las víctimas cuando no haya existido pronunciamiento judicial sobre la responsabilidad civil (art.45)[34]. Al respecto, estimo restrictivo consagrar el derecho a una compensación económica adecuada en forma de indemnización que puede obtenerse de los tratantes o explotadores, en el marco del proceso penal, *o del Estado 'solamente' cuando no haya existido pronunciamiento judicial sobre la responsabilidad civil, a través del Fondo,* al excluir los casos en los que exista pronunciamiento judicial al respecto pero la víctima no pueda recibir la indemnización por todos los motivos expuestos a lo largo del trabajo. De igual modo, el hecho de que el art. 45.8 prevea que el Gobierno adoptará las disposiciones necesarias para regular el funcionamiento, especificando las circunstancias en que se pagará la indemnización, nos lleva a preguntarnos si se excluirá a la víctima en situación irregular, como se les exceptúa del Fondo estatal creado por la Ley 35/1995 *sobre la ayuda y asistencia a las víctimas de delitos violentos y contra la libertad sexual,* vulnerando, de tal modo, la normativa internacional. Por último, el Anteproyecto utiliza un término impreciso, a mi parecer, al afirmar que el juez o tribunal 'destinará' en vez de 'deberá destinar' los bienes y ganancias embargados o decomisados a indemnizar a la víctima con preferencia a cualquier otro pago que deba realizar el condenado a la responsabilidad civil.

Es de interés poner de manifiesto que la carencia de un Fondo estatal para compensar a las víctimas ha sido puesta de manifiesto de modo reiterado por la Red española contra la trata de personas (RECTP) para la coordinadora europea de lucha contra la trata (Greta) relativa a la implementación del Convenio de Europa sobre la lucha de Trata de Seres humanos[35], al denunciar desde el 2015 que, a pesar de que *el primer Plan Integral*

---

34 Art. 45. 3 Anteproyecto LOTR. 3. "Se crea el Consejo Gestor del Fondo para la indemnización de las víctimas de trata y de explotación, adscrito al Ministerio del Interior. Su composición y funcionamiento se determinará reglamentariamente". Por otra parte, no comparto la crítica del Informe del Consejo General del Poder Judicial al 44.2, conminando a su reforma, el cual reza que el órgano judicial deberá adoptar 'con carácter urgente' todas las medidas necesarias para identificar y decretar el embargo o asegurar el decomiso de los bienes y ganancias de los presuntos autores, antes de que aquéllos puedan resultar inaccesibles, en el sentido de que atenta contra la independencia judicial de los magistrados instructores.

35 [En línea], 2015, https://www.proyectoesperanza.org/wp-content/uploads/2019/06/2015_INFORME-RECTP-para-COORDINADORA-EU-CONTRA-LA-TRATA.pdf [consulta 20/01/2025].

de Acción de lucha contra la Trata de seres humanos con fines de explotación sexual planteaba la creación de un fondo con los activos de los/as tratantes que habían sido confiscados para ofrecer asistencia a las víctimas y fortalecer la acción policial, España venía adoleciendo de su falta[36]. Más allá, es revelador que RECTP en su tercer informe a Greta, en el 2022, siga insistiendo en el establecimiento de un fondo de compensación estatal específico, y en los términos del Convenio de Varsovia que conmina a que sea garantizado a través de los bienes decomisados para la compensación subsidiaria, tanto para personas víctimas de trata que residan en España como para aquellas que hayan sido expulsadas del territorio español, aplicando el principio de territorialidad. En la misma línea, dicho organismo evidencia la falta de recursos materiales para víctimas no judicializadas, proponiendo que las oficinas de Asistencia a las Víctimas asuman la función de información y apoyo en la tramitación de la indemnización[37].

En definitiva, al margen de las críticas expuestas, propondría que dicha Ley positivizara la función punitiva o bien de desagravio de la responsabilidad civil derivada del delito de trata humana, puesto que ayudaría a garantizar la efectividad de dicho derecho sin romper el principio de indemnidad que rige la institución jurídica pues el exceso de la cuantía indemnizatoria no la recibiría la víctima sino el Fondo estatal[38]. Y, sobre todo, que se superara la llamativa ausencia de medidas presupuestarias en la Memoria de Análisis de Impacto Normativo (MAIN) y de una certificación detallada de los importes necesarios para la puesta en marcha del sistema, salvo en lo atinente a la creación de una Fiscalía especializada en trata y explotación de seres humanos. Es de todo punto necesario que la Ley ven-

---

36 Por ello, y de modo subsidiario, el Informe proponía que las autoridades deberían modificar la ley 35/1995 de manera que todas las víctimas de trata tengan acceso a las indemnizaciones del Estado, independientemente de su nacionalidad, tipo de explotación y sin necesidad de haber sufrido daños corporales graves o daños físicos o mentales serios como resultado de la trata.

37 Disponible en: https://www.caritas.es/main-files/uploads/2022/07/Informe-GRETA_RECTP_febrero2022.pdf.

38 Asimismo, me pregunto si sería posible demandar a alguien que no sea la persona que ha cometido el delito, pero se beneficia económicamente del mismo y lo sabía o debía saberlo. En este sentido es interesante y útil la redacción de nuevo párrafo al art. 122 CP al positivizar la responsabilidad civil por título lucrativo, en la línea de la reforma operada en USA en 2008, *del Traffiking Protecting reauthorization*H.R.7311 - William Wilberforce Trafficking Victims Protection Reauthorization Act of 2008 Disponible en: https://www.congress.gov/bill/110th-congress/house-bill/7311

ga acompañada de las medidas presupuestarias necesarias que garanticen la disposición de medios materiales y personales suficientes y adecuados, de lo contrario la misma quedaría en letra muerta; tal y como lo asevera la RECTP en 2022[39] al evidenciar que Ley General de Presupuestos que cada año aprueba España a final de año no especifica una partida presupuestaria destinada a la lucha contra la trata, ni tampoco se encuentra publicada dicha información por las FCSE.

5. A MODO DE EPÍLOGO

La trata de seres humanos es conocida como la esclavitud contemporánea o del siglo XXI y constituye uno de los delitos más denigrantes para la dignidad humana de cuantos se conocen, ya que supone la degradación de cualquier persona hasta convertirla en una mera mercancía que se puede intercambiar o explotar. Ante todo, entraña una grave violación de los derechos humanos, pero es también una de las actividades criminales más lucrativas a nivel mundial, sólo por detrás del tráfico de drogas.

Y para hacer frente a dicha lacra, de las líneas expuestas se desprende, por una parte, que la *indemnización es un instrumento importante de la legislación y la política de lucha contra la trata de seres humanos que sirve para fines reparadores, punitivos y preventivos,* de tal modo que no se puede relegar a un lugar secundario. Y, por otra parte, que esta constatación contrasta, en la práctica, con el preocupante dato de que solo pocas víctimas de trata obtengan finalmente indemnización, lo que conlleva su re-victimización y muy altos costes para nuestra sociedad. En definitiva, solamente cuando la sociedad civil, los organismos públicos y entidades privadas unan sus fuerzas en la lucha contra la trata de seres humanos se asegurará la esperanza

---

39 Recomendaciones para GRETA de la Red Española Contra la Trata de Personas (RECTP) al Tercer Informe Relativo a la implementación del Convenio de Europa sobre la lucha contra la Trata de Seres Humanos, 2022, pp. 124-125. El Plan tampoco especifica los medios técnicos o recursos humanos con los que cuentan las FCSE (UCO y UCRIF) para llevar a cabo su lucha contra la trata más allá de "potenciar la actuación de las unidades específicas dedicadas a la prevención y la lucha contra la trata de seres humanos y la asistencia a las víctimas [en línea], 2022, https://www.caritas.es/main-files/uploads/2022/07/Informe-GRETA_RECTP_febrero2022.pdf [consulta 17/01/2025).

de que la justicia sea más fuerte que la parcialidad y corrupción en el mundo que habitamos, y, en el fondo, en cada ser humano[40].

6. BIBLIOGRAFÍA

ESTIARTE, V.C., GARGALLO, P.A, *La trata de seres humanos tras un decenio de su incriminación. ¿Es necesaria una ley integral para luchar contra la trata y la explotación de seres humanos?*, Tirant lo Blanch, Valencia, 2022.

FERČÍKOVÁ KONEČNÁ. I.,"Working paper. Cooperation on access to compensation on cross-border situtation", Justice al Last, [en línea], 2018, https://www.justiceatlast.eu/publications/compensation-in-cross-border-context/

GÓMEZ LIGÜERRE, C., "Concepto del daño moral", en *El daño moral y su cuantificación* (Dirs. Gómez Pomar, F./ Marín García), Bosch, Barcelona, 2015, pp. 27-78.

JONES, J./WINTERDYK, J., "Human Trafficking: Challenges and Opportunities for the 21 st Centery. Outcomes and Proposals", *Otañi Socio-legal Series* (online), 8(1), 2018, pp. 165-183. Disponible en: http://ssrn.com/abstract=3098105.

LUCEA SÁENZ, A., *Erradicar la trata de personas. Una cuestión de Derechos Humanos,* ed. Sepín, Madrid, 2017.

MÁNGANO, M.A./COLOMBO, M., "Breves notas sobre la reparación a las víctimas de trata de personas a través del recupero de activos", en *Reparación integral: un derecho de las víctimas de trata de personas,* ed. Ministerio Público de la Defensa, Buenos Aires, 2018, pp. 86-99.

MARKOVA, D., "Victims Nedds Assessments". Working Paper, *Justice at Last. European Action for compensation for victims of crime.* d. La Strada Internationa and Animus Association Foundation, Viena, 2018.

MILANO, V., "Protección de las víctimas de trata con fines de explotación sexual: estándares internacionales en materia del enfoque de derecho humanos y retos relativos a su aplicación en España", *Revista electrónica de estudios internacionales,* n. 32, 2016.

SERENI, A., *Real People. Real lives. Ten years of advocacy for victims of slavery in the UK,* Anti-Slavery International for The Anti-Trafficking Monitoring Group, London, 2019, [en línea], 2019, https://www.antislavery.org/atmg-10-years/

SKRIVANKOVA, K., "Reparaciones efectivas para víctimas de trata de personas-indemnización para víctimas", en *Reparación integral: un derecho de las víctimas de trata,* Ed.

---

[40] Esta idea la transmite el poeta inglés John DONNE en "Bells are tolling for you": "(…) Ningún hombre es una isla por sí mismo. Cada hombre es un trozo del continente, una parte del todo. Si el mar se lleva un trozo de tierra, toda Europa queda disminuida, como si fuera un promontorio, o la casa de uno de tus amigos, o la tuya propia. Ninguna persona es una isla; la muerte de cualquiera me afecta, porque estoy unido a toda la humanidad; por eso, nunca preguntes por quién doblan las campanas; doblan por ti"

Ministerio de la Defensa y Embajada británica en Argentina, Buenos Aires, 2018, pp. 101-115.

SORRENTINO, L., "Legal Assessment. Compensation practices. Working paper", *Justice at Last. European Action for compensation for victims of crime,* La Strada International, [en línea], 2018, https://www.justiceatlast.eu/justice-at-last/ [consulta 20/01/2025].

VVAA. "Strategies to End Double Violence Against Undocumented Migrant Women: Protecting Rights and Ensuring Justice", [en línea], 2012, www.picum.org.

Sección III
DERECHOS SEXUALES Y REPRODUCTIVOS DE LAS MUJERES

Derechos y libertades de las mujeres en los procedimientos obstétricos[*]

ANDREA MACÍA MORILLO
Profesora Titular de Derecho civil
Universidad Autónoma de Madrid

1. INTRODUCCIÓN

1. La gestación es una facultad que, al menos por el momento, tienen en exclusiva las mujeres. Es el cuerpo femenino el que está dotado de los órganos necesarios y el que cuenta con los mecanismos biológicos que permiten iniciar y desarrollar el proceso de gestación. Del mismo modo, la mujer es la que se adapta y sufre el impacto que conlleva la embarazo, tanto en su morfología como en los cambios hormonales asociados a este proceso, de trascendencia variable en cuanto a su incidencia en su realidad diaria y en su experiencia vital. Consiguientemente, se trata de un proceso que incide de manera directa en sus derechos y libertades, especialmente, el libre desarrollo de la personalidad y el derecho a la integridad física (respectivamente, arts. 10 y 15 CE), pero también en el derecho a su intimidad personal (art. 18 CE).

2. Desde el punto de vista médico, la mujer es la protagonista del proceso obstétrico. Cualquier acto médico de seguimiento o control del embarazo debe girar en torno a la mujer gestante, su situación y bienestar. Sin embargo, su condición de paciente es peculiar, puesto que también el embrión o feto que porta en su seno es objeto de atención sanitaria. Esto la relega en ocasiones a un segundo plano, especialmente en la fase final de la gestación: en el momento del alumbramiento, donde —salvo en los casos en los que corre un peligro o riesgo directo la salud de la madre—, los facultativos parecen tomar como protagonista y director de sus actuaciones al inminente *nasciturus*.

---

[*] Este trabajo se ha realizado en el marco del Proyecto de Investigación: «Hacia una revisión del principio de solidaridad familiar: análisis de su alcance y límites actuales y futuros», PID2029-100/AEI/10.13039/501100011033, financiado por Ministerio de Ciencia e Innovación. Investigadoras Principales: Alma María Rodríguez Guitián y Pilar Benavente Moreda.

3. Desde el punto de vista legal y jurídico, también puede apreciarse esta relegación de la mujer en el proceso gestacional. No está sola —jurídicamente hablando— en esa fase que resulta de trascendencia vital para la mujer, pues no solo comparte el foco legal con la protección del *nasciturus*, como bien constitucionalmente protegido, sino que adicionalmente concurren en este proceso derechos e intereses de otros sujetos o de la sociedad en su conjunto. Éstos se contraponen a los de la gestante e, incluso, en ocasiones —justificada o injustificadamente—, se le anteponen, robándole el papel protagonista a la mujer y a sus derechos y libertades.

4. Por unos y por otros, el resultado es que, pese a la realidad física, no es siempre la mujer la que ocupa el papel protagonista en la regulación de los procesos obstétricos. En esta línea, este breve trabajo pretende poner de relieve cuál es la situación actual de los derechos y libertades de las mujeres en los momentos clave del proceso gestacional. Para ello, nos vamos a detener de forma sucesiva en el proceso de gestación y en el momento del parto, como hitos clave en el embarazo.

2. DERECHOS Y LIBERTADES DE LAS MUJERES DURANTE LA GESTACIÓN: SEGUIMIENTO DEL EMBARAZO Y ABORTO

5. El desarrollo del embarazo no cuenta con una regulación específica, en tanto que proceso natural en el que poco hay que legislar. Ciertamente, el progresivo reconocimiento de los derechos reproductivos en los ordenamientos occidentales ha llevado a proclamar un derecho a decidir si procrear o no, emanación del libre desarrollo de la personalidad (art. 10 CE); pero tal derecho se refiere al inicio del proceso: la concepción. Superado ese estadio previo y comenzada la gestación, su seguimiento y control se lleva a cabo conforme a protocolos médicos, no conforme a normas jurídicas.

6. Más allá de una genérica mención en el artículo 27 de la LO 2/2010, de 3 de marzo, de salud sexual y reproductiva y de la interrupción voluntaria del embarazo (en adelante, LO 2/2010), procedente de la reforma llevada a cabo por la LO 1/2023, a que “Las administraciones públicas competentes promoverán la prestación de servicios de ginecología y obstetricia que respeten y garanticen los derechos sexuales y reproductivos, tanto en el ámbito de la sanidad pública como en la privada”, poco más se encuentra. Tal precepto, completado con los subsiguientes artículos 29 y 30, apela a la responsabilidad institucional de las administraciones públicas para la garantía de estos derechos, promoviendo la adecuada formación

del personal de los servicios de ginecología y obstetricia y velando por las buenas prácticas, así como la promoción y garantía de los derechos sexuales y reproductivos en este ámbito.

7. Podría, no obstante, haberse hecho algo más de énfasis normativo en la garantía de los derechos de la embarazada durante el proceso gestacional, como paciente que es; en especial, en relación con la información que recibe durante el seguimiento del embarazo respecto de su estado y el del *nasciturus*, así como respecto de sus opciones. Aunque en este extremo la gestante no es diferente de cualquier paciente y queda amparada por los mismos derechos que reconoce en general el artículo 4 de la Ley 41/2002, de 14 de noviembre, básica reguladora de la autonomía del paciente y de derechos y obligaciones en materia de información y documentación clínica (en adelante, LBRAP), podría haber sido conveniente un recordatorio normativo de tales derechos para el caso concreto de las gestantes, al igual que se hace de manera específica en el citado artículo 27.a) LO 2/2010 respecto del consentimiento informado en el momento del parto. Y es que la realidad muestra que la información proporcionada a nuestras gestantes no siempre es todo lo completa que habría sido deseable[1]. Por ello, quizá un recordatorio legislativo habría contribuido a la mejora de las prácticas clínicas por parte de algunos médicos.

8. Sí se centra el legislador, en cambio, en el proceso contrario al desarrollo de la gestación: su terminación voluntaria anticipada. Nos referimos con ello a la detallada regulación del aborto que contiene la ya citada LO 2/2010, norma esencial en el contexto delimitado en estas páginas. Desde el punto de vista de los derechos de las mujeres en los procedimientos obstétricos, la valoración es positiva, pues debe afirmarse que tal norma está redactada en clave femenina: la mujer decide, la mujer solicita, la mujer consiente[2]. No en vano, éste es un escenario importante en el que indudablemente entran en juego los derechos y libertades de la mujer respecto de su cuerpo y respecto de su plan de vida.

---

1 Una muestra de información incompleta se deriva del relato de los hechos del caso resuelto por la STC 78/2023, de 3 de julio de 2023 (*Tol 9653326*), en el que la recurrente hace continuas referencias a no haber sido suficientemente informada de la patología que afectaba al embrión que portaba en su seno.

2 Pone de relieve GARCÍA PASCUAL, C., "Autonomía de las mujeres y derechos reproductivos", *Jueces para la democracia*, 71, 2011, p. 67, que la norma declara el derecho a la maternidad como libertad positiva y negativa y aborda la cuestión a través del intento de conciliación de los intereses concurrentes de la gestante y de la protección de la vida prenatal.

9. El legislador los ha reconocido de forma limitada, no obstante, en los artículos 14 y 15, en los que se regula un sistema mixto de plazos e indicaciones. Como es sabido, durante las primeras catorce semanas, el aborto queda al libre criterio de la gestante, que no necesita para ello alegar causa o dar explicación alguna (art. 14 LO 2/2010). Trascurrido ese plazo, en cambio, queda condicionado a la concurrencia de una de las indicaciones contempladas por la norma. En concreto, solo se puede interrumpir voluntariamente el embarazo durante las primeras veintidós semanas si existe grave riesgo para la vida o la salud de la embarazada o riesgo de graves anomalías en el feto (art. 15.a y b LO 2/2010)[3], o, hasta el final del embarazo, si se detectan anomalías fetales incompatibles con la vida o una enfermedad extremadamente grave e incurable en el momento del diagnóstico (art. 15.c LO 2/2010).

10. Aunque la regulación expuesta muestra un reconocimiento extenso de la libertad de la gestante para adoptar la decisión de abortar, no se trata de un reconocimiento pleno ni de una libertad absoluta. Queda limitada, de hecho, en la medida en que entra en conflicto con otros derechos o intereses dignos de protección concurrentes. Nos referimos, concretamente, al interés de protección de la vida prenatal y a los derechos de los facultativos que deben intervenir en el proceso de aborto. Veámoslo por separado.

2.1. La ponderación de los derechos de la gestante y la protección del nasciturus

11. La limitación del derecho a la interrupción voluntaria del embarazo se justifica en nuestro ordenamiento por el hecho ya indicado de que la gestante no es el único referente para el legislador en ese contexto, sino que comparte el escenario con el *nasciturus*. De acuerdo con la doctrina constitucional iniciada con la STC 53/1985, de 11 de abril, ni el embrión ni el feto son persona ni son consiguientemente titulares de derechos, pero sí merecen una atención y protección por parte del ordenamiento,

---

[3] Como indica PEÑARANDA RAMOS, E., "Cuestiones fundamentales de la interrupción voluntaria del embarazo tras la LO 2/2010, de 3 de marzo", en *Mujeres y derechos*, Marcial Pons, Madrid, 2020, p. 51, el plazo de veintidós semanas se enlaza con el umbral de la viabilidad extrauterina. Ya la STC 53/1985, de 11 de abril (*Tol 79468*), marcó la diferencia cualitativa en la protección a la vida que se producía a partir del momento de la viabilidad o susceptibilidad de vida independiente (FJ 5).

como bienes jurídicos constitucionales[4]. En este sentido, se enuncia la idea de que la vida es un devenir, un proceso que comienza con la gestación y que experimenta cambios cualitativos en su desarrollo, y cuya protección es gradual y va incrementándose desde el momento de la concepción hasta el nacimiento[5]. No cabe, por tanto, cualquier actuación que afecte al *nasciturus* o a su desarrollo, sino que tal injerencia debe estar justificada por intereses preponderantes y contar con las debidas garantías constitucionales.

12. Ya en la citada sentencia, el Tribunal Constitucional consideró (FJ 11) que, en esa ponderación, primaban los derechos de la mujer a su vida e integridad física (para la indicación terapéutica), a su dignidad (para la indicación ética o criminológica) y al libre desarrollo de la personalidad (para la indicación embriopática), lo que confirmaba la constitucionalidad de la norma que despenalizaba la interrupción voluntaria del embarazo en los supuestos de indicaciones inicialmente previstos en el artículo 417 bis CP. Recientemente, esta línea argumentativa se ha reforzado e, incluso, ampliado tras la STC 44/2023, de 9 de mayo, que resuelve el recurso de inconstitucionalidad planteado contra la LO 2/2010 y la introducción del sistema mixto de plazos e indicaciones[6]. Concretamente, se admite la constitucionalidad del artículo 14 LO 2/2010 y de su libertad para abortar dentro de las primeras catorce semanas del embarazo, sobre la idea de la preponderancia de la dignidad de la mujer y su libertad de autodeterminación.

13. Si bien esto ha llevado a algunos autores a plantearse qué queda entonces de la protección al embrión en esa fase prenatal[7], lo cierto es que

---

4 (*Tol 79468*). *Vid.*, en especial el FJ 5, que proclama que "el *nasciturus* está protegido por el art. 15 de la Constitución, aun cuando no permite afirmar que sea titular del derecho fundamental".

5 Se trata del modelo gradualista de protección por el que, según PEÑARANDA RAMOS, *op. cit.*, p. 36, opta nuestro Tribunal Constitucional y que se refleja, además, de en la sentencia citada, en otras posteriores [SSTC 212/1996, de 19 de diciembre (*Tol 83141*): FJ 3; y 116/1999, de 17 de junio (*Tol 13003*): FJ 9].

6 (*Tol 9582039*). Aunque ya en la STC 53/1985 está presente un cambio de paradigma en el progresivo reconocimiento de derechos y libertades reproductivas (*vid.* PEÑARANDA RAMOS, *op. cit.*, p. 32), la STC 44/2023 supone un paso más allá, pues, como señala RODRÍGUEZ RUIZ, B., "Consensuando el disenso: autodeterminación reproductiva y ciudadanía democrática", *Teoría y Realidad Constitucional*, núm. 52, 2023, p. 509, el enfoque del aborto se traslada del feto a la gestante, que pasa a ser la protagonista.

7 *Vid.* SIEIRA MUCIENTES, S., "El libre desarrollo de la personalidad como derecho fundamental general de libertad (autodeterminación): la eutanasia y el abor-

la sentencia admite adecuadamente con contundencia el protagonismo que reconoce la LO 2/2010 a la gestante y proclama su autonomía, como cualquier otro sujeto de derecho, para adoptar decisiones en cuanto a su vida[8]. Es más, el aborto se califica por el Tribunal Constitucional como un derecho a la autonomía reproductiva —derivado del artículo 15 CE, en conexión con el libre desarrollo de la personalidad del artículo 10 CE (FJ 3)—, que garantiza el respeto de los intereses de la mujer también durante el embarazo, derecho que se califica incluso de "fundamental"[9]. Se trata, no obstante, de un derecho que, como todos los demás, no es ilimitado; la limitación, referida en este caso a su extensión y condiciones de ejercicio (arts. 13 y 15 LO 2/2010), viene derivada del reconocimiento de la protección a la vida prenatal[10].

2.2. El conflicto entre derechos de la gestante y otros sujetos: la objeción de conciencia

14. El reconocimiento de un derecho de la mujer a la interrupción voluntaria del embarazo no implica que la gestante pueda exigir e imponer su práctica a cualquier facultativo. En la medida en que el aborto tiene una notable carga ideológica, la ejecución de ese acto médico puede chocar fuertemente con las creencias y valores de los profesionales médicos intervinientes. En esta línea, aunque ya desde la citada STC 53/1985 se había reconocido a los facultativos la objeción de conciencia en relación con el aborto —como emanación del artículo 16.1 CE, que permitía su apli-

---

to en las sentencias del Tribunal Constitucional 19/2023 y 44/2023", *Revista de las Cortes Generales*, 116, 2023, pp. 294 y 298. Para RODRÍGUEZ RUIZ, *op. cit.*, p. 509, en cambio, esto no supone renunciar a la tutela de la vida prenatal, sino a abordar ésta como límite a las pretensiones constitucionales de la gestante (no a la inversa).

8 Compartiendo esa visión del aborto, GARCÍA PASCUAL, *op. cit.*, pp. 87-89.

9 Esta caracterización, no obstante, es debatida por la doctrina constitucionalista (*vid.* la crítica de SIEIRA MUCIENTES, *op. cit.*, p. 292) y por el propio Tribunal Constitucional [*cfr.*, la posterior STC 78/2023 (*Tol 9653326*), y su referencia a "derecho de configuración legal": FJ 5].

10 La falta de respeto de esas condiciones y requisitos es objeto de sanción penal en el artículo 144 CP, lo que aporta parte de la protección de la vida prenatal en el sistema de plazos. A ello se añade el modelo asistencial y sanitario-preventivo que diseña la LO 2/2010 y las políticas públicas de planificación familiar, de apoyo a la maternidad y de promoción de la sexualidad libre y responsable (STC 44/2023: FJ 4 y 5).

cación directa (FJ 14)—[11], el actual artículo 19bis.1 LO 2/2010 establece con claridad este derecho para los profesionales sanitarios "directamente implicados en su práctica".

15. Esta última acotación ha sido una de las cuestiones más debatidas entre la doctrina, y objeto además del recurso de inconstitucionalidad que resolvió la ya citada STC 44/2023, que sostenía que la norma vulneraba el artículo 16.1 CE, por excesivamente restrictiva, y que causaba inseguridad jurídica (art. 9.3 CE). A juicio del Tribunal Constitucional, sin embargo, la limitación legal contemplada no es inconstitucional y debe entenderse referida a "aquellos profesionales sanitarios que intervienen de modo directo en la ejecución del aborto, cualquiera que sea su categoría profesional y su actuación" (FJ 9). La limitación del derecho a otras actuaciones auxiliares administrativas o de apoyo instrumental resulta proporcionada, a juicio del Tribunal, pues una mayor extensión "pondría en riesgo extremo la efectividad de la prestación sanitaria"[12].

16. En esta línea, es claro que la voluntad del legislador parece haber tendido a restringir el ejercicio del derecho a la objeción de conciencia, con el objetivo de salvaguardar al máximo posible el reconocimiento del derecho a la mujer a interrumpir voluntariamente su embarazo. Así, no solo el propio artículo 19bis ya citado afirma, a continuación del reconocimiento del derecho a la objeción de conciencia, que ello se hace "sin que el ejercicio de este derecho individual pueda menoscabar el derecho humano a la vida, la salud y la libertad de las mujeres que decidan interrumpir su embarazo", sino que, además, esto se completa y complementa con la previsión del apartado 2 (que garantiza el acceso y la calidad de esta prestación en todo caso, instando a los servicios públicos a organizarse a tales fines) y con la garantía del acceso a la prestación en el Sistema Nacio-

---

[11] A raíz de la STC 44/2023, no obstante, pasa a resultar debatida la naturaleza jurídica del derecho a la objeción de conciencia. *Cfr.* ANDREU MARTÍNEZ, M.A., "Las controvertidas interpretaciones del Tribunal Constitucional en torno a la objeción de conciencia del profesional sanitario. ¿Derecho fundamental o no?", *Bioderecho.es*, 18, 2023, p. 6; o ZALDIBIA LUENGO, P., "Objeción de conciencia al aborto: comentario a la sentencia del Tribunal Constitucional 44/2023, de 9 de mayo de 2023", *Revista Vasca de Administración Pública*, 127, 2023, pp. 277-279.

[12] Ver la crítica en los votos particulares de los magistrados Enríquez Sancho, Arnaldo Alcubilla y Tolosa Tribiño y de la magistrada Espejel Jorquera y en ZALDIBIA LUENGO, *op. cit.*, pp. 295-298.

nal de Salud, en centros de la red sanitaria pública o vinculados a la misma (artículos 18 y 19 LO 2/2010)[13].

17. Tales previsiones legales parecen poner de relieve el intento del legislador de eliminar los efectos de la contraposición de derechos entre la gestante y el facultativo en ese contexto. Dicho de otra forma, la regulación parece pretender reconocer de forma plena los derechos de los dos sujetos afectados: el facultativo directamente afectado puede ejercer individualmente su derecho a la objeción de conciencia porque la gestante tiene la garantía de poder ejercitar su derecho al aborto en el conjunto del Sistema Sanitario de Salud. Se evita, por tanto, teóricamente, el conflicto[14].

18. La realidad, sin embargo, muestra que ese conflicto puede producirse —y se produce, de hecho—, en la medida en que puede darse hipotéticamente una situación en la que el ejercicio generalizado de la objeción de conciencia por los facultativos de los centros públicos prive a la gestante del acceso al acto médico o, al menos, lo obstaculice. Así ocurre, de hecho, en algunas Comunidades Autónomas en las que las mujeres son remitidas a otros territorios o deben optar por la intervención en un centro privado.

19. Un ejemplo se encuentra en la STC 78/2023, de 3 de julio, en el que se resuelve el recurso de amparo de una gestante murciana que fue derivada a Madrid para la práctica de la interrupción voluntaria del embarazo, por la supuesta existencia de una objeción de conciencia generalizada a practicar el aborto en la región de Murcia[15]. El Tribunal Constitucional resuelve favorablemente, al estimar que la Administración autonómica no había acreditado que todos los profesionales médicos hubieran ejercido su derecho a la objeción de conciencia conforme establece la LO 2/2010; es decir, de forma individual, anticipadamente y por escrito. No era suficiente alegar a este respecto que ningún médico en la región hubiera pedido practicar abortos. Consiguientemente, se había incumplido la previsión

---

[13] El aborto está recogido en de la cartera de servicios comunes (art. 6.3.2 del Anexo II y art. 5.1.11 del Anexo III del RD 1030/2006, de 15 de septiembre, por el que se establece la cartera de servicios comunes del Sistema Nacional de Salud y el procedimiento para su actualización). Tal prestación está garantizada para todos los usuarios, sea en centros propios o concertados (art. 4 RD 1030/2006).

[14] De hecho, la STC 44/2023 interpreta que las referencias del antiguo artículo 19.2 LO 2/2010 a la garantía al acceso y la calidad asistencial de la prestación de la interrupción voluntaria del embarazo se dirigen a la Administración pública sanitaria, no a los profesionales, por lo que no imponen un límite a la objeción de conciencia (FJ 9). En igual sentido, ZALDIBIA LUENGO, *op. cit.*, p. 300.

[15] (*Tol 9653326*).

del antiguo artículo 19.2 LO 2/2010 y, con ello, lesionado el derecho fundamental a interrumpir el embarazo con las garantías legales previstas, una de las cuales es realizar el procedimiento en la Comunidad Autónoma donde reside la mujer (para que le resulte menos gravoso); el desplazamiento, por tanto, es excepcional (FJ 7).

20. El trasfondo de esta sentencia pone de relieve el conflicto real que subyace a la previsión de la LO 2/2010 y que se manifiesta en los obstáculos a los que se enfrenta en la práctica la mujer que voluntariamente desea interrumpir su embarazo[16]. De hecho, en la argumentación de la Administración murciana se encuentra un entendimiento del artículo 19 LO 2/2010 y de la objeción de conciencia que, al sentar una especie de "presunción de objeción" (es objetor quien no pida practicar esas intervenciones), invierte la regla general normativa, en contra del reconocimiento del derecho de la gestante y en contra de la previsión legal[17]. Si a esto se le suma el reducido número de abortos practicados en centros públicos (en general, menos del 20%)[18], el problema en estos casos parece ser más de incumplimiento de la previsión legal por parte de las administraciones autonómicas que de ejercicio de la objeción de conciencia, pues se manifiesta especialmente en el nivel organizativo. Resta por ver si las medidas para garantizar la prestación sanitaria pública introducidas en la LO 2/2010 por la LO 1/2023 serán suficientes para eliminar los obstáculos reales actualmente existentes[19].

3. DERECHOS Y LIBERTADES DE LAS MUJERES EN EL MOMENTO DEL PARTO

21. El final del proceso obstétrico es —igual que su desarrollo—, un evento natural, carente, como tal, de regulación legal. Ello no obsta a que se trate de un momento especialmente delicado para la mujer, en el que están muy presentes sus derechos y libertades y en el que de nuevo surge

---

16 *Vid.* RODRÍGUEZ RUIZ, *op. cit.*, p. 517 y su referencia a "las carencias" a la efectividad de este derecho.

17 *Vid.* ANDREU MARTÍNEZ, *op. cit.*, pp. 11-12.

18 *Vid.* la tabla 4 y la figura 2 del informe anual publicado por el Ministerio de Sanidad [en línea] <https://www.sanidad.gob.es/areas/promocionPrevencion/embarazo/datosEstadisticos.htm> [Consulta: 16/01/2026]. Nótese, no obstante, que no se desglosa el dato de cuántos de los abortos practicados en centro sanitario privado son cubiertos por la Seguridad social o proceden de conciertos suscritos.

19 En igual sentido, RODRÍGUEZ RUIZ, *op. cit.*, p. 517.

una fuente potencial de conflictos a los que el Derecho debe atender. En el panorama actual, encontramos aquí todavía luces y sombras en cuanto al reconocimiento de los derechos de la mujer.

3.1. Las sombras: la violencia obstétrica y la limitación de derechos de la parturienta

22. Comenzando por los puntos oscuros aún existentes, destaca de forma notable el trato que sufren algunas gestantes por parte de los profesionales médicos en el momento del parto y su falta de tutela por parte de nuestros tribunales[20]. Como muestran los tres casos de los que ha tenido conocimiento hasta la fecha el Comité para la Eliminación de la Discriminación contra la Mujer de Naciones Unidas (en adelante, CEDAW), las prácticas médicas españolas en relación con el alumbramiento dejan bastante que desear en muchas ocasiones: desde episotomías no consentidas y excesiva instrumentalización del proceso, hasta la falta de información general sobre el desarrollo del procedimiento y las actuaciones precisas[21]. La condena en las tres ocasiones al Estado Español ha llevado a incrementar la sensibilización en nuestro país hacia el fenómeno de la "violencia obstétrica", concepto que poco a poco ha ido calando en este ámbito[22].

23. No sería correcto concluir, por tanto, que esa proliferación de reclamaciones relacionadas con eventos producidos con ocasión del alumbramiento de un hijo se deba a que se esté produciendo en nuestro país

---

20 *Vid.* MACÍA MORILLO, A., "Reflexiones en torno a la violencia obstétrica y a la reciente jurisprudencia constitucional sobre los derechos de las mujeres en el parto", *Revista General de Derecho Constitucional*, 41, 2024, pp. 69-130.

21 Dictámenes 138/2018, de 28 de febrero de 2020 (CEDAW/C/75/D/138/2018); 149/2019, de 27 de junio de 2022 (CEDAW/C/82/D/149/2019); y 154/2020, de 24 de febrero de 2023 (CEDAW/C/84/D/154/2020).

22 Según GARCÍA FERNÁNDEZ, C., "Violencia obstétrica: los antecedentes históricos de un abuso silenciado", en *Violencia de género: retos pendientes y nuevos desafíos*, Thomson Reuters Aranzadi, Cizur Menor, 2021, p. 61, esta terminología comienza a surgir en el siglo XIX, momento en el que "comienza a hacerse eco de las prácticas aberrantes a las que se sometía a las parturientas y que terminaba por dejarles importantes secuelas físicas y psicológicas", silenciadas durante largo tiempo. En nuestro país, recientemente se ha trasladado también al ámbito judicial en una sentencia de 22 de febrero de 2023 del Juzgado nº 5 de lo Contencioso Administrativo de las Palmas de Gran Canaria (*Tol 9591544*) y otra sentencia del TSJ-Galicia de 31 de marzo de 2025 (*Tol 10538883*).

un declive alarmante de los servicios de ginecología y obstetricia hacia una desconsideración de las mujeres en el momento del parto; la desconsideración es histórica. Más bien, lo que ocurre es que, desde hace ya algunos años, se ha ido incrementando el foco de interés sobre la atención médica prestada a las mujeres en el seguimiento del embarazo y el alumbramiento, y se ha cobrado conciencia de que algunas de las prácticas médicas habituales no resultan acordes con las exigencias derivadas del reconocimiento general de los derechos de los pacientes en el ámbito sanitario[23]. Aunque algunos autores apuntan a que todo ello está derivando hacia un cambio de los protocolos y prácticas hospitalarias, para mejorar el trato a las parturientas y reconocer a la mujer el papel protagonista en el momento del parto[24], tal cambio, si realmente se está produciendo, sigue un lento camino.

24. De hecho, los profesionales médicos parecen ser reacios a ello en ocasiones, lo que se justifica en dos ideas que se entrecruzan: el imperio del juicio clínico como rector y guía del procedimiento a desarrollar en el acto médico (la indicación médica o terapéutica)[25] y el objetivo de facilitar el alumbramiento y el bienestar del recién nacido como justificación última de las prácticas adoptadas en el momento del parto. Estas consideraciones se han tenido especialmente presentes por parte de nuestros tribunales en relación con la práctica de la cesárea, negándose que sea una opción o alternativa cuya procedencia quede al arbitrio de la parturienta: es el médico —y no la mujer— quien ha de determinar si, a la luz de las circunstancias del parto, está indicada o no esa forma de alumbramiento, pues a fin de cuentas se trata de un acto quirúrgico de cirugía mayor[26].

25. Ahora bien, que aceptemos que la propuesta de ese procedimiento —la valoración sobre su indicación en el caso concreto— quede sometida exclusivamente al juicio clínico no significa que entendamos que, determinada su procedencia, pueda imponerse a la parturienta, prescindiendo del

---

23 GARCÍA FERNÁNDEZ, *op. cit.*, pp. 45-71, relata la historia de la relegación de la mujer a un segundo plano en materia de maternidad ya desde época de los romanos. Según la autora, es ahora —a la luz de la actual concepción de violencia contra la mujer— cuando cobra nuevo significado (p. 61).

24 *Cfr.* MACÍA MORILLO, *op. cit.*, p. 76, y los que cita.

25 *Vid.* MENÉNDEZ PÉREZ, A., "¿Vulneración del derecho a decidir entre parto natural o cesárea?: Análisis de la Sentencia 233/2023, 22 de febrero Juzgado de lo Contencioso Administrativo número 5 de Las Palmas de Gran Canaria", *Revista de Derecho y Genoma Humano*, 59, 2023, pp. 265-266.

26 *V. gr.*, STS de 2 de julio de 2010 (*Tol 1920533*). *Vid.* MACÍA MORILLO, *op. cit.*, pp. 89-90.

preceptivo consentimiento que requiere todo acto médico y que se exige, de hecho, de forma reforzada —por escrito— en los actos de mayor injerencia sobre la integridad física (art. 8.2 LBRAP). Esto no es así: al facultativo le corresponde indicar qué acto médico se debe ejecutar conforme a los dictados de la Medicina, pero solo la paciente puede decidir si lo consiente o no. Recordemos a este respecto que el artículo 2.4 LBRAP reconoce el rechazo del tratamiento médico, por lo que, aunque el paciente no puede imponer cuál es el acto médico que debe desarrollarse, no está tampoco obligado a someterse al propuesto, por mucho que ello le sea beneficioso[27].

26. El problema se plantea, como ya apuntamos, por el hecho de que las decisiones que adopta la gestante no solo la involucran a ella, sino que repercuten de forma directa sobre la criatura que porta en su seno, que —recordemos— se califica de bien jurídicamente protegido de acuerdo con la doctrina constitucional ya referida[28]. Consiguientemente, pueden generar un conflicto con el interés a la vida y la integridad física del *nasciturus*, que debe resolverse conforme a la ponderación de los derechos e intereses que confluyen.

27. Aunque en nuestro país no se ha presentado todavía un supuesto de imposición forzosa de cesárea contra el consentimiento expreso de la mujer[29], la STC 66/2022, de 2 de junio, resuelve un caso sobre el ingreso hospitalario forzoso de una gestante que quería dar a luz en su domicilio,

---

27 En ese sentido, la sentencia de 22 de febrero de 2023 del Juzgado nº 5 de lo Contencioso Administrativo de Las Palmas de Gran Canaria (*Tol 9591544*), afirma que: "la decisión no es del facultativo, sino de la paciente, bajo su responsabilidad, una vez correctamente informada de su situación y de las alternativas existentes". Nótese, no obstante, que el problema reside en que no se informó a la gestante de que la cesárea estaba indicada en el caso. No se trata, por tanto, como parece deducirse de algún comentario de la sentencia (*v.gr.*, MENÉNDEZ PÉREZ, *op. cit.*, p. 270), de que se reconozca el derecho de la mujer a elegir entre cesárea o parto natural: solo se le reconoce si ambas son opciones clínicamente indicadas. En la misma línea, CABEZUELO ARENAS, A.L., "El derecho de la mujer a decidir sobre el parto como vertiente de su intimidad. STC 66/2022, de 2 de junio (RTC\2022\66)", *Derecho Privado y Constitución*, 43, 2023, p. 111.

28 Igualmente, RUIZ ESTÉVEZ, M., "Derechos fundamentales en torno al parto. Comentario a la STC de 23 de febrero de 2023", *Cuadernos Civitas de Jurisprudencia Civil*, 2023, 123, mg. 3122, apdo. II.

29 Lo que existen son casos en los que se ha prescindido de recabar dicho consentimiento, sobre el argumento y la justificación de la urgencia. *Vid.* MACÍA MORILLO, *op. cit.*, p. 89 nota 36.

frente al riesgo que ello comportaba para el *nasciturus*[30]. El Tribunal Constitucional rechazó el recurso de amparo interpuesto, entre otros motivos, por entender que, a falta de norma concreta que previera tal medida de ingreso forzoso, podía considerarse suficientemente legitimada la labor de integración normativa que había realizado el Juzgado que dictó la orden acudiendo a diversos preceptos del ordenamiento que, aunque no directamente aplicables, proporcionaban suficiente cobertura a la medida adoptada (arts. 29 y 158 CC y 9 LBRAP). Con ello, se da un peligroso primer paso hacia la constitucionalización de la limitación de las decisiones de las gestantes en atención a la protección de los intereses de los *nascituri* que se pongan en riesgo por tales decisiones en el momento del parto[31].

28. Con todo, no hay que hacer saltar todavía las alarmas —o, al menos, no todas—, puesto que esta doctrina ha de interpretarse en sus justos términos. En concreto, la sentencia argumenta en términos de proporcionalidad de la limitación de los derechos de la gestante, por lo que deberá comprobarse en cada caso que la medida limitadora propuesta sea idónea, necesaria y proporcional en sentido estricto (que se limiten los derechos de la gestante en lo estrictamente indispensable). No puede, por tanto, extrapolarse directamente la interpretación llevada a cabo por el Tribunal Constitucional para legitimar en todo caso la imposición de una cesárea contra la voluntad de la gestante.

29. Además, los derechos de la mujer que se limitaban en la STC 66/2022 por el interés de protección del *nasciturus* no eran la vida y la integridad física de la gestante —que son los que entran en juego en una cesárea—, sino la libertad —de movimiento— y la intimidad. En ese contexto, y en atención a la doctrina constitucional de protección de la vida prenatal ya referida, puede entenderse coherente y justificada la medida de limitación de derechos de la mujer frente al interés en la protección del feto, al que solo le separan unas horas de su condición de persona[32]. El contexto de la cesárea, sin embargo, es diferente, y no se le puede extender sin más la doctrina referida, sino que habrá que hacer una ponderación de derechos e intereses *ex novo* en cada caso. En ese sentido, una mirada al panorama

---

30 (*Tol 9013845*).

31 *Vid.* MACÍA MORILLO, *op. cit.*, pp. 87-91.

32 De la misma forma en que, como señala PEÑARANDA RAMOS, *op. cit.*, p. 53, se intensifica la protección de la vida prenatal en el último trimestre de gestación y se limita en ese periodo los medios admisibles para la terminación del embarazo, aquí se incrementaría la protección a la vida prenatal.

comparado muestra, de hecho, una tendencia a primar aquí los derechos de la mujer, aunque no hay unanimidad[33]. El tiempo dirá en nuestro caso si se da un paso más a partir de la doctrina constitucional de la STC 66/2022 o si se establece una frontera.

3.2. Las luces: sensibilización hacia los derechos de las mujeres en el parto

30. Sin llegar al extremo de injerencia sobre la parturienta que supone la cesárea, la realidad diaria de algunos de nuestros hospitales muestra que existen otras muchas prácticas "menores" —por así decirlo— que se imponen a las mujeres en el momento del parto. Aunque, como anteriormente apuntábamos, la mayor parte de los protocolos y las prácticas referidas persiguen en el fondo facilitar el proceso de parto y el bienestar del recién nacido[34], ese objetivo no tiene por qué ser excluyente con el de centrar también la atención en el bienestar de la parturienta, que es —jurídicamente— la paciente del acto médico[35]. Es necesario, por tanto, una labor de sensibilización en este aspecto, que permita recuperar el papel central de la mujer en el momento del parto[36]. Los pasos dados en esa línea, de los que a continuación identificamos tres en concreto, son las luces que actualmente existen en nuestro ordenamiento en esta materia.

31. Un primer paso se ha dado por nuestro legislador en la LO 2/2010. Como fruto de la reforma introducida por la LO 1/2023, parcialmente justificada por el cumplimiento de las condenas del CEDAW a España ya referidas, encontramos dos importantes preceptos que pretenden mejorar

---

33 CABEZUELO ARENAS, *op. cit.*, pp. 95-98, por ejemplo, pone de relieve los bandazos de la jurisprudencia estadounidense, a la hora de primar los intereses de la gestante o del *nasciturus*.

34 No falta, sin embargo, quienes arrojan una sombra de duda sobre las motivaciones personales de los médicos que se encuentran tras algunas prácticas: *vid.* la sentencia de 22 de febrero de 2023 del Juzgado nº 5 de lo Contencioso Administrativo de Las Palmas de Gran Canaria (*Tol 9591544*): FJ 5; así como, entre la doctrina, CABEZUELO ARENAS, *op. cit.*, p. 112 nota 23 y GARCÍA FERNÁNDEZ, *op. cit.*, p. 62.

35 De hecho, existen diversas guías clínicas que limitan muchas de las prácticas habituales referidas, mostrando con claridad la diferencia que existe entre la *lex artis* y la práctica médica: *v.gr.*, la Estrategia de Atención al Parto Normal en el Sistema Nacional de Salud del Ministerio de Sanidad y Consumo [en línea] <https://www.sanidad.gob.es/en/organizacion/sns/planCalidadSNS/pdf/InformeFinalEAPN_revision8marzo2015.pdf>. [Consulta: 16/01/2026]

36 Un mayor desarrollo en MACÍA MORILLO, *op. cit.*, pp. 113-119.

la situación actual de relegación de la mujer en el momento del parto. Por un lado, el artículo 27 incluye cuatro principios que deben guiar a las administraciones públicas en la protección y garantía de los derechos sexuales y reproductivos en el ámbito ginecológico y obstétrico: requerir el consentimiento para todos los tratamientos invasivos durante el parto, disminuir el intervencionismo y las prácticas no avaladas por la evidencia científica, proporcionar una información clara y suficiente a la parturienta y garantizar la no separación innecesaria de los recién nacidos de sus madres. Por otro lado, el artículo 29 se refiere a la promoción de la formación adecuada del personal de los servicios de ginecología y obstetricia, incluido el de enfermería y matronería, para el respeto y la garantía de los derechos de las mujeres.

32. El segundo y el tercer paso vienen de la mano de la ya referida STC 66/2022, cuya doctrina reitera la posterior STC 11/2023, de 23 de febrero[37]. Por un lado, siguiendo la tendencia de la citada STC 44/2023 de reconocimiento —o creación— de nuevos derechos[38], el Tribunal Constitucional proclama un derecho de la mujer a elegir el lugar del parto, como derecho que emana de la dignidad de la persona y del derecho a la intimidad (FJ 4A). Más allá de que pueda debatirse si realmente se reconoce en sí como derecho o solo como mera facultad, la sentencia —en la línea de la doctrina del Tribunal Europeo de Derechos Humanos[39]— identifica adecuadamente un ámbito en el que la mujer tiene reconocida la libertad de hacer valer deseos y preferencias acordes a sus necesidades y trayectoria vital[40]. Eso resulta especialmente relevante en un contexto como el actual, en el que —en una reversión del proceso de hospitalización del parto desarrollado en el siglo XIX[41]— existen mujeres que prefieren dar a luz en su domicilio, bien guiadas por el interés en hacer más personal esa experiencia vital trascendente o bien huyendo de la excesiva instrumenta-

---

37 (*Tol 9441343*).

38 *Vid.* la crítica en SIEIRA MUCIENTES, *op. cit.*, pp. 274 y 284.

39 *Vid.*, especialmente, SSTEDH de 14 de diciembre de 2010, Ternovszky c. Hungría (*Tol 9068157*), § 22 y 15 de noviembre de 2016, Dubská y Krejzová c. República Checa (*Tol 6412506*), §§ 162 y 182-185.

40 De hecho, este aspecto de la sentencia se ha valorado de forma generalizada como un acierto del Tribunal Constitucional: *vid.* MACÍA MORILLO, *op. cit.*, p. 88, y los que cita.

41 Sobre el proceso de hospitalización del parto, *vid.* GARCÍA FERNÁNDEZ, *op. cit.*, p. 62.

lización del parto hospitalario y de las prácticas ya referidas[42]. Con todo, en la medida en que el parto en el domicilio no está exento de controversias y —sobre todo— de riesgos[43], consideramos que sería conveniente que el legislador regulara de este derecho reconocido por el Tribunal Constitucional, a fin de determinar sus condicionantes o límites y de establecer legalmente la ponderación de los intereses en conflicto, evitando remitir su valoración caso a caso al arbitrio de los órganos judiciales[44].

33. Ligado, finalmente, a este derecho, como tercer paso, viene el reconocimiento por parte del Tribunal Constitucional de su titularidad exclusiva en la mujer. De forma contundente, afirma adecuadamente la STC 66/2022 que "corresponde a la mujer adoptar, con entera libertad, la decisión de ser madre y, una vez dado ese primer paso y recibida la información adecuada, (...) le concierne igualmente decidir libremente sobre su propio sustrato corporal durante la gestación, lo que supone que no debe ser objeto de injerencias ajenas que la obstaculicen de manera ilegítima" (FJ 3A)[45]. Debe valorarse positivamente que el Tribunal Constitucional sigue con ello la senda que marcó en la ya citada STC 53/1985, al reconocer la legitimación exclusiva de la gestante para adoptar la decisión de si abortar o no, sobre la consideración —entonces— de la peculiar relación entre la embarazada y el *nasciturus*, que hace que la decisión afecte primordialmente a la mujer (FJ 13). No en vano son su cuerpo y sus derechos los que se ven afectados directamente por razón del proceso gestacional que culmina con el momento del parto, lo que le otorga de forma incuestionable la legitimación para decidir en primera instancia[46].

---

42 *Vid.* CABEZUELO ARENAS, *op. cit.*, pp. 107-108 y RUIZ ESTÉVEZ, *op. cit.*, apdo. I.

43 *Cfr.* RUIZ ESTÉVEZ, *op. cit.*, apdo. I, así como STEDH de 15 de noviembre de 2016, Dubská y Krejzová c. República Checa (*Tol 6412506*), §§ 185-186.

44 Así lo hemos indicado ya en MACÍA MORILLO, *op. cit.*, pp. 96-98, uniéndonos a otras voces.

45 Pese a su discrepancia general con el fallo de la sentencia, el voto particular de Balaguer Callejón ensalza especialmente este pronunciamiento del Tribunal Constitucional, por sus connotaciones sustantivas. A juicio de la magistrada, la mujer gestante es la única con capacidad decisoria sobre su propio cuerpo, tanto desde el momento en que adopte libre y voluntariamente su decisión de ser madre, como a lo largo de todo el proceso de la gestación y la culminación con el momento del alumbramiento; todas las determinaciones que tome en esos momentos, debe ser respetadas, sin imposición de voluntades ajenas (pto. 4).

46 GARCÍA PASCUAL, *op. cit.*, p. 78, pone de relieve a este respecto que "en la reproducción, varones y mujeres no están implicados de igual manera, (...) sobre todo, porque el proceso de reproducción, la gestación, se realiza necesariamente

4. CONCLUSIONES

34. Las páginas anteriores han puesto de relieve que, desde el punto de vista jurídico, el absoluto protagonismo de la mujer en el desarrollo y terminación del proceso gestacional se ve obstaculizado por la concurrencia de otros derechos o intereses dignos de protección: notablemente —aunque no solo—, el del embrión o feto, que se califica en nuestro ordenamiento de bien constitucional jurídicamente protegido. Ello puede justificar determinadas limitaciones o modalizaciones de los derechos de las gestantes, pero no una subordinación de su persona al hecho del embarazo.

35. Nuestro legislador y el Tribunal Constitucional, de hecho, parecen coincidir adecuadamente con esta última afirmación: tanto en materia de aborto, como en materia de parto, se reconocen sendos derechos de la mujer a la autodeterminación de su plan de vida. No se trata, sin embargo, de derechos ilimitados, pero sí de un reconocimiento del hecho de que la mujer es la que experimenta en su persona y en su cuerpo el proceso gestacional y que, consiguientemente, sus deseos, decisiones y opiniones al respecto deben ser tomados en cuenta en un primer plano.

36. Desde el punto de vista jurídico, los retos que quedan pendientes van dirigidos a concretar los límites a estos derechos, en interés del *nasciturus,* y a garantizar su efectividad real. Desde el punto de vista social, debe incrementarse la sensibilización en este contexto, fundamentalmente, entre los profesionales médicos.

5. BIBLIOGRAFÍA

ANDREU MARTÍNEZ, M.A., "Las controvertidas interpretaciones del Tribunal Constitucional en torno a la objeción de conciencia del profesional sanitario. ¿Derecho fundamental o no?", *Bioderecho.es,* 18, 2023, pp. 1-19.

CABEZUELO ARENAS, A.L., "El derecho de la mujer a decidir sobre el parto como vertiente de su intimidad. STC 66/2022, de 2 de junio (RTC\2022\66)", *Derecho Privado y Constitución,* 43, 2023, pp. 89-120.

GARCÍA FERNÁNDEZ, C., "Violencia obstétrica: los antecedentes históricos de un abuso silenciado", en *Violencia de género: retos pendientes y nuevos desafíos,* Thomson Reuters Aranzadi, Cizur Menor, 2021, pp. 45-71.

---

a través del cuerpo de las mujeres". Valorando igualmente de forma positiva esta acotación, CABEZUELO ARENAS, *op. cit.,* pp. 92-93.

GARCÍA PASCUAL, C., "Autonomía de las mujeres y derechos reproductivos", *Jueces para la democracia,* 71, 2011, pp. 76-90.

MACÍA MORILLO, A., "Reflexiones en torno a la violencia obstétrica y a la reciente jurisprudencia constitucional sobre los derechos de las mujeres en el parto", *Revista General de Derecho Constitucional,* 41, 2024, pp. 69-130.

MENÉNDEZ PÉREZ, A., "¿Vulneración del derecho a decidir entre parto natural o cesárea?: Análisis de la Sentencia 233/2023, 22 de febrero Juzgado de lo Contencioso Administrativo número 5 de Las Palmas de Gran Canaria", *Revista de Derecho y Genoma Humano,* 59, 2023, pp. 259-271.

PEÑARANDA RAMOS, E., "Cuestiones fundamentales de la interrupción voluntaria del embarazo tras la LO 2/2010, de 3 de marzo", en *Mujeres y derechos,* Marcial Pons, Madrid, 2020, pp. 27-59.

RODRÍGUEZ RUIZ, B., "Consensuando el disenso: autodeterminación reproductiva y ciudadanía democrática", *Teoría y Realidad Constitucional,* 52, 2023, pp. 493-519.

RUIZ ESTÉVEZ, M.: "Derechos fundamentales en torno al parto. Comentario a la STC de 23 de febrero de 2023", *Cuadernos Civitas de Jurisprudencia Civil,* 2023, 123, marginal 3122.

SIEIRA MUCIENTES, S., "El libre desarrollo de la personalidad como derecho fundamental general de libertad (autodeterminación): la eutanasia y el aborto en las sentencias del Tribunal Constitucional 19/2023 y 44/2023", *Revista de las Cortes Generales,* 116, 2023, pp. 261-314.

ZALDIBIA LUENGO, P., "Objeción de conciencia al aborto: comentario a la sentencia del Tribunal Constitucional 44/2023, de 9 de mayo de 2023", *Revista Vasca de Administración Pública,* 127, 2023, pp. 267-306.

El consentimiento informado en el ejercicio del derecho de la mujer a elegir el lugar del parto[*]

MARÍA TERESA MARTÍN MELÉNDEZ
Profesora Titular de Derecho civil
Universidad de Valladolid

1. INTRODUCCIÓN

Aunque, en general, los derechos humanos de las mujeres y los hombres son los mismos, existen unos derechos humanos que lo son sólo de las mujeres por derivar directamente de su condición de tales, concretamente de su capacidad única de ser madres, los cuales se integran en la categoría de los derechos sexuales y reproductivos de la mujer.

Entre estos derechos humanos específicos de las mujeres, en relación a su "derecho de autodeterminación sobre su propio cuerpo durante la gestación y el momento del parto"[1], están los relativos a la decisión de las circunstancias de éste, tales como si el parto tendrá lugar por vía natural (vaginal) o por cesárea, o si tendrá lugar en un centro hospitalario o en la propia casa, al cual nos referiremos en esta comunicación. Su ejercicio supone la manifestación de la voluntad de estas mujeres de tomar las riendas de este proceso fisiológico.

---

* Este trabajo se realiza dentro de la actividad del Grupo de Investigación Reconocido "Nuevo Derecho de la persona, de los contratos y de daños", de la Universidad de Valladolid, dirigido por la autora.
Por otra parte, toma como base la primera parte de su artículo: "La vida del feto como límite del derecho de la mujer a decidir el lugar del parto. Reflexiones a propósito de la sentencia del Tribunal Constitucional 66/2022, de 2 de junio", *Revista de Derecho Civil,* vol. XI, núm. 3, julio-septiembre, 2024, pp. 1-51 [en línea], (2024), <https://www.nreg.es/ojs/index.php/RDC/article/view/972> [Consulta:18/12/2024.]

1 LOMAS HERNÁNDEZ, V., "Los derechos de la mujer en el momento del parto. Cesárea "versus" parto vaginal", en *Tratado de Derecho Sanitario,* vol. II, Thomson Reuters Aranzadi, Cizur Menor (Navarra), 2013, p. 779.

El reconocimiento de los derechos sexuales y reproductivos de la mujer ha sido llevado a cabo por la Organización de las Naciones Unidas en varios documentos[2] y, concretamente en cuanto al parto domiciliario, la Organización Mundial de la Salud en la *Guía Práctica, Cuidados en el parto normal* (Ginebra, 1996) ha considerado el parto en casa como una de las opciones para dar a luz en los partos de bajo riesgo[3].

A nivel europeo, hemos de citar la Resolución del Parlamento Europeo sobre una *Carta de Derechos de la Parturienta* (doc. A 2-38/88), de 8 de julio de 1988[4] que, aunque no consiguió que se llegara a aprobar dicha Carta, señalaba como uno de los principios que habrían de recogerse en la misma, que en todos los Estados Miembros debía suministrarse “a la mujer una información completa y adecuada que le permita tomar sus propias decisiones en todas las situaciones a las que tiene que enfrentarse” (apartado J). Esta resolución aseguraba, además, que “el parto sólo se producirá en condiciones de serenidad cuando la mujer se sienta bien atendida por personal especializado, tanto si elige dar a luz en un hospital como en

---

2 Aparte del art. 25 de la Declaración Universal de Derechos Humanos, de 10 de diciembre de 1948, cuyo apartado 2 determina que “La maternidad y la infancia tienen derecho a cuidados y asistencia especiales”, o las Conferencias Mundiales de la ONU de El Cairo (1994) sobre Población y Desarrollo, que recoge como derechos humanos, los derechos sexuales y reproductivos de las mujeres, y sobre todo, de Pekín (1995), según la cual “La salud reproductiva entraña [...], el derecho a recibir servicios adecuados de atención de la salud que permitan los embarazos y los partos sin riesgos y den a las parejas las máximas posibilidades de tener hijos sanos”, pueden mencionarse otras alusiones a los derechos humanos sexuales y reproductivos de la mujer, recogidas en: *Salud y derechos humanos sexuales y reproductivos*, Organización de las Naciones Unidas, Derechos Humanos [en línea], <https://www.ohchr.org/es/node/3447/sexual-and-reproductive-health-and-rights> [Consulta: 06/08/2023.], por ejemplo, en los arts. 10 y 16 de la CEDAW (Convención para la Eliminación de Todas las Formas de Discriminación contra la Mujer), adoptado por la Asamblea General de las Naciones Unidas, el 18 de diciembre de 1979, y las Observaciones Generales 14 y la 22 del CESCR (Comité de Derechos Económicos, Sociales y Culturales).

3 *Guía práctica. Cuidados en el parto normal*, Organización Mundial de la Salud [en línea], (1996), <https://www.ascalema.es/wp-content/uploads/2014/10/OMS.-Cuidados-parto-normal.-Una-gu%C3%ADa-pr%C3%A1ctica.-1996.pdf> [Consulta: 01/09/2023.]

4 *Carta de Derechos de la Parturienta*, Parlamento Europeo, Diario Oficial de las Comunidades Europeas C 235/183, 12 septiembre 1988, [en línea], (1988), <https://eur-lex.europa.eu/legal-content/ES/TXT/PDF/?uri=OJ:C:1988:235:FULL> [Consulta: 04/04/2024.]

su casa y cuando los futuros madres y padres dispongan de información suficiente [...]" (punto 1), así como que debía garantizarse "la asistencia adecuada cuando la mujer elija el parto en el propio domicilio, de acuerdo con las condiciones psicofísicas de la parturienta y del feto, así como de las condiciones ambientales" (punto 9)[5]. No obstante, lo más destacable desde esta perspectiva europea son varias Sentencias del Tribunal Europeo de Derechos Humanos que han declarado, con relación al artículo 8 del Convenio Europeo de Derechos Humanos, referido al derecho al respeto a la vida privada[6], que la determinación de las circunstancias del parto, incluida la elección del lugar del nacimiento, es una derivación del derecho a la vida privada de la mujer, aunque los Estados, por razones de política sanitaria, tengan un cierto margen de actuación a la hora de regular este derecho[7].

Por lo que a España se refiere, este derecho a decidir el lugar del parto es una derivación del derecho a la intimidad personal (art. 18.1 CE) en cuanto decisión perteneciente al ámbito de la vida privada de la mujer y, además, del derecho a la libertad personal (art. 17 CE), tal y como ha declarado la sentencia del Tribunal Constitucional 66/2022, de 2 de junio[8], referente en esta materia. Por otra parte, en nuestro país el parto domiciliario carece de regulación legal específica y este vacío se suple a través de guías sobre el parto en casa; la más importante de ellas es la elaborada por

---

5 *Vid.* sobre ella, CARRIL VÁZQUEZ, X. M., *Los derechos de la mujer a la libre elección de las circunstancias del parto. Un estudio comparado e internacional de la atención sanitaria por maternidad, desde la perspectiva del derecho español,* Atelier, Barcelona, 2017, pp. 99 y ss.

6 Convenio para la Protección de los Derechos Humanos y Libertades Fundamentales, hecho en Roma el 54 de noviembre de 1950, y enmendado por los Protocolos adicionales números 3 y 5, de 6 de mayo de 1963 y 20 de enero de 1966 respectivamente, Ratificado por España el 26 de noviembre de 1979 (BOE, núm. 243, 10 octubre 1979), art. 8: "1. Toda persona tiene derecho al respeto de su vida privada y familiar, de su domicilio y de su correspondencia. 2. No podrá haber injerencia de la autoridad pública en el ejercicio de este derecho, sino en tanto en cuanto esta injerencia esté prevista por la ley y constituya una medida que, en una sociedad democrática, sea necesaria para la seguridad nacional, la seguridad pública, el bienestar económico del país, la defensa del orden y la prevención del delito, la protección de la salud o de la moral, o la protección de los derechos y las libertades de los demás".

7 STEDH 14 diciembre 2010, caso Ternovszky c. Hungría *(Tol 9068157)*; STEDH 15 noviembre 2016 —Gran Sala—, caso *Dubská y Krejzová* c. *República Checa (Tol 6412506.)*

8 STC66/2022, 2 junio 2022 *(Tol 9013845)*.

el Colegio Oficial de Enfermería de Barcelona bajo el título *Guía Parto en Casa,* de 2010 y actualizada en 2018[9]. También han de tenerse en cuenta documentos publicados por el Ministerio de Sanidad, Servicios Sociales e Igualdad (o equivalentes, según el momento), si bien, no referidos específicamente al parto en el domicilio, sino de carácter general; es el caso de la *Guía de práctica clínica de atención en el embarazo y puerperio*[10], cuyo fin es proporcionar "información basada en la evidencia tanto para profesionales como para mujeres embarazadas con el objetivo de ayudar a la toma de decisiones sobre la atención adecuada en cada circunstancia específica"; igualmente, cabe citar el documento *Estrategia de atención al parto normal en el Sistema Nacional de Salud,* aprobada por el Pleno del Consejo Interterritorial del Sistema Nacional de Salud en octubre de 2007[11].

Sin embargo, este derecho a elegir el lugar del parto, perteneciente únicamente a la mujer, no es ilimitado puesto que puede entrar en conflicto con otros derechos, bienes o valores, concretamente, con el interés constitucionalmente protegido que constituye la vida del feto. En este sentido, el artículo 3.1, a, 1°, de la Ley Orgánica 2/2010, de 3 de marzo, de salud sexual y reproductiva y de la interrupción voluntaria del embarazo (en adelante, LOSSRIVE), modificada por la Ley Orgánica 1/2023, de 28 de febrero (en adelante, LO 1/2023), dice que "todas las personas, en ejercicio de sus derechos de libertad, intimidad, la salud y autonomía personal, pueden adoptar libremente decisiones que afectan a su vida sexual y reproductiva sin más límites que los derivados del respeto a los derechos de las demás personas y al orden público garantizado por la Constitución y las leyes". Este tema ha sido abordado por la sentencia del Tribunal Constitucional

---

9 *Guía Parto en Casa,* 2010 *(versión actualizada por la por la Associació de Levadores de Part a Casa de Catalunya en 2018),* Colegio Oficial de Enfermería de Barcelona [en línea], (2018), <chrome-extension://efaidnbmnnnibpcajpcglclefindmkaj/https://www.elpartoesnuestro.es/sites/default/files/recursos/documents/guia_partocasa_2018.pdf> [Consulta: 17/12/2024.]

10 *Guía de práctica clínica de atención en el embarazo y puerperio,* Ministerio de Sanidad, Servicios Sociales e Igualdad [en línea], (2014), <https://www.sanidad.gob.es/organizacion/sns/planCalidadSNS/pdf/GPC_de_embarazo_y_puerperio.pdf> [Consulta: 30/08/2023.]

11 *Estrategia de atención al parto normal en el Sistema Nacional de Salud,* revisado en 2015, Ministerio de Sanidad y Consumo [en línea], (2012), <https://www.sanidad.gob.es/en/organizacion/sns/planCalidadSNS/pdf/InformeFinalEAPN_revision8marzo2015.pdf> [Consulta: 12/01/2024.]

66/2022, de 6 de junio[12] dando prioridad al interés constitucionalmente protegido de la vida del feto sobre el derecho de la mujer a permanecer en su domicilio para dar a luz.

Nosotros en este lugar trataremos de la realidad fáctica del parto en casa, lo que implicará exponer su evolución en cuanto a su práctica y sus ventajas e inconvenientes frente al hospitalario, así como de la cuestión de los requisitos legales que han de respetarse para que la mujer preste válidamente su consentimiento a dar a luz en su domicilio atendida por una matrona, atinentes sobre todo a la información y a la constancia documental.

2. EVOLUCIÓN HISTÓRICA EN CUANTO AL LUGAR DEL PARTO

Aunque en la actualidad la inmensa mayoría de los partos en España tienen lugar en centros hospitalarios, esto es así desde fechas relativamente recientes. Concretamente, hasta los años 60 del pasado siglo, las mujeres daban a luz en sus casas; a partir de esas fechas, la mejora de la situación económica y la creación de grandes hospitales accesibles a la práctica totalidad de las mujeres gestantes, llevan a la situación contraria, lo que se ha traducido en una menor morbimortalidad materna y neonatal dada la presencia de profesionales en el parto, la medicalización del proceso y la posibilidad de hacer frente, de forma inmediata, a las contingencias adversas que puedan aparecer.

Sin embargo, esta evolución desde el parto mayoritario en el domicilio hasta el parto mayoritario en el hospital, ha sido acusada en los últimos tiempos, en general, de deshumanizar a la mujer, de hacerle perder su autonomía y de tener tras de sí una mentalidad "securitaria" que conduciría a considerar el parto como una patología[13] y a la embarazada como una enferma[14]. Desde esta perspectiva, evitar la deshumanización y el excesivo intervencionismo durante el parto es lo que llevaría a algunas mujeres embarazadas a decantarse voluntariamente por el parto en su propia casa,

---

12 STC 66/2022, 2 de junio *(Tol 9013845)*, que tratamos en nuestro artículo "La vida del feto como límite del derecho de la mujer a decidir el lugar del parto...", *op. cit.*, pp. 14 y ss.

13 En este sentido, BEA PÉREZ, E., "Nacer en casa. Una reflexión sobre bioética y derechos humanos", *Cuadernos de Bioética,* núm. 107, vol. 33, 2022, pp. 73 y 79.

14 CARRIL VÁZQUEZ, X. M., *op. cit.* p. 22 y 23.

y ello a pesar de que éste, en España, aunque no esté prohibido, no está cubierto por el Sistema Nacional de Salud (a diferencia de lo que ocurre en otros países como Reino Unido, Holanda, Dinamarca, Suecia, Islandia, Noruega, Australia, Nueva Zelanda, o Canadá)[15], y sea la propia mujer la que haya de buscar, contratar y pagar, en su caso, a la persona o personas, preferiblemente matronas, que se van a ocupar del seguimiento del embarazo, la asistencia al parto y el puerperio, sin que esos gastos en los que incurra sean reembolsables por el Sistema Nacional de Salud.

En todo caso, los partidarios del parto en casa sólo lo recomiendan si el embarazo es de bajo riesgo, se realiza bajo la asistencia de un profesional médico cualificado (matrona, ginecólogo) y, por si se produce alguna emergencia, cuando el domicilio no esté a más de media hora del centro hospitalario más cercano[16]. Aparte de ello, existen unos criterios clínicos específicos para poder recomendar un parto en casa, entre los que queremos destacar el inicio de parto espontáneo entre 37-42 semanas de gestación, la presentación cefálica del feto o que no haya de inducirse[17].

Sea como fuere, la tendencia general, también en los partos hospitalarios, es la de reducir el intervencionismo y la medicalización, de modo que éstos se desarrollen en lo posible de forma natural. Así, en esta línea se encuentran las recomendaciones de la *Guía de práctica clínica de atención en*

---

15 Sobre los distintos modelos de atención al parto en los estados de la Unión Europea, *vid.* CARRIL VÁZQUEZ, X. M., *ibidem*, pp. 102 y ss., modelos que resultan de dos criterios: atención al parto prestada por profesionales especializados de la medicina y enfermería, o no, y atención exclusivamente hospitalaria, o no (p. 103). El modelo que se sigue en España es el de la atención sanitaria en centro hospitalario y por profesionales especializados ("modelo intervencionista institucionalizado"); *vid.* también, VARIOS, "Panorámica internacional en relación a las recomendaciones práctica clínica y legislación del parto en casa", *ENE Revista de Enfermería*, vol. 11 (2017), núm. 1, [en línea], (2017), <https://scielo.isciii.es/scielo.php?script=sci_arttext&pid=S1988-348X2017000100005&lng=es&nrm=iso&tlng=es> [Consulta: 10/08/2023.]

16 GARCÍA GARCÍA, E. M., *La violencia obstétrica como violencia de género. Estudio etnográfico o de la violencia asistencial en el embarazo y el parto en España y de la percepción de usuarias y profesionales*, Universidad Autónoma de Madrid, Madrid, 2018, [en línea] (2018), <https://repositorio.uam.es/bitstream/handle/10486/684184/garcia_garcia_eva_margarita.pdf> [Consulta: 01/08/2023.], p. 270. Igualmente, BEA PÉREZ, E., *op. cit.*, p. 80; RODRÍGUEZ GARRIDO, P. / GOBERNA TRICAS, J., "(In)seguridad del parto en el domicilio: una revisión bibliográfica", *Matronas profesión*, núm. 2, 2022, pp. 37 a 46.

17 *Guía Parto en Casa*, *op. cit.*, p. 23.

el embarazo y puerperio, del Ministerio de Sanidad, Servicios Sociales e Igualdad, ya citada, de modo que aunque la misma "no es de obligado cumplimiento, ni sustituye el juicio clínico del personal sanitario"[18], al servir de base para los protocolos hospitalarios, a través de ella se irán unificando los criterios de actuación durante el parto, lo que conducirá al abandono de "intervenciones con escaso o nulo beneficio para la madre o el bebé"[19].

3. EL DERECHO-DEBER DE INFORMACIÓN EN EL PARTO EN CASA: CONSENTIMIENTO INFORMADO Y PLAN DE PARTO

El derecho a elegir el lugar del parto es el derecho de la mujer a decidir, libremente y después de recibir la información adecuada, la ubicación espacial en la que traerá al mundo a su hijo; es decir, el derecho a decidir si dará a luz en un centro hospitalario o clínica, o en el hogar familiar u otro lugar —casa de partos— (art. 2.3 Ley 41/2002, de 14 de noviembre, básica reguladora de la autonomía del paciente y derechos y obligaciones en materia de información y documentación clínica, en adelante, LAP).

El embarazo es un proceso fisiológico que experimentan la mayoría de las mujeres y que culmina con el parto; no es una enfermedad, ni la embarazada es una enferma, aunque sí que es, o puede ser, paciente[20], puesto que implica riesgos para su propia salud y para la de su hijo y requiere asistencia[21]. Por eso, la decisión de dar a luz en casa ha de ser precedida de una información a la mujer, objetiva, veraz y contrastada con base en la evidencia científica más actual, no sólo de sus ventajas, sino también de sus inconvenientes y riesgos. Sólo así podrá adoptar la decisión correcta y ejercitar libremente su derecho a elegir. Por tanto, al parto le son plenamente de aplicación los artículos 2.6 y 4 LAP, respecto al derecho a la informa-

---

18 *Guía de práctica clínica de atención...*, *op. cit.*, p. 4.

19 En palabras de GARCÍA GARCÍA, E.M., *op. cit.*, p. 57.

20 Sobre el concepto de paciente del art. 3 LAP, *vid.* DOMÍNGUEZ LUELMO, A., *Derecho sanitario y responsabilidad médica (Comentarios a la Ley 41/2002, de 14 de noviembre, sobre derechos del paciente, información y documentación clínica)*, Lex Nova, Valladolid, 2003, pp. 147 y ss.

21 Sobre las razones fisiológicas que, frente a otras hembras, hacen precisa la asistencia en el parto de las mujeres, refiriéndose a la tesis obstétrica y la tesis energética: GARCÍA GARCÍA, E. M., *op. cit.*, pp. 147 a 152.

ción del paciente (información asistencial[22]), el cual constituye un deber para los profesionales sanitarios, en nuestro caso, las matronas, fundamentalmente[23]. En este sentido, el Colegio Oficial de Enfermería de Barcelona, en su *Guía Parto en Casa,* afirma que "las mujeres y sus familias tienen derecho a tomar decisiones informadas con respecto a la maternidad y a la atención de la criatura y tienen el deber de aceptar la responsabilidad personal de estas decisiones", y que "la verdadera toma de decisiones informadas se basa en el acceso de las mujeres a información veraz, actualizada y contrastada sobre los riesgos, beneficios y alternativas de todos los procedimientos que se les ofrecen"[24].

De este modo, en la primera visita de la mujer a la matrona, ésta, además de iniciar la historia clínica, habrá de proporcionar a la mujer toda la información científica que se tenga sobre las ventajas y desventajas del parto en casa en comparación con el parto hospitalario (en general, y en su caso concreto), sobre las posibles técnicas a aplicar durante el mismo, su naturaleza, riesgos y consecuencias, sobre los requisitos que ha de reunir el lugar elegido, sobre eventualidad de hacerse necesario acudir a un hospital… En este último supuesto, igualmente, los profesionales del centro hospitalario que terminen atendiendo a la mujer, quedarán obligados por este deber de información. Además, la información ha de darse de forma

---

22 Sobre los distintos tipos de información (asistencial —art. 2.6 LA—, terapéutica —art. 5.4.LAP—, epidemiológica —art. 6 LAP— e información en el Sistema Nacional de Salud —art. 12 LAP—), *vid.* GALLEGO RIESTRA, S., "Información y consentimiento informado: de la Ley General de Sanidad a la Ley 41/2002", en *Tratado de Derecho Sanitario,* vol. II, Thomson Reuters Aranzadi, Cizur Menor (Navarra), 2013, p. 812.

23 No obstante, no hay que pensar, tal y como manifiesta LOMAS HERNÁNDEZ, V., *op. cit.*, pp. 779 y 780, que pone de ejemplo de lo primero, el rasurado de la parturienta o la aplicación de enemas, y de lo segundo, la cicatriz consecuencia de la cesárea, que absolutamente todas las actuaciones que puedan realizar los profesionales sanitarios con motivo del parto requieren información y consentimiento, como ocurre con las que son "poco importantes y tan frecuentes que de imponerse el consentimiento se colapsaría el sistema sanitario" o con "los daños intrínsecos al tratamiento que resultan inevitables y justificados por su finalidad terapéutica, y que como tales deben ser soportados en todo caso por la gestante sin que en principio exista posibilidad de transacción al respecto". Por todo lo contrario, sí será necesario prestar información a la mujer sobre las intervenciones de riesgo en circunstancias imprevisibles, inducción al parto, maniobra de Kristeller, episiotomía, cesárea… incluso aunque sean imprescindibles y no haya otras opciones.

24 *Guía Parto en Casa, op. cit,* p. 16.

que la mujer la entienda y atendiendo, concretamente, a las situaciones de vulnerabilidad en las que pueda encontrarse, lo cual puede requerir un esfuerzo extra por parte de los profesionales que la asisten para asegurarse de que ha comprendido la información y de que toma su decisión consciente y libremente[25]. Así se desprende del artículo 10.2 del *Código de Deontología médica,* de 2022[26].

Aunque el sujeto titular del derecho a la información es la embarazada en cuanto paciente, también podrá informarse a personas vinculadas[27] a ella, si es que ésta lo autoriza expresamente (art. 5.1 LPA). En el supuesto de la mujer gestante que ha decidido dar a luz en su casa, lo normal será que se informe a su pareja de todo lo que ello conlleva, tanto respecto a lo que afecta a la mujer como al propio hogar familiar y sus preparativos.

Una vez dispensada la información, la paciente (la mujer) podrá tomar su decisión, y consentir o rechazar la actuación a la que la misma se refiera. En el primer caso estaríamos ante un "consentimiento informado" (definido por el art. 3 LAP y regulado en los arts. 8 y ss. LAP) que será necesario para cualquier actuación en el ámbito de la salud (arts. 2.2., 2.3, y 4.1 LAP) y, en el segundo, ante un "rechazo informado".

En general, la asistencia al parto requiere consentimiento informado por escrito (art. 8.2 LAP) con utilización de documentos protocolizados[28].

---

25 FERNÁNDEZ GUILLÉN, F., "Algunos aspectos jurídicos de la atención al parto" [en línea], (2009). <https://www.sanidad.gob.es/organizacion/sns/planCalidadSNS/pdf/equidad/AspectosJuridicos.pdf> [Consulta: 01/08/2023.]

26 *Código de deontología médica 2022,* Organización Médica Colegial de España / Consejo General de Colegios Oficiales de Médicos [en línea], (2023), <https://www.cgcom.es/sites/main/files/minisite/static/828cd1f8-2109-4fe3-acba-1a778abd89b7/codigo_deontologia/6/index.html> [Consulta: 02/08/2023.], art. 10.2: "El médico tiene el deber de evaluar la capacidad del paciente para comprender la información y tomar decisiones durante el proceso de consentimiento informado. El médico debe poner especial atención para que los pacientes con dificultad que compresión participen en el proceso asistencial en la medida en que su capacidad de comprensión lo permita".

27 *Vid.* sobre qué ha de entenderse por "personas vinculadas", expresión utilizada en los arts. 5.1, 5.3, 5.4, 9.2.b y 9.3.a LAP, DOMÍNGUEZ LUELMO, A., *op. cit.*, pp. 198 y 199, que critica la indeterminación de los términos empleados y que, en todo caso, incluye entre las vinculadas "de hecho", a "la persona unida al paciente por una relación de afectividad análoga a la conyugal".

28 Sobre el valor de estos documentos tipo o formularios, *vid.* ORTIZ FERNÁNDEZ, M., *El consentimiento informado en el ámbito sanitario. Responsabilidad civil y derechos constitucionales,* Dykinson, Madrid, 2021, pp. 222 y ss., que en pp. 224 y 225, se

En el supuesto concreto del parto en el domicilio, el "documento de consentimiento informado para la atención al parto en casa" se entrega, según aconseja la *Guía del parto en casa,* junto con el contrato con la matrona, en la primera visita de la mujer a ésta, y se recoge firmado en la primera visita al domicilio de la mujer por parte de la matrona (antes de la semana 37). Lo deben firmar las dos partes (por un lado, la matrona o profesional sanitario y por otro, la mujer —en su caso, también la pareja—) y habrá dos copias, una para cada una de ellas[29].

También es necesario referirse, en relación con el consentimiento informado, al llamado "plan de parto", basado en el derecho a la información y libertad de decisión del paciente, que vendría a trasladar al ámbito de la obstetricia las pretensiones de los documentos de instrucciones previas del artículo 11 LAP, de modo que, a través de un proceso de elaboración dialogado entre el profesional y la mujer, se asegure que ésta está verdaderamente informada y adopta sus decisiones con conocimiento de causa[30].

Concretamente, en 2007, el Grupo de Trabajo creado en el seno de los Comités Institucional y Técnico de la Estrategia de Atención al Parto Normal y de Salud Reproductiva, del Ministerio de Sanidad, Política Social e Igualdad, elaboró el *Plan de parto y nacimiento*[31], del cual las distintas Comunidades Autónomas han realizado adaptaciones[32]. Según dicho Comité, el plan de parto es "un documento en el que la mujer puede expresar sus preferencias, necesidades, deseos y expectativas sobre el proceso del parto y el nacimiento", "se informa de forma resumida sobre las prácticas adecuadas para la asistencia al parto y nacimiento", y "no se contempla la posibilidad de elección de prácticas no aconsejadas actualmente por la eviden-

---

refiere a los que los que pecan de escuetos o excesivos en cuanto a la información que proporcionan y no van acompañados de información verbal al paciente y su dudoso valor. Sobre su posible degeneración como simple instrumento de medicina defensiva, *vid.* GALLEGO RIESTRA, S., *op. cit.*, pp. 824 y 825.

29 *Guía Parto en Casa, op. cit.*, pp. 26, 27 y 28.

30 LOMAS HERNÁNDEZ, V., *op. cit.*, p. 795.

31 *Plan de parto y nacimiento,* Ministerio de Sanidad, Política social e Igualdad [en línea], <https://www.sanidad.gob.es/organizacion/sns/planCalidadSNS/pdf/equidad/planPartoNacimiento.pdf> [Consulta: 31/08/2023.]

32 *Vid.*, por ejemplo, para Castilla y León, *Plan de parto y nacimiento,* Consejería de Sanidad de Castilla y León [en línea], <https://www.saludcastillayleon.es/profesionales/es/procesos-asistenciales/procesos-asistenciales-gerencia-regional-salud/atencion-parto-normal-puerperio.ficheros/1381384-plan%20de%20parto%20y%20nacimiento.pdf> [Consulta: 01/09/2023.]

cia científica por ser innecesarias o perjudiciales en el curso de un parto normal". Así, el plan de parto que se propone se divide en siete apartados: 1. "Llegada al hospital"; 2. "Periodo de dilatación: asistencia, cuidados, alimentación"; 3. "Periodo expulsivo (salida del bebé)"; 4. "Alumbramiento de la placenta"; 5. "Cuidado y atención al recién nacido"; 6. "Periodo de puerperio"; 7. "Parto instrumental (fórceps, ventosa, espátula) o cesárea". De todos modos, lo decidido en el plan de parto puede modificarse, tanto a iniciativa de la mujer (porque cambien de preferencias), como por el profesional sanitario (si surgen circunstancias imprevisibles) tras informar y contar con el consentimiento de la gestante[33], salvo que nos encontremos en el supuesto del artículo 9.2.b LAP[34].

Lo mismo que ocurre en el parto hospitalario, en el caso específico del parto en casa también es aconsejable contar con un plan de parto. Éste se elaborará y consensuará durante las visitas de seguimiento de la mujer por la matrona[35] y, normalmente, aparecerán en un mismo documento, el plan de parto y el contrato relativo a la asistencia de ésta a aquélla.

Por último, como es posible que, en el proceso del parto o incluso antes, sea necesario acudir a un centro hospitalario ante una contingencia de riesgo a la que no pueda hacerse frente en el domicilio, la planificación del parto en casa requiere también de un plan de traslado, para lo que es necesario que se elija un centro hospitalario o clínica de referencia y se determine el medio de transporte, la ruta o quién conducirá, entre otras circunstancias. Si, finalmente, se hace preciso acudir al hospital, "la matrona ofrecerá un informe verbal y escrito que incluirá detalles sobre el motivo del traslado, el estado de salud de la mujer o la criatura y la necesidad

---

33 CARRIL VÁZQUEZ, X. M., *op. cit.*, p. 82, el cual en pp. 87 y 88, se refiere al deber de los profesionales de respetar las decisiones de la mujer, con base en el art. 5.1.c, de la LOPS y arts. 19.h y 19.i, de la Ley 55/2003, de 16 de diciembre, por la que se aprueba el Estatuto Marco del personal estatutario de los servicios de salud; y, en pp. 89 a 93, a la jurisprudencia sobre responsabilidad patrimonial de la Administración por las lesiones y secuelas causados en el bebé en actuaciones no consentidas por la mujer, tanto existiendo plan de parto, como si no.

34 Según el art. 9.2.b LAP: "Los facultativos podrán llevar a cabo las intervenciones clínicas indispensables en favor de la salud del paciente, sin necesidad de contar con su consentimiento, en los siguientes casos: ... b) Cuando existe riesgo inmediato grave para la integridad física o psíquica del enfermo y no es posible conseguir su autorización, consultando, cuando las circunstancias lo permitan, a sus familiares o a las personas vinculadas de hecho a él". En nuestro caso, tendríamos que sustituir la palabra "enfermo" por "gestante", "embarazada" o "parturienta".

35 *Guía Parto en Casa, op. cit.*, p. 28.

de atención hospitalaria". Como se puede apreciar, la colaboración entre profesionales será muy importante[36].

4. BIBLIOGRAFÍA

BEA PÉREZ, E., "Nacer en casa. Una reflexión sobre bioética y derechos humanos", *Cuadernos de Bioética,* núm. 107, vol. 33, 2022, pp. 67-86.

CARRIL VÁZQUEZ, X. M., *Los derechos de la mujer a la libre elección de las circunstancias del parto. Un estudio comparado e internacional de la atención sanitaria por maternidad, desde la perspectiva del derecho español,* Atelier, Barcelona, 2017.

COLEGIO OFICIAL DE ENFERMERÍA DE BARCELONA, *Guía Parto en Casa,* 2010 *(versión actualizada por la por la Associació de Levadores de Part a Casa de Catalunya en 2018),* [en línea], (2018), <chrome-extension://efaidnbmnnnibpcajpcglclefindmkaj/https://www.elpartoesnuestro.es/sites/default/files/recursos/documents/guia_partocasa_2018.pdf> [Consulta: 17/12/2024.]

DOMÍNGUEZ LUELMO, A., *Derecho sanitario y responsabilidad médica (Comentarios a la Ley 41/2002, de 14 de noviembre, sobre derechos del paciente, información y documentación clínica),* Lex Nova, Valladolid, 2003.

FERNÁNDEZ GUILLÉN, F., "Algunos aspectos jurídicos de la atención al parto" [en línea], (2009). <https://www.sanidad.gob.es/organizacion/sns/planCalidadSNS/pdf/equidad/AspectosJuridicos.pdf> [Consulta: 01/08/2023.]

GALLEGO RIESTRA, S., "Información y consentimiento informado: de la Ley General de Sanidad a la Ley 41/2002", en *Tratado de Derecho Sanitario,* vol. II, Thomson Reuters Aranzadi, Cizur Menor (Navarra), 2013, pp. 803-827.

GARCÍA GARCÍA, E. M., *La violencia obstétrica como violencia de género. Estudio etnográfico o de la violencia asistencial en el embarazo y el parto en España y de la percepción de usuarias y profesionales,* Universidad Autónoma de Madrid, Madrid, 2018, [en línea], (2018), <https://repositorio.uam.es/bitstream/handle/10486/684184/garcia_garcia_eva_margarita.pdf> [Consulta: 01/08/2023.]

LOMAS HERNÁNDEZ, V., "Los derechos de la mujer en el momento del parto. Cesárea "versus" parto vaginal", en *Tratado de Derecho Sanitario,* vol. II, Thomson Reuters Aranzadi, Cizur Menor (Navarra), 2013, pp. 773-823.

MARTÍN MELÉNDEZ, M. T., "La vida del feto como límite del derecho de la mujer a decidir el lugar del parto. Reflexiones a propósito de la sentencia del Tribunal Constitucional 66/2022, de 2 de junio", *Revista de Derecho Civil,* vol. XI, núm. 3, julio-septiembre, 2024, pp. 1-51 [en línea], (2024), <https://www.nreg.es/ojs/index.php/RDC/article/view/972> [Consulta:18/12/2024.]

MINISTERIO DE SANIDAD Y CONSUMO, *Estrategia de atención al parto normal en el Sistema Nacional de Salud,* [en línea], (2012), revisado en 2015, <https://www.sanidad.

[36] *Ibidem,* pp. 49 y 50

gob.es/en/organizacion/sns/planCalidadSNS/pdf/InformeFinalEAPN_revision-8marzo2015.pdf> [Consulta: 12/01/2024.]

MINISTERIO DE SANIDAD, SERVICIOS SOCIALES E IGUALDAD, *Guía de práctica clínica de atención en el embarazo y puerperio,* [en línea], (2014), <https://www.sanidad.gob.es/organizacion/sns/planCalidadSNS/pdf/GPC_de_embarazo_y_puerperio.pdf> [Consulta: 30/08/2023.]

MINISTERIO DE SANIDAD, POLÍTICA SOCIAL E IGUALDAD, *Plan de parto y nacimiento,* [en línea], <https://www.sanidad.gob.es/organizacion/sns/planCalidadSNS/pdf/equidad/planPartoNacimiento.pdf> [Consulta: 31/08/2023.]

ORGANIZACIÓN MUNDIAL DE LA SALUD, *Guía práctica. Cuidados en el parto normal,* Ginebra [en línea], (1996), <https://www.ascalema.es/wp-content/uploads/2014/10/OMS.-Cuidados-parto-normal.-Una-gu%C3%ADa-pr%C3%A1ctica.-1996.pdf> [Consulta: 01/09/2023.]

CONSEJERÍA DE SANIDAD DE CASTILLA Y LEÓN, *Plan de parto y nacimiento,* [en línea], <https://www.saludcastillayleon.es/profesionales/es/procesos-asistenciales/procesos-asistenciales-gerencia-regional-salud/atencion-parto-normal-puerperio.ficheros/1381384-plan%20de%20parto%20y%20nacimiento.pdf> [Consulta: 01/09/2023.]

ORGANIZACIÓN DE LAS NACIONALES UNIDAS, DERECHOS HUMANOS, *Salud y derechos humanos sexuales y reproductivos,* [en línea],<https://www.ohchr.org/es/node/3447/sexual-and-reproductive-health-and-rights> [Consulta: 06/08/2023.]

ORTIZ FERNÁNDEZ, M., *El consentimiento informado en el ámbito sanitario. Responsabilidad civil y derechos constitucionales,* Dykinson, Madrid, 2021.

RODRÍGUEZ GARRIDO, P. / GOBERNA TRICAS, J., "(In)seguridad del parto en el domicilio: una revisión bibliográfica", *Matronas profesión,* núm. 2, 2022, pp. 37-46.

VARIOS, "Panorámica internacional en relación a las recomendaciones práctica clínica y legislación del parto en casa", *ENE Revista de Enfermería,* vol. 11 (2017), núm. 1, [en línea], (2017), <https://scielo.isciii.es/scielo.php?script=sci_arttext&pid=S1988-348X2017000100005&lng=es&nrm=iso&tlng=es> [Consulta: 10/08/2023.]

Mujer y reproducción post mortem: el derecho al "respeto a la vida privada y familiar" del art. 8 CEDH en la jurisprudencia del TEDH

MARÍA ISABEL DE LA IGLESIA MONJE
Profesora Titular (acreditada a cátedra) de Derecho Civil
UCM

1. INTRODUCCIÓN: LA REGULACIÓN DE LA FECUNDACIÓN *POST MORTEM*

Nuestro país fue pionero en la regulación de las técnicas de reproducción humana asistida, y uno de los pocos, de nuestro entorno, en posibilitar la reproducción *post mortem* hace ya más de 35 años. Así, la Ley 35/1988, de 22 de noviembre, en su artículo 9, siempre pensando en la determinación de la filiación del hijo en relación con el varón fallecido, indicó la necesidad de que el material genético estuviese en el útero de su esposa en el momento de morir, o que el marido consintiera la reproducción para futuro prestando su consentimiento en escritura pública o testamento, siempre que se llevase a cabo en los seis meses siguientes a su fallecimiento. La posterior Ley 4/2006, de 26 de mayo, en la misma línea, concretó además que el varón puede prestar su consentimiento, informado, en un documento antes de la utilización de las técnicas donde aquel conste de manera libre, consciente y formal, esto es en escritura pública, en testamento o documento de instrucciones previas, y amplía para la técnica reproductiva al plazo de un año.

Técnicas consistentes en la implantación en el útero de la mujer viuda de un embrión fecundado *in vitro* con semen del fallecido, que es la llamada *transferencia de embriones realizada post mortem*, o, el supuesto de *inseminación con material genético del —marido o pareja— fallecido.* El consentimiento para la aplicación de estas técnicas, que puede ser *revocado* en cualquier momento anterior a su realización, con los gametos del marido de la usuaria, son esenciales las cautelas (consentimiento informado expreso, su formalización por ambos progenitores y cumplimiento del plazo), con la finalidad de determinar la filiación del hijo respecto del fallecido.

2. EL SENTIDO DE LA FECUNDACIÓN *POST MORTEM*

La problemática que plantea este tipo de reproducción es si, conforme a la legislación vigente, procede esta técnica para *completar un proyecto de paternidad iniciado en común por los progenitores*, pero que se suspende posteriormente por diversos motivos, generalmente la enfermedad del varón, y su finalización tras la muerte del marido, o, si es únicamente un medio para tener descendencia del varón, ya sea marido o pareja de hecho *independientemente de la existencia de un previo proyecto.*

Si se cumplen los requisitos señalados por la ley no hay problema, pero si no existiese el consentimiento (ya sea por inexistencia del documento o de la firma, o que haya una cláusula firmada por el marido por el que se revocará su consentimiento si él falleciese), o se hubiese extralimitado el plazo de un año, la cuestión es distinta, ya que hay quienes consideran que *debería prohibirse* la fecundación, argumentando que el hijo estaría obligado a nacer y vivir sin padre, y por lo tanto se perjudicaría el principio fundamental de su bienestar e interés superior como menor. Mientras que otros *la admiten con ciertos condicionamientos*, señalando que el hijo sí tendría padre, aunque fallecido, existiendo una relación de filiación y una relación de parentesco con la familia paterna que le pueden proporcionar asistencia junto a la madre. No obstante, hay un tercer sector doctrinal que admite este tipo de fecundación, pero privando al nacido de derechos sucesorios respecto del fallecido.

El otro problema radica en el plazo legal de un año, que puede ser *insuficiente* en ciertos supuestos como el de enfermedad sobrevenida y posterior fallecimiento, y que por lo tanto *podría ser prorrogado por el Juez al existir justa causa*, teniendo en cuenta el artículo 7 del RD 413/1996, de 1 de marzo, por el que el material reproductor del varón sólo se podría criopreservar por un plazo máximo de cinco años.

Por lo que respecta a los países de nuestro entorno europeo, cuando en la década de los 80 se reconoció este derecho en España, no lo estaba ni en Alemania, ni en Francia ni en Italia, estaba prohibió en Suecia, mientras que en Reino Unido se permitió con limitaciones. Sin olvidar que, el Comité de Expertos del Consejo de Europa rechazó este tipo de técnica reproductiva *post mortem.* Y, en EEUU, ni siquiera se había previsto su regulación. Hoy, la inseminación *post mortem* ya se ha permitido en países como Australia, Austria, Bélgica, Grecia, India, Israel, Países Bajos, Nueva Zelanda, Sudáfrica, España y el Reino Unido. Y, por ejemplo, Portugal se ha convertido en uno de los pocos países que permite la inseminación *post mortem,* a través de la Ley nº 48/2019, Lei n.º 48/2019, de 8 de julho que regula la procreación médicamente asistida (PMA).

En nuestro país, los problemas que giran en torno a la fecundación *post mortem* y llegan a los tribunales, no se centran en la motivación que lleva a la viuda a ser fecundada con el semen del marido fallecido o a implantarse tras el fallecimiento los embriones. La nitidez de la Ley la posibilita si se cumplen los requisitos señalados. Los problemas se refieren al plazo que ha resultado insuficiente en multitud de ocasiones como ha puesto de relieve la realidad práctica a través de las diferentes resoluciones judiciales (Auto del Juzgado de 1ª Instancia, de 13 de febrero de 2017)[1].

---

1 En este caso, el médico en su informe enumera y desglosa todos los problemas y complicaciones que conllevan mala respuesta en cada fase de la fecundación, tales como la baja respuesta a la estimulación, posibles problemas como la metrorragia, o los psicológicos derivados del proceso de duelo de la paciente y estrés acumulado por tal causa, que alargan el global proceso haciendo necesarios nuevos intentos que deben entenderse incluidos en el mismo y único proceso de fertilización, por más que se dilate en el tiempo.

El Juzgador insiste a la vista del informe y afirma que "no parece que el legislador haya pensado precisamente en un plazo cerrado total de 1 año para el tratamiento y fecundación, pues las más de las veces, por la propia complejidad del proceso, riesgos inherentes, muy destacadamente el propio estrés de la viuda vinculado al proceso de duelo por el fallecimiento de su cónyuge, y la propia duración de los ciclos y periodos intermedios de descanso, será prácticamente imposible la fecundación (y con ello el cumplimiento de la voluntad de la pareja, manifestada en vida por el difunto esposo y corroborada por la actuación post mortem de la viuda)."

A su juicio "*Lo relevante debe ser que se haya iniciado en efecto en el citado plazo el proceso de reproducción asistida, aquí fertilización in vitro,* como así consta, llegando incluso a obtenerse los 4 pre embriones dentro del plazo legal, por lo que, el que por exigencias médicas (físicas/psíquicas o de ambos tipos) aún no se haya podido acabar tal proceso de fecundación con éxito, existiendo aún material reproductivo del Sr. Casimiro preparado para utilizar, no puede llevar a entender que se esté intentando iniciar algo nuevo o distinto del proceso iniciado conforme a Derecho dentro del legal plazo, del que el nuevo o nuevos intentos de uso de dicho material para conseguir pre embriones no son sino una continuación, algo que forma parte del mismo proceso, y que por ello debe autorizarse hasta agotar el citado material destinándolo para la finalidad pensada por la pareja."

En la sentencia de la AP de Barcelona de 23 de septiembre de 2020[2], se analiza la cuestión del plazo y se pone de manifiesto entre otras cuestiones la necesidad de su prórroga. En el supuesto de hecho enjuiciado, consta fehacientemente la voluntad expresa del marido para la fecundación asistida después del fallecimiento y que el plazo de 270 días prorrogables por 90 fue prorrogado por el Juzgado en el Auto de 9-2-2016 en el que se autorizó a la demandante a hacer uso del esperma de su difunto esposo. El plantea-

---

Por ello concluye que "en el caso de autos el material reproductor del Sr Casimiro (a los efectos del art 9.2 LTRHA) se ha utilizado "en" los 12 meses siguientes a su fallecimiento "para fecundar"(entiéndase, con la intención y finalidad de fecundar) a su mujer, obteniéndose incluso dentro del plazo anual varios pre embriones listos para ser transferidos; o desde la perspectiva del art 235.8 CCAt el proceso de fecundación se ha "iniciado" en el plazo de 270 días a partir del fallecimiento del marido. El lapso a partir del año obedece en el presente caso a motivos médicos previsibles, en el desenvolvimiento de estas técnicas en especial en procesos post mortem, y lo único que se pretende es agotar el material reproductor del Sr Casimiro aún existente. No iniciar procesos nuevos o diferentes, sino agotar el citado material para intentar obtener pre embriones que transferir. Proceso iniciado en los plazos legalmente indicados."

Pero lo más importante, es que "De no autorizarse la continuación se podría dar una situación paradójica, pero, sobre todo, injusta para con la viuda. El art 11-3 LTRHA dispone que "Los pre embriones sobrantes de la aplicación de las técnicas de fecundación in vitro que no sean transferidos a la mujer en un ciclo reproductivo podrán ser crioconservados en los bancos autorizados para ello. La crioconservación de los ovocitos, del tejido ovárico y de los pre embriones sobrantes se podrá prolongar hasta el momento en que se considere por los responsables médicos, con el dictamen favorable de especialistas independientes y ajenos al centro correspondiente, que la receptora no reúne los requisitos clínicamente adecuados para la práctica de la técnica de reproducción asistida."

2 SAP de Barcelona Sección: Decimoctava. Sentencia de 23 de septiembre de 2020. Ponente: María Dolores Viñas Maestre. Número Sentencia: 596/2020 Número Recurso: 1111/2019. Numroj: SAP B 8778/2020. Ecli: ES:APB:2020:8778.

Los hechos son los siguientes. Se procedió a la crioconservación de esperma en mayo de 2012 falleciendo el varón en agosto de 2012. Ante la negativa del centro médico a realizar una fecundación en 2015 por haber transcurrido el plazo legal la Sra. Ariadna planteó una demanda de Jurisdicción Voluntaria que terminó por Auto de 9-2-2016 en el que se le otorgaba autorización para el uso del esperma de su difunto esposo.

Se llevó a cabo la fecundación con gametos del Sr. Avelino en febrero de 2017 y la inseminación de los embriones fecundados en diciembre de 2017. La niña cuya filiación paterna se reclama nació en 2018. No hay duda de que la hija ha nacido como resultado de un procedimiento médico de fecundación con gametos del Sr. Avelino que falleció en mayo de 2012

miento de las partes se centraba en que, si el Juez autoriza la realización de una *fecundación in vitro post mortem transcurrido el plazo legal*, no puede denegarse después el reconocimiento de la filiación de la niña nacida como resultado de la fecundación autorizada.

Sin embargo, la Sala de la AP de Barcelona no comparte el criterio defendido en el recurso de apelación. El Auto dictado en el expediente de Jurisdicción Voluntaria de 9-2-2016 no implica prórroga del plazo legal establecido para la determinación de la paternidad por consentimiento a las TRHA. Del contenido de la referida resolución se desprende claramente que la autorización para el uso del material genético se concede sin entrar en la determinación de la filiación que pueda resultar.

Distinta es la conclusión a la que llega la STSJ de Madrid de 6 de febrero de 2017 en un caso de pérdida irreparable de preembriones crioconservados y su relación con el plazo de implantación[3]. En este caso se produce la condena solidaria de la Comunidad de Madrid y de la compañía de seguros en concepto de responsabilidad patrimonial, por el funcionamiento anormal de los servicios públicos, que se extiende al fallo técnico de mantenimiento del laboratorio que no realiza las comprobaciones necesarias y producen la pérdida de los embriones crioconservados. No obstante, en relación con una posible indemnización del daño moral derivado de la pérdida de los embriones que habían sido obtenidos con material reproductor de su esposo fallecido se entiende que no hay responsabilidad por la actuación del equipo médico, aunque no fue informada del plazo de doce meses para su utilización, y se considera que no existe daño moral por la pérdida irreparable de dichos embriones porque ya se había extinguido el plazo para su implantación y consiguientemente no hay indemnización[4].

Afirma la Sentencia que la viuda es propietaria tanto por derecho propio como por vía hereditaria del material pre embrionario congelado (ovulo propio y semen de su difunto esposo) apto para una posible transferencia a la misma, y del semen de su difunto esposo que aún está congelado, no podría utilizarlo para sí —por transcurso del plazo de un año— (ni para

---

[3] Vid. mi comentario sobre la Pérdida irreparable de preembriones crioconservados y daño moral de la viuda. *Revista Crítica de Derecho Inmobiliario*, ISSN 0210-0444, Año nº 93, Nº 762, 2017, págs. 1943-1963.

[4] Sentencia del Tribunal Superior de Justicia de Madrid, Sala Constencioso-Adminsitrativa. Sentencia de 6 de febrero de 2017. Ponente: Francisca María de Flores Rosas Carrión. Número Sentencia: 41/2017 Número Recurso: 448/2014. Numroj: STSJ M 1233:2017. Ecli: ES:TSJM:2017:1233

implantarse pre embriones ni para usar el semen para tal proceso con nuevos óvulos propios), y sólo podría optar por la donación, de modo que vería frustrado su legítimo deseo de tener un hijo suyo y de su difunto esposo, dándose el absurdo de que dicho material pre embrionario donado/o dicho semen donado, podría ser transferido/inseminado a otra mujer, pero nunca a la Sra. Alicia, ni siquiera en caso de pretender ella ser madre, pues para esto o bien tendría que tener nueva pareja, o bien decidir ser madre sin pareja, vía reproducción asistida, acudiendo a un centro a inseminarse para recibir gametos de un donante anónimo, salvo que casualmente tuviera la suerte (pero por esta vía) de recibir el material pre embrionario / semen por ella donado pero sin saberlo."

Continúa la Sentencia señalando que "No parece conciliarse con el sentido común y podría suponer un tratamiento desigual (sin justificación suficiente) y por ello discriminatorio para la Sra Alicia respecto a su derecho a fundar una familia tal y como la tenían proyectada, frente al derecho de cualquier otra mujer sin pareja, al tener que renunciar la Sra Alicia a su propio óvulo fecundado con semen de su difunto esposo o al semen subsistente de su difunto esposo, lo que no se compadece con el art 14 CE, haciéndola de peor condición al no poner disponer de lo que es suyo y viéndose abocada a que en su caso pase a quedar disponible para otra receptora…." "Por lo demás obsérvese que (testifical Don Norberto, padre del fallecido) éste era hijo único, y su hijo le había manifestado la intención del mismo y de la Sra Alicia de hacerle abuelo, estando encantado con la posibilidad de poder ser abuelo, no existiendo por tanto contienda ni conflicto alguno, hereditario o de otra índole, a nivel familiar (en igual sentido la testigo tía del fallecido, y el ex cuñado del fallecido) con lo que ningún perjuicio hereditario ni generacional, ni de otro tipo se adivina en la autorización de la continuación del tratamiento ya iniciado. El perjuicio sería en caso contrario para la Sra Alicia. Y no sólo de la Sra Alicia, sino igualmente para los familiares de su difunto esposo, como en el caso de su propio padre, que perdería la expectativa y el deseo de ser abuelo, con el añadido —de donar la Sra Alicia el material a tercera persona— de poder pensar que pueda haber nacido una nieta/nieto al que nunca conocerá…"

Además, el semen del fallecido es propiedad de la Sra Alicia vía hereditaria, lo único que consta en el consentimiento y autorización es que lo usara *post mortem*, no constando consentimiento para que ésta decidiera donarlo.

3. DETERMINACIÓN DE LA FILIACIÓN Y EFECTOS SUCESORIOS

El principal efecto de la determinación de la filiación del hijo póstumo así concebido es el sucesorio, pues automáticamente se convierte en heredero forzoso como consecuencia del principio constitucional de igualdad. Heredero tanto por llamamiento testamentario hecho a su favor (incluso siendo un *concepturus* bajo la condición suspensiva de que llegue a nacer), como si la Ley lo llama a suceder *ab intestato*[5].

En este punto resulta interesante la SAP de Sevilla de 4 de julio de 2022[6] cuyo supuesto de hecho se inicia por los hermanos del difunto a fin de excluir de la herencia a la menor, alegando que su legitimación activa se fundamente en su interés en la herencia de su hermano y abuelo frente a la apreciación de oficio de la falta de legitimación activa basándose en que en ningún caso son herederos de su hermano (que lo es la viuda, y los padres del fallecido) y que su interés se centra en incrementar su activo en la herencia de su padre, lo cual no constituye título habilitante para ejercer la acción.

4. SUPUESTOS ESPECÍFICOS DE FECUNDACIÓN *POST MORTEM*

Últimamente, han acaparado en la prensa del corazón diversos titulares en relación con la utilización del material genético crioconservado en Estados Unidos y la fecundación en una madre subrogada. Nos estamos refiriendo abiertamente a la utilización por una conocida actriz del esper-

---

5 El art. 325.3 del Código del Derecho Foral de Aragón establece que «Si el causante ha expresado en debida forma su voluntad de fecundación asistida *post mortem* con su material reproductor, los hijos así nacidos se considerarán concebidos al tiempo de la apertura de la sucesión siempre que se cumplan los requisitos que la legislación sobre estas técnicas de reproducción establece para determinar la filiación».
También el art. 412- 1.2 del Libro IV del Código Civil de Cataluña dispone que «Los hijos que nazcan en virtud de una fecundación asistida practicada de acuerdo con la ley después de la muerte de uno de los progenitores tienen capacidad para suceder al progenitor premuerto».

6 SAP de Sevilla. Sección: Segunda. Sentencia de 4 de julio de 2022. Ponente: Antonio Marco Saavedra. Número Sentencia: 372/2022 Número Recurso: 7198/2021. Numroj: SAP SE 2020:2022. Ecli: ES:APSE:2022:2020.

ma de su hijo fallecido, para ser fecundado con un ovulo de una donante y la introducción del embrión en una tercera mediante el contrato de maternidad subrogada. De esta forma la comitente del contrato es a su vez la madre no gestante por utilizar la maternidad subrogada, y a su vez, desde el punto de vista genético es la abuela del bebe.

El revuelo producido por la noticia en parte se debe a la consideración de la fecundación *post mortem* derivada de nuestra LTRHA. En las leyes europeas que lo permiten se centran en el pensamiento de la formación de una familia, o en la utilización del material genético del varón fallecido por la esposa para terminar el proyecto que tenían ambos en común y que habían comenzado cuando estaba vivo. En ningún caso se había pensado en la utilización por la madre del varón fallecido para "obtener" un hijo de su hijo que se convirtiera en el nuevo hijo. En cierto modo es la formación de una familia nueva (abuela nieta), o la continuación de la familia tras la desaparición del hijo.

La Ley española está pensando en los problemas de reconocimiento paternofilial que, en este caso, es totalmente secundario, pues se utiliza la maternidad subrogada en el extranjero, y se reconocerá en España al hijo así nacido para que no quede en el limbo jurídico.

También se han originado otros casos en los que el propio hijo habría donado su material genético, siendo la comitente su madre, para la fecundación en un vientre de alquiler. Todo ello posibilitado por las leyes de EE UU. Estamos pensando en las hijas de una Baronesa.

En resumen, la Ley española no contempla el supuesto de la utilización del material genético de un hijo fallecido. No hay una norma que lo prohíba expresamente, aunque sí indirectamente al impedirse la maternidad subrogada. Pero estas cuestiones se resuelven con el turismo reproductivo, apto solo para determinados "bolsillos".

5. EL TEDH, LA IDENTIDAD NACIONAL Y LA FECUNDACIÓN *POST MORTEM*

El art. 4.2 del TUE garantiza que *la Unión respetará la identidad nacional, inherente a las estructuras fundamentales políticas y constitucionales de los Estados miembros.* Este precepto ha dado lugar a una jurisprudencia relevante por parte de los Tribunales Constitucionales de los Estados y del TJUE y también por parte del TEDH, sobre todo en el ámbito del derecho de familia[7]. Nosotros vamos a centrar el análisis en la cuestión que estamos analizando

El concepto «identidad constitucional» lo vamos a utilizar como sinónimo de «identidad nacional» pues la jurisprudencia del Tribunal de Justicia de la Unión Europea los emplea indistintamente[8]. La identidad constitucional sirve para *integrar* dos ordenamientos jurídicos, el del Estado miembro y el de la Unión y también cumple la función de *integrar* las concepciones constitucionales de los Estados miembros en el Derecho de la UE. Identidad nacional que se alega ante el TEDH por los Estados, o viceversa, es el propio TEDH quien lo utiliza para remarcar sus alegaciones, incluso en el ámbito de las TRA (Técnicas de Reproducción Asistida) y de las relaciones paterno filiales, en los que vamos a profundizar. ¿Es el margen de apreciación de los Estados, no solo un principio informador[9] sino también, además integrador?[10]

Partimos de que el concepto de identidad nacional debe interpretarse de modo unitario; lo que no quiere decir que todos los Estados miembros tengan la misma identidad, pero sí que *la identidad nacional deberá hacer referencia en todos ellos a las estructuras fundamentales políticas y constitucionales y a los valores básicos de cada Estado miembro.* La *identidad nacional* tiene un contenido difuso, tiene que ver con las estructuras fundamentales del Estado y los valores fundamentales de la sociedad donde está vigente una Constitución. En el plano teórico, la identidad supone una diferencia frente a los otros, pero, además, puede darse también en relación con los otros. De ahí que la identidad no es siempre un obstáculo a la integración: donde

---

7 La misión del TEDH, que sirve para garantizar el respeto al CEDH, reconoce derechos esenciales en los valores democráticos, y busca unos estándares mínimos de cada derecho que deban ser garantizados en todos los Estados partes quienes deberán acatar las decisiones del TEDH.

8 Véase ROCA, María J.: "Tomando en serio la identidad constitucional en el espacio convencional europeo", en *ReDCE* núm. 38. Julio-Diciembre de 2022. Pag. 3.

9 El principio informador del ordenamiento jurídico es un concepto esencial en la teoría del derecho, que se refiere a los valores, principios y normas básicas que guían y orientan la creación, aplicación e interpretación de las leyes. Sirve para establecer una base sólida y coherente para el sistema jurídico, garantizando la justicia, la seguridad jurídica y la igualdad ante la ley, pues el derecho debe ser un instrumento al servicio de la sociedad, promoviendo el bienestar social y protegiendo los derechos y libertades fundamentales de los individuos.

10 El principio de eficacia integradora de la Constitución valora el mantenimiento de la unidad de la Constitución.

hay comunidad de prácticas y sentimientos, hay factores de integración. Y así lo podemos observar, seguidamente, en la sentencia de 8 de diciembre de 2022, sobre la fecundación *post mortem* donde el TEDH, remarcando la diferencia de regulación dentro de la propia UE, pues hace referencia a los países de nuestro entorno cuantificando que, en dieciséis Estados miembros, incluida la República Checa, la transferencia del embrión después de la muerte del marido estaba prohibido; y en doce Estados miembros no estaba regulada.

Por otro lado, la Constitución es un sistema de normas, pero también un orden de valores. La Constitución debe ser integradora, formando y manteniendo la unidad entre el Estado y la sociedad. El Estado puede alegar frente al TEDH el respeto a su identidad constitucional en supuestos especialmente conflictivos o de especial significado para un Estado. Y al reconocer el TEDH el *margen de apreciación nacional* equivale a atribuir al Estado un ámbito de discrecionalidad dentro del cual éste no tiene que invocar ningún principio, cláusula o justificación de la decisión que adopte; siempre que no lesione los estándares mínimos de los derechos garantizados en el CEDH.

En conclusión, debemos tener en cuenta el carácter histórico y particular (ligados a la cultura y a la idiosincrasia) de cada estado miembro, pero también el desarrollo y la evolución de los diferentes aspectos del derecho de familia en conexión y coordinación con la evolución de los derechos fundamentales, lo cual obliga a admitir principios flexibilizadores como el *margen de apreciación o el respeto a la identidad constitucional* en la aplicación del CEDH.

6. CUESTIONES SOBRE LA FECUNDACIÓN *POST MORTEM*

En el ámbito de los derechos humanos, esta cuestión debe ponerse en relación con el art. 8 del CEDH, referido al respeto a la vida privada y familiar. El TEDH ha estudiado esta cuestión teniendo en cuenta el *margen de apreciación* de los diferentes estados que establecerán un régimen jurídico, basado en la moral o la aceptabilidad social del país, que generalmente es restrictivo si no prohibitivo, lo cual hace que se favorezca el turismo reproductivo *post mortem* hacia países más permisivos, como el nuestro, aunque rodeado de garantías relacionadas con el consentimiento informado previo del hombre fallecido. El equilibrio se halla en el respeto a la dignidad humana y al libre albedrío, y en la garantía de los derechos de todas las partes, de forma que toda persona que done gametos sepa de antemano que no se podrá hacer ningún uso de su material genético sin su consentimiento, aún después de muerto. *Cuestiones todas que pueden eludirse por la vía de facto, como vemos en la realidad.*

En la STEDH de 8 de diciembre de 2022, case of Pejřilová V. The Czech Republic[11] que analiza un supuesto de reproducción artificial *post mortem* y la posible conculcación del respeto a la vida privada y familiar, se desestima la solicitud de una viuda para ser fecundada con esperma congelado del esposo fallecido, pues la ley nacional checa, solo permite tal fertilización para parejas, o cuando ambos cónyuges están vivos.

La demandante alega que se ha atentado contra su vida privada al no permitírsele la FIV. El TEDH indica que no se produce ningún atentado pues si la legislación checa no posibilita la utilización del material genético del marido fallecido, puede utilizar el de un donante. La intención de la legislación es, por un lado, proteger la libre voluntad del hombre que ha consentido la reproducción asistida y, por otro, el derecho del niño por nacer a conocer a sus padres. *La decisión tomada por el Tribunal se refuerza por la ausencia de consenso europeo en este tema y la existencia de un amplio margen de apreciación no sobrepasado.*

7. EL DERECHO DE LA VIUDA A TENER UN HIJO RELACIONADO GENÉTICAMENTE CON EL MARIDO FALLECIDO ¿ATENTA CONTRA SU VIDA PRIVADA, CONCULCA SU DERECHO A SER MADRE?

El TEDH concluye que en el derecho interno la Ley es clara. Los tribunales nacionales examinaron cuidadosamente los argumentos de la solicitante, pero consideraron que las disposiciones de la Ley SHS no podían dejar de aplicarse. Destacaron que debe tenerse en cuenta que se analiza una situación en la que el marido de la demandante había firmado un formulario de consentimiento que contiene una disposición explícita sobre la destrucción del esperma criopreservado en caso de su muerte. El consentimiento adicional de él, exigido por la ley, no podía ser prejuzgado y sustituido por la decisión de un tribunal.

---

11 STEDH de 8 de diciembre de 2022, caso de Pejřilová V. The Czech Republic (asunto nº 14889/19).

En definitiva, el Tribunal considera que el derecho legítimo de la demandante sobre tener un hijo relacionado genéticamente con su difunto esposo no debe tener mayor peso que los intereses generales legítimos protegidos por la legislación impugnada. Y todo ello, aun cuando a la República Checa se le concede un amplio margen de apreciación, que no puede traspasar.

Estamos ante un supuesto donde la identidad nacional se ha empleado por el TEDH, pues, en el espacio convencional se reconoce a los Estados un margen de apreciación en la aplicación del CEDH. Es un supuesto donde la identidad nacional se especifica en el margen de apreciación nacional y en el control de constitucionalidad de las decisiones del TEDH.

8. EL DESTINO DE LOS EMBRIONES CRIOCONSERVADOS

En STEDH, Gran Sala, de 10 de abril de 2007[12], caso de Evans c. Reino Unido, y en la STEDH, Gran Sala de 3 de noviembre de 2011, caso S.H. y otros c. Austria[13], la Corte se basó en un estudio comparativo de 1998 en treinta y nueve estados, incluidos treinta y cinco Estados miembros del Consejo de Europa, sobre la procreación asistida y la protección del embrión humano. En él se analiza la cuestión de la *procreación post mortem*, y se mostró que la transferencia de un embrión fertilizado mientras el esposo aún estaba vivo estaba permitido en cuatro Estados miembros (Alemania, Reino Unido, España y Suiza) pero en dieciséis Estados miembros, incluida la República Checa, la transferencia del embrión después de la muerte del marido estaba prohibido; y en doce Estados miembros no estaba regulado. En cuanto a la *inseminación artificial y la FIV* con el semen del fallecido, dieciocho Estados miembros, incluida la República Checa, no permiten estas técnicas, mientras que dos países (España y Reino Unido) si lo posibilitaban con cautelas como estar sujeto al consentimiento informado previo del difunto esposo y doce Estados miembros no lo regulaban.

---

12 STEDH, Gran Sala, de 10 de abril de 2007, caso de Evans c. Reino Unido (asunto nº 6339/05)

13 STEDH, Gran Sala de 3 de noviembre de 2011, caso S.H. y otros c. Austria (asunto 57813/00)

En el caso Evans[14] se analiza el conflicto entre el derecho de la mujer a que los embriones creados con sus óvulos y crioconservados le fueran implantados, al constituir su "última oportunidad de tener un hijo genético" frente a la postura del hombre que defiende su derecho a no ser forzado a procrear.

El Tribunal resolvió que era legítimo que un Estado estableciera un esquema legal teniendo en cuenta el tiempo y el posible retraso entre la creación de un embrión y su implantación en el útero, en el marco de la FIV. Y ello porque el TEDH declara que el caso afecta el derecho al respeto de la vida privada de ambas partes, y tiene en cuenta una aproximación formalista a la cuestión, al concretar que cualquier parte puede revocar su consentimiento al tratamiento en cualquier momento previo a la implantación de los embriones.

Consciente el TEDH de que el uso de la FIV suscita problemas éticos y morales y que, por tanto, las cuestiones planteadas en el caso afectan a áreas sensibles en las que *no existe un claro consenso entre los estados miembros, tales como el estatus del embrión, el Tribunal considera que debe garantizarse a los estados un amplio margen de apreciación en esta materia.* A pesar de que el TEDH empatiza con la recurrente, concluye que el legislador no sobrepasó el margen de apreciación garantizado por el art. 8 CEDH. *Esta aproximación no ha estado exenta de críticas, dadas sus claras implicaciones en materia de género*[15].

9. CONCLUSIÓN

Nuestro ordenamiento jurídico posibilita la fecundación post mortem a través de la llamada *transferencia de embriones realizada post mortem,* o, el

---

14 STEDH del caso de Evans c. Reino Unido tiene sus orígenes en un conflicto entre dos ex convivientes, en relación con el destino de varios embriones que fueron creados con gametos de ambos durante su relación de pareja. Dichos embriones tuvieron que ser crioconservados porque durante el proceso de reproducción asistida a la mujer le fueron diagnosticados tumores cancerígenos que determinaron que le fueran extirpados ambos ovarios con carácter urgente. Sin embargo, antes de que los embriones pudieran serle implantados, la relación finalizó.

15 A partir de *Evans* se ha destacado las consecuencias especialmente negativas para las mujeres que tienen las normas que permiten a cualquiera de las partes del proyecto parental revocar el consentimiento a la FIV antes de la implantación de los embriones.

supuesto de la i*nseminación con material genético del —marido o pareja— fallecido.* Las cautelas legales se centran en el consentimiento previo del marido para la aplicación de estas técnicas, que puede ser *revocado* en cualquier momento (consentimiento informado expreso, su formalización por ambos progenitores) y el cumplimiento del plazo máximo de un año tras el fallecimiento del marido, con la finalidad de determinar la filiación del hijo respecto del fallecido con los efectos sucesorios que conlleva. Reproducción posibilitada con la finalidad de *completar un proyecto de paternidad iniciado en común por los progenitores y en vida del marido.*

Aunque parece que nuestro país es permisivo por la regulación existente, realmente la mujer encuentra todo tipo de problemas, centrados fundamentalmente en que el plazo es *insuficiente* en ciertos supuestos como el de enfermedad sobrevenida y posterior fallecimiento. O, en relación con la inexistencia del consentimiento del varón fallecido (sea por inexistencia del documento o de la firma, o que haya una cláusula firmada por el marido por el que se revocará su consentimiento si él falleciese).

Todo ello teniendo en cuenta que la viuda es propietaria tanto por derecho propio como por vía hereditaria del material pre embrionario congelado (ovulo propio y semen de su difunto esposo) apto para una posible transferencia, y del semen de su difunto esposo que, pero que si no concurren los requisitos de consentimiento del varón fallecido y no se está dentro del plazo de un año no podría utilizarlo para sí de modo que vería frustrado su legítimo deseo de tener un hijo suyo y de su difunto esposo, dándose el absurdo de que dicho material pre embrionario o dicho semen, podría ser transferido/inseminado mediante donación a otra mujer, pero nunca a la viuda.

El TEDH tiene en cuenta el carácter histórico y particular (ligados a la cultura y a la idiosincrasia) de cada estado miembro, pero también el desarrollo y la evolución de los diferentes aspectos del derecho de familia en conexión y coordinación con la evolución de los derechos fundamentales, lo cual obliga a admitir principios flexibilizadores como el *margen de apreciación o el respeto a la identidad constitucional* en la aplicación del CEDH. En supuestos donde la legislación del país no posibilita esta técnica reproductiva se entiende que el derecho de la viuda a tener un hijo relacionado genéticamente con el marido fallecido no atenta contra su vida privada, ni conculca su derecho a ser madre pues estas circunstancias no deben tener mayor peso que los intereses generales legítimos protegidos por la legislación del país que lo prohíbe. El TEDH reconoce a los Estados un margen de apreciación en la aplicación del CEDH

10. BIBLIOGRAFÍA

GARCÍA ROCA, Javier, «La subsidiariedad y el margen de apreciación nacional como responsabilidades de los Estados y contrapesos a la armonización de los derechos», en J. GARCÍA ROCA y R. BUSTOS GISBERT, (dirs.), *Identidades europeas, subsidiariedad e integración,* Thomson Reuters-Aranzadi, Pamplona, 2022, pp. 35.

DE LA IGLESIA MONJE, María Isabel: "Algunas cuestiones sobre la filiación, la identidad nacional y el derecho al "respeto a la vida privada y familiar" del art. 8 CEDH en la jurisprudencia del TEDH", en *Revista Crítica de Derecho Inmobiliario,* ISSN 0210-0444, Año nº 99, Nº 799, 2023, págs. 2855-2873.

DE LA IGLESIA MONJE, María Isabel: "Problemas e implicaciones de la fecundación post mortem", en *Perspectivas actuales del Derecho de Familia: XVII Congreso Internacional IDADFE 2023* / coord. por Francisco Javier Jiménez Muñoz; Carlos Lasarte Álvarez (dir.), Antonio Rodríguez González (dir.), 2024, ISBN 978-84-09-61164-5, págs. 223-238

ROCA, María J.: "Tomando en serio la identidad constitucional en el espacio convencional europeo", en *ReDCE* núm. 38. Julio-Diciembre de 2022. Pag. 3.

11. JURISPRUDENCIA CITADA

- STEDH de 8 de diciembre de 2022, caso de Pejřilová V. The Czech Republic (asunto nº 14889/19).
- STEDH, Gran Sala de 3 de noviembre de 2011, caso S.H. y otros c. Austria (asunto 57813/00).
- STEDH, Gran Sala, de 10 de abril de 2007, caso de Evans c. Reino Unido (asunto nº 6339/05).

Social Freezing: crio-preservación preventiva de células reproductoras

STEFANIA PIA PERRINO
Investigadora Postdoctoral en Derecho Privado
Departamento de Derecho
Università di Milano-Bicocca

1. LA CRIO-PRESERVACIÓN DE CÉLULAS Y EMBRIONES

La crioconservación de células, tejidos y órganos está autorizada desde hace tiempo por la legislación italiana[1]. Se trata de un procedimiento que, por lo que respecta a los gametos, se conoce como proceso de vitrificación y que garantiza que quien conserva o quien recibe la muestra biológica, precisamente *in vitro*, pueda recurrir a ella incluso tiempo después del momento del *pick-up,* siempre de acuerdo con los métodos autorizados por el ordenamiento jurídico.

La ley italiana sobre la procreación asistida, art. 14 comma 8 l. 19 de febrero de 2004, n. 40, permite el proceso sin mayores especificaciones, ya que falta la identificación de las personas a las que corresponde la facultad de destino a la crioconservación, así como la fecha límite para el sometimiento a vitrificación y el modo en que dicho destino ha de llevarse a cabo. La legislación se limita a las normas sobre cómo establecer el estatuto de filiación entre el niño nacido y los pacientes implicados en el ciclo de fecundación o los límites de la utilización de embriones y células reproductoras. Poco se dice del "paréntesis" que supone la crioconservación, desde el momento de la extracción hasta el de la eventual fecundación con posterior implantación, que puede prolongarse en el tiempo. Tampoco se menciona la supervivencia, dado que, con la congelación y adecuada conservación, la muestra puede sobrevivir al paciente que la consiente, así como a la relación de pareja de los participantes en la PMA o a la modificación de los caracteres sexuales primarios quirúrgicos o, de nuevo, a la rectificación registral del sexo.

---

1 LASSO, A., *Scelte procreative e profili giuridici della crioconservazione,* Esi, Napoli, 2024.

La regulación de la crioconservación y del almacenamiento debe buscarse en otro lugar, dentro de una intrincada y multinivel plétora de disposiciones normativas dedicadas a la prestación de crioconservación. Las mismas consideraciones se aplican al embrión: a pesar de la especial protección otorgada a esta entidad y a pesar de la declaración de ilegitimidad constitucional[2] que permitió su crioconservación, no se puede encontrar ningún conjunto de normas dedicadas en la Ley 40/2004. Sin embargo, esto no significa que el procedimiento sea infrecuente, de hecho, con el tiempo se ha producido un aumento de las tasas de congelación de células y entidades embrionarias, que ha sido seguido por el desarrollo de modelos de consentimiento informado dedicados a la donación y PMA, adecuados para permitir que el paciente o donante asigne la célula a la crio-preservación.

2. LA NORMATIVA COMUNITARIA Y NACIONAL SOBRE VITRIFICACIÓN Y ALMACENAMIENTO

La disciplina de referencia de la Unión Europea tiene una estructura multinivel y está dotada de una peculiar estratificación determinada por la yuxtaposición de disciplinas relativas a distintos tratamientos con órganos, tejidos y células. En orden cronológico: Directivas 2001/83/CE y 2000/70/CE sobre las actividades de transfusión y la producción nacional de productos hemoderivados (la llamada Directiva sobre la sangre), con la Recomendación 98/463/CE, y Directiva 2004/23/CE relativa a la donación, la evaluación, la obtención, el procesamiento, el almacenamiento y la distribución de células y tejidos humanos (Directiva sobre los tejidos), modificada y completada posteriormente por la Directiva 2006/17/CE.

La Directiva sobre tejidos ofrece, como suele hacer el legislador comunitario, una noción de preservación y otra de almacenamiento: por preservación se entiende "el uso de agentes químicos, alteraciones de las condiciones ambientales u otros medios empleados durante el procesamiento para prevenir o retardar el deterioro biológico o físico de células o tejidos"; mientras que por almacenamiento se entiende "el mantenimiento del producto en condiciones adecuadas y controladas hasta su distribución". Las nociones jurídicas se alejan del campo semántico común para connotar el

---

2 CASABURI, G., *Corte cost., 8 maggio 2009, n. 151. Nota di richiami, Foro It.*, 9, 2009, p. 2301 ss.

peculiar campo técnico-científico de referencia. Así, la conservación coincide con ese proceso de vitrificación antes descrito; es en cambio el almacenamiento lo que constituye, al menos en las fuentes supranacionales, la prestación de custodia de la muestra previamente crioconservados. No se hace referencia, por tanto, al almacenamiento, ni siquiera a los contratos de Derecho privado, y la distinción entre preservación y almacenamiento pronto resultará útil para el régimen jurídico de las células reproductoras.

Del mismo modo, la disciplina en Italia se encuentra en la Ley n° 40/2004 y en las disposiciones relativas a la preservación de células y tejidos humanos de la ley n° 219 de 21 de octubre de 2005, por la que se aplica la directiva sobre la sangre, y del decreto legislativo n° 191 de 6 de noviembre de 2007. También en estas fuentes las nociones han sido transpuestas por el legislador nacional, pero se ha especificado que, entre las disposiciones relativas a órganos, tejidos y células, sólo se aplican a los gametos las normas relativas al almacenamiento. Así, para la donación, el procesamiento y la distribución, se aplican las normas específicas del sector, que se pueden encontrar en la ley n° 40/2004, las directrices y los reglamentos de aplicación, mientras que para el almacenamiento se aplica el régimen jurídico de las células en general.

Las células deben depositarse en clínicas, hospitales y centros autorizados, en condiciones adecuadas, con un sistema de trazabilidad que permita reconstruir los métodos de obtención, identificar a los donantes y gestionar así los acontecimientos adversos. Estos eventos adversos también incluyen, de conformidad con el artículo 11, apartado 1, del Decreto Legislativo 191/2007, el posible cese de la función de la muestra almacenada, que siempre debe evaluarse tras el seguimiento.

Es necesario entonces estudiar específicamente el artículo 22 del Decreto Legislativo 191/2007, dedicado a las condiciones de almacenamiento. La disposición establece que el procedimiento, incluso en la fase de cese, debe corresponder a lo autorizado en el consentimiento informado para el tratamiento o a lo establecido en la manifestación de voluntad del interesado o en la autorización para donar.

Se ha dicho, sin embargo, que la disciplina es compleja y, sobre todo, multinivel. Además de la normativa supranacional, que se transpone a nivel municipal de forma casi literal, existen una serie de decretos, directrices e incluso actos políticos, que las estructuras cumplen, como los acuerdos Estado-Región. La Conferencia de las Regiones y Provincias Autónomas aprobó un documento relativo a la definición, con carácter transitorio, de una tarifa convencional única para los servicios heterólogos de PMA, que cuantifica los costes, también para regular las posibles compensaciones por movilidad interregional. A continuación, el Decreto del presidente del Gobierno de 12 de enero de 2017 definió las nuevas LEA, incluyendo también las técnicas de procreación artificial y estableciendo que el límite máximo de edad para la realización de estos tratamientos es de 46 años para las mujeres y un número máximo de ciclos que se pueden realizar, es decir, 6, que no es aplicable a las técnicas de primer nivel. Los límites del número de ciclos y de la edad circunscriben los efectos que el consentimiento es capaz de producir pero, si se configuran, también hetero-integra cualquier acuerdo de crioconservación o almacenamiento celebrado por las partes.

Para aplicar el acuerdo, las Regiones y Provincias Autónomas adoptaron una serie de resoluciones que, aunque con diversos matices, dieron lugar al denominado regionalismo procreativo. Por ejemplo, según la resolución del Consejo de la Provincia de Trento, la crioconservación de células reproductoras debe finalizar con la muerte del donante y, en cualquier caso, no puede continuar más allá de la edad de 55 años para los hombres o de 46 años para las mujeres. A continuación, se indica explícitamente que, además del consentimiento, existe el contrato de crio-preservación, que tiene una duración de cinco años, renovable a petición del paciente. El contrato lo pueden suscribir tanto quienes acceden a la PMA como quienes realizan la crio-preservación por otro motivo, como preservar la fertilidad ante un tratamiento oncológico o por otras necesidades, como la posible gestión de contingencias reproductivas. Sólo en los casos en los que exista una patología grave demostrada y la PMA sea el remedio para superarla, existe una exención del pago de la tasa de tramitación. En cambio, en otros casos, como la congelación social, el acuerdo es oneroso: si no se estipula nada al respecto en el acuerdo, se aplica la cuota anual correspondiente a la nomenclatura de tarifas higiénicas.

Al alcanzar el umbral de edad mencionado o en caso de fallecimiento, los gametos crioconservados se destinan entonces a la destrucción. En cambio, no puede reservarse el mismo destino a los embriones, debido a la prohibición legal de supresión. En ese caso, se prevé la continuación del contrato de crioconservación, cuyos gastos corren a cargo de la clínica donde se conservan los blastocistos.

El legislador europeo y el legislador nacional no parecen haber especificado las funciones de la crioconservación de las células gaméticas. Aquí está el problema: en el derecho civil y en el derecho penal todo lo que no está prohibido está permitido; en el derecho administrativo todo lo que no está regulado y autorizado no está permitido. Si la disciplina de crioconservación se encuentra en el primer grupo, entonces la crioconservación de las células es siempre permitida, cualquiera que sea el propósito que anima al paciente y la función del tratamiento. Si la disciplina de crioconservación se encuentra en el segundo grupo, especialmente para las clínicas que se ocupan de estos tratamientos y obtienen la autorización para la actividad del Ministerio de Salud, entonces la técnica es admitida dentro de los límites establecidos por la ley, de la función de la ley y de las disposiciones de la licencia.

3. LOS TIPOS DE CRIOCONSERVACIÓN

Se pueden enumerar tres tipos de crioconservación: la crioconservación terapéutica, la crioconservación preventiva y *la congelación social.* [3]

La crioconservación *strictu sensu* terapéutica constituye una técnica que la ley identifica como uno de los procedimientos de procreación asistida. Es el procedimiento que permite a las personas estériles o infértiles tomar y conservar sus propias células in vitro para la fecundación artificial, que se realizará en el marco del ciclo de fecundación. Las células se toman, se almacenan en nitrógeno líquido en un biobanco y se liberan para su fecundación o transporte a otro centro o para su destrucción.

La crio-preservación preventiva es una técnica que permite a los pacientes, solteros o parejas, conservar sus gametos con vistas a un tratamiento sanitario, distinto de la procreación artificial, porque el tratamiento al que van a someterse provocará o puede provocar esterilidad. Es el caso, por ejemplo, del enfermo de cáncer que va a someterse a un procedimiento de radioterapia o a la ablación de un órgano. En la crioconservación preventiva hay un tratamiento sanitario en curso, la persona es o puede llegar a ser estéril pero no tiene la intención de convertirse inmediatamente en padre. La crioconservación sirve aquí para permitir a la persona enferma, Por otro lado, tener una reserva de células reproductivas para utilizar cuando haya terminado de curarse y tener hijos aunque los cuidados que ha recibido hayan podido determinar la infertilidad o reducir considerablemente las posibilidades de tener hijos. La función terapéutica está y estará también después para la crioconservación, pero en el momento en que se realiza la

---

3 MARTINELLI, L., BUSATTA, L., GALVAGNI, L., PICIOCCHI, C., *Social egg freezing: a reproductive chance or smoke and mirrors?*, *Croatian Medical Journal*, 4, 2015, pp. 387-391.

crioconservación no se pretende utilizar esas células para obtener inmediatamente hijos con la procreación asistida, sino preservar la fertilidad

El *social freezing* consiste en la vitrificación y preservación de células por parte de una persona que no tiene la intención inmediata de hacer realidad su deseo de ser padre o madre, sino que pretende gestionar y gobernar su capacidad reproductiva preservando sus propias células para utilizarlas más adelante. Es posible que esta persona no tenga pareja o que aún no disponga de un trabajo estable o de unas condiciones sociales adecuadas para establecer un proyecto parental, o que desee esperar a un momento más adecuado. Las razones son diversas y esta lista no es exhaustiva. Por ello, se adelanta el momento en que se realiza la FIV con las células ya almacenadas.

Esta última práctica está permitida en algunas jurisdicciones, como España, Francia y Suecia, donde la FIV no depende de condiciones de esterilidad o infertilidad médicamente entendidas y ya establecidas, sino de la voluntad de asumir la responsabilidad procreativa y, posteriormente, parental de los hijos nacidos con estas técnicas. Permite al paciente gestionar cualquier contingencia reproductiva incluso en un momento en el que no está preparado para ser padre. Esta práctica es muy controvertida en Italia, a pesar de que no existe una prohibición expresa y de que la practican las clínicas en beneficio de quienes pueden permitirse los elevados costes de almacenamiento de gametos en clínicas autorizadas.

4. ARGUMENTOS A FAVOR Y EN CONTRA DEL *SOCIAL FREEZING*

Sobre la admisibilidad del *social freezing* no se identifica una rica actividad de investigación: la crioconservación está permitida en Italia desde 2009 y las técnicas de procreación están todavía caracterizadas por un estigma social, que no siempre permite detectar a tiempo las cuestiones jurídicas que se plantean a los intérpretes.

Sin embargo, el tema ha entrado recientemente en el centro del debate social y también ha implicado algunos estudios[4]. En particular, una inves-

---

4 ALVIGGI, C., ROVETTO, M.Y, CLARIZIA, O., SALVATORE, B., COPPO, L., DE VERDA Y BEAMONTE, J.R., *From Fertility Preservation Techniques To The Use For Post-Mortem Reproductive Purposes Of Cryopreserved Embryos And Gametes. A Comparison Of Italian, French And Spanish Legal Experience*, in *Actualidad Jurídica Iberoamericana*, Nº

tigación de las universidades de Padua y Milán-Bicocca[5] ha entrevistado a una muestra de mujeres italianas durante la pandemia de covid 19 para entender cuántas de ellas y cómo serían favorables al *social freezing*. Según los resultados del estudio, la mayoría estarían interesadas en el procedimiento y desearían acceder a él, tal vez con una contribución del empresario.

Por estas razones, es necesario que el intérprete verifique la admisibilidad del procedimiento mediante la identificación de obstáculos o las modalidades de aplicación. Se empieza con los obstáculos y argumentos en contra.

En primer lugar, se observa que es cierto que la crioconservación está autorizada por la ley sin más especificaciones, pero lo hace en la ley sobre la procreación asistida y lo hace como tratamiento accesorio a la procreación. Además, las directrices incluyen la crioconservación entre las técnicas de reproducción. Si es así, entonces la función terapéutica debe existir también para la crioconservación.

En segundo lugar, en 2024 se han producido las directrices que afirman que se insta a la preservación de la fertilidad para los enfermos afectados por patologías graves que impiden procrear naturalmente.

Además, el *social freezing* no es un recurso que por sí solo puede ayudar a contrarrestar la tendencia de la disminución de la natalidad en Italia, sino que es, como mucho, una manera de limitar los problemas creados por la sociedad. Es necesario, en primer lugar, sin duda, políticas públicas de bienestar intersectorial e interinstitucional —y es altamente deseable que el Estado se active en esta dirección— capaces de alentar un cambio en la manera de considerar la maternidad en los entornos laborales y ofrecer cualquier otro servicio asistencia o instrumento económico que permita alentar a las mujeres a un embarazo espontáneo sin obligarlas a renunciar o aplazar la realización de proyectos laborales o familiares[6].

---

20 bis, 2024, p. 72-115; DANI, L., *Il diritto di controllo sulla destinazione dei gameti e gli accordi diretti alla loro crioconservazione, Dir. fam. pers.*, 2023, 4, p. 1612; PERRINO, S.P., Gli statuti giuridici degli embrioni umani, Pacini Giuridica, Pisa, 2023; PERRINO, S.P., L'inadempimento dell'obbligo informativo terapéutico, Giappichelli, Torino, 2024.

5 CANEAZZO, L., TOZZO, P., *Oltre i confini della fertilità femminile: un'analisi multidisciplinare sul* social freezing *in Italia*, Piccin, en curso de publicacíon.

6 MARTINELLI, L., BUSATTA, L., GALVAGNI, L., PICIOCCHI, C., *op. cit.*, p. 388.

Se observa además que, según la opinión de algunos intérpretes, la ley sobre reproducción asistida es una ley administrativa que regula lo que las clínicas pueden o no pueden hacer y las clínicas pueden operar dentro de los límites de la licencia. Por lo tanto, este procedimiento debe ser expresamente identificado y autorizado por el Ministerio a la clínica de lo contrario no es admisible.

Por el contrario, hay varios argumentos favorables a la admisibilidad de esta técnica también en el orden italiano y las reglas invariables.

En primer lugar, la ley sobre la procreación asistida regula los perfiles civiles, penales y administrativos del sector, por lo tanto, no puede entenderse de manera unívoca y no puede considerarse que el procedimiento de *social freezing* esté excluido por la naturaleza de la ley. Se recuerda: en el derecho administrativo es necesario que la ley regule todos los procedimientos autorizados, pero en el derecho privado y penal todo lo que no está expresamente prohibido está permitido, para proteger la autonomía privada y la libertad individual

En segundo lugar, las directrices de 2024 han establecido un incentivo para la preservación de la fertilidad y la crioconservación para todos los pacientes, no solo para aquellos que crían preventivamente a la aparición de una enfermedad grave.

Para cierto, las *medical best practices* no pueden limitar cuanto la ley admite, ya que las pautas son ejecutivas de la ley.

La ley siempre permite la crioconservación al art. 14 co. 8 ley 40/2004 sin limitaciones específicamente identificadas por la ley.

Además, no se puede considerar la crioconservación con el mismo fin que la procreación médicamente asistida, ya que la ley que se ocupa de la fecundación artificial, en las normas que regulan la crioconservación, también se ocupa de la clonación, Hibridación, formación de quimeras, comercio de gametos y embriones, subrogación, experimentación, partenogénesis, etc. Por lo tanto, la función terapéutica de solución de los problemas de infertilidad se refiere a la procreación asistida pero no se refiere a todos los demás procedimientos médicos citados y, a veces, prohibidos en Italia.

La siguiente consideración parece aún más convincente: parece paradójico que el ordenamiento italiano permita recurrir a gametos de personas terceras, de donantes, con costes y cargas ingentes, pero no permita en cambio conservar y utilizar sus propias células reproductivas.

En 2022 el Tribunal administrativo de la Región del Lazio[7] se pronunció precisamente sobre un caso de crioconservación por parte de una paciente que había encontrado, después de una serie de tratamientos y una serie de diagnósticos, una notable reducción de su reserva ovárica. La paciente había solicitado el servicio al hospital territorialmente competente pero la estructura hospitalaria había opuesto una negativa porque el procedimiento de crioconservación no estaba previsto entre los niveles asistenciales esenciales que los hospitales públicos están obligados a Obligatoriamente a proporcionar a los pacientes usuarios del servicio nacional de salud. Por eso la mujer se dirigió al juez para que condenara el hospital, de acuerdo con una interpretación conforme a constitución. La paciente, sin embargo, se quejó de que un decreto del presidente del consejo prevé la crioconservación en Italia de los gametos masculinos, pero no de los femeninos.

La sentencia del juez administrativo no condenó la estructura y no dio la razón a la mujer: Según las normas de la legislación sanitaria regional, la crioconservación de los óvulos no era obligatoria para el hospital y asegurada a la paciente como usuaria del servicio sanitario nacional. Sin embargo, se precisa que ello no significa que el social freezing haya sido excluido de la jurisprudencia. De otra manera, el tribunal administrativo del Lazio ha precisado que la disciplina habría tenido que ser actualizada, teniendo en cuenta también la deliberación de la Conferencia Estado Regiones italianas de 2019. El juez considera que la crioconservación del semen y de los ovocitos difieren entre sí en estructura y costes, pero es necesario eliminar los obstáculos impuestos por la disciplina. Se pronuncia expresamente sobre el *social freezing*: « basta con reiterar que la norma citada reconoce la legitimidad del procedimiento de crioconservación de los ovocitos, sin poner ningún límite al respecto, práctica a la que puede recurrir todo el mundo, por lo tanto, a sus expensas, en cualquier momento y por cualquier razón que considere conveniente y, por lo tanto, independientemente de la utilización inmediata de la fecundación asistida; por otra parte es bien conocido el fenómeno del cd. *social freezing* es decir, la crioconservación de los ovocitos con fines de precaución y, por tanto, el tratamiento de la futura infertilidad, exigido por las mujeres que por razones personales quieren preservar la fertilidad y buscar un embarazo más adelante en el tiempo, cuando pueden surgir dificultades en la concepción natural por reducción de la fertilidad». Por lo tanto, la jurisprudencia también parece haber va-

---

7 T.A.R. Lazio, sez. III, 22 dicembre 2022, n. 17330.

lorizado los argumentos en apoyo de este tratamiento en favor de la salud psíquica de las mujeres

5. LA FUNCIÓN TERAPÉUTICA: UN CONCEPTO NORMATIVO EN EVOLUCIÓN

En este punto hay que concentrarse en la cuestión relativa a la función terapéutica de las técnicas de procreación artificial y de la función de la crioconservación, también en el caso del *social freezing*.

Hay que precisar que la función terapéutica de la ley sobre la procreación asistida es solo tendencial y resulta tal porque, a fin de cuentas, la ley es consciente de lo siguiente: la esterilidad no es según la ciencia médica una enfermedad y la procreación asistida no es una cura según la ciencia médica. La ley italiana no la describe como una enfermedad sino como un problema y no se trata de una omisión, ya que el texto de esta ley ha sido examinado en el parlamento durante casi una década

Estas últimas consideraciones sobre la función terapéutica han sido adoptadas por el tribunal constitucional italiano. Cuando se ha previsto la posibilidad de recurrir a la fecundación heteróloga y también al diagnóstico genético preimplantacional para las parejas sanas desde un punto de vista reproductivo pero afectadas por patologías genéticamente transmisibles, el tribunal afirmó que la protección de la salud psíquica permite a estas personas acceder a los tratamientos de fecundación artificial. Por lo tanto, la protección de la salud mental puede permitir la crioconservación y el *social freezing* de la misma manera.

Hay que precisar cómo ha cambiado el concepto de esterilidad con el tiempo y precisamente gracias a la organización mundial de la salud. Hace décadas la organización mundial de la salud calificó, por vía convencional y por razones de uniformidad, la esterilidad y la infertilidad como condiciones patológicas que deben ser tratadas con un tratamiento médico de la reproducción asistida. [8] Los legisladores nacionales han seguido este modelo. En 2020, sin embargo, la Organización Mundial de la Salud amplió el concepto de esterilidad: se considera que no solo las personas médicamente estériles sino también aquellas que lo son a nivel social necesitan medicina reproductiva. Se introduce el concepto de infertilidad social, que se

---

8 GAZZONI, F., *Manuale di diritto privato,* Napoli, 2004, p. 429

localiza en los casos de bajo nivel económico, orientación sexual que impide la filiación, estado civil único que impide formar una familia con otros.

No solo, ya que la organización mundial de la salud ha contribuido también a la evolución del concepto de salud, no entendiéndose como una cura médica para la enfermedad en el cuerpo sino como una condición de bienestar psicofísico general del individuo en el tejido social.

6. CONCLUSIONES

Los argumentos enumerados indican al intérprete el camino de la admisibilidad, pero quedan todavía algunos nudos por resolver: ¿Puedo cambiar de opinión sobre el destino de las células? ¿Los costes de crioconservación corren a cargo del Estado o del particular? ¿Qué requisitos de información existen para las clínicas que permiten este procedimiento, especialmente en cuanto a las posibilidades de éxito? De hecho, hay que recordar que la técnica del *social freezing*, según la literatura disponible hasta el momento, no es la mejor, pero existen otras como la crioconservación del tejido o la crioconservación de embriones. Estos últimos son muestras más resistentes a la crioconservación y a la descongelación posterior. Sin embargo, considerar la admisibilidad del procedimiento es exaltar la autodeterminación de las mujeres sobre su cuerpo y sus células, dentro de una disciplina escrita con poca precisión.

En Italia persiste el mito de la madre heroica: una idealización de la condición de sacrificio a la que se somete a las mujeres madres en el ordenamiento jurídico italiano. Esta situación se ve exacerbada por un clima político que alienta la natalidad, pero no la apoya de manera efectiva. Las mujeres se encuentran atrapadas en una expectativa social de sacrificio y abnegación, sin recibir el apoyo necesario para equilibrar sus roles familiares y profesionales. Superar este mito es crucial para proteger eficazmente a las mujeres, tanto en el ámbito laboral como en el de sus derechos reproductivos. El reconocimiento y la valoración de la maternidad no deben traducirse en una sobrecarga para las mujeres, sino en un marco de apoyo que les permita ejercer plenamente sus derechos y aspiraciones.

Las políticas de apoyo a la natalidad, en su forma general, no han tenido un gran impacto en la mejora de la situación de las mujeres. El *social freezing*, aunque no constituye una solución suficiente por sí sola, abre la vía a una serie de nuevas políticas que pueden ampliar los derechos y las opciones de las mujeres. Este procedimiento permite a las mujeres postergar la maternidad y así planificar mejor su vida profesional y personal, pero debe ser acompañado de un marco legal y social que promueva una verdadera igualdad de género.

Es fundamental que las políticas públicas no solo promuevan la natalidad, sino que también ofrezcan un apoyo concreto a las madres trabajadoras, faciliten el acceso a servicios de cuidado infantil y fomenten la corresponsabilidad en el hogar. Solo así se podrá crear un entorno que realmente respete y valore las elecciones de las mujeres, permitiéndoles desarrollar su potencial sin sacrificar aspectos cruciales de su vida personal o profesional. El camino hacia una verdadera igualdad de género pasa por desmontar el mito de la madre heroica y establecer políticas que apoyen de manera integral a las mujeres en todas las etapas de su vida.

7. BIBLIOGRAFÍA

ALVIGGI, C., ROVETTO, M.Y, CLARIZIA, O., SALVATORE, B., COPPO, L., DE VERDA Y BEAMONTE, J.R., "From Fertility Preservation Techniques To The Use For Post-Mortem Reproductive Purposes of Cryopreserved Embryos And Gametes. A Comparison of Italian, French And Spanish Legal Experience", *Actualidad Jurídica Iberoamericana,* 2024, 20-*bis*, pp. 72-115. https://revista-aji.com/wp-content/uploads/2024/06/AJI20bis_3.pdf.

DANI, L., "Il diritto di controllo sulla destinazione dei gameti e gli accordi diretti alla loro crioconservazione", *Dir. fam. pers.*, 2023, 4, p. 1612.

CANEAZZO, L., TOZZO, P., *Oltre i confini della fertilità femminile: un'analisi multidisciplinare sul* social freezing *in Italia,* Piccin, 2025.

CASABURI, G., "Corte cost., 8 maggio 2009, n. 151. Nota di richiami", *Foro It.*, 9, 2009, c. 2301 ss.

GAZZONI, F., *Manuale di diritto privato,* Napoli, 2004.

IORIO, G., *Corso di diritto privato,* V ed., Giappichelli, Torino, 2024.

LASSO, A., *Scelte procreative e profili giuridici della crioconservazione,* ESI, Napoli, 2024.

MARTINELLI L.-L. BUSATTA-L. GALVAGNI-C. PICIOCCHI, "Social egg freezing: a reproductive chance or smoke and mirrors?", *Croatian Medical Journal,* 2015, 4, pp. 387-391.

PERRINO, S.P., *Gli statuti giuridici degli embrioni umani,* Pacini Giuridica, Pisa, 2023.

PERRINO, S.P., *L'inadempimento dell'obbligo informativo terapeutico,* Giappichelli, Torino, 2024.

VALONGO, A., *La donazione di gameti e biobanche,* en E. Caterini, L. Di Nella, A. Flamini, L. Mezzasoma, S. Polidori, *Scritti in onore di Vito Rizzo. Persona, mercato, contratto e rapporti di consumo,* ESI, Napoli, 2017.

Los efectos de las restricciones al aborto: el caso de Chile

CLAUDIA ANDREA MORAGA CONTRERAS
Profesora de Derecho y Género
Universidad de Tarapacá (Chile)
Decana de la Facultad de Derecho

1. INTRODUCCIÓN

Todo sistema de salud justo y equitativo asegura una serie de prestaciones para la realización de los derechos sexuales y reproductivos de las mujeres[1]. En primer lugar, garantiza el acceso a una debida educación sexual, que considere la afectividad y el género como conceptos claves para su integralidad. Luego, contempla una adecuada planificación familiar, de manera que las mujeres puedan escoger entre tener hijos o no, así como el número y el tiempo que transcurrirá entre un parto y otro. Finalmente, un sistema de salud justo y equitativo debe entregar las condiciones para que las mujeres puedan acceder a un aborto seguro. Esto último es consustancial con su naturaleza de prestación de salud.

Por el contrario, la ausencia de leyes que autorizan el aborto, las restricciones que estas leyes pueden contener para el ejercicio de este derecho o la dificultad de acceder a este servicio sanitario se traducen en el incumplimiento de las obligaciones internacionales de los Estados y de los deberes constitucionalmente consagrados en favor de las mujeres, limitando sus oportunidades de vida y su futuro[2]. La jurisprudencia de los órganos de vigilancia de los tratados internacionales, por su parte, es conteste en que la inexistencia u obstaculización del servicio de aborto ante los casos específicos de violación de niñas y mujeres importa una vulneración del derecho a la igualdad y a la no discriminación, del derecho de las mujeres a una vida libre de violencia, del derecho a la vida, del derecho a la salud, del derecho

---

1 DONOSO, C., "Despenalización del aborto en Chile. Una cuestión de justicia social", *Acta Bioethica*, 2, 2016, 166.

2 TAMÉS, R. (Dir.), *Niñas y mujeres sin justicia. Derechos reproductivos en México*, Grupo de Información en Reproducción Elegida, México D.F., 2015.

a la integridad personal, a no sufrir tortura y malos tratos y del derecho a la vida privada, entendida como autonomía reproductiva[3].

Pese a las restricciones legales al aborto, estos igualmente se realizan. La práctica de abortos en países que lo prohíben o consideran amplias limitaciones profundiza la desigualdad entre aquellas que tendrán los recursos económicos suficientes para acceder a un aborto seguro —independientemente del impedimento legal— y aquellas que, ante la ausencia de recursos, no tendrán acceso a él o lo harán en condiciones de riesgo para su vida y su salud. Esta línea que divide a las mujeres es una forma de violencia simbólica del Estado que les impide que el ejercicio de la libertad sea igualitario[4], lo que demuestra que el Estado toma para sí la capacidad del disfrute de los derechos sexuales y reproductivos de las mujeres.

Chile no consagra el derecho de toda mujer a abortar. Ha preferido despenalizar la interrupción voluntaria del embarazo ante causales muy específicas a través de la ley N° 21.030[5] y, con ello, ha decidido mantenerse en la lista de países en los que los derechos de las mujeres a la autonomía sobre su cuerpo, su sexualidad, su vida, su salud y a elegir libremente un plan de vida, se presentan en pie de igualdad con el derecho del feto a nacer[6]. ¿Cuál es el modelo elegido por Chile para despenalizar? ¿Cuál ha sido la eficacia de la ley? ¿Cuáles son los impactos de esta acotada regulación para los derechos humanos de las mujeres? Este trabajo se aproxima a estas preguntas y sus respuestas y, para ello, analiza la ley N° 21.030 que regula la despenalización de la interrupción voluntaria del embarazo en tres causales y las primeras evidencias tras su entrada en vigencia. Para lo anterior, se organiza en dos apartados. Un primer apartado aborda la historia del establecimiento de la ley, para luego recoger los aspectos más significativos de la regulación de la materia en Chile. El segundo apartado, comparte los principales hallazgos a partir de las cifras que arroja su reciente entrada en vigencia. Finalmente se comparten las conclusiones, las que pretenden ser

---

3 TAMÉS, R. y SORIA, J. (Dir.), *Violencia sin interrupción*, Grupo de Información en Reproducción Elegida, México D.F., 2017.

4 BEJARANO, M., y AEDO, L., "Cuerpo y violencia: regulación del aborto como dispositivo de control a las mujeres", *Región y sociedad*, 4, 2014, 261-283.

5 Ley N°. 21.030, regula la despenalización de la interrupción voluntaria del embarazo en tres causales. Diario Oficial, 23 de septiembre de 2017. *(LTM9.930)*.

6 AROSTEGUY, J., "Constitución y aborto: notas sobre la inconstitucionalidad de la penalización del aborto", en *Aborto: Aspectos normativos, jurídicos y discursivos*, Biblos, Buenos Aires, 2018, pp. 141-156.

una reflexión abierta ante el modo de regular un aspecto fundamental de la vida de las mujeres.

2. LA REGULACIÓN DEL ABORTO EN CHILE

2.1. Un poco de historia

Hasta 1989 estaba legalmente permitido interrumpir el embarazo por razones terapéuticas en Chile. Sin embargo, casi al término de la dictadura militar se introduce una modificación al artículo 119 del Código Sanitario, a través de la cual se prohíbe —bajo cualquier circunstancia— la práctica de un aborto.

Recién en 2013 y, con motivo de la propuesta de gobierno de la entonces candidata presidencial Michelle Bachelet Jeria, se introdujo en el debate público nacional la necesidad de propuestas legislativas y políticas públicas que abordaran esta problemática de salud desde una perspectiva de derechos de las mujeres, que abandonara la mirada punitiva con la que hasta ese entonces había sido regulado el aborto. Sólo el 31 de enero de 2015 se introduce al Congreso Nacional el proyecto de ley que despenaliza la interrupción voluntaria del embarazo en tres causales, en cuyo centro se hallaba la protección de la dignidad de las mujeres, su inviolabilidad y el deber de entregarle el debido respeto ante una realidad que es imposible negar y que se encontraba invisibilizada, especialmente respecto de abortos practicados ante casos de violencia sexual, debido a la ausencia de registros estadísticos integrados y a que no siempre existen denuncias formalizadas ante una agresión sexual.

El proyecto de ley tuvo férrea resistencia. Hubo quienes vieron en él la posibilidad de una condena errada ante falsas denuncias de violación, para lo que propusieron la incorporación de abogados en los equipos médicos que confirmen la concurrencia de la causal que justifique el aborto. Además, plantearon la necesidad de que la decisión de esos equipos sea fundada y expresada en un informe estandarizado. También exigieron que, tratándose de mujeres mayores de 14 años, se acredite que han recibido atención médica dentro de las dos semanas siguientes a la supuesta violación, a fin de garantizar que quienes soliciten la interrupción del embarazo hallan denunciado la agresión —aún sin saber de su estado de gravidez— además de promover una consulta precoz que permita la utilización de un anticonceptivo de emergencia. Por último, plantearon la necesidad de destinar recursos para una eficaz educación cívica y permanente publicidad del eslogan "Si fuiste víctima de violación, consulta a tu médico antes de dos semanas"[7].

En las resistencias al proyecto de ley se observa la desconfianza en las mujeres, especialmente ante la interrupción del embarazo en caso de violación, la que se extrema a través de la obligación de develar en tiempos acotados una agresión sexual de extrema gravedad con el único ánimo de facilitar la persecución penal, lo que nos parece una exigencia que desconoce el difícil proceso que experimentan las mujeres, especialmente cuando el autor de la violación forma parte del entorno cercano de la víctima. Tampoco compartimos que las violaciones y su denuncia sean una cuestión de educación cívica, tal como se sugirió, sino más bien de un sistema patriarcal que desconoce que el cuerpo de las mujeres es un espacio que no admite control. Es allí donde creemos que se debe poner la atención: en la libertad de decidir.

Pese a la oposición y a las observaciones que el proyecto debió enfrentar, el 23 de septiembre de 2017 se publica la ley N° 21.030 que regula la despenalización de la interrupción voluntaria del embarazo en tres causales, cuyos principales aspectos serán analizados a continuación.

2.2. Principales aspectos de la ley

La ley N° 21.030 que regula la despenalización de la interrupción voluntaria del embarazo en tres causales sustituye el ya mencionado artículo 119 del Código Sanitario, en el sentido de autorizar la interrupción del embarazo por un médico cirujano cuando, mediando la voluntad de una mujer: esta se encuentre en riesgo vital, de modo que la interrupción del embarazo evite un peligro para su vida; el embrión o feto padezca una patología congénita adquirida o genética, incompatible con la vida extrauterina independiente, en todo caso de carácter letal; o, sea resultado de una violación, siempre que no hayan transcurrido más de doce semanas de gestación, las que se amplían a catorce semanas, en caso de niñas menores de 14 años.

La voluntad de las mujeres es crucial para la ley. Esta debe expresarse en forma expresa, previa y por escrito. Si ello no fiere posible y su

---

7 GONZÁLEZ-WILHELM, L., MORENO, L., y CARNEVALI, R., "Consideraciones médico-legales sobre causal de violación contenida en el proyecto de Ley de Aborto actualmente en trámite", *Rev Med Chile*, 144, 2016, 780-786.

condición de salud o cuadro clínico que implique riesgo vital o secuela funcional grave de no mediar atención médica inmediata e impostergable, no se requerirá manifestación de voluntad. Tampoco se requerirá si se encuentra en incapacidad de manifestar su voluntad y no es posible obtenerla de su representante legal, por no existir o por no ser habido. En estos casos se adoptarán las medidas apropiadas en orden a garantizar la protección de la vida. Respecto de las mujeres con discapacidad sensorial, ya sea visual o auditiva, así como en el caso de personas con discapacidad mental psíquica o intelectual, que no hayan sido declaradas interdictas y que no puedan darse a entender por escrito, se dispondrá de los medios alternativos de comunicación para prestar su consentimiento. Si la mujer ha sido judicialmente declarada interdicta por causa de demencia, se deberá obtener la autorización de su representante legal, debiendo siempre tener su opinión en consideración, salvo que su incapacidad impida conocerla.

Para el caso de las niñas y adolescentes, la ley estimó que, reconociendo la autonomía progresiva que mandatan los instrumentos internacionales aplicables y las normas nacionales que entregan cierto ámbito de emancipación a las adolescentes mayores de 14 años, particularmente en materia de autonomía sexual de acuerdo lo reconoce el Código Penal chileno, se debe estar a su voluntad informada, por lo que la decisión adoptada debe sólo comunicarse a las personas mayores que se hallen a su cargo.

La cuestión más compleja se presenta entonces respecto de las niñas menores de 14 años, pues ellas deben contar con la autorización de quienes se hallen a su cargo. A falta de autorización, entendiendo por tal la negación del representante legal, o si éste no es habido, la niña, asistida por un integrante del equipo de salud, podrá solicitar la intervención del juez para que constate la ocurrencia de la causal. El tribunal resolverá la solicitud de interrupción del embarazo sin forma de juicio y verbalmente, a más tardar dentro de las cuarenta y ocho horas siguientes a la presentación de la solicitud, con los antecedentes que le proporcione el equipo de salud, oyendo a la niña y al representante legal que haya denegado la autorización. Si lo estimare procedente, podrá también oír a un integrante del equipo de salud que la asista. En este punto, se mantuvo una de las consideraciones que sirvieron de fundamento al proyecto de ley, la que a nuestro juicio debiese servir como criterio de interpretación, consistente en el reconocimiento del espacio legítimo de discernimiento de la niña pues es ella quien sobrellevará las consecuencias de su decisión, permitiendo a un tercero decidir si se autoriza o no el procedimiento sólo ante falta de acuerdo entre lo decidido por la niña y lo decidido por quien se halla a su cargo.

Por último, se faculta al médico(a) cirujano(a) a prescindir de la solicitud de autorización del representante legal de las niñas menores de 14 años, cuando existan antecedentes que permitan afirmar que, al hacerlo, se expondrá a la niña a un riesgo de violencia intrafamiliar, coacción, amenaza o maltrato, o incluso a una posible situación de desarraigo o de abandono. Ante tales casos, se estimó que la autorización debía requerirse directamente al juez de familia competente, elemento que a nuestro juicio es una de las garantías más importantes de la efectiva protección y respeto a la vida y a la salud de las niñas.

La voluntad de la mujer debe ser informada. El prestador de salud deberá proporcionar a la mujer información veraz sobre las características de la prestación médica. Asimismo, deberá entregarle información verbal y escrita sobre las alternativas a la interrupción del embarazo, incluyendo la de programas de apoyo social, económico y de adopción disponibles. La información será siempre completa y objetiva, y su entrega en ningún caso podrá estar destinada a influir en la voluntad de la mujer. No obstante, el prestador de salud deberá asegurarse de que la mujer comprende todas las alternativas que tiene el procedimiento de interrupción, antes de que éste se lleve a cabo, y de que no sufra coacción de ningún tipo en su decisión.

El derecho a interrumpir el embarazo es asistido. La mujer tendrá derecho a un programa de acompañamiento, tanto en su proceso de discernimiento, como durante el período siguiente a la toma de decisión, que comprende el tiempo anterior y posterior al parto o a la interrupción del embarazo, según sea el caso. Este acompañamiento incluirá acciones de acogida y apoyo biopsicosocial ante la confirmación del diagnóstico y en cualquier otro momento de este proceso. En caso de continuación del embarazo, junto con ofrecer el soporte, se otorgará información pertinente a la condición de salud y se activarán las redes de apoyo. Este acompañamiento sólo podrá realizarse en la medida que la mujer lo autorice, deberá ser personalizado y respetuoso de su libre decisión. En el caso de las mujeres que durante el proceso de acompañamiento invoquen la causal de violación, se les proveerá la información necesaria para que pueda presentar una denuncia.

Para el caso de las mujeres que invoquen la causal consistente en que el embrión o feto padezca una patología congénita adquirida o genética, incompatible con la vida extrauterina independiente, en todo caso de carácter letal, el prestador de salud proporcionará los cuidados paliativos que el caso exija, tanto si se trata del parto como de la interrupción del embarazo con sobrevivencia del nacido.

La ley N° 21.030 incorpora el artículo 119 bis al Código Sanitario, el que viene a regular las condiciones bajo las cuales se practicará la interrupción voluntaria del embarazo. En el caso que la mujer invoque que se encuentra en riesgo vital, de modo que la interrupción del embarazo evite un peligro para su vida, deberá acreditarse la causal mediante el respectivo diagnóstico médico. En el caso que la mujer invoque que el embrión o feto padece una patología congénita adquirida o genética, incompatible con la vida extrauterina independiente, en todo caso de carácter letal, deberá acreditarse la causal a través de dos diagnósticos médicos —en igual sentido—, extendidos por médicos especialistas. Todo diagnóstico deberá constar por escrito y realizarse en forma previa. En el caso que la mujer invoque que el embarazo es el resultado de una violación, un equipo de salud, especialmente conformado para estos efectos, confirmará la concurrencia de los hechos que lo constituyen y la edad gestacional, informando por escrito a la mujer o a su representante legal, según sea el caso, y al jefe del establecimiento hospitalario o clínica particular donde se solicita la interrupción. En el cumplimiento de su cometido, este equipo deberá dar y garantizar a la mujer un trato digno y respetuoso.

En los casos en que la solicitante aun no cumpla 18 años e invoque la causal de violación, los jefes de establecimientos hospitalarios o clínicas particulares en que se solicite la interrupción del embarazo están obligados a denunciar los hechos. Tratándose de una mujer mayor de 18 años que no haya denunciado el delito de violación, los jefes de establecimientos hospitalarios o clínicas particulares deberán poner en conocimiento del Ministerio Público este delito, con la finalidad de que investigue de oficio al o los responsables. En cualquier caso, deberá respetarse el principio de confidencialidad en la relación entre médico y paciente, adoptándose las medidas necesarias para resguardar su aplicación efectiva. Sin perjuicio de lo anterior, en el proceso penal por el delito de violación, la comparecencia de la víctima a los actos del procedimiento será siempre voluntaria y no se podrá requerir o decretar en su contra las medidas de apremio.

La ley N° 21.030 incorpora el artículo 119 ter al Código Sanitario, a través del cual regula tal vez uno de los aspectos más controvertidos y que se instala como la barrera más significativa para el ejercicio del derecho a la interrupción del embarazo: la objeción de conciencia del personal de salud. El médico cirujano requerido para interrumpir el embarazo por alguna de las causales, podrá abstenerse de realizarlo cuando hubiese manifestado su objeción de conciencia al director del establecimiento de salud, en forma escrita y previa. También gozará de este derecho el resto del personal al que corresponda desarrollar sus funciones al interior del pabellón quirúrgico durante la intervención. En este caso, el establecimiento tendrá la obligación de reasignar de inmediato otro profesional no objetante a la paciente. Si el establecimiento de salud no cuenta con ningún facultativo que no haya realizado la manifestación de objeción de conciencia, deberá derivarla en forma inmediata para que el procedimiento le sea realizado por quien no haya manifestado dicha objeción. El Ministerio de Salud dictará los protocolos necesarios para la ejecución de la objeción de conciencia. Dichos protocolos deberán asegurar la atención médica de las pacientes que requieran la interrupción de su embarazo. La objeción de conciencia es de carácter personal y podrá ser invocada por una institución. Si el profesional que ha manifestado objeción de conciencia es requerido para interrumpir un embarazo, tendrá la obligación de informar de inmediato al director del establecimiento de salud que la mujer requirente debe ser derivada. En el caso de que la mujer requiera atención médica inmediata e impostergable, invocando la causal de acuerdo a la cual se encuentre en riesgo vital, de modo que la interrupción del embarazo evite un peligro para su vida, quien haya manifestado objeción de conciencia no podrá excusarse de realizar la interrupción del embarazo cuando no exista otro médico cirujano que pueda realizar la intervención.

La ley Nº 21.030 incorpora un artículo 199 quáter al Código Sanitario, el cual prohíbe la publicidad sobre la oferta de centros, establecimientos o servicios, o de medios, prestaciones técnicas o procedimientos para la práctica de la interrupción del embarazo en las causales contempladas.

Finalmente, la ley modifica el Código Penal a fin de consagrar la despenalización del aborto ante ciertas causales e introduce modificaciones a la ley de trasplante y donación de órganos con el ánimo de sancionar a quien destine con ánimo de lucro o fines distintos a la ley, órganos, tejidos o fluidos provenientes de la interrupción del embarazo.

A siete años de la entrada en vigor de la ley Nº 21.030 que regula la despenalización en tres causales, el panorama es pesimista en cuanto al avance de la condición jurídica de las mujeres y el efectivo disfrute de sus derechos. A continuación, revisaremos los principales aspectos vinculados a la eficacia de la ley.

3. LEY Nº 21.030 Y SUS EFECTOS

El derecho regula la actividad sexual y el cuerpo de diversas maneras[8]. Su invocación para regular el sexo, el género y la reproducción no es algo nuevo sino una marca distintiva del Estado moderno[9]. América Latina está llena de avances y retrocesos en la materia y la ley chilena no es la excepción.

La ley Nº 21.030 que regula la despenalización en tres causales entró en vigencia un año después de su publicación y, en estos primeros años, se han aportado datos que nos permiten aproximarnos a un análisis preliminar respecto de su eficacia. De acuerdo con el Ministerio de Salud chileno, entre 2018 y septiembre de 2023, 4.272 mujeres y niñas se encontraron en alguna de las causales que contempla la ley. De ellas, el 30% se hallaba en riesgo vital, de modo que la interrupción del embarazo evitaría un peligro para su vida. En el 49% de los casos, el embrión o feto padecía de una patología congénita adquirida o genética, incompatible con la vida extrauterina independiente, en todo caso de carácter letal. En el 21% de los casos, el embarazo era el resultado de una violación.

Del total de mujeres que se hallaron en alguna de las causales descritas por la ley, 3.609 decidieron interrumpir sus embarazos, lo que representa el 84,48% de ellas.

La situación de las niñas y adolescentes en relación a la aplicación de la ley Nº 21.030 es grave. Del total de casos que informó el Ministerio de Salud, 140 corresponden a niñas menores de 14 años, 139 de las cuales invocaron la causal de violación[10]. De ellas, el 68% optó por interrumpir

---

8 JERNOW, A., "El principio de daño se encuentra con los delitos morales: derechos humanos, derecho penal, y regulación del sexo y el género", en *Más allá del vicio y la virtud. Por qué la ley penal puede ser una herramienta (o un obstáculo) para defender los derechos sexuales, reproductivos y de género,* Siglo XXI, Buenos Aires, 2021, p. 93-128.

9 MILLER, A., ROSEMAN, M., y RIZVI, Z., *Introducción,* en *Más allá del vicio y la virtud. Por qué la ley penal puede ser una herramienta (o un obstáculo) para defender los derechos sexuales, reproductivos y de género,* Siglo XXI, Buenos Aires, 2021, pp. 11-33.

10 MINISTERIO DE SALUD: «Información sobre casos constituidos en el marco de la Ley 21.030 que regula la interrupción voluntaria del embarazo en 3 causales» [en línea], (2023), <https://informesdeis.minsal.cl/SASVisualAnalytics/?reportUri=%2Freports%2Freports%2F382105c8-521f-4356-b1b8-6bad21ba8b08§ionIndex=0&sso_guest=true&reportViewOnly=true&reportContextBar=false&sas-welcome=false> [Consulta: 13/09/2023.]

el embarazo, mientras que las restantes decidieron continuar con él. En el mismo período, 178 adolescentes entre 14 y 17 años se encontraron en alguna de las causales de la ley. En 14 casos, las adolescentes invocaron que se hallaban en riesgo vital, de modo que la interrupción del embarazo evitaría un peligro para su vida. En 31 casos, alegaron que el embrión o feto padecía de una patología congénita adquirida o genética, incompatible con la vida extrauterina independiente, en todo caso de carácter letal. En 133 casos, las adolescentes indicaron que el embarazo era consecuencia de una violación. De estas últimas, 120 decidieron interrumpir el embarazo.

Las cifras recién compartidas son aún más inquietantes y su abordaje debe ser más decidido, especialmente si tenemos en cuenta que en aquellas legislaciones que reconocen causales que permiten interrumpir el embarazo, la hipótesis de violación es una prestación en la que el médico se halla legitimado para su práctica, ya sea por embarazo de alto riesgo ante una niña violada o por encontrarse ante una crisis de angustia por el ultraje, casos en los que la mujer es una víctima y al médico no le cabe posibilidad de cuestionarla o condenarla[11].

A nivel académico latinoamericano no existe mayor producción de datos en materia de aborto. El interés por conocer la realidad de las mujeres y niñas que han debido recurrir al aborto surge más desde las organizaciones civiles, especialmente feministas, tras casos dramáticos de embarazos forzados de niñas o mujeres tras violaciones, particularmente tratándose de casos presentados en países que no reconocen legalmente el aborto[12], lo que plantea un desafío de abordaje necesario y desde una mirada interseccional que valore, por una parte, la condición de mujer como factor de desigualdad estructural y sujeta de violencia sexual y, por la otras, considere la condición de niña que participa de una cultura adultocéntrica que la posiciona en un lugar de desigualdad y le niega su calidad de sujeta de derechos.

El enfoque de excepción a un sistema de criminalización adoptado por Chile es un límite estructural de inseguridad jurídica, su eficacia restringida es inevitable, a lo que se agregan déficits regulatorios, de información y

---

11 ECHEVERRÍA, C. y otros, "Consideraciones acerca de la `interrupción voluntaria del embarazo´, desde el punto de vista ético-médico (a propósito de un proyecto de ley)", *Rev. Med Chile*, 11, 2015, 1478-1483.

12 RAMOS, S., "Investigación sobre absorto en América Latina y el Caribe. Una agenda renovada para informar políticas públicas e incidencia (resumen ejecutivo)", *Estudios Demográficos y Urbanos*, 3, 2016, 833-860.

de desjudicialización[13]. Esto no es sólo elaboración de la doctrina, sino que ha sido confirmado por la Corte Suprema[14] chilena, la que conoció de un recurso de protección de garantías fundamentales de una mujer a la que se le negó la interrupción de su embarazo en base a que el embrión o feto padecía de una patología congénita adquirida o genética, incompatible con la vida extrauterina independiente, en todo caso de carácter letal. En la sentencia, la Corte Suprema estimó que las medidas contenidas en la ley son de última ratio, lo que conlleva una restricción en la aplicación e interpretación de sus disposiciones. En este caso, cuestionó específicamente si la patología congénita del feto fuera incompatible con la vida extrauterina independiente y, además, si esta patología cumplía con el estándar de ser letal. Estimó que los 4 informes médicos aportados por la mujer recurrente no eran concluyentes, toda vez que quienes los emitieron, no serían —en su concepto— especialistas. Así las cosas, el procedimiento solicitado no se ajustaba, según la Corte Suprema, a las hipótesis de la ley para la interrupción del embarazo sino más bien en una inducción o aceleración del parto, por lo que negó la solicitud de autorización.

La sola referencia de la Corte Suprema a una disposición legal de ultima ratio expone el problema principal de la ley: ella no pretende reconocer el aborto como un servicio sanitario o una prestación de salud sino como un sistema de excepciones a la penalización. Así, la ley N° 21.030 que regula la despenalización en tres causales no resolvió el problema central de las mujeres: contar con un sistema de salud justo y equitativo que asegure una serie de prestaciones para la realización de sus derechos sexuales y reproductivos. Esto último queda en evidencia con los datos aportados por el el Ministerio Público chileno, de acuerdo con el cual, los abortos penalizados entre los años 2018 y 2020 correspondieron a 145 ingresos anuales en promedio, apenas 11 ingresos menos que el promedio de los últimos 10 años[15], lo que deja en evidencia la insuficiencia del abordaje del aborto a través de causales y plazos.

---

13 BERGALLO, P., "Del fracaso del giro procedimental a la inviabilidad del modelo de causales", en *El aborto en América Latina,* Siglo XXI, Buenos Aires, 2018, pp. 155-166.

14 Corte Suprema, sentencia de fecha 19 de junio de 2019, rol 15.460. *(LTM17.296.627).*

15 CORPORACIÓN HUMANAS: «Persecución criminal por aborto en Chile: Revisión de datos informados por el Ministerio Público período 2010-2020» [en línea], (2021), [en línea], https://www.humanas.cl/wp-content/uploads/2021/07/

La norma sigue dejando dudas y espacios para la criminalización de las mujeres en Chile, la histórica tutela privada ahora es pública, es el Estado el que se arroga la interdicción de los cuerpos[16].

4. CONCLUSIONES

El sistema de causales y plazos de la ley chilena pretendió constituirse en un avance para la realización de los derechos sexuales y reproductivos de las mujeres. Ello no ha sido así.

El sistema de despenalización no ha reportado avances significativos en las cifras de criminalización que exhiben los órganos públicos encargados de la persecución penal, demostrando que la vía propuesta desde la doctrina feminista de contar con un sistema de salud justo y equitativo que reconozca, entre otros, el derecho al aborto como prestación sanitaria, se acerca al anhelo de las mujeres de decidir sobre sus propios cuerpos.

Si bien la voluntad de la mujer a decidir es central en el sistema reglado y de causales reconocido por Chile, lo cierto es que una fórmula de esta naturaleza prioriza la voluntad experta y le entrega los médicos la determinación de la configuración o no de la causal invocada. Incluso, prefiere el parecer judicial ante el disenso, el que —como se ha visto— se inclina por una interpretación restringida, limitando por tanto los casos a los que se puede aplicar.

La ley de aborto en tres causales reconoce la autonomía progresiva de las adolescentes y las niñas, sin embargo, su aplicación ha evidenciado una alta tasa de agresiones sexuales detrás de esos embarazos. Esto último, nos fuerza a reflexionar en torno a la indemnidad y a la libertad sexual de las mujeres y especialmente de las niñas, de manera de ofrecer sistemas integrales de sanción, acompañamiento y reparación, teniendo especialmente en cuenta las sospechosas cifras de niñas que habrían decidido continuar con sus embarazos ante la causal de violación.

Humanas.-Revision-datos-persecucion-aborto-2010-2020-Marzo-2021-CORR.pdf > [Consulta: 13/09/2023.]

16 FEMENÍAS, M., "Brevísima mirada histórica para un debate por hacer", en *Aborto: Aspectos normativos, jurídicos y discursivos,* Biblos, Buenos Aires, 2018, pp. 35-55.

5. BIBLIOGRAFÍA

AROSTEGUY, J., "Constitución y aborto: notas sobre la inconstitucionalidad de la penalización del aborto", en *Aborto: Aspectos normativos, jurídicos y discursivos,* Biblos, Buenos Aires, 2018, pp. 141-156.

BEJARANO, M., y AEDO, L., "Cuerpo y violencia: regulación del aborto como dispositivo de control a las mujeres", *Región y sociedad,* 4, 2014, 261-283.

BERGALLO, P., "Del fracaso del giro procedimental a la inviabilidad del modelo de causales", en *El aborto en América Latina,* Siglo XXI, Buenos Aires, 2018, pp. 155-166.

CORPORACIÓN HUMANAS: «Persecución criminal por aborto en Chile: Revisión de datos informados por el Ministerio Público período 2010-2020» [en línea], (2021), [en línea], https://www.humanas.cl/wp-content/uploads/2021/07/Humanas.-Revision-datos-persecucion-aborto-2010-2020-Marzo-2021-CORR.pdf > [Consulta: 13/09/2023.]

DONOSO, C., "Despenalización del aborto en Chile. Una cuestión de justicia social", *Acta Bioethica,* 2, 2016, 159-167.

ECHEVERRÍA, C. y otros, "Consideraciones acerca de la `interrupción voluntaria del embarazo´, desde el punto de vista ético-médico (a propósito de un proyecto de ley)", *Rev. Med Chile,* 11, 2015, 1478-1483.

FEMENÍAS, M., "Brevísima mirada histórica para un debate por hacer", en *Aborto: Aspectos normativos, jurídicos y discursivos,* Biblos, Buenos Aires, 2018, pp. 35-55.

GONZÁLEZ-WILHELM, L., MORENO, L., y CARNEVALI, R., "Consideraciones médico-legales sobre causal de violación contenida en el proyecto de Ley de Aborto actualmente en trámite", *Rev Med Chile,* 144, 2016, 780-786.

JERNOW, A., "El principio de daño se encuentra con los delitos morales: derechos humanos, derecho penal, y regulación del sexo y el género", en *Más allá del vicio y la virtud. Por qué la ley penal puede ser una herramienta (o un obstáculo) para defender los derechos sexuales, reproductivos y de género,* Siglo XXI, Buenos Aires, 2021, p. 93-128.

MILLER, A., ROSEMAN, M., y RIZVI, Z., *Introducción,* en *Más allá del vicio y la virtud. Por qué la ley penal puede ser una herramienta (o un obstáculo) para defender los derechos sexuales, reproductivos y de género,* Siglo XXI, Buenos Aires, 2021, pp. 11-33.

MINISTERIO DE SALUD: «Información sobre casos constituidos en el marco de la Ley 21.030 que regula la interrupción voluntaria del embarazo en 3 causales» [en línea], (2023), <https://informesdeis.minsal.cl/SASVisualAnalytics/?reportUri=%2Freports%2Freports%2F382105c8-521f-4356-b1b8-6bad21ba8b08§ionIndex=0&sso_guest=true&reportViewOnly=true&reportContextBar=false&sas-welcome=false> [Consulta: 13/09/2023.]

RAMOS, S., "Investigación sobre abosrto en América Latina y el Caribe. Una agenda renovada para informar políticas públicas e incidencia (resumen ejecutivo)", *Estudios Demográficos y Urbanos,* 3, 2016, 833-860.

TAMÉS, R. (Dir.), *Niñas y mujeres sin justicia. Derechos reproductivos en México,* Grupo de Información en Reproducción Elegida, México D.F., 2015.

TAMÉS, R. y SORIA, J. (Dir.), *Violencia sin interrupción,* Grupo de Información en Reproducción Elegida, México D.F., 2017.

6. JURISPRUDENCIA Y LEGISLACIÓN CHILENAS

- Ley N°. 21.030, regula la despenalización de la interrupción voluntaria del embarazo en tres causales. Diario Oficial, 23 de septiembre de 2017. *(LTM9.930).*
- Corte Suprema, Sentencia de fecha 19 de junio de 2019, rol 15.460. *(LTM17.296.627).*

Sección IV

TRANSFORMACIONES FAMILIARES Y PERSPECTIVA DE GÉNERO EN EL DERECHO PRIVADO

El derecho a la igualdad entre hombres y mujeres y las sucesiones internacionales[*]

MARÍA LUISA PALAZÓN GARRIDO
Profesora titular de Derecho civil
Universidad de Granada

1. PUNTO DE PARTIDA: LA DISCRIMINACIÓN POR RAZÓN DE SEXO DETERMINADA POR LA APLICACIÓN DE LA *LEX SUCCESSIONIS* EN UNA SUCESIÓN QUE DEBE SURTIR EFECTOS EN ESPAÑA

La presencia en España de personas de origen musulmán —que por motivos geográficos siempre ha sido alta— ha experimentado un fuerte incremento en la última década. Según los datos publicados por el Observatorio Permanente de la Inmigración de la Secretaría de Estado de Migraciones (Ministerio de Inclusión, Seguridad Social y Migraciones), con fecha de 30 de junio de 2024, acerca de los extranjeros con certificado de registro o tarjeta de residencia en vigor, la marroquí es la principal nacionalidad de los extranjeros residentes en España, ya que se contabilizan 823568 marroquíes, que representan el 27% del total de extranjeros con autorización de residencia. A ellos se suman 58913 argelinos con autorización de residencia, que se sitúan también entre las nacionalidades más representadas (12ª posición, con una variación interanual de un +8%). Además, a los residentes hay que añadir aquellos extranjeros que, sin residir en territorio español, adquieren propiedades inmobiliarias en nuestro país.

La existencia de este numeroso colectivo de origen musulmán residente en España o titular de bienes inmuebles situados en territorio español origina sucesiones transfronterizas. Como se verá *infra*, la aplicación de las

[*] Esta publicación se enmarca en el Proyecto I+D-i PID 2020-113165GB-I00 "Registro de la Propiedad y Registro Mercantil ante situaciones privadas internacionales" financiado por MICIU/AEI/10.13039/501100011033.

normas del Reglamento europeo de sucesiones determina que la ley que rige con carácter general las sucesiones internacionales es la del Estado en el que el causante tiene la residencia habitual en el momento de su fallecimiento. Por consiguiente, en numerosos casos —a falta de *professio iuris* o de vínculos más estrechos—, la ley sucesoria será la española y no se presentará problema alguno. Sin embargo, no hay que ignorar la posibilidad de que la *lex successionis* sea una ley de tradición islámica, bien por haber sido elegida por el causante a través de la *professio iuris* o por ser la del Estado de última residencia o por razón del vínculo manifiestamente más estrecho. En estos supuestos, debiendo surtir efectos la sucesión en España, las diferencias existentes entre los sistemas sucesorios de tradición islámica y el sistema español pueden provocar disfunciones por vulneración de derechos fundamentales, con la consiguiente activación del orden público internacional. Con finalidad ilustrativa, se tomará como punto de partida un breve supuesto:

> "Se presenta en el Registro de la Propiedad la escritura pública de partición y adjudicación de la herencia de un ciudadano argelino, viudo de española y con dos hijos: un varón y una mujer también españoles y residentes en España. El causante había muerto intestado con última residencia habitual en Argel, pero, junto con los bienes situados en Argelia, era titular de otros bienes inmuebles de gran valor radicados en España. En la escritura pública, sobre la base del Derecho argelino que era la *lex successionis*, se adjudicaba a la hija, por ser mujer, la mitad de la cuota de su hermano varón".

Efectivamente, en este supuesto, por aplicación del artículo 21.1 del Reglamento (UE) nº 650/2012 del Parlamento Europeo y del Consejo, de 4 de julio de 2012, relativo a la competencia, la ley aplicable, el reconocimiento y la ejecución de las resoluciones, a la aceptación y la ejecución de los documentos públicos en materia de sucesiones mortis causa y a la creación de un certificado sucesorio europeo (en adelante, RES), la sucesión se rige por las reglas del Código de la familia argelino (Ley 84/11, de 9 de junio de 1984[1]), a no ser que debiera aplicarse el criterio excepcional del vínculo manifiestamente más estrecho (art. 21.2 RES). Esta ley aplicable regirá la totalidad de la sucesión, es decir, la transmisión de todos los bienes y derechos que formen parte de la herencia, con independencia de su naturaleza y de si están ubicados en otro Estado miembro o en un tercer Estado (CDO 37 y art. 21.1 RES), respetándose así el principio de la unidad de la sucesión que invoca el Reglamento.

---

1 Puede consultarse en http://lexalgeria.free.fr/droitdelafamille.htm [último acceso: 11/02/2025].

El Derecho sucesorio en la *Sharia* es el reflejo de la forma islámica de entender la organización de la familia y constituye una materia de gran complejidad, regulada de forma prolija, y que difiere profundamente tanto en sus fundamentos como en sus principios básicos del sistema sucesorio de los ordenamientos occidentales. Al respecto, destaca la doctrina dos notas: i) la primera es que el Derecho sucesorio islámico se funda en la salvaguardia de la unidad del grupo familiar, bajo una concepción patriarcal de la familia, lo que tiene como consecuencia el favorecimiento de la familia agnaticia sobre la conyugal y el privilegio del varón sobre la mujer; ii) la segunda es que la fuente principal del Derecho sucesorio es la *Sharia* o ley islámica, de modo que las prescripciones relativas a las distintas clases de herederos y las cuotas que les corresponden se consideran normas esenciales[2]. Gran parte de los estados de tradición jurídica islámica ya han legislado en forma de códigos de estatuto personal, pero aún quedan otros en los que las reglas de la *Sharia* se aplican todavía de forma directa a los ciudadanos por imperativo de la Constitución, que suele establecer que la ley islámica es la fuente principal del Derecho del Estado[3].

El Derecho sucesorio de los países de tradición islámica se basa en un sistema de atribución de cuotas a una serie de parientes legalmente determinados. La atribución *ex lege* de cuotas se aplica a toda la herencia, en defecto de testamento, o a los dos tercios del caudal hereditario, si el causante testó válidamente. Como se ha dicho, las disposiciones testamentarias no pueden desheredar o instituir heredero a quien la ley no proclama, ni modificar el orden de sucesión o las reglas imperativas del sistema de cuotas, ya que se considera que han sido reveladas por la divinidad[4].

En términos generales, en el sistema sucesorio islámico pueden distinguirse tres grupos de herederos: los herederos *fard*, que tienen derecho a una cuota fija determinada de la herencia (reservistas o forzosos), los

---

2 *Vid.* BLAZQUEZ RODRÍGUEZ, I., "El Derecho sucesorio islámico: principios informadores y excepción de orden público internacional", *Revista Española de Derecho Internacional,* vol. LXI (2009), 2, pp. 442-443.

3 *Vid.* GARROTE FERNÁNDEZ-DÍEZ, I., "Sucesiones internacionales y orden público constitucional: la sucesión mortis causa en España cuando la ley aplicable es la de un país de tradición jurídica islámica", *Derecho privado y Constitución,* núm. 23, 2009, p. 152.

4 *Vid.* MOTILLA, A., *La eficacia en España del Derecho de Familia Islámico. Adaptación al Derecho español de los códigos marroquí, argelino y tunecino,* Comares, Granada, 2018, p. 48. La atribución de cuotas se basa en distintas aleyas de la Azora 4 del Corán (ídem, p. 164).

asab o herederos universales, a quienes corresponde una parte variable del caudal relicto, una vez deducida la parte correspondiente a los *fard*, y los parientes uterinos o cognados (*daoui el arham*), que sólo heredan en ausencia de los anteriores[5]. Las categorías de herederos *fard* y *asab* no son, sin embargo, excluyentes entre sí, pues hay parientes que pueden tener derecho por ambos títulos (*vid.* art. 334 Código de la Familia marroquí).

En Argelia, aunque el artículo 29 de la Constitución establece que "los ciudadanos son iguales ante la ley, sin que pueda prevalecer discriminación alguna por razón de nacimiento, raza, sexo, opinión o cualquier otra condición o circunstancia personal o social", el sistema sucesorio continúa siendo tributario del Corán y mantiene la discriminación de la mujer, pese a las últimas reformas[6]. El Derecho sucesorio argelino se contiene en los artículos 126 a 224 del Código de la Familia (CF), si bien debe distinguirse entre las normas relativas a la sucesión (libro tercero, arts. 126 a 183[7]), que recogen el régimen de las cuotas de los herederos *fard* y las reglas de determinación de los herederos *asab* y la cuantía que les corresponde; y las normas relativas a las disposiciones testamentarias (libro cuarto, arts. 184-224), que sólo son aplicables a la parte de la herencia que se puede denominar "disponible", limitada al tercio del caudal relicto (art. 185 CF), que queda fuera del reparto de cuotas. A los efectos de este trabajo interesa el primer grupo de normas.

Los herederos reservistas o forzosos (*fard*) en el sistema argelino se recogen en los artículos 140 y 141 del Código de la Familia. Estos preceptos distinguen entre los herederos *fard* de sexo masculino: padre, ascendientes

---

5 Art. 167 CF argelino. Se trata de los descendientes del causante por vía femenina, divididos en grupos o categorías (hijos varones de hijas, hijos de nieta y descendientes de ambos; ascendientes maternos; hijos o hijas de hermanas del causante...). No obstante, en algunos países malikíes no se incluye en la sucesión a los parientes uterinos (*vid.* art. 334 CF marroquí).

6 Señala Karima MESSAOUDI cómo el primer precepto que se impone como norma, en cuanto se plantea la cuestión de la herencia y el Derecho sucesorio, es el versículo coránico: "Con respecto a vuestros hijos, Dios prescribe que atribuyáis al varón una parte igual a la de dos mujeres" (Sura IV, Las mujeres - An-Nisa, versículo 11). *Vid.* "Une moitié en héritage", *La Pensée* 2015/3 (nº 383), pp. 41-42, <https://doi.org/10.3917/lp.383.0041 > [último acceso: 13/02/2025].

7 En este libro no se produjo ningún cambio en la reforma del año 2015 y es el único en el que prácticamente no se ha introducido ninguna modificación en relación con la regulación consagrada en el Corán (*vid.* RUIZ ALMODÓVAR, C., "La herencia en el Código argelino de estatuto personal en relación con los códigos de otros países árabes", *Hesperia, culturas del mediterráneo,* junio, 2014, p. 122).

paternos de cualquier grado, marido, hermano de doble vínculo y hermano uterino (art. 140); y los de sexo femenino: hija, descendiente mujer del hijo cualquiera que sea su grado, madre, esposa, ascendiente mujer paterna o materna cualquiera que sea su grado, la hermana de doble vínculo y la de vínculo sencillo, sea uterina o consanguínea[8] (art. 141). La cuota de estos herederos no es inmutable, sino que varía según la concurrencia con otros herederos forzosos, tejiendo la ley un complejo entramado del que resulta una extraordinaria casuística.

No es este el lugar para un desarrollo explicativo completo acerca de las cuotas correspondientes a todos herederos reservistas[9], por lo que nos centraremos en algunos ejemplos que nos permitirán evidenciar la desigualdad de la mujer frente al varón en el fenómeno sucesorio.

Por cuanto respecta a los derechos de las hijas del difunto frente a los de los hijos, como resulta del artículo 140 del Código de la Familia argelino, el hijo no es heredero reservista siéndolo sólo *asab*. Sí lo es la hija (art. 141 CF argelino), que tendrá derecho a la mitad del caudal relicto si es la única descendiente del difunto, con exclusión de todos los demás descendientes de ambos sexos (art. 144.2° CF argelino)[10]. Si el causante tiene dos o más hijas y no tiene hijos varones, estas recibirán dos tercios de la sucesión (art. 147.1° CF argelino)[11]. Como puede observarse, la hija o hijas sólo son herederas forzosas si no tienen hermanos varones, pues en caso de tenerlos pasarán a ser herederas *asab* por causa de su hermano.

Si nos fijamos ahora en los derechos de la cónyuge supérstite como heredera forzosa en el sistema argelino, los artículos 145 y 146 CF disponen que tienen derecho a un cuarto de la herencia la esposa o esposas cuyo

---

8 Los hermanos uterinos son los que tienen la misma madre y distinto padre; y los hermanos consanguíneos aquellos que tienen el mismo padre y distinta madre.

9 El Código de familia argelino establece seis cuotas posibles de la herencia: la mitad, un cuarto, un octavo, dos tercios, un tercio y un sexto (art. 143).

10 Arts. 12 a) código egipcio, 322.1 código emiratí, 292 a) código jordano, 300 a) código kuwaití, 342.2 código marroquí, 254.2 código mauritano, art. 243.2 código omaní, 256.1 código qatarí, 269.1 código sirio, 359 a) código sudanés; 93.2 y 103.1 código tunecino o 309.2 código yemení.

11 Arts. 12 a) código egipcio, 325.1 código emiratí, 292 b) código jordano, 300 a) código kuwaití, 345.1 código marroquí, 257.1 código mauritano, art. 246.1 código omaní, 256.2 código qatarí, 269.1 código sirio, 359 b) código sudanés; 96.1 y 103.2 código tunecino o 312.1 código yemení.

marido no deje descendencia[12]; y, existiendo descendencia, la cuota se reducirá a un octavo[13]. Más adelante se verá cómo la cuota correspondiente al marido en la herencia de la esposa fallecida es mucho mayor (el doble).

En cuanto al heredero *asab* o universal, el artículo 150 del Código de la Familia argelino lo define como la persona que tiene derecho a la totalidad de la herencia en ausencia de otros herederos, o al remanente una vez deducida la parte de los herederos con derecho a reserva (*fard*). Son los verdaderos herederos y poseen una vocación universal a la herencia, pero supeditada al reparto previo de las cuotas que corresponden a los *fard*[14]. Los herederos *asab* o universales se dividen en tres tipos: *asab* por sí mismos o por derecho propio (arts. 152 a 154 CF argelino), *asab* "por causa de otro" (art. 155 CF argelino) y *asab* "con otro" (arts. 156 y 157 CF argelino).

Los primeros son sólo los parientes consanguíneos masculinos del *de cuius* de cualquier grado (art. 152 CF argelino), que se distinguen en cuatro categorías: 1ª) los hijos y sus descendientes varones en cualquier grado, 2ª) el padre y demás ascendientes varones en cualquier grado; 3ª) los hermanos y sus descendientes varones en cualquier grado; y 4ª) los tíos paternos del *de cuius*, tíos paternos de su padre, tíos paternos de su abuelo y sus descendientes varones de cualquier grado (art 153 CF argelino). Si concurre a la herencia más de un heredero *asab* de la misma clase, tiene preferencia el más próximo en grado al causante. En caso de igualdad de clase o de grado, prevalecerá el heredero más próximo al difunto por línea paterna y materna. Y en caso de igualdad de clase, grado y parentesco, la herencia se dividirá entre ellos por partes iguales (art. 154 CF argelino).

Los herederos *asab* "por otro" o "por causa de otro" son mujeres agnadas que precisan de un varón agnaticio con igual parentesco para poder heredar. Se incluyen en esta categoría: 1ª) la hija que concurre a la sucesión con su hermano (varón hijo del causante), 2º) la nieta hija del hijo del difunto

---

12 Arts. 11 código egipcio, 323.2 código emiratí, 91.1 código iraquí, 289 a) código jordano, 299 b) código kuwaití, 342.2 código marroquí, 255.2 código mauritano, art. 244.2 código omaní, 254.1 código qatarí, 268.2-3 código sirio, 357 a)-c) código sudanés; 94.2 y 102.1 código tunecino o 310.2 y 323 b) código yemení.

13 Arts. 11 código egipcio, 324 código emiratí, 91.1 código iraquí, 289 b) código jordano, 299 b) código kuwaití, 344 y 359.3 código marroquí, 256 y 272.3 código mauritano, art. 245 código omaní, 254.2 código qatarí, 268.2-3 código sirio, 357 b)-c) código sudanés; 102.2, 125-127 código tunecino o 311 y 323 b) código yemení.

14 MOTILLA, A., *op. cit.*, p. 49.

que concurre con su hermano, su primo paterno del mismo grado o el hijo de este en grado inferior, siempre que no sea reservista (*fard*); 3ª) la hermana de doble vínculo del causante con el hermano de doble vínculo; y 4º) la hermana consanguínea con su hermano consanguíneo. En todos estos supuestos, el heredero varón tomará el doble de cuota que la heredera mujer (art. 155 CF argelino)[15]. Como puede observarse y se ha indicado *supra*, la hija heredera forzosa o *fard* pierde esta condición cuando concurre con un hijo varón, se ve desplazada a la categoría de heredera *asab* por causa de otro y recibe la mitad de lo que corresponde a su hermano.

Por último, los herederos *asab* "con otro" son también siempre mujeres y heredan siempre que no exista ningún heredero agnaticio por sí mismo con igual parentesco que ella. Son la hermana o hermanas del difunto de doble vínculo o consanguíneas que concurran a la sucesión con una o varias hijas del causante o hijas del hijo del causante, siempre que no tengan un hermano varón del mismo grado o un abuelo (art. 156 CF argelino). La hermana consanguínea sólo heredará en ausencia de hermanas de doble vínculo (art. 157 CF argelino).

La atribución de cuotas a los herederos según estas normas puede verse modificada en caso de concurrencia de herederos por la aplicación de reglas de armonización del sistema: la doctrina de la evicción (arts. 159 a 165 CF argelino)[16], las reglas de la reducción proporcional de las reservas —*aoul*— (art. 166 CF argelino)[17] o de la restitución o retorno —*radd*— (art. 167 CF argelino)[18].

---

15 Arts. 19 código egipcio, 334 código emiratí, 351 y 359.8 código marroquí, 264 y 272.8 código mauritano, art. 254 código omaní, 256.2, 261.3, 262.2, 263.3 y 274 código qatarí, 277 código sirio, 365 d), 367 e), 369 d) y 383.1 código sudanés; 103.3, 104.5, 105.3, 106.4, 108.3 y 119 código tunecino, y 318 código yemení.

16 La evicción consiste en la exclusión de un heredero de la herencia o la reducción de su cuota por razón de la existencia de otro heredero. Existen dos tipos de evicción: evicción por reducción y evicción total (art. 159 CF argelino).

17 Ocurre cuando, al calcular las cuotas de todos los herederos forzosos, se supera la unidad, en cuyo caso deben reducirse proporcionalmente las cuotas de cada uno, aumentando el denominador común (DURAND, B., *Droit musulmán. Droit successoral*, Litec, París, 1991, p. 203.

18 El *radd* se da cuando el reparto entre los herederos forzosos (*fard*) no cubre la totalidad de la herencia y no existe ningún heredero universal (*asab*). En estos casos, se divide la herencia entre los herederos reservistas en proporción a sus cuotas hereditarias, con exclusión de los cónyuges. Excepcionalmente, en algunos códigos, se incluye al cónyuge supérstite a fin de evitar situaciones de desamparo

Puede concluirse que, en la asignación de la cuota hereditaria, los ordenamientos islámicos se guían por la regla del *tafadul*, según la cual, a igualdad de grado y de vínculo, la mujer hereda la mitad que el hombre, ya sea en su consideración de *fard* o de *asab*. En virtud de las normas contenidas en los distintos códigos de familia de cuño islámico, y no sólo en el argelino[19], la mujer supérstite recibe un cuarto de la herencia del marido, si no hay descendientes, y si concurre con un hijo, hija, o descendientes de un hijo, toma sólo un octavo, lo que supone la mitad de lo que hubiera tomado el marido en el caso de haber sido ella la premuerta[20]. Y, dado que está permitida la poligamia, si hay varias esposas del causante que le sobreviven deben repartirse entre ellas dicha cuota (es decir, se trata a todas las esposas como si fueran una sola), por lo que no son raros los casos en los que, ante el máximo de cuatro esposas (art. 8 CF argelino) y presencia de descendientes, cada una de ellas toma un treintaidosavo de la herencia del marido[21]. Asimismo, si como en el caso expuesto, las hijas son herederas *asab* junto con sus hermanos varones, reciben la mitad de estos[22]. Esta desigualdad también está presente en las sucesiones entre hermanos, ya que, en defecto de descendencia, las hermanas tan sólo tienen derecho a suceder en la mitad de la herencia del hermano, mientras que a este le correspondería la totalidad de la sucesión de su hermana en caso de ser ella la causante[23].

Esta norma que privilegia al varón frente a la mujer en cuanto a la cuota a heredar se intenta justificar alegando que responde a una especial concepción de las relaciones familiares y al estatuto de la mujer en el Derecho musulmán. Así, se dice que la desigualdad existente en la sucesión se compensa por otras reglas que favorecen a la mujer, sobre todo en lo que

(v.gr. art. 143ª del Código tunecino), *vid.* GARROTE FERNÁNDEZ-DÍEZ, I., *op. cit.*, p. 176.

19 *Vid.* notas 12, 13 y 15.

20 Según los arts. 144.1° y 145.1° CF argelino, el marido cuya esposa fallezca sin descendencia tiene derecho a la mitad de la herencia y si hay descendientes tendrá derecho a la cuarta parte.

21 *Vid.* GARROTE FERNÁNDEZ-DÍEZ, I., *op. cit.*, p. 168.

22 Arts. 351 CF marroquí, 155 CF argelino y 119 CEP tunecino. En Marruecos, la prevista reforma de la *Mudawana* mantiene la doble cuota hereditaria de los varones respecto de las mujeres, si bien intenta conciliar con las reivindicaciones del movimiento feminista permitiendo a los padres hacer testamento o una donación a favor de sus hijas, pese a ser herederas legales.

23 AGUILAR BENITEZ DE LUGO, M. y AGUILAR GRIEDER, H., "Orden público y sucesiones (y II)", *Boletín del Ministerio de Justicia*, año 59, n° 1984, 2005, p. 1136.

concierne a las obligaciones de sustento de la familia, que corresponde únicamente al marido[24]. Sin embargo, la práctica evidencia que la verdadera razón de la referida normativa se funda en el principio de primacía del hombre sobre la mujer que inspira a todo el Derecho islámico[25].

2. LA ACTIVACIÓN DE LA EXCEPCIÓN DE ORDEN PÚBLICO INTERNACIONAL ANTE LA APLICACIÓN DE ESTAS NORMAS SUCESORIAS DISCRIMINATORIAS POR RAZÓN DE SEXO

Estas normas son palmariamente contrarias a la igualdad y a la no discriminación por sexo, que la Constitución española consagra como derecho fundamental en el artículo 14 y que está amparado en el artículo 21 de la Carta de derechos fundamentales de la Unión Europea, que prohíbe toda discriminación, y en particular la ejercida por razón de sexo; el artículo 14 del Convenio europeo para la protección de los derechos humanos y las libertades fundamentales; y los artículos 2 y 7 de la Declaración universal de los derechos humanos. También resulta contraria al principio de la igualdad de los hijos ante la ley del art. 39.2 de la Carta Magna.

Sobre esta base, estas leyes sucesorias que atribuyen mayor cuota al varón que a la mujer podrían ser contrarias al orden público internacional español. El orden público internacional puede ser definido como el conjunto de principios que inspiran un ordenamiento jurídico y reflejan los valores esenciales de una sociedad en un momento dado[26]. El contenido del orden público español se integra a partir de los valores y principios recogidos en la Constitución y en los convenios de derechos humanos ratificados por España, así como en los tratados constitutivos de la Unión europea[27]. En su función impeditiva o negativa, el orden público protege

---

24 ALDEEB, S. y BONOMI, A., *Le droit musulmán de la famille et des successions á l'épreuve des ordres juridiques occidentaux. Étude de droit comparé sur les aspects de droit International privé lies á l'immigration des musulmans en Allemagne, en Angleterre, en France, en Espagne, en Italie et en Suisse,* Schulthess Polygraphischer Verlag, Zúrich, 1999, pp. 309-310.

25 AGUILAR BENITEZ DE LUGO, M. y AGUILAR GRIEDER, H., *op. et loc cit.*

26 FERNÁNDEZ ROZAS, J.C. y SÁNCHEZ LORENZO, S.A., *Derecho internacional privado,* 13ª edición, Aranzadi, Las Rozas (Madrid), 2024, § 125, p. 182.

27 FERNÁNDEZ ROZAS, J.C. y SÁNCHEZ LORENZO, S.A., *op. cit.,* § 128, pp. 184-185.

el sistema frente a realidades normativas externas (leyes o actos jurídicos), negándoles que tengan eficacia en el foro[28]. Esto es, funciona como un correctivo funcional frente a la norma de conflicto, en cuya virtud se elude la aplicación de la ley extranjera reclamada por la norma de conflicto[29].

El artículo 35 del Reglamento europeo sobre sucesiones contiene una cláusula de orden público que establece que "solo podrá excluirse la aplicación de una disposición de la ley de cualquier Estado designada por el presente Reglamento si esa aplicación es manifiestamente incompatible con el orden público del Estado miembro del foro"[30]. Estamos ante una norma de aplicación excepcional o con carácter restrictivo, tal y como resulta expresamente del tenor literal del propio precepto que exige que la disposición sea "*manifiestamente*" incompatible con el orden público, sin que sea suficiente una mera diferencia de contenido. La intervención de la cláusula tiene como presupuesto que la aplicación de la ley extranjera conduzca a un resultado inaceptable a la vista de los principios y valores fundamentales del orden jurídico del Estado del foro, así como a la visión de la concepción de justicia prevalente en dicho Estado[31]. El juicio de incompatibilidad no se limita a los principios de orden público del foro, sino que, como se ha dicho, abarca también los principios fundamentales del Derecho europeo y, en especial los derechos fundamentales. La Carta de los derechos fundamentales y el Convenio europeo de derechos humanos constituyen en este sentido la referencia esencial[32].

La STS de 6 de marzo de 2014 (*Tol 4100882*) vincula el concepto de orden público con los principios constitucionales. Dice el Tribunal Supremo que el orden público debe ser "entendido básicamente como el sistema de derechos y libertades individuales garantizados en la Constitución y en los convenios internacionales de derechos humanos ratificados por España, y los valores y principios que estos encarnan".

28 *Vid.* ÁLVAREZ GONZÁLEZ, S., ¿"Orden público europeo versus orden público internacional de cada Estado?, en *La gobernanza del interés público global*, *XXV Jornadas de Profesores de Derecho internacional y relaciones internacionales*, Madrid, 2015, p. 153.

29 *Vid.* FERNÁNDEZ ROZAS, J.C. y SÁNCHEZ LORENZO, S.A., *op. cit.*, § 125, p. 182.

30 Esta cláusula es operativa frente a cualquier ley extranjera de cualquier Estado, sea Estado miembro o tercero.

31 *Vid.* BONOMI, A. y WAUTELET, P., *El Derecho europeo de sucesiones. Comentario al Reglamento (UE) nº 650/2012, de 4 de julio de 2012* (versión traducida y adaptada por ÁLVAREZ GÓNZALEZ, S. et al.), Aranzadi, Cizur Menor, 2015, p. 450.

32 *Vid.* BONOMI, A. y WAUTELET, P., *op. cit.*, p. 451; y FERNÁNDEZ ROZAS, J.C. y SÁNCHEZ LORENZO, S.A. *op. cit.*, § 432, pp. 630-631.

Por otra parte, los principios fundamentales del Derecho europeo tienen también como efecto limitar el uso de la cláusula de la reserva de orden público. El considerando 58 RES señala que "los tribunales u otras autoridades competentes no deben poder aplicar la excepción de orden público para descartar la ley de otro Estado ni negarse a reconocer o, en su caso, aceptar, o ejecutar una resolución dictada, un documento público o una transacción judicial de otro Estado miembro, cuando obrar así sea contrario a la Carta de los Derechos Fundamentales de la Unión Europea, en particular a su artículo 21, que prohíbe cualquier forma de discriminación".

La jurisprudencia del Tribunal Europeo de Derechos Humanos en numerosas ocasiones ha considerado que las discriminaciones entre los parientes del causante en relación con sus derechos sucesorios pueden estar en contradicción con los derechos fundamentales protegidos por el Convenio europeo de derechos humanos[33]. La mayor parte de las sentencias examinan la desigualdad sucesoria entre hijos legítimos e ilegítimos, declarándola contraria al orden público internacional; pero, ahondando en este sentido, también lo sería la desigualdad por razón de sexo, raza o religión.

En los países de nuestro entorno, si bien la muestra no es suficientemente significativa —al ser escasa y antigua la jurisprudencia a la que hemos tenido acceso—, los tribunales parecen reacios a hacer uso de la excepción de orden público frente a esta discriminación por razón de sexo en las herencias. Ejemplo de ello es en Alemania la sentencia del OLG de Hamm de 29 de abril de 1992[34], que decidió acerca de los derechos sucesorios de la esposa supérstite en la sucesión de un ciudadano iraní. El tribunal aplica el sistema sucesorio iraní chií, que concede a la esposa el derecho a un octavo de los bienes muebles del caudal relicto y respecto de los inmuebles un valor sobre la construcción y los árboles, pero no sobre el suelo; mientras que al viudo en la misma situación le reconocería el derecho a una cuarta parte de todos los bienes muebles e inmuebles del caudal hereditario. El tribunal considera que en el supuesto concreto no se vulneraba el orden público internacional alemán por las siguientes razones: i) La desigualdad

---

33 STEDH de 13 junio 1979, núm. 6833/74, *Marckx c. Bélgica*; STEDH de 28 octubre 1987, núm. 8695/79, *Inze c. Austria*; STEDH de 1 febrero 2000, núm. 34406/97, *Mazurek c. Francia*; STEDH de 13 julio 2004, núm. 69498/01, *Pla y Puncernau c. Andorra*; STEDH de 22 diciembre 2004, núm. 68864/01, *Merger y Cros c. Francia*; STEDH de 28 mayo 2009, núm. 5345/04, *Brauer c. Alemania*; STEDH (Gran Sala) de 7 febrero 2013, núm. 16574/08, *Fabris c. Francia*.

34 *FamRZ* 1993, p. 111 y ss.

en materia de herencia se compensaba con otras normas del Derecho chií más favorables a la esposa, en particular en lo que se refiere a la pensión alimenticia, que incumbía exclusivamente al marido. Sin embargo, se precisó que, en este caso, la esposa no se beneficiaba de ello, ya que sus obligaciones alimentarias respecto a los hijos se regían por el derecho alemán. ii) Además, la parte de la herencia correspondiente a la esposa se incrementó en virtud de su régimen matrimonial —participación en las ganancias del Derecho alemán— que equilibraba el resultado global. iii) Por otra parte, el tribunal confirmó que las legislaciones sucesorias nacionales variaban mucho y que había que actuar con gran moderación al tratar la cláusula de orden público. No obstante, la doctrina alemana mayoritaria, con crítica a la resolución, se inclina por la aplicación de la cláusula de orden público en estos supuestos y, con mayor claridad, en los casos de discriminación entre los hijos varón y mujer del *de cuius,* siempre que el caso tenga un vínculo suficiente con Alemania, en particular si los hijos también tienen nacionalidad alemana o si la familia ha vivido en Alemania durante mucho tiempo (doctrina de la *Inlandsbeziehung*)[35].

En la misma línea, la jurisprudencia francesa se ha mostrado tolerante con la discriminación por razón de sexo. En la sentencia de la Corte de Casación nº 78-14880 de 4 de marzo de 1980[36], el alto tribunal confirmó la decisión del Tribunal de Apelación de París de someter al Derecho sucesorio musulmán los bienes de un francés argelino de confesión musulmana, fallecido en Francia antes de la independencia de Argelia. Aplicando el Derecho malikí argelino, el tribunal había concedido derechos a la madre, al hermano y a la hermana del difunto, a pesar de existir cónyuge supérstite y una hija legítima, y había adjudicado al hermano el doble (10/72)

---

35 *Vid.* LORENZ, S., "Islamisches Ehegattenerbrecht und deutscher ordre public: Vergleichsmas- sstab für die Ergebniskontrolle», *IPRax,* 1993, núm. 3, pp. 148 y 150; y DÖRNER, H., "Zur Beerbung eines in der Bundesrepublik verstorbenen Iraners», *IPRax,* 1994, núm. 1, pp. 35-36, quien señala que el orden público alemán no va a dejar de intervenir por el hecho de que el Derecho islámico aplicable dispense a la mujer una pensión de alimentos. Coinciden con esta postura AGUILAR BENITEZ DE LUGO, M. y AGUILAR GRIEDER, H. (*op. cit.,* p. 1140, nota al pie 142), al entender que una discriminación (sea sexista o religiosa) no puede ser compensada con otra, aunque esta opere en sentido inverso a la anterior. Sobre Derecho sucesorio islámico y orden público en el Derecho alemán, *vid.* asimismo ALDEEB, S. y BONOMI, A., *op. cit.,* pp. 317-320.

36 *Cass. civ.,* nº 78-14880 de 4 marzo 1980, in *Bull, civ.,* I, nº 71. Puede consultarse online en: <https://juricaf.org/arret/FRANCE-COURDECASSATION-19800304-7814880> (último acceso: 15/02/2025).

de la parte concedida a la hermana (5/72). Sin embargo, ante otras discriminaciones, la Casación se ha pronunciado de modo contrario. Así, en la sentencia de 17 de noviembre de 1964[37], la *Cour de cassation* dictaminó que era contrario al orden público francés excluir de la herencia a la hija de una mujer musulmana por el hecho de no ser musulmana. Sobre la base de este precedente, puede considerarse que la norma del Derecho musulmán según la cual las personas sujetas a anatema y los apóstatas quedan excluidas de la herencia es contraria al orden público francés[38].

En cuanto a la jurisprudencia española al respecto, es escasa y suele recurrir al mecanismo de la falta de prueba del Derecho extranjero para zanjar la cuestión, como ocurrió en la sentencia del Tribunal Supremo de 17 de diciembre de 1991[39]. En el supuesto objeto de litigio se pretendía la declaración de nulidad de un testamento otorgado en España y conforme a la ley española por un causante de nacionalidad marroquí, sobre la base de que el testamento no se ajustaba ni en su contenido ni en su forma a la ley personal del causante que debía regir la sucesión (art. 9.8 CC), a saber, el Derecho coránico vigente en Marruecos. El Tribunal Supremo, con omisión de cualquier otra consideración conflictual, desestima el recurso "ya que los recurrentes no han probado... la ley marroquí". GARCIMARTIN, en su nota a la sentencia, se pregunta si no se trata de una "cláusula de escape material", en tanto el Derecho aplicable, el musulmán, es un Derecho religioso que probablemente resulte contrario a nuestros valores constitucionales[40]. Más recientemente, en la jurisprudencia menor, si bien en un supuesto de discriminación por razones de filiación y religión y no por razón de sexo, la sentencia de la Audiencia Provincial de Barcelona (sección 4ª) de 28 de octubre de 2008[41] apreció la cláusula de orden públi-

---

37 *Cass. civ.*, 17 noviembre 1964, in *JCP* 1965, II, n° 13978.

38 Sobre Derecho sucesorio islámico y orden público en el Derecho francés, *vid.* ALDEEB, S. y BONOMI, A., *op. cit.*, pp. 322-323.

39 (*Tol 12038*).

40 *Vid.* GARCIMARTIN ALFÉREZ, F.J., "Nota a la sentencia TS (Sala l) de 17 de diciembre de 1991" *REDI*, vol. XLIV (1992), 1, p. 243.

41 (*Tol 1439487*). Entendió el tribunal que "la aplicación del artículo 332, Título III, de la legislación marroquí sobre herencias, es claro en cuanto prohíbe derecho alguno a la herencia entre un musulmán y un no musulmán y en el caso de un hijo habido fuera del matrimonio, por lo que la aplicación de dicha legislación impide reconocer derecho alguno a la herencia de su padre por parte de la menor Nuria si ésta no es musulmana y, en todo caso, como hija habida en un matrimonio no reconocido oficialmente en Marruecos, y esto vulnera el artículo 14 de la Constitución Española, por lo que debemos aplicar la regla del orden público prevista

co por vulneración del artículo 14 de la Constitución española, y procedió a la inaplicación del Derecho marroquí, al no reconocer los derechos sucesorios de una hija por el doble motivo de la ilegitimidad del vínculo y no profesar la religión musulmana.

Por su parte, la doctrina española coincide de modo general en que la autoridad judicial o el funcionario español, ante los que se suscite la eventual aplicación de estas normas discriminatorias por razón de sexo, debe activar la excepción de orden público internacional[42].

Es preciso dejar claro que la función del orden público no consiste, sin embargo, en fiscalizar en abstracto la contrariedad de las leyes extranjeras con nuestras concepciones inderogables, sino de ver si su aplicación en el caso concreto supone o no una afectación intolerable a esas concepciones o principios[43]. Así, se ha planteado la inoperatividad del orden público cuando la aplicación de la regla no provoca una discriminación real concreta, por ejemplo, en el supuesto de los derechos de la esposa supérstite, cuya discriminación se produce en relación con el marido, que no concurre a la misma herencia concreta, por estar ya fallecido. En estas hipótesis la diferencia de trato es hipotética y no real, pues se compara con el caso eventual de que sea el marido quien suceda a su esposa[44]. La cuestión es discutible. Doctrina muy autorizada ha sostenido —acertadamente en nuestra opinión— que la excepción de orden público debe aplicarse

---

en el artículo 12.3 del Código Civil que nos permite no aplicar la ley extranjera cuando resulte contraria al orden público por colisionar con los principios básicos del ordenamiento jurídico español".

42 *Vid. ad. ex.* AGUILAR BENITEZ DE LUGO, M. y AGUILAR GRIEDER, H., *op. cit.*, p. 1140; BLAZQUEZ RODRÍGUEZ, I., *op. cit.*, 449; FERNÁNDEZ ROZAS, J.C. y SÁNCHEZ LORENZO, S.A., *op. cit.*, § 432, pp. 630-631; LARA AGUADO, A., "Derecho sucesorio marroquí y relaciones transfronterizas", en *Sucesión mortis causa de extranjeros y españoles tras el Reglamento (UE) 650/2012: problemas procesales, notariales, registrales y fiscales,* Tirant lo blanch, Valencia, 2020, p. 676-679; MOTILLA, A., *op. cit.*, p. 148.

43 ÁLVAREZ GONZÁLEZ, S., "Sobre la discriminación sucesoria por razón de sexo en el Derecho iraní y el orden público español (Comentario a la Resolución de la DGRN de 20 de julio de 2016)", *Bitácora Millennium DIPr,* nº 4 (julio-diciembre 2016); *vid.* también del mismo autor, "Sucesiones internacionales: ¿que lo que el Reglamento 650/2012 ha unido no lo separe el orden público?", en *Estudios de derecho de sucesiones: "Liber amicorum" Teodora F. Torres García* (Dir. DOMÍNGUEZ LUELMO, A., GARCÍA RUBIO, M.P., HERRERO OVIEDO, M.), Wolters Kluwer España, Madrid, 2014, p. 126.

44 *Vid.* ALDEEB, S. y BONOMI, A., *op. cit.*, p. 318.

también a estos últimos supuestos, a pesar de la ausencia de discriminación directa, ya que la norma que otorga a la mujer un peor trato por razón de su sexo conduce en todo caso a un resultado incompatible con el orden público del foro[45]. La asunción de esta teoría supondría la aplicación de la excepción de orden público en el supuesto de partida en relación con los derechos sucesorios de la esposa, en caso de que hubiera sobrevivido al *de cuius*. No presenta problema, sin embargo, su aplicación en el caso en estudio a los derechos de los hijos, pues aquí no cabe duda de que se da la discriminación concreta y directa, al concurrir a la sucesión descendientes del mismo grado de distinto sexo: la hija del causante con su hermano varón.

Otra cuestión es si la activación de la excepción de orden público en estos supuestos exige una vinculación cualificada entre la situación y el Estado del foro (*Inlandsbeziehung* u orden público de proximidad) u opera con independencia de esta[46]. La relatividad del orden público de proximidad ha sido puesta en tela de juicio por FERNÁNDEZ ROZAS y SÁNCHEZ LORENZO en los casos en que la ley extranjera resulta gravemente contraria a la dignidad de la persona o atenta contra el principio de no discriminación e igualdad de género[47]. Afirman estos autores que, a diferencia de lo que ocurre con el orden público "económico", que para actuar requiere una determinada conexión espacial del supuesto con el ordenamiento del foro —pues no tendría sentido utilizarlo si la aplicación de la ley extranjera no produce efectos nocivos en el mercado nacional—, ello resulta muy discutible en los casos en que la ley extranjera vulnera manifiestamente derechos humanos. En estas hipótesis, es difícil que el aplicador del Derecho pueda evitar, por imperativo constitucional y de los tratados internacionales suscritos por España en materia de derechos humanos, la aplicación

---

45 *Vid.* BONOMI, A. y WAUTELET, P., *op. cit.*, pp. 459-460.

46 Señalan BONOMI y WAUTELET cómo la concreción de los vínculos suficientes en materia sucesoria no es fácil. Estos vínculos pueden resultar de circunstancias relativas a la persona del causante (p.ej. última residencia habitual) o a los bienes de la herencia (lugar de situación, valor, importancia…), como, por otro lado, resulta del propio RES, que utiliza estos criterios para la determinación de la competencia o de la ley aplicable. Más discutible resulta, sin embargo, hacer depender la intervención del orden público de criterios vinculados a los herederos, legatarios u otros posibles beneficiarios, como puede ser su nacionalidad española o su residencia en España, ya que ello podría conducir a resultados discriminatorios (*op. cit.*, p. 453).

47 *Vid. op. cit.*, § 126, p. 183.

del correctivo de orden público, independientemente de la ausencia de conexión del supuesto con el ordenamiento del foro[48].

De acuerdo con esta tesis, estimamos que la excepción de orden público debe operar siempre que la aplicación de la norma extranjera lesione la dignidad de la persona, el libre desarrollo de la personalidad o las libertades y derechos fundamentales reconocidos en la Constitución española y en la normativa internacional sobre derechos humanos. Y ello existan o no vínculos particularmente cualificados con el Estado español, ya que esta violación resulta intolerable para todas las personas, que deben ser protegidas con independencia de su nacionalidad o residencia habitual[49]. Matizan BONOMI y WAUTELET que es preciso distinguir los supuestos en los que la norma extranjera provoca una lesión concreta del principio de igualdad o de los derechos fundamentales de aquellos en que no se produce la discriminación concreta. En este último caso, el orden público sólo permitirá excluir la aplicación de la norma discriminatoria en presencia de vínculos suficientes con el Estado del foro[50]. Es decir, en ausencia de discriminación concreta sí resulta apropiada la valoración del orden público de proximidad.

48 *Ibidem.* Según señalan, "los problemas de índole práctica que suscita esta acción absoluta el principio del orden público se salvaría a través de un método de solución judicial, y no en sede de Derecho aplicable: si el juez español puede declinar de oficio su competencia, por no presentar el supuesto contacto alguno con el ordenamiento español, o utiliza un instrumento como el *forum non conveniens,* resultaría de ello que la conexión con el ordenamiento del foro y la consiguiente aplicación del correctivo de orden público se hallaría plenamente justificada en todos los casos en que conociesen los tribunales españoles".

49 En este sentido, *vid.* ÁLVAREZ GONZÁLEZ, S., "Sobre la discriminación sucesoria por razón de sexo en el Derecho iraní y el orden público español..." cit.; AGUILAR BENITEZ DE LUGO, M. y AGUILAR GRIEDER, H., *op. cit.,* pp. 1141-1142, BLAZQUEZ RODRÍGUEZ, I., *op. cit.,* p. 452 o LARA AGUADO, A., "Derecho sucesorio marroquí y relaciones transfronterizas", cit., p. 679. Según esta autora: "en los casos en que sea la autoridad española la llamada a aplicar el Derecho marroquí no hay justificación para que se le dé valor a la regla del *tafadul.* Ni siquiera en el caso en que la relación sucesoria presente escasos vínculos con el ordenamiento jurídico español o europeo. Si lo hicieran estaría contribuyendo a perpetuar una situación de discriminación injustificada contra la mujer y se estaría favoreciendo la extensión de un ordenamiento jurídico discriminatorio que está siendo combatido en su Estado de origen".

50 *Vid. op. cit.,* p. 460.

En cualquier caso, en el supuesto de partida, habida cuenta de la existencia de una lesión concreta, por concurrir a la sucesión el hijo varón con la hija mujer, el registrador podría aplicar la excepción de orden público del artículo 35 RES, sobre la base de que la ley sucesoria argelina invocada debe surtir efectos en España, incluso en la hipótesis en que los hijos no tuvieran la nacionalidad española o no residieran en España.

3. LA EXCLUSIÓN DE LA LEY ISLÁMICA POR RAZÓN DE ORDEN PÚBLICO Y LA LIBERTAD DE CREDO

Pudiera plantearse si esta exclusión por razón de orden público del Derecho de tradición islámica aplicable podría conculcar la libertad de credo, ya que, como se ha visto *supra,* la fuente principal del Derecho sucesorio en estos sistemas es la propia *Sharia* o ley islámica[51]. Las reglas de atribución desigual por razón de sexo participan de preceptos coránicos y, en consecuencia, su modificación se opone a la voluntad divina y ofende la conciencia de los musulmanes[52].

En definitiva, hay que cuestionar si en estos casos se enfrenta el principio de no discriminación por razón de sexo con la no discriminación por razón de religión (art. 14 CE) y el derecho a la libertad religiosa recogido en los artículos 16 de la Constitución española, 10 de la Carta de Derechos Fundamentales, 18 de la Declaración Universal de Derechos Humanos, 18 del Pacto Internacional de derechos civiles y políticos y 9 del Convenio europeo para la protección de los derechos humanos y las libertades fundamentales. El derecho a la libertad religiosa, en su faceta interna, garantiza a la persona la libertad plena de adoptar las creencias religiosas de su elección; y, en su dimensión externa, garantiza que pueda acomodar su conducta a los imperativos de sus propias convicciones, con exclusión de

---

51 Apunta el problema SÁNCHEZ-ROS GÓMEZ, J.M., "La excepción de orden público por discriminación de sexo en la aplicación de una ley sucesoria islámica", en el blog *Notaría de Nervión,* 5 marzo 2028 <http://www.notariadesevilla-nervion.com/2018/03/la-excepcion-de-orden-publico-por.html> [último acceso 13/02/2025].

52 *Vid.* MESSAOUDI, K., *op. cit.,* p. 44.

cualquier injerencia por parte del Estado o de terceros[53]. En el caso en estudio es esta segunda esfera la que se vería afectada.

Sin embargo, tal enfrentamiento entre los derechos no es defendible, habida cuenta de que el mismo artículo 16.1 de la Constitución española que consagra el derecho a la libertad religiosa lo sujeta al límite del orden público protegido por la ley[54] y la Ley Orgánica 7/1980, de 5 de julio, de libertad religiosa, establece en su artículo 3 que "el ejercicio de los derechos dimanantes de la libertad religiosa y de culto tiene como único límite la protección del derecho de los demás al ejercicio de sus libertades públicas y derechos fundamentales, así como la salvaguardia de la seguridad, de la salud y de la moralidad pública, elementos constitutivos del orden público protegido por la Ley en el ámbito de una sociedad democrática". El derecho a no ser discriminado por razón de sexo configura el orden público y goza de primacía en el sistema español[55].

4. ¿QUÉ NORMA DEBERÁ APLICARSE UNA VEZ EXCLUIDA LA DISCRIMINATORIA?

En términos generales, la excepción de orden público permite la exclusión de la norma extranjera cuya aplicación conduce a un resultado incompatible con los principios y derechos fundamentales reconocidos en el foro. En ocasiones, la sola inaplicación de la norma extranjera que vulnera el orden público elimina la lesión y resuelve el problema. Así ocurre, por traer un ejemplo relacionado con el sistema sucesorio islámico, con las normas que establecen impedimentos para suceder basados en ser hijo ilegítimo o no profesar la religión islámica (art. 138 CF argelino). Si se

---

53 *Vid.* BALAGUER CALLEJÓN, F. (coord.), *Manual de Derecho constitucional. Vol II: Derechos y libertades fundamentales. Deberes constitucionales y principios rectores. Instituciones y órganos constitucionales,* 19ª ed., Tecnos, Madrid, 2024, pp. 157-158.

54 Art. 16.1 CE: "Se garantiza la libertad ideológica, religiosa y de culto de los individuos y las comunidades sin más limitación, en sus manifestaciones, que la necesaria para el mantenimiento del orden público protegido por la ley".

55 Discrepo, por tanto, de SÁNCHEZ-ROS GÓMEZ, que sostiene la necesidad de ponderar los principios en el caso concreto, defendiendo que ninguno prima sobre otro y que todos merecen igual protección, tanto la no discriminación como la libertad religiosa. Otra cuestión es que, en el supuesto que comenta que es el de la RDGRN de 20 de julio de 2016, deban tenerse en cuenta otras circunstancias concurrentes que pudieran conducir a la no aplicación del orden público por el registrador.

suprimen estos preceptos, el resto de las reglas sucesorias pueden seguir aplicándose. Ahora bien, en otras ocasiones, la exclusión de la norma extranjera produce una laguna que es necesario integrar, como sucede en las hipótesis que analizamos en este trabajo.

Excluida la aplicación de la norma argelina que concede a la descendiente de sexo femenino la mitad de la cuota hereditaria correspondiente a su hermano varón, ¿qué norma debe aplicarse? Dos opciones serían posibles: en primer lugar, aplicar la norma del ordenamiento del foro —la española— relativa a los derechos sucesorios de los hijos; y, en segundo lugar, aplicar la norma del ordenamiento islámico que regiría si no hubiera discriminación; es decir, si los hijos concurrentes fueran todos varones, ya que la discriminación afecta solo a la mujer[56]. Esta segunda opción es la preferible, por resultar más respetuosa con el espíritu del Reglamento[57], pues de esta forma se consigue eliminar la desigualdad de sexos existente sin vulnerar el mandato contenido en el artículo 21.1 RES, que reclama la ley argelina como *lex successionis.*

La exclusión del Derecho extranjero debe reducirse al mínimo imprescindible para salvar la discriminación, por lo que no se aplica en bloque el Derecho español, sino un Derecho musulmán "modificado", suprimiendo las normas que infringen el orden público. Por consiguiente, en el caso de partida, se atribuirán a la hija mujer los mismos derechos que corresponden a su hermano varón; y, en lo demás, deberán aplicarse las disposiciones de Derecho sucesorio argelino que no resulten incompatibles con el orden público internacional español. De este modo, no se privará de su cuota en el haber hereditario a otras personas que, según el Derecho argelino, tienen también derecho a la herencia y que no lo tendrían si se aplicara el Derecho español[58].

---

56 En este sentido se han pronunciado AGUILAR BENITEZ DE LUGO, M. y AGUILAR GRIEDER, H., *op. cit.,*1142 y LARA AGUADO, A. "Impacto del Reglamento 650/2012 sobre sucesiones en las relaciones extracomunitarias vinculadas a España y Marruecos", *Revista electrónica de estudios internacionales,* nº 28. DOI: 10.17103/reei.28.02; y "Derecho sucesorio marroquí y relaciones transfronterizas" cit., p. 680

57 BONOMI, A. y WAUTELET, P., *op. cit.,* p. 454.

58 *Vid.* LARA AGUADO, A. "Impacto del Reglamento 650/2012 sobre sucesiones en las relaciones extracomunitarias vinculadas a España y Marruecos"; y también en "Derecho sucesorio marroquí y relaciones transfronterizas" cit., p. 680.

Algo más complicada es la cuestión de los derechos correspondientes a la cónyuge supérstite, debido a que ya no se trataría de una igualación con su par concurrente mediante la aplicación de la misma norma que al varón —pues falta precisamente esa concurrencia—, sino de un verdadero reemplazo normativo para la integración del vacío normativo que deja la eliminación del precepto discriminatorio. Como se ha visto antes, si no hay descendientes, la mujer recibe un cuarto de la herencia del marido y, si concurre con un hijo, hija o descendientes del hijo, toma sólo un octavo. Por su parte el marido debe recibir la mitad de la herencia si no hay descendientes y la cuarta parte si los hay. Para simplificar, supóngase que no hay descendientes: ¿deberá asignarse tanto al marido como a la mujer la mitad de la herencia, por ser esta la cuota que en el caso corresponde al marido?, ¿o deberá atribuírseles a ambos un cuarto de la herencia que es la cuota que correspondería a la mujer?

A nuestro juicio, la integración de la laguna debe realizarse mediante la analogía, aplicando a la viuda las normas previstas en la ley musulmana para el cónyuge supérstite varón. Esta solución creemos que es la más consistente con el objetivo de evitar la diferencia de trato por razón de sexo. De esta manera, la mujer recibirá la misma cuota que, si estuviera en su lugar, habría recibido su homólogo de sexo masculino: la mitad de la herencia si no hay descendientes y la cuarta parte si los hay[59]. Y ello, aunque esto suponga la reducción de los derechos de otros parientes concurrentes a la herencia.

5. LA ASIGNACIÓN DISCRIMINATORIA POR RAZÓN DE SEXO EN LA SUCESIÓN TESTADA

Desentrañando la madeja, es posible plantear qué pasaría si se tratara de una sucesión testada y el causante hubiera dispuesto de sus bienes favoreciendo más al hijo que a la hija, por ejemplo, con la atribución de una doble cuota. Y en la misma línea, puede cuestionarse cuál sería el quid del testamento en que el testador se limitase a remitirse a las normas islámicas sobre la sucesión intestada o las reprodujese. En principio, puede afirmarse que en estos casos no se suscita problema de orden público porque tal disposición estaría cubierta por la libertad de testar. Hay que recordar al respecto que las legítimas no constituyen orden público español, habida

---

[59] A favor de esta solución, BONOMI, A. y WAUTELET, P., *op. cit.*, pp. 454-455.

cuenta que en nuestro sistema plurilegislativo hay Derechos sucesorios donde existe total libertad de testar (Valle de Ayala[60]), o donde las legítimas son meramente formales (p.ej. Navarra[61]). Así pues, la voluntad del causante puede neutralizar el control sobre el reparto discriminatorio[62].

No obstante, de ser aplicable a la validez de la disposición testamentaria la ley española, estimo necesario distinguir entre los supuestos en los que el testador se limite a instituir a sus hijos varón y mujer de forma desigual (el doble al varón que a la mujer), de aquellos en los que exprese en el propio testamento su voluntad discriminatoria con fundamento en su fe islámica. Las profesoras TORRES GARCÍA y GARCÍA RUBIO, han entendido que, si fuera clara y patente la voluntad discriminatoria, la disposición *mortis causa* tendría que ser considerada nula[63]. No obstante, sostienen estas autoras que, en las relaciones estrictamente privadas, la libertad indi-

---

60 Ley 5/2015, de 25 de junio, de Derecho Civil Vasco, art. 89: "Los que ostenten la vecindad civil local ayalesa pueden disponer libremente de sus bienes como quisieren y por bien tuvieren por testamento, donación o pacto sucesorio, a título universal o singular, apartando a sus legitimarios con poco o mucho".

61 Ley Foral 21/2019, de 4 de abril, de modificación y actualización de la Compilación del Derecho Civil Foral de Navarra o Fuero Nuevo, ley 267: "La legítima navarra, tradicionalmente consistente en la atribución de "cinco sueldos 'febles' o 'carlines' por bienes muebles y una robada de tierra en los montes comunes por inmuebles", no tiene contenido patrimonial exigible ni atribuye la cualidad de heredero, y el instituido en ella no responderá en ningún caso de las deudas hereditarias ni podrá ejercitar las acciones propias del heredero".

62 En este sentido, ÁLVAREZ GONZÁLEZ, S., "Sobre la discriminación sucesoria por razón de sexo en el Derecho iraní y el orden público español..." cit.
En el caso resuelto por la Dirección General de los Registros y el Notariado en resolución de 11 de mayo de 2016 (BOE núm. 136, de 6 junio 2016, cve: BOE-A-2016-5507), se presentó en el Registro la escritura de adjudicación de la herencia de un causante kuwaití que, en testamento abierto autorizado ante notario español, había legado todos sus bienes sitos en España, a su esposa y a sus ocho hijos en la siguiente proporción: a su esposa el 12%; a sus cinco hijas el 8% a cada una, y a sus tres hijos el 16% restante. La institución, por consiguiente, se correspondía con la ley kuwaití que también atribuye el doble al hijo varón que a la hija mujer, pero nada de ello se advirtió por el registrador ni por la DGRN en la resolución, ni se objetó el reparto discriminatorio ni se habló de orden público. La Dirección General, que estimó el recurso y revocó la calificación, se centró únicamente en la cuestión de la falta de prueba suficiente que había sido alegada por el registrador en su calificación negativa.

63 *Vid.* TORRES GARCÍA, T. F., y GARCÍA RUBIO, M. P., *La libertad de testar: El principio de igualdad, la dignidad de la persona y el libre desarrollo de la personalidad en el derecho de sucesiones.* Fundación Coloquio Jurídico Europeo, Madrid, 2014, p. 32.

vidual (libertad de testar) no cede ante cualquier eventual violación de los otros derechos y principios fundamentales, sino que "sólo habrá de hacerlo en los casos en que en verdad constituyan discriminaciones insoportables o renuncias inadmisibles a sus propios derechos por parte del sujeto afectado"[64].

Abundando en esta línea, aunque el artículo 767 del Código civil, en su párrafo segundo, sanciona con la irrelevancia los motivos ilícitos para la institución ("la expresión de una causa contraria a derecho, aunque sea cierta, se tendrá también por no escrita"), la doctrina dominante entiende que el móvil contrario a Derecho, que sea determinante de la atribución, conlleva la ineficacia de la disposición testamentaria (en este sentido también la STS 15 febrero 1928). Si la sucesión no es internacional, estos problemas deben resolverse en términos de legalidad ordinaria[65]; pero si la sucesión es internacional, el mecanismo adecuado será el orden público[66].

El problema es que a la validez de las disposiciones *mortis causa* y a su interpretación se aplicará en numerosos supuestos la propia ley islámica sobre la base de los artículos 24 y 26 d) RES. Si bien es cierto que, en abstracto, la aplicación de la norma islámica reclamada por el artículo 24 RES también podría ser excluida sobre la base de la excepción de orden público —ya que este se esgrime frente a la ley extranjera en todo su ámbito de aplicación—, estimamos que el carácter restrictivo predicable de la cláusula de orden aconsejaría su no oposición en el caso, en atención a otros principios protegibles concurrentes, como la libertad de testar y la libertad religiosa.

En cualquier caso, no expresándose la causa de la distribución desigual, la voluntad del causante "blanquea" la discriminación. Y, en estos supuestos en los que, aplicando la ley del foro, podría conseguirse mediante un testamento un resultado equivalente al que deriva de las reglas de la sucesión abintestato, se plantea el dilema de si tales reglas pueden ser tachadas de contrarias al orden público[67]. A mi juicio es preferible optar por la medida más protectora y estimar que la simple posibilidad de que el causan-

---

64 *Vid. op. cit.*, p. 37.

65 TORRES GARCÍA, T. F., y GARCÍA RUBIO, M. P., *op. cit.*, pp. 38-40.

66 *Vid.* ÁLVAREZ GONZÁLEZ, S., "Sobre la discriminación sucesoria por razón de sexo en el Derecho iraní y el orden público español..." cit.

67 BONOMI y WAUTELET se hacen eco de una jurisprudencia alemana anterior al RES según la cual el orden público no podría oponerse a normas sucesorias abintestato conducentes a un resultado que podría haber sido la consecuencia de una

te, haciendo uso de su libertad de testar, hubiera podido lograr el mismo resultado no basta para excluir la operatividad del orden público cuando la sucesión es intestada[68].

6. LA RESOLUCIÓN DE LA DIRECCIÓN GENERAL DE LOS REGISTROS Y EL NOTARIADO DE 20 DE JULIO DE 2016

La Dirección General de los Registros y el Notariado ha tenido ocasión de pronunciarse sobre el tema en estudio en la Resolución de 20 de julio de 2016[69]. En el caso, se trataba de la sucesión de un nacional iraní residente en España, fallecido sin testamento antes de la entrada en vigor del Reglamento europeo de sucesiones, dejando como únicos herederos dos hijos, un varón y una mujer. Por la fecha del fallecimiento no era aplicable el Reglamento y por la remisión del 9.8 del Código civil debía regir la sucesión la ley iraní. En la escritura de aceptación y adjudicación de la herencia, autorizada por notario español, se adjudica al hijo varón doble cuota que a la hija, en aplicación de las normas sucesorias iraníes. El registrador califica negativamente el título, al considerar que la normativa nacional del causante vulnera el orden público internacional español y no puede ser aplicada en España, por lo que falta la causa en el exceso de adjudicación a favor del heredero varón. Sin embargo, los dos hermanos solicitantes de la inscripción —que son todos los herederos implicados en la herencia— están de acuerdo con la partición efectuada y recurren la calificación negativa.

En su Resolución, el centro directivo confirma la calificación del registrador, considerando contraria al orden público internacional, por constituir una discriminación por razón de sexo, la norma que atribuye al heredero varón el doble de lo atribuido a su hermana y coheredera. Según argumenta la Dirección General, "[l]a aplicación en España de la norma extranjera seleccionada por la norma de conflicto en los términos expuestos es incompatible con principios fundamentales o ideas eje que fundamentan el ordenamiento jurídico español como el principio de no

---

disposición *mortis causa*, cuando las circunstancias permitan afirmar que tal fue la voluntad del causante (*op. cit.*, p. 461)

68 En este sentido, BONOMI, A. y WAUTELET, P., *op. cit.*, pp. 461-462.

69 BOE núm. 226, de 19 septiembre 2016, cve: BOE-A-2016-8569.

discriminación recogido tanto en el artículo 14 de la Constitución española como en los relevantes convenios internacionales (artículos 2 de la Declaración Universal de los Derechos Humanos; 21 de la Carta de los Derechos Fundamentales de la Unión Europea de 7 de diciembre de 2000, y 14 del Convenio Europeo para la protección de los derechos humanos y de las libertades fundamentales —además principio general del derecho de la Unión Europea conforme al artículo 6 Tratado de Funcionamiento de la Unión Europea—) normas que no sólo informan con carácter de principio orientador el ordenamiento jurídico, sino que son de aplicación directa en España, estando obligadas las autoridades españoles a garantizar el respeto a los principios indicados al valorar los resultados de la aplicación a que llama la norma de conflicto, por lo que no es posible atribuir efecto jurídico en España a una norma discriminatoria ni en la esfera judicial ni en la extrajudicial. Aunque se ha pretendido justificar la indicada discriminación en el hecho de que son los varones quienes deben atender al mantenimiento de la familia del causante, ello no elimina el carácter discriminatorio de los efectos de la norma que se considera. Constituye, por tanto, manifestación del orden público internacional del foro la interdicción de una situación discriminatoria como la planteada teniendo en cuenta además la especial vinculación del supuesto con el ordenamiento jurídico español"[70].

Es preciso poner de relieve que, en este supuesto, la hija perjudicada no sólo prestó su consentimiento a la partición realizada conforme a las reglas discriminatorias, sino que incluso firmó el recurso contra la calificación negativa del registrador. Surge entonces la duda de si cabe la posibilidad de renunciar a la excepción de orden público. En otras palabras, es indudable que la discriminación por sexo es absolutamente inadmisible en nuestro ordenamiento, pero nos podemos preguntar qué ocurre cuando esa discriminación es consentida por la parte perjudicada y alega para ello su fe, es decir su derecho a la libertad religiosa[71]. ¿Sería admisible esa renuncia a la igualdad desde el Derecho español?

La Dirección General descarta esta posibilidad (fundamento 6º) al decir que "el hecho de que la recurrente sea la afectada no excluye la aplicación

---

70 En los siguientes Fundamentos de derecho, la Dirección General de los Registros y el Notariado desarrolla la excepción de orden público, pero sus argumentos deben ser considerados en su mayor parte "*obiter dicta*", al estar referidos al RES, que no resultaba aplicable al caso por la fecha del fallecimiento del causante.

71 SÁNCHEZ-ROS GÓMEZ, J.M., *op. cit.*

del principio de orden público"[72]. Según la Dirección General, la única solución que tienen los interesados para que la partición de la herencia de su padre se ajuste a los parámetros de la ley islámica es que la heredera renuncie o formalice después un negocio patrimonial en virtud del cual ceda o done a su hermano el exceso de adjudicación que no le reconoce la ley española[73]. Antes de entrar en el análisis de estas vías para la consecución de los efectos de la ley iraní, debo señalar que me sorprende que la Dirección General indique una vía para conseguir el efecto discriminatorio; ello no es tarea, a mi juicio, de la Dirección General.

Por cuanto respecta a las soluciones propuestas, la primera no es tal, pues no cabe la renuncia en el sistema iraní, que constituye la *lex successionis,* ya que es precisamente la ley iraní la que atribuye a la heredera mujer la mitad del haber correspondiente a su hermano. Y si, la Dirección General de los Registros y el Notariado está pensando en una distribución igualitaria en virtud de una ley española a resultas de la exclusión de la ley iraní por orden público, tampoco sería posible porque nuestras leyes sucesorias no contemplan la posibilidad de renuncia parcial a la herencia[74]. Por cuanto respecta a las otras soluciones, si bien suponen un gran aumento de los costes registrales y fiscales, son perfectamente admisibles en Derecho español. Por esta causa, el profesor ÁLVAREZ GÓNZALEZ ha señalado que, aun reconociendo las dificultades del caso en análisis, resulta llamativo que se considere contrario al orden público un reparto sucesorio que aparentemente se correspondería con una aceptación igualatoria de derechos sucesorios seguida de una donación u otro negocio del que resultaran los mismos efectos (art. 890 CC: renuncia al legado y aceptación de la herencia o viceversa; art. 1058 CC: distribución de la herencia de la

---

72 El registrador en su nota de calificación afirmaba en el mismo sentido que [l]a aceptación por la hija discriminada en el otorgamiento del título que se califica, de la adjudicación de la herencia realizada conforme a los criterios discriminatorios que informan la declaración de herederos no subsana la adjudicación de la herencia ni valida el título inscribible en la medida que la adjudicación se realiza en virtud de criterios legales contrarios al orden público internacional y por tanto, inaplicables en España".

73 El registrador, por su parte, había propuesto en su calificación como medio de subsanación del defecto "la renuncia total o parcial expresa de la hija, a la vista de la aplicación de las normas de Derecho Internacional Privado españolas".

74 *Vid.* ÁLVAREZ GÓNZALEZ, S., "Sobre la discriminación sucesoria por razón de sexo en el Derecho iraní y el orden público español..." cit.

forma que los herederos tuvieren por conveniente), es decir, que podría obtenerse a través de otras vías plenamente aceptables[75].

Puede también cuestionarse si no podría considerarse que el negocio particional documentado tiene este efecto de cesión o de renuncia, al margen de sus consecuencias fiscales[76]. Sin embargo, desde el punto de vista registral, los excesos de adjudicación entre coherederos exigen la expresión de una causa, como se declara en la propia resolución. Y hay que recordar que el artículo 6.2 del Código civil reconoce la validez de la exclusión voluntaria de la ley aplicable y la renuncia a los derechos en ella reconocidos siempre que no contraríen el interés o el orden público ni perjudiquen a terceros. Este precepto avalaría la decisión de la Dirección General, pues no podría invocarse como causa del exceso de adjudicación la sujeción a una ley que no es aplicable en España por contraria al orden público; pero sí un negocio patrimonial entre los coherederos que se encubriese en el exceso de adjudicación[77].

En este tipo de negocios de cesión, estimo que es función del notario velar por la protección de la mujer. A este respecto, deberá ser cuidadoso en la salvaguarda de su libertad a la hora del otorgamiento, a fin de evitar que su consentimiento sea libre e informado y no se vea mediatizado por el de abuso de circunstancias, esto es, el denominado en el sistema anglosajón *undue influence* —influencia indebida—, que en el ordenamiento español podría encuadrarse en el vicio de dolo[78].

---

75 *Ibidem.* Se trata, en realidad, de un cambio de perspectiva en el análisis motivado por un hecho clave en el caso, a saber, el acuerdo de la heredera perjudicada. Afirma el autor: "yo habría dejado de lado el orden público y aunque mis argumentos no sean definitivos, no habría sido inverosímil la respuesta contraria; bastaría con ver el caso desde el punto de vista de la relevancia de la autonomía de la autonomía de la voluntad de los beneficiarios y no meramente desde la voluntad del causante (no expresada en el caso concreto) ni desde la (no) 'voluntad' de la ley". También en contra de la aplicación de la excepción de orden público en el supuesto sobre la base del consentimiento de la mujer discriminada se muestra SÁNCHEZ-ROS GÓMEZ, J.M., (*op. cit*).

76 Plantea la duda MARIÑO PARDO, F., "El orden público en el ámbito sucesorio. Discriminación de las hijas frente a los hijos conforme al derecho iraní. La resolución DGRN de 20 de julio de 2016", en el blog *Iuris Prudente,* 13 diciembre 2016 <http://www.iurisprudente.com/2016/12/el-orden-publico-espanol-en-el-ambito.html> [último acceso: 14/02/2025].

77 *Ibidem.*

78 *Vid.* sobre esta cuestión, PALAZÓN GARRIDO, M.L., "El abuso de debilidad, confianza o dependencia", en *Derecho contractual comparado. Una perspectiva europea y*

7. BIBLIOGRAFÍA

ALDEEB, S.y BONOMI, A., *Le droit musulmán de la famille et des successions á l'épreuve des ordres juridiques occidentaux. Étude de droit comparé sur les aspects de droit International privé lies á l'immigration des musulmans en Allemagne, en Angleterre, en France, en Espagne, en Italie et en Suisse,* Schulthess Polygraphischer Verlag, Zúrich, 1999.

ÁLVAREZ GONZÁLEZ, S., "Sucesiones internacionales: ¿que lo que el Reglamento 650/2012 ha unido no lo separe el orden público?", en *Estudios de derecho de sucesiones: "Liber amicorum" Teodora F. Torres García* (Dir. DOMÍNGUEZ LUELMO, A., GARCÍA RUBIO, M.P., HERRERO OVIEDO, M.), Wolters Kluwer España, Madrid, 2014, pp. 117-142.

ÁLVAREZ GONZÁLEZ, S., "¿Orden público europeo *versus* orden público internacional de cada Estado? en *La gobernanza del interés público global*, *XXV Jornadas de Profesores de Derecho internacional y relaciones internacionales,* Madrid, 2015, pp. 146-181.

ÁLVAREZ GONZÁLEZ, S., "Sobre la discriminación sucesoria por razón de sexo en el Derecho iraní y el orden público español (Comentario a la Resolución de la DGRN de 20 de julio de 2016)", *Bitácora Millennium DIPr,* nº 4 (julio-diciembre 2016).

AGUILAR BENITEZ DE LUGO, M. y AGUILAR GRIEDER, H., "Orden público y sucesiones (y II)", *Boletín del Ministerio de Justicia,* año 59, nº 1984, 2005, pp. 1123-1147.

BALAGUER CALLEJÓN, F. (coord.), *Manual de Derecho constitucional. Vol II: Derechos y libertades fundamentales. Deberes constitucionales y principios rectores. Instituciones y órganos constitucionales,* 19ª ed., Tecnos, Madrid, 2024.

BLAZQUEZ RODRÍGUEZ, I., "El Derecho sucesorio islámico: principios informadores y excepción de orden público internacional", *Revista Española de Derecho Internacional,* vol. LXI (2009), 2, pp. 441-453.

BONOMI, A. y WAUTELET, P., *El Derecho europeo de sucesiones. Comentario al Reglamento (UE) nº 650/2012, de 4 de julio de 2012* (versión traducida y adaptada por ÁLVAREZ GÓNZALEZ, S. et al.), Aranzadi, Cizur Menor, 2015.

DÖRNER, H., "Zur Beerbung eines in der Bundesrepublik verstorbenen Iraners», *IPRax,* 1994, núm. 1, pp. 33-37.

DURAND, B., *Droit musulmán. Droit successoral,* Litec, París, 1991.

FERNÁNDEZ ROZAS, J.C. y SÁNCHEZ LORENZO, S.A., *Derecho internacional privado,* 13ª edición, Aranzadi, Las Rozas (Madrid), 2024.

GARCIMARTIN ALFÉREZ, F.J., "Nota a la sentencia TS (Sala l) de 17 de diciembre de 1991" *REDI,* vol. XLIV (1992), 1, pp. 239-243.

GARROTE FERNÁNDEZ-DÍEZ, I., "Sucesiones internacionales y orden público constitucional: la sucesión mortis causa en España cuando la ley aplicable es la de un país de tradición jurídica islámica", *Derecho privado y Constitución,* núm. 23, 2009, pp. 149-199.

---

transnacional, tomo I, 3ª ed., Civitas-Thomson Reuters, Cizur Menor (Navarra), 2016, pp. 1322-1325, §§ 29-32.

LARA AGUADO, A. "Impacto del Reglamento 650/2012 sobre sucesiones en las relaciones extracomunitarias vinculadas a España y Marruecos", *Revista electrónica de estudios internacionales,* nº 28. DOI: 10.17103/reei.28.02.

LARA AGUADO, A., "Derecho sucesorio marroquí y relaciones transfronterizas", en *Sucesión mortis causa de extranjeros y españoles tras el Reglamento (UE) 650/2012: problemas procesales, notariales, registrales y fiscales,* Tirant lo blanch, Valencia, 2020, pp. 653-712.

LORENZ, S., "Islamisches Ehegattenerbrecht und deutscher ordre public: Vergleichsmas- sstab für die Ergebniskontrolle», *IPRax,* 1993, núm. 3, pp. 148-151.

MARIÑO PARDO, F., "El orden público en el ámbito sucesorio. Discriminación de las hijas frente a los hijos conforme al derecho iraní. La resolución DGRN de 20 de julio de 2016", en el blog *Iuris Prudente,* 13 diciembre 2016 <http://www.iurisprudente.com/2016/12/el-orden-publico-espanol-en-el-ambito.html> [último acceso: 14/02/2025].

MESSAOUDI, K., "Une moitié en héritage", *La Pensée* 2015/3 (nº 383), pp. 41-46 <https://doi.org/10.3917/lp.383.0041 > [último acceso: 13/02/2025].

MOTILLA, A., *La eficacia en España del Derecho de Familia Islámico. Adaptación al Derecho español de los códigos marroquí, argelino y tunecino,* Comares, Granada, 2018.

PALAZÓN GARRIDO, M.L., "El abuso de debilidad, confianza o dependencia", en *Derecho contractual comparado. Una perspectiva europea y transnacional,* tomo I, 3ª ed., Civitas-Thomson Reuters, Cizur Menor (Navarra), 2016, pp. 1304-1335.

RUIZ ALMODÓVAR, C., "La herencia en el Código argelino de estatuto personal en relación con los códigos de otros países árabes", *Hesperia, culturas del mediterráneo,* junio, 2014, pp. 121-143.

TORRES GARCÍA, T. F., Y GARCÍA RUBIO, M. P., *La libertad de testar: El principio de igualdad, la dignidad de la persona y el libre desarrollo de la personalidad en el derecho de sucesiones.* Fundación Coloquio Jurídico Europeo, Madrid, 2014.

SÁNCHEZ-ROS GÓMEZ, J.M., "La excepción de orden público por discriminación de sexo en la aplicación de una ley sucesoria islámica", en el blog *Notaría de Nervión,* 5 marzo 2028 <http://www.notariadesevillanervion.com/2018/03/la-excepcion-de-orden-publico-por.html> [último acceso 13/02/2025].

Mujer menor de edad y matrimonio forzado en España

CELIA CARRILLO LERMA
Profesora de Derecho Civil en ISEN Centro Universitario
Universidad de Murcia

1. EL PROBLEMA DE LOS MATRIMONIOS FORZADOS Y PREMATUROS

La erradicación del matrimonio infantil o prematuro es una preocupación de ámbito internacional, y uno de los Objetivos de Desarrollo Sostenible (ODS) de la Agenda 2030 de la ONU. Así, la meta 5.3 tiene por objetivo "eliminar todas las prácticas nocivas, como el matrimonio infantil, precoz y forzado y las mutilaciones genitales femenina" para el año 2030.

El matrimonio forzado es un problema que afecta tanto a las mujeres como a los hombres[1], si bien es cierto que muy particularmente a las mujeres, sobre todo el matrimonio prematuro, a través del cual una niña o joven menor de edad es obligada o presionada para contraer nupcias.

La pervivencia de estas prácticas, pese a los muchos Estados que han prohibido el matrimonio por debajo de los dieciocho años, obedece a múltiples factores, como el cultural o religioso, pero también juega un gran papel la situación de pobreza de las familias[2].

---

1 *Vid.* "Muchos tienen miedo": el drama silencioso de los hombres que son forzados a casarse", disponible en https://www.bbc.com/mundo/noticias-39386400 [Consulta: 08/01/2025.]

2 Nota técnica sobre Matrimonio infantil y uniones tempranas (UNICEF), 2020, disponible en https://www.unicef.org/lac/media/17561/file/nota-tecnica-miut-esp.pdf [Consulta: 08/01/2025.]; *vid.*, asimismo, "Desigualdades socioeconómicas y matrimonios infantiles y uniones tempranas", *Boletín Igualdad de Género*, núm. 1, 2023, pp. 5 y ss. https://www.inmujeres.gob.es/publicacioneselectronicas/documentacion/Documentos/DE2044.pdf [Consulta: 08/01/2025.]; también, documento de la organización *Girls no brides*, de septiembre de 2015, disponible en https://www.girlsnotbrides.org/documents/406/El-matrimonio-infantil-y-la-pobreza.pdf [Consulta: 08/01/2025.]

Cada año en el mundo, alrededor de doce millones de niñas contraen matrimonio por debajo de los dieciocho años[3]. Sin embargo, se debe advertir la falta de datos precisos o, siquiera, aproximados sobre esta práctica, y ello con independencia del país donde se dé, pues generalmente se lleva a cabo dentro de la esfera de intimidad de la familia. No obstante, se puede afirmar que las tasas más elevadas de matrimonios prematuros se dan en los países africanos[4].

En el caso de España, se puede concluir que el matrimonio prematuro tiene lugar, fundamentalmente, entre la población migrante y la población de etnia gitana[5]. En el primer caso, el problema se centra, principalmente, en las menores que son llevadas fuera para contraer matrimonio en otro país, así como los matrimonios migrantes, procedentes de países donde esa práctica es legal o, al menos, tiene un fuerte arraigo cultural o religioso. En el caso de la población gitana, se trata, por lo general, de matrimonios celebrados en España en los que la ley imperativa es ignorada y la costumbre prevalece.

Se debe señalar que el matrimonio forzado, como el prematuro, va en muchas ocasiones unido a la violencia de género (TOL1.798.216). Pero, además, se entiende en sí mismo como una forma de violencia contra las mujeres. En este sentido se postulan algunas leyes autonómicas en materia de violencia de género. Por ej., la Ley 7/2007, de 4 de abril, para la Igualdad entre Mujeres y Hombres, y de Protección contra la Violencia de Género en la Región de Murcia[6], incluye entre las formas de violencia machista el matrimonio "a edad temprana, matrimonio concertado o forzado", al que define como "un matrimonio en el que no ha existido un consentimiento libre y pleno para su celebración, bien porque ha sido fruto de un acuerdo

---

3 Datos extraídos de la página web de Naciones Unidas. Consultado en <https://www.ohchr.org/es/women/child-and-forced-marriage-including-humanitarian-settings#:~:text=En%20todo%20el%20mundo%2C%20m%C3%A1s,de%20cumplir%20los%2018%20a%C3%B1os> [Consulta: 08/01/2025.]

4 *Vid.* "Matrimonio infantil en África: 310 millones de niñas casadas en 2050", disponible en https://www.unicef.es/noticia/matrimonio-infantil-en-africa-310-millones-de-ninas-casadas-en-2050 [Consulta: 08/01/2025.]

5 *Vid.* https://www.eldiario.es/desalambre/mossos-detectaron-59-casos-matrimonios-forzados-catalunya_1_9021084.html [Consulta: 08/01/2025.]; *vid.*, también, "La compleja cuestión de los matrimonios por el rito gitano", de la Red de trabajo "No acepto", disponible en https://noraproject.wordpress.com/2016/05/23/la-compleja-cuestion-de-los-matrimonios-por-el-rito-gitano/[Consulta: 08/01/2025.]

6 BORM núm. 91, de 21/04/2007; BOE núm. 176, de 22/07/2008.

entre terceras personas, ajeno a la voluntad de las mujeres, bien porque se celebra bajo condiciones de intimidación o violencia o porque no se ha alcanzado la edad prevista legalmente para otorgar dicho consentimiento" (art. 40.2.g).

En cualquier caso, no se puede dejar de advertir la situación de vulnerabilidad en que se hallan las personas menores que sufren estos matrimonios, entiéndase, en su sentido de "vulnerabilidad *contextual*"[7].

2. MARCO JURÍDICO DEL DERECHO A CONTRAER MATRIMONIO

Algunos autores subrayan la necesidad de efectuar reformas en diversos ámbitos del Derecho para adaptarlas al respeto de los derechos humanos de la mujer, poniendo el acento, sobre todo, en el impulso de políticas públicas para prevenir, concienciar y prestar los servicios necesarios[8].

En el ámbito internacional, la Declaración Universal de los Derechos Humanos establece el derecho a contraer matrimonio de hombres y mujeres en condiciones de plena igualdad y sin discriminación por cualquier motivo, a partir de la edad núbil, siendo requisito esencial el consentimiento libre y pleno (art. 16 DUDH, apdos. 1 y 2).

Por su parte, en España se reconoce el derecho constitucional de la mujer y del hombre a contraer matrimonio "con plena igualdad jurídica", mientras que se hace una reserva de ley para determinados aspectos del matrimonio, entre los que se halla la edad y capacidad para contraerlo (art. 32.1 y 2 CE). Este derecho debe ponerse en relación con el libre desarrollo de la personalidad (art. 10 CE). Finalmente, el Código Civil contempla el derecho de toda persona a contraer matrimonio de acuerdo con lo dispuesto en su articulado (art. 44.1.° CC). Entre las personas que no pueden contraer matrimonio, alude a los menores de edad no emancipados (art. 46.1.° CC).

---

7 *Vid.* MARTÍNEZ NAVARRO, E., "La vulnerabilidad humana desde un punto de vista ético", en ANDREU MARTÍNEZ, M.B., SALCEDO HERNÁNDEZ, J.R. (Coords.), *Autonomía del paciente mayor vulnerabilidad y e-salud,* Tirant Lo Blanch, Valencia, 2018, pp. 22-36.

8 DÍEZ PERALTA, E. *El matrimonio infantil y forzado en el Derecho Internacional,* Tirant lo Blanch, Valencia, 2019, pp. 275-276.

Hoy en día, el derecho de las mujeres a la libre elección de matrimonio parece algo evidente en España a tenor la normativa expuesta, y así es asumido por la mayor parte de la población. No obstante, ya se ha puesto de relieve que esta práctica también afecta al Estado español y, por tanto, es un problema contra el que se debe seguir luchando.

El tema de los matrimonios forzados requiere atender, no sólo al momento de su celebración, sino a todo el período de vigencia del matrimonio, pues se entiende que es lo mismo para el caso de que uno de los cónyuges quiera poner fin a su matrimonio y no pueda hacerlo[9].

En este tipo de matrimonios, faltan sus elementos esenciales. Además, debe advertirse del peligro que tiene la posibilidad de convalidación posterior del matrimonio, en un primer momento anulable, pero sin posibilidad de ejercitar la acción una vez trascurrido un año de convivencia tras alcanzar la mayoría de edad (arts. 75.2.º y 76.2.º CC). Un sector doctrinal destaca la problemática de mantener esta norma, habida cuenta la posibilidad de celebrar un matrimonio con efectos civiles con arreglo a formas religiosas, en que pueden ser concertados por los progenitores[10].

Finalmente, resulta significativo hacer referencia a los supuestos en que se esgrime la libertad religiosa de determinados grupos para defender o excusar la celebración o reconocimiento de este tipo de matrimonios en España. Como recuerdan algunos autores, la libertad religiosa y cultural debe ceder en pro del respeto a la tutela de los derechos fundamentales, de modo que deben ponderarse siempre los intereses en juego; ninguno de los derechos y libertades puede ser llevado al límite[11].

3. MATRIMONIO Y EMANCIPACIÓN

Como ya se ha expuesto, y en relación con la edad núbil, el Código Civil prohíbe el matrimonio de las personas menores no emancipadas (art.

---

9 TAMAYO HAYA, S., "Matrimonio infantil y forzado como manifestación de las asimetrías de poder", en VARIOS, *Mujer como motor de innovación jurídica y social*, Tirant lo Blanch, Valencia, 2021, pp. 938 y 953.

10 DURÁN RIVACOBA, R., GONZÁLEZ GONZÁLEZ, A., "Edad, emancipación y matrimonio (con arreglo a la Ley 15/2015, de 2 de julio, de la jurisdicción voluntaria)", *Actualidad Civil*, 1, 2016.

11 En este sentido, ZAMBRANO, V., "Diritto al consenso nuziale e invalidità del matrimonio forzato", *Famiglia e diritto*, 8-9, 2023, 779.

46.1.º CC), y ha eliminado la dispensa de edad (antes contemplada en el art. 48 CC). Esta circunstancia lleva a referirse a la emancipación.

El Código Civil contempla que las personas menores de entre dieciséis y dieciocho años que hayan sido emancipadas puedan contraer matrimonio sin más impedimento (art. 241 CC). Es importante, a este respecto, analizar las causas de la emancipación y los requisitos que deben concurrir para que esta tenga lugar.

Las causas que dan lugar a la emancipación son[12]:

a) La concesión expresa e irrevocable por los titulares de la patria potestad (art. 239.2.º y 241 CC);

b) La concesión judicial (art. 239.3.º y 244 CC).

c) La vida independiente (art. 243 CC).

d) La habilitación de edad del sujeto a tutela (art. 245 CC).

Por su parte, los requisitos para que pueda producirse la emancipación son:

a) Que la persona menor haya alcanzado los dieciséis años (art. 241, 243 y 244 CC);

b) Que la persona menor consienta la emancipación (sea porque presta su consentimiento o porque sea ella quien la solicita (art. 241, 244 y 245 CC);

c) Si la emancipación tiene lugar por concesión expresa de los titulares de la patria potestad, debe otorgarse mediante escritura pública o por comparecencia ante el encargado del Registro Civil (art. 241 CC), la cual es irrevocable (art. 242 CC); mientras que en el caso de concesión tácita (vida independiente con el consentimiento de los progenitores), este consentimiento es revocable (art. 243 CC).

d) Si la emancipación trae causa en la concesión por la autoridad judicial, se requiere previa audiencia a los progenitores y que se dé una de estas tres circunstancias: que el titular de la patria potestad contraiga matrimonio o conviva de forma análoga con persona distinta

---

12 Se deja de lado la mayor de edad como causa de la emancipación, pues a través de esta lo que se alcanza es el pleno ejercicio de la capacidad jurídica, pese al tenor literal del art. 239.1.º CC. Además, no debe perderse de vista que este trabajo se enfoca en las personas menores de edad.

del otro progenitor; que los progenitores vivan separados (sería un supuesto insólito, aunque no imposible, que la primera no pudiera subsumirse en esta segunda causa), o que se dé "cualquier causa que entorpezca gravemente el ejercicio de la patria potestad" (art. 244 CC). Para el caso de la persona menor sujeta a tutela, tan sólo se requiere previo informe del Ministerio Fiscal (no se especifica que tenga que ser favorable) (art. 245 CC)[13].

La Ley 15/2015, de 2 de julio, de la jurisdicción voluntaria[14], regula el procedimiento para la concesión judicial de la emancipación y del beneficio de la mayoría de edad (arts. 53 y ss.).

Pues bien, se advierte de que el Estado tiene competencia exclusiva en materia de edad y capacidad matrimonial (art. 149.1.8.ª CE), mientras que la normativa sobre emancipación es materia susceptible de ser regulada por los derechos civiles especiales, allí donde existiera[15]. Así, se halla la circunstancia de que el Estado ha modificado la edad mínima para la emancipación, pero no la edad núbil. Sólo los derechos aragonés y catalán regulan al respecto, y este último no establece diferencias con respecto a la edad mínima para la emancipación en el derecho común. Por tanto, interesa señalar en este punto el caso particular del derecho aragonés.

Algunos autores han señalado la falta de idoneidad de la técnica legislativa estatal, pues en lugar de establecer entre las prohibiciones para contraer matrimonio una edad mínima concreta, hace referencia a los menores no emancipados, y puesto que los otros derechos civiles del Estado (siempre que tengan competencia en la materia) sí que pueden regular la edad mínima para la emancipación y la mayoría de edad, ahí está el caso del derecho aragonés, que establece, de un lado, que la mayoría de edad se obtiene por cumplir dieciocho años o por contraer matrimonio (*cfr.* art. 4 CDFA) y, por otro, que se puede obtener la emancipación a los catorce años (*cfr.* arts. 30 y 32 CDFA), con lo que este supuesto no entraría dentro

---

13 Se trata del supuesto conocido como "habilitación de edad".

14 BOE núm. 158, de 3 de julio de 2015.

15 En este sentido, en atención al art. 149.1.8.ª CE, algún autor ha afirmado que los derechos civiles especiales pueden regular la edad núbil a través de sus normas sobre la emancipación o mayoría de edad, obviamente siempre que tengan competencia en esa materia. *Vid.*, NIETO CRUZ, A., "La edad núbil en el ordenamiento español tras la reforma del 2015: especial incidencia del derecho foral", en *Actualidad Jurídica Iberoamericana*, núm. 14, 2021, 393.

de la prohibición del artículo 46.1.º CC y una persona menor con vecindad civil aragonesa, dándose las circunstancias para su emancipación, podría contraer matrimonio con catorce años, obteniendo, además, la mayoría de edad[16].

Algunos autores han apuntado también la necesidad de reformar la emancipación para limitar aún más la actual regulación[17]. Los organismos internacionales recomiendan que concurran tres requisitos para que un menor pueda acceder al matrimonio, que son: a) tener al menos dieciséis años, b) dispensa judicial, y c) carácter excepcional. Pero con la regulación actual, un menor emancipado por sus progenitores puede, igualmente, contraer matrimonio.

A este respecto, se ha puesto en duda que el hecho de que los progenitores puedan revocar el consentimiento a la emancipación en esos supuestos conlleve a negarles capacidad nupcial o, cuanto menos, que pueda anularse el matrimonio ya celebrado antes de la revocación, y ello porque en el momento de celebrarse el matrimonio concurría el requisito de capacidad del artículo 46.1 CC[18]. Y, desde luego, los requisitos se refieren a ese momento.

---

16 En este sentido, NIETO CRUZ, A., "La edad núbil en el ordenamiento español tras la reforma del 2015: especial incidencia del derecho foral", *op. cit.*, 395-398. Este autor ha puesto de manifiesto que, si bien se puede prever que no sean muchos los casos en la práctica, lo cierto es que la mera posibilidad choca de frente con los compromisos internacionales contraídos por el Estado español y con el orden público español, y propone como soluciones la elevación de la edad núbil en el derecho aragonés, por su mayor facilidad, o como solución más idónea, la modificación del art. 46.1.º CC, pues de ese modo se zanja el problema y se uniformiza para todo el Estado, y ello de acuerdo con su competencia exclusiva para regular la edad núbil (art. 149.1.8.º CE).

17 DURÁN RIVACOBA, R., GONZÁLEZ GONZÁLEZ, A., "Edad, emancipación y matrimonio (con arreglo a la Ley 15/2015, de 2 de julio, de la jurisdicción voluntaria)", *op. cit.*; NIETO CRUZ, A., "La edad núbil en el ordenamiento español tras la reforma del 2015: especial incidencia del derecho foral", *op. cit.*, 403.

18 DE VERDA Y BEAMONTE, J.R., VIRGADAMO, P., "Capacidad para contraer matrimonio y prohibiciones matrimoniales: una comparación de las experiencias jurídicas española e italiana", *Actualidad Jurídica Iberoamericana*, 10, 2019, 514-515.

4. MATRIMONIO DE PERSONAS MENORES DE EDAD: PROTECCIÓN DE SUS DERECHOS FUNDAMENTALES *VS.* PROMOCIÓN DE SU AUTONOMÍA

Se ha puesto de relieve el escaso valor de la prohibición formal de los matrimonios por debajo de los dieciocho años en países donde, a pesar de ello, se sigue haciendo, sea porque se desconoce la prohibición, porque es obviada[19], o porque la ley permite el casamiento por vía de excepción. También destaca el peso de la costumbre sobre el derecho positivo en este ámbito que, además de por causas religiosas, étnicas o migratorias, se debe sobre todo a "estructuras patriarcales y masculinidades hegemónicas"[20].

A este respecto, debe mencionarse el caso de Marruecos. Su Código de familia (*Mudawana*), fija la edad mínima en dieciocho años (art. 19), permitiendo el matrimonio de menores a partir de dieciséis años con la autorización del juez de familia (art. 20), si bien, recientemente, se ha presentado una reforma que, según se pretende, supondría un refuerzo de las restricciones y posibilidad de autorización solo a partir de los diecisiete años[21].

En el caso de España, como se ha expuesto *supra*, la edad núbil ha sido elevada en virtud de la Ley 15/2015, de 2 de julio, de la Jurisdicción Vo-

---

19 Sobre la tendencia de algunas familias minoritarias en los Estados (principalmente migrantes y transnacionales) a eludir normas e instituciones estatales, especialmente en el ámbito familiar (matrimonio y divorcio) puede verse SPORTEL, I., "Introduction. Minority families and the law: Interactions of ethnic, religious, and cultural minorities with law and state institutions", *Oñati Socio-Legal Series*, 11 (4), 2021, 951, 953-954. El trabajo estudia las interacciones entre estas familias y el Estado (sus normas e instituciones) desde un enfoque socio-jurídico y, sobre todo, en atención a las personas menores de edad.

20 *Vid.* TAMAYO HAYA, S. "Matrimonio infantil y forzado como manifestación de las asimetrías de poder", *op. cit.*, pp. 945-946 y 957.

21 Un sector de la doctrina ya venía destacando la poca efectividad de las medidas de 2004 en un país donde además ha crecido el número de matrimonios prematuros desde entonces, y ello porque se mantiene la excepción por autorización judicial y porque, a pesar de haberse derogado la posibilidad de absolver al violador cuando accede a casarse con la víctima (antiguo art. 475.2.º CP) esto también puede excepcionarse si la víctima lo perdona, a lo cual también puede llegarse a través de diversos métodos que fuerzan el consentimiento, que, en definitiva, no es libre y pleno. En este sentido, TAMAYO HAYA, S. "Matrimonio infantil y forzado como manifestación de las asimetrías de poder", *op. cit.*, p. 945, nota 22.

luntaria[22], en atención a las reiteradas peticiones del Comité sobre los Derechos del Niño[23], el Consejo de Europa y distintas ONGs. El art. 48 CC ya no permite la dispensa de edad a partir de los catorce años por el Juez de Primera Instancia. El Código civil posibilita la emancipación de los menores edad a partir de los dieciséis años (art. 241, 243 y 244 CC) y, por otro lado, admite que los menores emancipados contraigan matrimonio (art. 46 del CC, en sentido negativo). Luego, los menores de entre dieciséis y dieciocho años que hayan sido emancipados conforme a lo dispuesto en los arts. 239 y ss. CC pueden casarse en España.

El artículo 48 CC, en su redacción dada por Ley 30/1981, de 7 de julio, establecía la posibilidad de dispensa, con justa causa y a instancia de parte, de edad a partir de catorce años, con necesidad de oír al menor y a sus progenitores o guardadores. Pero, además, la dispensa podía ser concedida después de la celebración del matrimonio, de modo que quedaba convalidado si hasta ese momento ninguna de las partes había instado la declaración de su nulidad. Con todo, la reforma llevada a cabo por la ley de 1981 rompía con la regla anterior, perpetuada durante mucho tiempo en España, en virtud de la cual la edad núbil, además de ser más baja, era distinta en función del sexo de la persona (catorce años para los varones y doce años para las mujeres)[24].

---

22 La promulgación de esta ley tiene lugar dentro del marco del II Plan Estratégico Nacional de Infancia y Adolescencia 2013-2016, del Ministerio de Sanidad, Servicios Sociales e Igualdad, aprobado por Acuerdo de Consejo de Ministros de 5 de abril de 2013, al igual que la Ley 26/2015, de 28 de julio, de modificación del sistema de protección a la infancia y a la adolescencia. El documento está disponible en <https://observatoriodelainfancia.mdsocialesa2030.gob.es/documentos/pdf/II_PLAN_ESTRATEGICO_INFANCIA.pdf> [Consulta: 08/01/2025.]

23 En las Observaciones finales del Informe del Comité de los Derechos del Niño de la Organización de Naciones Unidas, del 13 de septiembre a 1 de octubre de 2010 (55º período de sesiones), se establece la recomendación al Estado español de revisar la legislación "para elevar a 16 años la edad mínima para contraer matrimonio en circunstancias excepcionales y con el permiso de un juez, y que se especifique de manera explícita que se trata de casos excepcionales". El documento está disponible en <https://www.defensordelpueblo.es/wp-content/uploads/2015/11/ObservacionesFinInformSpainComiteDInfancia2010.pdf>[Consulta: 08/01/2025.]

24 El texto original del art. 83 CC establecía esta edad mínima para contraer matrimonio, en consonancia con la Ley Provisional de Matrimonio Civil de 18 de julio de 1870 (cfr. art. 4). Ambos ofrecían, además, la posibilidad de convalidar el matrimonio celebrado antes de alcanzar dichas edades (convivencia de al menos un día una vez alcanzada dicha edad sin haberse instado antes la nulidad, o si la mu-

Es cierto que la elevación de la edad núbil en España supone un avance. En este sentido, se puede afirmar que la regla general es que el matrimonio por debajo de los dieciocho años no está permitido y que lo demás es la excepción, así como que una proporción no muy alta de menores de edad contraerá matrimonio en España cada año.

Sin embargo, a pesar de que la situación en España para la mujer menor de edad (pues no se puede negar que este problema afecta en especial a las mujeres), no parece observarse como grave, se debe hacer patente la seriedad del problema. Se deben cuestionar las razones y las consecuencias de mantener la edad núbil por debajo de los dieciocho años, aun siendo excepcional.

Los matrimonios contraídos con menores de entre dieciséis y dieciocho años suelen ser matrimonios en los que la menor de edad es una mujer, el cónyuge es un hombre mayor que ella (pues se debe recordar que la diferencia de edad no es un impedimento matrimonial), y los contrayentes pertenecen a determinadas etnias o grupos religiosos en los que resulta común el recurso a estas prácticas[25].

El hecho de que España no sea un país donde abunden estas prácticas no excusa al Estado de su prevención y erradicación, ya que ni uno de estos matrimonios debiera admitirse. También, a pesar de que el consentimiento libre es requisito esencial para contraer matrimonio válido, muchas mujeres pueden callar por diversas razones sin desear el matrimonio, o puede que su nulidad sea declarada cuando ya sea tarde.

---

jer concebía antes de dicha edad o antes de instarse la nulidad del matrimonio). Y antes de esta Ley, ya Las Siete Partidas contemplaban esas edades mínimas, en lo que se refiere a contraer matrimonio, también con su excepción para la validez del matrimonio por debajo de dicha edad (cfr. Partida Cuarta, Título I, Ley VI).

25 Esta afirmación tiene su base en datos extraídos del trabajo de BARCONS CAMPMAJÓ, M., «Los matrimonios forzados en el Estado español: un análisis socio-jurídico desde la perspectiva de género», Universidad Autónoma de Barcelona, [en línea], (2018): <https://www.educacion.gob.es/teseo/imprimirFicheroTesis.do?idFichero=eGE%2BeIC924Q%3D> [Consulta: 08/01/2025.], y de diversas entrevistas realizadas a algunas afectadas por diferentes medios de radio y prensa. Entre otros, <https://cadenaser.com/nacional/2022/06/09/me-prometieron-con-14-anos-yo-no-entendia-que-pasaba-la-realidad-de-los-matrimonios-forzados-en-espana-cadena-ser/>, [Consulta: 08/01/2025.] o <https://www.cope.es/programas/la-tarde/noticias/andrea-garcia-mossos-esquadra-detras-matrimonio-forzado-hay-situaciones-violencia-invisible-20221115_2399811> [Consulta: 08/01/2025.]

En este sentido, se debe considerar si realmente es necesario contemplar esta posibilidad legal, o solamente se utiliza para perpetuar matrimonios forzados y la pederastia, e incluso la trata con fines de explotación. Se debe recordar que, con independencia del respeto de toda creencia o religión, ciertas prácticas no pueden tener cabida en el ordenamiento jurídico español en atención a los derechos humanos de las mujeres.

Viene señalándose que, tal vez, uno de los obstáculos que se dan en la actualidad a la hora de elevar la edad a los dieciocho años y sin probabilidad de excepción, sea que, en un momento en que lo que se intenta es reconocer cada vez más derechos y promover la autonomía del menor, se estaría limitando un derecho que hasta ahora tenían[26]. Pero esta circunstancia, ya advertida por otro sector de la doctrina, se explica por la gran transcendencia para la vida que comporta el matrimonio, "sobre todo en lo que concierne a su libertad y desenvolvimiento personal, ha de quedar reservado a los mayores, siendo incompatible con el carácter formativo que caracteriza la etapa vital de los menores"[27]. Sobre los supuestos de "excepción legal" a la regla general de carencia de capacidad de obrar, otro sector de la doctrina ha señalado que el libre desarrollo de la personalidad del menor exige superar esta "vía de excepción utilizada como técnica legislativa" y recuerda que, a través de la limitación de la capacidad de obrar, lo que se persigue es la exigencia de protección de los menores, entre otras personas, por los posibles perjuicios que pudieren acarrearles sus propios actos debido a su carencia de madurez o a sus circunstancias físicas o psíquicas[28].

Este es un tema que ha sido, asimismo, muy debatido entre la doctrina italiana. El artículo 84 del *Codice Civile*, tras la reforma del derecho de familia de 1975, prohíbe el matrimonio a los menores de edad, es decir, a los menores de dieciocho años. Así, en España, las personas menores a partir de dieciséis años pueden emanciparse y, tras ello, contraer matrimonio (o

---

[26] AGUILERA RULL, A. "Edad núbil y consentimiento matrimonial", en VARIOS, *Construyendo la igualdad: la feminización del derecho privado. Carmona III,* Tirant lo Blanch, Valencia, 2017, pp. 385-388.

[27] VALPUESTA FERNÁNDEZ, R., *La disciplina constitucional de la familia en la experiencia europea,* Tirant lo Blanch, Valencia, 2012, pp. 314-315.

[28] Así, ANGOSTO SÁEZ, J.F. "El sistema de protección de la infancia y la adolescencia en el ordenamiento jurídico español", en COBACHO GÓMEZ, J.A., LEGAZ CERVANTES, F. (Dir.), Protección civil y penal de los menores y de las personas mayores vulnerables en España, Cizur Menor (Navarra), Aranzadi Thomson Reuters, 2018, pp. 207 y 214.

no, pues no es necesariamente el propósito de la emancipación), mientras que, en Italia, la emancipación se da, "exclusivamente, en consideración al matrimonio proyectado"[29]. Sin embargo, el precepto añade una excepción por vía de autorización judicial (como la tradicional dispensa), en virtud de la cual la prohibición anterior cede en atención a "grave motivos", una expresión cuyo significado ha sido muy discutido.

Algunos autores han puesto de relieve, en atención a la jurisprudencia reciente en la materia, cómo el valor de la voluntad del menor debe llevar, no a una interpretación restrictiva de la capacidad matrimonial, sino de la expresión "graves motivos", conforme al Convenio Europeo sobre el Ejercicio de los Derechos de los Niños, hecho en Estrasburgo el 25 de enero de 1996[30].

Al mismo tiempo, se ha denunciado la falta de justificación de haber negado esta posibilidad a las uniones civiles del mismo sexo, que han de ser necesariamente mayores de edad, sin posibilidad de excepción (art. 1, *comma* 2°, l. n. 76/2016)[31].

Por otra parte, algunos autores han advertido de los peligros de que, de este modo, pueda subsistir la realidad previa a la reforma, esto es, que se preserven costumbres como los matrimonios por causa de embarazo[32].

---

29 DE VERDA Y BEAMONTE, J.R., VIRGADAMO, P., "Capacidad para contraer matrimonio y prohibiciones matrimoniales: una comparación de las experiencias jurídicas española e italiana", *op. cit.*, 541.

30 SCIA, F., "La volonta ` del minore ed i "gravi motivi" di cui all'art. 84 cod. civ.", La *Nuova Giurisprudenza Civile Commentata*, 7-8, 2018, 1019-1029. En concreto, cuando se estime que la voluntad del menor está viciada (p. 1019); en el mismo sentido, FACCIOLI, M., "Il matrimonio del minore di età", *Stadium Iuris*, 2, 2021, 171-172, con referencia a la sentencia del *Trib. minori Caltanissetta* 24 ottobre 2017, sobre la que comenta, sigue la línea de la actual tendencia del sistema a respetar la voluntad de las personas menores en lo referente a grandes o vitales cuestiones.

31 SCIA, F., "La volonta ` del minore ed i "gravi motivi" di cui all'art. 84 cod. civ.", *op. cit.*, 1026. El autor cree que, con ello, se falta a la coherencia sistemática y al principio de no discriminación.

32 BOCCHINI, F., QUADRI, E., *Diritto Privato*, 8.ª ed., G. Giappichelli Editore, Torino, 2020, pp. 425-426. En concreto, los autores manifiestan que "*Così, fughe d'amore o gravidanze, almeno di per se stesse (in mancanza, cioè, di ulteriori circostanze concrete, anche di carattere ambientale), tendono a non essere considerate sempre decisive. Nel senso, peraltro, dell'oportunità di "interpretare restrittivamente la nozione di "gravi motivi", in un'ottica di decisa valorizzazione —alla luce dell'univoca tendenza in tale direzione dell'ordinamento— della volontà del minore nubendo, almeno se libera da condizionamenti, Trib. min. Caltanissetta 26-10-2017*".

5. REFLEXIONES FINALES

No cabe duda de que los matrimonios prematuros son una lacra por erradicar, sobre todo por cuanto la mayor parte de ellos pueden reputarse, también, de forzados.

Si bien en España su incidencia es mucho menor que en otras partes del mundo, el Estado no puede desentenderse del problema, ya que niñas y jóvenes, particularmente migrantes y de etnia gitana, son víctimas de esta práctica cada año.

No puede esgrimirse la libertad religiosa como excusa para excepcionar la prohibición a las personas menores para contraer matrimonio, ya que se deben ponderar otros derechos e intereses en juego, lo que debe llevar a la conclusión de que, en estos casos, la libertad religiosa debe ceder en atención a intereses no menos dignos de protección.

Es cierto que España ha dado un gran paso al prohibir el matrimonio de las personas menores por debajo de los dieciséis años, pero ello no resulta suficiente, y ello por las siguientes razones:

- Los menores de dieciséis y diecisiete años pueden, no obstante, casarse.
- La técnica legislativa empleada permite el matrimonio de las personas menores con vecindad civil aragonesa a partir de los catorce años.
- No es necesaria dispensa o autorización judicial (no hay ningún control) para el caso de la persona menor emancipada por sus progenitores.

  Estas dos últimas circunstancias hacen que la regulación española no se ajuste, por lo demás, a las recomendaciones de los organismos internacionales.
- Existe el riesgo de que el matrimonio sea convalidado por la persona menor una vez alcanzada la mayoría de edad o una vez cesado la fuerza o causa del miedo, tras haber convivido al menos un año con su cónyuge.
- Se fije la edad para acceder al matrimonio en los dieciséis o en los dieciocho, la realidad es que, dado que estos se producen en un ambiente privado y familiar, ello convierte a la prohibición, al menos en lo que se refiere a los supuestos más numerosos, en un mero forma-

lismo, necesitado de otras medidas que garanticen su cumplimiento en la práctica.

Es cierto que, en los últimos tiempos, la tendencia consiste en promover la autonomía del menor lo más posible, procurando no negarle derechos. Sin embargo, ha quedado claro, a mi parecer, que el matrimonio por debajo de los dieciocho años no debe permitirse, ni tan siquiera por la vía de la excepción; y ello a pesar de que la tendencia en países del entorno, como Italia, es a la inversa.

En primer lugar, porque como señalaba un sector doctrinal, el matrimonio debe quedar reservado a las personas mayores, por la enorme transcendencia que supone para la vida y por no entenderlo dentro del proceso de formación propio de las personas menores de edad.

En segundo lugar, porque también ha quedado claro que la mayor parte de estos matrimonios obedecen a razones ajenas a la promoción de la autonomía de las personas menores de edad, lo que, sin duda, supone el dato más relevante para que, en este supuesto concreto, la autonomía deba ceder en pro de la protección de sus derechos y libertades fundamentales.

6. BIBLIOGRAFÍA

VARIOS, *Construyendo la igualdad: la feminización del derecho privado. Carmona III,* Tirant lo Blanch, Valencia, 2017.

VARIOS, *Mujer como motor de innovación jurídica y social,* Tirant lo Blanch, Valencia, 2021.

COBACHO GÓMEZ, J.A., LEGAZ CERVANTES, F. (Dir.), *Protección civil y penal de los menores y de las personas mayores vulnerables en España,* Cizur Menor (Navarra), Aranzadi Thomson Reuters, 2018.

BARCONS CAMPMAJÓ, M., *Los matrimonios forzados en el Estado español: un análisis socio-jurídico desde la perspectiva de género* (Tesis Doctoral), Universidad Autónoma de Barcelona, [en línea], (2018): <https://www.educacion.gob.es/teseo/imprimirFicheroTesis.do?idFichero=eGE%2BeIC924Q%3D>. [Consulta: 08/01/2025.]

BOCCHINI, F., QUADRI, E., *Diritto Privato,* 8.ª ed., G. Giappichelli Editore, Torino, 2020.

DE VERDA Y BEAMONTE, J.R., VIRGADAMO, P., "Capacidad para contraer matrimonio y prohibiciones matrimoniales: una comparación de las experiencias jurídicas española e italiana", *Actualidad Jurídica Iberoamericana,* 10, 2019, 496-569.

DÍEZ PERALTA, E. *El matrimonio infantil y forzado en el Derecho Internacional,* Tirant lo Blanch, Valencia, 2019.

DURÁN RIVACOBA, R., GONZÁLEZ GONZÁLEZ, A., "Edad, emancipación y matrimonio (con arreglo a la Ley 15/2015, de 2 de julio, de la jurisdicción voluntaria)", *Actualidad Civil,* 1, 2016.

FACCIOLI, M., "Il matrimonio del minore di età", *Stadium Iuris*, 2, 2021, 171-178.

NIETO CRUZ, A., "La edad núbil en el ordenamiento español tras la reforma del 2015: especial incidencia del derecho foral", en *Actualidad Jurídica Iberoamericana*, 14, 2021, 380-405.

SCIA, F., "La volonta ` del minore ed i "gravi motivi" di cui all'art. 84 cod. civ.", La *Nuova Giurisprudenza Civile Commentata*, 7-8, 2018, 1019-1029.

SPORTEL, I., "Introduction. Minority families and the law: Interactions of ethnic, religious, and cultural minorities with law and state institutions", *Oñati Socio-Legal Series*, 11 (4), 2021, 948-958.

VALPUESTA FERNÁNDEZ, R., *La disciplina constitucional de la familia en la experiencia europea*, Tirant lo Blanch, Valencia, 2012.

ZAMBRANO, V., "Diritto al consenso nuziale e invalidità del matrimonio forzato", *Famiglia e diritto*, 8-9, 2023, 772-779.

Añejos requisitos de capacidad para el ejercicio del derecho a contraer matrimonio: ¿siguen teniendo sentido?

ERNESTO FRANCISCO SARRIÓN HERNÁNDEZ
Investigador predoctoral FPI[1]
Universidad de Santiago de Compostela

1. DEL EJERCICIO DEL DERECHO A CONTRAER MATRIMONIO. CUESTIONES DEBATIBLES

El ejercicio del derecho a contraer matrimonio se asienta, por un lado, en el art. 32 CE y, por otro, en lo anunciado por el art. 12 CEDH[2]. Las limitaciones ligadas a su ejercicio en muchos de los casos vienen relacionadas con la capacidad jurídica. Más concretamente, con la manera de estimar que existe capacidad suficiente para ejercitar tal derecho; para prestar consentimiento matrimonial. Es así como, a efectos internos, es inevitable dirigir nuestra atención al cambio de paradigma provocado por la Ley 8/2021, de 2 de junio, por la que se reforma la legislación civil y procesal para el apoyo a las personas con discapacidad en el ejercicio de su capacidad jurídica (en adelante, LAPD)[3] y la norma de la que trae causa directa —Convención sobre los derechos de las personas con discapacidad,

---

1 Ayuda PRE2020-093400 financiada por MCIN/AEI/10.13039/501100011033 y por FSE invierte en tu futuro.

2 Su entrada en vigor en España data del cuatro de octubre de 1979, tras el Instrumento de Ratificación de 26 de septiembre de 1979 (Instrumento de Ratificación del Convenio para la Protección de los Derechos Humanos y de las Libertades Fundamentales, hecho en Roma el 4 de noviembre de 1950, y enmendado por los Protocolos adicionales números 3 y 5, de 6 de mayo de 1963 y 20 de enero de 1966, respectivamente).

3 Cuya aplicación por los Tribunales, en ocasiones, presenta ciertas incoherencias. *Cfr.* GARCÍA RUBIO, M.P. y TORRES COSTAS, M.E., "Primeros pronunciamientos del Tribunal Supremo en aplicación de la Ley 8/2021, de 2 de junio, por la que se reforma la legislación civil y procesal para el apoyo a las personas con discapacidad en el ejercicio de su capacidad jurídica", *Anuario de derecho civil*, Vol. 75, Nº 1, 2022, p. 300.

hecho en Nueva York el 13 de diciembre de 2006 (en lo sucesivo, CDPD)[4], especialmente sus arts. 12 y 23—.

Es en sede de celebración del matrimonio donde los requisitos de capacidad empiezan a 'embarrar' el ejercicio del *ius connubii.* Es más, pese a que el modelo de (dis)capacidad médica es abandonado por la LAPD, el segundo párrafo del art. 56 CC, que sobrevivió a la modificación[5], lo hace propio. Realmente, si lo que se quiere es constatar la plenitud del ejercicio de la capacidad jurídica lo relevante no debe ser indagar la existencia de una discapacidad, sino si esa discapacidad es limitante; aún más, limitante para el ejercicio del *ius connubii,* es decir, no vale una discapacidad que limite la expresión de una voluntad cualquiera, sino una muy concreta que el legislador pide, exige, como requisito esencial para ejercitar este derecho[6]. Pero ni siquiera la existencia de esa discapacidad limitante es lo decisivo. Lo que debería preocupar es que llegados a la constatación de esa realidad no existan apoyos; que no exista una provisión de apoyos suficiente, bastante, que cumpla con el principio de eficacia y que nos haga conocedores de la voluntad de la persona: saber si consiente. Siendo esa prestación del consentimiento matrimonial un acto personalísimo puede preguntarse qué papel desempeña el apoyo.

¿Es el apoyo un mero emisor, *nuntius,* carente de prerrogativas para indagar la voluntad de la persona en situación de discapacidad?, ¿debe limitarse a verbalizar o expresar esa voluntad si le es conocida, pero si no cabe forma alguna de conocerla debe abandonar dicha tarea de averiguación? Defiende este trabajo la idea de que, a pesar de referirse a un acto personalísimo, el apoyo no puede reducirse a un mero vehículo comuni-

---

4 Ratificada por Instrumento de 23 de noviembre de 2007, con entrada en vigor a partir del tres de mayo de 2008.

5 Redacción idéntica a la del art. 58.5, párrafo segundo, de la LRC, bajo la letra de la disposición final 4.1 de la Ley 15/2015, de 2 de julio, en la redacción dada por el art. único.3 de la Ley 4/2017, de 28 de junio. Debido al retraso de la entrada en vigor de esta última, podemos presuponer que esa fue la causa de la no modificación en cuanto al fondo; no obstante, como se pondrá de manifiesto, el art. 58 LRC ha sido recientemente modificado por la disposición final 18.1 de la Ley Orgánica 1/2025, de 2 de enero, pero no así su correlativo en el art. 56 CC.

6 *Cfr.* CALAZA LÓPEZ, S., "Ni toda la discapacidad es vulnerabilidad, ni toda la vulnerabilidad es discapacidad en el nuevo crisol digital. En busca de la confluencia", *Persona y derecho: Revista de fundamentación de las Instituciones Jurídicas y de Derechos Humanos,* N°. 89, 2023 (Ejemplar dedicado a: Cuidado, Vulnerabilidad y Derecho), (José María Carabante Muntada y Consuelo Martínez-Sicluna y Sepúlveda, coords.), p. 263.

cativo si se utilizan como guía los dictados del art. 12 CDPD. Es correa de transmisión de un mensaje ajeno, sí, pero no es menos cierto que no toda la casuística se va a presentar preordenada, con una voluntad palmaria, que solo deba entregarse a un destinario. En ciertas personas quizás no pueda conocerse *prima facie* tal voluntad, sino que sea necesario un ejercicio de averiguación, por muy somero que se pretenda, a cargo del apoyo, sin llegar a realizar un ejercicio de sustitución, ni menos aún reconstruir una ucronía con el único fin de presentar una voluntad cualquiera que sea, pues en tal caso se caería en desvirtuar la esencia de la CDPD para pasar a supeditar esa averiguación de la voluntad a posibles intereses espurios de quien ejerce el apoyo, siempre con pleno respeto a la dignidad de la persona[7].

Así, debemos plantearnos si debe modificarse el art. 56 CC, pasando a evidenciar cómo los retales del modelo médico de la discapacidad no casan con la ductilidad del paradigma que la LAPD y la CDPD amparan. Asimismo, si el "control de capacidad" como *barrera de entrada* tiene sentido, pues no se mantiene, una vez ejercitado el derecho, como *barrera de permanencia.* Finalmente, si el hecho de que sea un acto personalísimo[8] la prestación del consentimiento matrimonial cercena la existencia del apoyo en ciertos casos en los que conocer la voluntad, preferencias y deseos es una tarea de casi imposible desempeño. Por ello, se pretende analizar si el ordenamiento facilita el ejercicio de este derecho humano, a la luz de la CEDH, o si, contrariamente, lo limita hasta el punto de poder dar lugar a situaciones de discriminación o que, al menos, vulneren el pretendido principio de igualdad ex art. 14 CE.

---

7 *Cfr.* PAU PEDRÓN, A., "De la incapacitación al apoyo. El nuevo régimen de la discapacidad intelectual en el Código Civil", *Revista de Derecho Civil*, vol. V, núm. 3 (julio-septiembre, 2018), Estudios, p. 27.

8 *Cfr.* GARCÍA RUBIO, M.P., "Las medidas de apoyo de carácter voluntario, preventivo o anticipatorio", *Revista de Derecho Civil*, Vol. 5, Nº. 3 (julio-septiembre, 2018), 2018, pp. 51-52: «*no quiero decir que este tipo de asuntos le estén vedados a las personas que lleguen a necesitar apoyo a causa de su discapacidad; todo lo contrario, la regla es justamente la opuesta, esto es, que todas las personas, por el hecho de serlo, puedan realizar este tipo de actos, solos o con el apoyo que precisen, si este es necesario; lo que afirmo es que este apoyo no puede ser nunca de índole representativa, pues en ellos la voluntad del interesado no puede ser nunca sustituida por la de un tercero*».

2. APRECIACIONES SOBRE EL CONTENIDO LEGISLATIVO ACTUAL. RECORRIDO DEL ART. 56 CC

Desentrañar las cuestiones más conflictivas del ejercicio del derecho a contraer matrimonio, primeramente, requiere establecer una comparativa de las distintas modificaciones que han experimentado los preceptos que se refieren a esta materia (v.gr. Arts. 56 CC y 58 LRC, entre otros) a lo largo de los años y cómo estas han perfilado su contenido para, como consecuencia, dilucidar si estas han tenido el impacto deseado y hasta qué punto es necesaria una ulterior corrección que aporte la coherencia sistemática y de fondo reclamada. Por motivos de importancia normativa, en lo siguiente, analizaremos, en primer lugar, el art. 56 CC para, posteriormente, pasar al análisis del art. 58 LRC.

El art. 56 CC ha albergado un total de cuatro versiones desde la aprobación del Código Civil. La redacción original del art. 56 CC, fruto del texto original del Código Civil, publicado el 25 de julio de 1889 y con entrada en vigor el 16 de agosto del mismo año, estaba situada en la sección dedicada a los derechos y obligaciones entre marido y mujer, dentro del título IV, sobre el matrimonio, con mención a que «*los cónyuges están obligados a vivir juntos, guardarse fidelidad y socorrerse mutuamente*». Como resulta evidente, este precepto se encontraba en una sede distinta, aunque si bien de carácter matrimonial igualmente, al actual art. 56 CC, que se halla en la sección relativa a la celebración del matrimonio. Así, en la versión original del Código Civil, la sección que desarrollaba los preceptos de la celebración del matrimonio se encontraba en los arts. 86-100. Respecto a la capacidad de los contrayentes, situada en los arts. 83 y ss. del texto original del Código, el art. 83, concretamente, negaba en su segundo numeral la posibilidad de contraer matrimonio a «*los que no estuvieren en el pleno ejercicio de su razón al tiempo de contraer matrimonio*». En la actualidad, de nuevo, el art. 83 CC se aleja totalmente de su redacción original, en tanto que su contenido desarrolla lo dispuesto para el caso de separación matrimonial —«*la sentencia o decreto de separación o el otorgamiento de la escritura pública del convenio regulador que la determine producen la suspensión de la vida común de los casados y cesa la posibilidad de vincular bienes del otro cónyuge en el ejercicio de la potestad doméstica*»— y sus efectos.

El art. 1 de la Ley 30/1981, de 7 de julio por la que se modifica la regulación del matrimonio en el Código Civil y se determina el procedimiento a seguir en las causas de nulidad, separación y divorcio, supuso un vuelco de calado para toda la regulación dedicada en el Código Civil al matrimonio y sus efectos, sita en el Título IV del Libro Primero. Entre las muchas variaciones introducidas, el art. 56 CC pasa a desarrollarse a la sección II, de la celebración ante el Juez o funcionario que haga sus veces, del Capítulo III, de la forma de celebración del matrimonio. Por ello, desde la redacción original hasta la destacada modificación operada por el legislador de 1981, sin duda, la significación de este precepto ha experimentado un cambio trascendental; misma ubicación, distinto contenido. Así, la segunda redacción del art. 56 CC, desde la aprobación del texto original del Código Civil, discurría en los siguientes términos:

> «Quienes deseen contraer matrimonio acreditarán previamente, en expediente tramitado conforme a la legislación del Registro Civil, que reúnen los requisitos de capacidad establecidos en este Código.
> Si alguno de los contrayentes estuviere afectado por deficiencias o anomalías psíquicas, se exigirá dictamen médico sobre su aptitud para prestar el consentimiento».

A modo anecdótico, la publicación en el Boletín Oficial del Estado de la Ley 30/1981, de 7 de julio, el art. 56 CC contiene una errata, ya que, iniciaba su primer párrafo con: «*quienes deseen contraer matrimonial acreditarán previamente…*». Sobra explicitar que en la versión añadida al Código Civil este extremo fue corregido, pues, tal y como se desprende de la redacción *ut supra*, finalmente se hablaba de "quienes deseen contraer matrimonio".

Al margen de cuestiones tipográficas, es con esta versión, democrática, postconstitucional, cuando de verdad se introducen los elementos que nos servirán para interpretar el contenido del vigente art. 56 CC y la materia sobre la que pretende aportar su porción de seguridad jurídica. En este sentido, subdividido en dos párrafos, el art. 56 de 1981, cuya fecha de entrada en vigor fue el 9 de agosto, incrusta el derecho a contraer matrimonio y, junto a este, el expediente matrimonial como instrumento para ejercitarlo, remitiendo a la legislación del Registro Civil, aunque manteniendo los requisitos de capacidad exigidos en el Código Civil.

Debe recordarse que existe una reserva de ley en el art. 32 CE para las formas del matrimonio, la edad y capacidad para contraerlo, los derechos y deberes del cónyuge, las causas de separación y disolución, así como sus efectos. Requisito este que el legislador de 1981 respeta. Del mismo modo, el art. 44 CC, en su redacción vigente[9], aporta un plus al añadir en su

---

[9] Modificación operada por la Ley 4/2023, de 28 de febrero, para la igualdad real y efectiva de las personas trans y para la garantía de los derechos de las personas LGTBI. En la redacción de 1981, el art. 44 CC se configuraba en términos simila-

primer párrafo que «*toda persona tiene derecho a contraer matrimonio conforme a las disposiciones de este Código*», prescindiendo de la distinción existente en su versión anterior entre hombre y mujer, para pasar a hablar de toda persona, sin especificar el sexo o la identidad de género; opción esta que evita el binarismo y que, en cierta forma y con matices, es coherente con los dictados constitucionales sobre el libre desarrollo de la personalidad ex art. 10.1 CE y la igualdad del art. 14 del mismo texto.

El segundo párrafo del art. 56 CC, en la versión de 1981, establece algunas precisiones sobre la capacidad para contraer matrimonio, para ejercitar este derecho, que entronca con el sistema previo a la Ley 8/2021, de 2 de junio, en tanto que se desenvuelve en términos propios del modelo médico de discapacidad al exigir un dictamen médico sobre la aptitud de la persona para prestar el consentimiento cuando se aprecien "deficiencias o anomalías psíquicas", en tanto que, bajo la letra del art. 45 CC, no hay matrimonio sin consentimiento matrimonial. Esta previsión concordaba perfectamente con los términos en los que, hasta fechas recientes, se expresaba el art. 49 CE, al mencionar a los "disminuidos físicos, sensoriales y psíquicos". El art. 49 CE fue reformado el 15 de febrero de 2024, con entrada en vigor el 17 de febrero del mismo año. Esta reforma, como preconizaba su Preámbulo, era necesaria, ya que el precepto «*precisa de una actualización en cuanto a su lenguaje y contenido para reflejar los valores que inspiran la protección de este colectivo, tanto en el ámbito nacional como internacional*».

El precepto constitucional mencionado ahora puntualiza, en su primer párrafo, la igualdad de las personas con discapacidad respecto a los demás como titulares de derechos, en especial, los señalados en el Título I CE, así como su ejercicio, en sintonía con lo establecido por la CDPD («*Las personas con discapacidad ejercen los derechos previstos en este Título en condiciones de libertad e igualdad reales y efectivas. Se regulará por ley la protección especial que*

---

res a los estipulados en la Constitución española —así, el Código Civil: «*El hombre y la mujer tienen derecho a contraer matrimonio conforme a las disposiciones de este Código*»; y la CE: «*El hombre y la mujer tienen derecho a contraer matrimonio con plena igualdad jurídica*»—. La Ley 13/2005, de 1 de julio, por la que se modifica el Código Civil en materia de derecho a contraer matrimonio, añadió un segundo párrafo a este precepto, «*el matrimonio tendrá los mismos requisitos y efectos cuando ambos contrayentes sean del mismo o de diferente sexo*».

sea necesaria para dicho ejercicio»)[10]. Prosigue el art. 49 CE reformado[11] encomendando a los poderes públicos el establecimiento de un marco que promueva la autonomía de las personas con discapacidad, con especial hincapié en los menores de edad y las mujeres, como colectivos respecto de los cuales, el legislador, pese a no verbalizarlo en este precepto, sobreentiende que es necesario suprimir las estructuras discriminatorias que dificultan el ejercicio de estos derechos subjetivos («*Los poderes públicos impulsarán las políticas que garanticen la plena autonomía personal y la inclusión social de las personas con discapacidad, en entornos universalmente accesibles. Asimismo, fomentarán la participación de sus organizaciones, en los términos que la ley establezca. Se atenderán particularmente las necesidades específicas de las mujeres y los menores con discapacidad*»).

La tercera versión del art. 56 CC obedece a la disposición final 1.9 de la Ley 15/2015, de 2 de julio, de Jurisdicción Voluntaria (en adelante, LJV):

> «Quienes deseen contraer matrimonio acreditarán previamente en acta o expediente tramitado conforme a la legislación del Registro Civil, que reúnen los requisitos de capacidad y la inexistencia de impedimentos o su dispensa, de acuerdo con lo previsto en este Código.
> Si alguno de los contrayentes estuviere afectado por deficiencias mentales, intelectuales o sensoriales, se exigirá por el Secretario judicial, Notario, Encargado del Registro Civil o funcionario que tramite el acta o expediente, dictamen médico sobre su aptitud para prestar el consentimiento».

A diferencia de la redacción de 1981, la introducida por la LJV añade al primer párrafo, junto a los requisitos de capacidad, la necesidad de inexistencia de impedimentos o, caso de haberlos, la dispensa de estos, siguiendo lo prevenido por las disposiciones del Código Civil. Por otro lado, hemos puesto de manifiesto como el art. 56 CC, en la versión de 1981, trataba la discapacidad en unos términos consecuentes con el modelo médico[12],

---

10 *Cfr.* MAYOR FERNÁNDEZ, D., "La reforma de la protección jurídica civil de la discapacidad y la convención de Nueva York de 13 de diciembre de 2006", *Boletín del Ministerio de Justicia,* Año 65, Nº 2133, 2011, p. 5, sobre cómo muchos de los principios de la CDPD ya aparecían, en cierta manera, recogidos en la Constitución Española.

11 Esta reforma ya venía siendo objeto de análisis desde hacía años, como señala, a través de su recorrido, TORRES COSTAS, M.E., *La capacidad jurídica a la luz del artículo 12 de la Convención de Naciones Unidas sobre los derechos de las personas con discapacidad,* Agencia Estatal Boletín Oficial del Estado, 2020, pp. 203-207

12 A diferencia del modelo social que propugna la CDPD, como indica LÓPEZ SAN LUIS, R., "El principio de respeto a la voluntad de la persona con discapacidad en la Convención de Nueva York (2006), y su reflejo en el anteproyecto de ley

requiriendo un dictamen cuando se diesen determinadas circunstancias en la persona que tuviesen como corolario un consentimiento imperfecto, mencionando expresamente las deficiencias o anomalías psíquicas. Tras la aprobación de la LJV, el segundo párrafo del art. 56 CC menciona las deficiencias mentales, intelectuales o sensoriales, pretendiendo, quizá, perfilar aquellas situaciones que el legislador presumía eran limitantes para prestar el consentimiento para ejercer el derecho a contraer matrimonio. Por tanto, suprimió la expresión "anomalías psíquicas". Ahora bien, en este caso, el legislador cita expresamente aquellas autoridades que deben solicitar —«exigirá», en términos literales— el dictamen médico: Secretario judicial, Notario, Encargado del Registro Civil o funcionario que tramite el acta o expediente.

Por tanto, esta redacción del art. 56 CC no abandona el modelo de discapacidad médico; de hecho, ni siquiera menciona la discapacidad como tal, sino que se refiere a aquellas situaciones que, por presentar, en palabras del precepto, alguna deficiencia de carácter mental, intelectual o sensorial, empujan al legislador a creer que la persona no se encuentra en un plano de igualdad respecto a los demás para consentir, esto es, para ejercer el derecho a contraer matrimonio, que le ha sido otorgado constitucionalmente. No está de más explicitar como dicho modelo, que otrora impregnaba el ordenamiento jurídico, en la actualidad, ha sido superado, aunque no de forma absoluta e indiscutible, pues persisten ciertos preceptos que innegablemente mantienen sus notas idiosincrásicas, confrontando los dictados de la CDPD y de la LAPD.

En este *continuum* de reformas, al margen de la carencia de perdurabilidad y certeza aportada, que es una cuestión a tratar en gran parte del ordenamiento jurídico español, aquejado de una profusión, en muchos casos, obstructiva, nos lleva a concluir que paulatinamente el legislador ha ido perfilando una materia, de por sí maleable, como la capacidad jurídica, en ocasiones consecuencia de la realidad social del tiempo, desde un prisma estatal, y, en otras, procedente de textos internacionales.

La disposición final 1.9 LJV fue a su vez modificada por el art. único.2 de la Ley 4/2017, de 28 de junio, de modificación de la Ley 15/2015, de 2

---

por la que se reforma la legislación civil y procesal en materia de discapacidad", *InDret*, 2.2020, p. 118. Por otro lado, algunos autores hablan de "humanización del Derecho Civil", en lo tocante a la discapacidad. *Cfr.* VIVAS TESON, I., "La reciente humanización del Derecho Civil español: necesidades y retos en materia de discapacidad", *Derecho global. Estudios sobre derecho y justicia*, Vol. 5, N°. 14, 2020, p. 192.

de julio, de la Jurisdicción Voluntaria. El preámbulo de esta ley menciona la CDPD y la necesaria igualdad en el ejercicio de la capacidad jurídica de todas las personas, eliminando las situaciones de discriminación que puedan provocarse. El motivo que da para la reforma del art. 56 CC que en su momento efectuó la LJV se efectúa «*con el fin de proteger a las personas con algún tipo de discapacidad para asegurar que reúnan los requisitos necesarios para contraer matrimonio y favorecer su celebración*». Menciona asimismo la Resolución-Circular de 23 de diciembre de 2016 de la otrora DGRN (en la actualidad, Dirección General de Seguridad Jurídica y Fe Pública)[13], «*aclarándose que debe interpretarse siempre de manera estricta y en relación a supuestos excepcionales en los que la discapacidad afecte de forma evidente e impeditiva, aún proporcionados los apoyos precisos, a la capacidad para prestar el consentimiento, y lógicamente no a aquellos supuestos en que la discapacidad afecte tan solo a medios, canales o soportes de emisión de ese consentimiento o nada tenga que ver ni guarde relación con la aptitud para prestarlo*». Por lo tanto, de la doctrina administrativa se colige la necesidad de realizar una interpretación estricta del art. 56 CC, que no cercene el ejercicio del derecho a contraer matrimonio de la persona con discapacidad, ciñéndose esta posibilidad solo a aquella casuística relativa a la aptitud para prestar el consentimiento, impidiendo "de forma evidente" su prestación en los términos exigidos para el ejercicio de un derecho personalísimo.

Lo que el legislador de 2017 pretende es «*favorecer la celebración del matrimonio de las personas con discapacidad, evitando cualquier sombra de duda sobre su capacidad para contraer matrimonio*», en palabras de su Preámbulo. Debemos, en este punto, preguntarnos si lo hizo con acierto o si, por el contrario, en la modificación del precepto aún persisten rasgos del modelo previo[14]. Para ello es necesario analizar la redacción actual:

> «Quienes deseen contraer matrimonio acreditarán previamente en acta o expediente tramitado conforme a la legislación del Registro Civil, que reúnen los requisitos de capacidad o la inexistencia de impedimentos o su dispensa, de acuerdo con lo previsto en este Código.
> El Letrado de la Administración de Justicia, Notario, Encargado del Registro Civil o funcionario que tramite el acta o expediente, cuando sea necesario,

---

13 Resolución-Circular de 23 de diciembre de 2016, de la Dirección General de los Registros y del Notariado, sobre la interpretación y aplicación del artículo 56 del Código Civil, relativo a la forma de celebración del matrimonio.

14 *Cfr.* RUIZ ALCARAZ, S., "El derecho a contraer matrimonio de las personas con discapacidad. Revisión del artículo 56.2 del Código Civil a la luz de la convención de las NNUU de 2006", *Boletín del Ministerio de Justicia,* Año 73, Nº 2215, 2019, p. 55.

podrá recabar de las Administraciones o entidades de iniciativa social de promoción y protección de los derechos de las personas con discapacidad, la provisión de apoyos humanos, técnicos y materiales que faciliten la emisión, interpretación y recepción del consentimiento del o los contrayentes. Solo en el caso excepcional de que alguno de los contrayentes presentare una condición de salud que, de modo evidente, categórico y sustancial, pueda impedirle prestar el consentimiento matrimonial pese a las medidas de apoyo, se recabará dictamen médico sobre su aptitud para prestar el consentimiento».

La redacción del primer párrafo se mantiene casi incólume, con la única apreciación de sustituir "los requisitos de capacidad y la inexistencia de impedimentos o su dispensa" por "los requisitos de capacidad o la inexistencia de impedimentos o su dispensa", es decir, cambia la conjunción copulativa por una conjunción disyuntiva. Donde realmente se ha producido un cambio significativo es en el segundo párrafo del precepto. En primer lugar, sustituye la mención hecha al Secretario Judicial por la de Letrado de la Administración de Justicia[15]. Anteriormente se derivaba la exigencia de solicitar el dictamen médico cuando cualquiera de los contrayentes estuviera afectado por deficiencias mentales, intelectuales o sensoriales. En la redacción vigente del art. 56 CC se parte de la idea según la cual, en el caso de que alguno de los contrayentes sea una persona con discapacidad, el LAJ, Notario, Encargado del Registro Civil[16], podrá recabar apoyos humanos, técnicos y materiales con el fin de facilitar la emisión, interpretación y recepción del consentimiento de los contrayentes. Por tanto, de lo que se está hablando en este precepto es de apoyos complementarios, de naturaleza auxiliar, pues no parece referirse a los apoyos en sentido estricto, al menos no que se pueda deducir de su contenido, con las exigencias de forma e inscripción preceptivas para los regulados por la LAPD.

Añade además que dichos apoyos, destinados a procurar que el consentimiento para contraer matrimonio se emita, se interprete y se reciba, sean recabados de las Administraciones o entidades de iniciativa social de promoción y protección de los derechos de las personas con discapacidad. Es una muestra de la preocupación del legislador por otorgarle un rol proactivo a las Administraciones públicas y entidades que cooperen, en

---

15 Acorde con la Ley Orgánica 7/2015, de 21 de julio, por la que se modifica la Ley Orgánica 6/1985, de 1 de julio, del Poder Judicial.

16 Cuyas plazas, a tenor de la Disposición adicional segunda ("Régimen jurídico de los Encargados del Registro Civil"), modificada por el art. único.18 de la Ley 6/2021, de 28 de abril, por la que se modifica la Ley 20/2011, de 21 de julio, del Registro Civil, se proveerán entre los Letrados de la Administración de Justicia.

consonancia con el art. 49 CE —cuya reforma no está exenta de crítica[17]—, en la promoción de los derechos subjetivos defendidos. Ahora bien, surge la duda de si, al mencionar estas como garantes de las personas con discapacidad en lo tocante a la prestación del apoyo para vehicular el consentimiento de los contrayentes, se está excluyendo a cualquier otra persona física o jurídica que pudiese desempeñar la misma función. Una interpretación garantista de los derechos de las personas con discapacidad aboca a aceptar cualquier otro apoyo, especialmente si de la letra del precepto podemos colegir que la facultad de recabar los apoyos de las mencionadas administraciones y entidades es solo eso, una facultad, y no agota cualquier otra forma por la que se pueda prestar el apoyo, más aún a la luz de la exégesis del art. 56 en conexión con la LAPD.

3. EL ART. 58.5 LRC

Del mismo modo que el art. 56 CC ha experimentado una pléyade de modificaciones que, como hemos advertido, han ultimado en mayor o menor medida su contenido, el art. 58 LRC no se ha quedado atrás. Este precepto, sito en el Capítulo segundo, dedicado a las inscripciones relativas al matrimonio, del Título sexto, sobre hechos y actos inscribibles, ha soportado un total de cinco redacciones hasta la fecha.

Inicialmente, el art. 58 LRC recibió el título de "expediente matrimonial". En su apartado 58.2, en la versión de 2011, es donde se mencionaban tangencialmente los requisitos de capacidad y la inexistencia de impedimentos o su dispensa, "de acuerdo con los previsto en el Código Civil". Señalaba, en este caso, que el Secretario del Ayuntamiento, que conociese de la tramitación del expediente matrimonial, podía solicitar los informes y practicar las diligencias pertinentes para averiguar la legalidad y veracidad del matrimonio que se pretendía celebrar; pudiendo presuponer que, entre esos informes y diligencias expresados, se encontraban aquellos que, entre otros extremos, indagasen sobre la capacidad de los contrayentes. Nada más allá señalaba el precepto sobre la capacidad y las distintas consecuencias que podría tener para el expediente matrimonial.

---

17 *Cfr.* COURTIS, C., "Dos pasos adelante y algún mareo. La reforma constitucional española en materia de derechos de las personas con discapacidad a la luz de los estándares internacionales de derechos humanos", *Revista de Derecho Civil,* Vol. 11, Nº. 1, 2024, p. 25

Los apartados 1, 2, 5-10 y 12 fueron modificados por la disposición final 4.1 LJV. Para lo que el presente trabajo interesa, el quinto apartado del precepto sufrió un cambio muy significativo que lo llevó a expresar algo completamente alejado de la redacción original de la LRC, pues, en esta última, el quinto apartado hacía referencia a la celebración del matrimonio una vez resuelto favorablemente el expediente. Sin embargo, en la versión de 2015, es de relevancia el primer párrafo del quinto apartado del art. 58 LRC, que se concibió con el siguiente sentido:

> «El Secretario judicial, Notario o Encargado del Registro Civil oirá a ambos contrayentes reservadamente y por separado para cerciorarse de su capacidad y de la inexistencia de cualquier impedimento. Asimismo, se podrán solicitar los informes y practicar las diligencias pertinentes, sean o no propuestas por los requirentes, para acreditar el estado, capacidad o domicilio de los contrayentes o cualesquiera otros extremos necesarios para apreciar la validez de su consentimiento y la veracidad del matrimonio. Si alguno de los contrayentes estuviere afectado por deficiencias mentales, intelectuales o sensoriales se exigirá dictamen médico sobre su aptitud para prestar el consentimiento».

Así, por vez primera, el art. 58.5 LRC pasó a contemplar el examen de la capacidad de los contrayentes para prestar consentimiento basado en una comprobación, voluntaria o de oficio, que, en última instancia, conducía a un dictamen médico[18], obligatorio, como exigencia, para el caso de "deficiencias mentales, intelectuales o sensoriales" que afecten a la mencionada prestación del consentimiento, como acto personalísimo. El quinto apartado, una vez más, fue modificado por el art. único.3 Ley 4/2017, de 28 de junio, de modificación de la Ley 15/2015, de 2 de julio, de la Jurisdicción Voluntaria. Esta reforma introdujo un segundo párrafo que dotaba de mayor contenido al precepto, para ahondar en el modelo médico de discapacidad si cabe, al igual que cambiaba la redacción del primer párrafo. Por lo dicho, el sentido del artículo se desenvolvía de la siguiente manera:

> «El Letrado de la Administración de Justicia, Notario o Encargado del Registro Civil oirá a ambos contrayentes reservadamente y por separado para cerciorarse de su capacidad y de la inexistencia de cualquier impedimento. Asimismo, se podrán solicitar los informes y practicar las diligencias pertinentes,

---

[18] En palabras del TS, en Sentencia de 29 de abril de 2015 (ECLI:ES:TS:2015:1938): «*se exige tal dictamen en vez de negar sin más capacidad, porque en el matrimonio se requiere, como en cualquier otro negocio jurídico, una real y válida voluntad no aquejada de vicios invalidantes, pero, sin embargo, la solución acogida por nuestro Derecho vigente, en línea con los antecedentes históricos, es excluir que las deficiencias o anomalías psíquicas constituyen por sí mismas impedimento para que la persona afectada por las mismas pueda contraer matrimonio*».

> sean o no propuestas por los requirentes, para acreditar el estado, capacidad o domicilio de los contrayentes o cualesquiera otros extremos necesarios para apreciar la validez de su consentimiento y la veracidad del matrimonio.
> El Letrado de la Administración de Justicia, Notario, Encargado del Registro Civil o funcionario que tramite el acta o expediente, cuando sea necesario, podrá recabar de las Administraciones o entidades de iniciativa social de promoción y protección de los derechos de las personas con discapacidad, la provisión de apoyos humanos, técnicos y materiales que faciliten la emisión, interpretación y recepción del consentimiento del o los contrayentes. Solo en el caso excepcional de que alguno de los contrayentes presentare una condición de salud que, de modo evidente, categórico y sustancial, pueda impedirle prestar el consentimiento matrimonial pese a las medidas de apoyo, se recabará dictamen médico sobre su aptitud para prestar el consentimiento».

Por tanto, en la versión de 2017 se prescinde del último inciso del primer párrafo del art. 58 LRC, que señalaba que «*si alguno de los contrayentes estuviere afectado por deficiencias mentales, intelectuales o sensoriales se exigirá dictamen médico sobre su aptitud para prestar el consentimiento*». No obstante, no suprime la cuestión del dictamen médico sobre la aptitud para prestar consentimiento, ya que lo desarrolla *in fine* en el segundo párrafo, sino que, más bien, lo que trata de dejar atrás es la mención hecha a las "deficiencias mentales, intelectuales o sensoriales" de cualquiera de los contrayentes. Este segundo párrafo del art. 58.5 LRC se asemeja por entero al segundo párrafo del ya analizado art. 56 CC. Destaca como, primeramente, alude de forma expresa a las Administraciones o entidades de iniciativa social de promoción y protección de los derechos de las personas con discapacidad para la provisión de apoyos —humanos, técnicos y materiales—.

En segundo lugar, y marcado por el principio de excepcionalidad, la necesidad de dictamen médico sobre la aptitud de los contrayentes para prestar el consentimiento, cuando exista una condición de salud "evidente, categórica, sustancial" —que, si bien no lo configura como exigencia, como en anteriores redacciones, se colige que será preceptivo en aquellos casos en los que el LAJ, Notario o Encargado del Registro Civil así lo entiendan—, abundando en el modelo médico de discapacidad, ya criticado, pues vulnera las disposiciones de la CDPD, tal y como señala la Observación general N°1 de Naciones Unidas, de 2014[19]. En este segundo inciso, se señala que el dictamen médico sobre la aptitud de los contra-

[19] COMITÉ SOBRE LOS DERECHOS DE LAS PERSONAS CON DISCAPACIDAD, «Observación general N° 1. Artículo 12: Igual reconocimiento como persona ante la ley» [en línea], (2014), http://www.convenciondiscapacidad.es/wp-con-

yentes para prestar el consentimiento se recabará "pese a las medidas de apoyo", sin especificar si esas medidas de apoyo son las prestadas por las Administraciones o entidades de iniciativa social de promoción y protección de los derechos de las personas con discapacidad exclusivamente o si es una remisión, en sentido amplio, a cualquier clase de medida de apoyo, independientemente de quién la preste; posición esta última defendida por el presente trabajo, pues resulta como corolario de la letra de la LAPD y la expresión de la voluntad de la persona con discapacidad ex art. 12 CDPD.

El art. único.12 de la Ley 6/2021, de 28 de abril, por la que se modifica la Ley 20/2011, de 21 de julio, del Registro Civil, cambió la rúbrica del art. 58 LRC, pasando a denominarse "Procedimiento de autorización matrimonial" y no expediente matrimonial, como en la versión original de 2011. Además, afectaba al contenido del tercer apartado, que, para lo tratado en estas líneas, no resulta pertinente. La última de las modificaciones experimentadas por el art. 58 LRC es consecuencia de la Ley Orgánica 1/2025, de 2 de enero, de medidas en materia de eficiencia del Servicio Público de Justicia, cuya entrada en vigor, tal y como se ha señalado, es el 3 de abril de 2025. Los dos primeros párrafos del art. 58.5 LRC han sido modificados a los únicos efectos de mencionar ambos géneros de los sustantivos que hacen referencia en el precepto a las autoridades que tramitan el acta o expediente matrimonial[20]; es decir, pasa de mencionar al Letrado de la Administración de Justicia para referirse al letrado o letrada, en el orden que da la redacción, cuya motivación podría ser a su vez discutida, haciendo lo propio para notario o notaria y encargado o encargada del Registro Civil —a pesar de que, en la versión publicada en el BOE de la norma, existe una errata en el segundo párrafo del art. 58.5 LRC, pues hace referencia a "encargado encargada", sin añadir, entre medias, la conjunción disyuntiva necesaria para dotar de sentido la distinción—, pero nada añade al contenido preexistente. Además, el legislador parece haber olvidado, al efectuar esta modificación del art. 58.5 LRC, el contenido del art. 56 CC con el que guarda semejanza, pues este ha quedado en el mismo estado en el que se

---

tent/uploads/2019/01/Observaci%C3%B3n-1-Art%C3%ADculo-12-Capacidad-jur%C3%ADdica.pdf

20 Cuestión abierta a debate, pues lo que pretende el precepto, empujado por un espíritu inclusivo, en cierto modo, queda sin solución, ya que, en realidad, no hace otra cosa sino perpetuar el binarismo, quedando al margen de mención todas aquellas personas que no se identifiquen con ninguna de estas expresiones, pero que ejerzan tales cargos.

hallaba con anterioridad, sin distinguir entre letrado o letrada, notario o notaria y encargado o encargada. En lo tocante al Código Civil, la reforma operada por la LO 1/2025, de 2 de enero, ha afectado al contenido de los arts. 51, 52, 53, 57, 58 y 73.

4. CONSIDERACIONES FINALES

De los paralelismos en la redacción de los arts. 56 CC y 58.5 LRC se evidencia una incoherencia manifiesta: el ordenamiento jurídico español avanza —o transita, mejor señalado, avanzando o no, según los casos— desacompasadamente. Esto es así, pues de las reformas más actuales de inspiración internacional, esto es, embebidas de la CDPD, han venido modificándose un sinfín de preceptos de distintos textos legales a los efectos de adecuarlos al nuevo paradigma de la capacidad jurídica y el respeto por la voluntad, deseos y preferencias de las personas con discapacidad. Asimismo, recientemente, el legislador ha reformado el art. 49 CE, pasando a vehicular la terminología y el contenido, dotando a algunos cajones del ordenamiento de la coherencia necesitada. Pero esta corriente de cambio no se ha desarrollado de forma absoluta. Persisten ciertos artículos que aún mantienen el modelo médico de discapacidad, vulnerando lo dispuesto por los arts. 12 CDPD y 14 CE —que prohíbe la discriminación por cualquier condición o circunstancia personal o social—. No solo contravienen el texto constitucional. Más allá de esto, el compromiso con la Agenda 2030 y los objetivos de desarrollo sostenible es un acicate para el cambio[21], en un determinado sentido, de estos preceptos obsoletos y que mantienen barreras para el ejercicio de ciertos derechos como el de contraer matrimonio. Tras sucesivas modificaciones, el legislador, con la LO 1/2025, de 2 de enero, ha desaprovechado, una vez más, la oportunidad de adaptar estos preceptos a la LAPD, CDPD y Constitución Española, si bien es entendible, dado que la razón de ser de esta ley orgánica no era exclusivamente armonizar el articulado referente al expediente matrimonial con el fin de

---

[21] Como se desprende, sin ánimo exhaustivo, de la meta 3 del ODS 10 ("Reducir la desigualdad en y entre los países"), que pretende "garantizar la igualdad de oportunidades y reducir la desigualdad de resultados, incluso eliminando las leyes, políticas y prácticas discriminatorias y promoviendo legislaciones, políticas y medidas adecuadas a ese respecto". Resulta evidente la aplicación de este objetivo a lo subrayado por las carencias de los arts. 56 CC y 58.5 LRC.

equilibrar añejos requisitos que deben ser suprimidos o, como mínimo, matizados.

5. BIBLIOGRAFÍA

CALAZA LÓPEZ, S., "Ni toda la discapacidad es vulnerabilidad, ni toda la vulnerabilidad es discapacidad en el nuevo crisol digital. En busca de la confluencia", *Persona y derecho: Revista de fundamentación de las Instituciones Jurídicas y de Derechos Humanos,* Nº. 89, 2023 (Ejemplar dedicado a: Cuidado, Vulnerabilidad y Derecho), (José María Carabante Muntada y Consuelo Martínez-Sicluna y Sepúlveda, coords.), pp. 243-267.

COMITÉ SOBRE LOS DERECHOS DE LAS PERSONAS CON DISCAPACIDAD, «Observación general Nº 1. Artículo 12: Igual reconocimiento como persona ante la ley» [en línea], (2014), http://www.convenciondiscapacidad.es/wp-content/uploads/2019/01/Observaci%C3%B3n-1-Art%C3%ADculo-12-Capacidad-jur%C3%ADdica.pdf

COURTIS, C., "Dos pasos adelante y algún mareo. La reforma constitucional española en materia de derechos de las personas con discapacidad a la luz de los estándares internacionales de derechos humanos", *Revista de Derecho Civil,* Vol. 11, Nº. 1, 2024, pp. 1-31.

GARCÍA RUBIO, M.P. y TORRES COSTAS, M.E., "Primeros pronunciamientos del Tribunal Supremo en aplicación de la Ley 8/2021, de 2 de junio, por la que se reforma la legislación civil y procesal para el apoyo a las personas con discapacidad en el ejercicio de su capacidad jurídica", *Anuario de derecho civil,* Vol. 75, Nº 1, 2022, pp. 279-334.

GARCÍA RUBIO, M.P., "Las medidas de apoyo de carácter voluntario, preventivo o anticipatorio", *Revista de Derecho Civil,* Vol. 5, Nº. 3 (julio-septiembre, 2018), 2018, pp. 29-60.

LÓPEZ SAN LUIS, R., "El principio de respeto a la voluntad de la persona con discapacidad en la Convención de Nueva York (2006), y su reflejo en el anteproyecto de ley por la que se reforma la legislación civil y procesal en materia de discapacidad", *InDret,* 2.2020, pp. 111-138.

MAYOR FERNÁNDEZ, D., "La reforma de la protección jurídica civil de la discapacidad y la convención de Nueva York de 13 de diciembre de 2006", *Boletín del Ministerio de Justicia,* Año 65, Nº 2133, 2011.

PAU PEDRÓN, A., "De la incapacitación al apoyo. El nuevo régimen de la discapacidad intelectual en el Código Civil", *Revista de Derecho Civil,* vol. V, núm. 3 (julio-septiembre, 2018), Estudios, pp. 5-28.

RUIZ ALCARAZ, S., "El derecho a contraer matrimonio de las personas con discapacidad. Revisión del artículo 56.2 del Código Civil a la luz de la convención de las NNUU de 2006", *Boletín del Ministerio de Justicia,* Año 73, Nº 2215, 2019, pp. 1-88.

TORRES COSTAS, M.E., *La capacidad jurídica a la luz del artículo 12 de la Convención de Naciones Unidas sobre los derechos de las personas con discapacidad*, Agencia Estatal Boletín Oficial del Estado, 2020.

VIVAS TESON, I., "La reciente humanización del Derecho Civil español: necesidades y retos en materia de discapacidad", *Derecho global. Estudios sobre derecho y justicia,* Vol. 5, Nº. 14, 2020, pp. 191-198.

Trabajo familiar en el Derecho Privado: ¿protección o trampa para la mujer?

BELÉN TRIGO GARCÍA
PPL, Universidad de Santiago de Compostela

1. MUJER Y TRABAJO FAMILIAR

El objeto de la presente contribución es la prestación de servicios en el ámbito familiar como actividad profesional de la mujer sin que reúna la condición de parte de un contrato de trabajo ni de trabajadora por cuenta propia, esto es la mujer colaboradora de su pareja o en la empresa familiar.

La imprecisión del concepto y de sus límites nos sitúa en un área gris, cercana al ámbito laboral, pero expresamente excluida de él, fronteriza entre el derecho contractual y de familia, y relacionada con el derecho fiscal y de seguridad social[1].

La complejidad de esta situación jurídica compleja no se corresponde, en cambio, con una regulación completa y detallada. En este sentido el objeto de estudio se relaciona, aunque no se corresponde totalmente, con los cuidados familiares, de una parte, y el trabajo familiar, de otra. En primer lugar, el trabajo femenino ha de calificarse como actividad profesional en la medida en que forma parte de una explotación económica organizada, a veces siendo un elemento relevante de ella. De modo que ni la existencia de un vínculo afectivo o relación de intimidad, ni el contexto familiar o, en su caso, el entorno doméstico en el que se presta la actividad deban ser utilizados para negar una actividad productiva enmarcada en una explotación económica y, por tanto, con un valor de mercado[2]. En segundo lugar, el trabajo familiar abarca la prestación de servicios de familiares colabora-

---

1 Vid. Informe A4-0005/1997, de la Comisión de Derechos de la Mujer del Parlamento europeo sobre la situación de los cónyuges colaboradores de los trabajadores autónomos, [en línea], (1997), (<https://www.europarl.europa.eu/doceo/document/CRE-4-1997-02-21-ITM-004_ES.html>.) [Consulta: 5/02/2025.]

2 Vid. Exposición de Motivos Real Decreto 1620/2011, de 14 de noviembre, por el que se regula la relación laboral de carácter especial del servicio del hogar familiar, sobre las circunstancias que justificarían la calificación como especial de esta prestación de servicios.

dores de distintas generaciones, mujeres y hombres[3]. No obstante, en esta materia destaca de forma especial la situación de la mujer, esposa o pareja de hecho del titular de la explotación económica. Así lo reconoce la normativa europea en materia de trabajo autónomo que, lejos de emplear una definición genérica y neutra de trabajo familiar, se refiere directamente al cónyuge colaborador o auxiliar (*helping spouse*).

Como es habitual cuando se trata de la participación económica de la mujer, estamos ante una situación poco conocida y estudiada, de la que hay pocos datos fiables, más allá de la impresión de que se trata de una realidad extendida[4].

El punto de partida del presente análisis es la exclusión del llamado trabajo familiar del ámbito de aplicación de la legislación laboral y, por tanto, de su finalidad tuitiva. Esta aproximación se completa con el examen de la figura del familiar colaborador del trabajador autónomo.

En cambio, se deja fuera, por exceder del ámbito de la investigación, la aplicación en la hipótesis del cónyuge colaborador del derecho de familia[5].

2. EL TRABAJO FAMILIAR Y LA EXCLUSIÓN DE LA ACCIÓN PROTECTORA DE LA LEGISLACIÓN LABORAL

La definición del contrato de trabajo deja fuera del ámbito de aplicación del derecho laboral la prestación de servicios jurídicamente autónoma, realizada por cuenta propia, así como la no remunerada. Aplicando estos criterios, la doctrina califica la exclusión del trabajo familiar de me-

---

3 Vid. infra la definición de trabajo familiar en el Estatuto de los Trabajadores; cfr. las disposiciones adicionales segunda y décima Ley 20/2007, de 11 de julio, del Estatuto del trabajo autónomo (LETA.

4 El Informe A4-0005/1997, cit., destacaba la dificultad de determinar el número de mujeres y hombres que participan en las actividades del cónyuge como colaboradores debido al escaso número de personas que se registran como tales. En el debate sobre este informe se cifraba entre el 75 y el 97% el porcentaje de mujeres en la figura [en línea], (1997), (<https://www.europarl.europa.eu/doceo/document/CRE-4-1997-02-21-ITM-004_ES.html>.) [Consulta: 5/02/2025.]

5 V. gr. la referencia al trabajo de colaboración en las actividades del otro cónyuge como circunstancia a tener en cuenta para determinar el importe de la prestación compensatoria (art. 97.5° CC).

ramente declarativa (vid. art. 1.1º y 3º e) RDLeg. 2/2015, de 23 de octubre, aprueba el texto refundido de la Ley del Estatuto de los Trabajadores (TRLET).

Se trata de una exclusión tradicional que apenas ha experimentado cambios, pese a la evolución de los modelos familiares y productivos desde el primer tercio del s. XX. Así, la Ley relativa al contrato de trabajo de 1931 (LCT 1931) excluía del ámbito de aplicación de la ley, en primer lugar, los trabajos de carácter familiar, entendiendo por estos los trabajos donde solamente estén ocupadas personas de la familia o por ella aceptadas bajo la dirección de uno de sus miembros, siempre que los que trabajen no se consideren como asalariados (art. 1.a).

Como se aprecia, el trabajo familiar es compatible con la dependencia jerárquica[6]. Desde la perspectiva familiar, la definición remite a la estructura de familia tradicional de carácter vertical, en la que la autoridad corresponde al cabeza de familia o, en la terminología de LCT 1931, el amo de casa[7]. En conclusión, se tiene en mente la prestación de servicios en una explotación o empresa familiar definida, a estos efectos, por la mano de obra empleada: exclusivamente, la suministrada por personas integradas en el grupo familiar, entendido este de forma amplia.

De una parte, se consideraba la familia extensa, sin ninguna limitación de parentesco; de otra, al vínculo de parentesco se equiparaba la relación con personas afines y partícipes de la dinámica familiar y empresarial[8];

---

6 GÁRATE CASTRO, J., "Trabajos familiares (Algunas consideraciones jurisprudenciales para su estudio)", *Revista de Política Social*, n. 132, 1981, p. 226.

7 Sobre el cabeza de familia, los roles de género y la autonomía personal y patrimonial de la mujer, vid. TRIGO GARCÍA, B., "Autonomía personal de la mujer: la gestión de su persona y de sus bienes", en L. López de la Cruz y M. Otero Crespo (coords), M. Paz García Rubio (dir.), *El levantamiento del velo: Las mujeres en el derecho privado*, Tirant lo Blanch, Valencia, 2011, pp. 1435-1444 y 1459-1464.

8 Al respecto, cabe pensar en cierta habitualidad o estabilidad en la prestación de servicios, en contraste con los trabajos que, sin tener carácter familiar, se ejecutan ocasionalmente mediante los servicios amistosos, benévolos o de buena vecindad, también excluidos del ámbito laboral por el art. 2 b) LCT 1931. Vid. GÁRATE CASTRO, J., loc. cit., p. 228, sobre la reserva con la que debe interpretarse la noción de personas acogidas para evitar la acogida se convierta en un medio de conseguir mano de obra barata, sustituyendo la obligación de pago del salario por la menos onerosa de facilitar comida y vestido.

entre estas podrían contarse personas acogidas o que conviven con la familia[9], aprendices[10], empleados domésticos[11], etc.

La existencia de la explotación familiar se consideraba compatible con la existencia de un contrato de trabajo como obrero doméstico que vincularía, normalmente al cabeza de familia con un empresario ajeno al grupo familiar; en cambio, quedaría fuera del ámbito de protección del derecho del trabajo la actividad prestada por otros familiares —principalmente, mujeres y menores—, que contribuían a la economía familiar, más allá del trabajo doméstico y de cuidados, pero sin salir de la esfera familiar[12].

En la actualidad, la interpretación jurisprudencial y doctrinal mantiene como requisito del trabajo familiar que la relación de servicios se establezca entre personas físicas, con exclusión del trabajo realizado a favor de personas jurídicas, en cuyo caso, sin perjuicio de la posibilidad de levantar el velo societario en el supuesto de fraude de ley, no sería posible hablar de lazos familiares[13].

---

9 Todavía los arts. 2 y 36 Decreto 907/1966, de 21 de abril, aprobando el texto articulado primero de la Ley 193/1963, de 28 de diciembre, sobre Bases de la Seguridad Social (LBSS) aludían a a familiares o personas asimiladas que estuvieran a cargo del trabajador o dependieran económicamente de él.

10 Vid. art. 6 LCT 1931, según el cual, los aprendices son trabajadores, reciban o no un salario o paguen ellos al patrono algún suplemento, en cuanto no se derive otra relación de su contrato particular, conforme a la regulación especial del contrato de aprendizaje. Vid. sobre el contrato de aprendizaje, arts. 57-59 Real decreto-ley aprobando el Código de Trabajo de 1926.

11 Téngase en cuenta que el servicio doméstico fue excluido del ámbito laboral por el art. 2.c Decreto de 26 de enero de 1944 por el que se aprueba el texto refundido del Libro I de la Ley de Contrato de Trabajo (TRLCT 1944), con una configuración que lo aproximaba al trabajo familiar, como un servicio, remunerado o no, contratado no por un patrono, sino por un amo de casa que no persiguiese fin de lucro, para trabajar en una casa o morada particular al servicio exclusivo del contratante, de su familia o de sus dependientes, bien se albergue en el domicilio del amo o fuera de él.

12 Estos llamados obreros a domicilio ejecutaban el trabajo en su morada u otro lugar libremente elegido por ellos, sin la vigilancia de la persona por cuenta de la cual trabaja, ni de representante suyo, y del que reciben retribución por!a obra ejecutada (art. 6 TRLCT 1944). Vid. sobre la noción y personas integradas en el taller de familia, arts. 3. 1° y 4 Real Decreto-ley de 26 de julio de 1926 relativo al trabajo a domicilio.

13 Vid. ROMERO MARTÍN, E., "Los trabajos familiares, benévolos amistosos y de buena vecindad", *Noticias Jurídicas*, epígrafe V [en línea], (2015), (<https://noticias.juridicas.com/conocimiento/articulos-doctrinales/10282-los-trabajos-fami-

De lo anterior cabe deducir que la exclusión del trabajo familiar del ámbito laboral se justificaría por la falta de ajenidad. En efecto, quien presta un servicio en una empresa o explotación familiar participa de los frutos de esta, de sus beneficios, pero también de sus pérdidas. En otras palabras, se contempla la familia no sólo como una unidad de convivencia, sino también como una unidad económica y de gestión patrimonial, de modo que sus miembros participan en una empresa común, contribuyendo con los frutos de su trabajo a un mismo patrimonio, el patrimonio familiar[14].

Ahora bien, la exclusión del trabajo familiar del ámbito laboral se ha relacionado también tradicionalmente con la de los servicios amistosos, benévolos y de buena vecindad[15], considerados gratuitos. De modo que el trabajo familiar carecería, además, del requisito de onerosidad. Esta interpretación resulta relevante respecto del trabajo femenino, pues la pervivencia de los roles y estereotipos de género llevan a identificar esta colaboración con una obligación conyugal o de pareja realizada gratuitamente y, como tal, asumida con naturalidad por las mujeres y su entorno[16].

Por remuneración podría llegar a entenderse toda contraprestación, sea cual sea su naturaleza o importe[17]; ahora bien, no cabría calificar como salario o retribución la gratificación por los servicios prestados o la participación en los frutos del trabajo familiar si no guardan relación con el trabajo prestado, no son previamente determinados (o determinables), y no tienen un carácter periódico o regular y obligatorio. De este modo, lo recibido para la satisfacción de las necesidades personales constituiría el cumplimiento de las obligaciones legales derivadas de los vínculos de

---

liares-benevolos-amistosos-y-de-buena-vecindad/>.) [Consulta: 5/02/2025.]. Por su parte, GÁRATE CASTRO, J., con base en la jurisprudencia, excluye también de la consideración de trabajo familiar los servicios prestados en un negocio cuya dirección y titularidad es compartida por un miembro de la familia y un extraño (loc. cit., p. 229).

14 Vid. ROMERO MARTÍN, E., loc. cit., epígrafe V, nota 25.

15 Vid. art. 1.b) LCT 1931, que excluye los trabajos que, sin tener carácter familiar, se ejecutan ocasionalmente, mediante los llamados servicios amistosos, benévolos y de buena vecindad

16 Vid. Informe A4-0005/1997 y el debate sobre el mismo, cits.

17 En este sentido, la normativa laboral tradicional; vid. art. 1 LCT 1931 "sea la que fuere la clase o forma de ella". En el mismo sentido, los arts. 1 y 6 TRLCT 1944. En la actualidad, esta afirmación debe matizarse por la implementación de un salario mínimo legal y garantías salariales (cfr. arts. 26 y ss. TRLET).

parentesco o sería fruto de la relación de afecto, pero no contraprestación por los servicios prestados[18].

Como se apuntó, la evolución de la regulación laboral apenas ha introducido algunos retoques en la definición de trabajo familiar. En primer lugar, en la actualidad, el trabajo familiar ya no es la primera ni la principal prestación de servicios excluida del ámbito laboral (vid. art. 1.3.e TRET); en segundo lugar, se reduce la definición de trabajo familiar en relación a la presunción *iuris tantum* de ausencia de relación laboral[19].

De una parte, las personas susceptibles de ser englobadas en el trabajo familiar son, únicamente, el cónyuge, los descendientes, ascendientes y demás parientes por consanguinidad o afinidad, hasta el segundo grado inclusive y, en su caso, por adopción del empresario. Además, se exige expresamente la convivencia con el empresario, si bien en la práctica este requisito se flexibiliza al ser suficiente para la jurisprudencia la dependencia alimenticia (v. gr. respecto de los hijos)[20].

En cambio, ya no es requisito el carácter exclusivamente familiar de la explotación económica, pues ya no es necesario que en ella se ocupen solo personas de la familia.

Fuera de estos supuestos (falta de convivencia o de dependencia alimenticia, servicios prestados por otras personas) es posible calificar la prestación de servicios como trabajo familiar; ahora bien, no se aplicaría la presunción *iuris tantum* de exclusión del ámbito laboral y social tuitivo (art. 1.3 TRLET). En otras palabras, si se cumplen los requisitos legales sobre trabajo familiar, la persona que reclamase la calificación como laboral, debería probar la condición laboral que quien desempeña el trabajo, pese a la existencia de vínculos familiares y de convivencia. De no cumplirse estos

---

18 ROMERO MARTÍN, E., loc. cit., epígrafe V, y GÁRATE CASTRO, J., loc. cit., pp. 226-227.

19 En el mismo sentido, la Ley 16/1976, de 8 de abril, de Relaciones Laborales (LRL), la Ley 8/1980, de 10 de marzo, del Estatuto de los Trabajadores, y el Real Decreto Legislativo 1/1995, de 24 de marzo, por el que se aprueba el texto refundido de la Ley del Estatuto de los Trabajadores.

20 Vid. ROMERO MARTÍN, E., loc. cit., epígrafe V. Vid. la limitación del art. 12.1º RDLeg. 8/2015, de 30 de octubre, por el que se aprueba el texto refundido de la Ley General de la Seguridad Social (TRLGSS) de la presunción *iuris tantum* de trabajo familiar excluido del trabajo por cuenta ajena a los parientes del empresario, ocupados en su centro o centros de trabajo, que *convivan en su hogar y estén a su cargo.*

requisitos, se aplicaría la presunción, también *iuris tantum*, del carácter laboral de los servicios, de modo que quien se opusiera a la calificación como contrato de trabajo debería probar los hechos que acrediten, sin ningún género de dudas, la condición familiar del trabajo efectuado[21]. En todo caso, cabe destacar que el trabajo familiar hace referencia a la prestación de servicios continuada en el tiempo, esto es, como actividad propia y estructural de la empresa familiar, sin limitarse a servicios ocasionales, esporádicos o derivados de circunstancias singulares, como se verá también respecto del trabajo autónomo[22].

3. EL TRABAJO AUTÓNOMO Y EL TRABAJO FAMILIAR

La noción de trabajo autónomo o por cuenta propia no es, propiamente, una categoría jurídica contractual sino, más bien, un cajón de sastre que abarcaría toda prestación por parte de una persona física de servicios excluidos del ámbito laboral[23], con independencia de su naturaleza jurídica. En este sentido, la definición dada por el art. 1.1º LETA, considera la prestación personal, directa, por cuenta propia y fuera del ámbito de dirección y organización de otra persona, de servicios de carácter profesional. Así, tienen la consideración de trabajador autónomo (art. 1.2º LETA)

---

21 GÁRATE CASTRO, J., loc. cit., p. 224.

22 Existe la tendencia a incluir estos servicios puntuales prestados por familiares y personas allegadas como servicios amistosos, entendido el concepto de amistad forma amplia (vid. E. Romero epígrafe IV.1 y V, notas 13 y 27). Hay que tener en cuenta que la LRL (art. 1.d) todavía contemplaba el carácter ocasional de los servicios de buena vecindad, etc. excluidos del ámbito laboral; esta nota desaparece en el Estatuto de los Trabajadores si bien se mantiene todavía en la legislación social. Vid. art. 137 a) TRLGSS, que excluye del régimen general de la Seguridad Social los trabajos que se ejecuten ocasionalmente mediante los llamados servicios amistosos, benévolos o de buena vecindad.

23 Vid. en general, MONTOYA MELGAR, A., "Trabajo dependiente y trabajo autónomo ante el derecho del trabajo", *Temas Laborales,* n. 81/2005, pp. 25-39 y 36. Sobre la evolución legislativa de la consideración del trabajo autónomo en relación con el contrato de trabajo, vid. PÉREZ AGULLA, S., "La tradicional marginación del trabajador autónomo por parte del derecho del trabajo", *Foro Nueva época,* núm. 10/2009, pp. 103-144. Sobre la dificultad de deslindar trabajo por cuenta propia y ajena, vid. NAVARRO NIETO, F., "El trabajo autónomo en las 'zonas grises' del Derecho del Trabajo", *Revista Internacional y Comparada de relaciones laborales y derecho del empleo,* V. 5, n. 4, 2017, en especial, pp. 62-66.

los socios industriales de sociedades personalistas (civiles, colectivas y comanditarias), los comuneros de las comunidades de bienes o, en ciertos casos, quienes ejerzan las funciones de dirección y gerencia o presten otros servicios para una sociedad mercantil capitalista (vid. art. 305.2º TRLSS).

El carácter profesional hace referencia a una actividad económica, a título retribuido, realizada de forma habitual. A su vez, el carácter personal y directo de la prestación no excluye ni el trabajo familiar[24], ni la ocupación de trabajadores por cuenta ajena[25].

En este sentido, el art. 1.1º apartado 2º LETA, sin calificarlos como trabajadores autónomos[26], extiende el ámbito de aplicación de la ley a los trabajos realizados de forma habitual por familiares del trabajador autónomo que no tengan la condición de trabajadores por cuenta ajena, con remisión a lo dispuesto sobre trabajo familiar en el art. 1.3.e) TRLET[27].

---

24 Vid. respecto de la actividad agraria, el concepto de cultivador personal del art. 16.1º de la Ley 83/1980, de 31 de diciembre, de arrendamientos rústicos, que contemplaba la ayuda de familiares no asalariados que conviviesen con el arrendatario y titular de la explotación. De forma parecida, el concepto de cultivador directo y personal del art. 623-6 CCcat: persona física que, sola o con la colaboración de personas que conviven con ella o, si no existe convivencia, de descendientes o de ascendientes, lleva a cabo efectivamente la actividad agraria.

25 De forma parecida, el art. 2 Decreto 2530/1970, de 20 de agosto, por el que se regula el régimen especial de la Seguridad Social de los trabajadores por cuenta propia o autónomos (RESSTA), entiende por trabajador autónomo aquel que realiza de forma habitual, personal y directa una actividad económica a título lucrativo, sin sujeción por ella a contrato de trabajo y aunque utilice el servicio remunerado de otras personas. Cfr. art. 1 Decreto 1167/1960, de 23 de junio, por el que se aplican los beneficios del Mutualismo Laboral a los trabajadores independientes; este precepto se refería, respecto de la definición de trabajadores independientes, autónomos o artesanos, en primer lugar, a la utilización del trabajo de familiares.

26 Cfr. la descripción de la actividad del cónyuge colaborar en el art. 96 núm. 5 CC como *trabajo de colaboración* en las actividades mercantiles, industriales o profesionales del otro cónyuge. Desde la perspectiva estadística, sobre exclusión de los colaboradores familiares del colectivo de autónomos propiamente dicho, vid. *Fuentes y metodología* [en línea], (2008), (<https://www.mites.gob.es/ficheros/ministerio/sec_trabajo/autonomos/economia-soc/autonomos/estadistica/TrabajoAutonomosFuentes08.pdf>.) [Consulta: 5/02/2025.].

27 Son las mismas personas contempladas por el art. 12.1º TRLGSS en relación con la definición de trabajador por cuenta ajena y la exclusión en el sistema de sistema de la Seguridad Social, a efectos de las prestaciones contributivas (cfr. art. 7.1º): no tendrán la consideración de trabajadores por cuenta ajena, salvo prueba en

Ha de recordarse que este precepto contempla únicamente a los cónyuges; no obstante, una interpretación sistemática de la LETA, de conformidad con la normativa europea[28], debe llevar a entender incluidos como trabajadores familiares también a las parejas de hecho (art. 35 apartado 2° LETA)[29].

3.1. La perspectiva de género en la definición de la colaboración familiar en el trabajo autónomo

Sin perjuicio de contemplar la protección de las víctimas de violencia de género en su articulado (vid. arts. 11.5°, 14, 5°, 15.1° g), 16, 1°, f), 38 ter.10°)[30], la LETA no incorpora expresamente una perspectiva de género

---

contrario, el cónyuge, los descendientes, ascendientes y demás parientes del empresario, por consanguinidad o afinidad hasta el segundo grado inclusive y, en su caso, por adopción, ocupados en su centro o centros de trabajo, cuando convivan en su hogar y estén a su cargo.

28 Vid art. 2.1 b) Directiva 2010/41/UE del Parlamento Europeo y del Consejo de 7 de julio de 2010, sobre la aplicación del principio de igualdad de trato entre hombres y mujeres que ejercen una actividad autónoma, con remisión en cuanto a su reconocimiento y definición al derecho nacional.

29 Este precepto define las parejas de hecho, a efectos de bonificaciones por alta de familiares colaboradores autónomos, como las constituidas con análoga relación de afectividad a la conyugal por quienes, no hallándose impedidos para contraer matrimonio, no tengan vínculo matrimonial con otra persona y acrediten, mediante el correspondiente certificado de empadronamiento, una convivencia estable y notoria y con una duración ininterrumpida no inferior a cinco años; en materia de prueba, la existencia de pareja de hecho se acreditará mediante certificación de la inscripción en alguno de los registros específicos existentes en las comunidades autónomas o ayuntamientos del lugar de residencia o mediante documento público en el que conste la constitución de dicha pareja. Vid. también la consideración de las parejas de hecho a efectos de protección social y la definición dada por el art. 221.2° TRLGSS, a efectos de la pensión de viudedad. Cfr. la mención de la persona vinculada por relación de afectividad análoga a la conyugal del art. 1.2° Ley 35/2011, de 4 de octubre, sobre titularidad compartida de las explotaciones agrarias (LTCEA), si bien en este caso para su acreditación bastaría certificado de inscripción de pareja de hecho o aseveración de vinculación de análoga relación de afectividad (art. 6.2° g).

30 Por su parte, la Ley Orgánica 1/2004, de 28 de diciembre, de Medidas de Protección Integral contra la Violencia de Género, solo se ocupa de la protección de la víctima en el ámbito laboral y en el supuesto de trabajadoras por cuenta propia, sin contemplar el trabajo familiar (vid. art. 21 sobre derechos laborales y prestaciones de la Seguridad Social, y art. 22 sobre un programa de acción específico

en esta extensión del concepto de trabajo autónomo al trabajo familiar, a diferencia de la normativa europea, tanto la Directiva 86/613/CEE del Consejo, de 11 de diciembre de 1986, relativa a la aplicación del principio de igualdad de trato entre hombres y mujeres que ejerzan una actividad autónoma, incluidas las actividades agrícolas, así como sobre la protección de la maternidad, como la Directiva 2010/41/UE, que deroga la anterior[31].

En concreto, la normativa europea contempla no a cualquier colaborador familiar, sino, únicamente, los cónyuges y las parejas de hecho de los trabajadores autónomos que no sean empleados o socios de estos últimos, que participen de manera habitual y en las condiciones establecidas por el derecho nacional en las actividades del trabajador autónomo, efectuando, bien las mismas tareas, bien tareas complementarias o auxiliares.

Ha de destacarse que se habla, tanto en la norma española como en la europea, de trabajo familiar habitual, lo que dejaría fuera de toda previsión legal, a excepción de lo dispuesto en materia de derecho de familia, una colaboración ocasional.

En este sentido, la aplicación del principio de igualdad de trato en la norma europea está pensada para las relaciones entre el trabajador autónomo y cualquier tercero; asimismo, se proclama la vigencia del principio respecto de los hombres y las mujeres que ejercen una actividad autónoma o contribuyen al ejercicio de una actividad de ese tipo; en cambio, no sería aplicable a las relaciones entre el trabajador autónomo y su cónyuge o pareja de hecho, que se regirían por los derechos y las obligaciones derivadas del estado civil o de la situación familiar (cdos. 12 y 13, y art. 1.1° Directiva 2010/41/UE).

Volviendo a la legislación nacional, se encuentra una referencia expresa a la situación de las mujeres colaboradoras en la explotación titularidad de su pareja en el sector agrario a propósito de la titularidad compartida de las explotaciones agrarias[32].

---

para las víctimas de violencia de género inscritas como demandantes de empleo con medidas para favorecer el inicio de una nueva actividad por cuenta propia).

31 Poco después de su aprobación, se puso de manifiesto la insuficiencia de la Directiva 86/613/CEE, precisamente, respecto de los cónyuges colaboradores. Vid. Resolución del Parlamento Europeo, de 21 de febrero de 1997, sobre la situación de los cónyuges colaboradores de los trabajadores autónomos.

32 Vid. al respecto la recomendación 11 del Informe sobre la igualdad entre mujeres y hombres en la Unión Europea (2009/2101-INI), Comisión de Derechos de la Mujer e Igualdad de Género del Parlamento europeo [en línea], (2010), (<https://

De una parte, la Exposición de Motivos del Real Decreto 297/2009, de 6 de marzo, sobre titularidad compartida en las explotaciones agrarias, pone el acento en la explotación familiar como contexto en el que produce habitualmente la participación de la mujer en las tareas agrarias, aportando incluso, además de su trabajo, bienes, sin que esta labor alcance reconocimiento jurídico, retribución económica o reflejo social, precisamente, por no transcender el ámbito familiar.

En efecto, en el supuesto de explotaciones familiares, lo más habitual es que la titularidad sea unipersonal, correspondiendo, mayoritariamente, a un varón. Así, la mujer colaboradora se ve privada de la protección de la normativa laboral y social, permanece ajena a la titularidad de la explotación y desprovista del poder para la toma de decisiones sobre esta, sin que se le reconozca el derecho a una contraprestación por su trabajo profesional[33]. Como señala la Exposición de Motivos LTCEA, el trabajo de las mujeres sigue entendiéndose, más bien, como una *ayuda familiar* que complementa a la renta principal y no como una aportación económica efectiva.

Precisamente, sin entrar en la naturaleza jurídica y regulación de la titularidad compartida, merece la pena destacar la solución alternativa que ofrece la ley en caso de no constitución de la cotitularidad, esto es, la previsión de derechos económicos a favor del cónyuge o persona vinculada por análoga relación de afectividad, frente al titular de la explotación agraria, como contraprestación por su actividad agraria, efectiva y regular en la explotación, como un medio de promover y favorecer la igualdad real y efectiva de las mujeres en el medio rural, y lograr un reconocimiento jurídico y económico efectivo de su participación en la actividad agraria (vid. art. 1.2º y capítulo IV LTCEA). Ahora bien, el derecho a reclamar esta contraprestación no deriva de forma inmediata de la prestación del servicio, sino que surge, únicamente, en los casos de transmisión de la explotación agraria, ruptura del matrimonio o pareja de hecho, y liquidación del régimen económico matrimonial o de la pareja de hecho (art. 13. 2º LTCEA).

---

www.europarl.europa.eu/doceo/document/A-7-2010-0004_ES.html>.) [Consulta: 5/02/2025.]

33 El Informe 2009/2101-INI, cit., recuerda que las mujeres están más amenazadas por la pobreza y por una jubilación limitada por haber trabajado en la empresa del cónyuge sin salario y sin afiliación a la seguridad social, especialmente en los sectores del comercio y la agricultura.

3.2. Efectos jurídicos del trabajo familiar respecto del trabajo por cuenta propia

Ha de insistirse en que no se produce una equiparación entre trabajador autónomo y trabajador familiar que presta sus servicios a aquel, en la medida en que titular de la actividad o la explotación económica es el trabajador autónomo, y el familiar, fundamentalmente, el cónyuge o pareja de hecho, con independencia de la importancia —económica, organizativa, de representación, etc.— de las funciones que desempeña, es un colaborador o auxiliar que ayuda al trabajador autónomo.

De acuerdo con lo anterior, en general, al trabajador familiar solo le resultan aplicables, de una parte, las normas sobre protección social del trabajador autónomo; de otra, las disposiciones sobre incentivos, fomento y promoción del trabajo autónomo[34].

En efecto, buena parte de las medidas contempladas en la LETA son meras declaraciones retóricas o de intenciones[35], y la mayoría resultan difícilmente aplicables fuera de la lógica de la relación cliente y profesional. Así, por ejemplo, lo dispuesto sobre retribución (vid. art. 10 LETA, sobre garantías económicas). Como antes se apuntó, lo más habitual respecto del trabajo familiar es que no se haya estipulado formalmente una retribución, menos aún concretado su cuantía, naturaleza, periodicidad o forma de pago.

Posiblemente la única excepción a la afirmación anterior la constituya el art. 9 LETA, sobre protección de menores. Esta disposición, relativa el régimen jurídico de la prestación de servicios por cuenta propia, es aplicable también a los trabajadores familiares. En concreto, prohíbe a los menores de dieciséis años ejecutar trabajo autónomo ni actividad profesional, ni siquiera para sus familiares, salvo lo dispuesto respecto de la prestación de servicios en espectáculos públicos en el art 6.4 TRLET.

En cuanto a las medidas de fomento del trabajo autónomo, a los efectos que aquí interesan, cabe destacar las disposiciones relativas al fomento del

---

34 Sobre la aplicación excepcional de las normas laborales al trabajo autónomo, en general, vid. MONTOYA MELGAR, A., loc. cit., pp. 33-36.

35 Cfr. art. 6 LETA, cuyo apartado 1° prevé que los poderes públicos deben garantizar la efectividad de los derechos fundamentales y libertades públicas del trabajador autónomo; o el art. 8 LETA, sobre prevención de riesgos laborales, cuyo apartado 1° emplaza a las Administraciones Públicas competentes a asumir un papel activo en relación con la prevención de riesgos laborales de los trabajadores autónomos.

empleo estable de los familiares contratados por los autónomos. Así, el art. 35 LETA, sobre bonificaciones de altas de familiares colaboradores de trabajadores autónomos, o el art. 37 LETA respecto de la bonificación de cuotas en favor de familiares del titular de la explotación agraria, en concreto, en caso de incorporación de cónyuge o descendiente de cincuenta o menos años en el momento de la incorporación, y cónyuge del titular de una explotación agraria que se constituya en titular de esta en régimen de titularidad compartida. También la bonificación a las trabajadoras autónomas que se reincorporen al trabajo tras haber cesado su actividad por nacimiento de hijo o hija (art. 38 bis LETA).

En cuanto a las medidas de protección social, los familiares colaboradores están incluidos obligatoriamente en el régimen especial de la Seguridad Social de los trabajadores autónomos (art. 3 b) RESSTA). En cambio, no tendrán la consideración de trabajadores por cuenta ajena a efectos de las prestaciones contributivas, salvo prueba en contrario (art. 12. 1º TRLGSS por remisión al art.7.1º)

Ha de tenerse en cuenta que el ámbito de protección previsto por el Decreto de 1970, no coincide ni con el alcance de la presunción de trabajo familiar excluido del ámbito laboral ni con la extensión del concepto de trabajador autónomo a los familiares colaboradores, en la medida en que les resulte aplicable esta normativa (vid. art. 1.3º e) TRLET, art. 1.1º apartado 2º LETA; cfr. art. 12.1º TRLGSS): si se presume como familiar el trabajo prestado por familiares hasta el segundo grado, la obligación de inclusión en el régimen de la Seguridad Social comprendería al cónyuge y los parientes por consanguinidad o afinidad hasta el tercer grado inclusive de los trabajadores autónomos que, de forma habitual, personal y directa, colaboren con ellos mediante la realización de trabajos en la actividad de que se trate, siempre que no tengan la condición de asalariados respecto a aquellos.

En todo caso, cabe pensar que esta protección social consideraba, en particular, a las mujeres, conforme a la propia redacción de este art 3 que, de acuerdo con el modelo jurídico vigente en 1970, aclara que la obligatoriedad alcanza a quienes cumpliesen los requisitos legales, cualquiera que fuera su sexo y su estado civil[36], lo que parece una alusión al régimen jurídico aplicable, en aquel momento, a las mujeres casadas[37].

---

36 Esta referencia al sexo y estado civil se mantiene en el actual art. 7.1º TRLGSS.

37 En coherencia con lo anterior, vid. art. 49 RESSTA, que establece como beneficiarios de la pensión de viudedad a la viuda del trabajador autónomo, con carácter

4. TRABAJO FAMILIAR Y PERSPECTIVA DE GÉNERO

Del análisis llevado a cabo hasta el momento, cabe concluir que la invisibilidad del trabajo de las mujeres colaboradoras y su falta de reconocimiento oficial conllevan, indefectiblemente, una posición de desventaja y vulnerabilidad económica, siendo su posición jurídica, en la práctica, más precaria que la de los trabajadores autónomos y atípicos[38]. En este sentido, cabe hablar de una situación de violencia o discriminación económica, entendido este concepto de forma amplia[39]. Precisamente, una de las dificultades que ha de afrontar el análisis de este tipo de violencia consiste en identificar en la práctica los actos y patrones de comportamiento en que se concreta[40], en especial en dinámicas de relación de pareja y familiares en

---

general, y al viudo, únicamente en el caso de que se encontrase al tiempo de fallecer su esposa incapacitado para el trabajo con carácter permanente y absoluto que le inhabilite por completo para toda profesión u oficio, y sostenido económicamente por aquélla. Cfr. art. 160 LBSS. Vid. Ley 56/1961, de 22 de julio, sobre derechos políticos profesionales y de trabajo de la mujer, Decreto 258/1962, de 1 de febrero, por el que se aplica a la esfera laboral la Ley 56/1961, de 22 de julio, que equipara a los trabajadores de uno y otro sexo en sus derechos de orden laboral, Decreto 2310/1970, de 20 de agosto, por el que se regulan los derechos laborales de la mujer trabajadora en aplicación de la Ley de 22 de julio de 1961, Ley 14/1975, de 2 de mayo, sobre reforma de determinados artículos del Código Civil y del Código de Comercio sobre la situación jurídica de la mujer casada y los derechos y deberes de los cónyuges, sobre eliminación de restricciones a la autonomía de la actuación de la mujer en la esfera privada y en el tráfico jurídico y económico.

38 Trabajo que queda fuera de la relación de trabajo típica, esto es, el trabajo a tiempo completo, en una relación de trabajo subordinada, con un contrato de trabajo formal; así: el empleo temporal, el trabajo temporal a través de agencia y otras modalidades contractuales que vinculan a varias partes, las relaciones de trabajo ambiguas, y el trabajo a tiempo parcial. Vid. OIT, *Las formas atípicas de empleo (Informe para la discusión en la Reunión de expertos sobre las formas atípicas de empleo)* [en línea], (2015) (<https://www.ilo.org/sites/default/files/wcmsp5/groups/public/@ed_protect/@protrav/@travail/documents/meetingdocument/wcms_338262.pdf>.) [Consulta: 5/02/2025.].

39 Sobre la ampliación del concepto, más allá de su definición legal, vid. TRIGO GARCÍA, B., "A perspectiva económica da violencia de xénero na normativa galega", *VII Xornada Universitaria Galega en Xénero*, Edicións USC, Santiago de Compostela, 2021, pp. 266-270.

40 Vid. ADAMS, A. E., et. al., "Development of the Scale of Economic Abuse", *Violence Against Women*, 14 (5), 2008, pp. 563-588.

las que están ausentes la violencia física, actitudes agresivas o autoritarias, o el incumplimiento consciente de obligaciones legales.

Las mujeres colaboradoras se encuentran, además, en una situación jurídica ambigua; de una parte, el carácter de trabajo familiar excluye a las mujeres colaboradoras de la protección del ámbito laboral. Tampoco son trabajadoras autónomas, y sin perjuicio de que les puedan resultar aplicables algunos beneficios sociales, no son titulares de derechos individuales y autónomos, sino asociados a su condición de familiar o pareja del trabajador autónomo y en función de las contribuciones de este. Ello hace que sean muy vulnerables, especialmente en caso de divorcio o de muerte del trabajador autónomo[41].

Obsérvese que el mismo trabajo tendría distinto tratamiento jurídico en función de la posición familiar: si es realizado en condición de cónyuge, se presume no laboral; en cambio, sí se presumiría el carácter laboral de haber un cambio en las circunstancias familiares que dieran lugar a la extinción del vínculo (v. gr., divorcio)[42], lo que agrava la confusión e inseguridad jurídica.

Es cierto que la presunción de no laboralidad admite prueba en contrario; ahora bien, los valores sociales y familiares tradicionales, así como la pervivencia de los roles y estereotipos de género[43], en definitiva, la cultura jurídica, juegan en contra del reconocimiento jurídico y económico del trabajo de la mujer colaboradora[44].

En este sentido, cobra relevancia la subjetividad y autorreconocimiento de las personas implicadas en la actividad a la hora de interpretar las circunstancias del caso y calificar la naturaleza de la relación; esto es, valorar si en esa prestación de servicios predomina el trabajo o la relación familiar.

---

41 Informe A4-0005/1997, cit., considerando G.

42 Vid. ROMERO MARTÍN, E., loc. cit., epígrafe V, nota 28.

43 Vid. sobre la necesidad de cambiar los modos de comportamiento sociocultural para erradicar los prejuicios de género, art. 12. 1° Convenio del Consejo de Europa sobre prevención y lucha contra la violencia contra la mujer y la violencia doméstica, hecho en Estambul el 11 de mayo de 2011.

44 Vid. VALLS FONAYET, F., BELZUNEGUI ERASO, Á., *La pobreza en España desde una perspectiva de género VII Informe sobre exclusión y desarrollo social en España - Fundación Foessa-2014*, epígrafe 4.3 sobre posiciones de dominio masculino y subordinación femenina en la generación de recursos en los núcleos familiares tradicionales [en línea], (2014), (<https://www.foessa.es/main-files/uploads/sites/16/2021/01/Capitulo-2.-Documento-de-trabajo-3.pdf. >.) [Consulta: 5/02/2025.]

Y a la hora de calificar el trabajo femenino prestado en la empresa familiar, todavía prevalece hoy, en muchos casos, el aspecto familiar sobre el productivo. De ahí también el carácter informal y tácito de la relación, que excluye o margina la negociación formal y la celebración de un contrato de prestación de servicios, sea laboral o civil, que pueda probarse y hacerse valer tanto frente a la pareja o grupo familiar, como frente a terceros.

Igualmente, desde la perspectiva de protección social, hay también razones económicas que explican esta opción, más allá de actitudes tradicionales, el desconocimiento de los derechos propios o la existencia de barreras legales; de forma que, aun cuando es posible o, como en el caso español, obligatorio, la inscripción en el régimen especial de la Seguridad Social del cónyuge colaborador, la tasa de participación en los regímenes contributivos de la Seguridad Social es baja. La razón es el temor de los profesionales autónomos y de las pequeñas empresas familiares a enfrentarse a costes adicionales al sumar las cotizaciones de los cónyuges colaboradores[45].

Por tanto, si, con carácter general, la suma de la brecha de género en los ingresos durante la vida profesional activa y en las pensiones conduce a un mayor riesgo de pobreza y exclusión social de las mujeres[46], y este riesgo se incrementa en supuestos de ruptura familiar[47], la posición económica y social de las mujeres colaboradoras se ve realmente comprometida.

Incluso resulta discutible que una presunta mayor facilidad para la conciliación profesional y familiar de la mujer colaboradora sea una ventaja (v. gr., mayor flexibilidad horaria, posibilidad de autogestión, prestación de servicios en o desde el hogar familiar), pues, como también se ha venido señalando en relación con el teletrabajo[48], no resulta claro si estamos

---

45 Vid. Informe A4-0005/1997, cit. Sobre la relación entre condiciones laborales y tributarias, y las llamadas trampas de la inactividad y del salario bajo, vid. *2023 Report on Gender Equality in the EU*, pp. 19-20 [en línea], (2023) (<https://commission.europa.eu/strategy-and-policy/policies/justice-and-fundamental-rights/gender-equality/gender-equality-strategy_es#informe-anual-sobre-la-igualdad-de-g%C3%A9nero>.) [Consulta: 5/02/2025.]

46 Vid. *2023 Report on Gender Equality in the EU*, cit. p. 23.

47 VALLS FONAYET, F., BELZUNEGUI ERASO, A., loc. cit., sobre como estos procesos de ruptura familiar penalizan claramente a las mujeres, sea cual sea el nivel de pobreza.

48 Vvid. BURGOS GOYÉ, Mª C., "La feminización del teletrabajo. Alternativa de doble filo para la conciliación", *Teletrabajo y conciliación de la vida laboral, familiar y personal en clave de género*, en R. Vida Fernández y M. Durán Bernardino (dirs.), Dykinson, Madrid, 2022, pp. 195-228

ante una oportunidad o un obstáculo en materia de igualdad. Con una importante diferencia: en el caso del teletrabajo resulta de aplicación la normativa laboral (vid. art. 1, sobre ámbito de aplicación, Ley 10/2021, de 9 de julio, de trabajo a distancia, con remisión al art. 1.1 ET), mientras que la prestación de servicios familiar se sitúa al margen de la esfera tuitiva del derecho del trabajo.

En este sentido, la protección que las mujeres reciben de la familia tiene una doble faz; de una parte, garantiza a las mujeres un nivel de bienestar acorde con la situación económica familiar; de otra, y esto se aplica especialmente a las mujeres colaboradoras, la protección familiar actuaría como un velo a la hora de conocer y valorar situaciones de dependencia económica. Ha de tenerse en cuenta que la protección familiar no se vincula a la autonomía y empoderamiento de las mujeres, sino que vendría a compensar su mayor vulnerabilidad económica dada su subordinación en la obtención de recursos económicos, lo que sería uno de los factores que explicarían la mayor incidencia de la pobreza en las mujeres frente a los hombres[49].

Sin contrato formal, laboral o civil, sin facultades decisorias y de control sobre la explotación, considerado su trabajo secundario y subordinado, y como una natural prolongación de los deberes matrimoniales o familiares, las mujeres colaboradoras trabajan, pero no tienen una retribución; trabajan, pero no tienen derechos sociales, aunque la ley lo disponga[50]; en otras palabras, el trabajo de las mujeres colaboradoras es mano de obra barata y desprotegida, pues resulta evidente que la legislación familiar y sucesoria no es suficiente por sí misma.

---

49 VALLS FONAYET, F., BELZUNEGUI ERASO, A., loc. cit., a propósito de las limitaciones del método convencional de cuantificación de la riqueza que se fija en la renta del hogar familiar, frente al método que atiende a la autonomía individual. En la misma línea, RICA, S., GORJÓN, L., QUESADA, O. *Mujer y madre: la doble penalización laboral. Informe ISEAK 2021/2*; con carácter general, sin entrar en el estudio del trabajo familiar, el informe pone de relieve que, si bien ya existe una brecha de género en materia laboral que es previa a la vida en pareja, ésta se intensifica al vivir en pareja, incluso sin descendencia, y se agudiza aún más con la llegada de esta. [en línea], (2021), (<https://iseak.eu/publicacion/mujer-y-madre-la-doble-penalizacion-laboral>.) [Consulta: 5/02/2025.]

50 Debate sobre el Informe del Parlamente europeo, A4-0005/1997, cit.

Al respecto, sería necesario revisar y repensar el concepto de trabajos familiares y su relación con el contrato de trabajo y el trabajo autónomo[51]; por ejemplo, como establece el Informe A4-0005/1997 antes citado, fomentando la alternativa del cónyuge o pareja como trabajador autónomo, y como trabajador asalariado o asociado de su pareja, frente a la figura del mero colaborador.

También sería recomendable, abordar la brecha de autoridad y representatividad; así, reconociendo el derecho de los cónyuges colaboradores a representar a su empresa y a ser elector y elegible a las organizaciones profesionales correspondientes, salvo en casos en los que la adhesión a estos órganos requiera un diploma o una cualificación profesional que no posea el cónyuge colaborador[52].

Ahora bien, el primer paso pasaría, como también señala el Informe A4-0005/1997, por mejorar las estadísticas sobre los trabajadores autónomos y las empresas familiares, de forma que se desglosen los datos referidos específicamente a los cónyuges o miembros de la pareja de hecho colaboradores con el fin de demostrar el valor de su trabajo y de tener información clara sobre su número en cada sector[53].

---

51 ROMERO MARTÍN, E., loc. cit. El autor menciona también la necesidad de una adecuada coordinación con las normas de Seguridad Social.

52 Ibídem.

53 En España, las estadísticas oficiales permiten conocer el número de colaboradores familiares en situación de alta en la Seguridad Social —en torno a un 5% del total de autónomos—, con datos desagregados por sexo, edad y sector; ahora bien, no se especifica cuántos de estos son cónyuges o miembros de la pareja de hecho colaboradores. Vid. *Trabajadoras y trabajadores autónomos, personas físicas, en alta en la seguridad social (Estadísticas completas)* Publicación 31 de marzo de 2023 [en línea], (2023), (<https://www.mites.gob.es/estadisticas/AUT/AUT_04_2024.pdf>.) [Consulta: 5/02/2025.]

Sección V

INTERSECCIONALIDADES: RELIGIÓN, MIGRACIÓN Y DISCRIMINACIÓN

Situación de la mujer y sus derechos humanos ante la diversidad religiosa de la España actual

MARÍA JOSÉ PAREJO GUZMÁN
Profesora Titular. Facultad de Derecho.
Universidad Pablo de Olavide, de Sevilla

1. INTRODUCCIÓN

España es hoy, en materia religiosa, un país plural que reconoce y protege la libertad religiosa. Sin embargo, llegar hasta esta situación no ha sido fácil. El camino ha sido largo, lleno de avances y retrocesos: una lucha constante contra la intolerancia y por la libertad.

En este trabajo, vamos a analizar y a describir brevemente, por evidentes problemas de espacio, la situación actual de la mujer desde una perspectiva eclesiasticista, es decir, los problemas actuales de los derechos humanos de las mujeres en este mundo, en un mundo cada vez más cambiante, desde la perspectiva de la libertad religiosa.

"En España partimos de una historia constitucional nada halagüeña en lo relativo al respeto de la diversidad religiosa" [1]: frente a la primera enmienda a la Constitución de los Estados Unidos de América, que planteaba una generación antes los principios del libre ejercicio y del no establecimiento de religión oficial, en la Constitución de 1812, en su artículo 12, se hacía justamente lo contrario; en concreto, se prohibía el ejercicio de cualquier religión que fuera distinta de la católica, que se establecía perpetuamente como la de la Nación española y de la que se especificaba, en el propio texto constitucional, que era la única verdadera.

---

1 DÍEZ DE VELASCO ABELLÁN, Francisco, "La diversidad religiosa en España no es Ni Nueva Ni Ajena", *Cuestiones de Pluralismo,* Vol. 3, nº 2 (segundo semestre de 2023).

A pesar de esta situación y de los vaivenes constitucionales del siglo XIX y la propia realidad del país, que también hacían presagiar que los empeños en favor de alcanzar una total libertad y diversidad religiosa en España, estuviesen abocados al fracaso, en 1978 se abre en nuestro país un nuevo marco que venía a permitir un desarrollo sin precedentes de la diversidad religiosa en España, presidido por el respeto, la igualdad y la libertad. Es decir, asistimos a un largo camino, para dejar atrás siglos de confesionalidad doctrinal e intolerancia, y se llegó a alcanzar el reconocimiento de la libertad religiosa como un derecho fundamental.

A raíz de la Constitución de 1978, se iniciaron algunos cambios en nuestro país en este ámbito, al establecerse en ella la igualdad de género como un principio fundamental. Comenzó con nuestro texto Magno además en España un claro proceso de secularización y modernización, que debilitaría la influencia del catolicismo en la sociedad y fomentaría, en nuestra sociedad laica, un claro desinterés por todo lo religioso, con una evidente disminución de la práctica religiosa, lo que hizo que se empezase a evolucionar significativamente en las actitudes hacia el género y la igualdad de género.

A finales del siglo XX surgiría el concepto de la postsecularización y la religión volvería a adquirir relevancia en la esfera pública y en la vida social con un renovado interés en la espiritualidad, atendiendo a la pluralidad de religiones que caracterizaría a nuestras sociedades a partir de ese momento. Es entonces cuando comienzan a promulgarse leyes progresistas para promover la igualdad de género y combatir la discriminación de género y el movimiento feminista va ganando fuerza en el país obteniendo las mujeres un mayor reconocimiento y participación en todos los aspectos de la sociedad, incluida la política y la economía. Todos estos cambios se han reflejado en la relación entre el binomio que centrará el objeto de estudio de este trabajo: el género y la religión en nuestro país. Al haberse pasado de una tradición católica conservadora, primero a una sociedad más secularizada, y después a un contexto postsecular de pluralismo religioso, y haberse promovido con ímpetu la igualdad de género se ha entendido que, sin duda, la figura de la mujer precisa de una especial protección por parte del ordenamiento jurídico si se quiere soslayar o, al menos paliar, la discriminación por razón de género, e incluso la violencia de igual naturaleza en cualquiera de sus formas. Las sociedades occidentales del siglo XXI, multiculturales, multiétnicas y pluri-religiosas, están llamadas a diseñar un nuevo sistema de convivencia pacífica que garantice la libertad y los derechos de todos, a partir del pacto jurídico recogido en los textos constitucionales[2].

El problema de investigación global de este trabajo será afrontar el desafío jurídico de analizar, en el contexto de diversidad religiosa y de complejidad del fenómeno religioso de la era postsecular, el papel de la mujer y su posible discriminación o no en dicho ámbito en nuestra España del siglo XXI para estudiar los límites que puede imponer el legislador a la incitación a la violencia contra las mujeres que se fundamente en creencias religiosas y/o culturales relativas al género. Es decir, en este marco actual de diversidad y libertad religiosa en nuestro país, nos preguntamos y vamos a analizar qué papel tienen las mujeres y cómo son preservados o no sus derechos en el marco señalado desde la perspectiva y el punto de vista de la disciplina del Derecho Eclesiástico del Estado.

Para todo esto es muy importante examinar, si quiera sucintamente, la legislación española relacionada con la protección de la diversidad religiosa y de género, es decir, si existen leyes que garanticen la igualdad de derechos y oportunidades para todas las personas, independientemente de su religión o género y, a raíz de ellas, qué políticas públicas se han implementado para promover la inclusión y la igualdad. En el actual contexto de la postsecularización, la gestión pública del pluralismo religioso en España implica garantizar la igualdad de derechos y oportunidades para todas las personas, independientemente de su religión o género. Esto incluye, como se analizará en nuestro trabajo, medidas para combatir la discriminación por motivos de género y religión, promover la igualdad de género en todas las áreas de la sociedad y fomentar el diálogo interreligioso e intercultural.

Si bien España ha avanzado en la promoción de la igualdad de género y el respeto a la diversidad religiosa, aún enfrenta desafíos en la gestión de las tensiones y conflictos que pueden surgir entre diferentes comunidades religiosas y en la protección de los derechos de las mujeres en contextos religiosos. Sin embargo, también existen oportunidades para promover la inclusión y el respeto mutuo a través del diálogo y la colaboración entre el Estado, las comunidades religiosas y la sociedad civil.

---

2 SUÁREZ PERTIERRA, Gustavo, "Individuo, grupos, confesiones en el sistema democrático español", en AMÉRIGO CUERVO ARANGO, F., *Religión, religiones, identidad, identidades, minorías: actas del V Simposio de la Sociedad Española de Ciencias de las Religiones*, Valencia, SECR, 2003, pp. 7-24.

En este sentido, en este trabajo también se analizarán y estudiarán los límites que puede imponer el legislador a la incitación a la violencia contra las mujeres que se fundamente en creencias religiosas y/o culturales relativas al género.

2. EVOLUCIÓN Y SITUACIÓN ACTUAL DE LA MUJER EN EL MARCO DE LA GESTIÓN JURÍDICA DE LA DIVERSIDAD RELIGIOSA

Es una realidad que "la mujer (...), en cualquier campo de la vida, desde la política hasta otras profesiones, encuentra muchos obstáculos y dificultades que no hallan los hombres, dificultad que encuentran incluso en el ámbito del ordenamiento eclesiástico"[3].

Resulta más que sabido y es una evidencia que "las religiones no son amigas de las mujeres. En la historia y en la práctica de las tres religiones monoteístas profesadas en el Mediterráneo —interpretadas y dirigidas sólo por hombres— hay una buena dosis de misoginia, donde reaccionarios y conservadores encuentran en ellas, en vez de obstáculos, un buen sostén"[4].

En nuestra opinión, la condición de la mujer y la lucha para la afirmación de sus propios derechos encuentra su elemento común en el enemigo que tienen enfrente, que es la tradición. Tradición que, además, frecuentemente, se acompaña de una interpretación equivocada de la religión.

Dicho todo esto, "Que las mujeres gozan de menos derechos que los varones en todos los rincones del mundo no es ninguna novedad. Eso está comenzando a cambiar, lentamente. Ya hay transformaciones importantes en curso, pero aún resta muchísimo por avanzar. El patriarcado, con mayor o menor virulencia, sigue siendo aún una cruel realidad en todo el planeta. No puede precisarse cómo seguirán esos cambios, y con qué velocidad. Lo que sí está claro es que las religiones —todas— no juegan un papel precisamente progresista en ese cambio: más que ayudar a la igualación de las relaciones entre los géneros, promueven el mantenimiento de las más odiosas y repudiables diferenciaciones injustas"[5]. En este sentido,

---

3 BONINO, Emma, *De la mujer y la religión*, https: //www.mujeresenred.net/spip.php?article345.

4 BONINO, Emma, *op. cit.*, https: //www.mujeresenred.net/spip.php?article345.

5 COLUSSI, Marcelo, *El papel de las mujeres en las religiones*, Opinión, 29/07/2013, https: //rebelion.org/el-papel-de-las-mujeres-en-las-religiones/.

solo amparándonos en una pseudo explicación de "ancestrales motivos culturales" podrían entenderse, que no jamás justificarse, cosas como el patriarcado, los arreglos matrimoniales hechos por los varones a espaldas de las mujeres, el papel sumiso jugado por éstas en la historia, el harem, la ablación clitoridiana, el que una comadrona en las comunidades rurales de Latinoamérica cobre más por atender el nacimiento de un niño que el de una niña, o que, incluso, se realice la lapidación de una mujer adúltera en el África. Es decir, en esta línea, entonces, podríamos decir que "las religiones ancestrales son la justificación ideológico-cultural de este estado de cosas"[6]. Las religiones, en tanto cosmovisiones, han venido bendiciendo las diferencias de género, por supuesto siempre a favor de los varones. Esto, secundariamente, demuestra que todas las religiones son machistas, nunca progresistas, nunca promueven la equidad real.

No sorprende que dos milenios y medio atrás, Confucio, el gran pensador chino, pudiera decir que "La mujer es lo más corruptor y lo más corruptible que hay en el mundo", o que el fundador del budismo, Sidhartha Gautama, aproximadamente para la misma época expresara que "La mujer es mala. Cada vez que se le presente la ocasión, toda mujer pecará". Tampoco nos sorprende hoy, en una serena lectura historiográfica y sociológica de las Sagradas Escrituras de la tradición católica, que en el Eclesiastés 22: 3 pueda encontrarse que "El nacimiento de una hija es una pérdida", o en el mismo libro, 7: 26-28, que "El hombre que agrada a Dios debe escapar de la mujer, pero el pecador en ella habrá de enredarse. Mientras yo, tranquilo, buscaba sin encontrar, encontré a un hombre justo entre mil, más no encontré una sola mujer justa entre todas". O que el Génesis enseñe a la mujer que "parirás tus hijos con dolor. Tu deseo será el de tu marido y él tendrá autoridad sobre ti", o el Timoteo 2: 11-14 nos diga que "la mujer debe aprender a estar en calma y en plena sumisión. Yo no permito a una mujer enseñar o tener autoridad sobre un hombre; debe estar en silencio".

Toda esta misoginia, este machismo patriarcal tan condenable podría entenderse como el producto de la oscuridad de los tiempos, de la falta de desarrollo, del atraso que imperó siglos atrás en Occidente, o que impera aún en muchas sociedades contemporáneas que tienen todavía que madurar (y que, por ejemplo, aún lapidan en forma pública a las mujeres que han cometido adulterio, como los musulmanes, o les obligan a cubrir su rostro ante otros varones que no sean de su círculo íntimo). "Las religio-

6 COLUSSI, Marcelo, *op. cit.*, Opinión, 29/07/2013, https: //rebelion.org/el-papel-de-las-mujeres-en-las-religiones/.

nes, quizá no puede ser de otra manera dado el papel social que cumplen, tienden a ser conservadoras. En eso, las mujeres salen siempre mal paradas: desde el machismo ancestral que nos constituye, todas las religiones hacen de las mujeres el `chivo expiatorio´ que refuerza la construcción machista. Aunque ya va siendo hora de romper esos atávicos esquemas. (…). Cambiar esquemas es algo siempre difícil, tortuoso, complicadísimo. `Es más fácil desintegrar un átomo que un prejuicio´, dijo sabiamente Einstein. Pero más allá de esas enormes dificultades, es un imperativo ético de toda la sociedad (varones y mujeres) plantearse estos cambios"[7].

"A pesar del trascurrir de la Historia y de los avances en términos científicos y culturales, la desigualdad entre hombres y mujeres continúa siendo una constante en todas las sociedades"[8]. Con independencia del grado de desarrollo, la discriminación de la mujer por razón de su sexo y el ejercicio de la violencia contra ella sigue siendo, desgraciadamente, una constante en todas las partes del mundo. En la línea que señalábamos anteriormente, en la actualidad, la incidencia de las grandes religiones patriarcales en el desarrollo y perpetuación de los roles sociales y en la concepción de la mujer como ciudadana de segunda, enfrentada a desafíos y dificultades diarios por su condición de género sigue siendo una realidad palpable. A pesar de que actualmente la igualdad ante la ley y la prohibición de discriminación por cualquier motivo, incluido el sexo, están consagrados por nuestra constitución en su artículo 14, el caso es que la igualdad de género en nuestro país sigue siendo una asignatura pendiente.

En la actualidad, las mujeres son la mitad de la población mundial y, en teoría, deberían gozar de los mismos derechos que los hombres. Los derechos de las mujeres son también derechos humanos.

Reconocida la libertad religiosa para todos en la Constitución y la Ley Orgánica, la forma de implementarla ha sido distinta según se refiera a la Iglesia Católica y a las otras confesiones mediante un derecho especial recogido principalmente en los Acuerdos con la Santa Sede y los Acuerdos de cooperación con las confesiones minoritarias. En general, cabe afirmar que se trata de una "desigualdad proporcional", que responde al principio jurídico de que dos situaciones diferentes no pueden tratarse igualmente,

---

7 COLUSSI, Marcelo, *op. cit.*, Opinión, 29/07/2013, https: //rebelion.org/el-papel-de-las-mujeres-en-las-religiones/.

8 RAMOS MENADAS, Irene, "Situación de la mujer en las distintas religiones y ordenamientos jurídicos", *Encuentros multidisciplinares 52,* Universidad Autónoma de Madrid. Fundación General, 2016, pp. 1-8.

tal como determina la jurisprudencia del Tribunal Europeo de Derechos Humanos[9] y nuestro propio Tribunal Constitucional[10]. Resumiendo la situación actual, el legislador español ha optado por regular el factor religioso con relevancia social mediante un sistema mixto en el que el derecho común lo encontramos en la Ley Orgánica de Libertad Religiosa y las leyes comunes (Código Civil y Penal, Leyes tributarias, normativa militar, etc.); y un derecho especial de carácter bilateral, centrado básicamente en los Acuerdos con la Santa Sede y los Acuerdos de cooperación con las tres principales confesiones minoritarias.

El problema es que existe ausencia de coordinación entre las normas de carácter general y las específicas, lo que se traduce en una cierta inseguridad jurídica, fruto esto de la ausencia de unidad de criterio de la Administración en temas que afectan al factor religioso. Según algún autor de nuestra doctrina, "Nos encontramos, por tanto, en una auténtica encrucijada en la que resulta imprescindible una consideración global del tratamiento normativo del factor religioso. Quisiera creer que las propuestas gubernamentales sobre la reforma de la Ley Orgánica de Libertad Religiosa van en esta línea"[11].

En lo que no queremos dejar de hacer hincapié es en el hecho de que, en un Estado de libertades como el nuestro, la laicidad no tiene sentido por sí misma, sino como principio inspirador de la actuación de los poderes públicos ante el factor religioso, precisamente para mejor salvaguardar la plena libertad religiosa. No se puede confundir lo esencial con lo accesorio, el fin con el instrumento para alcanzarlo, y menos aún confundir la laicidad con la prohibición de toda manifestación de carácter religioso en el ámbito público[12].

---

9 Vid., en relación a ella, GUTIÉRREZ DEL MORAL, M. J., "Llibertat religiosa i igualtat de gènere en la jurisprudència del Tribunal Europeu de Drets Humans", en *Revista Catalana De Dret Públic,* (66), 2023, pp. 204-222.

10 MANTECÓN SANCHO, J. M., "Gestión de la diversidad religiosa en España", en *La gestión jurídica de la diversidad religiosa en el área mediterránea,* Barcelona, Comares, 2011, pp. 105- 117.

11 MANTECÓN SANCHO, J. M., "Gestión de la diversidad religiosa en España", en *op. cit.,* pp. 105- 117.

12 "Los modelos tradicionales de relación entre Estado y religión se consideran insuficientes para comprender la complejidad religiosa en la era postsecular debido a la quiebra de las sólidas categorías usuales que antes permitían abordar esta relación. En la actualidad, el fenómeno religioso ha evolucionado y se ha diversificado, lo que hace que los enfoques convencionales ya no sean capaces de

En definitiva, podría decirse que la evolución de la sociedad hacia la postsecularidad mencionada y la diversificación de las expresiones religiosas hacen que los modelos tradicionales de relación entre Estado y religión sean insuficientes para abarcar la complejidad del fenómeno religioso en la era actual.

Llegados a este punto, nos encontramos, en definitiva, con la llegada de la postsecularización, en que la religión vuelve a adquirir relevancia en la esfera pública y en la vida social. Algunos expertos argumentan que en España ha habido una especie de "giro religioso" o "retorno de lo religioso" en las últimas décadas, caracterizado por un renovado interés en la espiritualidad, el crecimiento de nuevas formas de religiosidad y un aumento en la visibilidad pública de la religión en la esfera social y política[13].

Podemos decir que, si bien durante el período de secularización el Estado español tendió a adoptar una postura laica, separando en gran medida los asuntos religiosos de los asuntos del Estado y promoviendo la neutralidad religiosa en la esfera pública, con el surgimiento de la postsecularización, se han producido ciertos cambios en esta dinámica. Por un lado, ha habido un reconocimiento creciente de la diversidad religiosa en la sociedad española y un mayor respeto por la libertad religiosa como un derecho fundamental. Esto ha llevado a una mayor atención por parte del Estado a las necesidades y preocupaciones de las comunidades religiosas y a un mayor diálogo y cooperación entre el Estado y estas instituciones en áreas como la educación, la asistencia social y la integración social. Por otro lado, el resurgimiento de lo religioso en la esfera pública también ha planteado nuevos desafíos en términos de la relación entre el Estado y las instituciones religiosas. Por ejemplo, han habido debates sobre cuestiones

captar toda su complejidad": PALOMINO LOZANO, R., "Los modelos de relación religión-Estado. Pervivencia de un instrumento de estudio en la era postsecular", en *Estudios Eclesiásticos. Revista de investigación e información teológica y canónica,* 98 (387), 2023, pp. 769-793.

13 "En la era postsecular, la religión ya no ocupa el mismo lugar central y definitorio en la realidad pública y privada como lo hacía en épocas anteriores. En cambio, la sociedad contemporánea está marcada por las `tecnoestructuras´, como el Estado, los medios de comunicación y el mercado, que protagonizan la vida pública y no necesitan del factor religioso para su definición, desarrollo y objetivos. Esta transformación en la dinámica social hace que los modelos tradicionales resulten limitados para comprender la complejidad de las creencias y prácticas religiosas en la actualidad": PALOMINO LOZANO, R., "Los modelos de relación religión-Estado. Pervivencia de un instrumento de estudio en la era postsecular", *op. cit.*, pp. 769-793.

como la financiación pública de determinadas instituciones religiosas, la presencia de símbolos religiosos en espacios públicos y la influencia de las instituciones religiosas en la formulación de políticas públicas en áreas como la bioética y la educación.

Teniendo presente todo lo anterior, llegamos a observar cómo en los últimos años las sociedades de la Europa occidental que, en general, eran bastante uniformes en cuanto a la religión, se han convertido en espacios interculturales donde conviven personas con visiones del mundo muy diferentes entre sí. El principal factor que ha originado esa pluralidad es un factor exógeno, producido por el incremento de los flujos migratorios y la consiguiente penetración de personas procedentes de otros ámbitos culturales o religiosos. Junto al fenómeno actual de la globalización, asistimos a procesos de reforzamiento de identidades nacionales y culturales. El fenómeno de la inmigración ha convertido a España en un país de destino para personas con diferentes orígenes religiosos.

Desde la perspectiva jurídica la cuestión fundamental radica en cómo garantizar la convivencia pacífica entre los ciudadanos en una sociedad cada vez más diferenciada internamente. No hay que olvidar que el Derecho es una herramienta de control social y ésta se logra mejor desde una socialización, desde una educación, que pretende una homogeneidad en los comportamientos particulares[14]. El resultado de esta situación es que nos encontramos conviviendo en un mismo espacio jurídico ciudadanos con convicciones tan diferentes como agnósticos laicistas, católicos que siguen las enseñanzas del magisterio de la Iglesia, musulmanes de distintas tendencias, protestantes, testigos de Jehová, etc. Y en este novedoso entorno de pluralidad resulta difícil en ocasiones para el Derecho dar acomodo a las distintas exigencias éticas, culturales y, lo que más interesa en este estudio, religiosas, de los ciudadanos.

La principal manifestación de esta situación es la eclosión que se ha producido en los últimos años de las objeciones de conciencia. Junto a ella, otra consecuencia de la pluralidad de nuestra sociedad es la penetración en el Derecho de elementos culturales-religiosos extraños, con el consiguiente desconcierto del propio sistema jurídico que no puede objetar y que se ve forzado a pronunciarse.

---

14 MARCOS DEL CANO, A. M., "Los Derechos de la mujer y la Cultura ¿un conflicto?", en Marcos del Cano (coord..), *Inmigración, multiculturalismo y derechos humanos,* Madrid, Ed. Tirant Lo Blanch- UNED-, 2009, pp. 235-256.

Lo que no debe perderse de vista es que el núcleo irreducible que debe ser aceptado por todos para una correcta gestión de la diversidad religiosa es el respeto a la dignidad de la persona, esto es, el respeto a los derechos humanos[15]. En el momento en que se atente directamente a la integridad y dignidad de las personas, como es lo que sucede, por ejemplo, en la mutilación genital, estamos hablando claramente de delitos; en otros supuestos, las soluciones son más complicadas a la vez que opinables, por ejemplo en el uso del pañuelo islámico ya que en estos casos hay ocasiones en que la mujer libremente elige llevar un pañuelo (que puede llevarlo, no sólo con dignidad, sino incluso con mucha elegancia), y hay ocasiones en que lo lleva, no como signo de sumisión, porque es una opción libre para ella, sino de afirmación de la propia identidad religiosa o por ejemplo en el tema del burka ya que se trata de una prenda que, en sí misma, tiene un componente denigratorio al convertir a la mujer en un bulto y, por tanto, rozar lo que es el respeto a su dignidad y también, en determinados lugares, la tutela de la seguridad ciudadana. "Hay que erradicar cualquier tipo de discriminación basada en las creencias, ya que constituye una ofensa a la dignidad humana, amenaza la convivencia y la paz"[16]. Es evidente, por tanto, con todo lo visto, que a la fórmula ideal para asegurar una perfecta gestión de la diversidad religiosa le faltaría un segundo pilar cual sería la tolerancia y el respeto a la pluralidad en todos los aspectos.

3. SITUACIONES DE VULNERACIÓN DE LOS DERECHOS HUMANOS DE LA MUJER EN EL MARCO DE LA DIVERSIDAD RELIGIOSA DE LA ESPAÑA ACTUAL

En el contexto que nos encontramos, entendemos que las mujeres deben tener la libertad de practicar la religión de su elección y de participar en actividades religiosas en igualdad de condiciones con los hombres. En este sentido, la libertad religiosa implica garantizar que también las mujeres tengan derecho a seguir y practicar su fe sin temor a discriminación o

15 LLAMAZARES CALZADILLA, M. C., "Libertad de conciencia y dignidad de la persona", en *Estudios en homenaje al Profesor Martínez Valls,* Murcia, Universidad de Alicante, 2000, pp. 345-355.

16 LÓPEZ GONZÁLEZ, M., "Políticas europeas en relación con la formación en materia religiosa: la promoción del diálogo interreligioso y la educación intercultural", en ÁLVAREZ CASTILLO, ESSOMBA GELABERT, *Dioses en las aulas. Educación y diálogo interreligioso,* Barcelona, Graó, 2012, pp. 61-84.

represalias por parte de la sociedad o las autoridades religiosas. Pero cabe preguntarse si esto es así siempre y si se cumple siempre esta máxima, ya que estamos pudiendo comprobar cómo, a pesar de "lo que debería ser", sin embargo, en ciertas comunidades y culturas, se pueden encontrar aún prácticas y normas religiosas que limitan los derechos de las mujeres. Las mujeres sufren discriminación y violencia continuamente, ya sea institucionalizada por ley o en la práctica, incluso en países con leyes que garantizan la igualdad porque, aunque se han conseguido avances significativos, en ningún país del mundo se ha alcanzado la plena igualdad de género.

Ha llegado el momento pues de analizar exactamente esto en nuestra investigación, algunas de esas situaciones en que se ven pisoteados derechos humanos de la mujer ante la diversidad religiosa de la España actual. Los problemas actuales en cuanto a los derechos humanos de las mujeres y la libertad religiosa son complejos y variados, y varían en función de las culturas, las tradiciones y las políticas gubernamentales en diferentes partes del mundo.

Resultando evidentes, como se ha señalado, las desigualdades por razón de sexo existentes en el ámbito del fenómeno religioso, se antoja imprescindible afrontar el desafío jurídico de estudiar, en el contexto de la diversidad religiosa, el papel de la mujer y su posible discriminación o no en dicho ámbito en nuestra España del siglo XXI. Dentro de la inmensa dimensión que abarca dicho fenómeno, destacan los conflictos en los que son parte los intereses de la mujer cuando se desarrollen en el ámbito de las principales confesiones con arraigo en nuestro país. Se trata en definitiva de describir los más importantes conflictos acaecidos y en los que se observa discriminación de la mujer en el ámbito religioso, a saber, principalmente el debate suscitado en torno al porte del velo islámico u otros símbolos religiosos, pero también otras posibles discriminaciones en el ámbito religioso.

En primer lugar, empecemos por la violencia de género en nombre de la religión. En algunas sociedades, las interpretaciones extremas de la religión se utilizan para justificar la violencia de género, como los matrimonios forzados, los crímenes de honor y la mutilación genital femenina[17]. Estos actos a menudo se perpetúan en nombre de la tradición y la religión,

---

[17] BONINO, Emma, *op. cit.*, https: //www.mujeresenred.net/spip.php?article345: "*(...) en algunos pueblos egipcios todavía son justificadas y legitimadas por argumentaciones de carácter religioso, mientras se trata, en realidad, de una práctica que tiende a conservar una tradición que quiere a la mujer completamente sometida al hombre, ya sea a*

lo que limita la capacidad de las mujeres para buscar protección y justicia. Se enmarcan aquí también los delitos de odio por razón de género en el ámbito religioso.

En segundo lugar, refirámonos a las restricciones en la participación religiosa ya que, en ciertos contextos, las mujeres pueden enfrentar restricciones en su capacidad para participar plenamente en actividades religiosas u ocupar roles de liderazgo dentro de las instituciones religiosas. Es el caso del acceso a los puestos de autoridad eclesiástica por parte de las mujeres en las distintas confesiones religiosas, por ejemplo. Esto puede limitar su expresión religiosa y su acceso a espacios de culto y aprendizaje religioso.

Pasemos a mencionar, en tercer lugar, la discriminación existente a veces en las leyes y prácticas religiosas. Algunos sistemas legales y prácticas religiosas discriminan a las mujeres, restringiendo sus derechos en áreas como el matrimonio, el divorcio, la herencia y la custodia de los hijos. Estas restricciones a menudo están arraigadas en interpretaciones patriarcales de textos religiosos y tradiciones culturales.

A continuación, y en cuarto lugar, comentar el acceso limitado a servicios de salud reproductiva en algunos entornos religiosos conservadores, en los cuales las mujeres pueden enfrentar obstáculos para acceder a servicios de salud reproductiva, incluida la anticoncepción, el aborto seguro y la educación sexual integral, debido a objeciones religiosas a estas prácticas.

También, en quinto lugar, señalar que, en diversas partes del mundo, las mujeres enfrentan limitaciones en su acceso a la educación y a oportunidades laborales debido a interpretaciones religiosas que fomentan roles de género tradicionales y subordinados. Esto perpetúa la desigualdad de género y limita su capacidad para alcanzar la independencia económica y social.

Por último, en sexto lugar, entendemos destacable, entre los conflictos que estamos señalando en los que se observa discriminación de la mujer en el ámbito religioso, los existentes entre leyes seculares y códigos religiosos. En algunos países, las leyes seculares y los códigos religiosos pueden entrar en conflicto, lo que resulta en desafíos para las mujeres que buscan protección legal y justicia en situaciones como el divorcio, la custodia de los hijos y la herencia.

---

su marido, su padre, su hermano, cuñado, etcétera, y que no tiene ninguna relación con el Corán o con la religión musulmana".

Estos son como los conflictos más conocidos o más flagrantes que se han venido observando, como decíamos, en las confesiones religiosas con notorio arraigo en nuestro país, pero, a parte de estas, también es muy importante reseñar el rol que la mujer tiene dentro del mundo árabe y que en algunos países es aún del todo marginal, la cual encuentra su razón de ser en una interpretación de la sharía particularmente restrictiva, útil para el mantenimiento de una tradición patriarcal, que en sus manifestaciones más obtusamente prohibicionistas, llega incluso a negar a las mujeres el acceso al carné de conducir, como en Arabia Saudita, por no hablar del derecho de voto o de propiedad. Hay que referirse aquí, sucintamente, a que, cuando se habla de mujeres musulmanas, hay que prestar atención para no caer en la equivocación de la generalización. De hecho, la mujer "musulmana" es sólo una abstracción, existen las mujeres turcas, kuwaitíes, sauditas, con problemas que son muy diferentes. Su condición está dictada no tanto por la religión en abstracto, sino por la estructura política del país al que pertenecen, más o menos influenciada por la religión. De entre las mujeres islámicas, las diferencias nacionales emergen nítidamente: en países como Turquía o Túnez, donde la separación entre religión y política se ha consolidado a lo largo del tiempo, todo o casi todo el capítulo de derechos personales como el divorcio, aborto, la custodia de los hijos, etcétera, está resuelto hace años. Pero el común denominador aparecido en los años de alrededor de los atentados de 2001 (no sabría decir muy bien si a raíz de ellos o algo antes) es que el universo de las mujeres en los países musulmanes, cada uno con sus especificidades, está en movimiento.

Pues todos estos conflictos y estas situaciones discriminatorias de la mujer en relación a sus derechos humanos, dejan palpable la necesaria exigencia de igualdad de género que consideramos debería existir en el ámbito de la diversidad religiosa, así como la exigencia que debería hacerse a los Estados, y más concretamente al Estado español, para garantizar la universalidad de los derechos de las mujeres en el marco de las religiones[18].

Al igual que patriarcado y religión aparecen con frecuencia tan unidos que llegan a confundirse, la religión y la cultura están estrechamente relacionadas y son difícil de separar. Patrones culturales y prácticas religiosas justifican lamentablemente discriminaciones contra la mujer en muchos países. Así lo señalaba hace casi veinte años el Relator Especial de Naciones

---

[18] PAREJO GUZMÁN, M. J., "¿Mujer, pluralismo religioso e igualdad de género?: desafío jurídico en el siglo XXI en España", en *Revista de Derecho de la UNED*, 23, 2018, pp. 143-191.

Unidas sobre la libertad de religión y de creencias, Abdelfattah Amor: "las discriminaciones basadas en el sexo tienen su fundamento en prácticas culturales o religiosas" (E/CN.4/2002/73/Add.2). En todo caso, prácticas nocivas con origen religioso y/o cultural como la mutilación genital femenina, delitos por motivos de honor, "la prostitución sagrada" forzada, la quema y otras formas de maltrato a las viudas, el matrimonio forzoso y numerosas vulneraciones de derechos humanos no pueden ser justificadas al amparo del derecho a la libertad religiosa, aunque fuesen validadas por Estados confesionales o por instituciones religiosas en nombre de la religión. Cuando Asma Jahangir, Relatora Especial de Naciones Unidas sobre la libertad de religión y de creencias apuntaba en 2010 que "no puede considerarse tabú exigir que los derechos de la mujer primen sobre las creencias intolerantes que se aducen para justificar la discriminación por motivos de género" (A/65/207, párr. 69), quería decir que los derechos de la mujer priman naturalmente sobre la religión y las creencias porque las creencias no son sujetos titulares de derechos. La protección de los derechos humanos no se atribuye directamente a las normas religiosas, sino a los seres humanos como titulares de derechos en tanto que agentes que poseen, profesan y desarrollan las creencias religiosas. El derecho de libertad de religión o de creencias tiene la finalidad de proteger a los creyentes y no a las creencias, es decir, desde la perspectiva de los derechos humanos no puede concederse reconocimiento jurídico al contenido particular (doctrinas, prácticas o sistemas de valores) de las religiones y las creencias. En consecuencia, en nombre de la religión no pueden limitarse, ni por supuesto violar o menoscabar, los derechos de la mujer[19].

En definitiva, ¿Cuál es la relación entre los derechos de la mujer, específicamente la igualdad entre mujeres y hombres, y la libertad religiosa? ¿Tiene uno de estos derechos preferencia sobre el otro? ¿Cuáles serían los principales conflictos y sinergias? La complejidad de la relación entre estos dos derechos y de los conflictos derivados de la confluencia de la libertad religiosa y de los derechos de la mujer ha llevado a considerar que las dos normas de derechos humanos son antagónicas y excluyentes, como si de un juego de suma cero se tratase: un avance para uno de los derechos significaría un retroceso para el otro. Por ejemplo, existen leyes confesionales sobre el estado civil de las personas, aplicadas por Estados que abiertamente discriminan a la mujer (repudio unilateral por parte del marido o dere-

---

19 RELAÑO PASTOR, Eugenia, "Derechos de las mujeres y libertad religiosa: ¿irreconciliables?", *Cuestiones de Pluralismo*, Vol. 1, nº1 (primer semestre de 2021).

chos de custodia y herencia a favor del hombre) y leyes para la igualdad de género, como la prohibición de determinados símbolos que induzcan a la inferioridad de la mujer, que restringen la libertad religiosa de la mujer a expresar su identidad como creyente. El aparente antagonismo demanda otra aproximación que resalte las sinergias entre los dos derechos en lugar de dar por sentado el conflicto[20].

En primer lugar, es necesario recordar que en la Conferencia Mundial de Derechos Humanos de Viena en 1993[21] se afirmaba que "todos los derechos humanos son universales, indivisibles e interdependientes y están relacionados entre sí", de manera que todos los derechos humanos deben tratarse de forma global y de manera justa y equitativa, en pie de igualdad y dándoles a todos el mismo peso. Por lo tanto, no existe una jerarquía entre estos dos derechos sino una relación en pie de igualdad que demanda una ponderación contextualizada del alcance de ambos derechos en caso de colisión.

En segundo lugar, las interpretaciones antagonistas entre los dos derechos en ocasiones están basadas en estereotipos de género y en estereotipos religiosos. Por una parte, en cuanto a los estereotipos de género, la eliminación de la discriminación contra la mujer necesita de la eliminación de los patrones de comportamiento que reflejan prejuicios basados en la inferioridad de la mujer. El artículo 5a de la Convención sobre la eliminación de todas las formas de discriminación contra la mujer[22] obliga a los Estados partes a adoptar todas las medidas apropiadas para "modificar los patrones socioculturales de conducta de hombres y mujeres, con miras a alcanzar la eliminación de los prejuicios y las prácticas consuetudinarias y de cualquier otra índole que estén basados en la idea de la inferioridad o superioridad de cualquiera de los sexos o en funciones estereotipadas de hombres y mujeres". La Convención no demanda ninguna intervención en las religiones en sí mismas, ni menos aún una modificación de las creencias religiosas de las personas, sino una intervención para eliminar los prejuicios y las prácticas consuetudinarias que reflejan una función estereotipada de la mujer. Una herramienta son los programas educativos y otra, la persuasión inter-

---

20 RELAÑO PASTOR, Eugenia, "Derechos de las mujeres y libertad religiosa: ¿irreconciliables?", *op. cit.*, (primer semestre de 2021).

21 La Conferencia Mundial de Derechos Humanos se celebró en Viena, Austria, del 14 al 25 de junio de 1993.

22 Aprobada el 18 de diciembre de 1979, por la Asamblea General, en su resolución 34/180. Entrada en vigor el 3 de septiembre de 1981.

nacional para que los Estados (por ejemplo, Argelia, Egipto, India o Israel) que han presentado reservas a los tratados internacionales para proteger los derechos que promueven la igualdad entre los géneros las retiren. Por otra parte, por lo que se refiere a los estereotipos religiosos, muchos activistas de los derechos de la mujer tratan las prácticas religiosas como impedimentos para el desarrollo de una sociedad sin discriminación, sin hacer justicia a muchas mujeres creyentes que manifiestan su identidad personal mediante símbolos religiosos como el uso del velo. Habrá que incorporar a las acciones y programas para la igualdad de género un enfoque acerca del pluralismo religioso y la perspectiva de género a las políticas diseñadas para proteger la libertad de religión.

Al encontrarnos con una colisión entre los dos derechos mencionados disponemos de algunos criterios que orientan la ponderación entre el contenido de los derechos de la mujer y el de libertad religiosa. Uno de ellos es la no aceptación de la violencia física o psíquica, directa o indirecta para justificar el ejercicio de la libertad religiosa. La Plataforma de Acción de la Cuarta Conferencia Mundial sobre la Mujer celebrada en Beijing en 1995 indicó que los Estados deben condenar la violencia contra la mujer y refrenarse de invocar cualquier tradición o argumento religioso para evitar sus obligaciones con respecto a la Declaración de la Eliminación de la Violencia contra la Mujer. Otro criterio es el análisis cauteloso y contextualizado de los límites impuestos a la manifestación de la libertad religiosa en los textos internacionales de derechos humanos y en nuestro ordenamiento jurídico: la salvaguarda de la seguridad, de la salud y de la moralidad pública, todos ellos "elementos constitutivos del orden público protegido por la Ley en el ámbito de una sociedad democrática" (artículo 3.1 de la Ley Orgánica de Libertad Religiosa[23]). La jurisprudencia muestra casos en los que se ha concluido que el ejerciente del derecho de libertad religiosa atenta contra el derecho a la integridad moral de la mujer (Sentencia del Juzgado de lo Penal de Barcelona, Sentencia de 12 de enero de 2004, caso del Imán de Fuengirola) y casos en los que la libertad de expresión y religiosa prevalecen sobre un posible delito de odio por razón de género (Auto del Juzgado de Instrucción número 6 de Alcalá de Henares de 10 de julio de 2012, caso del obispo de Alcalá de Henares).

Finalmente queda por señalar un ámbito en el que la tensión entre los dos derechos requiere un fino análisis jurídico y una mirada desde la an-

---

[23] Ley Orgánica 7/1980, de 5 de julio, de Libertad Religiosa. Publicada en «BOE» núm. 177, de 24/07/1980. Referencia: BOE-A-1980-15955.

tropología jurídica. Es el ámbito de la dimensión colectiva o institucional de la libertad religiosa. El derecho protege la autonomía interna de las confesiones porque la infraestructura institucional es importante para la supervivencia del colectivo y para la protección de la identidad religiosa de los creyentes. ¿Qué ocurre cuando la identidad personal de una creyente disiente de la identidad colectiva y de las normas de la comunidad religiosa como se muestra en la serie *Unorthodox*? Evocando las palabras de la protagonista, no se puede entrar en lo que Dios espera de nosotros, pero sí en lo que nosotros esperamos del Estado y de los textos de derechos humanos. Del Estado esperamos protección frente a cualquier coacción en el interior de las comunidades y de los derechos humanos cabe esperar una valoración de los límites de los derechos humanos acorde con el progreso de la sociedad pluralista en la que vivimos. Quizás el concepto abierto de moral pública, que actúa como límite a la manifestación de la identidad religiosa, llegue a incluir el principio de igualdad entre mujeres y hombres con tal fuerza que la paridad de géneros sea aceptada en el interior de las confesiones como parte del devenir natural de la evolución y de la interpretación de las fuentes religiosas. Quizás las voces de las mujeres pensantes del imaginario poético de Adrianne Rich sean de gran ayuda para visibilizar los "monstruos" de la libertad religiosa, impulsen su transformación y las tensiones sean integradas paulatinamente de una manera holística. "Podemos afirmar que las desigualdades por razón de sexo se dan con independencia de la importancia que dentro de un Estado tiene una confesión religiosa determinada. Sin embargo, estas desigualdades son más grandes cuanto más penetra el poder religioso en el ámbito privado de las personas. Teniendo en cuenta que las grandes religiones ubican al hombre como centro del sistema social y familiar, la mujer queda relegada a un papel menor, incluso inexistente desde el punto de vista de la relevancia social y política"[24].

4. ANÁLISIS JURÍDICO DE LA POSIBLE DISCRIMINACIÓN DE LA MUJER EN EL ESTADO ESPAÑOL ACTUAL

Resulta de suma importancia examinar, si quiera sucintamente, la legislación española relacionada con la protección de la diversidad religiosa y de género, es decir, si existen leyes que garanticen la igualdad de derechos

---

[24] RAMOS MENADAS, Irene, "Situación de la mujer en las distintas religiones y ordenamientos jurídicos", *op. cit.*, pp. 1-8.

y oportunidades para todas las personas, independientemente de su religión o género y, a raíz de ellas, qué políticas públicas se han implementado para promover la inclusión y la igualdad.

La legislación más importante sobre diversidad religiosa en nuestro país es la Constitución Española de 1978, que establece el principio de laicidad del Estado y garantiza la libertad religiosa, así como la no discriminación por motivos religiosos, lo cual significa que todas las personas tienen el derecho a profesar y practicar libremente su religión, así como a ser tratadas por igual ante la ley, independientemente de sus creencias religiosas[25]. Mencionar seguidamente la Ley Orgánica de libertad religiosa de 1980, que regula el ejercicio del derecho fundamental a la libertad religiosa en España y establece los derechos y deberes de las personas en relación con la libertad religiosa, así como los requisitos para el registro y reconocimiento de entidades religiosas y, finalmente, los Acuerdos de cooperación del Estado con las confesiones religiosas (con la Iglesia Católica, el Judaísmo el Islam y el Protestantismo en nuestro país), que establecen el marco para la cooperación entre el Estado y las comunidades religiosas en áreas como la financiación, la enseñanza religiosa y la asistencia religiosa en instituciones públicas. Por lo que se refiere a la Igualdad de género destaca la siguiente legislación: la Ley orgánica de medidas de protección integral contra la violencia de género de 2004, cuyo objetivo es prevenir y erradicar la violencia de género en todas sus formas y establece medidas de protección y apoyo a las víctimas de violencia de género, así como sanciones para los agresores y la Ley orgánica de Igualdad Efectiva de Mujeres y Hombres de 2007, que tiene como objetivo promover la igualdad de género en todos

---

25 Artículo 16.3 CE: "*Ninguna confesión tendrá carácter estatal*". Existen tres principales grupos en las distintas posiciones doctrinales en relación con este artículo 16.3 de la CE y el principio informador protegido. Considerando excesivo explicar los tres grupos sólo señalaremos que nos unimos a aquel de ellos que estaría integrado por los autores que entienden que el principio que subyace en el artículo 16.3 es el de laicidad, el cual implica "*neutralidad, no valoración positiva ni negativa de lo religioso en cuanto tal. Lo religioso y las actividades religiosas no son objetivos ni fines estatales, ni pueden serlo. Para el Estado es lo mismo que sus ciudadanos sean creyentes o no creyentes, que pertenezcan a una confesión religiosa o a otra, o a una comunidad filosófica. Lo único que el Estado no sólo está legitimado, sino obligado a valorar positivamente, como uno de los derechos fundamentales de la persona, es el derecho de libertad religiosas de sus ciudadanos*": Vid. LLAMAZARES FERNÁNDEZ, Dionisio y SUÁREZ PERTIERRA, Gustavo, "El fenómeno religioso en la nueva Constitución española. Bases de su tratamiento jurídico", en *Revista de la Facultad de Derecho de la Universidad Complutense, nº 61*, 1980, pp. 10-11.

los ámbitos de la sociedad española y establece medidas para prevenir y eliminar la discriminación por razón de género, así como para promover la igualdad de oportunidades entre mujeres y hombres en el ámbito laboral, educativo, social y familiar. Más recientemente se ha aprobado en nuestro país la Ley 15/2022, de 12 julio, integral para la igualdad de trato y la no discriminación, que tiene por objetivo prevenir y erradicar cualquier forma de discriminación y proteger de manera efectiva a las víctimas en todos los ámbitos de la sociedad: educativo, sanitario, cultural, inmobiliario… y también laboral; en ella el legislador amplía el foco hacia todo tipo de discriminación más allá del género. En torno a esta última, se reflexiona si el conflicto entre derecho a no ser discriminado por razón de género y el derecho a la libertad religiosa tiene cabida en el ámbito de esta ley. El espíritu de la ley presenta la misma con una clara vocación universal, pues lo que pretende es desarrollar un mínimo común normativo, que recoja no solo las definiciones fundamentales del derecho antidiscriminatorio español, sino también las garantías para hacer real esa protección[26].

A raíz de estas normas, se han implementado en nuestro país una serie de políticas públicas para promover la inclusión y la igualdad, a saber, el Plan Estratégico de igualdad de Oportunidades entre Mujeres y Hombres (2014-2016), que establece las líneas de actuación y las medidas para promover la igualdad de género en diferentes ámbitos, como el empleo, la educación, la salud y la participación política y el Plan de Acción para la Integración de las Personas Inmigrantes (2007- 2010), cuyo objetivo es promover la integración social, laboral y cultural de las personas inmigrantes en España, incluyendo medidas para garantizar su igualdad de trato y oportunidades. Cabe señalar que a pesar de todo esto, existen aún desafíos y áreas de mejora en la aplicación efectiva de estas leyes y políticas.

Para continuar con el análisis jurídico de la posible discriminación de la mujer en el Estado español actual, vamos a pasar al estudio de los más usuales estereotipos y prejuicios existentes y de los más destacados desafíos discriminatorios que pueden enfrentar las personas debido a su religión o género en España, es decir, la discriminación en el ámbito laboral, educativo y social.

---

[26] FERNÁNDEZ-RIVERA GONZÁLEZ, P., "Perspectiva de género, asociaciones religiosas y Ley 15/2022, de 12 de julio, integral para la igualdad de trato y la no discriminación: reflexiones a propósito de la STS 925/2021, de 23 de diciembre de 2021", en *Anuario de Derecho Eclesiástico del Estado*, vol. XXXIX, 2023, pp. 645- 681.

En primer lugar, por lo que se refiere al ámbito laboral, cabe destacar, por una parte, que, desgraciadamente, sigue siendo una realidad en nuestro país que, a pesar de la legislación que prohíbe la discriminación por motivos de religión o género, algunas personas pueden enfrentar discriminación durante el proceso de contratación debido a prejuicios o estereotipos (por ejemplo, es posible que las mujeres sean subrepresentadas en ciertos sectores o puestos de trabajo debido a estereotipos de género) y, por otra parte, que, aunque se han implementado medidas para promover la igualdad salarial entre hombres y mujeres, todavía persiste una brecha salarial de género en España y las mujeres suelen ganar menos que los hombres por el mismo trabajo o trabajo de igual valor, lo que refleja discriminación sistémica en el mercado laboral.

En segundo lugar, en lo que hace al ámbito educativo, nos encontramos tanto con que los estereotipos de género pueden influir en las elecciones educativas y en las oportunidades académicas de los estudiantes, en el sentido de que, por ejemplo, las niñas pueden ser desalentadas de estudiar carreras STEM (ciencia, tecnología, ingeniería y matemáticas) debido a la percepción de que son «temas de hombres», lo que limita sus oportunidades futuras, como con que los estudiantes pueden enfrentar acoso o discriminación en el entorno escolar debido a su religión o género, por ejemplo, los estudiantes musulmanes pueden ser objeto de burlas o discriminación debido a su religión, mientras que las personas LGBT pueden enfrentar hostilidad y discriminación por su orientación sexual o identidad de género.

En tercer lugar, destacar la también frecuente discriminación por razón de religión y sexo que se observa en España en el ámbito social. En nuestra opinión, es una realidad en nuestro país que las personas que practican religiones minoritarias pueden enfrentar estigmatización o discriminación en la sociedad española. Por ejemplo, los musulmanes pueden ser estereotipados como terroristas o extranjeros, lo que lleva a la discriminación y la exclusión social. A su vez, en este ámbito, existen expectativas sociales sobre cómo deben comportarse las personas en función de su género, lo que puede limitar la libertad y la autonomía de las personas. Por ejemplo, se espera que los hombres sean fuertes y dominantes, mientras que a las mujeres se les puede esperar que sean sumisas y cuidadoras, lo que puede limitar sus oportunidades de desarrollo personal y profesional. Hay distintas fuentes que han venido a respaldar esta afirmación sobre la discriminación religiosa y de género en España. Se pueden mencionar diversos estudios e informes que han abordado la desigualdad en el trato hacia las personas que practican religiones minoritarias.

El Observatorio del pluralismo religioso en España, de la Fundación pluralismo y convivencia, ha venido a señalar que "A pesar de los esfuerzos legislativos para garantizar la libertad religiosa, persisten desigualdades en el acceso a derechos y recursos entre las distintas confesiones religiosas, especialmente entre las minoritarias. Se observan dificultades para que los miembros de religiones no mayoritarias, como los musulmanes, judíos, evangélicos o grupos no cristianos, accedan a beneficios como educación religiosa en los centros públicos o reconocimiento en la legislación fiscal. En términos de discriminación de género, las mujeres que practican religiones minoritarias enfrentan una doble vulnerabilidad, debido tanto a las barreras relacionadas con su género como con su religión. Un estudio sobre la percepción de la discriminación religiosa en el ámbito laboral también ha demostrado que los individuos pertenecientes a religiones minoritarias experimentan una mayor frecuencia de discriminación, lo que también puede estar relacionado con estigmatizaciones de género"[27].

En el Informe sobre la libertad religiosa en España del Departamento de Estado de los EE. UU. (2022), se señala que "En España, aunque tiene un marco legal robusto para proteger la libertad religiosa, existen retos en la integración de minorías religiosas, como musulmanes y evangélicos. Destaca la percepción pública de las religiones minoritarias, especialmente el islam, que a menudo está marcada por las retenciones y prejuicios, lo que lleva a la discriminación en áreas como el empleo y la educación (Informe internacional sobre libertad religiosa en España en 2022, Departamento de Estado de los Estados Unidos, Oficina de Libertad Religiosa Internacional"[28].

También la Fundación Mujeres ha venido realizando estudios sobre la intersección de la discriminación de género y religión en que ha identificado "Que las mujeres que pertenecen a religiones minoritarias (como musulmanas o testigos de Jehová) enfrentan barreras dobles: por su género y por sus creencias religiosas. En muchos casos, estas mujeres tienen dificultades para acceder a derechos fundamentales, como la educación o la participación plena en la vida pública, debido a las tensiones entre sus creencias religiosas y las normativas de igualdad de género del país"[29].

---

27 https: //www.observatorioreligion.es/el_observatorio.html.

28 https: //es.usembassy.gov/wp-content/uploads/sites/58/2022/01/Informe_libertad_religiosa_Espana_2022.pdf.

29 https: //fundacionmujeres.es/.

Lo señalado hasta aquí nos lleva a afirmar que, a pesar de los avances legislativos y políticos en España, todavía existen desafíos significativos en términos de discriminación por motivos de religión y género en el ámbito laboral, educativo y social. Abordar estos desafíos requiere un enfoque integral que involucre tanto a nivel legislativo como a nivel cultural, promoviendo la sensibilización, la educación y la inclusión para construir una sociedad más justa y equitativa para todas las personas.

Llega el momento por tanto de pasar a estudiar las distintas iniciativas y las prácticas más exitosas que puedan ser las más interesantes y útiles para la promoción de la inclusión y la igualdad entre las personas de diferentes religiones y géneros en la sociedad española, a saber, por ejemplo, entre otras, programas de sensibilización y capacitación en la diversidad, políticas de inclusión en el lugar de trabajo e iniciativas comunitarias y educativas.

En cuanto a los programas de sensibilización y capacitación en la diversidad, después de una ardua búsqueda de los mismos, destacaríamos, de un lado, las campañas de sensibilización sobre diversidad religiosa y género que suelen llevar a cabo Organizaciones gubernamentales, ONG y empresas en búsqueda de educar al público sobre la importancia de respetar y valorar las diferencias religiosas y de género, así como fomentar la inclusión y la convivencia pacífica y, de otro lado, los programas de capacitación en diversidad para empleados y miembros de la comunidad que ofrecen muchas empresas e instituciones a través de talleres, seminarios y cursos diseñados exactamente para promover la comprensión y el respeto mutuo entre personas de diferentes religiones y géneros.

Pasando a referirnos a las distintas posibles políticas de inclusión en el lugar de trabajo, cabe mencionar cómo hemos podido descubrir que algunas empresas han implementado medidas para garantizar la igualdad de oportunidades y el trato justo en el lugar de trabajo, como la creación de grupos de afinidad o redes de apoyo para empleados de diferentes identidades religiosas o de género, así como prácticas laborales flexibles que permitan a los empleados practicar su religión o acomodar sus necesidades familiares, por ejemplo, días de vacaciones religiosas y políticas de licencia parental equitativas. En los últimos tiempos, es una realidad que las empresas son cada vez más conscientes de la importancia de crear entornos de trabajo inclusivos que respeten y valoren las diferentes creencias religiosas de sus empleados. Esto puede implicar la señalada implementación de políticas que permitan la práctica religiosa en el lugar de trabajo, como la flexibilidad en los horarios de trabajo para acomodar las festividades religiosas, la provisión de espacios para la oración o la reflexión, y la adaptación de las políticas de vestimenta para respetar las prácticas religiosas de los empleados. En cuanto a la diversidad de género, las políticas de inclusión laboral suelen centrarse en garantizar la igualdad de oportunidades y trato para hombres y mujeres en el lugar de trabajo. Esto puede incluir medidas como la eliminación de la brecha salarial de género, la promoción de mujeres a puestos de liderazgo, la implementación de políticas de conciliación laboral y familiar que beneficien tanto a hombres como a mujeres, y la adopción de medidas para prevenir y abordar el acoso y la discriminación de género en el trabajo. En la intersección de estas dos dimensiones de diversidad, es importante tener en cuenta cómo las políticas de inclusión abordan las necesidades específicas de las personas que pertenecen a grupos minoritarios tanto en términos de religión como de género. Esto puede implicar la adopción de enfoques inclusivos que reconozcan y valoren la diversidad en todas sus formas, promoviendo un ambiente laboral donde todas las personas se sientan respetadas, valoradas y empoderadas para contribuir plenamente con su potencial al éxito de la organización.

Por último, pero no menos importante, destacar entre esas prácticas exitosas en aras de la inclusión las iniciativas comunitarias y educativas. En lo que se refiere a las primeras, en muchas comunidades locales se llevan a cabo programas interculturales que fomentan el diálogo y la colaboración entre personas de diferentes religiones y culturas, las cuales pueden incluir eventos culturales, intercambios interreligiosos y proyectos de servicio comunitario que promueven la inclusión y la cohesión social. En lo relativo a las iniciativas educativas, cabe señalar que las instituciones educativas pueden desempeñar un papel importante en la promoción de la inclusión religiosa y de género. Algunas escuelas y universidades han implementado programas educativos que enseñan sobre la diversidad religiosa y de género, promueven el respeto mutuo y combaten los estereotipos y la discriminación. Señalar aquí que destaca la importancia de la educación y la sensibilización en la gestión de la diversidad religiosa y de género. En este último ámbito se observa en los últimos años, por un lado, un mayor reconocimiento de la importancia de incluir la diversidad religiosa y de género en los currículos educativos y en la vida escolar en general. Las instituciones educativas están cada vez más conscientes de la necesidad de promover la comprensión intercultural y la tolerancia religiosa, así como de abordar las cuestiones de género de manera inclusiva y respetuosa. En este sentido, se observa una creciente incorporación de contenidos relacionados con la diversidad religiosa y de género en los planes de estudio, así como el desarrollo de programas y actividades que fomentan el respeto por la diversidad y la igualdad de género en el entorno escolar. Esto puede incluir la enseñanza de religiones del mundo, la sensibilización sobre estereotipos de género y roles de género, y la promoción de valores como el respeto, la igualdad y la inclusión. Por otro lado, la inclusión de la diversidad religiosa y de género en la educación también puede enfrentar resistencias y desafíos, especialmente en contextos donde prevalecen ciertas visiones conservadoras o tradicionales. Pueden surgir debates sobre la neutralidad religiosa en la educación, la adecuación de los contenidos sobre diversidad religiosa y de género a las creencias y valores de las comunidades locales, y la libertad de enseñanza en relación con estas cuestiones.

Para evitar la discriminación basada en el género en los curricula de la asignatura de Religión, es importante implementar estrategias que promuevan la equidad y el respeto por todas las identidades. Algunas recomendaciones claves podrían ser: el uso de un lenguaje inclusivo, redactando los materiales y los contenidos de enseñanza utilizando un lenguaje que no perpetúe estereotipos de género ni excluya a ninguna identidad de género; la incorporación de la participación y los aportes de mujeres y personas de diversas identidades de género en la historia de las religiones reconociendo el papel de figuras femeninas y no binarias en las tradiciones religiosas; la evitación de roles o virtudes específicas como exclusivas de un género, por ejemplo, las mujeres como cuidadoras o los hombres como líderes, y por el contrario, promover historias y ejemplos donde todas las personas puedan desempeñar cualquier rol; la inclusión de enfoques interreligiosos que celebren la diversidad de interpretaciones y prácticas relacionadas con el género; la capacitación de los docentes en temas de igualdad de género, diversidad e inclusión para que puedan abordar los contenidos de manera respetuosa y crítica; el diseño de actividades y debates en el aula que promocionen la igualdad y fomenten el respeto mutuo y reconocimiento de los derechos de todas las personas; la reflexión crítica sobre los textos religiosos; la alineación de los contenidos de los curricula con los principios de derechos humanos, especialmente los que abogan por la igualdad de género…, entre otras.

En palabras de algún autor de nuestra doctrina, "la educación es esencial para combatir la incomprensión entre las diferentes expresiones de religiosidad y que para promover el diálogo intercultural e interreligioso"[30]. En este sentido, se ha de promover una formación inicial y continua del

---

30 LÓPEZ GONZÁLEZ, M., "Políticas europeas en relación con la formación en materia religiosa: la promoción del diálogo interreligioso y la educación intercultural", en ÁLVAREZ CASTILLO, ESSOMBA GELABERT, *op. cit.*, 2012, pp. 61-84.

profesorado en educación religiosa, educación para la ciudadanía y derechos humanos y educación intercultural. Además, la educación en materia de pluralismo religioso hará posible la convivencia y la cohesión social, así como la creatividad e imaginación necesarias para abordar y vivir con sentido en una sociedad del conocimiento cada vez más desarrollada[31].

Las instituciones educativas pueden incorporar la diversidad en sus planes de estudio y actividades escolares. Esto puede incluir enseñar sobre diferentes culturas, religiones, identidades de género y orientaciones sexuales, promoviendo la comprensión y el respeto hacia la diversidad desde una edad temprana, implementar políticas y medidas concretas para prevenir y abordar la discriminación en el entorno educativo, apoyar y fomentar la participación de los estudiantes en iniciativas relacionadas con la diversidad y la inclusión, permitiéndoles liderar proyectos y actividades que promuevan el respeto y la tolerancia en la comunidad escolar y trabajar en colaboración con organizaciones comunitarias, grupos de derechos humanos y otros actores sociales para promover la diversidad y la inclusión en la sociedad en general.

A este respecto, resulta interesante que, "a pesar de su reciente y limitada experiencia con el pluralismo religioso y con la educación religiosa diversificada, la situación en España ofrece muchas oportunidades, a través de la educación religiosa e interreligiosa, para el desarrollo futuro de alternativas incluyentes y basadas en el diálogo"[32].

Es el momento pues de explorar el papel del diálogo interreligioso e intergénero en la promoción de la paz, la cohesión social y la comprensión mutua en España. "El diálogo interreligioso supone la predisposición a repensar las ideas propias a la luz de las de los demás, dejando abierta la posibilidad de enriquecimiento y transformación mutuos entre los participantes"[33].

---

31 VILÀ BAÑOS, R., et. al., *Hacia el diálogo intercultural e interreligioso: necesidades normativas para una gestión de la diversidad religiosa en el espacio público,* Investigación subvencionada por la direcció general d'Afers Religiosos de la Generalitat de Catalunya, coordinada por Ruth Vilà bajo el título: "Gestionar la diversidad religiosa y cultural en la educación desde el diálogo intercultural e interreligioso" (2014 RELIG 019), 2015, Barcelona, pp. 1- 20.

32 DIETZ, G., "La educación religiosa en España: ¿contribución al diálogo intercultural o factor de conflicto entre religiones?", en *Estudios sobre las Culturas Contemporáneas, Época II. Vol. XIV. (Núm. 28)*, 2008, pp. 11-46.

33 SANTIAGO LOSADA, M., y CORPAS REINA, M. C., "Bases para el desarrollo de buenas prácticas de educación para la convivencia en la diversidad cultural y religiosa",

La educación debe promover el respeto, la comprensión, la tolerancia y el diálogo entre religiones y culturas diversas, y debe tener cada vez más un carácter intercultural con el fin de hacer conocer la cultura en todo su alcance, para así favorecer el entendimiento entre culturas y el diálogo entre religiones. Al definir un modelo educativo para potenciar la diversidad religiosa, hay que optar por una educación en los valores que vinculen a la cohesión social, y repensar como la educación intercultural puede tener en cuenta la dimensión religiosa para potenciar el entendimiento, el vivir juntos, la inclusión y la participación[34].

Según TORRADEFLOT[35] "el diálogo interreligioso puede llegar a ser uno de los instrumentos más útiles para transformar situaciones de conflicto, ya que las tradiciones religiosas pueden facilitar que sus seguidores superen intereses particulares para conseguir un mayor bien colectivo. Según este autor, cuando el diálogo interreligioso es de proximidad (local o del barrio) además de ayudar a prevenir y resolver conflictos interreligiosos, enriquecen los procesos de participación ciudadana, creando las condiciones que permitan la solidaridad y la justicia".

En nuestro país, se organizan regularmente foros, conferencias y encuentros donde líderes religiosos y representantes de diferentes comunidades religiosas pueden reunirse para discutir temas de interés común, promover el diálogo y la colaboración interreligiosa y fomentar la comprensión mutua. También se han creado plataformas y redes de diálogo interreligioso a nivel local, nacional e internacional que proporcionan un espacio para el intercambio de ideas, la cooperación y la construcción de relaciones entre personas de diferentes tradiciones religiosas.

De otra parte, se realizan campañas de sensibilización y educación que abordan temas relacionados con la igualdad de género, la violencia de género y los derechos de las mujeres, las cuales buscan promover la conciencia y el compromiso con la igualdad de género en la sociedad. Asimismo, se organizan grupos de trabajo, mesas redondas y otros eventos donde se abordan temas de género y se promueve el diálogo y la colaboración entre diferentes actores, incluyendo organizaciones de mujeres, instituciones gubernamentales y la sociedad civil. Todo esto se realiza con el ánimo de

---

en ÁLVAREZ CASTILLO, E. G., *Dioses en las aulas. Educación y diálogo interreligioso.* Barcelona, Graó, 2012, pp. 123-143.

34 VILÀ BAÑOS, R., et. al., *op. cit.*, pp. 1- 20.

35 TORRADEFLOT, F., *Religiones y pluralismo. Las vías del diálogo interreligioso en España*, Madrid, Observatorio del Pluralismo Religioso en España 2012.

implementar programas y proyectos que buscan empoderar a las mujeres y promover su participación activa en la vida social, económica y política. Estos programas pueden incluir capacitación en liderazgo, acceso a recursos y oportunidades de desarrollo personal y profesional.

5. CONCLUSIONES

El análisis de la gestión de la diversidad de confesiones religiosas y el género en España en la actualidad es muy complejo y multifacético. En este ámbito, secundamos lo ya propuesto por parte de nuestra doctrina en cuanto a la necesidad de llevar a cabo en nuestro país, iniciativas que fomenten y promuevan el entendimiento entre diferentes comunidades religiosas y de género. Concretamente, acciones como el diálogo interreligioso y el diálogo intergénero, con el objetivo de alcanzar el entendimiento mutuo, promocionar la paz, y lograr la cohesión social y la igualdad de derechos y oportunidades para todas las personas, independientemente de su religión o género, en España. Todo esto, en el ánimo de construir una sociedad más inclusiva, justa y equitativa erradicando así la discriminación en materia religiosa y de género. El diálogo entre las diferentes confesiones religiosas puede ser un medio importante para abordar las cuestiones de género y promover la igualdad de derechos para todas las personas, independientemente de su género o religión. Fomentar la comprensión mutua y el respeto por la diversidad puede contribuir a la creación de sociedades más inclusivas y equitativas. Es fundamental encontrar un equilibrio entre respetar la libertad religiosa y garantizar la protección de los derechos humanos de las mujeres. Esto implica promover un diálogo interreligioso constructivo que fomente la igualdad de género y la tolerancia, así como empoderar a las mujeres dentro de sus comunidades religiosas para que puedan cuestionar y cambiar prácticas discriminatorias en sus propias tradiciones.

Abogamos también por la importancia de la educación y del papel de las instituciones educativas y la sociedad en general en la promoción del respeto y la tolerancia hacia la diversidad, sensibilizando en orden a construir una sociedad inclusiva y equitativa y creando un entorno donde todas las personas se sientan valoradas y respetadas. Como hemos señalado a lo largo de nuestro estudio, la situación en España ofrece muchas oportunidades, a través de la educación religiosa e interreligiosa, para el desarrollo futuro de alternativas incluyentes y basadas en el diálogo.

En cuanto a los límites que puede imponer el legislador a la incitación a la violencia contra las mujeres que se fundamente en creencias religiosas y/o culturales relativas al género, señalar que los mismos están enmarcados dentro del respeto a los derechos humanos fundamentales, la igualdad de género y la protección contra la discriminación. Algunas medidas específicas que el legislador puede adoptar para prevenir y combatir dicha violencia pueden ser: implementar leyes que prohíban expresamente la incitación a la violencia contra las mujeres basada en creencias religiosas y/o culturales relacionadas con el género; establecer leyes que prohíban los discursos de odio dirigidos a las mujeres en función de su género o creencias religiosas; garantizar que cualquier medida adoptada para prevenir la incitación a la violencia respete los derechos humanos fundamentales; implementar programas de educación y sensibilización que aborden las creencias religiosas y culturales relacionadas con el género y promuevan la igualdad de género y el respeto hacia las mujeres y, finalmente, garantizar que las mujeres que son víctimas de violencia basada en creencias religiosas y/o culturales relacionadas con el género tengan acceso efectivo a la justicia y a recursos legales para buscar reparación y protección.

Nuestro estudio sobre el papel de la mujer y su posible discriminación o no en el contexto de la diversidad religiosa de nuestro país desde un punto de vista jurídico en el siglo XXI, nos ha llevado a poder afirmar que, a pesar de los avances legislativos y políticos acaecidos en España en relación a todo ello, todavía existen desafíos significativos en términos de discriminación por motivos de religión y género en ámbitos como el laboral, el educativo y el social. Abordar estos desafíos requiere un enfoque integral que involucre tanto a nivel legislativo como a nivel cultural, promoviendo la sensibilización, la educación y la inclusión para construir una sociedad más justa y equitativa para todas las personas. Como ya hiciéramos años atrás, y autores de nuestra doctrina nos han dado la razón en los últimos tiempos, nos postulamos a favor del necesario equilibrio que debe existir entre la libertad religiosa y el derecho a la diferencia sin negar los derechos de la mujer. Asimismo, las leyes y políticas deben ser implementadas para proteger los derechos humanos de las mujeres y garantizar que las prácticas religiosas no violen los derechos fundamentales. Esto implica un esfuerzo continuo por parte de los gobiernos, las organizaciones de la sociedad civil y las instituciones religiosas para promover la igualdad de género y abordar las interpretaciones religiosas que justifican la discriminación y la violencia contra las mujeres.

En última instancia, es crucial que se fomente un diálogo inclusivo y respetuoso entre los líderes religiosos, las comunidades y los defensores de los derechos de las mujeres para encontrar soluciones que reconcilien la libertad religiosa y los derechos humanos de las mujeres, creando así sociedades más igualitarias y justas.

Para abordar estos problemas, se necesita un enfoque integral que involucre a los líderes religiosos, las comunidades, los gobiernos y las organizaciones internacionales en la promoción de la igualdad de género, la educación y la conciencia sobre los derechos de las mujeres y la libertad religiosa. "La igualdad efectiva entre hombres y mujeres requiere contar con todos los agentes sociales, incluyendo las organizaciones religiosas. La Agenda 2030 permite impulsar un enfoque postsecular del conflicto entre libertad religiosa e igualdad de género, implementando políticas que armonicen ambos valores, sin que avanzar en uno signifique renunciar al otro"[36].

Observamos la necesidad de agitar el derecho en aquellos aspectos relacionados con la igualdad de género en el ámbito de las religiones y la necesidad de hacer viva la cooperación desde una España laica para mantener los derechos conquistados y poner las bases para exigir aquellos que faltan por alcanzar y devienen necesarios, siendo instrumentos fundamentales en dicho objetivo la coordinación entre el Derecho y la educación.

Todo esto, en nuestra opinión, requerirá un esfuerzo coordinado a nivel gubernamental, institucional y comunitario, así como un compromiso continuo con los valores de igualdad y respeto por la diversidad.

6. BIBLIOGRAFÍA

BONINO, E., en *De la mujer y la religión,* https: //www.mujeresenred.net/spip.php?article345.

COLUSSI, M., en *El papel de las mujeres en las religiones,* Opinión, 29/07/2013, https: //rebelion.org/el-papel-de-las-mujeres-en-las-religiones/.

DIETZ, G., "La educación religiosa en España: ¿contribución al diálogo intercultural o factor de conflicto entre religiones?", en *Estudios sobre las Culturas Contemporáneas, Época II. Vol. XIV. (Núm. 28)*, 2008, pp. 11-46.

DÍEZ DE VELASCO ABELLÁN, F., "La diversidad religiosa en España no es Ni Nueva Ni Ajena", en *Cuestiones de Pluralismo,* Vol. 3, nº2 (segundo semestre de 2023).

---

36 GAS AIXENDRI, M. "Avanzar en igualdad de género sin perder libertad religiosa. Propuestas desde la Agenda 2030 para el Desarrollo Sostenible", en *Cuestiones de Pluralismo,* Vol. 3, nº1, 2023: https: //www.observatorioreligion.es/revista/articulo/avanzar_en_igualdad_de_genero_sin_perder_libertad_religiosa___propuestas_desde_la_agenda_2030_para_el_desarrollo_sostenible/index.html.

FERNÁNDEZ-RIVERA GONZÁLEZ, P., "Perspectiva de género, asociaciones religiosas y Ley 15/2022, de 12 de julio, integral para la igualdad de trato y la no discriminación: reflexiones a propósito de la STS 925/2021, de 23 de diciembre de 2021", en *Anuario de Derecho Eclesiástico del Estado*, vol. XXXIX, 2023, pp. 645- 681.

GAS AIXENDRI, M. "Avanzar en igualdad de género sin perder libertad religiosa. Propuestas desde la Agenda 2030 para el Desarrollo Sostenible", en *Cuestiones de Pluralismo*, Vol. 3, nº1, 2023: https: //www.observatorioreligion.es/revista/articulo/avanzar_en_igualdad_de_genero_sin_perder_libertad_religiosa___propuestas_desde_la_agenda_2030_para_el_desarrollo_sostenible/index.html.

GUTIÉRREZ DEL MORAL, M. J., "Llibertat religiosa i igualtat de gènere en la jurisprudència del Tribunal Europeu de Drets Humans", en *Revista Catalana De Dret Públic*, (66), 2023, pp. 204-222.

LÓPEZ GONZÁLEZ, M., "Políticas europeas en relación con la formación en materia religiosa: la promoción del diálogo interreligioso y la educación intercultural", en ÁLVAREZ CASTILLO, ESSOMBA GELABERT, *Dioses en las aulas. Educación y diálogo interreligioso*, Barcelona, Graó, 2012, pp. 61-84.

LLAMAZARES CALZADILLA, M. C., "Libertad de conciencia y dignidad de la persona", en *Estudios en homenaje al Profesor Martínez Valls*, Murcia, Universidad de Alicante, 2000, pp. 345-355.

LLAMAZARES FERNÁNDEZ, Dionisio y SUÁREZ PERTIERRA, Gustavo, "El fenómeno religioso en la nueva Constitución española. Bases de su tratamiento jurídico", en *Revista de la Facultad de Derecho de la Universidad Complutense, nº 61*, 1980, pp. 10-11.

MANTECÓN SANCHO, J. M., "Gestión de la diversidad religiosa en España", en *La gestión jurídica de la diversidad religiosa en el área mediterránea*, Barcelona, Comares, 2011, pp. 105- 117.

MARCOS DEL CANO, A. M., "Los Derechos de la mujer y la Cultura ¿un conflicto?", en MARCOS DEL CANO (coord..), *Inmigración, multiculturalismo y derechos humanos*, Madrid, Ed. Tirant Lo Blanch- UNED-, 2009, pp. 235-256.

PALOMINO LOZANO, R., "Los modelos de relación religión-Estado. Pervivencia de un instrumento de estudio en la era postsecular", en *Estudios Eclesiásticos. Revista de investigación e información teológica y canónica*, 98 (387), 2023, pp. 769-793.

PAREJO GUZMÁN, M. J., "¿Mujer, pluralismo religioso e igualdad de género?: desafío jurídico en el siglo XXI en España", en *Revista de Derecho de la UNED*, 23, 2018, pp. 143-191.

PINTOS DE CEA-NAHARRO, M. M., "La mujer y las religiones", en *Encuentros multidisciplinares*, Vol. 10, N º 30, 2008, pp. 31-35.

RAMÍREZ, A. y MIJARES, L., *Los feminismos ante el islam. El velo y los cuerpos de las mujeres*, Catarata, Madrid, 2021.

RAMOS MENADAS, I., "Situación de la mujer en las distintas religiones y ordenamientos jurídicos", en *Encuentros multidisciplinares 52*, Universidad Autónoma de Madrid. Fundación General, 2016, pp. 1-8.

RELAÑO PASTOR, E., "Derechos de las mujeres y libertad religiosa: ¿irreconciliables?", en *Cuestiones de Pluralismo*, Vol. 1, nº1 (primer semestre de 2021).

SANTIAGO LOSADA, M., y CORPAS REINA, M. C., "Bases para el desarrollo de buenas prácticas de educación para la convivencia en la diversidad cultural y religiosa", en ÁLVAREZ CASTILLO, E. G., *Dioses en las aulas. Educación y diálogo interreligioso.* Barcelona, Graó, 2012, pp. 123-143.

SUÁREZ PERTIERRA, Gustavo, "Individuo, grupos, confesiones en el sistema democrático español", en AMÉRIGO CUERVO ARANGO, F., *Religión, religiones, identidad, identidades, minorías: actas del V Simposio de la Sociedad Española de Ciencias de las Religiones,* Valencia, SECR, 2003, pp. 7-24.

TAMAYO ACOSTA, J. J., (Coord.), *Religión, género y violencia,* Dykinson, Madrid, 2016.

TORRADEFLOT, F., *Religiones y pluralismo. Las vías del diálogo interreligioso en España,* Madrid, Observatorio del Pluralismo Religioso en España 2012.

VILÀ BAÑOS, R., et. al., *Hacia el diálogo intercultural e interreligioso: necesidades normativas para una gestión de la diversidad religiosa en el espacio público,* Investigación subvencionada por la direcció general d'Afers Religiosos de la Generalitat de Catalunya, coordinada por Ruth Vilà bajo el título: "Gestionar la diversidad religiosa y cultural en la educación desde el diálogo intercultural e interreligioso" (2014 RELIG 019), 2015, Barcelona, pp. 1- 20.

Violencia de género y religión: aplicación de la diligencia debida en la atención a la discriminación interseccional y múltiple en las solicitudes de asilo

ANA MARÍA VEGA GUTIÉRREZ
Catedrática de Derecho eclesiástico del Estado
Directora de la Cátedra Unesco Ciudadanía democrática y libertad cultural
Universidad de La Rioja

1. MOVILIDAD HUMANA CON ROSTRO DE MUJER: RELIGIÓN Y GÉNERO COMO FACTORES DE VULNERABILIDAD INTERSECCIONAL

Según ACNUR, más de la mitad de los 108 millones de personas desplazadas en 2023 fueron mujeres; un 3% más que al año anterior. Las mujeres y las niñas representan alrededor de la mitad de la población refugiada en el mundo; en Europa, un tercio de las solicitudes de asilo fueron presentadas por mujeres[1]. En España, esa cifra alcanza casi la mitad de las solicitudes de asilo formalizadas y algo más de la mitad de las resoluciones de protección temporal concedidas a las personas que huían de la guerra de agresión de Rusia contra Ucrania[2].

---

1 Según datos de Eurostat, las solicitudes de asilo presentadas por mujeres has representado entre el 28% (356.770 en 2015) y el 39% (258.835 en 2019) del total. En 2023, fueron 340.190, un 30%.

2 Durante el año 2023, las mujeres representaron el 47, 32% de las 163.642 solicitudes de asilo formalizadas. En el año 2023 se concedieron un total de 33.973 resoluciones de protección temporal, el 52, 13 % fueron presentadas por mujeres. Vid. Subsecretaría del Interior, Dirección General de Protección Internacional, *Asilo en cifras 2023,* Ministerio del Interior, Secretaría General Técnica, Madrid, 2024, pp. 22 y 23.

La escasa disponibilidad de datos desglosados, incluso por sexo, edad o raza, perpetúa aún más la invisibilidad a la que se enfrentan todas las personas que se desplazan[3]. Al mismo tiempo, existen desafíos éticos incluso cuando se dispone de estos datos: el suministro de información sensible relacionada con el género y la migración internacional puede aumentar la precariedad y la vulnerabilidad de algunos grupos[4].

Las causas y experiencias del desplazamiento y el acceso a la protección internacional también son diferentes para hombres, mujeres y personas con identidades de género diversas. De hecho, muchas mujeres y niñas siguen viendo vulnerados sus derechos durante el viaje y en el lugar de destino a manos de una gran variedad de agentes: sus familiares y comunidades, empleadores, guardias de fronteras, policías, personal de los centros de detención, proveedores de servicios, traficantes y contrabandistas[5]. El concepto de "*continuum* de la violencia sexual" propuesto por Kelly y Forina permite entender cómo las violencias que experimentan las mujeres no son eventos aislados, sino fenómenos interconectados y estructurales que se reproducen a lo largo de todo el proceso migratorio, y suelen ir acompañados por la total impunidad con la que operan los agresores[6]. Este escenario contribuye a una imagen estereotipada de las mujeres refugiadas, contabilizadas junto a los niños bajo la categoría de refugiados vulnerables. Pero lo cierto es que son, más bien, las malas condiciones migratorias em-

---

3 Por primera vez, en 2024, el Ministerio del Interior de España constata las solicitudes de asilo y desglosadas por los motivos de persecución: el género es el segundo motivo más reconocido (24,53%), después de los motivos políticos (30,94%). La religión presenta una de las tasas más bajas (2,64%), solo por delante de la raza (0,99%). Vid. *Asilo en cifras 2024*. Edición a cargo de la Subsecretaría del Interior, Dirección General de Protección Internacional. Ministerio del Interior, Secretaría General Técnica, Madrid, 2025, pp. 206-207.

4 Así lo confirman HENNEBRY, J.H.; WILLIAMS, K.C., *Gender and Migration Data: A Guide for Evidence-based, Gender-responsive Migration Governance,* International Organization for Migration (IOM). Geneva, 2021, pp. 4-5.

5 Alude a las múltiples formas de vulnerabilidad e inseguridad para mujeres refugiadas FREEDMAN, J., "Sexual and gender-based violence against refugee women: a hidden aspect of the refugee 'crisis'", *Reproductive Health Matters,* 24(47), (2016), pp. 18-26.

6 Vid. KELLY, L., "The continuum of sexual violence" en HANMER, J. Y MAYNARD, M. (eds.) *Women, Violence and Social Control,* Palgrave MacMillan, London, 1987 y FORINA, A., "Continuum de la violencia sexual y espera: Análisis antropológico feminista de la experiencia de mujeres refugiadas", *Revista Nuevas Tendencias en Antropología,* 14 (2023), pp. 155-185.

peoradas desde que la UE puso en marcha políticas de securitización las que las vuelven más vulnerables, pues las obliga a utilizar rutas más costosas y peligrosas.

Los conflictos, la discriminación, la desigualdad y la violencia en todas sus formas (crímenes de honor, abortos y esterilizaciones forzadas, matrimonios forzados, mutilación genital femenina, violencia doméstica, violencia sexual y de género, entre otras) son importantes factores de estímulo de movimientos migratorios a gran escala, por lo general, en condiciones muy precarias. Muchas mujeres son perseguidas no sólo porque son biológicamente mujeres, sino también porque niegan o incumplen el comportamiento social / religioso / cultural que se espera de una mujer. La gravedad de estas situaciones radica en que, al estar profundamente enraizadas en las relaciones desiguales de poder, acaban perpetuando y condonando la violencia dentro de la familia, la comunidad y el Estado. Y perfilando todavía más las dimensiones del problema, la perspectiva de género reclama especial atención en las solicitudes de asilo por motivos religiosos, pues hombres y mujeres pueden sufrir o temer la persecución por razones religiosas de diferente manera[7].

En estos casos, la religión —o una cultura patriarcal que instrumentaliza la religión para justificar la sumisión de la mujer[8]— puede ser la causa de la violencia perpetrada contra las mujeres o bien un factor de vulnerabilidad interseccional, cuando las mujeres creyentes son señaladas debido a la intersección de su múltiple identidad: femenina, religiosa, étnica y, en algunos casos, menor de edad[9]. Esa interacción entre religión

---

7 Cfr. ACNUR, *Directrices sobre protección internacional. Solicitudes de asilo por motivos religiosos bajo el Artículo 1A (2) de la Convención de 1951 y/o el Protocolo de 1967 sobre el Estatuto de los Refugiados,* 2004, HCR/GIP/04/06, par. 28.

8 Diversos relatores especiales sobre libertad religiosa o de creencias, sin dejar de señalar los efectos de esa relación ambigua y, a veces, controvertida entre religión y cultura, defienden que no hay religiones en estado puro y que es erróneo achacar a las religiones la responsabilidad principal de la actitud de desprecio a la mujer, y lo consideran más un problema de comportamiento social y cultural: vid. AMOR, A., 5 de abril de 2002 (UN Doc. E/CN/.4/2002/73/Add.2, pars. 39-43) y BIELEFELDT, H., 7 de agosto de 2013 (UN Doc. A/68/290, pars. 39-43).

9 Ese componente de género ha estado presente en las atrocidades perpetradas contra las mujeres de la minoría etnoreligiosa yazidí perseguidas por Daesh, las cristianas por Boko Haram o las mujeres musulmanas rohinyás por los budistas en Myanmar, donde la misión independiente concluyó que "la violencia sexual y de género era una marca distintiva" de la campaña genocida orquestada por el ejército del país (vid. UN Doc. A/HRC/39/CRP.2, pp. 347-348 y UN Doc. A/

y género hace que se enfrenten a menudo a mayores riesgos de violencia selectiva y a formas graves de discriminación fomentados por grupos organizados[10], sobre todo cuando ese estado o la sociedad pretenden imponer “su idea de mujer” a las que no pertenecen a la religión oficial o mayoritaria[11].

No obstante, la aproximación a estas situaciones complejas suele ir acompañada de cierto prejuicio o incluso de una visión de la religión predominantemente hostil que presenta a la religión como una fuente inherente de daño y opresión, y no como una fuente de identidad diferenciada, personal o comunitaria, que puede ser objeto de persecución interseccional[12]. De hecho, con frecuencia, las agresiones sexuales contra las mujeres pertenecientes a minorías religiosas en los conflictos interreligiosos y etnoreligiosos se cometen intencionadamente por las consecuencias psicológicas y sociales que producen tanto en ellas como en sus comunidades, pues a menudo las consideran repositorios de la identidad cultural[13].

Este estereotipo negativo sobre la religión contribuye a que, en las evaluaciones de las solicitudes de asilo, no se reconozcan las experiencias únicas de las mujeres creyentes que sufren persecución y/o discriminaciones graves tanto por sus propias comunidades religiosas como por otros agentes estatales o no estatales debido a la interacción entre dos o más identidades[14].

HRC/42/CRP.2). Aporta una visión global de actos de violencia cometidos contra las minorías religiosas, el Relator especial de libertad religiosa, SHAHEED, A., UN Doc. A/75/385, pars. 36-38 y UN Doc. A/HRC/46/30, pars. 44-46.

10 Cfr. JAHANGIR, A., Informe de la Relatora Especial de Libertad de Religión o creencias, presentado de conformidad con la resolución 60/251 de la Asamblea General, 2006 (UN Doc. A/HRC/4/21, par. 36).

11 Vid. Observación general nº 22 del Comité de derechos humanos, par. 9.

12 Así lo denuncian HERRERA SOMMERS, I.C., “Suffering for Her Faith: The Importance of an Intersectional Perspective on Gendered Religious Persecution in International Law”, *Harvard International Law Journal,* 61/2 (2020), pp. 518-520 y PÉREZ-MADRID, F., “Mujeres perseguidas por motivos religiosos. Vulnerabilidad e interseccionalidad”, *Anuario de Derecho eclesiástico del Estado,* 11 (2024), p. 265.

13 Esto ocurre especialmente cuando esas comunidades “ponen gran énfasis en el ‘honor’ de las mujeres como sede de la pureza étnica y la identidad” (CHINKIN, CH., “Rape and Sexual Abuse of Women in International Law”, *European Journal of International Law,* 5 (1994), p. 328. Ilustra la realidad con diversos ejemplos HERRERA SOMMERS, I.C., “Suffering for Her Faith…”, cit., pp. 525-531.

14 Según el relator especial sobre libertad religiosa, estas percepciones estereotipadas de las religiones y creencia pueden agravar aún más los prejuicios contra las

2. IMPACTO EN EL DERECHO DE ASILO DE LA OBLIGACIÓN DE LA DEBIDA DILIGENCIA PARA ELIMINAR LA VIOLENCIA CONTRA LA MUJER

A la luz de estas premisas, analizaremos cómo opera la interseccionalidad en el caso de mujeres que sufren o tienen temores fundados de sufrir actos de persecución o discriminación grave *por* género (por el mero hecho de ser mujer) y/o *de* género (porque afectan de forma desproporcionada a las mujeres), que les convierte en víctimas de cualquiera de las violencias en su país de origen a causa de su religión, entendida en la triple acepción que propugnan las Directrices de ACNUR: creencias profesadas, identidad o forma de vida[15], ejercida por agentes estatales o no estatales (otras minorías, la propia comunidad o grupo religioso, la familia, etc.) y que no pueden o, a causa de dicho temor, no quieren acogerse a la protección de tal país, por lo que solicitan protección internacional.

Nuestra hipótesis es que las mujeres suelen encontrar más dificultades para acceder a la protección internacional no porque la Convención de refugiados de 1951 no aluda específicamente a la persecución por motivos de sexo o género, sino más bien a que a menudo el derecho al asilo se ha abordado desde una perspectiva parcial y se ha interpretado a través de un marco de experiencias masculinas[16]. El principal problema al que se enfrentan las mujeres solicitantes de asilo es la incapacidad de los responsables de la toma de decisiones para responder adecuadamente a las experiencias de las mujeres (sus temores, necesidades, preocupaciones y prioridades) e incorporar sus reivindicaciones relacionadas con el género en la interpretación de los motivos de persecución existentes[17]. Ello supone, entre otras cosas, reconocer tanto la relación que une a la mujer con

---

personas creyentes y ese riesgo afecta desproporcionadamente a las mujeres pertenecientes a minorías religiosas. Vid. UN Doc. A/68/1290, par. 42.

15 ACNUR, *Directrices sobre protección internacional. Solicitudes de asilo por motivos religiosos,* cit., pars. 5-8

16 En opinión de Freedman, debido al papel preponderante de Estados Unidos en la negociación de este documento, la visión del refugiado fue limitada a la de un "hombre individual perseguido debido a sus opiniones políticas por un Estado totalitario". Vid. FREEDMAN, J., "Mainstreaming gender in refugee protection", *Cambridge Review of International Affairs, 23*(4) (2010), pp. 589-607.

17 Vid. HAINES, R., *Gender-Related Persecution,* Cambridge University Press, June 2003, p. 327 [en linea] <https: //www.refworld.org/reference/research/cup/2003/en/49546> [consulta: 25/6/2024].

el Estado como la naturaleza política de los actos aparentemente privados que perjudican a las mujeres[18].

El desafío no es nuevo. Como advertía la Relatora especial sobre violencia contra la mujer, "la multiplicidad de formas que adopta la violencia contra la mujer, así como el hecho de que se produzca frecuentemente en la intersección de diferentes tipos de discriminación, obliga a adoptar estrategias multifacéticas para prevenirla y combatirla"[19]. Y, en este orden de cosas, apuntaba con claridad: "el hecho de que el Estado no actúe con la debida diligencia al hacer frente a todas las alegaciones que se amparan en la costumbre, la tradición o la religión para justificar violaciones de los derechos humanos de la mujer es en sí mismo una violación de los derechos humanos aun cuando no se hayan producido daños"[20].

El derecho internacional consuetudinario y el convencional establecen la obligación de los Estados de proceder con la debida diligencia para prevenir, responder, proteger y proporcionar remedios por actos de violencia contra la mujer, tanto si son cometidos por el Estado como por agentes no estatales[21]. La reciente aprobación de la Directiva (UE) 2024/1385 del Parlamento Europeo y del Consejo, de 14 de mayo de 2024, sobre la lucha contra la violencia contra las mujeres y la violencia doméstica[22] contribui-

---

18 Vid. ANKER, D., "Refugee Law, Gender and the Human Rights Paradigm", *Harvard Human Rights Journal,* (2022), p. 139.

19 ERTÜRK, Y., *Integración de los derechos humanos de la mujer y la perspectiva de género: violencia contra la mujer. La norma de la debida diligencia como instrumento para la eliminación de la violencia contra la mujer,* 20 de enero 2006 (UN Doc. E/CN.4/2006/61, par. 16).

20 Ibid., par. 87.

21 Ibid. par. 30. De hecho, en las obligaciones positivas de proteger, promover y aplicar contenidas en los tratados de derechos humanos se incluye también la obligación de proceder con la debida diligencia: vid. Comité para la Eliminación de la Discriminación contra la Mujer, Recomendación general Nº 19 (1992); Comité de Derechos Humanos, Observación general n.º 31 (UN Doc. CCPR/C/74/CRP.4/Rev.6, par. 8); Comité de los Derechos del Niño, Observación general n.º 5, 27 de noviembre de 2003 (UN Doc. CRC/GC/2003/5, par. 1); Comité de Derechos Económicos, Sociales y Culturales, Observación general n.º 14, 2000 (UN Doc. E/C.12/2000/4, par. 33); art. 5.2 del Convenio del Consejo de Europa sobre prevención y lucha contra la violencia contra las mujeres y la violencia doméstica, Estambul, 11 de mayo de 2011.

22 DOUE 24.5.2024. Entró en vigor a los veinte días de su publicación (art. 50), esto es, el 13 de junio de 2024, otorgando a los Estados miembros de la Unión Europea un plazo de transposición de tres años, hasta el 14 de junio de 2027 (art. 49).

rá a la armonización de las legislaciones de los Estados miembros en esta materia, de manera que lo que antes ya era vinculante para la Unión al haberse adherido al Convenio de Estambul, ahora es obligatorio para todos los Estados. Pero lo relevante es que exige a los Estados transformaciones sistémicas, lo que supondrán grandes cambios en algunos países, mejoras en otros, y consolidaciones en países como España, que cuenta con una experiencia determinante en esta trayectoria. Estos cambios son los que garantizan que las víctimas puedan acceder a la tutela judicial efectiva y pretender de forma eficaz la protección, sanción y reparación de sus derechos[23]. Cumplir de buena fe esta obligación en el ámbito del derecho de asilo exige investigar y castigar adecuadamente y con la debida diligencia los actos de violencia contra la mujer, aprobar o modificar leyes y reforzar la capacidad y las competencias de la policía, instructores de las solicitudes de asilo, los fiscales y los magistrados[24].

En este sentido, la evolución jurisprudencial augura cambios positivos, como lo confirman las sentencias dictadas por el TJUE en 2024 en tres asuntos sobre persecución por razón de género, reconducible a la pertenencia a un determinado grupo social[25].

3. LA PERSPECTIVA DE GÉNERO EN EL DERECHO DE ASILO Y LA DISCRIMINACIÓN INTERSECCIONAL: UNA APROXIMACIÓN MÁS JUSTA A LOS MOTIVOS Y ACTOS DE PERSECUCIÓN

Abordar la discriminación interseccional estructural en los marcos jurídicos e institucionales aparentemente neutrales, como pueden ser los textos normativos en materia de migración y asilo, es mucho más difícil. Durante décadas, las persecuciones sufridas por las mujeres fueron consideradas fruto de una "diferencia cultural", reforzando así su vulnerabili-

---

[23] Vid. MARTÍNEZ GARCÍA, E., "La nueva Directiva en materia de violencia de género y doméstica y la diligencia debida del Estado", *Diario La Ley Unión Europea*, 126 (2024), pp. 1-12. Como apunta Martínez, la Directiva supone un cambio de paradigma: exige resultados y deja libertad en la forma y medios de conseguirlos.

[24] Vid. UN Doc. E/CN.4/2006/61, pars. 50-54. Vid. FJ 83 y arts. 21 y 25 y Capítulo IV de la Directiva 2024/1385.

[25] Vid. las sentencias del TJUE WS (asunto C-621/21, 16 de enero de 2024), KL (asunto C-646/21, 11 de junio de 2024) y AH y FN (asuntos acumulados c-608/22 y C-609/22, 4 octubre de 2024).

dad. Por otra parte, las persecuciones por razón de sexo y/o de género no son siempre reconocidas por los Estados, por lo cual es posible que el país al que le corresponde examinar la solicitud de la mujer interprete de manera restrictiva los motivos de persecución y no tome en cuenta el género. Así, en Europa, las decisiones nacionales sólo han reconocido marginalmente a las mujeres como parte de "un determinado grupo social" y, en general, han previsto criterios adicionales[26].

Para afrontar estos obstáculos, algunos Estados incorporaron pronto la persecución por motivos de género en su praxis sobre refugiados[27]. En 2002, ACNUR aprobó las Directrices sobre persecución por motivos de género, que garantizan una perspectiva de género en la interpretación de la definición de refugiado[28]. Esta estela la han seguido después el Comité para la eliminación de la discriminación contra la mujer[29] y el Consejo de Europa con la aprobación del Convenio sobre prevención y lucha contra la violencia contra las mujeres y la violencia doméstica (Estambul, 11 de mayo de 2011)[30]. Finalmente, tanto el Pacto Mundial sobre Refugiados como el de Migración, aprobados por la Asamblea General de las Naciones Unidas, respectivamente, los días 17 y 19 de diciembre de 2018, asumen la perspectiva de género como uno de sus principios rectores[31] y como uno de

---

26 Por ejemplo, los tribunales franceses han reconocido recientemente la existencia del grupo social de mujeres y niños expuestos al riesgo de escisión en Sudán (CNDA 20 de junio de 2023, Les enfants E., n° 22043418 y n° 22043419) o el de las jóvenes burkinesas de etnia mossi que no han sido sometidas a la escisión (CNDA 22 de junio de 2023, Mme S., n° 22053238 C).

27 En España, el género y la orientación sexual fueron incorporados a la Ley de asilo de 1984, en virtud de la Ley Orgánica 3/2007, de 22 de marzo. El art. 3 de la actual Ley 12/2009, de 30 de octubre, reguladora del derecho de asilo y de la protección subsidiaria ha incorporado también la identidad sexual en virtud de la disposición final 10 de la Ley 4/2023, de 28 de febrero.

28 Vid. ACNUR, *Directrices sobre la Protección Internacional: La persecución por motivos de género en el contexto del Artículo 1A(2) de la Convención de 1951 sobre el Estatuto de los Refugiados, y/o su Protocolo de 1967*, 2002, HCR/GIP/02/01.

29 Vid. Recomendación general núm. 32 del Comité CEDAW (2014) sobre las dimensiones de género del estatuto de refugiada, asilo, nacionalidad y apatridia de las mujeres (UN Doc. CEDAW/C/GC/32, par. 13).

30 Vid. arts. 60 y 61. Vid. la interpretación de esos preceptos en HOOPER, L., *Demandes d'asile fondées sur le genre et non-refoulement: articles 60 et 61 de la Convention d'Istanbul*, Conseil de l'Europe, 2017.

31 Vid. UN Doc. A/RES/73/195, par. 15.g.

los fundamentos del Plan de acción[32]. Por lo tanto, un análisis de género de las solicitudes de asilo requiere "llevar a cabo un análisis contextual de género, de las relaciones de género y de la igualdad de género"[33], que no se limite a la violencia que afecta únicamente a las mujeres.

El propósito del derecho de asilo es garantizar protección al solicitante que tiene un temor fundado de persecución por alguno de los motivos prescritos en la Convención sobre refugiados de 1951, sustancialmente reproducidos en el art. 10 de la Directiva 2011/95/UE, del 13 de diciembre de 2011, de reconocimiento del derecho de asilo. La Convención no brinda una definición de "ser perseguido", pero sí el Derecho europeo. La persecución exige la concurrencia de dos elementos esenciales, a saber: a) la constatación de actos suficientemente graves por su naturaleza o su carácter reiterado para constituir una violación grave de los derechos humanos (art. 9.1.a) o la acumulación de varias medidas que pueden afectar a una manera de manera similar a una violación grave de los derechos humanos (art. 9.1.b)[34] y b) la incapacidad o falta de voluntad del Estado para responder eficazmente a ese riesgo (art. 7).

La protección proporcionada por el Estado debe ser significativa, accesible, efectiva y estar disponible para todos, con independencia de su sexo, raza, etnia, religión, edad, clase social, discapacidad, orientación sexual, ocupación o cualquier otro aspecto de su identidad. Ese nivel de protección debe ser tal que reduzca el riesgo para el solicitante de asilo hasta el punto en el que pueda decirse que el temor de persecución es infundado.

En sentencia de 14 de octubre de 2024, el TJUE ha resuelto una cuestión prejudicial en la que se le solicita que dilucide si las medidas impuestas por los talibanes contra las mujeres revisten tal gravedad que pueden considerarse actos de persecución a efectos del art. 9.1 de la Directiva 2011/95/UE. El Tribunal dictaminó que "el concepto de 'acto de persecución' sub-

---

32 Vid. UN Doc. A/73/12, par. 13.

33 CRAWLEY, H., "[En]gendering International Refugee Protection: Are We There Yet?", in BURSON, B. and CANTOR, D.J. (éd.), *Human Rights and the Refugee Definition: Comparative Legal Practice and Theory*, 2016, p. 348.

34 El Tribunal Federal de Justicia Administrativa alemán (*Bundesverwaltungsgericht*) aplicó el criterio de acumulación de diversos actos o medidas discriminatorios (como restricciones del acceso al sistema educativo o sanitario o restricciones importantes de las oportunidades económicas y de empleo para ganarse la vida) para calificar la gravedad de una violación del derecho a la libertad de religión como persecución. Vid. sentencia de 20 de febrero de 2013, BVerwG 10 C 23.12, BVerwG: 2013: 200213U10C2312.0, apartado 36.

sume una acumulación de medidas discriminatorias contra la mujer que son adoptadas o toleradas por quien, a efectos del artículo 6 de dicha Directiva, es un 'agente de persecución' y que consisten, en particular, en provocar que la mujer no disponga de ninguna protección legal contra la violencia de género, la violencia doméstica y el matrimonio forzado, obligarla a cubrir su cuerpo y su rostro por completo, restringirle el acceso a la atención sanitaria y la libertad de movimientos, prohibirle ejercer una actividad retribuida o restringirle su ejercicio, prohibirle el acceso a la educación y a la práctica de deporte alguno y privarla de participar en la vida política, siempre que dichas medidas, por su efecto acumulativo, menoscaben el respeto de la dignidad humana que garantiza el artículo 1 de la Carta de los Derechos Fundamentales de la Unión Europea"[35].

El Tribunal considera que algunas de esas medidas deben considerarse por sí solas actos de persecución. Pero, aun suponiendo que observadas aisladamente no constituyeran una violación lo suficientemente grave a efectos del art. 9.1.a) de la Directiva, observadas en conjunto afectan a la mujer de tal manera que alcanzan la gravedad exigida para constituir actos de persecución a efectos del artículo 9, 1.b), de dicha Directiva (par. 44).

La segunda cuestión prejudicial planteada alude a si para el reconocimiento del estatuto de refugiada es suficiente que una mujer se vea afectada por estas medidas en el país de origen únicamente por razón de su sexo o es necesario examinar su situación individual. El Tribunal concluye que el art. 4.3 de la Directiva no obliga a la autoridad nacional a una evaluación individual del riesgo efectivo y específico de cada solicitante de protección

---

35 Asunto AH (C-608/22) y FN (C-609/22) v. *Bundesamt für Fremdenwesen und Asyl*, 4 de octubre de 2024. Se trata de dos mujeres afganas. AH, después de que su padre quisiera venderla, huyó junto con su madre a Irán. Tras una estancia en Grecia en la que contrajo matrimonio, entró en Austria en 2015 y presentó una solicitud de protección internacional en dicho Estado miembro, en el que residía su cónyuge. FN no ha llegado nunca a vivir en Afganistán. En 2020, presentaron en Austria una solicitud de protección internacional, les fue denegada e interpusieron sendos recursos alegando contra las referidas resoluciones, por un lado, que se habían adherido a valores y a un modo de vida de inspiración occidental y, por otro lado, que, a raíz de la toma del poder por los talibanes en el verano de 2021, la situación en Afganistán había cambiado de tal manera que desde entonces las mujeres se veían expuestas a persecuciones de gran alcance. Vid. el comentario de la sentencia de PÉREZ-MADRID, F., "Las medidas discriminatorias que sufren las mujeres afganas son 'actos de persecución'". Sentencia del TJUE en los asuntos acumulados C-608/22 y C-609/22, *Revista General de Derecho Canónico y Derecho eclesiástico del Estado,* 66 (2024), pp. 1-7.

internacional, más allá de su sexo y nacionalidad. De este modo, siguiendo la interpretación del Abogado, el Tribunal asumió que la situación de las mujeres en Afganistán era, en conjunto, lo suficientemente grave como para considerarlas pertenecientes a un determinado grupo social a efectos del art. 9.1.d) de la Directiva y que este motivo de persecución guarda relación con los actos de persecución a los que pueden verse expuestas, según el art. 9 de la Directiva. En esta situación, la acumulación de esas medidas discriminatorias es adoptada o tolerada directamente por quien, a efectos del art. 6 de la Directiva, es un agente de persecución que no quiere ni puede ofrecer protección[36].

En otras situaciones, el Estado quiere ofrecer protección, pero es incapaz de ofrecerla. Esto puede ocurrir en situaciones de matrimonios forzados de solicitantes inducidos por sus familiares[37], violencia doméstica[38] o casos de mutilación genital femenina dentro del ámbito privado de ciertas tribus o familias[39].

Como puede apreciarse, que el daño previsto alcance el nivel de persecución no depende de una aplicación rígida o mecánica de las categorías de derechos, sino de la evaluación de un complejo conjunto de factores que incluyen no sólo la naturaleza del derecho amenazado, sino también la naturaleza de la amenaza o restricción y la gravedad del daño amenazado[40].

---

36 Así lo constataron también varias sentencias de los tribunales de justicia administrativa alemanes que concluyeron que las autoridades afganas e iranís no querían y no podían ofrecer protección frente al matrimonio forzado. Vid. Tribunal de Justicia Administrativa de Augsburgo, sentencia de 16 de junio de 2011, Au 6 K 30092).

37 Vid. Tribunal de Justicia Administrativa de Gelsenkirchen (Alemania), sentencia de 18 de julio de 2013, 5a K 4418/11.A, p. 10.

38 Vid. por ejemplo, Tribunal Supremo Administrativo (Chequia), sentencia de 24 de julio de 2013, *DB v Ministry of the Interior,* 4 Azs 13/2013-34.

39 Vid. Tribunal de Cagliari (Italia), sentencia de 3 de abril de 2013, nº RG 8191/12, pp. 7 y 8; Tribunal Nacional de Derecho de Asilo (Francia), sentencia de 2 de abril de 2008, *Mlle N,* solicitud nº 574495 C, en *Contentieux des réfugiés, Jurisprudence du Conseil d'État et de la Cour nationale du droit d'asile, Année 2008,* abril de 2009, pp. 59 y 60.

40 Vid. HAINES, R., *Gender-Related Persecution,* cit., p. 329. El TJUE señala que es la gravedad de las medidas y de las sanciones adoptadas o que puedan adoptarse, por su gravedad intrínseca y la de sus consecuencias en la persona afectada, lo que determinará si una violación del derecho a la libertad de pensamiento, de conciencia y de religión garantizado por el artículo 10.1, de la Carta constituye

ACNUR[41] reconoce que existen formas de daño grave específicas para las mujeres ("persecución específica de género"), como la violación[42], la violencia sexual[43] o la mutilación genital, al igual que discriminaciones por género impuestas por la ley o por prácticas sociales equiparables a persecución[44]. Pero, incluso en estos casos, el motivo por el que se causa ese daño constitutivo de persecución puede ser ajeno al género de la víctima. La "persecución basada en el género" engloba las acciones que van dirigidas contra una mujer por ser mujeres, es decir, por su identidad y condición de mujeres (persecución "por" motivos de género) o que afectan en forma desproporcionada a las mujeres (persecución "de" género). Sin embargo, las razones de dicha persecución y la forma que adopta pueden superponerse. Así, una solicitante de asilo puede sufrir una persecución en cuanto mujer por razones no relacionadas con el género (por ejemplo, violada por pertenecer a un partido político); también puede ser perseguida de manera no específica a su identidad femenina, pero por razón de su gé-

---

una persecución. Vid. TJUE, sentencia de 5 de septiembre de 2012, Gran Sala, asuntos acumulados C-71/11 y C-99/11, *Bundesrepublik contra Y y Z*, EU: C: 2012: 518, apartados 65 y 66.

41 Vid. ACNUR, *Directrices sobre la Protección Internacional: La persecución por motivos de género*, cit., pars. 9, 14-15. Para que las discriminaciones sean calificadas de persecución, la solicitante debe probar que esa ley o prácticas sociales son intrínsecamente persecutorias, o se utilizan como medio de persecución por uno o varios de los motivos previstos en el Convenio, o aunque persigan objetivos legítimos, se aplican por medios persecutorios; o la sanción por su incumplimiento es desproporcionadamente severa. Vid. ACNUR, *Manual de procedimientos y criterios...*, cit., pars. 57-60.

42 Por ejemplo, los actos de violación fueron considerados persecución por el Consejo de lo Contencioso de los Extranjeros belga (*Conseil du Contentieux des Étrangers)* por la naturaleza, la intensidad y el carácter reiterado de los abusos sexuales infligidos contra una solicitante en Afganistán. Vid. Consejo de lo Contencioso de los Extranjeros (Bélgica), decisión de 4 de febrero de 2013, nº 96.572.

43 El Consejo de lo Contencioso de los Extranjeros (Bélgica), decisión de 30 de junio de 2010, nº 45.742, dictaminó que la violencia sexual practicada por el marido de la solicitante era un acto de persecución debido a su pertenencia a un determinado grupo social definido sobre la base del género.

44 El Tribunal Supremo Administrativo austriaco (*Verwaltungsgerichtshof*) consideró que varias medidas discriminatorias contra las mujeres en Afganistán que impiden su acceso a tratamiento médico las afectaban de manera similar a una violación grave de un derecho humano fundamental en virtud de lo dispuesto en el artículo 9.1, a). Sentencia de 16 de abril de 2002, solicitud nº 99/20/0483, apartado 5. Vid. también Tribunal Superior del Reino Unido (UKUT), sentencia de 18 de mayo de 2012, *AK [Article 15(c)] Afghanistan CG* [2012] UKUT 00163 (IAC).

nero (por ejemplo, azotada por negarse a llevar velo) y, finalmente, puede padecer una persecución o daño específico de mujer y por ser mujer (mutilación genital femenina o asesinato por honor de una mujer adúltera)[45].

La protección de refugiados únicamente se ofrece a aquellos que puedan demostrar un nexo causal entre los motivos de persecución y los actos de persecución o la ausencia de protección contra tales actos (art. 9.3 de la Directiva). Como advierten las Directrices de ACNUR, en muchas solicitudes por motivos de género, la dificultad puede no radicar en elegir el motivo que aplicar sino en establecer el nexo causal, esto es, que el temor fundado de persecución está provocado por ese motivo[46]. No es infrecuente que, en las solicitudes por motivos de género, la persecución temida pueda corresponder a varios motivos. De hecho, "la persecución religiosa se suele mezclar y camuflar con las estructuras de género distintivas de un país. Y, por tanto, puede resultar difícil identificar los motivos religiosos, y que se considere el ataque como mero resultado de prejuicios locales con respecto a las mujeres"[47]. Esto ocurre, por ejemplo, en las solicitudes basadas en la transgresión de normas sociales o religiosas, que puede ser analizada en términos de religión, opinión política o pertenencia a un determinado grupo social[48]. Sin embargo, los tribunales no recurren a un enfoque interseccional al evaluar los riesgos en este tipo de solicitudes de asilo; antes bien, por lo general, optan por un único motivo[49], y no suelen ser los religiosos, aunque sean relevantes[50]. Y ello a pesar de que las Direc-

---

45 Cfr. HOOPER, L., *Demandes d'asile fondées sur le genre...*, cit., p. 29; Immigration Appellate Authority (UK): *Asylum Gender Guidelines*, 1 November 2000, par. 1.14. <http: //www.refworld.org/docid/3ae6b3414.html> [consulta: 28/9/2024].

46 Vid. ACNUR, *Directrices sobre la Protección Internacional: La persecución por motivos de género*, cit., par. 20.

47 PÉREZ-MADRID, F., "Mujeres perseguidas por motivos religiosos..., cit., p. 565.

48 Ibid., par. 23. Por ejemplo, en una decisión del Tribunal de Derecho de Asilo austriaco (*Asylgerichtshof*) se reconoce que se puede dar persecución por motivos religiosos en el caso de una mujer afgana que tenga que afrontar daños graves tras haberse negado a someterse a los ritos y costumbres asociados a la religión. Vid. sentencia de 6 de diciembre de 2012, C16 427465-1/2012.

49 Así lo confirma, citando diversas sentencias españolas, SERRA CRISTÓBAL, R., "El reconocimiento de la discriminación múltiple por los tribunales", *Teoría y derecho: revista de pensamiento jurídico*, 27 (2020), p. 150.

50 Vid. LÓPEZ-SIDRO, A., *Dignidad humana, derecho de asilo y factor religioso*, Tirant Lo Blanch, Valencia, 2022, pp. 200 y 207. A pesar de que los casos de asilo por motivos religiosos no son escasos en la jurisprudencia europea y española, pocas sentencias han estimado la petición sobre la base de persecución religiosa. Vid.,

trices de ACNUR insten a apreciar la frecuente interacción entre religión y género (además de la raza, etnia, normas culturales, identidad, formas de vida y otros factores) al evaluar las solicitudes basadas en motivos religiosos[51]. Lo cierto, es que la mayoría de los casos por persecución de género y sexo se reconducen al motivo de "pertenencia un grupo social", como veremos a continuación. No obstante, ello no puede convertir en irrelevantes el resto motivos fijados por la Convención de refugiados, como advierten las Directrices de ACNUR[52].

4. INTERPRETACIONES JURISPRUDENCIALES RECIENTES DE LA PERTENENCIA A UN DETERMINADO GRUPO SOCIAL COMO MOTIVO DE PERSECUCIÓN

Aunque no existe una "lista definitiva" de cuáles grupos pueden constituir "un determinado grupo social" a los efectos del artículo 1A(2), las mujeres son incluidas en este motivo de persecución por ser el sexo una característica innata[53], como también ocurre en derecho europeo de asilo. La Directiva 2011/95/UE toma en consideración el sexo del solicitante como un *factor relevante en la evaluación de la solicitud* (art. 4.3.c), así como al apreciar la naturaleza de los *actos de persecución* a los que este se encuentra expuesto o se arriesga a verse expuesto en su país de origen (art. 9.2, f) y en el examen de los *motivos de persecución*, a los efectos de definir "la pertenencia a un determinado grupo social" o identificar una característica de dicho grupo (artículo 10.1, d, párrafo segundo *in fine*).

La jurisprudencia tanto europea como española[54] se ha enfrentado con dificultades para perfilar este concepto de "grupo social determinado",

---

en este sentido, LÓPEZ-SIDRO, A., "Asilo y libertad religiosa en la jurisprudencia española y europea", *Derecho y Religión*, 13 (2018), pp. 127-152.

51 Vid. ACNUR, *Directrices sobre protección internacional. Solicitudes de asilo por motivos religiosos,* 28 de abril de 2004 (UN Doc. HCR/GIP/04/06, par. 27.d).

52 Vid. ACNUR, *Directrices sobre la Protección Internacional: La persecución por motivos de género,* cit., párr. 28.

53 Vid. ACNUR, *Directrices sobre la Protección Internacional: "Pertenencia a un determinado grupo social" en el contexto del Artículo 1A(2) de la Convención de 1951 sobre el Estatuto de los Refugiados y/o su Protocolo de 1967,* mayo 2002, HCR/GIP/02/02, pars. 1 y 3.

54 Vid. las sentencias del Tribunal Supremo de 6 de julio de 2012 (RC 6426/2011), de 15 de junio de 2011 (1789/2009) y la 16 de junio de 2012 (RC 2116/2007), ésta aporta una aproximación a las notas definidoras del concepto en FJ. 5°.

pues su significado debe entenderse en el contexto de la naturaleza diversa y cambiante de los grupos en diversas sociedades. A diferencia del criterio adoptado por ACNUR[55], la Directiva define un determinado grupo social mediante la concurrencia de dos elementos acumulativos: a) unas *características comunes,* que puede ser una característica innata o unos antecedentes comunes que no pueden cambiarse, o bien una característica o creencia (compartida) que resulta tan fundamental para su identidad o conciencia que no se puede exigir a una persona que renuncie a ella; y b) una *identidad diferenciada,* de manera que se identifique al grupo como diferente por la sociedad que lo rodea de acuerdo con las condiciones imperantes en el país de origen.

La característica común debe ser distinta del riesgo de ser perseguida[56]. Entre esas características, son frecuentes dos que constituyen el objeto de nuestra investigación, esto es, el sexo y el género y la transgresión de los códigos morales y contravención de las normas vigentes. La identidad diferenciada puede provenir de una legislación penal o discriminatoria contra determinados grupos que autoriza y legitima esa estigmatización, como ocurre en algunos países con leyes de estatuto personal discriminatorio hacia las mujeres, con frecuencia inspiradas en preceptos religiosos. En otros casos, la discriminación y el ostracismo de determinados grupos proviene de tradiciones, costumbres o creencias religiosas[57].

La reciente jurisprudencia del Tribunal de Justicia de la Unión Europea (TJUE) reconoce que la Directiva 2011/95 debe ser interpretada no sólo a la luz de la Convención de Ginebra sino también de los tratados

---

[55] ACNUR, *Directrices sobre la Protección Internacional: "Pertenencia a un determinado grupo social",* cit. p. 3: "Un determinado grupo social es un grupo de personas que comparte una característica común distinta al hecho de ser perseguidas o que son percibidas a menudo como grupo por la sociedad. La característica será innata e inmutable, o fundamental de la identidad, la conciencia o el ejercicio de los derechos humano".

[56] Ibid., punto 11.

[57] La Comisión Especial de Apelaciones de Grecia [decisión de 26 de junio de 2011, solicitud nº 95/126761] declaró que el comportamiento de una mujer disconforme con las convenciones y prácticas tradicionales o culturales del islam demostraba su pertenencia a un determinado grupo social. En Alemania, el Tribunal de Justicia Administrativa de Augsburgo (sentencia de 16 de junio de 2011, Au 6 K 30092), declaró: "La persecución que amenaza a la solicitante tiene que ver con un motivo de persecución relacionado con su pertenencia como mujer a un determinado grupo social: mujeres solteras de familias cuya imagen tradicionalmente exige un matrimonio forzado".

pertinentes a que se refiere el art. 78.1 TFUE, entre los que se encuentran la CEDAW y la Convención de Estambul, cuyo art. 60.2 obliga a las Partes a aplicar una interpretación sensible al género a cada uno de los motivos de persecución[58]. A la luz de ambos textos, el 16 de enero de 2024, dictó una decisión histórica en el asunto C-621/21 admitiendo, en contra de la opinión del Abogado General, que las mujeres, en su conjunto, pertenecen a un determinado grupo social en su país de origen en el sentido del art. 10.1.d de la Directiva, cuando se acredite que están expuestas, por razón de su sexo, a actos de violencia física o psíquica, incluidos actos de violencia sexual y violencia doméstica (par. 57)[59]. Dado que es suficiente con compartir alguno de los tres rasgos de identificación previstos en el art. 10, siendo el sexo femenino una característica innata, basta para cumplir este requisito (par. 49). Ello no excluye —advierte el Tribunal— que también puedan pertenecer a un determinado grupo social las mujeres que comparten un rasgo común adicional como, por ejemplo, una característica innata, unos antecedentes comunes que no pueden cambiarse, como una situación familiar particular, o incluso una creencia que resulta tan esencial (par. 50). Así mismo, el Tribunal considera que las mujeres que comparten una característica adicional también cumplen el requisito relativo a la identidad diferenciada del grupo en su país de origen, cuando las normas sociales, morales o jurídicas allí vigentes tengan como consecuencia que la sociedad que las rodea las perciba como diferentes (par. 53). Además, el Tribunal recuerda repetidamente la necesidad de tener en cuenta el contexto del país de origen, para llevar a cabo una evaluación individual y cuidadosa de los temores de persecución (par. 60).

El Tribunal, con esta sentencia, atestigua una comprensión de las particularidades específicas de las solicitudes de protección internacional presentadas por mujeres. De hecho, la persecución de género es única en el

---

58 Vid. asuntos C-646/21, par. 37 y 44-47; C-646/2, pars. 36 y C-608/22 y C-609/22, par. 33.

59 El origen fue una petición de decisión prejudicial sin precedentes, enviada por un tribunal búlgaro. Este último, debía pronunciarse sobre la solicitud de asilo de WS, una mujer de origen turco perteneciente al grupo étnico kurdo, musulmana suní, víctima de violencia doméstica y amenazada con un "asesinato por honor" 'porque, tras huir del domicilio conyugal, se había divorciado y había contraído matrimonio religioso y tenía un hijo fruto de ese matrimonio'. WS hizo un primer intento, basó la segunda solicitud específicamente en el temor de persecución por parte de actores no estatales debido a su pertenencia a un "determinado grupo social": el de las mujeres víctimas de violencia doméstica, y las que probablemente sean víctimas de "asesinatos por honor".

sentido de que a menudo tiene un objeto y una forma muy específicos: se dirige a las mujeres porque son mujeres. La naturaleza del daño puede ser más grave para una mujer que para un hombre y la protección que se le concede puede ser significativamente menor que la concedida a un hombre[60].

La decisión es relevante y pertinente pues el derecho internacional de asilo considera intercambiables los términos "sexo", "género" y "mujer"[61], a pesar de las diferencias entre ellos, reconocidas por ACNUR[62]. Por el contrario, la definición del grupo social "mujeres" dada por el Tribunal presenta, por un lado, el "sexo" como una característica biológica innata que permite cumplir la primera condición relativa a las características protegidas. Por otro lado, aclara que son efectivamente los roles y normas de género —"normas sociales, morales o legales"— los que, bajo la segunda condición, hacen posible identificar a las mujeres como poseedoras de su propia identidad en la sociedad en cuestión.

La perspectiva de género aporta información muy valiosa acerca de qué se espera, qué se permite y qué se valora en una mujer en un contexto determinado. En el ámbito jurídico, el género es más que un constructo comparativo para identificar las diferencias de trato que reciben las mujeres y los hombres. También permite a la sociedad reconocer por qué y cómo las experiencias únicas de las personas de cada género pueden afectar a las interacciones de una persona con la ley y, por tanto, cómo cambiar la ley y la política para adaptarse mejor a esas experiencias[63]. Entender cómo se violan los derechos de las mujeres es fundamental para identificar esas formas de violencia y discriminación —en definitiva, de persecución— que configuran el elemento objetivo de la definición de refugiado[64].

---

60 Vid. Immigration and Refugee Board, Guidelines Issued by the Chairperson Pursuant to Section 65(3) of the Immigration Act, *Women Refugee Claimants Fearing Gender-Related Persecution, Immigration and Refugee Board,* Ottawa, 1993, I(1).

61 Vid. FOSTER, M., "Why we are not there yet. The particular challenge of 'particular social group'", in ARBEL, E., DAUVERGNE, C., MILLBANK, J., *Gender in Refugee Law: From the Margins to the Centre,* Routledge, 2014, p. 29.

62 Vid. ACNUR, *Directrices sobre la Protección Internacional: La persecución por motivos de género,* cit., párr. 3. Vid. también art. 3.c del Convenio de Estambul de 2011.

63 Vid. HERRERA SOMMERS, I.., "Suffering for Her Faith...", cit., p. 515.

64 Vid. ACNUR, *Manual de procedimientos y criterios para determinar la condición de refugiado en virtud de la Convención de 1951 y el Protocolo de 1967 sobre el Estatuto de los Refugiados,* HCR/IP/4/Spa/Rev.1, párr. 15 (reeditado, Ginebra, enero de 1992).

Por estas razones, la decisión del Tribunal simplificará enormemente las solicitudes de protección internacional presentadas por mujeres, aunque no falten voces críticas por la esencialización de las "solicitudes de asilo relacionadas con el género" y el posible efecto llamada que puede comportar esta nueva postura[65].

Ahora bien, ésta no es la única innovación en su decisión: el Tribunal también precisa que, en caso de persecución por parte de actores no estatales, no es necesario establecer un vínculo entre los motivos y los *actos de persecución*, porque el vínculo entre los motivos y *la ausencia de protección* por parte del Estado es suficiente (pár. 70). Finalmente, el Tribunal confirma que ser potencialmente víctima de un "asesinato por honor" constituye un ataque grave que justifica el reconocimiento del estatus conferido por la protección subsidiaria (pár. 80).

El TJUE ha tenido ocasión de volver a pronunciarse sobre la interpretación de la pertenencia a un determinado grupo social en el asunto K. y L. (C-646/21) resuelto el 11 de junio de 2024. El Tribunal de la Haya planteó una cuestión prejudicial a raíz del recurso interpuesto por dos hermanas de origen iraquí que llegaron a los Países Bajos en 2015, acompañadas por sus padres y una tía; han residido interrumpidamente allí desde entonces. Las demandantes afirmaban que debido a su prolongada estancia en dicho país se habían "occidentalizado", adoptando las normas, los valores y el comportamiento de los jóvenes y temían sufrir persecución en caso de retorno a Irak debido a la identidad que se habían forjado en los Países Bajos. El órgano jurisdiccional remitente consideró que las "mujeres occidentalizadas" constituyen un grupo demasiado heterogéneo para poder considerarlas comprendidas en un determinado grupo social, y según la práctica jurídica nacional, una eventual "occidentalización" se examina como motivo de persecución basado bien en la religión, bien en las opiniones políticas (par. 27).

---

65 Vid. en este sentido, las críticas de CHOLLET, CH. "From the margins to… the group? La reconnaissance de la qualité de réfugiées aux femmes «en tant que telles », *Revue des droits et libertés fondamentaux,* [en línea] n° 32 (2024); STAMME, L., "Nota a margine della sentenza della Corte di Giustizia del 16.01.2024 nella causa C-621/21: la Corte di Giustizia riconosce la violenza sulle donne comme forma de persecuzione contro un detrminato grupo sociale", *Dirtto, Inmigrazione e Cittadinanza,* n. 2/2024, pp. 7-8 y FAGGIANI, V., "La asimilación al estilo europeo basado en la igualdad de género como nuevo motivo para la concesión de protección internacional: ¿hacia una jurisprudencia realmente *gender-inclusive* del TJUE?", *Diario La Ley,* n° 10573, Sección Tribuna, 23 de septiembre de 2024, p. 4.

El planteamiento del caso refleja de modo paradigmático la ausencia de un enfoque interseccional por parte de los tribunales que permita comprender los múltiples factores de identidad (en este caso, sexo, opiniones políticas, religión y edad) que pueden interactuar para crear formas distintas y complejas de discriminación, maltrato o marginación. El Tribunal de la Haya venía optando por diseccionar la realidad y elegir uno de esos los motivos de persecución, aunque asuma que confluyen varios. La tónica general es la misma que la de la política antidiscriminatoria, se abordan los supuestos de discriminación desde una sola variable: raza, sexo o creencias[66].

Por su parte, el TJUE adopta la misma lógica interpretativa que la utilizada en el asunto C-621/21: el sexo femenino constituye una característica innata y, por lo tanto, basta para cumplir el requisito de reunir uno de los tres rasgos identificativos de la pertenencia al grupo que reclama el art. 10.1d), párrafo primero (par. 42). Cumplen, además, este requisito las mujeres que compartan un rasgo común adicional como es, en este caso, el valor de la igualdad entre mujeres y hombres, que puede considerarse “una característica o creencia que resulta tan fundamental para su identidad o conciencia que no se le puede exigir que renuncie a ella” (pars. 44). Por otra parte, el Tribunal también consideró la circunstancia de que eran mujeres jóvenes que habían residido en un Estado miembro de acogida duranta una fase de la vida en la que se forja la identidad y la identificación con ese valor fundamental puede constituir “unos antecedentes comunes que no pueden cambiarse” (pars. 45 y 83). Precisamente por ello, el entorno social de su país de origen las percibe con una “identidad diferenciada” portadora de una cultura distinta, razón por la cual reúne también el segundo requisito de identificación de un grupo social determinado (pars. 48-49).

El Tribunal aclara que no se exige en modo alguno que la identificación efectiva de estas mujeres con el valor de igualdad tenga carácter político o

---

66 Se aprecia esa mala praxis en algunos casos planteados al Tribunal Supremo de discriminación de mujeres extranjeras solicitantes de asilo que, además, eran víctimas de violencia de género (STS 4013/2011, de 15 de junio, Sala tercera) o se enfrentaban a matrimonios forzados y mutilación genital (STS 3414/2011, de 31 de mayo, Sala tercera y STS 2781/2009, de 11 de mayo, Sala tercera). En todos, el TS ha reconocido una persecución y discriminación por sexo, pero no ha tenido en cuenta la confluencia de factores de discriminación. Vid. SERRA CRISTÓBAL, R., “El reconocimiento de la discriminación múltiple por los tribunales”, cit., p. 150.

religioso para que se le reconozca la existencia de un motivo de persecución, "si bien es cierto —sostiene la Corte— que tal identificación puede percibirse, en su caso, como motivo de persecución por razón de religión o opiniones políticas" (par. 52). Considero especialmente relevante mantener la defensa de los motivos religiosos en estas situaciones. En primer lugar, para identificar y responder a las experiencias únicas de las mujeres religiosas que se enfrentan a la persecución debido a sus identidades tanto dentro de sus comunidades como por otros agentes. En segundo lugar, para dar voz y espacio a las mujeres religiosas y de diferentes tradiciones que rechazan cada vez más las interpretaciones patriarcales de la doctrina religiosa y exigen la igualdad de derechos dentro de sus tradiciones religiosas[67].

5. CONCLUSIÓN

Como puede apreciarse, la pertenencia a un grupo social tiene un cierto grado de flexibilidad y, por lo tanto, podría definirse tan amplia o estrictamente como sea necesario, lo que le hace especialmente apto para acomodar escenarios interseccionales[68]. No en vano, puede solaparse e interactuar con otros motivos de persecución (raza, religión, nacionalidad, opinión política), como hemos comprobado. Si bien todo solicitante de asilo podría ser potencialmente considerado vulnerable *per se* como resultado de una conjunción de factores estructurales[69], las mujeres y niñas experimentan una situación de vulnerabilidad cualitativamente diferente de la que experimentan otros solicitantes de asilo. Incluso las mujeres y niñas son un grupo heterogéneo que pueden sufrir discriminación interseccional basadas en varias características personales. Por eso, es importante tener en cuenta la interseccionalidad del género con otros motivos de discriminación. De hecho, la interseccionalidad no pretende superar esas categorías o motivos de discriminación, sino interpretarlas críticamente

67 Cfr. Informe del Relator especial sobre libertad de religión o de creencias, *Violencia de género y discriminación en nombre de la religión o creencias*, 24 de agosto de 2020 (UN Doc. A/HRC/43/48, par. 50).

68 Vid., en este sentido MARKARD, N., "Persecution for reasons of Membership of a Particular Social Group: Intersectionality avant la lettre?", *Sociologia del Diritto* 2, (2016), pp. 45-63.

69 Así lo consideró el TEDH en el caso Mss c. Bélgica y Grecia, nº 30696/09, § 251, 21 de enero de 2011.

dándoles un significado diferente y destacando su valor particular cuando se cruzan[70].

La interseccionalidad, más allá de la discriminación múltiple secuencial y aditiva, permite visibilizar la vulnerabilidad que experimentan las personas en la intersección de múltiples categorías a la vez: género, raza-origen étnico, discapacidad, identidad religiosa, etc., que interactúan simultáneamente, produciendo una forma singular de discriminación[71]. Por ello, un análisis basado en uno o más motivos hace invisibles a quienes se encuentran en la intersección de dos o más motivos. Esa invisibilidad no se debe únicamente a la estructura de la legislación sobre discriminación, que tiende a exigir una comparación basada en un único motivo. Se debe a un problema más profundo a saber, que las categorías en las que se basan los motivos se inclina por centrarse en los más privilegiados de ese grupo. En consecuencia, las nociones de lo que constituye discriminación, maltrato o marginación por raza, sexo y religión están estrechamente adaptadas para abarcar sólo un conjunto de circunstancias, que dejan fuera otras discriminaciones y dificultan su acceso a la justicia y la posibilidad efectiva de escapar de situaciones abusivas.

Lo relevante, en cualquier caso, es hacer visible y validar el daño que causa la discriminación interseccional, así como su naturaleza específica. Las violaciones de derechos humanos en la intersección de la libertad de religión o de creencias y la igualdad entre hombres y mujeres son una realidad para muchas mujeres[72]. Aunque se han dado pasos importantes en el terreno legislativo en este sentido, todavía hay mucho camino por recorrer en el ámbito judicial[73]. Ignorar la particular discriminación o persecución por la intersección de esos diferentes motivos puede provocar graves lagu-

---

70 Cfr. FLAMAND, CH., RAIMONDO, F., SAROLÉA, S., "Examining Asylum Seekers. Other Vulnerabilities": *Intersectionality in Context, European Journal of Migration and Law,* 25 (2023), p. 510.

71 Vid. BURRI, S., SCHIEK, D., *Multiple Discrimination in EU Law. Opportunities for legal responses to intersectional gender discrimination?,* European Commission Directorate General for Employment, Social Affaires and Equal Opportunities, Unit G/2, 2009, p. 3; European network of legal experts in gender equality and non-discrimination, *Intersectional discrimination in EU gender equality and non-discrimination law,* Publications Office of the European Union, Luxembourg, 2016, pp. 27-28.

72 Cfr. BIELEFELDT, H., Informe del Relator Especial sobre la libertad de religión o de creencias, 7 de agosto de 2013 (UN Doc. A/68/290, par. 34).

73 El art. 6.3 de la Ley 15/2022, de 12 de julio, integral para la igualdad de trato y la no discriminación reconoce y define la discriminación múltiple e interseccional.

nas de protección y además no hace justicia a la situación vital de muchos millones de personas cuyas necesidades, deseos, reivindicaciones, experiencias y vulnerabilidades específicas se encuentran en la intersección de ambos derechos humanos, libertad religiosa e igualdad entre hombre y mujer, un problema que afecta de forma desproporcionada a las mujeres o niñas de minorías religiosas.

La adquisición de la nacionalidad española de los menores nacidos en España de padres extranjeros

AMANDA KALIL
Profesora Ayudante Doctora
Universidad Pablo de Olavide, de Sevilla

1. INTRODUCCIÓN

El artículo 17 del Código Civil español, desde su promulgación en 1889, ha desempeñado un papel fundamental en la determinación de la nacionalidad española de origen, configurándose como una pieza clave del sistema jurídico de nacionalidad. Su evolución ha estado marcada por una tensión constante entre los criterios *ius sanguinis* (nacionalidad por descendencia) e *ius soli* (nacionalidad por nacimiento en territorio), y por la necesidad de adaptar el marco legal a nuevas realidades migratorias, sociales y compromisos internacionales.

El Código Civil de 1889 amalgamó ambos criterios en fórmula híbrida, es decir, la principal determinación a través del criterio *ius sanguinis* pero la redacción original también reconocía la nacionalidad española a los nacidos en España. Si bien la virtualidad práctica del *ius soli* quedó tempranamente cercenada por exigencias formales de manifestación, domicilio y opción al alcanzar la mayoría de edad; el trasfondo colonial, con la distinción entre peninsulares y ultramarinos, intensificó esas restricciones.

Con la reforma de 1954, se consolidó el predominio del *ius sanguinis*, limitándose el *ius soli* a supuestos excepcionales, restringiendo severamente la atribución territorial. Para que un nacido en España de padres extranjeros pudiera ser considerado español se requería, en la línea de la futura letra b del artículo 17 CC, que ambos progenitores hubieran nacido en España y estuvieran domiciliados en el país. Persistían además desigualdades en la transmisión materna de la nacionalidad.

La Constitución de 1978 supuso una ruptura con la tradición constitucional de regular directamente la nacionalidad, remitiendo su definición a la legislación ordinaria, lo que abrió paso a reformas legislativas sustanciales. La Ley 51/1982, y luego la reforma de 1990, introdujeron innovaciones importantes, como la supresión del requisito de domicilio de los padres para el doble *ius soli* y la ampliación de los supuestos de atribución automática de nacionalidad para prevenir la apatridia, en particular mediante el artículo 17.1c, que otorga la nacionalidad a los nacidos en España cuyos padres carezcan de nacionalidad o cuya legislación no la transmita al hijo.

Esta regla, aparentemente breve, representa décadas de evolución normativa y una ambición que va más allá de la mera técnica legislativa. Las letras b, c y d, del artículo 17.1 CC tienen triple objetivo: primero, evitar la apatridia infantil, segundo, cumplir los compromisos internacionales en materia de derechos humanos y, por último, responder a los flujos migratorios que desde la segunda mitad del siglo XX transformaron el perfil demográfico de España.

La reforma de 2002 reforzó el papel del artículo 42 de la Constitución en relación con la protección de los trabajadores españoles en el extranjero, facilitando la transmisión de la nacionalidad. Con todo, la jurisprudencia[1] y la doctrina han insistido en la necesidad de una interpretación finalista del artículo 17 que evite la apatridia inicial y facilite la integración efectiva del menor en la comunidad española. Así, pese a las distintas reformas y la complejidad de su aplicación, el artículo 17 se mantiene como expresión de la voluntad histórica del legislador español de equilibrar el vínculo con los descendientes de españoles y el respeto a principios internacionales, como el interés superior del menor y el derecho a la nacionalidad reconocido en la Declaración Universal de Derechos Humanos y la Convención sobre los Derechos del Niño[2].

---

1 En la Sentencia del Tribunal Supremo (Sala 1.ª Civil), Sentencia 280/2023, 21-02-2023. El Supremo aborda la cancelación de una anotación registral de nacionalidad española "con valor de simple presunción" concedida al amparo del art. 17.1.c) cuando después se acredita que la menor sí obtuvo (o podía obtener) nacionalidad extranjera; el Tribunal explica que la finalidad del precepto es evitar la apatridia en el momento del nacimiento, por lo que, demostrada la existencia de otra nacionalidad, decae la razón teleológica de la atribución. Esta resolución enseña que la lectura finalista funciona en un doble sentido: permite atribuir nacionalidad para proteger al menor, pero también exige corregir la inscripción si la causa anti apatridia desaparece.

2 ÁLVAREZ RODRÍGUEZ, A. (2005), "La interpretación de la Dirección General de los Registros y del Notariado en materia de nacionalidad: recensión y comentario de las decisiones dictadas de enero a octubre de 2005" Revista de Derecho Migratorio y Extranjería, núm. 10, noviembre 2005, espc. p. 217.

2. BREVE RESUMEN DE LAS FORMAS DE ADQUISICIÓN DE NACIONALIDAD

La doctrina distingue, con utilidad práctica, entre: (a) adquisición automática ex lege, que opera sin necesidad de declaración cuando concurren los presupuestos legales (filiación española; adopción por español; nacimiento en España en los supuestos del art. 17; determinados efectos retroactivos); y (b) adquisición no automática, que exige acto de voluntad o expediente administrativo/judicial (opción, carta de naturaleza, residencia, posesión de estado). Esta clasificación permite entender la situación de menores nacidos en España de padres extranjeros: si encajan en los supuestos automáticos del art. 17 obtienen nacionalidad de origen; en caso contrario, se recurre a las vías no automáticas, destacadamente la opción o la residencia con tiempo reducido.

Dentro de la adquisición automática, la filiación natural en virtud del *ius sanguinis* opera sin restricción, es decir, son españoles de origen quienes nacen de padre o madre españoles, con independencia del lugar del nacimiento y del tipo de filiación (matrimonial, no matrimonial o adoptiva), tras la reforma que revirtió las limitaciones introducidas en 1954 que discriminaban la transmisión materna cuando existía padre extranjero.

La adopción se equipara a la filiación natural en cuanto a efectos de nacionalidad para menores de edad. Una persona extranjera menor de dieciocho años adoptada por persona española adquiere desde la adopción la nacionalidad española de origen, reconocimiento que fue consolidándose por etapas. Primero como vía de adquisición por residencia, luego como atribución automática, hasta llegar al régimen actual en el que basta la adopción válida, sin exigir que el adoptante fuera español al tiempo del nacimiento del adoptado, según la reforma de 1990 que suprimió aquel requisito intermedio.

El *ius soli*, progresivamente limitado respecto de su amplitud originaria, subsiste hoy en supuestos concretos destinados, entre otros fines, a evitar la reproducción intergeneracional de situaciones de exclusión cívica y a prevenir la apatridia infantil. Así, tienen nacionalidad española de origen las personas nacidas en España de padres extranjeros cuando al menos uno de ellos también nació en España (salvo hijos de diplomáticos o cónsules acreditados), previsión que, reformada en 1990, busca facilitar la integración de segundas generaciones de población migrante radicada en el país.

Especial relieve adquiere el supuesto de hijos nacidos en España de padres extranjeros apátridas o cuyas legislaciones impiden transmitir nacionalidad por *ius sanguinis*; en tal caso, para evitar la continuidad de la apatridia o la generación de nuevos casos, el ordenamiento atribuye la nacionalidad española de origen, aunque la determinación práctica de la inexistencia de nacionalidad transmisible exige el examen de las leyes personales de los progenitores.

También la filiación indeterminada activa un mecanismo preventivo. Los nacidos en España, cuya filiación no resulte determinada, se presumen españoles y se presume igualmente el nacimiento en territorio español cuando el primer lugar conocido de estancia de un menor es España; este refinamiento terminológico, pasar de «filiación desconocida» a «no determinada», amplía la protección frente a la apatridia en supuestos donde la filiación existe pero no puede acreditarse.

Cuando la determinación de filiación o nacimiento en España se produce tras alcanzar la mayoría de edad, entra en juego la adquisición no automática mediante opción. El derecho de opción permite, dentro de plazos establecidos, que quienes quedaron fuera de la atribución automática puedan declarar su voluntad de adquirir la nacionalidad española de origen; se extiende a quienes estuvieron sujetos a patria potestad de español o tienen padre o madre originariamente español nacido en España, ampliación introducida para favorecer la vinculación de la diáspora y facilitar la conservación y transmisión de la nacionalidad a descendientes de emigrantes.

El ejercicio del derecho de opción exige declaración por la persona interesada o sus representantes, con distintos requisitos según edad o capacidad, y opera dentro de límites temporales generales (hasta los veinte años, salvo excepciones). Hay quien defienda que el ejercicio de la opción comparte además los requisitos formales que rigen la naturalización[3], como la jura o promesa de fidelidad al rey, obediencia al ordenamiento, en principio renuncia a la nacionalidad previa, Salvo regímenes de doble nacionalidad con países iberoamericanos, Andorra, Filipinas, Guinea Ecuatorial o Portugal. Además, aquellos países con Convenio de doble nacionalidad, por ejemplo, Francia e inscripción en el Registro Civil. Sin embargo, otra parte de la doctrina, la cual nos parece correcta, entiende que los requisitos de la naturalización no operan en el ejercicio de la opción, aunque ambas sean una nacionalidad derivativa, porque el indivi-

3 HERNÁNDEZ MORENO, I. J. (2020). "Apatridia. Protección internacional y reconocimiento de su estatuto jurídico en España", Tesis Doctoral, Universidad de Valencia, p. 433.

duo antes tenía otra nacionalidad, la opción se le concede la nacionalidad de origen[4].

Respecto a las vías de nacionalidad derivativa, la carta de naturaleza representa la vía de concesión discrecional que el Gobierno, mediante Real Decreto, puede otorgar cuando concurren circunstancias excepcionales en la persona solicitante. Desde sus orígenes en el Código Civil, la figura ha carecido de criterios normativos cerrados, lo que ha permitido su uso en contextos muy variados, desde reconocimientos durante la dictadura franquista ligados a méritos militares o apoyo político, hasta usos contemporáneos orientados a incorporar deportistas de alto nivel cuyas contribuciones potenciales a selecciones españolas han sido invocadas públicamente por el Ejecutivo como justificación[5]. La elasticidad del concepto «circunstancias excepcionales» ha suscitado críticas doctrinales[6] que piden interpretaciones restrictivas para evitar el carácter de privilegio.

Más allá de la carta, la naturalización por residencia se ha consolidado como el cauce ordinario de acceso a la nacionalidad derivativa para quienes establecen vínculos estables con España. Aunque el Código Civil originario no la enumeraba como tal, la figura de la vecindad y otros mecanismos funcionalmente equivalentes prepararon el terreno. La reforma de 1954 introdujo por primera vez la residencia como criterio directo con un plazo general de diez años, acompañado de plazos reducidos en casos específicos, cinco años para ciertos aportes al país y dos años para nacionales iberoamericanos y otros colectivos. Desde entonces las sucesivas reformas han ajustado los plazos, suprimido privilegios ligados al matrimonio dependiente y ampliado supuestos de reducción temporal.

La reforma de 1982 eliminó el plazo intermedio de cinco años y extendió el de dos años a nuevos grupos (Andorra, Guinea Ecuatorial, Portugal, sefardíes), además de introducir por primera vez el plazo de un año para

---

4 VIÑAS FARRÉ, R. (2010). "Evolución del derecho de nacionalidad en España: continuidad y cambios más importantes" en Vitoria-Gazteizko nazioarteko zuzenbide eta nazioarteko herremanen ikastaroak, ISSN 1577-533X, N°. 1, 2009, p. 298.

5 En los últimos 5 años (2020-2024) han sido concedidas 213 nacionalidades por esta vía. Fuente: *Datos estadísticos básicos de nacionalidad.* Disponible en: https: // www.mjusticia.gob.es/es/ciudadania/nacionalidad/estadisticas-datos-basicos

6 FERNÁNDEZ MASIÁ, E. (2018) "Adquisición de la nacionalidad española" en FERNÁNDEZ MASIÁ, E. (dir.), Nacionalidad y extranjería. Tirant lo Blanch, pp. 53-54.

supuestos especiales, incluidos nacidos en territorio español que no obtuvieron nacionalidad y personas casadas con españoles, y de exigir que la residencia previa fuera legal, continuada e inmediatamente anterior a la solicitud, reforzando la conexión efectiva con el país y permitiendo denegación por interés nacional.

Un hito adicional se produjo con la reforma de 1990, que reintrodujo un plazo de cinco años para quienes hubiesen obtenido asilo o refugio y amplió los supuestos de un año. Junto con ello, se incorporaron requisitos sustantivos de buena conducta cívica y suficiente grado de integración en la sociedad española, cláusulas abiertas que desde entonces generan abundante litigiosidad y jurisprudencia[7]. Finalmente, la STS de 26 de noviembre de 2007 asentó las bases de la interpretación, determinando que la buena conducta no se presume y puede desvirtuarse o acreditarse más allá de registros penales, incluso hechos aislados de particular gravedad pueden pesar negativamente, aunque los antecedentes penales estén cancelados, mientras que la sola inexistencia de condenas no prueba civismo suficiente. La exigencia de integración, inicialmente evaluada de modo heterogéneo por encargados del Registro Civil, fue objeto de estandarización a partir de 2015 con la introducción de pruebas objetivas gestionadas por el Instituto Cervantes.

El nuevo sistema reglamentario fija dos pruebas: un examen de lengua española (DELE nivel A2) y otro de conocimientos constitucionales y socioculturales de España (CCSE). Quedan exentos menores y personas incapacitadas, se prevén dispensas para analfabetos o escolarizados en España que hayan completado la educación secundaria obligatoria, y se exime del examen de idioma a nacionales de países con español como lengua oficial

---

7 La STS de 26 de noviembre de 2007 (Rec. 4901/2004) ha sido un punto de inflexión doctrinal porque delimitó con claridad el papel del juez frente a la Administración en el control de los requisitos del art. 22.4 del Código Civil, en especial el de buena conducta cívica. El Tribunal Supremo estableció que la apreciación de la buena conducta cívica no puede quedar en la absoluta discrecionalidad del Ministerio de Justicia. Se introdujo un criterio de control jurisdiccional razonado sobre las decisiones denegatorias, lo que supuso una garantía frente a decisiones arbitrarias o infundadas. El Tribunal consideró que la buena conducta cívica debe apreciarse conforme a parámetros objetivos y razonables, no solo administrativos. Esta sentencia ha sido citada sistemáticamente en resoluciones posteriores, y su doctrina ha sido confirmada por múltiples sentencias de las Audiencias Nacionales, Tribunales Superiores de Justicia e incluso en la práctica administrativa.

o cooficial, preservando sin embargo la necesidad de acreditar integración por otros medios en los casos exentos.

Junto a los modos de adquisición, se encuentra la figura de la posesión de estado como mecanismo de consolidación de la nacionalidad. La posesión y utilización continuada de la nacionalidad española durante diez años, en buena fe y basada en título inscrito, consolida la nacionalidad aun cuando el título originario resulte anulado; se trata de reconocer una situación de hecho prolongada que ha generado integración sociológica y expectativas legítimas, con vertiente social, subjetiva relacionado a la buena fe y registral, y que en la práctica ha permitido a personas estabilizar su estatus tras largos períodos de ejercicio efectivo de derechos y deberes como españoles.

3. EL ARTÍCULO 17.1.C DEL CÓDIGO CIVIL: *IUS SOLI* CORRECTOR PARA MENORES DE PADRES EXTRANJEROS

El art. 17.1 CC enumera los supuestos en los que una persona es española de origen. Dentro de un sistema predominantemente *ius sanguinis*, las letras b, c y d configuran un *ius soli* corrector que evita la apatridia y promueve la integración de menores nacidos y/o criados en España cuyos vínculos con España son significativos.

Para comprender la evolución del precepto hay que remontarse a la reforma operada por la Ley 51/1982, que amplió el alcance de la previsión previa sobre nacidos en España de padres apátridas incorporando el supuesto en que la legislación de los progenitores extranjeros no atribuye al hijo una nacionalidad; se pasa así de un supuesto estrictamente referido a la apatridia «real» (carencia de nacionalidad en los padres) a una cláusula que reacciona frente a las disfunciones inter legislativas en materia de transmisión de la nacionalidad a los hijos nacidos fuera del territorio de los Estados de origen, en línea con las obligaciones internacionales asumidas por España para evitar la apatridia infantil.

Esta ampliación ha de situarse en la línea de respuesta del legislador español a textos internacionales como la Declaración Universal de Derechos Humanos[8], el Pacto Internacional de Derechos Civiles y Políti-

---

8 Artículo 15: 1. Toda persona tiene derecho a una nacionalidad. 2. A nadie se privará arbitrariamente de su nacionalidad ni del derecho a cambiar de nacionalidad.

cos[9], así como la Convención sobre los Derechos del Niño de 1989, cuyo artículo 7[10] subraya el derecho del niño, desde su nacimiento, a adquirir una nacionalidad y obliga a los Estados a garantizarlo, especialmente cuando de otro modo resultaría apátrida. La incorporación de esta sensibilidad internacional en la reforma española refuerza la lectura tuitiva del artículo 17.1.c) como herramienta *pro infante* y contra la apatridia.

Este precepto opera como *válvula anti-apatridia.* Su gestación legislativa respondió a la constatación de que la mera presencia de una nacionalidad formal en los progenitores no impedía que los hijos nacidos en España quedaran sin nacionalidad efectiva cuando la ley parental no transmitía automáticamente o exigía trámites complejos. La doctrina y la práctica registral lo han interpretado de modo finalista: lo determinante es la falta de atribución automática efectiva al nacimiento.

El carácter excepcional del *ius soli* en el sistema español, históricamente estructurado sobre el *ius sanguinis* por la condición de España como país de emigración, explica por qué los supuestos del artículo 17 operan a modo de válvulas correctoras. Se activan para evitar la perpetuación indefinida de linajes extranjeros sin acceso a la comunidad nacional y, sobre todo, para impedir la generación o prolongación de situaciones de apatridia. Dentro de este conjunto, el supuesto del artículo 17.1.c) es paradigmático, pensado para escenarios en que el hijo nacido en España no recibe nacionalidad por vía *sanguinis* conforme a la legislación de sus padres, introduce una atribución automática española que evita que el menor quede sin nacionalidad en el momento crucial de su nacimiento.

El recurso a este mecanismo se ha intensificado con el incremento de nacimientos en España de hijos de inmigrantes, lo que ha conducido a

---

9 Artículo 24: 1. Todo niño tiene derecho, sin discriminación alguna por motivos de raza, color, sexo, idioma, religión, origen nacional o social, posición económica o nacimiento, a las medidas de protección que su condición de menor requiere, tanto por parte de su familia como de la sociedad y del Estado. 2. Todo niño será inscrito inmediatamente después de su nacimiento y deberá tener un nombre. 3. Todo niño tiene derecho a adquirir una nacionalidad.

10 Artículo 7: 1. El niño será inscripto inmediatamente después de su nacimiento y tendrá derecho desde que nace a un nombre, a adquirir una nacionalidad y, en la medida de lo posible, a conocer a sus padres y a ser cuidado por ellos. 2. Los Estados Partes velarán por la aplicación de estos derechos de conformidad con su legislación nacional y las obligaciones que hayan contraído en virtud de los instrumentos internacionales pertinentes en esta esfera, sobre todo cuando el niño resultara de otro modo apátrida.

un notable aumento de expedientes de declaración de nacionalidad con valor de simple presunción tramitados ante los Registros Civiles. La propia Dirección General de los Registros y del Notariado (hoy DGSJyFP) ha mantenido de forma constante la posibilidad de atribuir la nacionalidad española de origen en estos supuestos siempre que, tras la oportuna interpretación del Derecho extranjero aplicable a los progenitores, no queden dudas de que el nacido en España resultaría apátrida si no se activara la cláusula española.

En 2007 la DGRN emitió la Instrucción de 28 de marzo de 2007[11] para unificar criterios sobre la declaración de nacionalidad con valor de simple presunción en aplicación del art. 17.1.c y posteriores Circulares de 16 de diciembre de 2008 y 21 de mayo de 2009[12] concretaron documentación probatoria, valoración del derecho extranjero y listados indicativos de nacionalidades en las que procede o no procede la atribución española.

La DGSJYFP difundió listados no exhaustivos que, basados en resoluciones previas, orientan a los Encargados. Entre las nacionalidades respecto de las cuales suele proceder la declaración española (por falta de atribución automática) figuran: Argentina, Bielorrusia, Guinea-Bissau, Brasil, Cabo Verde, Colombia, Costa Rica, Cuba, Palestina, Sahara, determinados supuestos de Pakistán, Paraguay, Perú, Serbia, Suiza, Santo Tomé y combinaciones mixtas (p.ej., Brasil/Perú).

Entre las consideradas normalmente no procedentes (por atribución automática del *ius sanguinis* parental) se citan: Angola, Argelia, Armenia, Bolivia, Bulgaria, Camerún, Chile, Congo, Dominicana, Guinea Ecuatorial, Ecuador, Etiopía, Estados Unidos, Georgia, Ghana, Irak, Jamaica, Jordania, Kazajistán, Letonia, Lituania, Mauritania, México, Montenegro, Mozambique, Nicaragua, Nigeria, Polonia, Rumanía, Rusia, Senegal, Sierra Leona, Siria, Tanzania, Túnez, Uruguay, Uzbekistán, Venezuela, Zaire. Estos listados son meramente orientativos y deben confrontarse siempre con la legislación vigente de cada país.

---

11 Instrucción de 28 de marzo de 2007, de la Dirección General de los Registros y del Notariado, sobre competencia de los Registros Civiles municipales y demás reglas relativas a los expedientes de declaración de nacionalidad española con valor de simple presunción (BOE núm. 86, de 10.4.2007).

12 Circular DGRN 16-12-2008 sobre aplicación art. 17.1.c a hijos de extranjeros nacidos en España y Circular DGRN 21-05-2009 sobre acreditación de derecho extranjero en expedientes art. 17.1.c.

Los supuestos relativos a progenitores marroquíes ilustran igualmente la interacción técnica entre filiación, legitimidad matrimonial según la Mudawana y reglas de transmisión de la nacionalidad. Mientras la legislación marroquí atribuye nacionalidad a los hijos de padre marroquí con filiación legítima, y en ciertos casos a los hijos de madre marroquí con padre desconocido, se generan vacíos en situaciones de filiación extramatrimonial reconocida o de matrimonios celebrados al margen de la ley marroquí. La negativa consular a documentar a esos menores ha dado lugar a la atribución de la nacionalidad española en aplicación del artículo 17.1.c), siempre dentro de un examen individualizado por la DGSJYFP. La práctica recogida por la DGSJYFP muestra un criterio restrictivo, no se declara español al nacido en España de padres marroquíes cuando la filiación paterna consta, pues se entiende atribución automática de la nacionalidad marroquí. Tampoco cuando solo consta la madre marroquí y se desconoce el padre, dado el régimen de transmisión. Solo en supuestos excepcionales, madre marroquí y padre apátrida o sin posibilidad de transmitir se ha admitido la españolidad ex art. 17.1.c.

Respecto a los saharauis, en consultas de 12 de julio de 2004 y 06 de octubre de 2004 la DGRN[13] sostuvo que los pasaportes argelinos o mauritanos expedidos a saharauis no acreditan atribución de esas nacionalidades y son meros documentos de viaje. Dada la ausencia de un Estado saharaui reconocido internacionalmente, los hijos saharauis nacidos en España se han reconocido como españoles de origen por aplicación del art. 17.1.c[14].

Respecto a Palestina, diversas resoluciones DGRN (1993, 2000, 2002, 2005) trataron a personas palestinas como apátridas a efectos del art. 17.1.c. La jurisprudencia posterior ha introducido matices, la Sentencia Audiencia Nacional del 28 de abril de 2016[15] y la Sentencia del Tribunal

---

13 Consulta de 12 de julio de 2004, sobre presunción de nacionalidad española a saharauis, p. 1727. Consulta de 6 de octubre de 2004, sobre situación jurídica de los saharauis respecto de su eventual nacionalidad española, p. 1736. Disponible en: https: //www.mjusticia.gob.es/es/AreaTematica/derechos-gracia/InstLibraryLegislativeChronicle/Consultas_en_materia_de_Estado_Civil_de_la_Direccion_General_de_los_Registros_y_del_Notariado_2003.PDF

14 RODRÍGUEZ MORILLO, M.J. Y MATEO VÁZQUEZ, J. D. (2014) "Saharauis: de la ciudadanía española a la apatricia" en MEDINA MARTÍN, R. Y SORIANO DÍAZ, L. (dir) Activismo académico en la causa saharaui: Nuevas perspectivas críticas en Derecho, Política y Arte. Aconcagua Libros. pp. 101-124.

15 La Sala examina si la solicitante queda efectivamente sin nacionalidad cuando Arabia Saudí no le reconoce ex lege y el pasaporte palestino no asegura residencia

Supremo del 21 de marzo de 2017[16] valoraron la eficacia del pasaporte de la Autoridad Palestina, pero subrayaron la necesidad de examinar caso por caso la efectividad de protección. El Supremo confirmó que para apreciar apatridia es irrelevante que España no reconozca diplomáticamente al Estado que potencialmente atribuye la nacionalidad, lo decisivo es que exista un Estado que, conforme a su legislación, considere nacional al solicitante y pueda prestarle protección. Reconocido el Estado Palestino por numerosos países y existiendo documentación (pasaporte ordinario emitido por la Autoridad Palestina que permite retorno), el TS entendió que no concurría el requisito de carencia absoluta de nacionalidad del art. 1 Convención 1954, de ahí que no proceda estatuto de apátrida. Este criterio incide directamente en la interpretación del art. 17.1.c) CC, es decir, la atribución de nacionalidad española *pro apatridia* exige auténtica falta de nacionalidad atribuible, no simplemente ausencia de reconocimiento bilateral, ni dificultades prácticas.

El reto interpretativo se acentúa cuando el ordenamiento extranjero no atribuye automáticamente nacionalidad pero concede un derecho de opción o inscripción posterior. La cuestión jurídica central es si la existencia de ese derecho latente excluye la aplicación del artículo 17.1.c, por haber nacionalidad «atribuible», o si, mientras no se haga efectivo, el menor se halla en riesgo de apatridia que el ordenamiento español debe conjurar *ipso iure*. La doctrina ha observado que la lectura estricta de la literalidad española, que mira a la atribución legal en el momento del nacimiento, puede conducir a otorgar nacionalidad española incluso cuando el niño podría adquirir otra por actos ulteriores, como, por ejemplo, el caso de Colombia o Brasil. Esta situación alimenta la idea de un uso «voluntarista» del precepto del art. 17.1.c CC, por lo que autores defiende que el precepto no procede cuando existe lo que Goodwin-Gill denomina «nacionalidad

efectiva; encuadra la cuestión bajo el art. 1.1 de la Convención de 1954 y el art. 34 LO 4/2000, subrayando que la apatridia exige inexistencia de nacionalidad conforme a la legislación de todos los Estados relevantes, por lo que la mera dificultad práctica o la alegación de ineficacia del pasaporte no bastan si concurre un título nacional atribuible. Este enfoque restringe la posibilidad de invocar una "apatridia de conveniencia" que podría proyectarse, mutatis mutandis, sobre solicitudes de nacionalidad iure soli del art. 17.1.c) CC. Audiencia Nacional (Sala de lo Contencioso-Administrativo, Sección 8.ª) Sentencia de 28 de abril de 2016. ECLI: ES: AN: 2016: 1676. ROJ: SAN 1676/2016.

16 Tribunal Supremo (Sala 3.ª, Sección 3.ª, Contencioso-Administrativo) Sentencia núm. 470/2017, de 21 de marzo de 2017 ECLI: ES: TS: 2017: 994 ROJ: STS 994/2017.

putativa»[17], es decir, un derecho disponible pero no ejercido por los progenitores.

En este sentido debemos entender, tal y como ha señalado la DGRN, que cuando los progenitores se abstienen de realizar el registro consular, esto equivale jurídicamente a que el menor no tiene efectivamente derecho a una nacionalidad, y por tanto se activa la protección frente a la apatridia que brinda el artículo 17.1 c). De este modo, el requisito de inscripción o opción posterior en el ordenamiento extranjero es un indicio de que no hay atribución automática, y esto habilita la aplicación del régimen de nacionalidad por simple presunción en España, si no se acredita que dicha nacionalidad haya sido efectivamente adquirida.

En definitiva, la estructura global del artículo 17 pone de manifiesto la coexistencia de *ius sanguinis* prioritario e *ius soli* funcional. Así lo subraya la doctrina que, revisando el conjunto de los artículos 17 y siguientes, destaca el carácter residual con que opera el territorio como criterio de atribución directa, reservado a corregir disfunciones, como evitar linajes extranjeros perpetuos, tutelar frente a apatridia, integrar segundos nacidos en España, entre otros, en un sistema que, por tradición histórica de emigración, quiso mantener el vínculo con los descendientes fuera del país.

Ese giro histórico demográfico[18] no ha modificado sustancialmente el predominio del *ius sanguinis* en la letra del Código Civil, pero sí ha cargado de tensión práctica las cláusulas *ius soli,* que se activan con frecuencia sobrevenida. El resultado es que, si bien nacer en España no genera en general nacionalidad, un número creciente de nacidos en territorio español de padres extranjeros acaba accediendo a la nacionalidad de origen española a través de los supuestos excepcionales, entre ellos el contemplado en la letra c).

Desde la óptica de las políticas de integración, el juego del artículo 17.1.c) se inserta en una dinámica más amplia en la que la nacionalidad actúa como acelerador de procesos de arraigo, el fenómeno migratorio europeo ha impulsado modelos bidireccionales de integración en los que la adquisición de la nacionalidad del Estado de acogida figura como instrumento clave para la cohesión social, como ya se destacó en foros europeos sobre nacionalidad y es reconocido en el debate político español sobre reformas del Código Civil.

---

[17] GOODWIN-GILL (1982), *The Refugee in International Law,* Toronto, p. 10-11.

[18] España deja de ser país de emigración para convertirse en país de inmigración.

3. LEY DEL REGISTRO CIVIL: PRESUNCIONES, COMPETENCIA Y PROCEDIMIENTO

En la práctica registral, el presupuesto fáctico del artículo 17.1.c) debe verificarse en expediente instruido al amparo de los artículos 96.2 de la Ley del Registro Civil y concordantes del Reglamento. El art. 68 presume españoles a los nacidos en territorio español de padres también nacidos en España mientras no conste la extranjería, reforzando la protección intergeneracional. El art. 96.2 prevé el expediente gubernativo para la declaración de nacionalidad con valor de simple presunción, que se instruye por el Encargado del Registro y en el que puede intervenir el Ministerio Fiscal[19].

El expediente de «nacionalidad con valor de simple presunción» es el cauce registral diseñado para aplicar el art. 17.1.c CC cuando un menor ha nacido en España y, examinada la legislación de sus progenitores extranjeros, resulta que no recibe automáticamente su nacionalidad (o estos son apátridas). La expresión «simple presunción» refleja que la nacionalidad española nace directamente de la ley, el Encargado se limita a constatarla y a ordenar la inscripción. Mientras dura el expediente, se protege al menor frente a la apatridia administrativa.

Se podría debatir si la resolución registral es meramente declarativa o posee efectos constitutivos. La tesis mayoritaria sostiene que la nacionalidad existe *ex lege* desde el nacimiento cuando concurren los presupuestos[20]. Ahora bien, que la nacionalidad exista de pleno derecho no significa que la inscripción carezca de relevancia práctica. El asiento registral dota de certeza, eficacia probatoria y oponibilidad general al estado civil, habilitando la expedición de certificación de nacionalidad, DNI, pasaporte, alta sanitaria, escolarización sin condicionamientos de estatus migratorio y, en

---

19 Cuando la filiación española o el hecho del nacimiento en España relevante para art. 17 se determina después de la mayoría de edad, la atribución automática ya no opera. El ordenamiento concede entonces un derecho de opción regulado en los arts. 17.2, 19.2 y 20 del Código Civil. El art. 20.1.a permite optar a quienes estén o hayan estado sujetos a patria potestad de un español; el art. 20.1.b a quienes tengan padre o madre originariamente español y nacido en España; el art. 20.3 fija plazos: regla general hasta los 20 años o dentro de los dos años siguientes a la emancipación, sin límite para el supuesto b.

20 SÁNCHEZ JIMÉNEZ, M. A. (2004). El *status* jurídico del hijo de extranjeros nacido en España. Nacionalidad y normativa de extranjería. *Anales de Derecho de la Universidad de Murcia, 22,* p. 225.

general, el acceso funcional a los derechos que presupone la condición de español. Las instrucciones de la DGSJyFP subrayan que la resolución estimatoria ordena la práctica del asiento, precisamente porque sin esa inscripción el menor puede encontrar trabas administrativas para hacer efectivos derechos básicos pese a ser español de origen, es decir, la vía registral resulta imprescindible en la vida real.

La función de la inscripción como «puerta de acceso» práctico a la ciudadanía explica que, cuando hay duda sobre la nacionalidad de un menor nacido en España, el Encargado pueda incoar expediente gubernativo (art. 96.2 LRC) con intervención del Ministerio Fiscal en defensa del menor; el expediente busca despejar la presunción y, en su caso, ordenar el asiento que cristaliza frente a todos la nacionalidad que la ley atribuye. Esta dimensión garantista se pone de relieve en la explicación registral: la atribución de nacionalidad es un efecto legal, pero la inscripción es esencial para dotar de certeza y eficacia probatoria al estado civil. Por otro lado, las resoluciones pueden recurrirse en alzada ante la DGSJyFP y, en última instancia, impugnarse judicialmente mediante el juicio ordinario sobre estado civil previsto en el art. 249.1.2ª de la LEC.

Desde este planteamiento declarativo, los solicitantes deben aportar elementos razonables que muestren la falta de atribución automática de la nacionalidad parental, pero no se exige «prueba diabólica». Cuando la legislación extranjera condiciona la transmisión a un acto posterior (inscripción, opción, residencia), la doctrina de la Dirección General ha entendido que no hay atribución automática y, por tanto, concurre el supuesto del art. 17.1.c). En caso de duda, rige el *favor minoris* y las obligaciones internacionales de prevención de la apatridia, lo que refuerza la lógica de que la nacionalidad española ya existe *ipso iure* y debe ser reconocida para proteger al niño[21].

Cuando, además, los progenitores cuentan con resolución administrativa de reconocimiento de apatridia, ésta actúa como prueba directa en el expediente registral; si no la hay, puede aportarse prueba documental o pericial de apatridia fáctica.

---

21 ABARCA JUNCO, A. P. & VARGAS GÓMEZ-URRUTIA, M. (2007). "El artículo 17.1 c) del Código Civil. ¿Mecanismo de lucha contra la apatridia o un "nuevo" modo de adquisición voluntaria de la nacionalidad española?" en *Revista electrónica de estudios internacionales, 14*, p. 12.

La doctrina[22] añade un matiz importante, los efectos del asiento se retrotraen al nacimiento «a los fines del estatuto personal», lo que significa que, para cuestiones de capacidad, filiación subsiguiente, transmisión de apellidos o incluso conflictos de leyes, se considera que el menor fue español desde que nació. No obstante, se protege a terceros que hubieran obrado de buena fe confiando en la apariencia registral previa (por ejemplo, autoridades extranjeras que actuaron presumiendo otra nacionalidad). Este esquema de retroactividad limitada encaja mejor con una concepción declarativa que con una constitutiva estricta.

Que la doctrina mayoritaria apueste por la naturaleza declarativa no significa que la posición constitutiva carezca de argumentos. Quienes la defienden señalan que, en la práctica, sin resolución inscrita el menor no puede ejercitar de modo pleno los derechos inherentes a la nacionalidad, por tanto, afirman, el momento «efectivo» en el que la nacionalidad produce consecuencias frente a la Administración y terceros es el de la inscripción, lo que justificaría calificar la resolución de constitutiva en sentido funcional (aunque no estrictamente ontológico)[23]. El propio reconocimiento en los textos de que sin inscripción pueden surgir dificultades para sanidad, educación o documentación refleja la fuerza de este argumento.

La práctica administrativa respalda una posición intermedia: la nacionalidad nace con la ley; el Registro le da publicidad, certeza y eficacia oponible. En la medida en que la DGSJYFP ha instruido a los Encargados a resolver con criterios de protección reforzada para que los menores no queden en «apatridia administrativa» durante la tramitación, se reconoce implícitamente que la falta de asiento no niega la existencia jurídica de la nacionalidad, pero sí puede dejarla en suspenso operativo.

También pesa en el debate la noción de efectividad de la nacionalidad: el status debe ser real y utilizable. Si la normativa parental sólo confiere una posibilidad condicional que depende de actos no realizados, el menor carece de nacionalidad «real» y negar la aplicación del art. 17.1.c produciría apatridia de facto. Correlativamente, reconocer la españolidad y asentarla

---

22 PALAO MORENO, G. (2023) "Nacionalidad y derecho internacional privado: los conflictos de nacionalidad" en FERNÁNDEZ MASIÁ, E. (dir.), Nacionalidad y extranjería. Tirant lo Blanch, p. 72.

23 AZCÁRRAGA MONZONÍS, C. (2023). "La Nacionalidad y el derecho de la nacionalidad en un mundo integrado". En FERNÁNDEZ MASIÁ, E. (dir.), Nacionalidad y extranjería. Tirant lo Blanch, p. 33

en el Registro asegura que el niño esté protegido por un ordenamiento que efectivamente lo acoge e integra.

La misma preocupación por la efectividad se traslada a la idea de que, ante dudas interpretativas, la solución que mejor salvaguarde los derechos fundamentales del menor, incluida la atribución registral que le abra acceso a servicios básicos, debe prevalecer; si el asiento fuera constitutivo en sentido fuerte, dejar en suspenso la resolución equivaldría a desproteger al menor, si es declarativo, la Administración tiene la obligación de reconocer provisionalmente la condición española mientras depura la prueba, evitando la «apatridia administrativa».

En suma, la mejor reconstrucción dogmática combina ambos planos, existencia originaria *ex lege* desde el nacimiento, siempre que concurran los requisitos del art. 17.1.c), y al mismo tiempo eficacia práctica condicionada a la inscripción registral, que proporciona prueba plena y oponibilidad general, retrotrayendo efectos personales al nacimiento, pero ordenando la vida jurídica a partir del asiento. Mientras no se inscribe, el menor puede ver obstaculizado el disfrute efectivo de derechos básicos, de ahí la insistencia en tramitar sin demora los expedientes de simple presunción y en aplicar criterios *favor minoris* que impidan vacíos de protección.

La jurisprudencia y la doctrina registral invocan reiteradamente la protección reforzada de los menores. Ante la duda interpretativa, corresponde la solución que mejor salvaguarde sus derechos fundamentales, incluida la atribución de nacionalidad que les permita acceder a servicios básicos.

4. NACIONALIDAD POR RESIDENCIA ABREVIADA PARA NACIDOS EN ESPAÑA SIN ATRIBUCIÓN INICIAL

El art. 22 del Código Civil establece el régimen de adquisición de la nacionalidad por residencia. Junto al plazo general de diez años, recoge plazos abreviados; el que nos interesa es el de un año para quien haya nacido en territorio español cuando no ha obtenido otra nacionalidad. Esta vía opera como red de seguridad cuando no prospera la atribución de origen ni la opción. Requiere residencia legal y continuada durante el año inmediatamente anterior al pedido, buena conducta cívica e integración suficiente en la sociedad española, valoradas mediante antecedentes, informes y, tras 2015, pruebas estandarizadas (DELE, CCSE) con exenciones para menores. El procedimiento está regulado por el RD 1004/2015[24] y desarrollado por la Orden JUS/1625/2016[25].

Desde una perspectiva práctica, esto significa que los auténticos beneficiarios de las ventajas normativas ligadas al nacimiento en España son, sobre todo, los hijos de extranjeros que ya están integrados en el país con autorización de residencia. Su situación regular permite activar de forma ágil las facilidades de extranjería y acelerar la adquisición de la nacionalidad española por residencia. Por el contrario, quienes nacen en España de padres en situación irregular encuentran una barrera inicial difícil de franquear, hasta que no logran una autorización de residencia (para la que no tienen trato diferenciado respecto de cualquier extranjero no nacido en España) no pueden escalar las ventajas posteriores; su nacimiento en territorio español, sin más, no abre puertas automáticas.

5. CONCLUSIONES

Los compromisos internacionales asumidos por España inciden directamente en la lectura del art. 17.1.c CC. El sistema español, fuertemente *ius sanguinis,* incorpora a través del art. 17 CC correctores *ius soli* indispensables para la protección de la infancia migrante. La letra b integra segundas generaciones nacidas en España, la letra c evita vacíos de nacionalidad cuando los padres no transmiten o son apátridas; la letra d protege huérfanos y filiaciones indeterminadas. La actuación interpretativa de la DGSJyFP ha sido decisiva para dotar de efectividad a estos mecanismos frente a la diversidad del derecho extranjero. Las obligaciones internacionales sobre prevención de apatridia y protección del niño refuerzan una lectura expansiva favorable al menor.

Sin embargo, la doctrina también advierte de los riesgos de convertir la norma en un «recurso ad voluntatem» para obtener la nacionalidad española cuando, en realidad, podría hacerse valer la nacionalidad de origen mediante un sencillo trámite consular. De ahí que la DGSJyFP insista en que la prueba de la apatridia ha de ser rigurosa.

---

24 Real Decreto 1004/2015, de 6 de noviembre, procedimiento adquisición nacionalidad por residencia.

25 Orden JUS/1625/2016, de 30 de septiembre, desarrolla RD 1004/2015 (pruebas DELE/CCSE).

La razón de ser del artículo 17.1.c) es evitar la apatridia del menor, pero su aplicación no puede desentenderse de la realidad de integración familiar en el territorio español, porque la nacionalidad así atribuida despliega efectos sobre la residencia de los padres, la unidad familiar y la política migratoria en su conjunto. El exceso de flexibilidad podría desencadenar lo que las profesoras Abarca Junco y Vargas Gómez-Urrutia han clasificado como «niño ancla»[26], el menor español sirve de soporte para regularizar la estancia de familiares en situación irregular y, por derivación, abrir la puerta al espacio Schengen.

Mirado desde una perspectiva sistemática más amplia, la doctrina de nacionalidad contemporánea española define la nacionalidad como un vínculo jurídico-político entre persona y Estado, del que derivan derechos y deberes recíprocos[27], aun sin definición legal expresa, la jurisprudencia y la doctrina coinciden en este entendimiento, que resalta la función integradora del status nacional en la comunidad política. Este trasfondo conceptual ilumina la relevancia del artículo 17.1.c): al atribuir nacionalidad española de origen *ex lege* a menores potencialmente apátridas, el Estado asume tempranamente la relación jurídico-política con el niño, activando protección de derechos fundamentales que se asientan en ese vínculo.

6. BIBLIOGRAFÍA

ÁLVAREZ GONZÁLEZ, S. (2023) "Artículo 17", en Cañizares Laso, A. (dir). Comentarios al Código civil. Tirant lo Blanch. v. 1, pp. 589-642

ABARCA JUNCO, A. P. & VARGAS GÓMEZ-URRUTIA, M. (2007). "El artículo 17.1 c) del Código Civil. ¿Mecanismo de lucha contra la apatridia o un "nuevo" modo de adquisición voluntaria de la nacionalidad española?" en *Revista electrónica de estudios internacionales, 14*, pp. 1-26

ÁLVAREZ RODRÍGUEZ, A. (2005), "La interpretación de la Dirección General de los Registros y del Notariado en materia de nacionalidad: recensión y comentario de

---

26 ABARCA JUNCO, A. P. & VARGAS GÓMEZ-URRUTIA, M. (2007). "El artículo 17.1 c) del Código Civil. ¿Mecanismo de lucha contra la apatridia o un "nuevo" modo de adquisición voluntaria de la nacionalidad española?" en *Revista electrónica de estudios internacionales, 14*, p. 18.

27 VIÑAS FARRÉ, R. (2010). "Evolución del derecho de nacionalidad en España: continuidad y cambios más importantes" en Vitoria-Gazteizko nazioarteko zuzenbide eta nazioarteko herremanen ikastaroak, ISSN 1577-533X, N°. 1, 2009, p. 281.

las decisiones dictadas de enero a octubre de 2005" Revista de Derecho Migratorio y Extranjería, núm. 10, noviembre 2005, espc. p. 217.

ÁLVAREZ RODRÍGUEZ, A. & OBSERVATORIO PERMANENTE DE LA INMIGRACIÓN (2006). Nacionalidad de los hijos de extranjeros nacidos en España. Madrid: Subdirección General de Información Administrativa y Publicaciones, Ministerio de Trabajo y Asuntos Sociales.

ÁLVAREZ RODRÍGUEZ, A. (2010). "Inmigrantes e hijos de inmigrantes nacidos en España: vías de acceso a la nacionalidad Española" en *Revista del Ministerio de Trabajo e Inmigración, 90,* pp. 103-128.

AZCÁRRAGA MONZONÍS, C. (2023). "La Nacionalidad y el derecho de la nacionalidad en un mundo integrado". En FERNÁNDEZ MASIÁ, E. (dir.), Nacionalidad y extranjería. Tirant lo Blanch, pp. 21-35.

FERNÁNDEZ MASIÁ, E. (2023) "Adquisición de la nacionalidad española" en FERNÁNDEZ MASIÁ, E. (dir.), Nacionalidad y extranjería. Tirant lo Blanch, pp. 37-62.

FERNÁNDEZ ROZAS, J. C. (1983). La reforma del Derecho español a la nacionalidad. *Vitoria-Gazteizko nazioarteko zuzenbide ikastaroak, 1,* pp. 135-234

FERRER DE LA PUENTE, J.M (2004) "Adquisición de la nacionalidad española por el inmigrante", en Registro Civil: incidencia del fenómeno migratorio, Cuadernos de Derecho Judicial, Consejo General del Poder Judicial, Madrid, pp. 131-154.

MOYA ESCUDERO, M. (2008). Nacionalidad de los nacidos en Andalucía. En SÁNCHEZ LORENZO, S. (ed.), La integración de los extranjeros (un análisis transversal desde Andalucía) Atelier. pp. 411-462.

PALAO MORENO, G. (2023) "Nacionalidad y derecho internacional privado: los conflictos de nacionalidad" en FERNÁNDEZ MASIÁ, E. (dir.), Nacionalidad y extranjería. Tirant lo Blanch, pp. 71-87.

SÁNCHEZ JIMÉNEZ, M. A. (2004). El *status* jurídico del hijo de extranjeros nacido en España. Nacionalidad y normativa de extranjería. *Anales de Derecho de la Universidad de Murcia, 22,* pp. 223-237.

VARGAS GÓMEZ-URRUTIA, M. (2017). Reflejos de la «idea de integración» en las normas de extranjería y de nacionalidad. Especial referencia al nacido en España hijo de extranjeros. Revista Aranzadi Unión Europea, 2, pp. 147-163

VIÑAS FARRÉ, R. (2010). "Evolución del derecho de nacionalidad en España: continuidad y cambios más importantes" en Vitoria-Gazteizko nazioarteko zuzenbide eta nazioarteko herremanen ikastaroak, ISSN 1577-533X, Nº. 1, 2009, pp. 275-313.

Documentos jurídicos

- Circular DGRN 16 de diciembre de 2008 sobre aplicación art. 17.1.c a hijos de extranjeros nacidos en España.
- Circular DGRN 21 de mayo de 2009 sobre acreditación de derecho extranjero en expedientes art. 17.1.c.
- Convención para Reducir los Casos de Apatridia, Nueva York 30-08-1961, BOE núm. 312, 28-12-2018 (entrada en vigor en España 24-12-2018).

- Consulta de 12 de julio de 2004, sobre presunción de nacionalidad española a saharauis, p. 1727. Disponible en: https: //www.mjusticia.gob.es/es/AreaTematica/derechos-gracia/InstLibraryLegislativeChronicle/Consultas_en_materia_de_Estado_Civil_de_la_Direccion_General_de_los_Registros_y_del_Notariado_2003.PDF
- Consulta de 6 de octubre de 2004, sobre situación jurídica de los saharauis respecto de su eventual nacionalidad española, p. 1736.
- Disponible en: https: //www.mjusticia.gob.es/es/AreaTematica/derechos-gracia/InstLibraryLegislativeChronicle/Consultas_en_materia_de_Estado_Civil_de_la_Direccion_General_de_los_Registros_y_del_Notariado_2003.PDF
- Instrucción DGRN 28 de marzo de 2007 (BOE 10-04-2007) sobre nacionalidad con valor de simple presunción (art. 17.1.c CC).
- Orden JUS/1625/2016, de 30 de septiembre, desarrolla RD 1004/2015 (pruebas DELE/CCSE).

Jurisprudencia citada

- Audiencia Nacional, Sentencia 28 de abril de 2016 (rec. 643/2014).
- Tribunal Supremo, Sentencia de 21 de marzo de 2017 (rec. 2610/2016).
- Tribunal Supremo, Sentencia de 26 de noviembre de 2007 (Rec. 4901/2004).
- Tribunal Supremo, Sentencia de 21 de febrero de 2023.

La compleja intersección entre género y fenómenos migratorios[*]

GIADA CASCIO
Università degli studi di Palermo-Dipartimento di Giurisprudenza
Dottoranda di ricerca in "Diritti umani. Evoluzioni, tutele e limiti"

GIUSEPPA PALMERI
Università degli studi di Palermo-Dipartimento di Giurisprudenza
Prof.ssa Ordinaria di Istituzioni di diritto privato

1. Antes de proceder a la verificación de la compleja intersección entre género y fenómenos migratorios, es oportuno subrayar cómo el recorrido que ha llevado al nacimiento del derecho antid discriminatorio ha estado caracterizado durante mucho tiempo y hasta un pasado reciente por la tendencia a considerar de manera aislada los factores de discriminación, calibrando los momentos de intervención en sectores específicos (el trabajo, por ejemplo) y/o en relación con individuos reclasificados en categorías o conjuntos considerados indistintamente (las mujeres, las personas con discapacidad, los pertenecientes a una raza).

Articular las políticas destinadas a contrarrestar la desigualdad sin tener en debida consideración la complejidad de las identidades múltiples y la dimensión concomitante de la persona dentro de más categorías y grupos sociales ha terminado por atenuar la eficacia de la acción de prevención y lucha contra la discriminación.

El análisis de la condición en la que se encuentran algunas personas dentro de las dinámicas (asimétricas) de poder de las que son inevitablemente parte en el desarrollo de su existencia ha dado lugar a una reflexión que busca cuestionar la incidencia que se establece entre el género y otros elementos característicos de la subjetividad individual para comprender si un enfoque "segmentado" es capaz de reflejar la efectiva complejidad de la condición en la que se encuentra esa persona particular en el contexto histórico-geográfico-relacional en el que está situada.

---

[*] Si bien es fruto de un trabajo conjunto, a Giuseppa Palmeri se le deben atribuir los §§ 1 y 3 y a Giada Cascio el § 2.

Es conocida la imagen del cruce de caminos en cuyo centro se encuentra la mujer y en el que las diversas vías representan metafóricamente los factores de discriminación que se entrelazan (racismo, xenofobia, clasismo, abilismo, etarismo, homobitransfobia, y otros)[1]. En un contexto así, "la discriminación resulta cruzada o transversal cuando las desventajas o condiciones interactúan con las condiciones preexistentes de vulnerabilidad, para crear una dimensión precisa de pérdida de poder y autonomía (desempoderamiento)[2].

2. Las normas y las prácticas administrativas que definen la legitimidad del cruce de fronteras para quienes se trasladan de un país a otro continúan ejerciendo una profunda influencia en la experiencia de las personas migrantes, con una atención particular hacia las mujeres, quienes a menudo enfrentan desafíos únicos y específicos durante su trayectoria. El ordenamiento internacional, al igual que muchos sistemas jurídicos, se ha desarrollado desde una perspectiva predominantemente masculina, lo que ha resultado en que la cuestión de la diferencia de género ha sido frecuentemente desatendida, si no ignorada. En muchos casos, esta diferencia se ha asimilado a otros factores que sirven para distinguir y clasificar a los individuos en varios grupos y categorías, dificultando una consideración adecuada de las experiencias únicas de las mujeres migrantes[3].

Algunas corrientes de estudios críticos del derecho, como la *Critical Race Theory* (CRT)[4] y el *Critical Race Feminism*, han mostrado la frecuente intersección de las formas de vulnerabilidad: la subordinación racial a menudo se acompaña de otras formas de subordinación, de clase, de género y otras formas específicas de *acumulación*. El género representa una característica fundamental y performativa de la vida social, que marca una profunda

---

1 La imagen, como es conocido, se debe a la estudiosa Kimberlé Crenshaw en el ámbito del análisis llevado a cabo en Estados Unidos sobre la condición de marginación de las mujeres negras.

2 CRENSHAW, K., *IL CROCEVIA DELLE DISCRIMINAZIONI*, in *Texto de base presentado en la reunión del grupo de expertas de la ONU sobre la discriminación de raza e género celebrada en Zagreb (Croacia),* del 21 al 24 de noviembre de 2000.

3 BOIANO I., *LE PERSECUZIONI NEI CONFRONTI DELLE DONNE E IL SISTEMA DI ACCOGLIENZA*, in *Questione Giustizia,* 2014.

4 Para una introducción a la Critical Race Theory se ve la recopilación de ensayos LEGGE, RAZZA E DIRITTI, a cura de K. THOMAS y Gf. ZANETTI, Diabasis, Reggio Emilia, 2005. De su convergencia con las teorías jurídicas feministas surge el Critical Race Feminism: para una panorámica se ve WING, A.K., CRITICAL RACE FEMINISM: A READER, New York, New York University Press, 2003.

división sobre la cual se construye la desigualdad social de las mujeres, a menudo ejercida con violencia y contra la cual la protección como pertenecientes al grupo "mujeres" no es adecuada.

De aquí la necesidad, para comprender el fenómeno, de proceder a un reconocimiento de las diversas formas de discriminación, subordinación y opresión, a menudo entrelazadas con la construcción y perpetuación de prejuicios y estereotipos. Como se ha observado, la opresión es un fenómeno estructural que sitúa a ciertos grupos en posición desventajosa y a otros en posición ventajosa o privilegiada en relación con los primeros. La opresión consiste, entonces, en una estructura restrictiva de fuerzas y barreras tendente a la inmovilización y a la limitación de un grupo o una categoría de personas[5]. Desde esta perspectiva, la discusión sobre los derechos desemboca en lo que, en los últimos años, ha sido llamado derecho *"antidiscriminatorio"*[6].

Es imprescindible constatar la evidente condición de *vulnerabilidad* en la que se encuentran las mujeres migrantes durante la fase de tránsito y de permanencia en el país anfitrión, lo que las expone en mayor medida a formas de discriminación y violencia, tanto por causa del *género* como en virtud de su *condición de hecho*, conocida como *doble marginalización*[7]. Una de las primeras definiciones de *vulnerabilidad* a nivel legislativo se encuentra en la directiva 2011/36/UE, en materia de prevención y represión de la trata de seres humanos y de protección de las víctimas; la posición de *vulnerabilidad* se describe como "una situación en la que la persona en cuestión no tiene otra opción efectiva y aceptable que ceder al abuso del que es víctima" y puede ser de tipo físico, psicológico, emocional y/o determinada por el contexto familiar, social o económico.

El concepto al que nos referimos es el de *"vulnerabilidad situacional"*[8], es decir, no intrínseca al sujeto, sino dependiente de factores externos y variables que hacen a la persona *vulnerable*. La conciencia jurídica de la desventaja estructural de las mujeres migrantes es realmente fundamental para

---

5 FRYE, M., *OPPRESSION*, in Ead., *POLITICS OF REALITY*, Trumansburg (N.Y.), Crossing Press, 1983; YOUNG, I.M., *LE POLITICHE DELLA DIFFERENZA*, Milano, Feltrinelli, 1996.

6 BELL, M., *ANTIDISCRIMINATION LAW AND THE EUROPEAN UNION*, Oxford, Oxford University Press, 2002.

7 R. SOLLUND, *Transnational migration, gender and right*, Bingley, 2012.

8 GIAMMARINARO M.G., PALUMBO L., *Diritti umani in crisi? Emergenze, disuguaglianze, esclusioni*, Pacini Giuridica, 2014.

garantizar la igualdad sustantiva. Ignorando esta desventaja, las normas aparentemente neutras pueden discriminar indirectamente a las mujeres migrantes, tratando por igual situaciones que en la práctica son diferentes.

A este respecto, la construcción del sistema de protección internacional y las prácticas administrativas parecen no permitir una adecuada tutela a las mujeres migrantes; a menudo son precisamente las prácticas ilegítimas y la falta de normas específicas las que determinan una mayor discriminación. Lo que ocurre es que, frecuentemente, las solicitudes de protección internacional presentadas por mujeres, que se basan en la persecución sufrida a causa de su pertenencia a un grupo específico[9] relacionado con el *género*, son evaluadas de manera negativa, considerándose excesivamente genéricas y no suficientemente detalladas. Esta evaluación conduce a una subestimación de las experiencias individuales y de las circunstancias específicas que caracterizan sus historias, complicando aún más su acceso al sistema de protección internacional.

Según Ilaria Boiano, académica que ha dedicado una atención específica al tema, *"la evaluación de las solicitudes de protección internacional de las mujeres necesita (…) un radical replanteamiento: las solicitantes de asilo no deberían ser incluidas en el ámbito de aplicación de la Convención de Ginebra como "casos especiales", sino como parte del variado panorama de sujetos que pueden beneficiarse del estatus de refugiado tal como está definido por el acto internacional, en el que ya se encuentran esas referencias útiles para asegurar una protección adecuada también a las mujeres"*[10].

En consecuencia, todos los términos de la definición del artículo 1, desde persecución hasta daño grave, desde fundado temor hasta ausencia de una vía de escape interna alternativa, deberían ser reinterpretados para incluir también a las mujeres, a partir de sus experiencias individuales y

---

9 En lo que respecta a las solicitudes de protección internacional, con referencia a la previsión de la discriminación basada en la pertenencia a un determinado "grupo social", donde por "grupo social" se entiende hacer referencia a *«miembros que comparten una característica innata o una historia común que no puede ser cambiada, o que comparten una característica o una creencia que es tan fundamental para la identidad o la conciencia que una persona no debería ser forzada a renunciar a ella, o aquella que posee una identidad distinta en el país de origen, porque es percibida como diferente por la sociedad circundante».* ", Así en el art. 8, párrafo 1, letra d, d.lgs italiano n. 251/2007.

10 BOIANO I., *Le persecuzioni nei confronti delle donne e il sistema di accoglienza*, in Questione Giustizia, 2014.

concretas, superando las representaciones monolíticas que se han consolidado en la práctica[11].

A este respecto, uno de los fenómenos que a menudo se presenta durante las audiencias ante la Comisión Territorial para el reconocimiento de la Protección Internacional es el de la llamada *"victimización secundaria"*[12], es decir, la violencia perpetuada por las Instituciones, que en lugar de reconocer a las víctimas de abusos como tales, llevan a cabo una serie de comportamientos y actitudes culpabilizadoras hacia las personas con las que interactúan, convirtiéndolas en *"víctimas"* dos veces: de la violencia sufrida en primera instancia y, en un segundo momento, asignándoles la responsabilidad de lo que ha ocurrido.

Las prácticas victimizantes, a menudo, tienen lugar dentro de los lugares destinados al reconocimiento de estas violencias, que en cambio deberían evitar, por definición, la repetición de dinámicas de opresión y abuso. Ejemplos de prácticas victimizantes son evidentes en los actas de las audiencias en Comisión, como demuestran la repetición de preguntas violentas hacia las personas escuchadas y la falta de sensibilidad hacia las experiencias a menudo traumatizantes vividas. Un ejemplo concreto se encuentra en la historia de una mujer migrante, proveniente de Nigeria, que llegó a las costas sicilianas en 2015[13]. La mujer, solicitante de protección internacional, fue escuchada por la Comisión Territorial aproximadamente tres meses después de su llegada. Durante la audiencia, denunció las violencias físicas sufridas en su país de origen, así como las sufridas durante el viaje: la mujer era víctima de trata, oprimida por sus traficantes que amenazaban la seguridad de sus hijos que quedaron en Nigeria con los abuelos. A pesar de la compleja y dolorosa reconstrucción de su historia, que inicialmente la solicitante tuvo dificultades para narrar tanto por los aspectos íntimos y dolorosos como por el miedo a ser expuesta o a exponer a sus hijos a represalias, fue acusada de no ser colaborativa, debido al rechazo de revelar inmediatamente la identidad de sus verdugos.

---

11 CRAWLEY, H., *REFUGEES AND GENDER*, op. cit., p. 35. Vds., altresì, *COMITATO CEDAW*, 2014

12 Para un análisis más profundo sobre el fenómeno, véase: FANCI, G., *LA VICTIMIZACIÓN SECUNDARIA: ÁMBITOS DE INVESTIGACIÓN, TEORIZACIONES, ESCENARIOS*, vittimologia.it, 2014; MENDICINO, R., *LA VICTIMIZACIÓN SECUNDARIA*, cnr.it, 2015.

13 Acta de las declaraciones realizadas en la audiencia personal ante la Commissione Territoriale per il Riconoscimento della Protezione Internazionale, Palermo, 2017.

La culpabilización, aunque inconsciente, de la persona agraviada es la típica consecuencia de una operación evaluativa contaminada por una visión impregnada de prejuicios y estereotipada de una de las partes del proceso, no fundamentada en elementos objetivos. De este modo, se perpetúa la respuesta paternalista del Estado, que por un lado se presenta como *"protector"* de las mujeres, quienes sin embargo deben demostrar, incluso en el ámbito del procedimiento de reconocimiento de la protección internacional, que actúan de manera *"apropiada"* para una mujer, es decir, siguiendo los esquemas que la representan siempre como víctima proveniente de una cultura opresiva, asumiendo como absoluto este dato; por otro lado, parece casi subestimar la mercantilización de los cuerpos en los mercados transnacionales, no prestando la debida atención al fenómeno de la trata, *"criminalizando"* y responsabilizando en cambio a la víctima.

La comprensión de los niveles de opresión que se intersecan en el mismo sujeto es fundamental para comprender la intensidad de la violación de los derechos de la mujer migrante y exige la necesidad de que en el plano jurídico se adopten medidas de contrarresto y se fortalezcan las garantías a favor de tales sujetos.

3. En esta dirección parecen moverse el legislador supranacional y los operadores del derecho cuando proponen una consideración interseccional de los factores de discriminación. En el plano normativo, a título meramente ejemplificativo, parece útil recordar primero la Resolución del Parlamento Europeo del 6 de julio de 2022 sobre la discriminación interseccional en la Unión Europea que, aunque tiene como foco específico la situación socioeconómica de las mujeres de origen africano, medio oriental, latinoamericano y asiático, ofrece una definición precisa de discriminación interseccional, distinguiéndola de la discriminación múltiple. También se menciona la Directiva 2023/970 del 10 de mayo de 2023, destinada a reforzar la aplicación del principio de igualdad de remuneración entre hombres y mujeres, en la que se desarrolla el concepto de discriminación interseccional en las definiciones contenidas en el artículo 3.

Ya antes, en la Convención de las Naciones Unidas sobre los derechos de las personas con discapacidad del 13 de diciembre de 2006, que entró en vigor en Italia con la ley 18/2009, se hacía referencia a las discriminaciones múltiples en relación con las mujeres y las menores con discapacidad (así lo establece el artículo 6). En la Resolución del Parlamento Europeo del 21 de enero de 2001 sobre la estrategia de la UE para la igualdad de género, se consideró necesario incluir una perspectiva interseccional en el nuevo plan de acción para elaborar respuestas específicas en los diferentes ámbitos de intervención, fundamentadas en el principio de no discriminación desde una perspectiva de género.

En el ámbito judicial es difícil encontrar pronunciamientos en los que se haga referencia a las discriminaciones interseccionales. Sin embargo, recientemente en Italia, la Corte de Casación, precisamente en el contexto migratorio, parece subrayar, aunque no de manera explícita, la importancia de una evaluación interseccional de los factores de discriminación en un caso complejo en el que la observación de la condición de la mujer que solicitaba el estatus de refugiada, apreciada exclusivamente desde el ángulo de una única categoría discriminatoria, había conducido erróneamente al no reconocimiento de dicho estatus y a la aceptación de la distinta medida de la llamada protección especial. Según los jueces de legitimidad, solo un cuidadoso análisis de las características específicas de la historia personal de la mujer y de su condición actual podría haber permitido apreciar y comprender los riesgos relacionados con su regreso a su país.

La situación que da origen al procedimiento muestra cómo es la suma de los diferentes factores de discriminación —ser mujer, de un contexto sociocultural específico, no casada, no monja ni religiosa— la que, interactuando de manera indisoluble, determina, en concreto, el riesgo real de formas de opresión y de discriminación. Las indicaciones que provienen de estos, aún escasos, indicadores emergentes en el plano legislativo, judicial e interpretativo muestran cómo es fundamental el papel del derecho y cómo es indispensable repensar y reconsiderar —desmantelándolas o remodelándolas— las categorías, las matrices conceptuales y las técnicas normativas utilizadas hasta ahora, con el fin de sacar de áreas de invisibilidad a las personas "de carne y hueso" que, a causa de ineludibles dinámicas interseccionales, terminan por no ser destinatarias de las protecciones establecidas por el derecho, que no fue pensado para abordar el factor discriminatorio interseccional de manera conjunta, dado que surge de la inextricable combinación de factores individuales y diversos de opresión y abuso.

De ello es consciente el Parlamento Europeo, cuando en la letra C de la Resolución de 2023 mencionada anteriormente afirma que "la aplicación de un análisis interseccional permite abordar y comprender las desigualdades sociales, la exclusión y la discriminación desde una perspectiva global, sistémica y estructural, superando al mismo tiempo un enfoque mono ejes a la discriminación". En esta dirección es necesario avanzar para intentar superar las contradicciones y los vacíos de protección aún presentes en el sistema y para elaborar intervenciones efectivas de salvaguardia que sean sensibles a la especificidad de las identidades múltiples.

BIBLIOGRAFIA

BELLO B. G., Intersezionalità. Teorie e Pratiche tra Diritto e Società, Francoangeli, Milano, 2020.

BONI S., "Discriminazione", in Diritti Umani. Cultura Dei Diritti e Dignità della persona nell'epoca della globalizzazione, a cura di M. Flores, 2 voll., Utet, Torino, 2007, vol. I, pp. 489-495.

CAGGIA F. E CORSO L. (a cura di), Intersezionalità: genealogia di un metodo giuridico, quaderni dei seminari critical perspectives in law, Editoriale Scientifica, Napoli, 2023.

FLAGG B., "Ero cieco ma ora vedo", in Legge, Razza e Diritti, A Cura Di K. Thomas e Gf. Zanetti, Diabasis, Reggio Emilia, 2005.

FEDERICI S., Calibano e la strega. Le donne, il corpo e l'accumulazione originaria, 2004.

PLOUS S., Understanding prejudice and discrimination, McGraw-Hill, Boston, 2003.

RAFIA Z., Contro il femminismo bianco. Appunti per un cambiamento radicale, 2023.

STANGOR C., Stereotypes and prejudice: essential readings, Psychology Press, Philadelphia, 2000.

TAGUIEFF P.-A., La forza del pregiudizio: saggio sul razzismo e sull'antirazzismo, Il Mulino, Bologna, 1994.

SCHAUER F., Profiles, probabilities and stereotypes, Harvard University Press, Cambridge (Mass.), 2003.

YUVAL-DAVIS N., "Intersectionality and feminist politics", in European Journal of Women's Studies, 13, 2006, pp. 193-209.

Sección VI
TECNOLOGÍAS DIGITALES, PODER Y GÉNERO EN EL ESPACIO ALGORÍTMICO

Las mujeres y la web: navegando entre trampas y protecciones

CARMINE LAZZARO
Investigador en Derecho privado en la Università degli Studi Mediterranea di Reggio Calabria

1. NOTAS INTRODUCTORIAS

Para abordar la cuestión que nos interesa de manera informada, es fundamental abandonar el uniforme del jurista y adoptar un perfil pedagógico alejado de mi formación y de la cultura jurídica, cambio imprescindible para centrar la problemática que nos ocupa.

Por ello la discusión del problema está planteada en forma transversal, profundizando en aquellos aspectos que quedan fuera de las temáticas estrictamente jurídicas, pero que resultan útiles para reconstruir puntalmente el tema —no siempre fácil— de la protección de las mujeres en las redes telemáticas.

Por razones de espacio nos limitaremos a exponer sólo de forma superficial el argumento —por su naturaleza vasto y lleno de perfiles de interés, incluidos los penales— evidenciando los aspectos críticos más relevantes, en una perspectiva *de iure condendo.*

Internet representa una herramienta extraordinaria para el intercambio de conocimientos e información, dentro de la cual el espacio y el tiempo tienden a emborronarse. Los usuarios, "acostumbrados" a las verdades de *internet,* pierden el contacto con la realidad, convirtiéndose en sustitutos desvaídos de un mundo surrealista dominado por la entrada impetuosa de noticias más o menos veraces[1].

En Italia doctrina relevante sintetizó el proceso de judicialización del conocimiento combinando ambos términos, en clave descriptiva, en el tí-

---

[1] Precisamente por ello la red telemática plantea toda una serie de problemas interpretativos, dignos de una investigación en profundidad. En lo que respecta a los perfiles civiles, parece necesario remitirse a las lúcidas reflexiones de PERLINGIERI, C., *Profili civilistici dei* social networks, Edizioni Scientifiche Italiane, Napoli, 2015.

tulo de una de sus obras "*Conoscenza e diritto*"[2] [Conocimiento y Derecho]. Quizás hoy el título más adecuado hubiera sido "*Conoscenza è diritto*" [el Conocimiento es Derecho], registrando así la culminación del viaje desde la factualidad del conocimiento hasta el mérito de proteger el acceso a las noticias. La transición hacia una voluntad plena y consciente, válidamente formada, requiere un flujo constante de novedades a todos los niveles.

En efecto, la información —entendida tanto como libertad de expresión, consagrada en el art. 21 de la Constitución italiana, como libertad de informarse contemplada en el art. 10 C.E.D.U.[3]— permite una participación más consciente de los ciudadanos en la *res publica* y, más en general, en todas las decisiones que tienen que ver con las relaciones interpersonales.

Es una libertad de carácter amplio y de operatividad general, pero con un derecho de acceso reducido: no todos los ciudadanos tienen el mismo acceso a la información y a las noticias, y ello resulta más que evidente en la expresión quien tiene la información tiene el poder[4].

Un maestro del derecho civil italiano consideró la información como un bien patrimonial relevante, catalogándolo entre los bienes inmateriales y, en sentido amplio, no identificable con una *res corporale*[5]. Comparti-

---

2 *Vid.* PUGLIATTI, S., *Conoscenza e diritto*, Giuffrè, Milano, 1961.

3 Para un marco general sobre el tema, también desde una perspectiva comparada, *vid.* SALVATORE, V., La libertà di espressione, una prospettiva di diritto comparato. Unione europea, EPRS —Servizio Ricerca del Parlamento europeo—, Unità Biblioteca di diritto comparato, Studio, novembre 2019, Bruxelles, 2019, disponible en *europarl.europa.eu* y *astrid-online.it*. Para obtener más información en el inmenso panorama doctrinal sobre este tema, consulte OROFINO, M., *La libertà di espressione tra Costituzione e Carte europee dei diritti. Il dinamismo dei diritti in una società in continua trasformazione*, G. Giappichelli Editore, Torino, 2014; RESTA, G., "La giurisprudenza della Corte di Strasburgo sulla libertà d'informazione e la sua rilevanza per il diritto interno: il caso dei processi mediatici", *Dir. inf.*, 2012, 2, 163 ss. y CARDONE, A., "L'incidenza della libertà d'espressione garantita dall'art. 10 C.E.D.U. nell'ordinamento costituzionale italiano", *Osservatoriosullefonti.it*, 2012, 3, 1 ss.

4 En este sentido LOIODICE, A., *Informazione (diritto alla)*, *Enc. dir.*, XXI, Giuffrè, Milano, 1971, 472 ss., 473.

5 *Cfr.* PERLINGIERI, P., "L'informazione come bene giuridico", *Rass. dir. civ.*, 1990, 2, 326 ss., 332, que señala (327) como la información «*è presupposto e garanzia per l'attuazione dell'effettiva eguaglianza e della partecipazione di tutti alla vita del paese*». En el mismo sentido ZENO-ZENCOVICH, V., "Sull'informazione come "bene" (e sul metodo del dibattito giuridico)", *Riv. crit. dir. priv.*, 1999, 1, 485 ss. y ID., Informazione (profili civilistici), en *Digesto civ.*, IX, Utet giuridica, Torino, 1993,

mos ampliamente este enfoque, en particular teniendo en consideración el progreso científico y tecnológico así como la consiguiente expansión de los horizontes del saber con una inevitable actualización y un posible cambio de postura de la categoría misma de los bienes jurídicos, que, en la evolución del sistema, va unida a la tradicional corporalidad, fruto de antiguos prejuicios materialistas, y que sin embargo desde hace tiempo se encuentra reconstruida en una clave funcional, como instrumento para satisfacer los intereses merecedores de tutela jurídica[6].

La llegada de la era digital ha aumentado la relevancia jurídica de la información por más que hoy la dicotomía entre lo real y lo virtual se encuentre superada, dejando así espacio a una "realidad híbrida" que una doctrina autorizada define como "era onlife" al interior de la cual ya no existe diferencia entre "*online*" y "*offline*" sino que existe solo un continuo *onlife*[7] donde lo real y lo virtual inevitablemente se mezclan[8]. Derribadas las barreras, lo virtual se convierte en extensión de la realidad, trayendo consigo un torbellino incontrolable de información, magnificado por las características de la red, la cual se configura como un terreno ilimitado y fértil de intercambio de información abierto a todos. De ahí la necesidad de eliminar las eventuales asimetrías informativas, y de construir muros contra un fenómeno en constante difusión, el de las *fake news* o divulgación de noticias falsas[9].

Lo verdadero, lo falso y lo verosímil terminan entrelazándose sin parar, contribuyendo a que los mecanismos tradicionales de formación de la opinión pública vacilen.

---

420 ss. *Contra* MESSINETTI, D., "Circolazione dei dati personali e dispositivi di regolazione dei poteri individuali", *Riv. crit. dir. priv.*, 1998, 3, 339 ss., 342.

6 *Vid.* PIRAINO, F., "Sulla nozione di bene giuridico in diritto privato", *Riv. crit. dir. priv.*, 2012, 3, 459 ss., 482.

7 La expresión es de FLORIDI, L., The Onlife Manifesto. Being Human in a Hyperconnected Era, Springer Open, Oxford, 2014.

8 Para una cuidadosa visión general del tema, *cfr.* SAMMARRO, M., "Progettazione e valutazione educative per superare i pericoli della Rete", *I problemi della pedagogia*, Supplemento, Anno LXV, Gennaio/Giugno 2019, n. 1, 39 ss., 39-40.

9 Con la llegada de las redes sociales, la barrera que dividía el mundo real y el mundo virtual ha desaparecido. Hoy lo que encontramos en línea es un mundo de "post-verdad", en el que se utilizan noticias deliberadamente falsas o distorsionadas para guiar, incluso de manera significativa, las decisiones individuales (en este sentido RIVA, G., Fake news. *Vivere e sopravvivere in un mondo post-verità*, Il Mulino, Bologna, 2018).

Tal situación se presenta como el resultado de una difusión incontrolada —y a menudo alejada de la realidad— en la *agorá* telemática[10].

Y ello resulta tan evidente que los grandes colosos de la red como Google o Facebook están trabajando en el *fact checking*, es decir, en el control de la veracidad de los hechos en un intento de identificar medidas correctoras[11], aunque no plenamente satisfactorias, al avance imparable del fenómeno de las *fake news*[12], que tantas víctimas está cobrando entre los sujetos más vulnerables, produciendo el efecto deplorable de la marginación de personas inocentes, culpables "sólo" ante los ojos de la red, cuyo único fallo fue caer en la trampa digital de internet[13].

2. EL LADO OSCURO DE LAS REDES INFORMÁTICAS, ENTRE PELIGROS Y PROTECCIONES

El mito del libre acceso a *internet* está cediendo paso gradualmente al "lado oscuro" de la red con la consiguiente decadencia del ciberespacio. Con frecuencia las *fake news*[14] van acompañadas de mensajes llenos de odio y rencor y esta actitud en muchos casos no solo se acepta, sino que también en ocasiones se encuentra "normalizada" en los medios de comunicación dominantes como prensa, radio y televisión y no solamente en las redes sociales. Aquello que antes se estigmatizaba y se consideraba inaceptable, ahora está a la orden del día, y se puede encontrar por todas partes, tanto en un programa de entretenimiento como en un artículo de prensa: Italia,

---

10 Sobre este tema parecen esenciales las observaciones de RODOTÀ, S., *Il diritto di avere diritti*, Editori Laterza, Roma-Bari, 2015.

11 Como correctamente señala la doctrina, la protección de la libertad de expresión y de pensamiento en el contexto digital requiere controles adecuados sobre el ejercicio de poderes regulatorios y cuasi jurisdiccionales de los gestores de las plataformas sociales (*cfr.* PERLINGIERI, C., "Libertà di espressione e di informazione nella comunicazione digitale", *Rass. dir. civ.*, 2023, 2, 494 ss.).

12 Cabe mencionar aquí el código de conducta contra la desinformación publicado el 16 de junio de 2022; para una investigación más profunda sobre el tema, consulte POLLICINO, O., "I codici di condotta tra *self-regulation* e *hard law*: esiste davvero una terza via per la regolazione digitale? Il caso della strategia europea contro la disinformazione *online*", *Riv. Trim. Dir. Pubbl.*, 2022, 4, 1051 ss.

13 *Cfr.* ALÙ, A., "Il doppio volto di *internet* tra l'accesso e l'uscita e il paradosso della "trappola" digitale", *Dir. Fam. Pers.*, 2, 1° giugno 2023, 626.

14 Para más información sobre el tema, *cfr.* BASSINI, M., VIGEVANI, G. E., "Primi appunti su fake news e dintorni", *Media Laws*, 2017, 1, 11 ss.

desgraciadamente, ocupa tristemente el podio en Europa en cuanto a niveles de odio en la red, como se evidenció en el *Word speech day*, jornada mundial de la palabra que se llevó a cabo por primera vez en Florencia en 2018.

El *hate speech*, es decir, el lenguaje que transmite odio está más difundido de lo que pensamos[15]. Resentimiento, desprecio, e intolerancia se despliegan contra una persona o un grupo o grupos específicos por los motivos más variados y descabellados: raciales, étnicos, religiosos, de género o de orientación sexual. Por ello resulta necesario enfrentarnos al hecho de que la red se presta a un uso distorsionado de la información[16], con mucha frecuencia en perjuicio de las mujeres, demasiadas veces blanco de actitudes machistas y de prevaricación, fruto de los residuos de un mundo orientado hacia lógicas que parecían ya superadas[17].

Según el penúltimo "Mapa de la Intolerancia 6.0"[18] presentado por Vox Diritti en 2021, las principales víctimas del odio en la web son las mujeres (43, 70%); en el 2022 el "mapa de la intolerancia 7.0"[19] confirma esta tendencia en aumento: en el primer lugar siguen estando las mujeres (43, 21%) e incluso en twitter [actualmente X] las mujeres desgraciadamente ocupan el primer puesto en la categoría de las más odiadas e insultadas.

En los últimos años han entrado a formar parte de las noticias de crónica los tristemente célebres fenómenos del ciberacoso y la llamada porno venganza.

---

15 Para una visión general del fenómeno, *vid.* SPATUZZI, A., "*Hate speech* e tutela della persona, tra incertezza del paradigma e declinabilità dei rimedi", *Dir. Fam. Pers.*, 2, 2021, 888 ss.

16 Precisamente por esta razón el problema de regular la libertad de expresión en *internet* es hoy particularmente grave. Para una reconstrucción detallada del problema, *cfr.* POLLICINO, O., "La prospettiva costituzionale sulla libertà di espressione nell'era di *internet*", *Media Laws*, 2018, 1, 48 ss.

17 La doctrina más atenta al tema subraya desde hace muchos años que «*los conceptos, la categorías y las normas jurídicas* [...] *tienen un marcado carácter androcéntrico y no toman suficientemente en cuenta la experiencia de las mujeres*» (*vid.* GARCÍA RUBIO, M. P., *Comprender y transmitir el derecho de las mujeres*, en MESA MARRERO, C., GRAU PINEDA, M.d.C. (coord. por), *Mujeres, contratos y empresa desde la igualdad de género*, Tirant lo Blanch, Valencia, 2014, 77 ss.).

18 Disponible en el *link https: //www.retecontrolodio.org/cmswp/wp-content/uploads/2022/01/Mappa-dellIntolleranza-6.0.pdf.*

19 Disponible en el *link https: //www.retecontrolodio.org/cmswp/wp-content/uploads/2023/01/Mappa-dellIntolleranza-7.pdf.*

El ciberacoso se define como un acto agresivo intencional realizado por un individuo o un grupo usando diversas formas de contacto electrónico repetitivo en el tiempo contra una víctima que no puede defenderse fácilmente[20]. Las características del ciberacoso son el anonimato, la posibilidad de relacionarse con un vasto público —situación que se verifica en la *web*— la omnipresencia, y la accesibilidad, ya que el ciberacosador puede contactar a su víctima en cualquier momento y lugar, y finalmente la falta de un feedback emotivo, lo que hace aún más peligroso el fenómeno en cuestión, ya que al no percibir directamente la reacción de la víctima, el verdugo 2.0 nunca es totalmente consciente del daño que le acarrea a esta, y lo priva de toda inhibición además de disminuir sus niveles de autocontrol.

Se trata de un fenómeno que adquiere multiplicidad de formas, que se manifiesta a través de diversas modalidades entre las cuales se destacan el *sexting*[21] (erotismo en red), el *grooming* (atrapar menores en la red) y la pedopornografía[22].

Las situaciones a las cuales nos estamos refiriendo han alcanzado ya niveles de alerta tanto que el legislador ha sentido la exigencia de intervenir sobre la materia. Italia presenta —increíble pero cierto— una normativa a la vanguardia sobre el argumento, con el texto normativo —el primero en Europa— en materia de "Disposiciones en materia de protección de menores para la prevención y la lucha contra el fenómeno del ciberacoso (ley n. 71 del 29 de mayo 2017), con el objetivo de "luchar contra el fenómeno del ciberacoso en todas sus manifestaciones, con acciones de carácter preventivo y con una estrategia de atención, protección y educación de los menores

---

20 Para una visión general del fenómeno, *cfr.* BELACCHI, C., EUSEBIO M. G. (editado por), *Cyberbullismo e traiettorie contemporanee della violenza. L'identità psicosociale tra realtà e virtualità*, FrancoAngeli, Milano, 2018 y GENTA, M. L., BRIGHI, A., GUARINI, A., *Cyberbullismo. Ricerche e strategie di intervento*, FrancoAngeli, Milano, 2016.

21 *Vid.* BILOTTO, A., *Dal* cyberbullismo *al* sexting. *Come aiutare figli, genitori ed insegnanti ad affrontare i rischi legati alle nuove tecnologie*, Homeless Book, Faenza (RA), 2019.

22 Recientemente la jurisprudencia ha prestado especial atención a la cuestión; sobre este tema, consulte Casación, 10 de mayo de 2018, n. 39039, *Guida dir.*, 2018, 41, 50; Casación, 13 de febrero 2024, n. 14953, *Cass. Pen.*, 2024, 7-08, 2232 y Corte d'Appello Ancona, 19 de julio de 2024, n. 1524, *Redaz. Giuffrè*, 2024. Entre los numerosos Autores que han abordado el tema, véase las consideraciones de FACCIOLI, M., *Minori nella rete. Pedofilia, pedopornografia,* deep web, social network, sexting, gambling, grooming e cyberbullismo *nell'era digitale*, Key Editore, Milano, 2015.

involucrados, tanto si se encuentran en la posición de víctimas, como si están en la de responsables de los ilícitos, asegurando que las actuaciones se produzcan sin distinción de la edad en el ámbito de las instituciones escolares". El legislador probablemente habría podido detallar más ampliamente las acciones de carácter preventivo y las estrategias de protección de las víctimas de dichas conductas deplorables, aunque merece especial valoración el intento —aunque podríamos calificarlo como *soft*— de reglamentar dicho fenómeno.

A la luz del escueto texto normativo, también la jurisprudencia ha intentado contener la incontrolable difusión de tales eventos lesivos de los más básicos derechos de la personalidad tratando de responsabilizar también a los padres de los menores. En este ámbito, quisiera recordar la sentencia del Tribunal de Sulmona donde se dispuso que "En aquellos casos en los cuales menores de edad difundan fotografías que contengan imágenes del desnudo de una coetánea, utilizando medios telemáticos (*Whatsapp, Facebook, etc.*), y dicha difusión se produzca sin el consentimiento de la interesada, deberán considerarse civilmente responsables de conformidad con el artículo 2048 par. 1 del código civil los padres de los autores de la anterior difusión, ya que a ellos puede atribuirse la culpa in vigilando e in educando. La responsabilidad de los padres puede excluirse al tenor del par. 3 del art. 2048 c.c. solamente en aquellos casos en los cuales demuestren que no pudieron impedir que el hecho acaeciera, entendiéndose con esto que los padres hayan cumplido integralmente la tarea de educación de los hijos a través del desarrollo en ellos de una adecuada capacidad crítica y de discernimiento. El hecho de que al momento de la comisión del ilícito la fotografía en cuestión ya hubiera sido difundida al interior de la comunidad a la cual pertenece el sujeto fotografiado; y que ello se hubiera debido, entre otras cosas, a la conducta desinhibida del sujeto mismo, atenúa la responsabilidad civil, pero no la excluye, configurándose en cabeza de la persona fotografiada y de sus padres un daño no patrimonial consistente en la lesión de una pluralidad de intereses constitucionalmente protegidos, entre los cuales se pueden mencionar el derecho a la privacidad, a la reputación, al honor, a la imagen, a la inviolabilidad de la correspondencia"[23].

---

[23] En este sentido Tribunal Sulmona, 9 de abril de 2018, consultable en *dejure.it*. La traducción del principio de derecho extrapolado de la sentencia es del Autor.

Además, resulta necesario señalar que en los últimos años se ha difundido el flagelo de la llamada "porno venganza"[24]. Este fenómeno ha encontrado terreno fértil y se ha propagado en un contexto cultural que ve en la red una zona franca, en la cual, en nombre de la libertad de expresión, nada puede prohibirse, ni siquiera aquello que —en la paralela vida real— se considera un delito.

Tal situación, al límite de lo paradójico, se ha visto favorecida con la llegada de las nuevas tecnologías informáticas y particularmente de los teléfonos inteligentes, los llamados smartphones. Estos dispositivos han hecho simple la realización de fotografías y vídeos, permitiendo que cualquiera produzca material de contenido sexual: una especie de pornografía *amateur* al alcance de un click que afecta en particular a las mujeres, acarreándoles ingentes daños y sufrimiento psico-físico fuertemente condicionados por el género. Al mismo tiempo, la constante conexión de dichos dispositivos a la red permite compartir y difundir de forma rápida e inmediata con una o más personas el material creado.

Las exigencias editoriales nos obligan a citar sólo los casos más emblemáticos en el *mare magnum* de episodios conocidos sobre el tema tratado. Hay esencialmente dos casos que merecen ser mencionados en los que las víctimas reaccionaron ante el mal sufrido de manera diametralmente opuesta. Por un lado, parece necesario recordar la triste historia de Tiziana Cantone por su trágico desenlace, que culminó con el suicidio de la joven con un pañuelo al cuello en la casa donde vivía con su madre por no haber obtenido del Tribunal la eliminación de videos porno que la retrataban[25]. Por otro lado, la joven Dalia Aly se presenta como un ejemplo positivo de resiliencia, víctima de porno venganza a los quince años, quien encontró la fuerza para reaccionar, creando el *podcast* "Fai la signorina" para denunciar y luchar contra la propagación del triste fenómeno en cuestión[26].

---

[24] Sobre el tema recientemente *cfr.* SORGATO, A., Revenge porn. *Aspetti giuridici, informatici e psicologici*, Milano, 2020 y DE FEO, G., Il revenge porn. *La diffusione illecita di contenuti sessualmente espliciti*, Diritto Più, Castel San Giorgio (SA), 2022.

[25] Para más información, *vid.* FARACE, R., RIBUSTINI, L., *Uccisa dal* web*: Tiziana Cantone. La vera storia di un femminicidio social. Dalla testimonianza diretta di Maria Teresa Giglio*, Editoriale Jouvence, Sesto San Giovanni (MI), 2019.

[26] Para conocer los hechos directamente de la voz de la víctima, consulte la entrevista disponible en el enlace *https: //www.raiplay.it/amp/video/2024/11/Revenge-porn-la-storia-di-Dalia-Aly—XXI-Secolo—25112024-5000a944-8ee0-4d80-8708-c943a4de8dac.html.*

El tema subyacente en estas historias resulta particularmente relevante, ya que atañe a valores fundamentales de nuestro ordenamiento, involucrando aspectos indemnizatorios, incluidos los de carácter no patrimonial de no poca envergadura, en particular, en materia de responsabilidad de las plataformas online y de los buscadores[27]. El legislador, consciente de la gravedad de la conducta en cuestión, ha considerado necesario incluir un tipo penal *ad hoc*, el art. 612 *ter* c.p. (Difusión ilícita de imágenes o videos sexualmente explícitos), donde dichas conductas, penalmente relevantes, están sancionadas con la reclusión de uno a seis años y con una multa que puede ir de 5.000 [cinco mil] a 15.000 [quince mil] euros[28].

La misma Casación ha intervenido recientemente en esta materia, ampliando el catálogo de las conductas incluidas al interior del marco delictivo previsto por el art. 612 *ter* c.p. precisando que se consideran venganza pornográfica incluso aquellos casos de difusión *online* de una persona en ropa interior, cuando se trate de un video o una foto o fotos capaces de estimular el instinto sexual por el contexto y las concretas condiciones en las cuales la persona fue retratada[29].

Otra muestra de la particular atención del ordenamiento italiano hacia el fenómeno en cuestión es el Decreto Legislativo n. 139 del 8 de octubre de 2021, convertido en Ley n. 205 del 3 de diciembre de 2021 —con sus modificaciones— que introdujo al interior del sistema del código en materia de protección de datos personales (decreto legislativo 196/2003) el art. 144 *bis*, denominado porno venganza que introduce en los casos en examen la facultad de presentar una señalación al "Garante" para la protec-

---

27 *Vid.* SARTOR, G., VIOLA DE AZEVEDO CUNHA, M., "Il caso Google e i rapporti regolatori USA/EU", *Dir. Informaz. Inf.*, 4-5, 2014, 657. Vid. también MONTANARI, M., "La responsabilità delle piattaforme *on-line* (il caso Rosanna Cantone) ", *Dir. Informaz. Inf.*, 2, 2017, 254 y VIGLIANISI FERRARO, A., "La sentenza *Google Spain* ed il diritto all'oblio nello spazio giuridico europeo", *Contr. Impr. Eur.*, 2015, 1, 44 ss.

28 Para un marco completo de la Reforma, *cfr.* CALETTI, G. M., "Libertà e riservatezza sessuale all'epoca di *internet.* L'art. 612-*ter* c.p. e l'incriminazione della pornografia non consensuale", *Riv. It. Dir. Proc. Pen.*, 2019, 4, 2044 ss. y ZANNELLI, C., "Revenge porn". Pregi e aporie della nuova fattispecie di cui all'art. 612-*ter* c.p., *Dir. Fam. Pers.*, 2021, 3, 1427 ss.

29 *Vid.* Casación, 29 de marzo de 2023, n. 32602, disponible en *dejure.it.* Por último, sobre el delito en cuestión *cfr.* Casación, 28 de marzo de 2024, n. 33230, *Dir.&Giust.*, 29 de agosto de 2024.

ción de los datos personales y para las medidas destinadas a la protección del sujeto lesionado.

Todas las superiores intervenciones legislativas revelan el fermento regulatorio sobre la materia, que, en cualquier caso, no parece haber logrado consagrar una disciplina jurídica satisfactoria para atajar el fenómeno, como lo demuestran los últimos acontecimientos informativos, de los que se puede deducir que la protección de las mujeres en la red telemática exige conocimientos siempre nuevos[30], teniendo en cuenta las innumerables implicaciones nocivas, que son latentes y capaces de dañar las diversas facetas de la personalidad humana[31].

3. BREVES REFLEXIONES FINALES

La constante aparición en el panorama jurídico italiano de disposiciones normativas como las citadas, si bien heterogéneas entre sí, nos revela, por un lado, la extrema atención que le presta el legislador a las complicadas situaciones relativas a intereses violados con menosprecio del principio de tutela de la persona y, por otro, la necesidad de que el jurista moderno se acostumbre, muy a su pesar, a convivir con las problemáticas relacionadas con las características intrínsecas de la red, entre las cuales se destaca, en sentido negativo, la potencial perpetuidad de la circulación de los datos publicados incluso en los confines más remotos del sistema, además de su accesibilidad por parte de cualquier usuario de la red. Por este motivo resulta imprescindible recordar el reciente reconocimiento del derecho a la cancelación (derecho al olvido) contemplado en el art. 17 del Reglamento general sobre protección de datos[32] [Reglamento (UE) 2016/679].

---

30 Permítanme recordar, aunque sea brevemente, los graves eventos recientes de Piazza Armerina, en la provincia de Enna, donde recibió la atención de todos los periódicos el suicidio de una chica de quince años, que se quitó la vida al regresar del colegio; en este caso se está investigando por una sospechosa hipótesis de porno venganza. La noticia se puede consultar en el enlace *https: //www.ilsole24ore.com/art/enna-studentessa-si-impicca-15-anni-ipotesi-revenge-porn-AG62xkx.*

31 La doctrina habla de la necesidad de la introducción de un humanismo tecnológico. En este sentido BATTELLI, E., "Necessità di un umanesimo tecnologico: sistemi di intelligenza artificiale e diritti della persona", *Dir. Fam. Pers.*, 2022, 3, 1096 ss.

32 La jurisprudencia se pronunció recientemente sobre el tema, destacando la necesidad de definir la legislación con mayor claridad; *cfr. ex plurimis* Casación, 1 de febrero 2024, n. 3013, *Guida dir.*, 2024, 10 y Casación, 27 de diciembre de 2023, n.

Frente a disposiciones tan heterogeneas, tal vez seria util revisar todo el sistema italo-comunitario de las fuentes[33] del derecho para proteger a los usuarios vulnerables de *internet*, approvechando la oportunidad para proparar un *corpus* unitario de normas a nivel europeo, un verdadero codigo contra todas formas de *hate speech*, que pueda garantizar una protección eficaz y rápida a las víctimas del odio en la red[34], también desde una perspectiva preventiva y represiva, basándose en las experiencias y tradiciones de cada Estado miembro sobre un tema tan delicado y complejo, que requiere una disciplina precisa y clara para evitar lo que una doctrina cuidadosa llama "los peligros del lenguaje jurídico"[35].

Las normas existen a nivel europeo, pero las soluciones y protecciones están en gran medida por construir, no son del todo convincentes, parecen demasiado fragmentarias y, teniendo en cuenta la inmensidad de la red, seguramente, ineficaces[36].

A la luz de cuanto hasta aquí hemos expuesto resulta evidente la densidad y complejidad de las cuestiones que comprenden esta materia y los innumerables aspectos críticos que merecerían una más atenta reflexión, que por razones de tiempo no puede proponerse en esta sede[37].

36021, *Dir.&Giust.*, 29 dicembre 2023. Sobre este tema, permítanme referirme a LAZZARO, C., "Le traversie dell'oblio: "narrazione" di un eterno conflitto assiologico", *Riv. dir. priv.*, 2022, 3, 473 ss. *Cfr.* también RESTA, G., ZENO-ZENCOVICH, V. (editado por), *Il diritto all'oblio su internet dopo la sentenza* Google Spain, Roma Tre-Press, Roma 2015 y D'AMBROSIO, M., "Diritto all'oblio e principio dell'*openness* nelle procedure giudiziarie: il caso delle pronunce della Corte di Cassazione", *Dir. Merc. Tecn.*, 2016, 2, 322-323.

33 La expresión es retomada por PERLINGIERI, P., *Il diritto civile nella legalità costituzionale secondo il sistema italo-comunitario delle fonti*, terza ed., Edizioni Scientifiche Italiane, Napoli, 2006.

34 Para una investigación en profundidad de la cuestión, *cfr.* LUGATO, M., "Il «Discorso di odio»: le coordinate giuridiche del ragionamento internazionalistico", *Riv. Dir. Internaz.*, 2022, 4, 959 ss.

35 *Vid.* GALGANO, F., *Le insidie del linguaggio giuridico. Saggio sulle metafore nel diritto*, Il Mulino, Bologna, 2010; la traducción citada en el texto es del Autor. En cambio, habla de "puertas de las palabras" IRTI, N., *I 'cancelli delle parole'*, Editoriale Scientifica, Napoli, 2015, 34, quien subraya que la especificidad del derecho es también la especificidad de los derechos.

36 *Cfr.* FINOCCHIARO, G., *Intelligenza artificiale. Quali regole?*, Il Mulino, Bologna, 2024.

37 Para comprender la variedad del tema investigado de la protección de las mujeres en las redes electrónicas, parece útil recordar una sentencia de la jurisprudencia

El ser humano es prisionero de las informaciones, pero la prisión digital es transparente[38], la conexión a la red corre el riesgo de convertirse en cadenas indestructibles para los internautas, ya demasiado acostumbrados a las verdades de la red, entendidas erróneamente como verdades absolutas.

En conclusión, resulta imprescindible subrayar que ha llegado el momento de que el jurista acepte todos los riesgos que conlleva el uso de las diversas nuevas tecnologías[39] y en particular del *web*, que sin duda resulta un instrumento peligroso y con efectos potencialmente avasalladores e imprevisibles ya que, "si antes era difícil recordar [...], hoy resulta arduo olvidar"; "*internet* es [...] un gigantesco depósito y no un archivo ordenado"[40] de información, que contiene incluso aquellas más personales y recónditas, y ello desencadena el problema de balancear intereses contrapuestos: información vs *privacy*; por un lado, libertad de expresión y derecho de crónica, y por el otro, la pretensión (legítima) de los sujetos interesados en ejercer un control sobre las noticias que se relacionan con la protección de la propia identidad personal, privacidad, reputación, honor e imagen.

Frente a semejante contexto social, profundamente mutado en consideración de los sistemas de difusión de noticias, la aparición de *"nuevos" derechos derivados de la era tecnológica*[41] impone al intérprete una reflexión en clave evolutiva de las categorías del derecho con miras a la protección de las peculiares situaciones de vulnerabilidad, en particular de la mujer, derivadas de una estructura cultural de corte prevalentemente machista.

---

de fondo, en la que se configura como delito de *stalking* la creación de perfiles falsos de la ex pareja y conviviente en sitios para adultos con los datos de la mujer, insertando sus fotos y publicando anuncios de carácter erótico. *Cfr.* Tribunal de Milán, 6 de noviembre de 2018, n. 12404, *Redaz. Giuffrè,* 2019.

38 En este sentido VETTORI, G., "Persona e pluralismo", *Pers. Merc.*, 2024, 2, 325 ss.

39 Para más detalles sobre la cuestión, siempre de actualidad, del impacto de las nuevas tecnologías en el derecho, véase TROIANO, S. (editado por), *Diritto privato e nuove tecnologie. Riflessioni incrociate tra esperienze giuridiche a confronto,* Edizioni Scientifiche Italiane, Napoli, 2022; TOSI, E., *Diritto privato delle nuove tecnologie digitali. Riservatezza, contratti, responsabilità tra persona e mercato,* Giuffrè, Milano, 2021 y ALPINI, A., "L'impatto delle nuove tecnologie sul diritto", *comparazionedirittocivile.it*, 4, 2018, 1.

40 En este sentido FINOCCHIARO, G., "Il diritto all'oblio nel quadro dei diritti della personalità", *Dir. informaz. e informatica,* 2014, 4-5, 591 ss., 603.

41 En este sentido RODOTÀ, S., "Tra diritti fondamentali ed elasticità della normativa: il nuovo codice sulla *privacy*", *Eur. dir. priv.*, 2004, 1, 1 ss., 3

Por otra parte, como ingeniosamente se ha subrayado, la concepción integral de la jurídicidad, incluida la factualidad, implica que la teoría de la interpretación del derecho y más aún la teoría general del derecho no se proponen y cultivan *sub specie aeternitatis* en cumplimiento de técnicas falsamente generales y neutrales, alejadas de contenidos de experiencia y valores[42]. Y aquí se radica la ardua tarea del jurista, que, a falta de reglas claras y satisfactorias, debe amalgamar los instrumentos jurídicos existentes para garantizar, en un equilibrio constante e incesante entre valores potencialmente conflictivos, pero todos potencialmente dignos de atención por parte del legislador, una protección plena, sobre todo de los valores fundacionales del sistema[43].

Existe el imperativo ético y científico de entender cómo proteger más eficazmente los derechos de las mujeres en todos los ámbitos y, ahora más que nunca, dentro del ciberespacio, si es necesario, rompiendo incluso con los rígidos esquemas tradicionales.

De lo que se ha especificado anteriormente, parece evidente, como lo indica una doctrina cuidadosa, que "*resulta cada día más urgente desmontar la idea de esa aparente neutralidad del derecho, y muy especialmente del derecho civil, desde el punto de vista del género, poniendo en evidencia que los problemas reales, muy especialmente los problemas de la mayoría de las mujeres, muy pocas veces son objeto central del debate científico, sencillamente porque no son de fácil adscripción en las categorías estereotipadas sobre las que se ha venido construyendo nuestra Ciencia*"[44].

Por este motivo resulta necesario interrogarse sobre la nueva condición de la mujer en la era digital, donde los confines entre la vida *online* y aquella *offline* tienden a desaparecer: estamos interconectados sin solución de continuidad, nos hemos convertido en protagonistas impersonificados de una *infosfera* global.

Se impone la exigencia ineludible de definir las reglas del "gobierno de la noticia". No se trata de invocar técnicas de censura de corte oscurantista,

---

42 En este sentido PERLINGIERI, P., *Stagioni del diritto civile. A colloquio con Rino Sica e Pasquale Stanzione*, Edizioni Scientifiche Italiane, Napoli, 2021, 49.

43 Ciertamente el principio personalista y la dignidad humana constituyen valores centrales del ordenamiento jurídico. *Vid.* PERLINGIERI, P., "Principio personalista, dignità umana e rapporti civili", *Annali*, 2020, 5, 1 ss.

44 En este sentido GARCÍA RUBIO, M. P., *Comprender y transmitir el derecho de las mujeres*, en MESA MARRERO, C., GRAU PINEDA, M.d.C. (coord. por), *Mujeres, contratos y empresa desde la igualdad de género, cit.*, 77 ss.

sino más bien de desarrollar la capacidad de gestión del cambio histórico impuesto por la tecnología[45]. Es una cita con la historia de la cual el derecho no puede eludir.

4. BIBLIOGRAFÍA

ALPINI, A., "L'impatto delle nuove tecnologie sul diritto", *comparazionedirittocivile.it*, 4, 2018, 1.

ALÙ, A., "Il doppio volto di internet tra l'accesso e l'uscita e il paradosso della "trappola" digitale", *Dir. Fam. Pers.*, 2, 1 giugno 2023, 626.

BASSINI, M., VIGEVANI, G. E., "Primi appunti su fake news e dintorni", *Media Laws*, 2017, 1, 11 ss.

BATTELLI, E., "Necessità di un umanesimo tecnologico: sistemi di intelligenza artificiale e diritti della persona", *Dir. Fam. Pers.*, 2022, 3, 1096 ss.

BELACCHI, C., EUSEBIO M. G. (editado por), *Cyberbullismo e traiettorie contemporanee della violenza. L'identità psicosociale tra realtà e virtualità*, FrancoAngeli, Milano, 2018.

BILOTTO, A., *Dal* cyberbullismo *al* sexting. *Come aiutare figli, genitori ed insegnanti ad affrontare i rischi legati alle nuove tecnologie*, Homeless Book, Faenza (RA), 2019.

BUSACCA, A., *Informazione, comunicazione e condivisione attraverso i* social network *opportunità e rischi della rete*, in MANGANARO, F. (editado por), *Semi di futuro. A scuola per la democrazia la giustizia e il diritto*, Napoli, 2018, 339 ss., 347.

CALETTI, G. M., "Libertà e riservatezza sessuale all'epoca di *internet*. L'art. 612-*ter* c.p. e l'incriminazione della pornografia non consensuale", *Riv. It. Dir. Proc. Pen.*, 2019,

---

[45] También mediante la difusión generalizada de una "cultura de la red", que permite a los usuarios, incluso a los menos experimentados, de tomar decisiones responsables. Sería necesario, por tanto, identificar herramientas útiles, incluso a través de algoritmos o datos estadísticos, que puedan favorecer el desarrollo de un conocimiento de la *web* que ayude a discernir los peligros de las noticias completamente falsas, distorsionadas, engañosas o injustamente perjudiciales para los intereses dignos de protección. En un sentido similar PIZZETTI, F., "*Fake news* e allarme sociale: responsabilità, non censura", *Media Laws*, 2017, 1, 48 ss., 58-59, «Es absolutamente urgente desarrollar una aditividad pedagógica e informativa masiva, que permita a los usuarios de internet protegerse y, en cualquier caso, evaluar de forma independiente el valor de la información que reciben» (traducción del Autor). Habla de una correcta "educación mediática", para una "ciudadanía digital" informada y próxima que deberá afrontar una realidad cada vez más interconectada y comunicativa BUSACCA, A., *Informazione, comunicazione e condivisione attraverso i* social network *opportunità e rischi della rete*, in MANGANARO, F. (editado por), *Semi di futuro. A scuola per la democrazia la giustizia e il diritto*, Napoli, 2018, 339 ss., 347.

4, 2044 ss.; ZANNELLI, C., “Revenge porn”. Pregi e aporie della nuova fattispecie di cui all’art. 612-*ter* c.p., *Dir. Fam. Pers.*, 2021, 3, 1427 ss.

CARDONE, A., “L’incidenza della libertà d’espressione garantita dall’art. 10 C.E.D.U. nell’ordinamento costituzionale italiano”, *Osservatoriosullefonti.it*, 2012, 3, 1 ss.

D’AMBROSIO, M., “Diritto all’oblio e principio dell’*openness* nelle procedure giudiziarie: il caso delle pronunce della Corte di Cassazione”, *Dir. Merc. Tecn.*, 2016, 2, 322.

DE FEO, G., Il revenge porn. *La diffusione illecita di contenuti sessualmente espliciti*, Diritto Più, Castel San Giorgio (SA), 2022.

FACCIOLI, M., *Minori nella rete. Pedofilia, pedopornografia,* deep web, social network, sexting, gambling, grooming *e* cyberbullismo *nell’era digitale*, Key Editore, Milano, 2015.

FARACE, R., RIBUSTINI, L., *Uccisa dal* web: *Tiziana Cantone. La vera storia di un femminicidio social. Dalla testimonianza diretta di Maria Teresa Giglio*, Editoriale Jouvence, Sesto San Giovanni (MI), 2019.

FINOCCHIARO, G., “Il diritto all’oblio nel quadro dei diritti della personalità”, *Dir. informaz. e informatica,* 2014, 4-5, 591 ss.

FINOCCHIARO, G., *Intelligenza artificiale. Quali regole?* Il Mulino, Bologna, 2024;

FLORIDI, L., *The Onlife Manifesto. Being Human in a Hyperconnected Era,* Springer Open, Oxford, 2014.

GALGANO, F., *Le insidie del linguaggio giuridico. Saggio sulle metafore nel diritto,* Il Mulino, Bologna, 2010.

GARCÍA RUBIO, M. P., *Comprender y transmitir el derecho de las mujeres,* en MESA MARRERO, C., GRAU PINEDA, M.d.C. (coord. por), *Mujeres, contratos y empresa desde la igualdad de género,* Tirant lo Blanch, Valencia, 2014, 77 ss.

GENTA, M. L., BRIGHI, A., GUARINI, A., Cyberbullismo. *Ricerche e strategie di intervento,* FrancoAngeli, Milano, 2016.

IRTI, N., *I ‘cancelli delle parole’*, Editoriale Scientifica, Napoli, 2015.

LAZZARO, C., “Le traversie dell’oblio: “narrazione” di un eterno conflitto assiologico”, *Riv. dir. priv.*, 2022, 3, 473 ss.

LOIODICE, A., *Informazione (diritto alla), Enc. dir.*, XXI, Giuffrè, Milano, 1971, 472 ss., 473.

LUGATO, M., “Il «Discorso di odio»: le coordinate giuridiche del ragionamento internazionalistico”, *Riv. Dir. Internaz.*, 2022, 4, 959 ss.

MESSINETTI, D., “Circolazione dei dati personali e dispositivi di regolazione dei poteri individuali”, *Riv. crit. dir. priv.*, 1998, 3, 339 ss.

MONTANARI, M., “La responsabilità delle piattaforme *on-line* (il caso Rosanna Cantone)”, *Dir. Informaz. Inf.*, 2, 2017, 254.

OROFINO, M., *La libertà di espressione tra Costituzione e Carte europee dei diritti. Il dinamismo dei diritti in una società in continua trasformazione,* G. Giappichelli Editore, Torino, 2014.

PERLINGIERI, C., “Libertà di espressione e di informazione nella comunicazione digitale”, *Rass. dir. civ.*, 2023, 2, 494 ss.

PERLINGIERI, C., *Profili civilistici dei social* networks, Edizioni Scientifiche Italiane, Napoli, 2015.

PERLINGIERI, P., "L'informazione come bene giuridico", *Rass. dir. civ.*, 1990, 2, 326 ss.

PERLINGIERI, P., "Principio personalista, dignità umana e rapporti civili", *Annali*, 2020, 5, 1 ss.

PERLINGIERI, P., *Il diritto civile nella legalità costituzionale secondo il sistema italo-comunitario delle fonti*, terza ed., Edizioni Scientifiche Italiane, Napoli, 2006.

PERLINGIERI, P., *Stagioni del diritto civile. A colloquio con Rino Sica e Pasquale Stanzione*, Edizioni Scientifiche Italiane, Napoli, 2021.

PIRAINO, F., "Sulla nozione di bene giuridico in diritto privato", *Riv. crit. dir. priv.*, 2012, 3, 459 ss.

PIZZETTI, F., "*Fake news* e allarme sociale: responsabilità, non censura", *Media Laws*, 2017, 1, 48 ss.

POLLICINO, O., "I codici di condotta tra self-regulation e hard law: esiste davvero una terza via per la regolazione digitale? Il caso della strategia europea contro la disinformazione online", *Riv. Trim. Dir. Pubbl.*, 2022, 4, 1051 ss.

POLLICINO, O., "La prospettiva costituzionale sulla libertà di espressione nell'era di internet", *Media Laws*, 2018, 1, 48 ss.

PUGLIATTI, S., *Conoscenza e diritto*, Giuffrè, Milano, 1961.

RESTA, G., "La giurisprudenza della Corte di Strasburgo sulla libertà d'informazione e la sua rilevanza per il diritto interno: il caso dei processi mediatici", *Dir. inf.*, 2012, 2, 163 ss.

RESTA, G., ZENO-ZENCOVICH, V. (editado por), *Il diritto all'oblio su* internet *dopo la sentenza* Google Spain, Roma Tre-Press, Roma 2015.

RIVA, G., Fake news. *Vivere e sopravvivere in un mondo post-verità*, Il Mulino, Bologna, 2018.

RODOTÀ, S., "Tra diritti fondamentali ed elasticità della normativa: il nuovo codice sulla *privacy*", *Eur. dir. priv.*, 2004, 1, 1 ss.

RODOTÀ, S., *Il diritto di avere diritti*, Editori Laterza, Roma-Bari, 2015.

SALVATORE, V., *La libertà di espressione, una prospettiva di diritto comparato. Unione europea*, EPRS —Servizio Ricerca del Parlamento europeo—, Unità Biblioteca di diritto comparato, Studio, novembre 2019, Bruxelles, 2019.

SAMMARRO, M., "Progettazione e valutazione educative per superare i pericoli della Rete", *I problemi della pedagogia*, Supplemento, Anno LXV, Gennaio/Giugno 2019, n. 1, 39 ss.

SARTOR, G., VIOLA DE AZEVEDO CUNHA, M., "Il caso Google e i rapporti regolatori USA/EU", *Dir. Informaz. Inf.*, 4-5, 2014, 657.

SORGATO, A. Revenge porn. *Aspetti giuridici, informatici e psicologici*, Milano, 2020.

SPATUZZI, A., "Hate speech e tutela della persona, tra incertezza del paradigma e declinabilità dei rimedi", *Dir. Fam. Pers.*, 2, 2021, 888 ss.

TOSI, E., *Diritto privato delle nuove tecnologie digitali. Riservatezza, contratti, responsabilità tra persona e mercato*, Giuffrè, Milano, 2021.

TROIANO, S. (editado por), *Diritto privato e nuove tecnologie. Riflessioni incrociate tra esperienze giuridiche a confronto*, Edizioni Scientifiche Italiane, Napoli, 2022.

VETTORI, G., "Persona e pluralismo", *Pers. Merc.*, 2024, 2, 325 ss.

VIGLIANISI FERRARO, A., "La sentenza *Google Spain* ed il diritto all'oblio nello spazio giuridico europeo", *Contr. Impr. Eur.*, 2015, 1, 44 ss.

ZENO-ZENCOVICH, V., "Sull'informazione come "bene" (e sul metodo del dibattito giuridico)", *Riv. crit. dir. priv.*, 1999, 1, 485 ss.

ZENO-ZENCOVICH, V., *Informazione (profili civilistici)*, en *Digesto civ.*, IX, Utet giuridica, Torino, 1993.

Desafíos y referencias normativas en torno a la discriminación de género hacia las mujeres en un inédito contexto tecnológico

LISANDRA SUÁREZ FERNÁNDEZ*

Ricercatrice

Università degli Studi dell'Aquila, Italia

"La igualdad es una necesidad vital del alma humana. La misma cantidad de respeto y de atención se debe a todo ser humano, porque el respeto no tiene grados".

Simone WEIL

1. MUJER Y TECNOLOGÍA. RECONFIGURANDO ANTIGUAS DESIGUALDADES

La contemporaneidad se distingue por un creciente desarrollo tecnológico, estimulado por un incesante movimiento científico. Los avances en este orden han promovido la concepción del inicio de la Cuarta Revolución Industrial bajo el paradigma de la Industria 4.0. En este contexto se aprecia una profunda transformación en el modo en que se despliegan las relaciones sociales y se efectúa el intercambio de bienes y servicios[1],

---

* lisandra.suarezfernandez@univaq.it. Esta investigación se ha desarrollado en el marco del proyecto CN00000013 "*National Centre for HPC, Big Data and Quantum Computing" (Transversal Research Group on Societal Implications and Impact*).

1 Al respecto resalta el uso de los términos nuevas tecnologías, tecnologías emergentes o tecnologías disruptivas. Aunque su empleo se ha intensificado en los últimos años existen referencias de su utilización en otros contextos históricos marcados por cambios tecnológicos en grado de impactar significativamente las relaciones socioeconómicas y los modelos de producción. La ausencia de una sistematización conceptual ha motivado su uso en calidad de sinónimos en varios escenarios no especializados. Sin embargo, existen criterios teóricos que apuntan a su diferenciación en atención a su novedad, grado de desarrollo o nivel de impacto. Sobre tal distinción *cfr.* STELLA RODRÍGUEZ, G., "Tecnologías disruptivas

llegándose a afirmar que "esta revolución científica-tecnológica en la que estamos inmersos evoluciona de forma imparable e irreversible hacia una sociedad cada vez más digitalizada, donde las tecnologías son el principal motor de transformación social y económica, siendo el mayor surtidor de competitividad, y proyectándose directamente en todos los ámbitos: administraciones públicas, compañías y sociedad civil."[2]

El análisis de tal avance tecnológico dejar ver su doble matiz, manifestándose como un proceso que, aunque focalizado connaturalmente hacia la optimización de la vida del hombre, tiene el potencial de reproducir y fraguar riesgos de diferente naturaleza[3]. En el campo del Derecho ha generado especial preocupación la capacidad de las tecnologías emergentes para vulnerar los derechos humanos y fundamentales[4]. Los estudios al respecto evidencian riesgos sensibles para la dignidad humana, la privacidad, la libertad de expresión, la imagen, el honor, la participación, el acceso a la salud, la educación y el trabajo, así como para la igualdad y no discriminación. Partiendo de este presupuesto, el presente artículo se concentra en este último, analizando en particular las transgresiones que, por razones de género enfrentan las mujeres debido a la implementación y expansión de las nuevas tecnologías. La motivación que sustenta este enfoque se basa en el carácter histórico, sistémico y nocivo de la discriminación hacia este grupo, así como en las inéditas formas de exclusión que surgen en este contexto tecnológico. Se abordarán específicamente los riesgos que enfrenta este derecho con respecto a las Tecnologías de la Información y las Comunicaciones (TIC) y la IA, profundizando, dada su novedad, en el

---

contexto político-jurídico, desafíos y oportunidades en Latinoamérica", *Lex: Revista de la Facultad de Derecho y Ciencia Política de la Universidad Alas Peruanas,* vol. 19, 28, 2021, pp. 45-46. La Estrategia del secretario general de las Naciones Unidas en materia de nuevas tecnologías de septiembre de 2018 emplea la categoría "nuevas tecnologías", reconociéndose dentro de esta categoría a la IA, la biotecnología, las ciencias de los materiales y la robótica.

2 GALLEGO TRIJUEQUE, S. y OLIVA MARAÑÓN, C., "La cuarta revolución industrial: Transformación digital como nuevo paradigma", *Signo y Pensamiento,* 41, 2022.

3 Para profundizar sobre los riesgos *cfr.* VIDA FERNÁNDEZ, J., "La gobernanza de los riesgos digitales: desafíos y avances en la regulación de la inteligencia artificial", *Cuadernos de Derecho Transnacional,* vol. 14, 1, 2022, p. 491 ss.

4 *Vid.* ADINOLFI, A., "Evoluzione tecnologica e tutela dei diritti fondamentali: qualche considerazione sulle attuali strategie normative dell'Unione", *Quaderni AISDUE,* 15, 2023.

fenómeno de la discriminación algorítmica y en las principales soluciones normativas que se han implementado al respecto.

El análisis del material científico permite afirmar que las manifestaciones de discriminación hacia la mujer por razón del género se asocian a diferentes factores. En primer lugar, se reconocen dilemas de índole general, tales como el acceso a estas tecnologías, la formación de competencias para su uso, y el protagonismo en los sectores donde se despliegan y delimitan las líneas de desarrollo tecnológico. Estas circunstancias responden al fenómeno identificado como brecha digital de género, el cual muestra una amplia y negativa repercusión en el plano de la participación y progresión de las mujeres en el sector laboral. Asimismo, se distingue su impacto en la integración social, considerando la centralidad atribuida a estas tecnologías en la vida moderna, lo cual ha motivado a reflexionar que: "teniendo en cuenta que las nuevas tecnologías son el motor económico, social y político de la sociedad en la que vivimos, y, en consecuencia, que la posición que las personas tengan respecto de las mismas determinará la posición que los individuos tengan en la sociedad, la exclusión de las mujeres en este campo, supone no sólo una lesión de un derecho fundamental, sino la lesión del propio principio democrático."[5] El informe "El progreso en el cumplimiento de los Objetivos de Desarrollo Sostenible: Panorama de género 2024" ha reconocido la brecha digital como un problema latente a nivel global con amplias consecuencias en la colocación de las féminas en el mercado laboral, así como, en su participación y liderazgo en la innovación digital[6]. La misma representa una transmisión de las limitaciones de acceso, instrucción y participación que las mujeres han tenido históricamente en el ámbito de la educación, la ciencia y la política, al campo de las tecnologías emergentes. Su existencia refuerza la discriminación preexistente, exponiendo como mayor riesgo a juicio propio, el potencial de estas tecnologías para aislarlas y obstaculizar su realización en los ámbitos personal, familiar y social como consecuencia del analfabetismo digital.

En este contexto resulta transcendental la consolidación de políticas públicas y normativas que actúen intencionadamente sobre los problemas

---

5 ARENAS RAMIRO, M., "Brecha digital de género: la mujer y las nuevas tecnologías", *Anuario de la Facultad de Derecho,* 4, 2011, p. 100.

6 *Vid.* Informe *El progreso en el cumplimiento de los Objetivos de Desarrollo Sostenible: Panorama de género 2024,* ONU Mujeres y el Departamento de Asuntos Económicos y Sociales de las Naciones Unidas, 2024.

mencionados. En el plano jurídico internacional existe un cuadro regulatorio que sostiene la concepción de la igualdad de género como un derecho humano[7], a lo que se añade el compromiso de los Estados de adoptar y fortalecer una línea legislativa que promueva este derecho[8]. Unido a ello pudiera resultar de utilidad la aplicación de las experiencias resultantes de otras iniciativas para alcanzar este propósito, tal como, las acciones positivas[9] y la integración de la perspectiva de género (*mainstreaming*)[10]. Actualmente, a pesar de la identificación del problema y la experiencia previa en la lucha por la igualdad de género, la brecha digital sigue siendo un dilema latente[11]. No obstante, las organizaciones internacionales continúan a dar prioridad al enfrentamiento a esta nueva dimensión de discriminación monitoreando su impacto, proponiendo acciones y convocando a los Estados a efectivizar la igualdad en el plano tecnológico[12].

---

7 *Vid.* Carta de las Naciones Unidas adoptada el 26 de junio de 1945 en San Francisco, entrada en vigor el 24 de octubre de 1945, Declaración Universal de Derechos Humanos adoptada y proclamada por la Asamblea General en su resolución 217 A (III), de 10 de diciembre de 1948 y Convención sobre la Eliminación de todas las formas de discriminación contra la mujer (CEDAW), adoptada el 18 de diciembre de 1979 por la Asamblea General de la ONU, Resolución 34/180.

8 Al respecto trasciende la delimitación de la igualdad de género como uno de los objetivos de la Agenda 2030 para el Desarrollo Sostenible de la ONU.

9 Sobre la experiencia de la Unión europea (UE) al respecto *cfr.* artículo 5 de la Directiva 2000/43/CE del Consejo de la Unión Europea, de 29 de junio de 2000, por la que se establece un marco general para la igualdad de trato en el empleo y la ocupación, publicada en el DOUE L 180, de 19 de julio de 2000.

10 Para consultar la posición de la UE *vid.* Informe del Consejo de Europa *Mainstreaming de género. Marco conceptual, metodología y presentación de buenas prácticas,* Estrasburgo, 1998 y la *Communication from the Commission of the European communities. Incorporating equal opportunities for women and men into all community policies and activities,* Bruselas, de 21 de febrero de 1996.

11 *Vid.* Ficha informativa *Igualdad de género y digitalización en la Unión Europea,* Instituto Europeo de Igualdad de Género (EIGE) y Mujeres en el cuadro de indicadores digitales, 2020.

12 Muestra de ello es la Comunicación de la Comisión "Una Unión de la igualdad: Estrategia para la Igualdad de Género 2020-2025" de 05 de marzo de 2020 (COM (2020) 0152); la Resolución del Parlamento Europeo sobre la capacitación de mujeres y niñas a través del sector digital de 17 de abril de 2018 (2017/2210(INI)); la Resolución del Parlamento Europeo sobre el cierre de la brecha digital de género: participación de la mujer en la economía digital de 21 de enero de 2021 y la Declaración Europea sobre los derechos y principios digitales para la década digital (2023/C 23/01), publicada en el Diario Oficial de la Unión Europea el 23 de enero de 2023.

2. TIC Y GÉNERO: RIESGOS Y PROYECCIONES

Unido a las cuestiones de índole general se reconocen manifestaciones discriminatorias hacia las mujeres por razón del género que dependen del tipo de tecnología. Las TIC han trasladado la actividad socioeconómica de las personas al universo digital a través de redes de comunicaciones, dispositivos electrónicos, softwares y plataformas digitales. En este contexto, el alcance y la velocidad que ofrecen favorecen la difusión de la información de manera insólita, eliminando las barreras de distancia y tiempo. Por otra parte, la intermediación de dispositivos y herramientas técnicas elevan su peligrosidad a partir de la posibilidad de ejercer el anonimato. El empleo de estas tecnologías intensifica los estereotipos de género y las conductas discriminatorias, desatando expresiones que se extienden hasta la verificación de actos de violencia de género, lo cual, puede desembocar en graves e irreversibles consecuencias en los planos físico, psicológico, moral y material. Al respecto se ha razonado que "a medida que las interacciones sociales se han trasladado a ese entorno virtual, formas de violencia como amenazas, coacciones, acoso u hostigamiento, vejaciones e injurias han encontrado un nuevo medio para perpetuarse."[13]

Este panorama expone el surgimiento de nuevos conceptos como ciberviolencia de género o violencia de género en línea. Según el Informe "Ciberviolencia y ciberacoso contra las mujeres y niñas en el marco de la Convención Belém Do Pará" las modalidades de violencia de género en línea más usuales en la actualidad son: el ciberhostigamiento o ciberacecho, el ciberacoso, la creación, difusión, publicación, distribución, intercambio, manipulación o almacenamiento de fotografías, videos o audios de naturaleza sexual o íntima sin consentimiento, el acceso no consentido y/o ataque a la integridad de un sistema informático o a una cuenta en línea, así como el uso, control, manipulación o publicación no autorizada de información privada y datos personales, los actos que implican monitoreo, control y vigilancia en línea, la suplantación y robo de identidad en línea, los ataques a la reputación o credibilidad, las amenazas directas de daño o violencia, la violencia física facilitada por las nuevas tecnologías, la explotación sexual y/o trata de mujeres y niñas y los ataques a grupos, organizaciones, comunidades o colectivas de mujeres[14]. A raíz de ello no

---

13 SIMÓ SOLER, E. y LÓPEZ HERNÁNDEZ, H., "Metaverso, violencia de género y orden de alejamiento virtual", *Actualidad jurídica iberoamericana,* 21, 2024, p. 629.

14 *Vid. Informe Ciberviolencia y ciberacoso contra las mujeres y niñas en el marco de la Convención Belém Do Pará,* Spotlight, 2021. Estas manifestaciones en algunos casos han

sorprende que se haya subrayado en que "el desarrollo de la tecnología y los espacios digitales, entre otras cosas mediante la inteligencia artificial (IA), inevitablemente da lugar a manifestaciones diferentes y nuevas de violencia en línea contra la mujer"[15].

La situación descrita justifica los llamados a sensibilizar, formar e informar a la población sobre estos fenómenos como parte del proceso de alfabetización digital. A la par es necesario difundir en el colectivo femenino los canales de denuncias y los mecanismos técnicos y legales para afrontar estas situaciones. Resulta vital además instituir normativas civiles, administrativas y penales que aseguren la igualdad e incolumidad de las mujeres, tal como, el canal sancionatorio y resarcitorio. Igualmente es esencial crear mecanismos efectivos que faciliten la delimitación de la ley aplicable, teniendo en consideración el carácter transfronterizo de esta tecnología.

Otra importante cuestión en relación con la discriminación de género originada por las TIC es la implicación de los operadores de Internet y en particular de las empresas que manejan las plataformas de redes sociales. Su rol es fundamental dado que rigen la infraestructura a través de la cual se puede limitar y restringir eficazmente los eventos discriminatorios. Su acción de monitoreo, tramitación de señalaciones, suspensión de cuentas y contenidos y colaboración con las entidades de control representa un punto crucial para contener y revertir los efectos de discriminación y violencia en el espacio digital. Por ello, más que reclamar un compromiso ético orientado por el *Soft Law* es ineludible la implementación de normas imperativas que determinen y homogenicen la actuación y responsabilidad de los titulares de estas plataformas[16]. Al respecto se ha ilustrado que "existe una creciente necesidad de regular el comportamiento de los prestadores intermediarios y la información que se aloja en páginas web, redes

---

sido particularizadas. Ejemplo de ello es el *cyberbullying*, el *sexting*, el *stalking*, el *grooming*, el *shaming* y el *doxing*.

15 *Vid.* Informe de la Relatora Especial sobre la violencia contra la mujer, sus causas y consecuencias acerca de la violencia en línea contra las mujeres y las niñas desde la perspectiva de los derechos humanos, Asamblea General de las Naciones Unidas, 18 de junio de 2018, A/HRC/38/47.

16 *Cfr.* Tribunal Europeo de Derechos Humanos, Sentencia de 16 de junio de 2015, Delfi AS c. Estonia, asunto n. 64569/09, Gran Sala. Este fallo confirma las dificultades de imponer responsabilidades a los intermediarios de Internet en relación con los comentarios o acciones de terceros sobre la base de la complejidad de ponderar la libertad de expresión con la protección de otros derechos fundamentales de los usuarios.

sociales, blogs o foros, en relación con la incitación al odio, la exaltación del terrorismo, la difamación, o la propagación de pornografía infantil, por citar solo algunos ejemplos. El legislador debería ser capaz de proteger a las víctimas, sin incurrir en el riesgo de dañar a los creadores, perjudicar la libertad de expresión, o hundir el negocio de internet"[17].

Ante este desafío la UE cuenta con el Reglamento de Servicios Digitales donde se reconoce la aparición de nuevos e innovadores modelos de negocio y servicios, como las redes sociales y las plataformas en línea, destacándose la necesaria prevención de sus riesgos a los fines de instaurar un entorno en línea seguro. Bajo esta motivación establece normas armonizadas sobre la prestación de servicios intermediarios que determinan un marco para la exención condicionada de responsabilidad de los prestadores de servicios intermediarios, así como, obligaciones específicas de diligencia a determinadas categorías de prestadores de servicios intermediarios. Con relación a la tutela al derecho a la igualdad y no discriminación por razones de género la norma define la categoría contenido ilícito, la cual, incluye los contenidos discriminatorios. Sobre esta base desarrolla un cuadro normativo dirigido a garantizar la detección, señalamiento y sanción de estos comportamientos, tal como, a establecer el procedimiento a seguir para eliminarlos. Se establecen además disposiciones adicionales y obligaciones específicas de gestión de riesgos sistémicos a plataformas en línea y motores de búsqueda en línea de muy gran tamaño, advirtiéndose una clara intención de monitoreo y control a las plataformas de mayor alcance. Esta regulación constituye una importante acción legislativa para solventar los problemas de discriminación y violencia de género desde el accionar de quien cuenta con las herramientas técnicas para, en primer orden, contenerlo, detectarlo, y eliminarlo, independientemente de la existencia de otros mecanismos legales a los fines de punir y resarcir el daño[18].

Los argumentos expuestos permiten aseverar que las TIC reproducen las típicas manifestaciones de discriminación de género, generando a su vez nuevas expresiones de inequidad y violencia de género. El alcance, la

---

17 ARROYO AMAYUELAS, E., "La responsabilidad de los intermediarios en internet. ¿Puertos seguros a prueba de futuro?", *Cuadernos de Derecho Transnacional*, vol. 12, 1, 2020, p. 836.

18 *Vid.* Considerandos 1, 3, 12 y 54 y artículos 3, 6, 9, 16, 17, 33 y siguientes del Reglamento (UE) 2022/2065 del parlamento europeo y del consejo de 19 de octubre de 2022 relativo a un mercado único de servicios digitales y por el que se modifica la directiva 2000/31/CE (Reglamento de Servicios Digitales).

velocidad, el anonimato y el carácter transfronterizo de estas tecnologías expanden y maximizan los riesgos, complejizando la delimitación de la norma aplicable y la identidad del agresor. Actualmente la mayoría de los ordenamientos jurídicos nacionales no se encuentran preparados para enfrentar eficazmente estos retos, siendo la UE precursora de la regulación de los servicios digitales desde una óptica de seguridad e igualdad. Lo antes expuesto reafirma la necesidad de que los Estados muevan con celeridad la maquinaria legislativa desde una óptica integral.

3. LOS DESAFÍOS DE LA IA FRENTE AL FENÓMENO DISCRIMINATORIO

La IA, por su parte, se ha convertido en un tema de interés para los operadores del Derecho. Las características de los sistemas modernos de IA han desatado interrogantes sobre el concepto de inteligencia, generando al propio tiempo inquietudes sobre su autonomía y la responsabilidad de los operadores. En materia de discriminación de género hacia las mujeres con motivo del desarrollo y el funcionamiento de la IA se advierten varias intervenciones de la UNESCO donde se abordan los principales puntos de tensión y las líneas que pueden orientar su enfrentamiento. Una profundización en el tema permite apreciar la reiteración de problemáticas ya aludidas como: el acceso, la formación de habilidades y la insuficiente presencia de las féminas en las carreras y los colectivos técnicos que impulsan esta tecnología. Sin embargo, afloran notas distintivas que referencian la expansión de este flagelo a través de la configuración del sistema y la discriminación algorítmica[19].

La reproducción de estereotipos a través de la configuración del sistema se ha evidenciado en agentes inteligentes ampliamente extendidos en el ámbito laboral, gubernamental y doméstico. Este supuesto se verifica a partir de la conexión entre el uso previsto del sistema y los roles discriminatorios socialmente atribuidos a la mujer. Un ejemplo de este fenómeno es la asignación predeterminada de una voz femenina a asistentes virtuales como Alexa y Siri. Tal elección no solo refuerza la concepción de la mujer como responsable del cuidado y la gestión del hogar, sino que además

---

[19] *Vid.* Informe *I'd Blush if I Could: closing gender divides in digital skills through education*, UNESCO, 2019; *Informe sobre la IA y la igualdad de género*, UNESCO, 2020 y Documento *Los efectos de la IA en la vida laboral de las mujeres*, UNESCO, 2022.

arraiga el patrón de subordinación y servilismo impuesto por el patriarcado sistémico.

En otro orden, como expresión más insólita se advierte la discriminación de género como resultado de las soluciones y operaciones aportadas por los sistemas de IA. Al respecto se traen a colación los conceptos de sesgo y discriminación algorítmica[20], que, aunque numerosos, no permiten delimitar con precisión su diferencia o equivalencia. En criterio propio se puede colegir que ambos fenómenos se refieren a respuestas distorsionados del sistema que desembocan en un tratamiento parcializado, injusto o arbitrario. Sin embargo, el sesgo asume un carácter general mientras que la discriminación algorítmica se refiere a una anomalía que resulta en una discriminación a uno o varios miembros de un colectivo vulnerable, asumiendo que su expresión de género se tipifica con relación a las féminas[21] cuando resultan desfavorecidas por el hecho de serlo.

El fenómeno en cuestión destaca por su vínculo con las operaciones algorítmicas, lo que resulta novedoso para el derecho antidiscriminatorio, tradicionalmente basado en la ocurrencia de estos sucesos como consecuencia de la acción de personas naturales o jurídicas. Ello se complejiza aún más a razón de la opacidad y autonomía de estos sistemas, dado que estas características pueden llegar a desasociar la acción técnica discriminatoria de la actuación de sujetos específicos. La ausencia de transparencia, asociada al término caja negra (*black box*), así como su inexplicabilidad obstaculizan la determinación del patrón discriminatorio y la aplicabilidad de las normas de derecho antidiscriminatorio. En relación con ello se ha razonado que "[…] se torna imprescindible desarrollar protocolos y mecanismos para controlar y garantizar la fiabilidad de la IA, minimizando los potenciales riesgos que podrían colocar en una situación altamente perjudicial a las personas vulnerables o potencialmente vulnerables. En este sentido, una IA fiable debe fundarse en estándares y valores que garanticen el respeto de los derechos fundamentales mediante la prevención de los riesgos inherentes a la utilización de este tipo de herramientas inteligentes, no solo a través de la protección de los principios de igualdad y equidad

---

20 Al respecto *cfr.* ZIOSI, M.; WATSON, D. y FLORIDI, L., «A Genealogical Approach to Algorithmic Bias», [en línea] (2024), https: //ssrn.com/abstract=4734082 [consultado 03/02/2025]

21 Sobre esta manifestación de discriminación en particular *cfr.* NAVAS NAVARRO, S, "Los sesgos de sexo y de género en el uso de sistemas de inteligencia artificial", *Persona, familia y género,* Atelier, Barcelona, 2022, pp. 337-354.

de las personas, sino también de neutralidad tecnológica, evitándose cualquier tipo de discriminación arbitraria, siendo imprescindible una mayor exigencia de transparencia y trazabilidad de la herramienta, [...]"[22].

Los estudios al respecto permiten comprobar que la repuesta u operación discriminatoria puede asociarse sea a las personas involucradas que a los datos utilizados en el entrenamiento o desarrollo del sistema. En el primer caso los problemas pueden generarse a partir de la transmisión involuntaria de la propia concepción del operador, del proceso de identificación y selección de las "*targets variables*" y "*class labels*" o por la acción consciente del agente técnico. En relación con los datos la cuestión abarca diferentes situaciones. Una de las brechas acontece por el uso de muestras reducidas o parcializadas, lo cual, impide la representación apropiada de un grupo. En otros casos la situación se motiva por la inferencia de los sistemas de IA con aprendizaje automático[23]. Este supuesto implica que el sistema correlacione patrones aparentemente aislados, generando soluciones discriminatorias que en caso de no ser detectadas pueden ampliar y perpetuar la discriminación. En otro orden es posible generar la inequidad de género a partir de los estereotipos contenidos en los datos recopilados de los miembros de la sociedad, confirmando la historicidad y actualidad del flagelo[24]. Aunque la etimología y definición del fenómeno discriminatorio pueden sugerir que la responsabilidad es exclusivamente del sistema, es indiscutible que sus causas, de un modo u otro, remiten al comportamiento humano y al arraigo histórico de estereotipos en la sociedad.

Identificadas las causas se presenta para el Derecho el reto de encuadrar estas manifestaciones de discriminación en los cánones del derecho antidiscriminatorio. Ello, aunque exige tener en cuenta todas las modalidades de discriminación remite de modo esencial a su expresión directa e indirecta, sin desconocer su impacto en la discriminación sistémica y la peligrosidad de su expresión interseccional. La modalidad directa se define como "aquella situación en la que una persona o grupo de personas

---

22 BLANCO GARCÍA, A. I., "Retos para una inteligencia artificial inclusiva de los colectivos vulnerables", *Actualidad Jurídica Iberoamericana,* 21, 2024 p. 366.

23 Al respecto vid. UNESCO, IRCAI, *Challenging systematic prejudices: an Investigation into Gender Bias in Large Language Models,* 2024. El documento reflexiona sobre las fuentes de discriminación, aportando además casos de estudio que demuestran como modelos de lenguaje de gran tamaño (LLM) asocian diferentes conceptos con el de género, de lo que resultan respuestas discriminatorias.

24 Sobre las causas *cfr.* COSTANZA, N., "Intelligenza artificiale e discriminazioni", *Gruppo di Pisa,* 3, 2021, p. 15 ss.,

recibe un trato diferenciado y perjudicial sobre la base de una categoría sospechosa, la cual es invocada explícitamente como motivo de la distinción o exclusión."[25]Por otra parte la indirecta se vincula a "la existencia de una disposición, criterio o práctica aparentemente neutros que produce una desventaja particular y que no se justifica en criterios objetivos."[26] La posibilidad de que los sistemas de IA motiven estas formas de desigualdad de género hacia las mujeres no es solo factible sino palpable. Sin embargo, sus características tecnológicas obstaculizan su detección y en consecuencia su prueba y resarcimiento, presentando particular complejidad la identificación y previsión de la discriminación indirecta en sistemas de decisiones automatizadas. Al respecto se comenta que "los datos son, en consecuencia, el peor obstáculo a la aportación de indicios, sin perjuicio de que siga siendo posible emplear los mecanismos tradicionales al efecto, esto es, la existencia de elementos protegidos en el caso y el resultado negativo para quien los alega. Del mismo modo, el aprendizaje automático permite mayores justificaciones para desvirtuar los indicios toda vez que opera en el terreno de la discriminación indirecta, por tanto, desarticulable por justificación objetiva y razonable. Por otra parte, la víctima será en estos casos menos consciente del sesgo, principal barrera en muchos casos para la visibilización del riesgo y de su impacto"[27].

En este contexto se ha valorado la coherencia de las categorías y normas del derecho antidiscriminatorio para enfrentar el fenómeno evidenciándose posiciones divididas en la doctrina que de una parte respalda su vigencia y de otra confirma su crisis. En criterio propio la discriminación algorítmica en general y su expresión en materia de género no rompe radicalmente con las definiciones teóricas, las causas y consecuencias de esta disciplina jurídica. Sin embargo, la intervención de nuevos agentes tecnológicos requiere actualizar las normas atinentes a su prevención, detección

---

[25] SALOMÉ RESURRECCIÓN, L. M., "La discriminación y algunos de sus calificativos: directa, indirecta, por indiferenciación, interseccional (o múltiple) y estructural", *Pensamiento Constitucional*, 22, 2017, p. 261.

[26] LOUSADA AROCHENA, J. F., "Inteligencia artificial y sesgos discriminatorios: ¿es necesario un nuevo concepto de discriminación algorítmica?", I*gualdadES*, 1, 2024, p. 106. Esta modalidad de discriminación ha sido icónicamente sustentada en la sentencia Griggs v. Duke Power Co. de 1971 de la Corte Suprema de los Estados Unidos.

[27] RIVAS VALLEJO, P., "Sesgos de género en el uso de inteligencia artificial para la gestión de las relaciones laborales: Análisis desde el derecho antidiscriminatorio", E-*Revista internacional de la protección social*, vol. 7, 1, 2022, p. 8.

y prueba. Sobre esta base corresponde al Derecho la determinación de una normativa que de una parte apunte a la transparencia y control de estos sistemas desde una perspectiva de minimización del riesgo y de otra permita la obtención de resarcimiento viabilizando que los ciudadanos y grupos vulnerados puedan enfrentar en paridad la carga de la prueba de frente al desconocimiento del mundo tecnologico y la falta de acceso al material técnico. Sobre la base de estos razonamientos y de la necesidad de comprender más profundamente la problemática en medio de un vertiginoso desarrollo tecnológico se considera más atinente establecer criterios de reinterpretación de las normas vigentes y adicionar postulados puntuales en el campo de la IA que actúen sobre los problemas detectados, sin emprender al momento una profunda reforma del derecho antidiscriminatorio. Tal solución, si bien transitoria, permitiría una respuesta más expedita y eficaz para afrontar problemas emergentes como el necesario empoderamiento de los ciudadanos en la fase probatoria y el control de los datos y de los procesos automatizados. La experiencia de esta intervención parcial y la observación del desarrollo técnico de los sistemas inteligentes sería un punto de partida sólido para transformaciones normativas sucesivas más profundas sin desatender al momento los riesgos detectados con relación a la igualdad de género.

4. LA DISCRIMINACIÓN ALGORÍTMICA EN EL ÁMBITO REGULATORIO

En respuesta a los riesgos identificados en materia de igualdad y no discriminación en sentido general, se han llevado a cabo pronunciamientos e intervenciones normativas a los fines de contener, identificar y sancionar la discriminación motivada por la IA, lo cual, tiene impacto sobre los supuestos de discriminación de género hacia las mujeres.

Los Estados Unidos, aunque carentes de una remisión constitucional expresa a la igualdad por razón del sexo o el género ha implementado varias acciones en el plano legislativo y jurisprudencial que intentan garantizar la equidad en este orden[28]. Su sistema normativo reconoce tanto la dis-

---

[28] Al respecto se puede referenciar la Ley de Derechos Civiles promulgada el 2 de julio de 1964 (*Civil Rights Act*) donde se establecen criterios para la protección legal de la mujer en el ámbito laboral. Se advierte además la propuesta de Enmienda de Igualdad de Derechos aprobada en 1972 (*Equal Rights Amendment ERA*), aun en el centro del debate político y legislativo en relación con su ratificación. Asi-

criminación directa como la indirecta, denominado esta última "*disparate impact*"[29]. En el campo de la IA fue promulgada bajo el mandato del presidente Biden la *AI Training Act*, con la cual se pretende enfrentar los riesgos sobre la base de la formación de los empleados de las agencias ejecutivas federales involucrados en la gestión de programas, planificación, investigación, desarrollo y evaluación de sistemas[30]. Sin embargo, es a juicio propio una acción de alfabetización digital parcial, pues aunque se dirige a un sector con un rol estratégico, excluye al personal técnico que directamente desarrolla esta tecnología, fundamentalmente perteneciente al sector privado. Al respecto resulta más abarcadora la *Executive Order on the Safe, Secure, and Trustworthy Development and Use of Artificial Intelligence* donde se considera la posibilidad de proporcionar, según proceda y en consonancia con la legislación aplicable, orientación, asistencia técnica y formación a los investigadores y fiscales estatales, locales y territoriales sobre las mejores prácticas para investigar y perseguir las violaciones de los derechos civiles y la discriminación relacionadas con los sistemas automatizados, incluida la IA. Ello proporciona algunas líneas y directrices en materia de IA que irradian tanto en el sector público como privado[31]. Desde el ámbito del tratamiento de datos la Ley de Igualdad de Oportunidades de Crédito (ECOA) prohíbe en gran medida el uso de información demográfica, incluido el sexo, en la suscripción de créditos, la fijación de precios, la elaboración de informes y la puntuación.

En relación con los proyectos de ley resalta la *Algorithmic Accountability Act* donde se sugiere que las grandes empresas tecnológicas de todos los Estados lleven a cabo una evaluación del impacto de sesgo de cualquier

---

mismo, se aprecia una contribución a este objetivo en la Enmienda 14 de 1868 y la Enmienda 19 de 1920. Desde la óptica del legislador se ha respaldado esta perspectiva en sentencias como Reed v. Reed, 404 U.S. 71 de 1971 y States v. Virginia 518 U.S. 515 de 1996, de la Corte suprema de los Estados Unidos.

29 La UE aborda esta expresión de discriminación en la Directiva 2000/43/ce del Consejo de 29 de junio de 2000 relativa a la aplicación del principio de igualdad de trato de las personas independientemente de su origen racial o étnico y en la Directiva 2000/78/CE del Consejo de 27 de noviembre de 2000 relativa al establecimiento de un marco general para la igualdad de trato en el empleo y la ocupación. Sin embargo, la UE mantiene una posición más estricta, favoreciendo la tutela de los ciudadanos frente a esta variante discriminatoria.

30 Congreso de los Estados Unidos, *Artificial Intelligence Training for the Acquisition Workforce Act*, S. 2551, 117º Congreso, 2º sesión, 2022.

31 Biden, Joe, *Executive Order on the Safe, Secure, and Trustworthy Development and Use of Artificial Intelligence*, 30 de octubre de 2022.

sistema automatizado que tome decisiones críticas en una variedad de sectores, incluidos el empleo, los servicios financieros, la salud, la vivienda y los servicios legales. En cuanto a la discriminación, se ha incluido por mediación de la Sección 4. la obligación de las entidades de realizar pruebas y evaluaciones atinentes al enfrentamiento de la discriminación algorítmica por razones de género[32]. En otro orden se puede mencionar la *Stop Discrimination by Algorithms Act,* propuesta particularmente para el Distrito de Columbia (Washington D.C). La misma se centra en el fenómeno de la discriminación algorítmica y alcanza a las entidades que utilizan algoritmos para tomar decisiones relacionadas con ofertas de crédito, seguros, educación, empleo o acceso a lugares públicos. Sus postulados sugieren la realización de auditorías anuales de sesgos para identificar los resultados discriminatorios asociados a los sistemas algorítmicos de toma de decisiones e impondría requisitos de transparencia y notificación[33]. Por otra parte, ha entrado en vigor en Nueva York la Ley Local 144 donde se instituye que los empleadores deben, antes de implantar o seguir utilizando herramientas automatizadas de decisión de empleo (AEDT), cumplir varios requisitos. Las exigencias se refieren a someter a los sistemas a una auditoría de sesgo realizada por un auditor independiente[34]. Tal decisión favorece, conforme prevé esta herramienta, la recopilación de datos sobre el comportamiento de un algoritmo y la evaluación de este con respecto al efecto negativo sobre algunos intereses o derechos de las personas cuyos datos son usados.

Sobre la base de los textos analizados puede afirmarse que el ordenamiento jurídico estadounidense ofrece un cuadro normativo que en lo esencial tutela la igualdad de género. Sin embargo, de frente a los retos que plantea la IA no existe una norma de alcance nacional que establezca principios definitivos en la materia y unifique el tratamiento de esta tecnología. Sus iniciativas abarcan mayormente la formación, apreciándose algunas referencias normativas estatales que afrontan de modo diverso el problema entre sí, concentrándose principalmente sobre ciertas categorías de sistemas.

---

[32] Congreso de los Estados Unidos, *Algorithmic Accountability Act (AAA),* S. 2892, 118º Congreso, 1º sesión, 2023.

[33] Consejo del Distrito de Columbia, *Stop Discrimination by Algorithms Act,* B24-0558, 2021.

[34] *Vid.* New York City Council., Local Law 144 of 2021: Automated employment decision tools, 2021.

La UE por su parte ha consolidado el principio de igualdad y no discriminación en sus documentos cardinales, destacando la inclusión taxativa de la categoría sexo. Si bien en un principio la atención en torno a la discriminación de género se centró en el ámbito laboral, las acciones sucesivas demuestran que el proceso tecnológico resulta un área de especial interés, principalmente con motivo de los riesgos que la IA presupone para los derechos humanos y fundamentales. [35]

En relación con el tratamiento de datos, base fundamental para el funcionamiento de los sistemas de IA, la UE ha proclamado el Reglamento General de Protección de Datos (GDPR). Si bien su texto no se adentra concretamente en el fenómeno de la discriminación algorítmica contiene razonamientos, principios y postulados que pueden enfrentar el fenómeno desde la perspectiva del tratamiento de los datos personales. El Considerando 71 y el artículo 22 de la normativa refieren que las personas tienen derecho a no ser objeto de una decisión que se base únicamente en el tratamiento automatizado, con lo cual se da espacio a la autonomía de la voluntad frente al riesgo de una respuesta discriminatoria a razón de la ausencia de intervención humana. Por otra parte, el precitado considerando refiere que el responsable del tratamiento debe impedir efectos discriminatorios en las personas físicas por motivos de raza u origen étnico, opiniones políticas, religión o creencias, afiliación sindical, condición genética o estado de salud u orientación sexual. Sin embargo, llama la atención que tanto este razonamiento, como el artículo 9, a juicio propio encaminados a tutelar ciertas manifestaciones de discriminación con respecto a categorías sensibles, no haga referencia al sexo o el género. Igualmente pudiera tutelar a las mujeres el requerimiento de la realización de evaluación de impacto de las operaciones de tratamiento reglamentada en el precepto 35. Al margen de la posibilidad de que estos postulados puedan favorecer la igualdad de género frente a las operaciones algorítmicas no es una fórmula enfocada particularmente a ello sino en la tutela de la privacidad en el proceso de tratamiento de datos personales[36].

---

[35] *Vid.* artículo 14 del Convenio Europeo de Derechos Humanos de Roma de 4 de noviembre de 1950; artículos 10, 153 i) y 157 de la versión consolidada del Tratado de Funcionamiento de la Unión Europea, publicado en el Diario Oficial de la Unión Europea el 26 de octubre de 2012 C 326/47; la Carta de los Derechos Fundamentales de la Unión Europea, (2000/C 364/01) de 18 de diciembre de 2000.

[36] *Vid.* Reglamento (UE) 2016/679 del Parlamento Europeo y del Consejo, de 27 de abril de 2016, relativo a la protección de las personas físicas en lo que respecta al

En materia propiamente de IA, bajo una iniciativa de la Comisión Europea, fueron divulgadas las Directrices éticas para una IA digna de confianza. El documento referencia dentro de los 7 requisitos claves para tener en cuenta en los procesos de diseño y desarrollo de la IA, la diversidad, no discriminación y equidad, haciendo explicita referencia a que ello incluye la ausencia de sesgos injustos[37]. Sucesivamente en el 2020 fue publicado el *Libro blanco sobre la inteligencia artificial. Un enfoque europeo orientado a la excelencia y la confianza*, donde se reconoce que el uso de la IA puede dañar los valores en los que se basa la Unión y causar violaciones a los derechos fundamentales, incluido el derecho a la no discriminación. En ese propio año la Asamblea Parlamentaria del Consejo de Europa refiere en la Resolución 2343 que el aprendizaje automático utilizado para construir sistemas basados en IA se basa en vastos conjuntos de datos, reconociendo que los datos son sesgados por naturaleza, ya que reflejan la discriminación ya presente en la sociedad, así como el sesgo de quienes los recopilan y analizan. Añade además que los conjuntos de datos sesgados están en el centro de muchos casos de discriminación causados por el uso de la IA y siguen siendo un importante problema por resolver en este campo. La Asamblea pide a los Estados que revisen su legislación contra la discriminación y la modifiquen si es necesario para garantizar que cubra todos los casos en los que la discriminación directa o indirecta puede ser causada por el uso de la IA, prestando especial atención a asegurar que las víctimas de discriminación no se enfrenten a una carga de la prueba desproporcionada. Además, convoca a los Estados a estimular la investigación sobre el sesgo de los datos y los medios para contrarrestar eficazmente su impacto en los sistemas basados en IA[38].

Como documento rector en materia de discriminación de los sistemas de IA en la UE se debe consultar el Reglamento de Inteligencia Artificial. Este cuerpo normativo se dedica a reglamentar esta disciplina tecnológica, apreciándose varias acciones con trascendencia al enfrentamiento de la discriminación algorítmica hacia las mujeres por razón del género. La norma se centra en alinear el mercado interior mediante la uniformidad regulatoria en la comercialización de sistemas de IA, estableciendo que

---

tratamiento de datos personales y a la libre circulación de estos datos (Reglamento General de Protección de Datos)

37 *Vid.* Comisión Europea, *Directrices éticas para una IA fiable,* 2019.

38 *Vid.* Punto 3, 10 y 12 de la Resolución 2343 de la Asamblea Parlamentaria del Consejo de Europa de 22 de octubre de 2020 *Preventing discrimination caused by the use of artificial intelligence.*

esto se basará en la adopción de una IA fiable y centrada en el ser humano. Además, garantiza, entre otros criterios, la protección de los derechos fundamentales, lo cual se refleja en su artículo 1, superando la omisión que al respecto hacia el articulado de la propuesta original de 2021. La norma sigue una sistemática que apunta a delimitar los sistemas según su riesgo y en función de ello establecer el procedimiento a seguir para su entrada en el mercado y ciclo de vida, siguiendo el principio que "mayor es el riesgo, más estrictas son las reglas".

Resulta importante en materia de discriminación que, tanto la demarcación de prácticas prohibidas, como la delimitación y actualización de los sistemas de alto riesgo toman como eje cardinal el impacto sobre los derechos fundamentales. La prevención de sesgos de género se establece a partir de requerimientos en relación con el sistema de gestión de riesgos y la gobernanza de datos. Los conjuntos de datos de entrenamiento, validación y prueba se sometan a prácticas de gobernanza y gestión de datos que deben centrarse en las operaciones de tratamiento oportunas para la preparación de los datos, como la anotación, el etiquetado, la depuración, la actualización, el enriquecimiento y la agregación; en la evaluación de la adecuación de los conjuntos de datos necesarios; en el examen atendiendo a posibles sesgos que puedan afectar negativamente a los derechos fundamentales o dar lugar a algún tipo de discriminación y en la toma de medidas adecuadas para detectar, prevenir y mitigar posibles sesgos. Se exige además que los conjuntos de datos de entrenamiento, validación y prueba sean pertinentes y suficientemente representativos. Estas decisiones actúan directamente sobre algunos problemas individuados en precedencia demostrando una posición normativa coherente a las causas de este fenómeno. El cumplimiento de estas exigencias será verificado sea a través del propio control interno del proveedor o por la participación de un organismo notificado, lo cual depende de la categoría de sistema de alto riesgo. En cualquier caso, representan procesos de auditoría que permiten detectar estas problemáticas y que en caso de ser evadidas tienen respuesta en el ámbito sancionatorio.

Unido a ello resulta una novedad con respecto a la propuesta inicial de Reglamento la inclusión de un cuadro regulatorio para los modelos de IA de uso general. En este orden se exige la generación de documentación técnica, la cual debe incluir información sobre los datos, su validación y métodos para detectar los sesgos. Asimismo, destaca la exigencia de alfabetización digital, lo cual, constituye una medida contra la discriminación, basada en el rol del personal técnico involucrado en el diseño y desarrollo de estos sistemas y su incidencia en la reproducción de este fenómeno[39].

Si bien esta regulación contiene varias acciones efectivas para enfrentar la discriminación algorítmica por razones de género, en algunos casos su obligatoriedad se extiende solo hacia los sistemas de alto riesgo, obviando la peligrosidad de que este fenómeno se extienda a partir de sistemas menos peligrosos, pero altamente difundidos. Los sistemas "que no son de alto riesgo", tal y como los identifica el Reglamento pueden generar efectos indeseados y de gran impacto, normalizando formas de exclusión o inequidad. Por ello, la adopción de una regulación más flexible para estos sistemas desde la óptica del compromiso ético deja abierta la puerta a la amplificación de la discriminación en cuestión, por lo cual, representa una solución parcial que asume la presencia de ciertos riesgos sobre la base de que sean mínimos. A raíz de ello, subyace la posibilidad de sistematizar la discriminación de género desde la acción mínima de múltiples sistemas.

La reconstrucción en lo esencial de las acciones y normativas de la UE permite afirmar que la igualdad de género en el marco de la IA es una clara línea de trabajo. La constante intervención a través de diferentes documentos no se limita a enmarcar el papel de esta tecnología y sus riesgos, sino que reconoce la protección de los derechos fundamentales como piedra angular de su desarrollo. El GDPR y el Reglamento de IA ofrecen soluciones acordes con las causas identificadas. Sin embargo, hubiera sido fundamental que este último, sin restarle valor a su impacto global, incorporara mecanismos de control más rigurosos para los sistemas que, aunque presentan un riesgo aparentemente menor, pueden contribuir efectivamente a la perpetuación de la discriminación de género contra las mujeres.

5. CONCLUSIONES

Los argumentos expuestos permiten aseverar que las nuevas tecnologías y de modo particular las TIC y la IA reproducen las históricas manifestacio-

---

[39] *Cfr.* Considerandos 48, 56, 57, 58, 67 y 119, artículos 4, 10 y 53 y Anexo XI del Reglamento (UE) 2024/1689 del Parlamento Europeo y del Consejo de 13 de junio de 2024 por el que se establecen normas armonizadas en materia de inteligencia artificial y por el que se modifican los Reglamentos (CE) n.o 300/2008, (UE) n.o 167/2013, (UE) n.o 168/2013, (UE) 2018/858, (UE) 2018/1139 y (UE) 2019/2144 y las Directivas 2014/90/UE, (UE) 2016/797 y (UE) 2020/1828 (Reglamento de Inteligencia Artificial)

nes de discriminación de género, haciendo aflorar nuevas expresiones que no pueden pasar inadvertidas en una sociedad donde la igualdad y la no discriminación constituye patrimonio irrenunciable de la humanidad y de cada ser humano. Enfrentar los nuevos fenómenos con una mirada crítica hacia los estereotipos que subyacen en la sociedad contemporánea, una visión enfocada hacia la alfabetización digital, una postura legislativa de control, y transparencia y una perspectiva de dar responsabilidad a quien impulsa el desarrollo tecnologico se configura sin duda como una prioridad esencial para tutelar este derecho irrenunciable.

6. BIBLIOGRAFÍA

ADINOLFI, A., "Evoluzione tecnologica e tutela dei diritti fondamentali: qualche considerazione sulle attuali strategie normative dell'Unione", *Quaderni AISDUE*, 15, 2023.

ARENAS RAMIRO, M., "Brecha digital de género: la mujer y las nuevas tecnologías", *Anuario de la Facultad de Derecho*, 4, 2011.

ARROYO AMAYUELAS, E., "La responsabilidad de los intermediarios en internet. ¿Puertos seguros a prueba de futuro?", *Cuadernos de Derecho Transnacional*, vol. 12, 1, 2020.

BLANCO GARCÍA, A. I., "Retos para una inteligencia artificial inclusiva de los colectivos vulnerables", *Actualidad Jurídica Iberoamericana*, 21, 2024.

COSTANZA, N., "Intelligenza artificiale e discriminazioni", *Gruppo di Pisa*, 3, 2021.

GALLEGO TRIJUEQUE, S. y OLIVA MARAÑÓN, C., "La cuarta revolución industrial: Transformación digital como nuevo paradigma", Signo y Pensamiento, 41, 2022.

LOUSADA AROCHENA, J. F., "Inteligencia artificial y sesgos discriminatorios: ¿es necesario un nuevo concepto de discriminación algorítmica?", *IgualdadES*, 1, 2024.

NAVAS NAVARRO, S, "Los sesgos de sexo y de género en el uso de sistemas de inteligencia artificial", *Persona, familia y género*, Atelier, Barcelona, 2022.

RIVAS VALLEJO, P., "Sesgos de género en el uso de inteligencia artificial para la gestión de las relaciones laborales: Análisis desde el derecho antidiscriminatorio", *E-Revista internacional de la protección social*, vol. 7, 1, 2022.

SALOMÉ RESURRECCIÓN, L. M., "La discriminación y algunos de sus calificativos: directa, indirecta, por indiferenciación, interseccional (o múltiple) y estructural", *Pensamiento Constitucional*, 22, 2017.

SIMÓ SOLER, E. y LÓPEZ HERNÁNDEZ, H., "Metaverso, violencia de género y orden de alejamiento virtual", *Actualidad jurídica iberoamericana*, 21, 2024.

STELLA RODRÍGUEZ, G., "Tecnologías disruptivas contexto político-jurídico, desafíos y oportunidades en Latinoamérica", *Lex: Revista de la Facultad de Derecho y Ciencia Política de la Universidad Alas Peruanas*, vol. 19, 28, 2021.

VIDA FERNÁNDEZ, J., "La gobernanza de los riesgos digitales: desafíos y avances en la regulación de la inteligencia artificial", *Cuadernos de Derecho Transnacional*, vol. 14, 1, 2022.

ZIOSI, M.; WATSON, D. y FLORIDI, L., «A Genealogical Approach to Algorithmic Bias», [en línea] (2024), https: //ssrn.com/abstract=4734082 [consultado 03/02/2025]

Discriminación algorítmica e inteligencia artificial en la Unión Europea

PAULA VEGA GARCÍA
Profesora Ayudante Doctora en Derecho Civil
Universidad de Oviedo

1. RIESGO DE DISCRIMINACIÓN Y REGULACIÓN DE LA IA

El Preámbulo de la Recomendación sobre la Ética de la Inteligencia Artificial de la UNESCO reconoce en uno de sus apartados que, si bien las tecnologías de inteligencia artificial (IA) tienen el potencial de ser útiles para las personas, también pueden suponer problemas, en especial por "los sesgos que pueden incorporar y exacerbar, lo que puede llegar a provocar discriminación, desigualdad, brechas digitales y exclusión y suponer una amenaza para la diversidad cultural, social y biológica, así como generar divisiones sociales o económica".

La IA, como toda herramienta creada por el ser humano, puede utilizarse con fines lícitos e ilícitos. Pero en el caso de esta tecnología, no solo depende de quien la usa, sino también de cómo se haya configurado. Porque, quizás más que ninguna otra herramienta, la inteligencia artificial refleja la personalidad de quien la crea y las fuentes de las que aprende. Las personas no somos seres perfectos y, por tanto, tampoco nuestras creaciones. Sin control, la IA recibe lo mejor y lo peor del ser humano y lo refleja, como un espejo que muestra el espíritu de una sociedad. Y nuestra sociedad tiene sesgos que la IA puede llegar a asumir como parte de los patrones normales de comportamiento y, posteriormente, reproducirlos. Si dicha reproducción es automática y sin supervisión se producen resultados injustos donde no existe causa objetiva para el tratamiento diferenciado[1].

---

1 Sobre cómo las recomendaciones de un sistema de IA pueden llevar a la toma de decisiones discriminatorias, cfr. GHASEMAGHAEI, M., KORDZADEH, N., "Understanding how algorithmic injustice leads to making discriminatory decisions: An obedience to authority perspective", *Information & Management*, 61, 2024, pp. 1-6. DOI: https: //doi.org/10.1016/j.im.2024.103921.

Generalmente, dichos sesgos suelen afectar a ciertos colectivos vulnerables y hacia quienes la sociedad tiene comportamientos discriminatorios habitualmente. Pues, como se ha dicho, la tecnología replica el sesgo que ya existía y que se ha reflejado en los datos o en la construcción del algoritmo[2]. Por supuesto, ello siempre y cuando no se tomen las medidas necesarias para evitar la llamada discriminación algorítmica[3]. Porque, como se ha dicho, la IA depende de cómo se haya creado y de cómo se haya enseñado. Está en la naturaleza de la propia tecnología el problema y la solución, a través de un desarrollo que se ha calificado "ético" o "centrado en la persona"[4].

En la Unión Europea, los riesgos asociados a la inteligencia artificial llevan siendo objeto de atención desde uno de los primeros documentos publicados sobre el tema por la Comisión en el año 2018, la Comunicación "Inteligencia artificial para Europa". En el citado texto ya se alertaba de la posibilidad de que aplicaciones de esta tecnología pudieran llevar a "la adopción de decisiones potencialmente sesgadas" y a la necesidad de incorporar en su desarrollo a personas de orígenes diversos "con el fin de garantizar que la IA sea integradora y no discriminatoria"[5]. El propio Libro Blanco sobre Inteligencia Artificial de 2020 señalaba entre los riesgos de esta tecnología "la discriminación de género o de otro tipo" y el Comité consultivo para la igualdad de oportunidades entre mujeres y hombres dedicó un informe a problemas y recomendaciones para hacer frente a situaciones de discriminación de género provocadas por la IA[6]. En la actua-

---

2 Realiza una explicación sobre cómo funcionan los sesgos, en qué partes de la IA se reflejan y cómo atajarlos VILLEGAS DIANTA, A., «Sesgos algorítmicos y discriminación de la inteligencia artificial y formas educativas de abordarlos» [en línea], (2024), <https: //adrianvillegasd.com/sesgos-algoritmicos-y-discriminacion-de-la-inteligencia-artificial-y-formas-educativas-de-abordarlo/> [Consulta: 06/02/2025].

3 Sobre los sesgos algorítmicos y su incidencia en la discriminación algorítmica de género, cfr. BELLOSO MARTÍN, N., "La problemática de los sesgos algorítmicos (con especial referencia a los de género). ¿Hacia un derecho a la protección contra los sesgos?", en *Inteligencia artificial y filosofía del derecho*, Ediciones Laborium, Murcia, 2022, pp. 55-56.

4 Ídem, pp. 64-67.

5 Comunicación Inteligencia Artificial para Europa, pp. 3; 15. Disponible en: https: //eur-lex.europa.eu/legal-content/EN/TXT/?uri=COM: 2018: 237: FIN [Consulta: 06/02/2025].

6 Informe disponible en: https: //commission.europa.eu/document/download/2e462ba5-13b6-4d04-9f24-2615d8a0d134_en?filename=opinion_artificial_intelligence_gender_equality_2020_en.pdf [Consulta: 06/02/2025].

lidad, el papel principal en la lucha contra la discriminación algorítmica lo interpreta el Reglamento (UE) 2024/1689 del Parlamento Europeo y del Consejo, de 13 de junio de 2024, por el que se establecen normas armonizadas en materia de inteligencia artificial (RIA).

El RIA es fruto de un largo proceso legislativo, iniciado con un proyecto de 2021, que en su tramitación ha sufrido numerosos cambios. Muchos de ellos motivados por la propia evolución de la tecnología y los resultados —a veces discriminatorios— de su aplicación en contextos reales. En su cruzada contra los llamados "patrones históricos de discriminación", el RIA ha implantado en la Unión Europea una suerte de "sistema semáforo" para modelos y sistemas de Inteligencia Artificial, con el que se pretende evitar o controlar tanto los riesgos inherentes a la IA como los que aparezcan durante su uso[7]. En los siguientes apartados se realiza un breve análisis de las medidas que se considera que tendrán un impacto más directo en la evitación de la discriminación algorítmica.

2. PRÁCTICAS PROHIBIDAS POR SUS RESULTADOS DISCRIMINATORIOS

El Capítulo II del Reglamento de Inteligencia Artificial se dedica a las llamadas "prácticas prohibidas". Las prohibiciones, establecidas en el artículo 5 RIA, no tienen por objetivo concretos modelos o sistemas de IA. El legislador europeo tiene en cuenta que puede haber modelos o sistemas con usos variados donde algunos sean perfectamente lícitos mientras que otros puedan conculcar alguno de los derechos protegidos por la Unión, sea por su diseño o por su uso. De ahí que el enfoque haya sido el de prohibir la utilización de la IA de modos determinados en vez de bloquear la tecnología en su conjunto. El Reglamento se refiere a ocho prácticas concretas, excluidas por razones diversas explicadas en los considerandos de la norma y que se refieren al perjuicio que pueden causar a los ciudadanos europeos por afectar a sus derechos fundamentales. Entre estas prácticas algunas están prohibidas precisamente porque pueden ser utilizadas para tratar de manera discriminatoria a determinados individuos o colectivos sin que ningún tipo de contramedida pueda evitarlo o sin válida justificación. No es objeto de este trabajo realizar un análisis exhaustivo de todas

---

7 Vid. GAMERO CASADO, E., "El enfoque europeo de inteligencia artificial", *Revista de Derecho Administrativo* – CDA, 20, 2021, pp. 278.

las prohibiciones, sino incidir en aquellas cuya prohibición se basa de manera evidente en la protección del derecho a la no discriminación. Son los sistemas que explotan vulnerabilidades, los sistemas de puntuación ciudadana o de evaluaciones de riesgo, los sistemas de categorización biométrica o los sistemas de identificación biométrica en tiempo real.

A) Uno de los primeros sistemas prohibidos en el Reglamento son los sistemas de IA que exploten las vulnerabilidades de una persona o un determinado colectivo de personas derivadas de su edad, discapacidad, situación social o económica (art. 5.1.b RIA). El objeto de la prohibición son aplicaciones de IA que, basándose en el análisis de los datos de una persona o colectivo y los patrones resultantes, descubren o infieren determinadas vulnerabilidades de una persona o colectivo —situación económica precaria, pertenencia a colectivos sociales desfavorecidos, ser anciano o menor de edad, por ejemplo— o, ya conociéndolas, las usan en su contra. En concreto, se utilizan para influir en la toma de decisiones de los objetivos del sistema, de tal modo que se pueda provocar de manera efectiva o probable un perjuicio a la persona o colectivo a quien se dirige el sistema de IA, aunque no exista intención de causarlo (considerando 29). Por ejemplo, aunque el hecho de ser mujer, *prima facie*, no parece ser una característica que se pueda asociar automáticamente con la idea de "vulnerabilidad" que tiene el Reglamento, sí es cierto que la combinación de este factor con otros puede dar lugar a una situación de vulnerabilidad que pueda ser aprovechada por terceros. Como puede ser para dirigir ciertas prácticas comerciales hacia mujeres embarazadas o en ciertos momentos de su ciclo menstrual[8]. Sin per-

---

8 La información sobre estas circunstancias es fácilmente obtenible a través de los datos extraídos de aplicaciones destinadas al control del ciclo menstrual o del embarazo. Por ejemplo, el informe realizado por Privacy International en 2019 demostró que Facebook y, por tanto, Meta, estaba recibiendo información directamente de aplicaciones menstruales (Disponible en: https: //privacyinternational. org/long-read/3196/no-bodys-business-mine-how-menstruations-apps-are-sharing-your-data [Consulta. 06/02/2025]). Es más, este tipo de herramientas fueron objeto de debates a la luz de los cambios en la jurisprudencia sobre el derecho al aborto en Estado Unidos, ya que se temía que la información suministrada a estas aplicaciones pudiera ser utilizados para detectar interrupciones del embarazo ilegales. Vid. MESEGUER FERRÉ, N., «Las apps menstruales a debate tras la abolición del aborto en EE. UU: ¿afecta en España?» [en línea] (2022) <https: //www.uoc.edu/es/news/2022/189-apps-control-menstrual-aborto> [Consulta: 06/02/2025].

juicio de la protección que específicamente establece la regulación sobre prácticas comerciales desleales y publicidad, este apartado del RIA pretende evitar que en cualquier ámbito se utilicen las vulnerabilidades de alguien para causarle un daño, sean estas cuales sean[9]. No obstante, no se prohíbe el análisis de estos caracteres, ni su consideración para la toma de decisiones por parte de un sistema, sino aquellas actuaciones creadas a medida a través del análisis de estos datos y dirigidas a personas concretas o colectivos con el fin de que adopten ciertos comportamientos con consecuencias perjudiciales.

B) También se han prohibido los denominados sistemas de puntuación ciudadana, el *social scoring* (art. 5.1.c RIA). Este tipo de herramientas se emplean para evaluar o clasificar personas o colectivos con el fin de atribuirles una puntuación, a partir de la cual se deducirá algún tipo de consecuencia. En concreto, el Reglamento prohíbe aquellos que se refieran al "comportamiento social o a características personales o de su personalidad conocidas, inferidas o predichas". Por tanto, por un lado, están aquellas aplicaciones que se basan en unos hechos más o menos objetivos, como es el comportamiento social; mientras que por el otro están las que se basan en características que pueden ser objetivas, subjetivas o meramente inducidas. En este segundo caso, algunas de las características utilizadas para la calificación podría ser el hecho de ser mujer, la edad, el nivel de educación o el lugar de residencia. No obstante, estos sistemas no se prohíben absolutamente, sino que solo están incluidos aquellos que o bien generen un trato desfavorable "en contextos sociales que no guarden relación con los contextos donde se generaron o recabaron los datos originalmente" o cuando, como resultado, se dé un trato perjudicial que sea "injustificado o desproporcionado con respecto a su comportamiento social o la gravedad de este". Mientras que la primera situación es objetiva —si se utiliza la puntuación fuera del ámbito donde se obtuvo y esto genera un daño— la segunda es claramente subjetiva, ya que depende de la valoración de la injusticia o desproporción en relación con los elementos tenidos en cuenta para la obtención

9 Sobre esta prohibición en el ámbito de la publicidad, cfr. VEGA GARCÍA, P., "Efectos de la regulación europea sobre Inteligencia Artificial en el control de la publicidad ilícita", *Revista E-Mercatoria*, vol. 23, nº 2, 2024, pp. 221. DOI: https: //doi.org/10.18601/16923960.v23n2.06.

de la puntuación[10]. Por ejemplo, en el ámbito financiero ya existen sistemas —lícitos en base a la regulación del RIA— que otorgan una puntuación que determina la facilidad para acceder al crédito en función de ciertos factores[11]. Bien, si este tipo de herramientas no se desarrollan de un modo adecuado, ello puede llevar a que, por ejemplo, las mujeres tengan más dificultades para obtener una hipoteca, teniendo en cuenta que los datos históricos demuestran que ellas contratan menos este tipo de productos financieros[12].

C) Una idea similar a la que lleva a prohibir las puntuaciones ciudadanas está detrás de la prohibición de la evaluación de riesgo de comisión de delitos basada exclusivamente en el perfil de una persona, sus rasgos o personalidad (art. 5.1.d RIA). El escenario que se quiere evitar es el ya imaginado por Philip K. Dick en su relato "The Minority Report" de 1956, llevado al cine por Steven Spielberg en 2002, donde las personas son arrestadas antes de cometer un crimen,

10 Aplicaciones de este tipo ya se han empezado a utilizar en China y han despertado las alarmas puesto que, su uso sin control, puede llevar a situaciones de discriminación respecto a personas que, por tener ciertas características o pertenecer a determinados colectivos, obtienen una puntuación desfavorable sin tener en cuenta otros factores. Sobre los potenciales riesgos que supone el *social scoring* vid. RUBIO, C., «El "social scoring": el terror de una IA que pondrá notas a los ciudadanos» [en línea], (2024), <https: //www.eldebate.com/tecnologia/20241023/social-scoring-terror-ia-pondra-notas-ciudadanos_237996.html> [Consulta: 06/02/2025].

11 Las herramientas que permiten la calificación crediticia de individuos no se ven afectadas por la prohibición al no tratarse de sistemas de puntuación ciudadana como tal, ya que para este tipo de evaluaciones se suelen usar datos proporcionados en el mismo momento de la evaluación por el propio afectado para ser utilizados en el concreto contexto de la relación financiera. No obstante, su tipología sí entra dentro de los llamados sistemas de riesgo, lo que significa que se deben tener especiales precauciones para evitar que los resultados puedan perjudicar injustificadamente a quien se ve sometido a estas evaluaciones. Sobre la utilización de estos sistemas en el ámbito financiero y el riesgo de adopción de resultados discriminatorios, cfr. CUCURUTO, G., INTURRI, P., "Discriminazioni algotitmiche e tutela dei consumatori vulnerabili nell'accesso al crédito", *BioLaw Journal*, 1, 2024, pp. 317-330.

12 En este sentido, es de gran interés el informe realizado en 2019 para el Banco de España sobre la brecha de género en el acceso al crédito y que evidenciaba la mayor dificultad de las empresas dirigidas por mujeres para obtener un crédito en su primer año debido a un sesgo en la evaluación de la solvencia financiera. DE ANDRÉS, P., GIMENO, R., MATEOS DE CABO, R., *The gender gap in bank credit Access, Documento de Trabajo N° 1945*, Banco de España, Madrid, 2019, pp. 28-29.

a pesar de que exista la posibilidad de que este nunca se produzca. Aunque tales sistemas pueden ser utilizados, solo pueden usarse como apoyo para la valoración realizada por una persona, siempre basada sobre hechos objetivos ya acontecidos y relacionados con un delito. Es decir, no se pueden utilizar sistemas que simplemente prevean la potencialidad de una persona de cometer un delito, sino las probabilidades de que alguien haya estado implicado en un crimen ya consumado[13].

D) Los sistemas que utilizan datos biométricos (art. 3.34 RIA) también han sido objeto de escrutinio por el legislador europeo, hasta el punto de que dos tipos han sido prohibidos. El primero de ellos es el que realiza categorizaciones biométricas para deducir opiniones políticas, afiliación sindical, religión, convicciones filosóficas, raza, vida u orientación sexual de una persona, tomando como referencia únicamente datos biométricos como son la cara o las huellas dactilares (art. 5.1.g RIA). Se entiende, no obstante, que esta categorización es posible siempre y cuando solo afecte a la gestión de un conjunto de datos concreto, para su etiquetado, filtrado u organización, con el fin de garantizar el cumplimiento del Derecho. Si la categorización realizada pretende exteriorizarse, es decir, utilizarla para producir consecuencias que no tienen que ver con la gestión de los datos o para garantizar el cumplimiento del Derecho, la práctica está prohibida. Hay que tener en cuenta que los datos que se prohíbe inferir a través de biometría son aquellos que, según el Reglamento 2016/679 relativo a la protección de las personas físicas en lo que respecta al tratamiento de datos personales y a la libre circulación de estos datos (RGPD) son considerados "categorías especiales de datos" (art. 9 RGPD). Tales datos gozan de una protección particular por su sensibilidad. De ahí que se obligue a que su tratamiento cumpla unas obligaciones adicionales, incluido un consentimiento expreso. Dicha obligación podría eludirse si, en vez de obtener un dato directamente de la fuente —la persona afectada—, se infiere a partir de información biométrica. El resultado puede coincidir o no con la realidad, pero, en cualquier caso, estaría vinculando una

---

13 Por ejemplo, el sesgo que se podría producir en este ámbito es en general desfavorable hacia los hombres, ya que su tasa de criminalidad es mayor y, por tanto, estadísticamente, es más probable que cometan un delito. Dicha afirmación se basa en los datos ofrecidos por el Instituto Nacional de Estadística. Disponibles en <https: //www.ine.es/jaxiT3/Datos.htm?t=25998> [Consulta 06/02/2025].

persona con una información sensible. Y ello podría suponer que se viera sometido a un trato diferente por parte de quienes aprovechen los resultados de ese sistema de categorización biométrica. Es por ello que el RIA ha implantado la prohibición analizada, para proteger a los individuos de sesgos basados en información que, primero, no tiene por qué ser exacta y, segundo, podría no estár siendo tratada de manera apropiada teniendo en cuenta la legislación sobre protección de datos[14].

E) Los últimos sistemas prohibidos por el RIA son los utilizados para la identificación biométrica remota en tiempo real en espacios de acceso público y con fines de garantía del cumplimiento del Derecho (art. 5.1.h RIA). Se trata de una prohibición que pretende evitar que los ciudadanos puedan ver coartado su ejercicio de libertades en espacios públicos además de sufrir situaciones discriminatorias por no haber un control humano de los resultados de estos sistemas, al funcionar en tiempo real (considerando 32). Es decir, con estos sistemas se corre el riesgo de categorizar a un determinado individuo de un modo que le pueda generar un perjuicio inmediato sin total garantía de respeto de sus derechos. Hay que tener en cuenta que los sistemas biométricos no son todavía todo lo perfectos que sería deseable, y ello ha llevado a problemas de funcionamiento y errores con resultados discriminatorios[15]. Ante el riesgo de que estos sistemas puedan llevar a aplicar consecuencias perniciosas a ciudadanos

---

14 Sobre el régimen de los datos biométricos, cfr. GONZÁLEZ MENDOZA, D.P., "Los datos biométricos y las tecnologías que los utilizan para su funcionamiento: régimen jurídico aplicable y potenciales riesgos", *Revista Vasca de Administración Pública,* 132, 2025, pp. 427-464.

15 Por ejemplo, en el ámbito de la verificación biométrica, un informe de 2005 sobre la posible implantación de un documento biométrico de identidad en el Reino Unido determinó que este sistema podría marginar a determinados grupos, como las personas con discapacidades físicas o de aprendizaje, las personas mayores, ciertas razas o incluso personas intergénero (informe disponible en: <https: // privacyinternational.org/sites/default/files/2017-12/UK%20Identity%20Cards.pdf> [Consulta 06/02/2025]. Otro caso es el de los sistemas que, debido a un deficiente entrenamiento de su modelo de IA, tienen dificultades para identificar a personas con tonalidades de piel oscuras. Una aplicación de este tipo, aplicada al control de exámenes en línea, llevó, a los tribunales a la Vrije Universiteit (VU) de Ámsterdam por discriminación contra una de sus alumnas. El problema de la falta de reconocimiento facial ha sido analizado por RAPOSO, V.L. "When facial recognition does not 'recognise': erroneous identifications and resulting liabilities", *AI & Soc,* 39, 2024, pp. 1857-1869.

europeos sin la debida justificación, se ha decidido su prohibición, salvo excepciones[16].

3. MEDIDAS EN LOS SISTEMAS DE ALTO RIESGO

Como se ha visto en el apartado relativo a las prácticas de IA prohibidas, una de las principales motivaciones para su proscripción es que estos sistemas no pueden ofrecer garantías de que no van a provocar consecuencias discriminatorias perjudiciales, en especial para grupos humanos vulnerables. No obstante, los regulados en el artículo 5 RIA son solo las situaciones más graves, las que no se pueden tolerar salvo circunstancias excepcionales. Hay muchos otros escenarios o ámbitos donde la utilización de los sistemas de IA puede mejorar o facilitar el desarrollo de una actividad o la toma de ciertas decisiones, a pesar de que existan riesgos de que se produzcan resultados que afecten negativamente a los derechos de los ciudadanos. De ahí que, además de prohibir prácticas, el legislador europeo haya decidido crear la categoría de "sistemas de IA de alto riesgo" (art. 3.1. RIA). Tales sistemas, para poder ser introducidos y operar en la Unión Europea, deben probar que respetan una serie de obligaciones que afectan tanto a su proceso de desarrollo como a su utilización. Para ello se diferencian dos tipos de sujetos obligados: los proveedores —o quienes se encargan de introducir un sistema de IA en la Unión Europea— y los responsables de despliegue[17].

---

16 Se permite el uso limitado de los sistemas de identificación biométrica en tiempo real. Limitado, por una parte, por los fines para los que puede ser utilizado —solo en espacios públicos para la búsqueda de víctimas de delitos graves o personas desaparecidas, para la prevención de amenazas específicas, importantes e inminentes y para la localización de personas sospechosas de haber cometido un delito grave (art. 5.h RIA)— y, por otra, por la necesidad de una supervisión judicial o administrativa previa o posterior del uso del sistema.

17 Según el RIA, es proveedor "una persona física o jurídica, autoridad pública, órgano u organismo que desarrolle un sistema de IA o un modelo de IA de uso general o para el que se desarrolle un sistema de IA o un modelo de IA de uso general y lo introduzca en el mercado o ponga en servicio el sistema de IA con su propio nombre o marca, previo pago o gratuitamente" (art. 3.3 RIA); mientras que el responsable de despliegue es "una persona física o jurídica, o autoridad pública, órgano u organismo que utilice un sistema de IA bajo su propia autoridad, salvo cuando su uso se enmarque en una actividad personal de carácter no profesional" (art. 3.4 RIA).

En cuanto a qué son sistemas de alto riesgo, en primer lugar, se designan como tal los que sean un producto o formen parte de los componentes de seguridad de determinados bienes cuya regulación ha sido armonizada por la Unión a través de alguna de las veinte normas europeas enumeradas en el anexo I de la Ley y que para su introducción en el mercado o puesta en servicio deban someterse a una evaluación de la conformidad realizada por un organismo independiente (art. 6.1 RIA). Entre esos productos se encuentran los juguetes, las embarcaciones de recreo, los ascensores, ciertos productos sanitarios, los sistemas ferroviarios, los vehículos a motor o la aviación civil. Junto a esta primera categoría de sistemas de alto riesgo se incluye un segundo grupo, relacionado con el ámbito al que afectan, siempre y cuando no cumplan una función meramente accesoria y sus resultados puedan causar un perjuicio a la salud, seguridad o derechos (art. 6, apartados 2 y 3 RIA). Además de ámbitos como el de la biometría o la protección de infraestructuras críticas, se incluyen otros como el de la educación o formación profesional, el empleo, el acceso a servicios públicos o privados esenciales, la aplicación de la ley o administración de justicia, la migración, el asilo o el control fronterizo. Es precisamente al explicar la razón de la inclusión de sectores de alto riesgo como la educación, el empleo o el acceso a servicios públicos esenciales donde se hace referencia expresa a los llamados "patrones históricos de discriminación" y a cómo estos sistemas, si no se diseñan y utilizan de manera adecuada, pueden servir para perpetuarlos[18]. La mención de dicha circunstancia como uno de los motivos para considerar estos tres ámbitos como de "alto riesgo" seguramente tenga que ver con la existencia de precedentes sobre este tipo de discriminaciones relacionados con el uso de algoritmos sesgados[19]. Ante

---

18 En relación con la utilización de sistemas de IA en el ámbito de la justicia, sus problemas y sus ventajas, cfr. MONTESINOS GARCÍA, A., "Inteligencia artificial en la Justicia con perspectiva de género: amenazas y oportunidades", *Actualidad Jurídica Iberoamericana*, 21, 2024, pp. 566-597.

19 En el ámbito laboral, en el año 2015, Amazon descubrió que una herramienta que estaba probando para facilitar los procesos de contratación de personal, de manera sistemática, calificaba a las mujeres con puntuaciones más bajas. El motivo: el algoritmo había sido entrenado usando datos en bruto de los currículos enviados previamente a la empresa, en su mayoría de hombres. Como resultado la IA había interiorizado el patrón de que era mejor contratar hombres que mujeres, y daba una valoración desfavorable para las segundas (fuente: DASTIN, J., «Amazon abandona un proyecto de IA para la contratación por su sesgo sexista» [en línea], (2018) <https: //www.reuters.com/article/world/amazon-abandona-un-proyecto-de-ia-para-la-contratacin-por-su-sesgo-sexista-idUSKCN1MO0M4/ >). En el ámbito de la educación, un algoritmo utilizado para decidir las notas de los estu-

el contexto actual, el legislador europeo decidió prestar atención a estos sistemas y obliga a sus desarrolladores y a quienes los pongan a disposición de terceros a garantizar que se han tomado todas las medidas posibles para evitar los riesgos que potencialmente puedan causar. A continuación, se analizará cómo algunas de las medidas propuestas están destinadas en específico a eliminar o reducir la posibilidad de que se produzcan resultados sesgados que generen algún tipo de discriminación.

Precisamente, la primera medida para eliminar el riesgo es conocer cuál es este. De ahí que una de las primeras obligaciones que deben cumplir en general los sistemas de inteligencia artificial de alto riesgos que operen en la Unión Europea es que contengan un sistema de gestión de riesgos. El sistema de gestión de riesgo debe plantearse en cuatro etapas, cada una destinada a la averiguación de los riesgos conocidos y previsibles, tanto en un uso adecuado o inadecuado, y los que se podrían detectar tras la puesta en servicio. Tales riesgos deben ser puestos de manifiesto en la documentación que acompañe al sistema y, en el caso de los riesgos conocidos y previsibles resultantes de un uso normal, prever vías para su contención (art. 9 RIA). Entre otros, el RIA pide a los proveedores de sistemas de IA que presten especial atención en la detección de riesgos que afecten "a las personas menores de dieciocho años y, en su caso, a otros colectivos vulnerables" (art. 9.9 RIA).

Una vez se ha detectado el riesgo potencial, uno de los momentos clave para la evitación de la llamada discriminación algorítmica se encuentra en la fase de desarrollo de la IA. En particular, de los modelos (art. 3.63 RIA) que se integran en aplicaciones o "sistemas de IA". Es en dicho momento cuando se "aprenden" los sesgos que llevan a que un sistema de IA que

---

diantes del equivalente británico a la EVAU daba menos puntos a alumnos provenientes de centros educativos de barrios desfavorecidos (Fuente: HAO, K., «El algoritmo escolar que destrozó a toda una generación de estudiantes» [en línea], (2020) <https: //www.technologyreview.es/s/12573/el-algoritmo-escolar-que-destrozo-toda-una-generacion-de-estudiantes>). En el caso de los servicios públicos, uno de los casos más recientes sucedió en Suecia, donde se tuvo que dejar de utilizar un sistema de IA empleado por el Försäkringskassan —la seguridad social sueca— por señalar más frecuentemente a mujeres, migrantes, personas con bajo nivel de estudios o situación económica precaria para ser investigados contra el fraude (fuente: PIZZATO, R., « La seguridad social en Suecia tiene un parecido muy incómodo con Minority Report» [en línea], (2024) <https: //es.wired.com/articulos/seguridad-social-en-suecia-se-parece-a-minority-report> [Consulta: 06/02/2025]).

implante ese modelo genere unos resultados discriminatorios. Existen muchas causas para la aparición de sesgos durante el desarrollo de un modelo de Inteligencia Artificial, pero hay tres que destacan: el sesgo derivado de las personas que programan el sistema, el sesgo derivado de un algoritmo incorrecto y el sesgo que surge de los datos utilizados[20]. Dado que los dos primeros dependen de las elecciones internas hechas por los desarrolladores de los modelos o sistemas, es el tercer factor el que más se puede regular.

Por ello, uno de los puntos más importantes del apartado del Reglamento dedicado a los sistemas de IA es el relativo a los datos que se utilizan para el entrenamiento de modelos de IA a través de los sistemas que los tienen implantados. Esto es, el entrenamiento que se produce una vez un modelo se ha integrado en un sistema. Se pone un especial énfasis en los considerandos de la norma en que los datos deben de ser "de calidad" para evitar que el entrenamiento "se convierta en una fuente de algún tipo de discriminación prohibida" (considerando 67). Esa razón motivó que, entre las prácticas de gobernanza y gestión a las que se deben someter los sistemas de IA que impliquen el entrenamiento de modelos de IA, se incluyera su sometimiento a "examen atendiendo a posibles sesgos que puedan afectar a la salud y la seguridad de las personas, afectar negativamente a los derechos fundamentales o dar lugar a algún tipo de discriminación prohibida por el Derecho de la Unión, especialmente cuando las salidas de datos influyan en las informaciones de entrada de futuras operaciones" (art. 10.2.f RIA), con la pertinente adopción de "medidas adecuadas para detectar, prevenir y mitigar posibles sesgos detectados" (art. 10.2.g RIA). Los llamados "bucles de retroalimentación" son propios de muchos sistemas de IA, donde se utilizan los resultados de salida como información de entrada para volver a entrenar el sistema y mejorar su funcionamiento. Así pues, si los datos introducidos en el modelo son precisos y adecuados, el bucle puede ser positivo porque permite al sistema evolucionar y perfeccionarse con el uso. Pero, si los datos de entrada o los resultados utilizados para el reentrenamiento son inexactos o inadecuados, puede que el modelo termine repitiendo de manera infinita sus errores[21]. Ya hay estudios

---

20 Vid. VVAA, "Bias in Machine Learning: A Literature Review", *Applied sciences,* 14 (19), 2024. DOI: https: //doi.org/10.3390/app14198860.

21 Actualmente se estudia el fenómeno llamado "colapso de modelos", donde los modelos de IA, entrenados con datos que han sido generados por el mismo modelo o por otros de los que se deriva, terminan obviando los datos de entrenamiento originales y basando sus decisiones mayormente en datos sintéticos generados

específicos que demuestran que el entrenamiento con los llamados "datos sintéticos" genera un aumento de los sesgos en los modelos de IA y se está trabajando en medios para evitarlo[22]. De ahí la necesidad de vigilar no solo los datos de entrenamiento, sino los datos de salida que puedan afectar al funcionamiento futuro de un sistema de IA.

Para evitar los sesgos, los datos administrados deben tener "las propiedades estadísticas adecuadas" (art. 10.3 RIA), para lo que es necesario, por ejemplo, mitigar la infrarrepresentación de determinados colectivos en los datos de entrenamiento, verificación y prueba. Se llega incluso al punto de permitir, de manera excepcional, el llamado "tratamiento de categorías especiales de datos personales" por causa de interés público, si bien limitado para ciertos supuestos donde la evitación del sesgo no se pueda obtener por otras vías y adoptando disposiciones de protección de dichos datos (art. 10.5 RIA).

Dentro del apartado dedicado a la supervisión humana (art. 14 RIA), se obliga a que el sistema esté desarrollado y diseñado de tal modo que se permita que los encargados finales de vigilar el funcionamiento de los sistemas de IA "tomen decisiones con conocimiento de causa acerca de si intervenir, cuándo hacerlo y de qué manera, a fin de evitar consecuencias negativas o riesgos, o de detener el sistema si no funciona según lo previsto". De tal modo, se evita que decisiones automatizadas lleven a resultados no deseados, como aquellos que provocan discriminaciones injustificadas.

Junto a las ya analizadas, a los proveedores de sistemas de IA se les imponen otras obligaciones relativas a aspectos como la conservación de los registros (art. 12 RIA), la transparencia (art. 13 RIA), unos adecuados niveles de precisión, solidez técnica y ciberseguridad (art. 15 RIA) y otras enumeradas en el artículo 16 RIA. El cumplimiento de lo dispuesto en el Reglamento se probará a través del sistema de gestión de calidad que debe implantarse (art.17 RIA) y de la documentación técnica que acompañará

---

por IA, haciendo que malinterpreten la realidad. Vid. VVAA., "Self-consuming generative models go MAD", arXiv, julio 2023, DOI: https: //doi.org/10.48550/arXiv.2307.01850; VVAA., "The Curse of Recursion: training on generated data makes models forget", arXiv, abril 2024. DOI: https: //doi.org/10.48550/arXiv.2305.17493.

22 Vid. WYLLIE, S., SHUMAILOV, I., PAPERNOT, I., "Fairness Feedback Loops: Training on Synthetic Data Amplifies Bias", *Proceedings of the 2024 ACM Conference on Fairness, Accountability, and Transparency (FAccT '24)*, Association for Computing Machinery, New York, pp. 2113-2147.

siempre a este (art.11 RIA). Eventualmente, se dispondrá de documentos de normalización (art. 40 RIA) y directrices (art. 96 RIA) que faciliten la aplicación de estas obligaciones, que además serán menos gravosas para empresas calificadas como pymes (art. 62 RIA).

En cuanto al contenido del sistema de gestión de calidad, entre otros, tienen que haberse referenciado los "procedimientos de examen, prueba y validación que se llevarán a cabo antes, durante y después del desarrollo del sistema de IA de alto riesgo". La realización de pruebas a los sistemas de IA es básica para demostrar que este funciona de manera adecuada y que no genera resultados discriminatorios, especialmente después de su comercialización. Pero también se debe garantizar que el modo de realizar esas pruebas es adecuado y no afecta a derechos de las personas físicas participantes. Es por ello que el legislador europeo prevé la creación en los Estados miembros de "espacios controlados de pruebas" (arts. 57-59 RIA), donde "se garantice la innovación responsable y la integración de salvaguardias éticas y medidas de reducción de riesgos adecuadas" (considerando 138). También se establecen reglas para las pruebas de sistemas de IA en condiciones reales fuera de estos espacios, con cauciones para proteger a los individuos vulnerables que participen en ellas (art. 60 4.g RIA). Superadas las pruebas y antes de entrar en el mercado europeo, los sistemas de alto riesgo deben realizar un registro obligatorio (arts. 49 y 71 RIA) y superar una evaluación de conformidad que, en función del tipo de sistema de IA, será realizada por el propio proveedor o por organismos elegidos por los Estados Miembros (art. 43, anexos VI y VII RIA).

Pero las obligaciones en relación con estos sistemas de alto riesgo no solo afectan a su desarrollo, sino que sus proveedores deben realizar y documentar un plan de vigilancia sobre su funcionamiento para garantizar que se siguen ajustando a los parámetros legales (art. 72 RIA). En consonancia, deben notificar sobre cualquier incidente grave relacionado con sistemas de alto riesgo (art. 73 RIA) y estarán bajo la supervisión de las autoridades de vigilancia del mercado (arts. 75 y 79 RIA).

No obstante, no es suficiente con asegurar que el sistema ha superado ciertas pruebas en su fabricación y cumple determinados requisitos. El riesgo de la IA no solo depende de cómo esté desarrollada, sino de cómo se use. De ahí que el RIA haya establecido también una serie de obligaciones para quienes vayan a utilizar estos sistemas, los llamados "responsables de despliegue". Así, tales responsables deben vigilar el correcto funcionamiento del sistema e informar de sus riesgos, conservar los archivos de registro, educar adecuadamente a sus trabajadores para que utilicen de manera correcta los sistemas e informar sobre la utilización de estos a terceros que se puedan ver afectados por sus decisiones (art. 26 RIA). De tratarse el responsable de despliegue de un organismo de Derecho Público o entidad privada que preste servicios públicos, financieros o de aseguramiento que pretenda usar un concreto sistema de alto riesgo que nunca se ha usado en la Unión Europea debe, además, superar una evaluación de impacto previa a su implantación (art. 27 RIA). El objetivo es determinar en qué medida el sistema de IA puede afectar a los derechos fundamentales de los ciudadanos que vayan a estar sometidos a su utilización.

4. MEDIDAS EN LOS MODELOS GENERALES DE INTELIGENCIA ARTIFICIAL

El Reglamento de Inteligencia Artificial no solo regula las aplicaciones concretas de la inteligencia artificial, sino también los modelos generales que se implantan en estas. Dichos modelos, al poder ser utilizados en sistemas de diversos tipos, son objetivo de unas normas específicas relacionadas con su contenido y su diseño, destinadas a que exista una transparencia amplia en su desarrollo y funcionamiento. Entre otros, los proveedores de modelos de IA general deben proporcionar información adecuada y suficiente para que quienes vayan a incluirlos en sus sistemas de IA sepan, por una parte, como está construido el modelo y, por otra, como utilizarlo correctamente (art. 53 RIA). Ello incluye una descripción detallada del modelo e información sobre los datos utilizados para el entrenamiento, entre otros (anexo XII y art. 53. d RIA). Dicha información podría permitir localizar aquellos modelos entrenados con bases de datos que, tras su comercialización, se descubra que adolecen de ciertos sesgos no detectados en su configuración, lo que serviría para alertar de dicha situación y atajar riesgos futuros.

En los modelos de IA de uso general se distingue una categoría especial, aquellos que tienen el llamado “riesgo sistémico” (art. 51 RIA). Dicho riesgo surge de la posición de estos modelos como base de la IA. Cuanto mayor sea el tamaño del modelo, el número de utilidades o la cantidad de sistemas que lo implante o si se utiliza para el entrenamiento de otros modelos, mayor será la probabilidad de que en ellos surjan fallos o alteraciones y que los sesgos se multipliquen, dando lugar a errores que afecten a una gran cantidad de personas (considerando 110 RIA). De ahí que, junto a las obligaciones de transparencia que se impone a todos los modelos de IA, aquellos que presentan riesgo sistémico deban adoptar medidas complementarias (art. 55 RIA). Son la evaluación de los modelos a través de, por ejemplo, pruebas de simulación de adversarios, la detección y mitigación de los riesgos que puedan surgir en el modelo durante su desarrollo o uso, la constante vigilancia del funcionamiento del modelo para informar sobre cualquier incidente grave que esté relacionado con él o la inclusión de mecanismos específicos de ciberseguridad y de protección de la infraestructura física del modelo. Una vez más, las pruebas se revelan aquí como una de las principales vías para la detección de errores graves en el funcionamiento de los modelos, si bien, en este caso, la evaluación es interna y se hace depender en muchos casos del cumplimiento de los códigos de buenas prácticas que se elaboren por parte de la Oficina de IA (art. 56 RIA).

5. OBLIGACIONES DE TRANSPARENCIA Y DERECHO A LA EXPLICACIÓN

Junto con medidas específicas destinadas a luchar contra las ultrasuplantaciones (*deepfakes*) y las noticias falsas (*fake news*), el artículo 50 RIA incluye la obligación para todo tipo de sistema de inteligencia artificial de informar a los usuarios de que están interactuando con esta tecnología cuando esto no sea evidente y salvo ciertas excepciones. Además, se ha reconocido el derecho a que el responsable de despliegue explique las razones para la adopción de una decisión que perjudica a una persona física y el papel que ha tenido en el proceso un sistema de IA de alto riesgo de los recogidos en el anexo III (art.86 RIA). Ambos, la obligación de transparencia y el derecho a la explicación, son el mecanismo establecido para garantizar que los ciudadanos afectados por sistemas de IA conozcan, primero, que están interactuando con ellos y, segundo, los motivos detrás de una decisión que puede haber sido basada en las recomendaciones de dicho sistema. De tal modo que, en aquellos casos en los que una persona física considere que ha sido tratada de manera discriminatoria, podrá acceder a los medios de prueba que le permitan, en su caso, presentar la reclamación pertinente ante la autoridad de vigilancia del mercado (art. 85 RIA) o interponer algún tipo de denuncia (art. 87 RIA).

6. REFLEXIONES FINALES

Es evidente que el legislador europeo ha hecho su mayor esfuerzo para tratar de establecer un sistema que limite en la medida de lo posible que la inteligencia artificial pueda generar situaciones discriminatorias como las que ya han sucedido en el pasado. Para ello, en primer lugar, proscribe una serie de usos potenciales de la IA que suponen los riesgos más graves a los derechos de los ciudadanos europeos. En segundo lugar, señala aquellos sistemas de IA que se van a utilizar en ámbitos sensibles y obliga a sus desarrolladores y quienes los exploten a adoptar las medidas necesarias para minimizar los riesgos para la salud, la seguridad y los derechos de las personas que los utilicen. En tercer lugar, ordena la transparencia y vigilancia de los modelos de IA, en función de su riesgo sistémico. Y, en cuarto lugar, obliga a informar del uso de sistemas de IA y a explicar su implicación en la toma de decisiones perjudiciales.

Tales obligaciones se centran en el desarrollo, el uso y la vigilancia de la inteligencia artificial. En su desarrollo, se presta atención a que los datos utilizados para el entrenamiento de modelos se elijan cuidadosamente para evitar que contengan sesgos, eliminando los "patrones históricos de discriminación" que pudieran contener o detectando los resultados que pudieran provocar "bucles de retroalimentación". Pero también se da la debida importancia al diseño, a la prueba y a la transparencia de modelos y sistemas. Así, el diseño de un sistema debe cumplir unos estándares y normas que, si bien están pendientes de elaboración, permitirán evitar que en su desarrollo se pasen por alto riesgos intolerables. Del mismo modo, la necesaria superación de pruebas previas a la entrada de un modelo con riesgo sistémico o sistema de alto riesgo en la Unión Europea garantiza que, como mínimo, se hayan detectado los problemas que este puede suponer y, en principio, que se hayan tomado medidas para atajarlos.

Todo el proceso de entrenamiento, diseño y prueba, también el de los modelos, estará de algún modo reflejado en la documentación técnica que forma parte del sistema de gestión de calidad, un intento de dar transparencia al modo de funcionamiento de los sistemas de IA. Tal documentación será exigida en las evaluaciones de conformidad a que se tenga que someter el sistema. Quizás es este punto donde más flaquea la regulación, debido a la posibilidad de que dicha evaluación sea realizada por el propio proveedor del sistema de IA, en vez de un tercero. Pues, aunque se permita a las autoridades de vigilancia del mercado supervisar los sistemas de IA, ello solo garantiza que se purgue *a posteriori* de la Unión aquellos sistemas que pongan en riesgo la salud, la seguridad o los derechos fundamentales de las personas. Se entiende que esta limitación está diseñada para evitar que el Reglamento frene el desarrollo y la comercialización de modelos y sistemas de IA. Sin embargo, el resultado final puede ser que se tarde demasiado en detectar sistemas funcionando de modo que generen resultados discriminatorios.

No obstante, la vigilancia del sistema no solo proviene de las autoridades designadas para ello, sino de los propios responsables de despliegue del sistema, de los proveedores de los modelos o de los usuarios. La supervisión humana de los sistemas y la vigilancia postcomercialización permitirán detectar en el momento situaciones potencialmente lesivas. Y, en relación con el usuario, juega un papel fundamental el derecho a la explicación y a conocer que están interactuando con sistemas de IA. Ello permitiría al ciudadano saber cuándo una decisión que le afecte pueda estar viciada por algún sesgo inherente a la inteligencia artificial utilizada y, por tanto, tener más facilidades para reclamar frente a los perjuicios que tal decisión le cause.

Así pues, aunque no es un sistema perfecto, la regulación de la Unión Europea es un paso importante para evitar la discriminación algorítmica en la inteligencia artificial o, al menos, detectarla y adoptar las medidas necesarias para evitar que el perjuicio sea irreparable.

Sistemas algorítmicos y desigualdad codificada. Manifestaciones, impactos y horizontes de equidad en la inteligencia artificial

JAVIER DOMÍNGUEZ ROMERO
Universidad Pablo de Olavide, Sevilla

1. INTRODUCCIÓN

La digitalización de la vida cotidiana ha venido acompañada por una creciente automatización de procesos que hasta hace poco dependían exclusivamente del juicio humano. Esta transformación se ha acelerado con la integración de sistemas de inteligencia artificial (IA) y modelos algorítmicos en sectores clave como la sanidad, la educación, las finanzas o el empleo. A priori, esta evolución tecnológica promete una serie de virtudes en la toma de decisiones, tales como la eficiencia, la rapidez y una teórica objetividad. Sin embargo, una visión crítica revela que dichos sistemas no son tan neutrales como cabría esperar y que su funcionamiento puede reproducir y amplificar formas estructurales de desigualdad ya presentes en la sociedad.

La noción de "sesgo algorítmico" cobra así una enorme importancia al poner de manifiesto que la pretendida neutralidad de los referidos sistemas no es tal. En efecto, los algoritmos no son entidades autónomas e independientes del contexto en que se crean, sino construcciones humanas que aprenden de datos históricos, los cuales están profundamente marcados por patrones discriminatorios acumulados a lo largo del tiempo. La idea de que la IA puede ser objetiva se desmorona cuando se analiza su funcionamiento en contextos donde existen desigualdades raciales, de clase social y género.

El propio uso de la IA no es neutral en cuanto al género, de ahí que se haya venido insistiendo en la necesidad de analizarla desde una perspectiva interseccional, *id est*, reconociendo cómo se entrecruzan múltiples vectores de opresión[1]; perspectiva que permite abordar el sesgo algorítmico no solo como un problema técnico, sino también como una manifestación de desigualdades estructurales más amplias.

En este contexto es importante considerar también la falta de representación de mujeres y colectivos históricamente marginados en el desarrollo de tecnologías de IA. La escasa diversidad en los equipos técnicos y en los conjuntos de datos utilizados para entrenar algoritmos puede contribuir significativamente a la perpetuación de sesgos. Las decisiones que se toman durante el diseño de un sistema —qué datos se recogen, cómo se etiquetan, qué métricas se utilizan para evaluar el rendimiento— están condicionadas por valores sociales y culturales no siempre explícitos pero que afectan de manera directa a los resultados obtenidos por la IA.

El presente estudio tiene como objetivo ofrecer una visión integral del problema de la desigualdad de género en los sistemas algorítmicos, desglosando sus mecanismos, impactos y las posibles vías de transformación. A través este enfoque integral se argumentará que la lucha contra el sesgo algorítmico debe ir más allá de soluciones técnicas, precisándose una transformación cultural y política que sitúe los derechos humanos y la igualdad de género en el centro del desarrollo tecnológico.

Para ello, este trabajo se estructura en varias partes. En primer lugar, se explican los tipos de sesgos algorítmicos más frecuentes y sus causas; a continuación, se exponen los impactos concretos sobre la vida de las mujeres; en tercer lugar, se exploran los desafíos y debates actuales en torno a la ética y el diseño justo de algoritmos; por último, se presentan estrategias

---

1 Tales como género, clase, raza u orientación sexual, entre otros. En el estudio realizado por BUOLAMWINI, J., GEBRU, T. ("Gender Shades: Intersectional Accuracy Disparities in Commercial Gender Classification", en *Proceedings of Machine Learning Research*, vol. 81, 2018, pp. 77-91) se evaluó la precisión de tres algoritmos comerciales de clasificación de género y su rendimiento en cuatro subgrupos (mujeres de piel oscura, hombres de piel oscura, mujeres de piel clara y hombres de piel clara), mostrando los resultados que todos los clasificadores tuvieron su mejor desempeño con personas de piel clara y, en general, con hombres, mientras que el peor rendimiento se observó en el grupo de mujeres de piel oscura. El estudio demostró que los sistemas de reconocimiento facial tenían muchas más probabilidades de errar al clasificar a mujeres de piel oscura que a hombres blancos, así, una mujer negra puede verse afectada de forma distinta y más intensa por un sistema algorítmico que por ejemplo una mujer blanca o incluso un hombre negro.

en pos de alcanzar la equidad algorítmica y conclusiones orientadas a construir una IA más justa e inclusiva.

2. TIPOS DE SESGOS ALGORÍTMICOS

El funcionamiento de los sistemas algorítmicos se basa en reglas matemáticas que analizan grandes volúmenes de datos para generar predicciones o tomar decisiones. Aunque el proceso pueda parecer neutro, en realidad está sujeto a múltiples formas de sesgos que reflejan desigualdades sociales preexistentes, sesgos que pueden tener su origen en la calidad y estructura de los datos, en las decisiones de diseño de los modelos o en los entornos organizativos que adoptan estas tecnologías.

Pues bien, uno de los factores clave que explica cómo los algoritmos terminan generando decisiones discriminatorias es la "obediencia a la autoridad algorítmica"[2], que se ve amplificada por el prestigio tecnológico y la percepción de objetividad que se asocia a la IA. Así, decisiones sesgadas tienden a ser ejecutadas sin cuestionamiento, reproduciendo prácticas discriminatorias de forma sistemática.

Hay que tener presente que existen diversos tipos de sesgos algorítmicos que pueden impactar especialmente a las mujeres y colectivos históricamente marginados; tipos entre los cuales destacamos los siguientes:

i) Sesgo de datos: se produce cuando los datos utilizados para entrenar los modelos no son representativos o reflejan desigualdades históricas, v.gr., si un conjunto de datos sobre contratación laboral contiene mayoritariamente perfiles masculinos, un algoritmo puede aprender a asociar erróneamente el éxito profesional con el género masculino[3].

---

[2] Lo cual implica que los individuos tienden a confiar ciegamente en los resultados de los algoritmos, incluso cuando puedan ser injustos. La referida expresión es usada por GHASEMAGHAEI, M., KORDZADEH, N., "Understanding how algorithmic injustice leads to making discriminatory decisions: An obedience to authority perspective", en *Information & Management*, vol. 61, nº 2, 2024, pp. 1-14.

[3] Como bien apunta el EUROPEAN INSTITUTE FOR GENDER EQUALITY (EIGE, *Artificial intelligence, platform work and gender equality*, Luxemburgo, 2021, p. 24), los algoritmos se entrenan para predecir resultados utilizando datos históricos, los cuales pueden ser escasos, estar sesgados o no ser representativos, además, pueden reforzar patrones históricos de discriminación; un ejemplo de ello es la plataforma automatizada de selección de personal de Amazon, que fue

ii) Sesgo de diseño: deriva de las decisiones técnicas tomadas durante la construcción del algoritmo, de manera que la selección de variables, los criterios de ponderación o la forma en que se estructuran las categorías pueden introducir distorsiones[4].

iii) Sesgo de interpretación: este tipo de sesgo aparece cuando quienes utilizan los sistemas algorítmicos interpretan sus resultados sin tener un conocimiento crítico sobre su funcionamiento, sus limitaciones o el contexto de aplicación; y es que, a menudo, los modelos de IA se presentan como "interpretables" por su estructura lógica o simplicidad sintáctica, si bien esto no garantiza una interpretación adecuada[5].

---

desarrollada para evaluar, puntuar y clasificar a los candidatos a través de algoritmos de aprendizaje automático altamente eficientes, capaces de procesar miles de solicitudes en cuestión de segundos. Sin embargo, dichos algoritmos también mostraron un sesgo de género considerable. El algoritmo de Amazon evaluaba las cualificaciones de los candidatos y los clasificaba en función de los datos extraídos de perfiles de personas contratadas en procesos anteriores. Como la mayoría de esas contrataciones previas correspondían a hombres, el algoritmo penalizaba los currículums que incluían la palabra "*women*", lo cual demuestra que los algoritmos pueden reproducir y amplificar las prácticas y la cultura histórica de una organización, pudiendo presentar sesgos y discriminación si los datos utilizados para su entrenamiento no se seleccionan con cuidado ni se auditan adecuadamente.

4 El diseño de los sistemas de toma de decisiones basados en IA, incluidos posibles fallos en esta fase, puede influir en su implementación y uso; de hecho, las desigualdades de género presentes en la sociedad se incorporan en los algoritmos de IA no solo a través de conjuntos de datos injustamente representados sino también por la falta de diversidad de género en los equipos responsables del diseño de estos sistemas de decisión automatizada, lo que da lugar a "zonas ciegas": vid. NADEEM, A., MARJANOVIC, O., ABEDIN, B., "Gender bias in AI-based decision-making systems: a systematic literature review", en *Australasian Journal of Information Systems,* vol. 26, 2022, p. 7 y doctrina citada.

5 Como señalan KLIEGR, T., BAHNÍK, S., FÜRNKRANZ, J. ("A review of possible effects of cognitive biases on the interpretation of rule-based machine learning models", 14.9.2021, *online* arXiv: 1804.02969v7), la forma en que los seres humanos entienden los resultados de los algoritmos puede estar impregnada de sesgos cognitivos que afectan su juicio. Estos sesgos (como el de confirmación, anclaje o representatividad) pueden llevar a una aceptación acrítica de las decisiones automatizadas o a una desconfianza infundada, dependiendo del contexto, de ahí que la interpretabilidad no debería pensarse solo desde el diseño del modelo, sino también desde la perspectiva de cómo las personas procesan cognitivamente la información que reciben de estos sistemas.

iv) Sesgo contextual: incluso con datos bien preparados y modelos técnicamente correctos, el uso de la IA en organizaciones que ya presentan desigualdades puede reforzar estas dinámicas, manifestándose este tipo de sesgo cuando los sistemas de IA reflejan o amplifican las dinámicas de poder, valores y estructuras existentes dentro de una organización o contexto social; no se trata únicamente de errores técnicos en los algoritmos, sino de cómo las decisiones institucionales y las prioridades estratégicas influyen en el diseño, implementación y uso de dichos sistemas[6].

Una dimensión crítica del sesgo algorítmico es su carácter opaco. A menudo, los algoritmos funcionan como "cajas negras" para los usuarios, pues aprenden de la experiencia igual que nosotros y por tanto su proceso decisorio puede ser igual de intuitivo e insondable[7]. Esta incapacidad de comprender completamente el proceso de toma de decisiones de la IA —el llamado "*black-box problem*", que afecta incluso a los propios creadores[8]— dificulta no solo la rendición de cuentas, sino también la posibilidad de corregir errores o denunciar casos de discriminación[9].

---

6 Por ejemplo, si una empresa prioriza la eficiencia operativa sobre la equidad, es probable que los sistemas de IA desarrollados en ese entorno reproduzcan y refuercen esas prioridades, incluso si ello implicase decisiones discriminatorias o injustas. Además, la falta de diversidad en los equipos de desarrollo puede llevar a la omisión de perspectivas cruciales, perpetuando sesgos existentes. Los sistemas de IA no operan en el vacío sino que están profundamente influenciados por las estructuras organizativas y las prácticas institucionales en las que se desarrollan e implementan, influencias éstas que pueden introducir sesgos que reflejan y perpetúan desigualdades existentes en la sociedad.

7 Así, BATHAEE, Y., "The Artificial Intelligence Black Box and the Failure of Intent and Causation", en *Harvard Journal of Law & Technology*, vol. 31, nº 2, 2018, p. 902, poniendo el ejemplo de cómo un humano sabe ir en bicicleta: puede explicar el proceso de manera descriptiva o proporcionar incluso pasos detallados, pero es poco probable que esa información ayude a alguien que nunca ha montado a equilibrarse sobre dos ruedas, ya que esto se aprende intentándolo una y otra vez y desarrollando así una comprensión intuitiva.

8 BATHAEE, Y., op. cit., pp. 891 y 905, con cita a CASTELVECCHI, D., "Can We Open the Black Box of AI?", en *Nature*, vol. 538, 2016, p. 22, recogiendo las palabras de un investigador de *machine learning* bastante ilustrativas: "*even though we make these networks, we are no closer to understanding them than we are a human brain*".

9 En este sentido, BUOLAMWINI, J., GEBRU, T., op. cit., p. 12, señalan la necesidad de desarrollar conjuntos de datos de referencia más inclusivos y reportes de precisión desglosados por subgrupos para avanzar hacia una mayor transparencia y rendición de cuentas en IA —definen, por una parte, transparencia como la

Lo cierto es que los sesgos algorítmicos no solo producen distorsiones técnicas sino que además tienen consecuencias directas sobre las oportunidades, derechos y trayectorias vitales de las personas, especialmente de las mujeres, como veremos a continuación.

3. MANIFESTACIONES DE LA DESIGUALDAD ALGORÍTMICA POR RAZÓN DE GÉNERO

Los sesgos algorítmicos, lejos de ser abstracciones técnicas, tienen consecuencias materiales y específicas sobre la vida de las personas, afectando de forma muy acusada a las mujeres. En las líneas que siguen analizaremos algunos de los principales ámbitos en los que el uso de sistemas algorítmicos automatizados ha generado impactos negativos concretos.

3.1. Empleo

En el ámbito laboral, ciertos rasgos de personalidad asociados estadísticamente al género se utilizan para justificar diferencias en la evaluación y selección de candidaturas, v.gr., a las mujeres se les atribuyen niveles más altos de agradabilidad y neuroticismo, cualidades que suelen asociarse con capacidad de cooperación o sensibilidad interpersonal, pero que también se interpretan como falta de liderazgo o menor resiliencia frente al conflicto, en cambio, a los hombres se les relaciona con un mayor narcisismo y menor neuroticismo, rasgos que se codifican como indicadores de autonomía, iniciativa o aptitud para puestos directivos; ahora bien, esta forma de interpretar los datos no parte de una mirada neutral, sino que responde a una lógica que psicologiza las desigualdades estructurales, convirtiéndose así en un mecanismo de racionalización: no se considera que una mujer haya sido descartada por razones discriminatorias, sino que "objetivamente" su perfil encaja menos con el ideal construido, de este modo la discri-

provisión de información sobre la composición demográfica y fenotípica de los conjuntos de datos de entrenamiento y evaluación, por otra parte, rendición de cuentas sería el reporte del desempeño algorítmico en distintos subgrupos fenotípicos y demográficos, así como el compromiso activo por cerrar las brechas de rendimiento que puedan surgir— si bien advierten que la transparencia y la rendición de cuentas en los algoritmos van más allá de informes técnicos e implican también mecanismos de consentimiento y reparación.

minación no solo se reproduce sino que se justifica y oculta bajo métricas algorítmicas que aparentan imparcialidad[10].

Uno de los casos más paradigmáticos de sesgo de género en sistemas algorítmicos se dio en Amazon, cuya plataforma de contratación automatizada penalizaba los currículums que incluían la palabra "*women*" porque el sistema había sido entrenado con datos históricos que favorecían a candidatos varones, como consecuencia, el sistema reforzaba patrones de exclusión laboral ya existentes[11]. Esto no solo afecta a quién es contratado, sino también cómo se definen los perfiles deseables y las competencias valoradas.

3.2. Finanzas y crédito

En el ámbito financiero, la IA se emplea ampliamente para evaluar la solvencia de las personas solicitantes de crédito. Aunque estos sistemas prometen una mayor eficiencia y objetividad, diversos estudios han demostrado que pueden replicar y reforzar desigualdades estructurales, en particular aquellas relacionadas con el género. Las mujeres, debido a trayectorias laborales más discontinuas, menor acceso histórico al crédito o ingresos sistemáticamente más bajos, son a menudo clasificadas como perfiles de mayor riesgo, incluso cuando presentan condiciones de solvencia similares a las de sus contrapartes masculinas.

Un ejemplo ilustrativo es el reciente estudio de Kim, Lessmann, Andreeva y Rovatsos, que analiza modelos algorítmicos de evaluación crediticia en el sector de las microfinanzas. Los autores demuestran uno de los factores determinantes de este sesgo es la representación inadecuada de los conjuntos de datos, los cuales pueden estar incompletos, ser incorrectos o reflejar patrones históricos discriminatorios. En estos casos, los sistemas de IA no

---

[10] JAUME-PALASÍ, L., *Informe preliminar con perspectiva interseccional sobre sesgos de género en la Inteligencia Artificial*, Madrid, 2023, p. 23. Disponible en el catálogo de publicaciones de la Administración General del Estado: https: //cpage.mpr.gob.es.

[11] EIGE, op. cit., p. 24. Según NADEEM, A., MARJANOVIC, O., ABEDIN, B. (op. cit., p. 7), este tipo de sesgo ocurre cuando los conjuntos de datos utilizados para entrenar sistemas de IA son una reproducción de prácticas pasadas discriminatorias, de hecho apuntan que uno de los principales desafíos (y causa de fallos) es la representación inadecuada de los conjuntos de datos, es decir, conjuntos que están sesgados, incompletos o son incorrectos.

hacen sino replicar decisiones previas sin cuestionar su justicia o validez. El sesgo no se encuentra en un dato aislado sino en la lógica misma que define lo que se considera un "perfil fiable" o "adecuado", que con frecuencia se construye a partir de experiencias masculinas normalizadas[12].

Como resultado, muchas mujeres se ven enfrentadas a barreras invisibles para acceder a productos financieros clave: desde microcréditos hasta hipotecas, pasando por condiciones menos favorables en seguros o financiación. Esta exclusión automatizada perpetúa desigualdades estructurales y limita las posibilidades reales de autonomía económica para quienes históricamente han sido postergados.

3.3. Publicidad

Los sistemas de IA se utilizan de forma intensiva en la personalización de contenidos publicitarios, tanto en redes sociales como en plataformas de comercio electrónico y motores de búsqueda. Lejos de ser neutrales, estos algoritmos de segmentación tienden a replicar estereotipos de género profundamente arraigados, clasificando a los usuarios según patrones históricos de consumo y rol social. Diversos estudios han mostrado que los hombres reciben con mayor frecuencia anuncios relacionados con empleos bien remunerados, tecnología o inversión, mientras que las mujeres son expuestas de forma prioritaria a contenidos vinculados con estética, cuidado o tareas domésticas[13].

---

12 Vid. KIM, S., LESSMANN, S., ANDREEVA, G., ROVATSOS, M., "Fair Models in Credit: Intersectional Discrimination and the Amplification of Inequity", 1.8.2023, *online* arXiv: 2308.02680.

13 En este sentido, el estudio realizado por MEHRJOO, A., CUEVAS, R., CUEVAS, A. ("Online advertisement in a pink-colored market", en *EPJ Data Sci,* vol. 13, nº 36, 2024, *online* https: //doi.org/10.1140/epjds/s13688-024-00473-2) confirma la existencia de una "tasa rosa" en la publicidad de Facebook. Este fenómeno implica que los anunciantes pagan más por mostrar anuncios dirigidos a mujeres, lo que contribuye a perpetuar estereotipos de género al bombardear a las usuarias con anuncios específicos de moda, estilo, hobbies y viajes, sugiriendo que estos son sus principales intereses. Además, el estudio destaca que dicha "tasa rosa" es más alta en países más desarrollados, donde el marketing digital está más avanzado. Este hallazgo subraya cómo los algoritmos de segmentación publicitaria pueden reforzar roles de género tradicionales y limitar la exposición de las mujeres a oportunidades económicas y profesionales diversas.

Este tipo de segmentación no solo refuerza imaginarios limitantes sino que además condiciona las oportunidades reales de acceso a información y recursos. Una mujer que nunca llega a ver un anuncio sobre formación en programación, o una oferta de empleo en ingeniería, está siendo excluida de circuitos de movilidad social por una lógica automatizada que invisibiliza su potencial. Además, estos sistemas suelen basarse en inferencias opacas sobre identidad de género, intereses o situación vital, realizadas sin consentimiento explícito ni posibilidad de corrección por parte del usuario. De este modo, la IA no solo refleja desigualdades culturales sino que también contribuye activamente a reproducirlas en el ecosistema digital.

3.4. Salud

La IA está transformando el ámbito de la salud, desde el diagnóstico hasta la gestión hospitalaria. Sin embargo, su implementación no está exenta de riesgos, especialmente en lo que respecta a la equidad de género. Uno de los principales problemas radica en la representatividad de los datos utilizados para entrenar estos sistemas. Históricamente, la medicina ha estado centrada en el varón como modelo estándar, lo que ha llevado a una infrarrepresentación de las mujeres en ensayos clínicos y bases de datos médicas. Esta falta de diversidad se traduce en algoritmos que pueden ofrecer diagnósticos menos precisos para las mujeres o ignorar síntomas que se presentan de manera diferente según el sexo.

Además, la IA puede perpetuar estereotipos de género en contextos clínicos. Un estudio reciente ha demostrado que modelos de lenguaje como ChatGPT presentan sesgos de género y raza en la gestión del síndrome coronario agudo: al especificar que los pacientes eran mujeres, afroamericanos o hispanos, el modelo reducía la recomendación de tratamientos estándar como la angiografía coronaria o el uso de estatinas de alta intensidad[14].

La interseccionalidad agrava aún más este fenómeno, pues mujeres pertenecientes a minorías étnicas o con bajos ingresos se enfrentan a una doble invisibilización: por un lado, la omisión histórica de estos grupos en estudios médicos y, por otro, la tendencia de los modelos a reproducir

---

14 Vid. ZHANG, A., YUKSEKGONUL, M., GUILD, J., ZOU, J., WU, J.C., “ChatGPT Exhibits Gender and Racial Biases in Acute Coronary Syndrome Management”, 10.11.2023, *online* arXiv: 2311.14703.

patrones de exclusión en sus predicciones. Esto puede derivar en diagnósticos inadecuados, retraso en los tratamientos o menor acceso a recursos terapéuticos.

Ante ello, resulta urgente aplicar una perspectiva de género e interseccionalidad en todo el ciclo de vida de los sistemas de IA en el ámbito de la salud, desde la recopilación de datos hasta la validación de resultados. Asimismo, debe promoverse la diversidad en los equipos técnicos y clínicos que participan en el desarrollo de estas tecnologías, pues solo así podrá garantizarse que la innovación digital no reproduzca desigualdades, contribuyendo a una atención sanitaria más justa, inclusiva y eficaz.

3.5. Educación

La aplicación de sistemas algorítmicos en el ámbito educativo ha crecido notablemente en los últimos años, particularmente en herramientas de personalización del aprendizaje, predicción del rendimiento estudiantil y apoyo a la toma de decisiones institucionales. Aunque estas tecnologías ofrecen oportunidades para mejorar la eficiencia y anticipar trayectorias de riesgo, también plantean serios desafíos en términos de equidad de género.

Uno de los riesgos más evidentes es que los algoritmos refuercen estereotipos existentes sobre las habilidades y preferencias de niñas y adolescentes. En sistemas donde se predicen resultados futuros basados en el rendimiento pasado, las brechas de género ya presentes en determinadas asignaturas (como ciencia, tecnología, ingeniería y matemáticas) pueden consolidarse y legitimar decisiones que desvían a las alumnas hacia opciones educativas menos valoradas o con menor proyección profesional. Si el sistema identifica patrones previos con sesgo y los toma como referencia para la asignación de itinerarios, las decisiones resultantes podrían limitar el desarrollo de estudiantes con idéntico potencial, reproduciendo así un sesgo estructural disfrazado de objetividad.

Además, ciertos algoritmos de evaluación o asistencia se apoyan en variables que pueden funcionar como *proxies* de género —como la regularidad en la entrega de tareas, la forma de participación o el estilo de redacción—, sin que se tome en cuenta el contexto socioeducativo. Estas clasificaciones pueden condicionar percepciones docentes, acceso a becas o programas especializados, afectando de forma desigual a las alumnas[15].

3.6. Servicios públicos digitales

La digitalización de los servicios públicos ha transformado la manera en que la ciudadanía accede a prestaciones esenciales como la salud, la educación, el empleo o la seguridad social. Sin embargo, esta transición hacia lo digital no ha sido neutral en términos de género ya que las mujeres, especialmente aquellas en situaciones de vulnerabilidad, enfrentan barreras significativas que limitan su acceso y uso efectivo de estos servicios.

Una de las principales barreras es la persistente brecha digital de género. Por ejemplo, las mujeres en América Latina tienen menos probabilidades que los hombres de acceder a internet y a dispositivos tecnológicos, lo que restringe su capacidad para interactuar con plataformas digitales gubernamentales. Esta desigualdad se ve agravada por factores como la edad, el nivel educativo, los ingresos económicos o la ubicación geográfica, siendo más pronunciada en áreas rurales y entre mujeres con bajos ingresos[16].

Además del acceso, existen diferencias en las habilidades digitales entre hombres y mujeres. Estas últimas suelen tener menos oportunidades para desarrollar competencias tecnológicas, lo que limita su capacidad para utilizar eficazmente los servicios públicos en línea. Esta falta de habilidades puede llevar a una menor utilización de servicios como la inscripción en programas sociales, la solicitud de beneficios o el acceso a información gubernamental relevante.

---

15 Tal como señalan HOLSTEIN, K., WORTMAN VAUGHAN, J., DAUMÉ III, H., DUDIK, M., WALLACH, H. ("Improving fairness in machine learning systems: What do industry practitioners need?", en *Proceedings of the 2019 CHI Conference on Human Factors in Computing Systems*, 2019, pp. 1-16), uno de los desafíos clave para mejorar la equidad en los sistemas de aprendizaje automático consiste en identificar cómo las herramientas diseñadas para apoyar procesos educativos pueden, en la práctica, amplificar desigualdades si no se integran principios explícitos de justicia desde la fase de desarrollo. Para mitigar estos riesgos, es fundamental incorporar evaluaciones de impacto, revisar los datos de entrenamiento y fomentar la diversidad en los equipos que diseñan estas tecnologías.

16 Vid. AGÜERO, A., BUSTELO, M., VIOLLAZ, M., "¿Desigualdades en el mundo digital?: Brechas de género en el uso de las TIC", Banco Interamericano de Desarrollo, marzo de 2020, disponible *online* en https: //doi.org/10.18235/0002235.

La interfaz y el diseño de las plataformas digitales también pueden presentar obstáculos. Muchas veces estos sistemas no consideran las necesidades específicas de las mujeres, como la disponibilidad de tiempo, la carga de cuidado no remunerado o las limitaciones de movilidad. Sin una perspectiva de género en el diseño de estos servicios se corre el riesgo de excluir a una parte significativa de la población.

Para abordar estas desigualdades resulta fundamental que las políticas públicas integren una perspectiva de género en la digitalización de los servicios, lo cual incluye la promoción de la alfabetización digital, la mejora de la infraestructura tecnológica en comunidades marginadas y el diseño inclusivo de plataformas que consideren las diversas realidades de las usuarias.

4. CONSTRUYENDO TECNOLOGÍAS MÁS JUSTAS: ESTRATEGIAS HACIA LA EQUIDAD ALGORÍTMICA

Frente a los múltiples ejemplos documentados de sesgo algorítmico con efectos desiguales sobre las mujeres —como se ha visto en el acceso al empleo, la salud, el crédito o los servicios públicos— se hace urgente el desarrollo de estrategias que permitan reducir estas desigualdades estructurales y promover una IA verdaderamente equitativa. No se trata tan solo de mejorar la precisión técnica de los modelos sino de repensar su lógica de funcionamiento, sus fines y valores fundacionales.

No pocos investigadores, instituciones y colectivos han propuesto en los últimos años enfoques para abordar esta problemática desde una perspectiva de género, interseccionalidad y justicia social. Estas estrategias incluyen tanto cambios técnicos (en la selección de datos, el diseño de modelos o la evaluación de resultados) como transformaciones organizativas, culturales y políticas más profundas.

En lugar de soluciones genéricas o meramente técnicas, se propone en las líneas que siguen una mirada estratégica y estructural sobre los puntos clave donde puede intervenirse para transformar la forma en que se conciben, diseñan e implementan los sistemas algorítmicos. Más que una lista de buenas prácticas, o de prácticas prohibidas de IA como hace el Reglamento de IA[17], lo que aquí se plantea es un marco para pensar colectivamente

---

17 Nos referimos al Reglamento (UE) 2024/1689 del Parlamento Europeo y del Consejo, de 13 de junio de 2024, por el que se establecen normas armonizadas

cómo desarticular los mecanismos que sostienen la desigualdad desde lo tecnológico y cómo avanzar hacia una IA comprometida con la justicia social y la equidad de género.

4.1. Diseño de datos con perspectiva de género

El punto de partida de cualquier sistema algorítmico es el conjunto de datos con el que se entrena y ahí es donde comienza también el sesgo. La idea de que los datos son "objetivos" es una de las ficciones más persistentes en la cultura tecnológica; en realidad, los datos son producto de decisiones humanas: qué se mide, a quién se incluye, qué categorías se usan y qué realidades quedan fuera. En ese sentido, todo dato es político.

Uno de los problemas más extendidos es la infrarrepresentación sistemática de las mujeres y otros colectivos en los conjuntos de datos que alimentan los modelos. Esto puede reflejarse en omisiones (por ejemplo, en registros de salud donde los síntomas femeninos no aparecen con suficiente frecuencia), en distorsiones —como asociaciones que refuerzan estereotipos de género— o en el uso de categorías binarias que excluyen realidades no normativas. Estas carencias no solo producen errores técnicos sino que además reproducen lógicas históricas de exclusión y silenciamiento.

---

en materia de inteligencia artificial, el cual no será aplicable con carácter general hasta el 2.8.2026 salvo alguna de sus previsiones, como las prohibiciones de determinadas prácticas de IA (capítulo II del Reglamento, correspondiente a su art. 5), aplicables desde el 2.2.2025 (art. 113 del Reglamento), entre las que cabe destacar aquéllas cuya prohibición se basa en el potencial riesgo discriminatorio de tales prácticas, cuales son: i) la explotación de vulnerabilidades —art. 5.1.b, sistemas que aprovechan la edad, discapacidad o situación económica/social para manipular decisiones de individuos o colectivos, causándoles perjuicio—; ii) puntuación ciudadana o *social scoring*—art. 5.1.c, sistemas que clasifican personas por su comportamiento o características personales, prohibiéndose si se usan fuera de contexto o causan tratos injustificados o desproporcionados—; iii) evaluación de riesgo delictivo por perfil —art. 5.1.d, sistemas que predicen delitos futuros basándose en rasgos personales sin hechos objetivos previos—; iv) categorización biométrica sensible —art. 5.1.g, inferencia de raza, religión, orientación sexual, etc., a partir de rasgos biométricos, como rostro o huellas, estando prohibida cuando genera consecuencias más allá de la simple gestión de datos—; v) identificación biométrica remota en tiempo real —art. 5.1.h, prohibida en espacios públicos, por falta de control humano, riesgo de errores y afectación a las libertades individuales, permitiéndose excepciones muy limitadas—. Las razones de prohibición se refieren al perjuicio que todas las prácticas de IA prohibidas pueden causar a los europeos en tanto que afectación de sus derechos fundamentales.

Frente a este escenario, D'Ignazio y Klein[18] proponen el marco del "feminismo de datos", partiendo de preguntas clave: ¿quién recopila los datos, con qué criterios y con qué efectos? Su enfoque cuestiona la obsesión con la neutralidad y promueve una serie de prácticas responsables como la documentación contextualizada (*data sheets*), la inclusión activa de grupos subrepresentados en el diseño de bases de datos y la consideración explícita de relaciones de poder en cada etapa del proceso de recogida.

El feminismo de datos, tal como lo desarrollan sus autoras, no es únicamente una crítica a los sesgos presentes en los conjuntos de datos sino también una propuesta activa para construir infraestructuras de datos más justas. Se fundamenta en la intersección entre los estudios feministas, la justicia social y las ciencias de datos, partiendo de la premisa de que la desigualdad no es una anomalía del sistema sino una consecuencia lógica cuando se ignora la posición social y epistémica de quienes producen y controlan los datos. Uno de los aportes clave del feminismo de datos es el cuestionamiento de los supuestos de neutralidad y objetividad que suelen acompañar los discursos técnicos; para sus autoras todo proceso de producción de datos implica decisiones sobre qué contar, qué omitir, cómo categorizar y qué objetivos se priorizan. Por ello, proponen seis principios rectores que guían este enfoque, entre ellos: exponer las relaciones de poder, amplificar las voces marginadas, hacer trabajo colaborativo y reflexionar sobre las propias prácticas.

Aplicar el feminismo de datos a la IA implica ir más allá de correcciones técnicas al sesgo, imaginando nuevas formas de recoger y utilizar la información que estén al servicio de la equidad y no del control o la rentabilidad. Esto no solo mejoraría la calidad de los modelos sino que además devolvería la capacidad de decisión a comunidades que históricamente han sido tratadas como fuente de datos y no como participantes activos en la creación de conocimiento.

Además, trabajos como el de Gebru et al[19]. han ampliado esta discusión proponiendo protocolos éticos para la creación de conjuntos de datos a gran escala. Su propuesta pone el acento en que toda base de datos debería venir acompañada de información detallada sobre su origen, propósito,

---

18 D'IGNAZIO, C., KLEIN, L.F., *Data Feminism*, 2020, Cambridge, Massachusetts: MIT Press (https: //data-feminism.mitpress.mit.edu/).

19 GEBRU, T., MORGENSTERN, J., VECCHIONE, B., VAUGHAN, J. W., WALLACH, H., DAUMÉ III, H., CRAWFORD, K., "Datasheets for Datasets", en *Communications of the ACM*, 2021, vol. 64, nº 12, pp. 86-92.

límites, supuestos y posibles impactos discriminatorios. Esto permitiría a quienes desarrollan modelos evaluar críticamente si el conjunto de datos es adecuado para una tarea determinada o si introduce sesgos estructurales que podrían amplificarse con el uso del algoritmo.

Incorporar este tipo de prácticas en los procesos de diseño contribuiría a evitar errores costosos, sesgos invisibilizados y daños a comunidades vulnerables pero, sobre todo, ayudaría a consolidar una cultura de justicia algorítmica, donde la calidad de los datos no se mediría solo en términos de volumen o precisión estadística sino también en función de su impacto social, inclusividad y potencial transformador.

4.2. Transparencia y explicabilidad algorítmica

La transparencia es una condición indispensable para garantizar la justicia y la rendición de cuentas en los sistemas algorítmicos. No basta con que los modelos funcionen bien desde el punto de vista técnico, también deben poder ser explicados, auditados y comprendidos por quienes están sujetos a sus efectos. Esto resulta especialmente importante en sistemas que afectan a decisiones sensibles como el acceso a servicios públicos, empleo, educación o atención médica.

En la práctica, sin embargo, gran parte de los sistemas de IA funcionan como "cajas negras", su lógica interna es inaccesible para las personas usuarias y a menudo también para quienes los implementan[20]. Esta opacidad genera una asimetría radical de poder entre quienes controlan estos sistemas y quienes los padecen o dependen de ellos.

Por eso, uno de los grandes desafíos actuales es hacer comprensibles las decisiones algorítmicas. La llamada explicabilidad algorítmica no es simplemente una cuestión de transparencia técnica sino de justicia epistémica; implica reconocer el derecho de las personas a entender cómo y por qué se ha tomado una decisión que las afecta.

El Reglamento de IA de la UE marca un hito normativo en esta dirección. Según el mismo se entiende por transparencia "que los sistemas de IA se desarrollan y utilizan de un modo que permita una trazabilidad y *explicabilidad* adecuadas, y que, al mismo tiempo, haga que las personas sean conscientes de que se comunican o interactúan con un sistema de IA e informe

---

[20] Acerca del fenómeno de "caja negra" y el "*black-box problem*" remitimos *supra,* notas 7 y 8.

debidamente a los responsables del despliegue acerca de las capacidades y limitaciones de dicho sistema de IA y a las personas afectadas acerca de sus derechos"[21]. Además, clasifica los sistemas de IA según su nivel de riesgo y exige obligaciones más estrictas en términos de transparencia y explicabilidad para aquellos considerados de alto riesgo[22]. Las entidades responsables deberán garantizar que las personas puedan recibir información clara, comprensible y accesible sobre el funcionamiento general del sistema, los criterios que emplea y las decisiones que toma. Además, el Reglamento exige que los modelos de alto riesgo estén diseñados con supervisión humana significativa, lo que refuerza la idea de que la IA no puede sustituir por completo la deliberación, el juicio contextual y la responsabilidad institucional; exigencia ésta que introduce una noción valiosa, cual es que la transparencia no es solo una característica del sistema sino una obligación estructural que debe poder ser ejercida por los ciudadanos.

Una de las referencias más influyentes en el campo de la explicabilidad algorítmica es el trabajo de Doshi-Velez y Kim[23], pioneras en establecer los fundamentos teóricos y prácticos del concepto de "explicabilidad científica" aplicada a modelos de aprendizaje automático. En su trabajo, las autoras argumentan que la necesidad de interpretabilidad no es universal pero sí esencial en contextos de alto impacto social, donde los sistemas afectan a derechos fundamentales. En lugar de asumir que todos los modelos deben ser igual de comprensibles, Doshi-Velez y Kim proponen un marco basado en el equilibrio entre la precisión del modelo y la claridad de su lógica

---

21 Considerando 27 del Reglamento, que sigue las Directrices éticas para una IA fiable, elaboradas por un Grupo de expertos de alto nivel sobre IA creado por la Comisión con el encargo de elaborar tales directrices, que indican siete requisitos esenciales para una IA fiable, entre los cuales está el requisito de transparencia, cuyo cumplimiento requiere garantizar, entre otros extremos, la explicabilidad del proceso de toma de decisiones algorítmico, si bien "en la medida de lo posible", al admitir la necesidad de seguir investigando para desarrollar mecanismos de explicabilidad: vid. COMISIÓN EUROPEA, *Generar confianza en la inteligencia artificial centrada en el ser humano,* COM(2019) 168 final, Bruselas, 8.4.2019, pp. 4-7, especialmente p. 6.

22 Según la definición que de tales sistemas establece el art. 6 del Reglamento. Los requisitos de transparencia para sistemas de IA de alto riesgo se contienen en el art. 13 del Reglamento, mientras que su art. 50 recoge las obligaciones de transparencia de los proveedores y responsables del despliegue de determinados sistemas de IA, aunque no sean de alto riesgo.

23 Vid. DOSHI-VELEZ, F., KIM, B., "Towards a Rigorous Science of Interpretable Machine Learning", 2.3.2017, *online* arXiv: 1702.08608.

interna, lo cual les lleva a distinguir entre distintos tipos de interpretabilidad, v.gr., la que necesita un desarrollador para depurar el sistema frente a la que necesita una persona afectada por una decisión algorítmica para poder impugnarla.

Este marco es especialmente útil cuando se analiza la IA desde una perspectiva de género. Los sistemas automatizados no solo deben poder ser explicados a nivel técnico sino también ser comprensibles para las personas y colectivos que históricamente han estado excluidos del diseño y control de las tecnologías. En muchos casos, las mujeres —en especial aquellas que pertenecen a grupos racializados, migrantes o con menor acceso educativo— enfrentan barreras adicionales para comprender cómo operan los sistemas que las evalúan o afectan.

Por eso, una explicabilidad efectiva debe estar acompañada de accesibilidad epistémica y lingüística. No basta con generar explicaciones comprensibles para ingenieros o auditores, se requiere que las personas usuarias, afectadas o reguladoras puedan interpretar esas decisiones, desde sus propias experiencias y contextos. De lo contrario, la transparencia se convierte en una ilusión que reproduce la desigualdad bajo nuevas formas.

Integrar la perspectiva de género en la explicabilidad algorítmica implica entonces replantear quién tiene derecho a entender y en qué términos. Como bien señalan Doshi-Velez y Kim, la pregunta no es solo qué tan interpretable es un modelo sino para quién es interpretable y con qué propósito. En este sentido, la explicabilidad se convierte en una condición no solo técnica sino política, un paso necesario hacia sistemas más justos, democráticos y sensibles a la pluralidad de experiencias sociales.

4.3. Cocreación tecnológica desde los márgenes

Pensar en una IA más justa no implica únicamente corregir los errores de los sistemas existentes sino cuestionar quién define los problemas, quién diseña las soluciones y con qué valores se construyen los sistemas algorítmicos. Frente al modelo dominante (centralizado, tecnocrático y homogéneo), se ha propuesto una alternativa radical: la cocreación tecnológica desde los márgenes.

Este enfoque se basa en principios como la escucha activa, la reciprocidad, la horizontalidad y el reconocimiento de saberes diversos. En lugar de diseñar tecnologías para colectivos históricamente excluidos, se propone construirlas con ellos y desde sus experiencias. Costanza-Chock articula esta propuesta como una forma de redistribuir el poder en los procesos de diseño, cuestionando quién se beneficia, quién queda fuera y cómo se pueden crear infraestructuras verdaderamente inclusivas[24].

La cocreación tecnológica está íntimamente ligada a la diversidad en los equipos de desarrollo. La ausencia de personas racializadas, mujeres, personas trans o con discapacidad en los espacios de decisión técnica no es solo una cuestión de representación simbólica, condiciona los marcos epistemológicos, las prioridades del diseño y los criterios de evaluación. Un equipo diverso es más capaz de detectar puntos ciegos, anticipar impactos desiguales y plantear soluciones contextualizadas.

A su vez, este enfoque se conecta con la necesidad de auditorías participativas: no basta con revisar algoritmos desde dentro con métricas internas o simulaciones en laboratorio, es esencial involucrar a las comunidades afectadas en la evaluación de los sistemas, no solo como sujetos pasivos sino como agentes con voz y criterio. Estas prácticas no solo permiten identificar sesgos interseccionales invisibles para una auditoría técnica convencional sino que también restituyen el derecho colectivo a comprender y disputar las tecnologías que moldean la vida cotidiana.

En definitiva, cocrear tecnologías desde los márgenes no sería un complemento opcional a la innovación, se trata de una estrategia política para democratizar la IA, redistribuir el poder técnico y generar herramientas verdaderamente transformadoras, que respondan a realidades complejas y a necesidades históricamente desatendidas.

5. CONCLUSIONES

La expansión de los sistemas algorítmicos en múltiples ámbitos de la vida social no solo ha transformado los procesos de toma de decisiones sino que también ha puesto de manifiesto la manera en que estas tecnologías reproducen, amplifican o reinventan desigualdades de género ya presentes en nuestras estructuras sociales.

A lo largo de este trabajo hemos visto cómo estas desigualdades se manifiestan en sectores concretos y cómo sus efectos recaen con mayor fuerza sobre las mujeres y sobre quienes ocupan posiciones de vulnerabilidad.

---

24 Vid. COSTANZA-CHOCK, S., *Design Justice: Community-Led Practices to Build the Worlds We Need*, 2020, Cambridge, Massachusetts: MIT Press (https: //designjustice.mitpress.mit.edu/).

Lejos de tratarse de fallos o anomalías, muchos de estos sesgos son el producto lógico de sistemas diseñados sin diversidad, transparencia ni participación significativa de los colectivos afectados.

Por ello, las respuestas no pueden limitarse a soluciones técnicas o ajustes estadísticos. La transformación de la IA desde una perspectiva feminista, interseccional y de justicia social requiere repensar profundamente qué datos se recogen, con qué marcos se interpretan, quién toma las decisiones algorítmicas y bajo qué estructuras de poder se despliegan.

Las estrategias planteadas en la última parte de este trabajo —desde el diseño de datos con perspectiva de género hasta la cocreación tecnológica con comunidades históricamente marginadas— apuntan a una IA que no solo funcione mejor sino que sea más justa, democrática y reparadora. No se trata de humanizar la máquina sino de politizar el diseño, devolver poder a quienes lo han perdido y garantizar que la tecnología, lejos de profundizar la desigualdad, abra posibilidades reales de emancipación colectiva.

6. BIBLIOGRAFÍA

AGÜERO, A., BUSTELO, M., VIOLLAZ, M., "¿Desigualdades en el mundo digital?: Brechas de género en el uso de las TIC", *Banco Interamericano de Desarrollo*, marzo de 2020, disponible *online* en https: //doi.org/10.18235/0002235.

BATHAEE, Y., "The Artificial Intelligence Black Box and the Failure of Intent and Causation", en *Harvard Journal of Law & Technology*, vol. 31, nº 2, 2018, pp. 889-938.

BUOLAMWINI, J., GEBRU, T., "Gender Shades: Intersectional Accuracy Disparities in Commercial Gender Classification", en *Proceedings of Machine Learning Research*, vol. 81, 2018, pp. 1-15.

CASTELVECCHI, D., "Can We Open the Black Box of AI?", en *Nature*, vol. 538, 2016, pp. 21-23.

COSTANZA-CHOCK, S., *Design Justice: Community-Led Practices to Build the Worlds We Need*, 2020, Cambridge, Massachusetts: MIT Press.

COMISIÓN EUROPEA, *Generar confianza en la inteligencia artificial centrada en el ser humano*, COM(2019) 168 final, Bruselas, 8.4.2019.

D'IGNAZIO, C., KLEIN, L.F., *Data Feminism, 2020,* Cambridge, Massachusetts: MIT Press.

DOSHI-VELEZ, F., KIM, B., "Towards a Rigorous Science of Interpretable Machine Learning", 2.3.2017, *online* arXiv: 1702.08608.

EUROPEAN INSTITUTE FOR GENDER EQUALITY (EIGE), *Artificial intelligence, platform work and gender equality*, Luxemburgo, 2021.

GEBRU, T., MORGENSTERN, J., VECCHIONE, B., VAUGHAN, J. W., WALLACH, H., DAUMÉ III, H., CRAWFORD, K., "Datasheets for Datasets", en *Communications of the ACM,* 2021, vol. 64, nº 12, pp. 86-92.

GHASEMAGHAEI, M., KORDZADEH, N., "Understanding how algorithmic injustice leads to making discriminatory decisions: An obedience to authority perspective", en *Information & Management,* vol. 61, nº 2, 2024.

HOLSTEIN, K., WORTMAN VAUGHAN, J., DAUMÉ III, H., DUDIK, M., WALLACH, H., "Improving fairness in machine learning systems: What do industry practitioners need?", en *Proceedings of the 2019 CHI Conference on Human Factors in Computing Systems,* 2019, pp. 1-16.

JAUME-PALASÍ, L., *Informe preliminar con perspectiva interseccional sobre sesgos de género en la Inteligencia Artificial,* Madrid, 2023.

KLIEGR, T., BAHNÍK, S., FÜRNKRANZ, J., "A review of possible effects of cognitive biases on the interpretation of rule-based machine learning models", 14.9.2021, *online* arXiv: 1804.02969v7.

KIM, S., LESSMANN, S., ANDREEVA, G., ROVATSOS, M., "Fair Models in Credit: Intersectional Discrimination and the Amplification of Inequity", 1.8.2023, *online* arXiv: 2308.02680.

MEHRJOO, A., CUEVAS, R., CUEVAS, A., "Online advertisement in a pink-colored market", en *EPJ Data Sci,* vol. 13, nº 36, 2024, *online* https: //doi.org/10.1140/epjds/s13688-024-00473-2.

NADEEM, A., MARJANOVIC, O., ABEDIN, B., "Gender bias in AI-based decision-making systems: a systematic literature review", en *Australasian Journal of Information Systems,* vol. 26, 2022, pp. 1-34.

ZHANG, A., YUKSEKGONUL, M., GUILD, J., ZOU, J., WU, J.C., "ChatGPT Exhibits Gender and Racial Biases in Acute Coronary Syndrome Management", 10.11.2023, *online* arXiv: 2311.14703.

Deepfakes pornográficos; especial consideración a su incidencia en el derecho a la intimidad de las mujeres[1]

IRENE AZNAR SÁNCHEZ-PARODI
Ayudante Doctora
Universidad de La Laguna

1. INTRODUCCIÓN

No puede negarse que la inteligencia artificial (en adelante, IA) ha adquirido una especial importancia en el panorama socioeconómico actual[2]. Esta es la principal razón por la que hemos querido destinar estas líneas a llamar la atención sobre el impacto que puede tener un determinado uso de esta tecnología respecto de un concreto derecho fundamental de las mujeres[3].

---

1 Este trabajo se enmarca dentro del Proyecto de investigación REJUSOD, por lo cual, como Profesora Ayudante Doctora de la Universidad de La Laguna, se agradece la financiación otorgada por la Consejería de Economía, Conocimiento y Empleo del Gobierno de Canarias, Agencia Canaria de Investigación, Innovación y Sociedad de la Información.

2 Se alude a este desarrollo en, por ejemplo, FRANGANILLO, J., "Contenido generado por inteligencia artificial: oportunidades y amenazas", *Anuario ThinkEPI*, 15, 2022, pp. 1 y ss.; GONZÁLEZ SAN JUAN, J. L., "Vídeos deepfakes y sus problemas jurídicos", *Derecho digital y nuevas tecnologías* (dirs. MADRID PARRA, A. y ALVARADO HERRERO, L.), Aranzadi, 2022, pp. 1 y 2. (Versión online).

3 Desde una perspectiva general, sobre la colisión del uso de la tecnología con los derechos fundamentales, véase, por ejemplo, CARRILLO, M., "Comentario al artículo 18.1", en *Comentario a la Constitución española. 40 aniversario 1978-2018. Libro-Homenaje a Luis López Guerra*. Tomo I (Preámbulo a artículo 96) (dirs. PÉREZ TREMPS, P. y SAIZ ARNAIZ, A.), Tirant Lo Blanch, Valencia, 2018, p. 406; RAMÓN FERNÁNDEZ, F., "Inteligencia artificial y los derechos en torno a la creación y a la imagen", *Actualidad Jurídica Iberoamericana*, Extra 16, 2022, pp. 3763, 3764 y 3773 y ss. También, por ejemplo, FRANGANILLO, J., *idem*, pp. 5 y 7; GONZÁLEZ SAN JUAN, J. L., *idem*, pp. 5, 6, 8 y nota al pie núm. 48 de la p. 6.
En cuanto a los derechos de la mujer, véase, por ejemplo, GONZÁLEZ SAN JUAN, J. L., *idem*, pp. 1, 2, 5 y 6; FRANGANILLO, J., *idem*, p. 8; VEGA-LOZADA F., "In-

Nos estamos refiriendo, particularmente, al caso de las *ultrasuplantaciones* a las que se refiere el Reglamento (UE) 2024/1689 del Parlamento Europeo y del Consejo de 13 de junio de 2024 (en adelante, Reglamento de Inteligencia Artificial), fenómeno que en la práctica suele reconocerse mediante el empleo del anglicismo *deepfake*[4]. Así, partiendo desde una perspectiva general, el término *deepfake* parece reconducirse a aquellos supuestos en los que un determinado material audiovisual surge como consecuencia de la utilización de un sistema de IA[5]. El recurso digital es, por tanto, falso[6].

No obstante lo anterior, el vocablo *deepfake* se erige como una expresión que, como pone de manifiesto un cierto sector doctrinal, suele ir ligada a supuestos en los que en el mencionado material se refleja a una mujer, normalmente famosa, que, sin consentirlo, aparece adoptando una actitud erótica (desnudos o conductas sexuales) de naturaleza ficticia[7].

Desde luego, siguiendo el esquema propuesto en los trabajos de, por ejemplo, WAGNER, BLEWER, KARNOUSKOUS y FRANGANILLO[8], de un

---

teligencia artificial y ciberviolencia de género: el caso de la pornografía no consentida", *Derecom*, 31, 2021, p. 1 y ss.; LIMÓN, R., "Artículo periodístico edición 19 de marzo de 2023", *El País* [en línea], (2023), s. p., <https://bit.ly/3ruhwTH> [Consulta: 09/09/2023.]; WAGNER T. L. and BLEWER, A., "´The World Real Is No Longer Real: Deepfakes, Gender, and the Challenges of AI-Altered Video", *Open information Science*, 3, 2019, num. 3, pp. 32 y ss.

4 Se trata de la traducción que se ha dado al término *deepfake* en la versión española de la definición 60 del art. 3 del Reglamento de Inteligencia Artificial.

5 A esta conclusión se llega a partir de la lectura de RAMÓN FERNÁNDEZ, F., *ob. cit.*, pp. 3763 y 3773; FRANGANILLO, J., *ob. cit.*, pp. 2-6; WAGNER T. L. and BLEWER, A., *idem*, pp. 32 y ss.; VEGA-LOZADA, F., *ob. cit.*, p. 3.; GONZÁLEZ SAN JUAN, J. L., *ob. cit.*, pp. 1 y ss.; KARNOUSKOUS, S., "Artificial Intelligence in Digital Media: The Era of Deepfakes", *IEE Transactions on Technology and Society*, vol. I, 3, 2020, pp. 138 y ss. Véase, asimismo, la ya mencionada definición 60 del art. 3 del Reglamento de Inteligencia Artificial.

6 A título ejemplificativo, GONZÁLEZ SAN JUAN, J. L., *idem*, pp. 1 y ss.; RAMÓN FERNÁNDEZ, F., *idem*, p. 3773 y ss.; WAGNER T. L. and BLEWER, A., *idem*, pp. 32 y ss.; FRANGANILLO, J., *idem*, pp. 2 y ss.; KARNOUSKOUS, S., *idem*, pp. 138 y ss.

7 A esta conclusión se llega a partir de la lectura conjunta de FRANGANILLO, J., *idem*, pp. 3-7; LIMÓN, R., *ob. cit.*, s. p.; VEGA LOZADA, F., *ob. cit.*, p. 3.; GONZÁLEZ SAN JUAN, J. L., *idem*, pp. 1, 2, 3, 5, 6, 8 y nota al pie núm. 24 de la p. 4. WAGNER, T. L. and BLEWER, A., *idem*, pp. 32 y ss., especialmente, p. 38; KARNOUSKOUS, S., *idem*, pp. 138, 142 y 143.

8 WAGNER, T. L. and BLEWER, A., *idem*, pp. 32, 33, 36, 37; KARNOUSKOUS, S., *idem*, pp. 138 y ss., en especial, p. 144; aunque FRANGANILLO no se refiere

lado, y los razonamientos vertidos en diversos pronunciamientos del TC[9], de otro, puede llegarse a la conclusión de que la capacidad de plasmar fraudulentamente figuras femeninas sexualizadas en un material gráfico es un fenómeno que viene existiendo desde hace un considerable período de tiempo. No obstante, retomando, en gran medida, el planteamiento esbozado por los expertos anteriormente citados, el peligro que entraña esta práctica (creación y publicación de *deepfakes*) reside, entre otras cuestiones, en la aparente veracidad del material[10], en la celeridad de la generación del contenido[11], el empleo indiscriminado de estas técnicas por el gran público (lego en la materia)[12], y en la rápida difusión del material[13].

Lo expuesto en el párrafo precedente nos acerca al tradicional terreno del derecho de la persona, de modo que se hace necesario plantear la posible incidencia de este preocupante fenómeno respecto de los derechos

---

específicamente al problema del género, véase FRANGANILLO, J., *idem*, pp. 4-5. De forma concreta, véase, asimismo, LIMÓN, R., *idem*, s. p.; VEGA-LOZADA, F., *ob. cit.*, p. 3.

9 Sobre el fotomontaje ya se había dicho en la STC 27 abril 2010 (*Tol 1841505*) que "*con la generalización de las nuevas tecnologías de tratamiento de la imagen, esta categoría, que tradicionalmente se había basado exclusivamente en la dimensión humorística del dibujo, se plasma cada vez con más frecuencia en la alteración de fotografías originales, aunque no pierde por ello su esencia de creación irónica basada en la reelaboración de la fisionomía del modelo que tiene por objeto*". Algo similar se adujo en la STS 7 marzo 2006 (*Tol 856099*).

10 Por ejemplo, FRANGANILLO, J., *ob. cit.*, pp. 3-7; WAGNER, T. L. and BLEWER, A., *idem*, pp. 32, 33, 34, 36, 37, 42, 44. También, por ejemplo, RAMÓN FERNÁNDEZ, F., *ob. cit.*, pp. 3773 y 3774; GONZÁLEZ SAN JUAN, J. L., *idem*, pp. 1, 2, 6, 8 y notas al pie núm. 35 y 41 p. 5; LIMÓN, R., *ob. cit.*, s. p. Se infiere del trabajo de KARNOUSKOUS, S., *idem*, pp. 138, 139, 143 y 144, aunque en otro punto sostiene que no es complejo que el público se dé cuenta de que los *deepfakes* de famosos son falsos. Así, KARNOUSKOUS, S., *idem*, p. 142.

11 FRANGANILLO, J., *idem*, pp. 5-7 y 9; WAGNER T. L. and BLEWER, A., *idem*, p. 38. También, por ejemplo, LIMÓN, R., *idem*, s. p.; GONZÁLEZ SAN JUAN, J. L., *idem*, p. 2. Se infiere de KARNOUSKOUS, S., *idem*, pp. 138, 139, 142 y 143.

12 Por ejemplo, FRANGANILLO, J., *idem*, pp. 5, 7 y 9; WAGNER T. L. and BLEWER, A., *idem*, p. 32, 40 y 12. También, GONZÁLEZ SAN JUAN, J. L., *idem*, pp. 2 y 8 y nota al pie núm. 8 de la citada página; KARNOUSKOUS, S., *idem*, pp. 138, 139, 144 y 145. Se infiere de LIMÓN, R., *idem*, s. p.

13 WAGNER T. L. and BLEWER, A., *idem*, p. 38; GONZÁLEZ SAN JUAN, J. L., *idem*, p. 2 y nota al pie núm. 41 p. 5; KARNOUSKOUS, S., *idem*, pp. 139 y 142-145.

de la personalidad de las titulares[14], cuestión de la que nos ocuparemos en el siguiente apartado.

2. LA *PORNOGRAFÍA ARTIFICIAL* Y LOS DERECHOS DE LA PERSONALIDAD DE LAS MUJERES. UN MARCO GENERAL

El nuevo Reglamento de Inteligencia Artificial prevé que *"los responsables del despliegue de un sistema de IA"* por el que se creen *deepfakes* "*...harán público que estos contenidos o imágenes han sido generados o manipulados de manera artificial*" (art. 50.4). A pesar de que, como indica KARNOUSKOUS respecto del Derecho de EE.UU., este tipo de previsiones implican un patente avance respecto a la lucha contra la práctica que nos ocupa[15], debe señalarse que, en el caso de la normativa europea, la obligación de evidenciar que el material generado es falso solo parece alcanzar a aquellos sujetos que actúan en el ámbito de sus relaciones profesionales[16].

Sentado lo anterior, creemos, con base en los argumentos sostenidos en diversos trabajos[17], que la solución que el Derecho civil ofrece respecto a la intromisión de los derechos al honor, la propia imagen y la protección de datos de las mujeres en los casos de difusión pornografía artificial es, a grandes rasgos, aquella que queda condensada en la doctrina sentada por

---

14 Véase, por ejemplo, GONZÁLEZ SAN JUAN, J. L., *idem*, pp. 5, 6, 8. Sin hacer referencia específica a los derechos de la mujer, se pronuncia sobre la posible conculcación de los derechos de la personalidad del titular derivados del uso del *deepfake*, por ejemplo, RAMÓN FERNÁNDEZ, F., *ob. cit.*, pp. 3763 y 3773 y ss.; FRANGANILLO, J., *ob. cit.*, pp. 5 y 7. De forma general, véase el Considerando 48 del Reglamento de Inteligencia Artificial.

15 KARNOUSKOUS, S., *ob. cit.*, p. 143.

16 Art. 2.10 y definición 4ª del art. 3 del Reglamento de Inteligencia Artificial. Por ejemplo, KARNOUSKOUS considera, en relación con el Derecho norteamericano, que no resulta creíble que aquellos que generan y difunden *deepfakes* con fines ilícitos vayan tomar en consideración la obligación de declarar que el material fue creado de forma artificial. KARNOUSKOUS, S., *ob. cit.*, p. 143.

17 Hay autores que se apoyan en algunas de las sentencias que se citarán a continuación para abordar el problema de la difusión de los *deepfakes*. Por ejemplo, RAMÓN FERNÁNDEZ, F., *ob. cit.*, p. 3778; GONZÁLEZ SAN JUAN, J. L., *idem*, p. 6 nota al pie núm. 45.

nuestros tribunales en cuanto a los fotomontajes[18] (directos predecesores del fenómeno *deepfake*)[19].

Así, los tribunales de nuestro país han declarado que publicar la imagen de la cara real de una mujer superpuesta a un cuerpo desnudo ajeno conculca el derecho a la propia imagen y el derecho al honor de la víctima[20]. De este modo, ha llegado, incluso, a afirmarse respecto de en un caso concreto "*...que la intención de la revista al utilizar la imagen de la actora era la de provocar, con un* marcado sesgo sexista, *la burla sobre su persona, a partir exclusivamente de su aspecto físico...*"[21].

El anterior planteamiento nos llevaría a concluir, en la línea de lo expuesto por GONZÁLEZ SAN JUAN, que una representación artificial de una mujer en una actitud pornográfica sin su consentimiento supone una conculcación de los bienes jurídicos previamente mencionados[22]. La anterior reflexión se basa en que estimamos, con apoyo en las razonamientos esgrimidos por el precitado autor[23], que no existen especiales diferencias materiales (sí tecnológicas, claro está) entre el supuesto de hecho del que partían los tribunales (conculcación del derecho a la imagen y al honor

---

18 Especialmente, STC 27 abril 2010 (*Tol 1841505*); STS 7 marzo 2006 (*Tol 856099*); STS 20 julio 2011 (*Tol 2247764*); SAN 1 octubre 2008 (*Tol 5269502*); SAP Madrid 6 febrero 2007 (*Tol 1091051*); STS 12 septiembre 2011 (*Tol 2239106*).

19 Por ejemplo, se insinúa en WAGNER T. L. and BLEWER, A., *ob. cit.*, pp. 32, 33; KARNOUSKOUS, S., *ob. cit.*, pp. 139 y 144.

20 Respecto al derecho a la propia imagen, véase STC 27 abril 2010 (*Tol 1841505*); STS 7 marzo 2006 (*Tol 856099*). En cuanto al honor y a la propia imagen, véase, por ejemplo, SAP Madrid 6 febrero 2007 (AC 2007\1017) y las SSTS 20 julio 2011 (*Tol 2247764*) y 12 septiembre 2011 (*Tol 2239106*).

21 STC 27 abril 2010 (*Tol 1841505*). El subrayado es nuestro.

22 GONZÁLEZ SAN JUAN, J. L., *ob. cit.*, pp. 5, 6, 8. También parece insinuarse esta idea (afectación de los derechos fundamentales a la propia imagen y al honor) en FRANGANILLO, J., *ob. cit.*, pp. 5 y 7. Respecto al derecho a la propia imagen, véase la opinión de CHAPARRO MATAMOROS, P., "El delito de descubrimiento y revelación de secretos (a propósito de un caso de vídeo-montaje). Comentario a SAP Sevilla núm. 102/2012, de 23 de febrero (ARP 2012, 365)", *R.D.N.T.*, 30, 2012, p. 16. (Versión online); ADSUARA cuya opinión queda plasmada en el artículo periodístico de LIMÓN, R., *ob. cit.*, s. p. En cuanto al honor y, de forma general, respecto a los derechos de la personalidad, se insinúa en RAMÓN FERNÁNDEZ, F., *ob. cit.*, pp. 3774, 3775 y 3781.

23 El autor parece recalcarlo, especialmente, en cuanto al derecho a la propia imagen. Así, GONZÁLEZ SAN JUAN, J. L., *idem*, pp. 5, 6, 8 y nota al pie núm. 45 de la p. 6.

como consecuencia de la yuxtaposición de dos imágenes o material audiovisual) y el que es nuestro objeto de estudio (como explican las personas expertas en la materia, esta tecnología también permite generar escenas e imágenes *ex novo*)[24]. En este sentido, nos parece que los argumentos predicados por los órganos jurisdiccionales son, por tanto, trasladables a todos los casos asimilables a los que trataron en sus pronunciamientos y ello con independencia de que en los mismos se aludiera a una tecnología menos avanzada[25].

---

24 Sobre este último inciso, véase KARNOUSKOUS, S., *ob. cit.*, pp. 138 y 142.

25 Por razones de espacio, nos limitaremos a señalar que en la STS 20 julio 2011 (*Tol 2247764*) se entendió que se vulneraba el derecho a la propia imagen porque, desde esta perspectiva, el montaje no podía encuadrarse dentro del término caricatura por no hallarse deformada la imagen de la persona. STS 20 julio 2011 (*Tol 2247764*). También puede consultarse la opinión del MF que se recoge en la mencionada sentencia. En igual sentido, véanse la SAP Madrid 6 febrero 2007 (*Tol 1091051*); STS 7 marzo 2006 (*Tol 856099*); STC 27 abril 2010 (*Tol 1841505*). De forma algo más tímida, STS 12 septiembre 2011 (*Tol 2239106*).
La postura anterior es compartida por, entre otros, MARTÍNEZ DE AGUIRRE ALDAZ, C., "Los derechos de la personalidad", en *Curso de Derecho civil*, Tomo I Volumen II Derecho de la persona (coord. DE PABLO CONTRERAS, P.), 7ª ed., Edisofer, 2021, p. 285; CHAPARRO MATAMOROS, P., *ob. cit.*, p. 11 y ss.
Asimismo, sobre este aspecto (relación entre fotomontaje y caricatura) véase, por ejemplo, GONZÁLEZ SAN JUAN, *ob. cit.*, pp. 5 y 6, nota al pie núm. 35 de la p. 5 y nota al pie núm. 45 p. 6.
En cuanto al derecho al honor, es necesario hacer alusión, primeramente, a las dos corrientes doctrinales existentes en la materia. Así, por un lado, autores, entre los que se podría citar, por ejemplo, a DÍAZ CORTÉS, consideran que el honor no se ve afectado por el solo hecho de que se difunda una imagen erótica (sería necesario que esta fuera acompañada de valoraciones negativas hacia quien aparece reflejada en el material). DÍAZ CORTÉS, L. M., *El sexting secundario entre menores: bien jurídico y respuesta penal*, Aranzadi, Cizur Menor, 2019, 69-75 y 94-97.
Por otro lado, hay quien insiste en que es posible conculcar el honor solo a través de la difusión de una fotografía; por ejemplo, LACRUZ BERDEJO, J. L. *et. alt.*, *Elementos de Derecho civil*, Tomo I Parte General Volumen II Personas, 6ª ed. revisada y puesta al día por DELGADO ECHEVARRÍA, J., Dyskinson, Madrid, 2010, p. 95. También, con apoyo jurisprudencial, CARRILLO, M., *ob. cit.*, p. 407. Por su parte, tal y como señalamos en el texto principal, GONZÁLEZ SAN JUAN, *ob. cit.*, p. 5 sostiene que la pornografía artificial afecta, en todo caso, al honor de la víctima.
Desde la óptica de la práctica judicial, la confirmación de la conculcación del honor se ha dado en supuestos en los que el montaje iba acompañado de aseveraciones despectivas respecto de las titulares [STS 20 julio 2011 (*Tol 2247764*) y SAP Madrid 6 febrero 2007 (*Tol 1091051*)].

Del mismo modo, la Audiencia Nacional ha estimado que también existe una vulneración respecto al derecho a la protección de datos cuando se publica un montaje en el que la víctima aparece desnuda, ya que la publicación de una imagen implicaría el tratamiento de un dato personal[26]. Este enfoque no puede más que ser compartido (véanse incisos 1° y 14° del art. 4 del Reglamento General de Protección de Datos)[27].

Sentado, pues, lo anterior, parece oportuno preguntarse: ¿qué ocurre con la intimidad? Podríamos pensar que la respuesta podría hallarse, nuevamente, en los pronunciamientos judiciales. No obstante, como veremos, no se trata una conclusión que pueda extraerse apriorísticamente de la lectura de las sentencias de nuestros tribunales debido a la disparidad de criterios existentes en cuanto al requisito de la veracidad. Del mismo modo, conviene destacar que, a pesar de la oportunidad brindada por el estudio del supuesto de hecho del que se ocupó la STC 27 abril 2010 (*Tol 1841505*) —esto es, el fotomontaje en el que se superponía la cara de una mujer sobre el cuerpo semidesnudo de otra— el TC no se pronunció de forma directa sobre esta cuestión, aun cuando, como parece deducirse de la lectura de la sentencia, la conculcación del derecho a la intimidad fue puesta de manifiesto por la representación procesal de la titular del derecho en sus alegaciones.

En este sentido, nos ha parecido pertinente centrar nuestros esfuerzos, primeramente, en plantear si existe una incidencia sobre el derecho a la intimidad de las mujeres como consecuencia de la creación del contenido erótico-artificial y, siguiendo un enfoque clásico, en tratar de responder, con posterioridad, al siguiente interrogante: en el caso de existir la men-

---

26 SAN 1 octubre 2008 (*Tol 5269502*).

27 Por contra, GONZÁLEZ SAN JUAN parece sostener que ello no tiene suficiente entidad o relevancia desde el punto de vista de la violación de este derecho fundamental. GONZÁLEZ SAN JUAN, J. L., *ob. cit.*, p. 6. En parecido sentido, CHAPARRO MATAMOROS, quien, desde un punto de vista penal, considera que no se produce una especial conculcación del derecho a la protección de datos. CHAPARRO MATAMOROS, P., *ob. cit.*, p. 10. Aunque este autor también reconoce en la mencionada página de su trabajo que podría considerarse un dato personal el vídeo donde aparece la víctima, sin perjuicio de que no encaje con el tipo del art. 197.2 del Código Penal (en adelante, CP), pues el precepto exige que sean "... *datos reservados de carácter personal...*".

cionada intromisión, ¿es esta legítima?[28]. Analizaremos, pues, ambas cuestiones en el siguiente epígrafe.

3. INTIMIDAD Y MATERIAL ERÓTICO CREADO CON INTELIGENCIA ARTIFICIAL

3.1. Cuestiones previas

Como se ha descrito con anterioridad, el supuesto de hecho del cual partimos es aquel en el que se emplean técnicas de IA con la finalidad de producir y, finalmente, difundir un vídeo o una imagen en la que una mujer, sin haberlo consentido previamente, aparece, en mayor o en menor medida, desnuda o, en su caso, realizando alguna práctica de carácter sexual. En este sentido, tal y como se anticipó, la primera pregunta que deberíamos responder es la de si este fenómeno (mostrar a una mujer desnuda o practicando sexo) puede afectar a la intimidad de la titular del derecho.

Siguiendo el esquema general propuesto por CARRILLO, todo parece apuntar que, al menos desde una perspectiva material, esto es, atendiendo a la naturaleza de aquello que se analiza, la doctrina constitucional ha venido considerando que las relaciones sexuales y los desnudos forman parte de la intimidad de una persona[29].

Respecto a las prácticas sexuales, debe señalarse que en los últimos años el TS[30] ha encuadrado este tipo de comportamientos dentro de ese espacio al que el TC ya bautizó a finales del siglo pasado como de lo "*...peculiar-*

---

28 Como se concluye a partir de la lectura de la STC 18 noviembre 2013 (*Tol 4036317*), esta estructura es la que plantea el MF en un litigio acerca de las elucubraciones realizadas en un programa de televisión respecto de la filiación de una persona. Este planteamiento también se apoya, en cierta medida, en los argumentos vertidos en, por ejemplo, las SSTS 14 marzo 2011 (*Tol 2071678*) y 20 julio 2011 (*Tol 2247764*).

29 Con cita jurisprudencial, CARRILLO, M., *ob. cit.*, pp. 411-413. El autor no se refiere expresamente a los desnudos, pero sí a la "intimidad corporal". También se pronuncia sobre la noción material y formal del derecho a la intimidad, ORTIZ HERNÁNDEZ, S., "El derecho a la intimidad personal y la intimidad corporal", *Revista Aranzadi Doctrinal,* 1, enero 2023, p. 4. (Versión online). No obstante, esta última autora, en contra de lo señalado por CARRILLO, sostiene que el TC aboga actualmente por la concepción material del derecho a la intimidad.

30 En cuanto a la calificación de las relaciones sexuales como íntimas, véanse, por ejemplo, las SSTS 27 noviembre 2014 (*Tol 4561609*) y 9 enero 2018 (*Tol 6559266*).

mente íntimo..."[31]. En este sentido, estimamos, en la línea de lo sostenido por autores como DÍAZ CORTÉS, que la sexualidad es una parte más de nuestra vida personal y, desde luego, de nuestra vida íntima[32].

En cuanto a los desnudos, doctrina[33] y jurisprudencia[34] afirman que forman parte de la intimidad de la persona. En este sentido, nos mostramos de acuerdo con la postura de, por ejemplo, ORTIZ HERNÁNDEZ[35], quien asevera que la publicación de una imagen en la que aparecen ciertos puntos del cuerpo de una persona (en nuestro caso, por ejemplo, los senos[36] o el trasero[37]), no solo se relaciona con la posible incidencia respecto al derecho a la propia imagen, sino, además, con la potencial conculcación de otros derechos fundamentales como lo es el derecho a la intimidad[38].

Sentado lo anterior, hemos de adentrarnos ya en la cuestión que nos planteamos con anterioridad, esto es, si el hecho de que el desnudo o la escena sexual que se hace pública no haya existido en el plano real puede afectar a la intimidad de la mujer.

---

31 STC 29 septiembre 1997 (*Tol 80774*).

32 DÍAZ CORTÉS, L. M., *ob. cit.*, pp. 38, 39, 41, 46, 47, 56, 57, 93.

33 Se desprende, por ejemplo, del trabajo de ORTIZ HERNÁNDEZ, S., *ob. cit.*, pp. 1 y ss.

34 Por ejemplo, STS 12 septiembre 2011 (*Tol 2239106*). Respecto al desnudo de un hombre, STS 14 marzo 2011 (*Tol 2071678*). Véase, asimismo, SAP Madrid 6 febrero 2007 (*Tol 1091051*).

35 ORTIZ HERNÁNDEZ, S., *ob. cit.*, p. 3.

36 Véase, por ejemplo, las SSTS 24 mayo 2010 (*Tol 1888859*) y 12 septiembre 2011 (*Tol 2239106*); SAP Madrid 6 febrero 2007 (*Tol 1091051*).

37 Así, STS 12 septiembre 2011(*Tol 2239106*).

38 También se indica en, por ejemplo, DÍAZ CORTÉS, L. M., *ob. cit.*, pp. 56 y 57. Esto es precisamente lo que ocurrió en, por ejemplo, la STS 24 mayo 2010 (*Tol 1888859*).
Véanse, asimismo, los razonamientos vertidos en, por ejemplo, la STS 12 septiembre 2011 (*Tol 2239106*), donde se citan otros pronunciamientos sobre el tema. También CALLEJO CARRIÓN, S., "Los desnudos, el Tribunal Supremo y el derecho a la propia imagen. A propósito de las SSTS de 18, 24 y 28 de noviembre de 2008", *Diario La Ley*, núm. 7172, 12 de mayo de 2019, p. 2. (Versión online).
De forma más general (sin mencionar los desnudos), véase, por ejemplo, la STC 30 enero 2012 (*Tol 2433360*). También CARRILLO, M., *ob. cit.*, pp. 407 y 416, con cita jurisprudencial.

3.2. ¿Hay intimidad en lo artificial?

Hemos de comenzar nuestro discurso indicando que LACRUZ considera que la revelación de un hecho ficticio no puede calificarse como una intromisión al derecho a la intimidad del titular del bien jurídico, pudiendo suponer, sin embargo, una conculcación de su derecho al honor[39]. En este sentido, el autor apoya su tesis en el razonamiento contenido en la STC 14 febrero 1992 (*Tol 80635*), según el cual "*...tratándose de la intimidad, la veracidad no es paliativo, sino presupuesto, en todo caso, de la lesión*"[40].

La idea anteriormente expuesta nos llevaría a concluir, como hace GONZÁLEZ SAN JUAN[41], que la publicación de un *deepfake* tampoco incidiría sobre el derecho a la intimidad, puesto que, en el supuesto que nos ocupa, estaríamos hablando de material audiovisual creado a través de la IA.

No obstante lo anterior, a partir de una lectura conjunta de las SSTS 27 noviembre 2014 (*Tol 4561609*)[42], 3 noviembre 2015 (*Tol 5555596*)[43] y 9 enero 2018 (*Tol 6559266*)[44] parece poder afirmarse que el TS ha venido a sostener que, a pesar de la dicción literal de la aseveración arriba transcrita, en la STC 14 febrero 1992 (*Tol 80635*) también se indicó que los datos ficticios podían afectar igualmente a la intimidad de la persona, lo cual, según remarca el Alto Tribunal, fue aclarado por el mismo intérprete de la

---

39 LACRUZ BERDEJO, J. L. *et. alt.*, *ob. cit.*, pp. 96 y 97.

40 Según se desprende de la sentencia, el MF vino a sostener que si el hecho no es cierto puede vulnerar el derecho al honor, pero no el derecho a la intimidad.

41 GONZÁLEZ SAN JUAN, J. L., *ob. cit.*, p. 6 y nota al pie núm. 47 de esa misma página.

42 Según se menciona en la sentencia, el JPI entendió que el derecho a la intimidad no se veía conculcado por no ser veraz la información (lo mismo alegó el recurrente en casación). Por el contrario, en la SAP que conoció del recurso de apelación se adoptó la postura opuesta.

43 Sin embargo, según se desprende de la lectura de la sentencia, tanto el JPI como el MF y la AP sostuvieron que para que la intimidad se viera afectada era necesario que los datos fueran reales. Lo mismo opinaba la parte demandada. Igualmente, el JPI y el MF entendían que en este caso solo se podía ver vulnerado el derecho al honor.

44 Según consta en la sentencia, los demandados señalaron en su escrito de oposición a la demanda que no se podía hablar de la vulneración de la intimidad si la información no era veraz. Por su parte, según se desprende de la lectura de la sentencia, la AP sostenía que no era especialmente importante que la información fuera o no cierta.

Constitución en su posterior STC 18 noviembre 2013 (*Tol 4036317*)[45]. En este sentido, el TS mantiene que no es necesario que un dato sea verídico para que pueda afectar al derecho a la intimidad del titular[46].

De este modo, lo único que habría querido expresar el TC con la controvertida oración es "...*que en términos generales, si la información carece de interés público prevalente, no*..." sería posible "...*excluir la vulneración del derecho a la intimidad porque los hechos íntimos desvelados sean ciertos* (STC 58/2018, de 4 junio, FJ 7)"[47]. Así, según esta última línea argumental, nuestro intérprete de la Constitución habría venido a recalcar —si bien, en nuestra opinión, de forma poco palmaria— que, aunque los datos sean ciertos, puede seguir hablándose de una intromisión a la intimidad en aquellos casos en los que lo revelado no tenga interés público (cuestión en la que nos detendremos más adelante).

En cualquier caso, esta aparente interpretación correctora de la doctrina del TC no se erige como un remedio del todo contundente, ya que hemos podido apreciar la existencia de diversos pronunciamientos en los que, bajo nuestro punto de vista, el intérprete de la Constitución parece defender, efectivamente, que si los datos que se divulgan no son reales, el bien jurídico realmente afectado no sería la intimidad, sino, más bien, el derecho al honor [ej. SSTC 30 enero 2012 (*Tol 2433360*), 25 febrero 2019 [*ECLI: ES: TC: 2019: 24*] y 25 febrero 2019 (*Tol 7111100*)[48]]. Desde luego, este panorama de idas y venidas no favorece a la seguridad jurídica en cuanto a la tutela civil de la intimidad de las mujeres que se ven afectadas por el fenómeno de la *pornografía artificial*.

Bajo nuestro punto de vista y tomando en consideración el caso que nos ocupa, estimamos que no existen especiales inconvenientes teóricos

---

45 En el mencionado pronunciamiento se indica que las elucubraciones sobre la filiación del afectado ya implican de por sí una vulneración del derecho a la intimidad, con independencia de que esos datos sean reales o no.

46 SSTS 27 noviembre 2014 (*Tol 4561609*), 3 noviembre 2015 (*Tol 5555596*) y 9 enero 2018 (*Tol 6559266*).

47 STC 25 febrero 2019 (*ECLI: ES: TC: 2019: 24*).

48 En las SSTC 30 enero 2012 (*Tol 2433360*) y 25 febrero 2019 (*Tol 7111100*) se indica que la veracidad es un requisito para que se invada la intimidad, al contrario de lo que sucede respecto al derecho al honor. Por su parte, en la STC 25 febrero 2019 (*ECLI: ES: TC: 2019: 24*) se llega al punto de aseverar que "...*el documento de extracto de movimientos bancarios difundido contiende* (sic) *datos supuestamente íntimos y rigurosamente ciertos; de otro modo, ni afectarían a la intimidad sino, en su caso, al honor*...".

para abogar, como también se hizo en la SAP Madrid 6 febrero 2007 (*Tol 1091051*) en un supuesto de un montaje fotográfico, por la posible aplicación de lo dispuesto en el art. 7.3 Ley Orgánica 1/1982, de 5 de mayo, de protección civil del derecho al honor, a la intimidad personal y familiar y a la propia imagen (en adelante, LOPDH)[49]. En efecto, el mencionado precepto viene a establecer que podrá existir intromisión respecto al derecho a la intimidad cuando se produzca "*la divulgación de hechos relativos a la vida privada de una persona o familia que afecten a su reputación y buen nombre...*"[50].

Así, creemos, al igual que alguna otra persona que nos ha precedido en el análisis de la materia[51], que puede entenderse que lo *relativo* a la intimidad de una persona[52] no solo alcanza a los datos propiamente íntimos (reales), sino también a aquellos que, como se indica en la SAP Madrid 6 febrero 2007 (*Tol 1091051*), luego confirmada por la STS 12 septiembre 2011 (*Tol 2239106*), pueden encuadrarse dentro de una "...*intimidad espuria...*" o, si se prefiere, una "...*intimidad falsa...*"[53]. Es más, como se mencionaba en la última de las sentencias citadas, "...*la intromisión en la intimidad puede resultar agravada precisamente por la falta de veracidad de la información si esta falta de veracidad contribuye a presentar, como en este caso, una situación de los demandantes aún más reservada o sustraída a los ojos de los demás que la situación real*"[54].

---

49 En contra, LACRUZ BERDEJO, J. L. *et. alt.*, *ob. cit.*, p. 97.

50 Entre los autores que consideran que el supuesto recogido en el art. 7.3 LOPDH alude a una intromisión al derecho a la intimidad se encuentran, por ejemplo, MARTÍNEZ DE AGUIRRE ALDAZ, C., *ob. cit.*, p. 283; LACRUZ BERDEJO, J. L. *et. alt.*, *idem*, p. 94.

51 Ello se deduce de la lectura de CHAPARRO MATAMOROS, P., *ob. cit.*, p. 16; JIMÉNEZ, A., "Artículo periodístico edición 24 de mayo de 2023", *El País*, [en línea], (2023), s. p., <https://bit.ly/48599P5> [Consulta: 09/09/2023.]. FRANGANILLO, de forma tímida, liga la intimidad a imágenes que no son veraces. FRANGANILLO, J., *ob. cit.*, p. 5.

52 Respecto al énfasis del término *relativo* del art. 7.3 LOPDH, se agradece la reflexión que nos transmitió oralmente SÁNCHEZ JORDÁN, M.ª E.

53 Por el contrario, según se indica en la STS 12 septiembre 2011 (*Tol 2239106*), el JPI correspondiente terminó por concluir que la intimidad no se veía conculcada.

54 También se indica, con cita de otros pronunciamientos judiciales, en las SSTS 3 noviembre 2015 (*Tol 5555596*) y 9 enero 2018 (*Tol 6559266*). Del mismo modo, la STS 27 noviembre 2014 (*Tol 4561609*) se hace eco del planteamiento expuesto en el texto principal.

Este enfoque es, precisamente, el que ADSUARA[55] propugna reproducir en el campo del Derecho penal, ya que el tipo recogido en el actual 197 CP no parece ser lo bastante flexible como para punir los atentados contra esa intimidad ficticia que se genera a partir de los *deepfakes* en los que el protagonista es un adulto[56]. Como se deduce del trabajo de CHAPARRO MATAMOROS[57], prueba de la afirmación anterior descansa en los razonamientos esgrimidos en la SAP Sevilla 23 febrero 2012 (*Tol 2506171*), de cuya lectura se infiere que el órgano jurisdiccional entendió que la manipulación de un vídeo no podía encuadrarse dentro del tipo relativo al delito de descubrimiento y revelación de secretos.

Así, el primero de los expertos mencionados en el párrafo anterior subraya que habría que tomar como punto de referencia el art. 189.1 CP relativo a la pornografía infantil, el cual establece que también son objeto de persecución "*las imágenes realistas*" de menores[58], esto es, aquellas en la que a los menores se les represente "*...participando en conductas sexuales explícitas, aunque no reflejen una realidad sucedida*"[59].

4. LA ILEGITIMIDAD DE LA INTROMISIÓN

Al haber podido confirmar que el material erótico producido con IA afecta al derecho a la intimidad de las mujeres, se hace necesario abordar ahora de un tema clásico en el campo de estudios de los derechos fundamentales, esto es, el del denominado "*juicio de ponderación*"[60] que, como se indica en la STS 14 marzo 2011 (*Tol 2071678*), "*...exige valorar (...) el peso*

---

55 ADSUARA cuya opinión queda plasmada en el artículo periodístico de LIMÓN, R., *ob. cit.*, s. p.

56 Esta última idea también se insinúa en JIMÉNEZ, A., *ob. cit.*, s. p.

57 CHAPARRO MATAMOROS, P., ob. cit., pp. 1 y ss.; en especial, pp. 7 y ss.

58 ADSUARA cuya opinión queda plasmada en el artículo periodístico de LIMÓN, R., *ob. cit.*, s. p.

59 EM de la LO 1/2015 de modificación del CP. Véanse, asimismo, los puntos 2.3 y 2.5 de la Circular de la Fiscalía General del Estado, de 19 de junio, sobre los delitos de pornografía infantil tras la reforma operada por Ley Orgánica 1/2015. Véase, asimismo, lo señalado en GONZÁLEZ SAN JUAN, J. L., *ob. cit.*, p. 4 y nota al pie núm. 25 de esta misma página donde, además, se hace mención a la citada circular.

60 Se emplea esta expresión en, por ejemplo, STC 30 enero 2012 (*Tol 2433360*). De este modo, una vez se confirma que existe incidencia respecto a un determinado derecho es cuando procede realizar la ponderación. Así, por ejemplo, STS 20 ju-

relativo de los respectivos derechos fundamentales que entran en colisión"[61]. En este sentido, y teniendo en cuenta que en el supuesto que nos ocupa, los derechos en liza parecen ser, de un lado, el tan citado derecho a la intimidad y, de otro, un hipotético derecho a libertad de información [art. 20 d) CE] o, en su caso, de expresión [art. 20 a) CE][62], corresponde, pues, determinar si la incidencia respecto del primero de los bienes jurídicos citados es idónea, necesaria y proporcionada[63].

En definitiva, la tarea anteriormente descrita supone, retomando el esquema de la STS 14 marzo 2011 (*Tol 2071678*), "*...tener en cuenta si la información*" o expresiones manifestadas ostentan "*...relevancia pública o interés general*" o si se refieren a "*...personas que ejerzan un cargo público o una profesión de notoriedad o proyección pública...*"[64].

Por lo que se refiere al interés general, conviene destacar que el art. 8.1 LOPDH ya prevé, como indica MARTÍNEZ DE AGUIRRE[65], un supuesto concreto que diluye las posibles incidencias sobre los derechos de la personalidad al establecer que "*no se reputará, con carácter general, intromisiones ilegítimas (...) cuando predomine un interés histórico, científico o cultural*

---

lio 2011 (*Tol 2247764*). Con respecto a la doctrina, véase, por ejemplo, el trabajo de ORTIZ HERNÁNDEZ, S., *ob. cit.*, p. 17 y 23.

61 Del mismo modo, la STS 20 julio 2011 (*Tol 2247764*).

62 Véase, por ejemplo, STS 12 septiembre 2011 (*Tol 2239106*) o la SAN 1 octubre 2008 (*Tol 5269502*). También ADSUARA, cuya opinión queda plasmada en el artículo periodístico de Limón, R., *ob. cit.*, s. p. Del mismo modo, véase el Considerando 134 del Reglamento de Inteligencia Artificial.
De este modo, los derechos referidos en el texto principal son los que suele chocar el derecho a la intimidad [ej. STS 14 marzo 2011 (*Tol 2071678*)]. Véase, asimismo, CARRILLO, M., *ob. cit.*, pp. 410-412; MARTÍNEZ DE AGUIRRE ALDAZ, C., *ob. cit.*, pp. 266 y 290; LACRUZ BERDEJO, J. L. *et. alt.*, *ob. cit.*, pp. 92, 97 y 102. Debe tenerse en cuenta que tendremos que atender a las circunstancias del supuesto para saber si el derecho con el que tropieza la intimidad es el derecho a la libertad de expresión o, en su caso, el derecho a la información. Sobre su distinción, véase, por ejemplo, STS 20 julio 2011 (*Tol 2247764*); SSTC 27 abril 2010 (*Tol 1841505*) y 18 noviembre 2013 (*Tol 4036317*). También, por ejemplo, MARTÍNEZ DE AGUIRRE ALDAZ, C., *idem*, p. 291; CARRILLO, M., *ob. cit.*, p. 409.

63 Por citar algún ejemplo jurisprudencial, STC 30 enero 2012 (*Tol 2433360*) (respecto al derecho de información). Desde un punto de vista doctrinal, ORTIZ HERNÁNDEZ, S., *ob. cit.*, pp. 9, 10, 16, 17, 23.

64 Este mismo esquema sigue, por ejemplo, CARRILLO, M., *ob. cit.*, p. 409. Véase, asimismo, MARTÍNEZ DE AGUIRRE ALDAZ, C., *ob. cit.*, p. 292.

65 MARTÍNEZ DE AGUIRRE ALDAZ, C., *idem*, pp. 280 y 284.

relevante". Siendo necesario reconocer que, como se señala en la sentencia arriba citada[66], así como en el trabajo del autor anteriormente mencionado, este tipo de juicios requieren de un análisis particular[67], entendemos que la revelación de una escena pornográfica creada de forma artificial y sin consentimiento de quien aparece en la misma no se corresponde con ese interés general y ello aún admitiendo que, a pesar de la dicción de la norma, la jurisprudencia considera que este no siempre ha de versar sobre aspectos elevados de la ciencia, la historia o la cultura (legitimidad de los medios sensacionalistas)[68].

Así, aunque desde la perspectiva del derecho al honor, RAMÓN FERNÁNDEZ advierte que en materia de *deepfakes* es vital atender a la meta que se persigue con su publicación[69]. Esta afirmación conecta, desde luego, con un razonamiento esgrimido por el TC acerca de los fotomontajes tradicionales que fue destacado por CHAPARRO MATAMOROS[70], pues, en palabras del máximo intérprete de la Constitución, "*...en ocasiones la manipulación satírica de una fotografía puede obedecer a* intenciones *que no gozan de relevancia constitucional suficiente para justificar la afectación del derecho reconocido en el art. 18.1 CE, por venir desvinculadas de los objetivos democráticos...*"[71].

Como se infiere de la lectura de VEGA-LOZADA[72], con la difusión de la pornografía artificial la parte no ofendida persigue resultados que, en

---

66 STS 14 marzo 2011 (*Tol 2071678*). También, STS 20 julio 2011 (*Tol 2247764*)

67 Véase MARTÍNEZ DE AGUIRRE ALDAZ, C., *idem*, p. 291.

68 Aunque en ellas no se hace referencia a la IA, estas conclusiones se extraen de la lectura de, por ejemplo, la STS 12 septiembre 2011 (*Tol 2239106*) y la STC 18 noviembre 2013 (*Tol 4036317*). Así, *mutatis mutandi*, hacemos nuestras las palabras del escrito de impugnación del recurso de casación presentado por la parte demandante en la STS 14 marzo 2011 (*Tol 2071678*), donde se puso de manifiesto que "*...es evidente que la imagen desnuda del recurrido en nada contribuye a la formación de la opinión pública...*".
Sobre el consentimiento, aunque refiriéndose al derecho a la imagen y al derecho al honor, véase, por ejemplo, GONZÁLEZ SAN JUAN, J. L., *ob. cit.*, p. 3 nota al pie núm. 23 y p. 5 nota al pie núm. 32. De forma general, respecto al empleo de IA, por ejemplo, WAGNER T. L. and BLEWER, A., *ob. cit.*, pp. 37 y 38.

69 RAMÓN FERNÁNDEZ, F., *ob. cit.*, p. 3774. Sobre este particular, véase, asimismo, FRANGANILLO, J., *ob. cit.*, p. 5. Aunque respecto de otro bien jurídico, se hace especial alusión al objetivo que se persigue con la publicación del material en, por ejemplo, SAN 1 octubre 2008 (*Tol 5269502*).

70 CHAPARRO MATAMOROS, P., *ob. cit.*, p. 12 nota al pie núm. 28.

71 STC 27 abril 2010 (*Tol 1841505*). El subrayado es nuestro.

72 VEGA-LOZADA, F., *ob. cit.*, pp. 2 y 3.

nuestra opinión, se oponen rotundamente a ese interés general. Así, como señala el mencionado autor, entre estos móviles pueden encontrarse la porno-venganza[73] o la explotación económica[74], a lo cual se podrían añadir otros, como, por ejemplo, la propia sexualización de la mujer[75] o las mofas machistas[76].

Lo mismo podría afirmarse respecto del espectador del material, cuyo interés estaría teñido, como viene a indicar CHAPARRO MATAMOROS para el caso tradicional de montaje[77], de un lado, por un ánimo sexual[78] o, de otro, por lo que el TS califica expresamente como una "*curiosidad malsana*"[79].

En cuanto al nivel de notoriedad de la víctima, no parece que una mujer deba soportar ver su cuerpo reproducido artificialmente en una actitud erótica por el mero hecho de ser famosa[80]. Así, creemos, siguiendo parte

---

73 Por ejemplo, VEGA-LOZADA, F., *idem*, pp. 2 y 3. También GONZÁLEZ SAN JUAN, J. L., *ob. cit.*, pp. 4 y 7; KARNOUSKOUS, S., *ob. cit.*, p. 143.

74 Por ejemplo, VEGA-LOZADA, F., *idem*, pp. 2 y 3. *Mutatis mutandi*, por ejemplo, STC 27 abril 2010 (*Tol 1841505*); STS 12 septiembre 2011 (*Tol 2239106*). Así, por ejemplo, en la STS 24 julio 2008 (*Tol 1366385*) se indica que "*…como bien pone de relieve el Ministerio Fiscal en su escrito de impugnación, esta Sala no viene considerando de interés general o relevancia pública lo que no tiene interés histórico, científico o cultural relevante, sino que sólo satisface la curiosidad humana por conocer la vida de otros, o ánimo de lucro por quien obtiene o difunde la información*".

75 *Mutatis mutandi*, CHAPARRO MATAMOROS, P., *ob. cit.*, pp. 12, 13 y 15.

76 Aunque a colación del análisis de otros bienes jurídicos, esta idea se extrae de la lectura del FJ 5º de la ya citada STC 27 abril 2010 (*Tol 1841505*), que trató un caso relativo a un fotomontaje. Sin realizar ninguna referencia al género y ocupándose de la tutela de otros derechos fundamentales en un supuesto de montaje fotográfico, véase, asimismo, la STS 20 julio 2011 (*Tol 2247764*); en concreto, el FJ 4º donde se utiliza la expresión "instrumento de escarnio".

77 CHAPARRO MATAMOROS, P., *ob. cit.*, pp. 12, 13, 15.

78 CHAPARRO MATAMOROS, P., *idem*, pp. 12, 13, 15.

79 Por citar un ejemplo, *mutatis mutandi*, STS 7 marzo 2006 (*Tol 856099*). Véase, CHAPARRO MATAMOROS, P., *idem*, pp. 12, 13, 15.
Véase, asimismo, por ejemplo, MARTÍNEZ DE AGUIRRE ALDAZ, C., *ob. cit.*, p. 293. Respecto al derecho a la propia imagen, véase, por ejemplo, CARRILLO, M., *ob. cit.*, p. 417. Del mismo modo, téngase en cuenta el texto de la STS 24 julio 2008 (*Tol 1366385*) transcrito más arriba.

80 Aunque para un caso distinto, se llega a la misma conclusión (la notoriedad no suprime el derecho a la intimidad) en, por ejemplo, SSTS 12 septiembre 2011 (*Tol 2239106*), 7 noviembre 2014 (*Tol 4561609*) y 3 noviembre 2015 (*Tol 5555596*) y STC 18 noviembre 2013 (*Tol 4036317*). Sobre este particular, véase también, por

de las argumentaciones expuestas en resoluciones como las SSTS 27 noviembre 2014 (*Tol 4561609*)[81] y 12 septiembre 2011 (*Tol 2239106*) y en contra de los razonamientos plasmados en, por ejemplo, la STS 12 junio 2009 (*Tol 1554275*), que en el siglo XXI el cuerpo desnudo de una mujer no debería ser objeto de noticia ni aún reconociendo la constitucionalidad de los medios de comunicación que podrían calificarse, como indicamos más arriba, como sensacionalistas[82].

5. CONCLUSIONES

Primera.– La respuesta que da el Derecho civil a la intromisión de los derechos de la propia imagen, al honor y a la protección de datos de las titulares a partir de la difusión de pornografía artificial no autorizada debe ser la misma que la que dieron nuestros tribunales acerca de la cuestión de la composición de fotomontajes no consentidos.

Segunda.– Aún cuando la escena erótica no pueda ser calificada como real, el material pornográfico creado con inteligencia artificial ha de encuadrarse dentro de la esfera de lo íntimo.

---

ejemplo, MARTÍNEZ DE AGUIRRE ALDAZ, C., *idem*, pp. 292 y 293; CARRILLO, M., *ob. cit.*, p. 409.

Ya se ha señalado de forma reiterada en supuestos en los que la imagen era real (no artificial). Por citar algún ejemplo, véase la STS 24 mayo 2010 (*Tol 1888859*). Con cita jurisprudencial, véase, asimismo, CALLEJO CARRIÓN, S., *ob. cit.*, pp. 4, 5, 7, 9, 1; CARRILLO, M., *idem*, p. 415.

También nos apoyamos *mutatis mutandi* en alguna de las apreciaciones vertidas en, por ejemplo, la STC 27 abril 2010 (*Tol 1841505*).

81 En la mencionada sentencia se señala que por mucho que existan medios dedicados al cotilleo ello no equivale a que una persona famosa deba ver expuesta su vida sexual.

82 En la sentencia se llega a afirmar que "*...no admitir más interés informativo que el general y no reconocer (...) la existencia de un interés propio de los medios pertenecientes al género frívolo, de entretenimiento o espectáculo, plenamente admitido por los usos sociales, para el que puede ser noticia el físico de una reconocida modelo que, además, fue Miss España...*". CALLEJO CARRIÓN sostiene que el acto de tomar el sol en toples con la pareja parece formar parte de la privacidad. CALLEJO CARRIÓN, S., *ob. cit.*, p. 10. Sobre el género sensacionalista, véanse, por ejemplo, las SSTS 12 junio 2009 (*Tol 1554275*) y 27 noviembre 2014 (*Tol 4561609*). También CALLEJO CARRIÓN, S., *idem*, p. 4. De forma más tímida, por ejemplo, STS 14 marzo 2011 (*Tol 2071678*).

Tercera.– La difusión de *deepfakes* pornográficos implica una intromisión ilegítima en el derecho a la intimidad de las mujeres que aparecen reflejadas en el material creado con IA, ya que esta acción no está dotada de interés ni queda amparada por la notoriedad que puedan tener aquellas.

6. BIBLIOGRAFÍA

CALLEJO CARRIÓN, S., "Los desnudos, el Tribunal Supremo y el derecho a la propia imagen. A propósito de las SSTS de 18, 24 y 28 de noviembre de 2008", *Diario La Ley*, 7172, 12 de mayo de 2009. (Versión online).

CARRILLO, M., "Comentario al artículo 18.1", en *Comentario a la Constitución española. 40 aniversario 1978-2018. Libro-Homenaje a Luis López Guerra*. Tomo I (Preámbulo a artículo 96) (dirs. PÉREZ TREMPS, P. y SAIZ ARNAIZ, A.), Tirant Lo Blanch, Valencia, 2018.

CHAPARRO MATAMOROS, P., "El delito de descubrimiento y revelación de secretos (a propósito de un caso de vídeo-montaje). Comentario a SAP Sevilla núm. 102/2012, de 23 de febrero (ARP 2012, 365)", *R.D.N.T.*, 30, 2012. (Versión online).

DÍAZ CORTÉS, L. M., *El sexting secundario entre menores: bien jurídico y respuesta penal*, Aranzadi, Cizur Menor, 2019.

GONZÁLEZ SAN JUAN, J. L., "Vídeos deepfakes y sus problemas jurídicos", *Derecho digital y nuevas tecnologías* (dirs. MADRID PARRA, A. y ALVARADO HERRERO, L.), Aranzadi, 2022. (Versión online).

FRANGANILLO, J., "Contenido generado por inteligencia artificial: oportunidades y amenazas", *Anuario ThinkEPI*, 15, 2022.

JIMÉNEZ, A., "Artículo periodístico edición 24 de mayo de 2023 ", *El País*, [en línea], (2023), s. p., <https://bit.ly/48599P5> [Consulta: 09/09/2023.]

KARNOUSKOUS, S., "Artificial Intelligence in Digital Media: The Era of Deepfakes", *IEE Transactions on Technology and Society*, vol. I, 3, 2020.

LACRUZ BERDEJO, J. L. *et. alt.*, *Elementos de Derecho civil*, Tomo I Parte General Volumen II Personas, 6ª ed. revisada y puesta al día por DELGADO ECHEVARRÍA, J., Dyskinson, Madrid, 2010.

LIMÓN, R., "Artículo periodístico edición 19 de marzo de 2023", *El País* [en línea], (2023), s. p., <https://bit.ly/3ruhwTH > [Consulta: 09/09/2023.]

MARTÍNEZ DE AGUIRRE ALDAZ, C., "Los derechos de la personalidad", en *Curso de Derecho civil*, Tomo I Volumen II Derecho de la persona (coord. DE PABLO CONTRERAS, P.), 7ª ed., Edisofer, 2021.

ORTIZ HERNÁNDEZ, S., "El derecho a la intimidad personal y la intimidad corporal", *Revista Aranzadi Doctrinal*, 1, enero 2023. (Versión online).

RAMÓN FERNÁNDEZ, F., "Inteligencia artificial y los derechos en torno a la creación y a la imagen", *A. J. I.*, núm. Extra 16, 2022.

VEGA-LOZADA F., "Inteligencia artificial y ciberviolencia de género: el caso de la pornografía no consentida", *Derecom*, 31, 2021.

WAGNER T. L. and BLEWER, A., "´The World Real Is No Longer Real: Deepfakes, Gender, and the Challenges of AI-Altered Video", *Open information Science*, 3, 2019.

7. JURISPRUDENCIA

Tribunal Constitucional

STC 14 febrero 1992 (*Tol 80635*).

STC 29 septiembre 1997 (*Tol 80774*).

STC 27 abril 2010 (*Tol 1841505*).

STC 30 enero 2012 (*Tol 2433360*).

STC 18 noviembre 2013 (*Tol 4036317*).

STC 25 febrero 2019 (*ECLI: ES: TC: 2019: 24*).

STC 25 febrero 2019 (*Tol 7111100*).

Audiencia Nacional

SAN 1 octubre 2008 (*Tol 5269502*).

Tribunal Supremo

STS 7 marzo 2006 (*Tol 856099*).

STS 24 julio 2008 (*Tol 1366385*).

STS 12 junio 2009 (*Tol 1554275*).

STS 24 mayo 2010 (*Tol 1888859*).

STS 14 marzo 2011 (*Tol 2071678*).

STS 20 julio 2011 (*Tol 2247764*).

STS 12 septiembre 2011 (*Tol 2239106*).

STS 27 noviembre 2014 (*Tol 4561609*).

STS 3 noviembre 2015 (*Tol 5555596*).

STS 9 enero 2018 (*Tol 6559266*).

Audiencias Provinciales

SAP Madrid 6 febrero 2007 (*Tol 1091051*).

SAP Sevilla 23 febrero 2012 (*Tol 2506171*).

La soledad de envejecer en una sociedad digitalizada[*]

MARÍA ELENA COBAS COBIELLA
Profesora Titular de Derecho Civil
Facultad de Derecho
Universidad de Valencia. España

1. PRESENTACIÓN DEL TEMA

La aparición de Internet ha cambiado el mundo, es una de las revoluciones si no la mayor de las últimas décadas y afecta a todas las personas. Es un fenómeno masivo, imparable y casi incontrolable, a pesar de los ingentes esfuerzos de control y protección normativa. Nos ha transformado a todos y fundamentalmente la forma de relacionarnos, haciendo factible una comunicación y publicidad al instante, a pesar de las distancias con un alcance a todos los públicos, con independencia de la edad, el entorno familiar y las condiciones de vida. Se está en presencia de un mundo virtual que no se toca, pero que existe.

Este panorama incluye a toda la sociedad y dentro de ella, a las personas de edad avanzada, algunas nacidas antes de la revolución digital, y otras nacidas con ella, con las consiguientes problemáticas, de una población envejecida por una parte y por otro lado el galopante desarrollo tecnológico y de la sociedad de la información.

La vejez es un naufragio dice la literatura francesa[1], porque es larga y solitaria, sobre todo en la actualidad que la prolongación de la vida humana constituye uno de los fenómenos más importantes de nuestro tiempo, dada la calidad y el aumento de la esperanza de vida, favorable, por una parte, pero que conlleva retos por otro lado como puede ser la salud, la soledad, la actitud frente a la jubilación entre otras cuestiones.

---

* Este trabajo se realiza como parte del Proyecto Prometeo CIPROM/2022/67 titulado: "Los datos como bien patrimonial: uso y protección en el mercado digital único".

1 Vid. MALAURIE P et AYNÉS L., *Les personnes. La protection des mineurs et des majeurs.* Séptima Edición, Lextenso Edición, Collection Droit Civil, 2014, p. 292.

Sería muy pesimista este planteamiento de la vejez dicho así, téngase en cuenta que precisamente esta extensión de la vida del ser humano en la actualidad hace que se hable de envejecimiento activo, que conlleva la necesidad de valorar todas las aportaciones y experiencias de las personas por una parte y por otra, la creación de una red de mecanismos e instrumentos de integración social que permiten paliar la soledad y la pérdida en muchos casos de amigos, la jubilación y este nuevo momento en la vida de las personas, dentro del cual la participación en la sociedad digitalizada es imprescindible.

La transición a la sociedad de la información, caracterizada por el flujo de la información y los cambios vertiginosos de la tecnología conduce a nuevos paradigmas y afecta a toda la población con independencia de la edad, pero en la medida que envejecemos el desafío que se presenta no es desdeñable y tampoco debemos ignorarlo ni soslayarlo, porque afecta la economía, el derecho, la forma de hacer política y las relaciones sociales e interpersonales.

La incorporación de internet a la vida cotidiana, agudizado en la época de la pandemia propició la gestión de trámites, el acceso a la sanidad (e-salud), la educación (e-educación), el teletrabajo, el uso de la banca electrónica y el creciente consumo de bienes y servicios a través de internet (e-. comercio). Ello ha dado lugar a un número de retos para toda la sociedad, pero en especial para aquel sector de la población de edad más avanzada, que se encontró abocada a un nuevo marco de relación y de interacción social sin precedentes. Con afectaciones en la salud tanto física como mental, acrecentando la dependencia al entorno familiar en algunos casos y en otros a la buena voluntad del entorno más cercano, generando por demás verdadera angustia de enfrentarse a lo desconocido.

Envejecer en una sociedad digitalizada conlleva algunos desafíos, retos o problemas que como mínimo marcan algunas pautas necesarias a tener en cuenta, con vistas a un debate tanto presente como futuro.

El primero de los retos es el tratamiento de la edad y la problemática del edadismo, no solo en el ámbito de la digitalización, sino también en relación con la visión y el trato que la sociedad otorga a las personas mayores[2].

El segundo problema es la digitalización de la sociedad actual, vertiginosa y apabullante, que plantea la cuestión de la adaptación y sometimien-

---

2 La referencia es en concreto a personas de edad avanzada, no a la mayoría de edad.

to por llamarlo de alguna manera a este paradigma que invade todos los espacios de la vida cotidiana.

La tercera problemática es si es un derecho o es una obligación aceptar la digitalización, so pena de ser víctima de una exclusión social con consecuencias jurídicas o si a contrario sensu debemos preservar y mantener un espacio libre de herramientas tecnológicas para aquellas personas que quieran utilizar los mecanismos habituales empleados toda la vida para acceder a los servicios más cotidianos, como los bancos, la sanidad, la tramitación de documentación etc. Téngase en cuenta en este orden de cosas, que alguna vez se han oído decir expresiones como que las personas mayores que bien se manejan con Internet, tienen Facebook y otras lindezas y opiniones que ya demuestran la discriminación en este tema.

La cuestión de las redes como entretenimiento no es un problema, la complejidad viene y el tema se hace más espinoso cuando para hacer trámites administrativos, o médicos entre otros hay que pasar por las aplicaciones informáticas. Que son cada vez más y son fáciles para quien controla que no son todos y para quienes no controlan una auténtica pesadilla.

El cuarto reto es la necesidad de crear mecanismos que faciliten la integración de las personas en el uso de Internet y las nuevas tecnologías, garantizando, asimismo, un acceso sencillo y universal a las mismas.

Téngase en cuenta que debe haber siempre una prevalencia tanto de los derechos fundamentales de la persona[3], así como de la autonomía de la voluntad, como principio rector del derecho civil que debe ser tomado en consideración al abordar un tema tan acuciante —aunque no el único— con el que se enfrenta las personas de una edad avanzada. Por tanto y partiendo de este principio, en orden a la digitalización del mundo actual, caben algunas interrogantes, las cuales no serán posible resolver en un estudio teórico, pero si permiten reflexionar sobre ellas, porque las soluciones más que jurídicas, son sociales, educativas, políticas y económicas.

Entre algunas cuestiones tenemos: ¿Es la edad un agravio comparativo en estos temas? ¿Debe considerarse una obligación digitalizarnos? O si contrario sensu ¿Es una facultad o un derecho opcional de elección de la

---

[3] Vid. PLAZA PENADÉS, J., " Principios jurídicos básicos de la inteligencia artificial y el Big Data", en *Los nuevos retos de los derechos digitales*, RAMÓN FERNÁNDEZ, F. (coord.), Tirant Lo Blanch, 2022, pp. 33-34.

forma en que nos desenvolvemos en la vida cotidiana? ¿Cómo desarrollar la llamada inclusión digital?

El tema es complejo, porque a la par que la sociedad actual envejece más lentamente, hay mayor calidad de vida, el mundo es no sólo cada vez más globalizado, sino también más digital, con un flujo de información delirante. El derecho por su parte se ha ocupado históricamente de la edad desde otra perspectiva, la minoría de edad, el tránsito a la mayoría de edad, la capacidad etc, pero nunca la edad avanzada, o la senilidad como un impedimento jurídico para acceder a los actos y negocios jurídicos.

El objetivo de este trabajo es llamar a la reflexión sobre una problemática actual, con trascendencia de futuro.

2. EL TRATAMIENTO DE LA EDAD. LA CUESTIÓN DEL EDADISMO

El Derecho civil que se ocupa de la persona, tiene en cuenta dos grandes elementos que condicionan el estado civil, la edad y la capacidad. El derecho trata la minoría de edad, no así la edad en orden al envejecimiento; habida cuenta que no es posible ubicar un límite de edad en cuanto al desenvolvimiento de la persona y la capacidad de autogobierno; razón por la cual una edad avanzada no constituye causa para limitar la capacidad de una persona como ya he señalado en otros trabajos[4].

El envejecimiento es un proceso que en las últimas décadas se ha ralentizado, que es una cuestión que debe imperar en cualquier análisis. En cualquier caso la ancianidad ha de verse como un estadio de la vida diferente y dependerá de cada persona, de la genética, del estilo de vida e incluso del lugar donde ha nacido, razón por la cual para los legisladores resulta muy complejo establecer límites y que por demás no los veo ni prudentes ni necesarios.

---

[4] "Las personas tanto menores como mayores de edad son sujetos de derechos y deberes de forma tal que la disminución de las capacidades cognitivas como consecuencia del envejecimiento no impide que la persona pueda seguir ostentando su autonomía de la voluntad y su capacidad de decisión, porque la edad y el deterioro no constituyen causas de incapacitación". Vid. COBAS COBIELLA, M.E., "El derecho ante el envejecimiento", *Revista de Derecho, Empresa y Sociedad (REDS)*, No 14, 2019, p. 21.

Por ello debe percibirse como una etapa en que si se requiere apoyo se ofrece, pero desde el respeto a la dignidad de la persona y al libre albedrío que es lo que dignifica al hombre, ya que como señala la doctrina francesa: " la vejez es la causa frecuente de la incapacidad, pero no entraña en sí misma la alteración de las facultades ni la dependencia. Se trata de un proceso biológico que termina en la muerte, pero que es extraordinariamente diverso"[5].

Téngase además en cuenta que con la aprobación de la Ley 8/2021, de 2 de junio se ha producido un cambio absoluto y total en esta temática, y aunque se centra en personas con discapacidad y la edad no es un argumento sostenible en este sentido[6], cabe puntualizar que el ofrecer cobertura a la persona y a la autonomía de la voluntad beneficia a la generalidad de personas porque aparta el sistema de protección tal como se señala en la norma, produciendo un cambio estructural en el sistema jurídico, ya que sustituye la toma de decisiones que afectan a las personas con discapacidad, por otro basado en el respeto a la voluntad y las preferencias de la persona quien, como regla general, será la encargada de tomar sus propias decisiones[7].

La nueva normativa como explica la doctrina, no sólo excluye la posibilidad de limitar la capacidad de las personas, esto es un referente, pero sobre todo aclara que las medidas de protección tienen como finalidad permitir el desarrollo pleno de la personalidad, sobre el respeto, la dignidad de la persona y teniendo en cuenta el cumplimiento de determinados principios: el de necesidad y el de proporcionalidad[8].

---

5 MALAURIE et AYNÉS., *Les personnes. La protection des mineurs et des majeurs,* op. cit., p. 292.

6 Las personas tanto menores como mayores de edad son sujetos de derechos y deberes de forma tal que la disminución de las capacidades cognitivas como consecuencia del envejecimiento no impide que la persona pueda seguir ostentando su autonomía de la voluntad y su capacidad de decisión, porque la edad y el deterioro no constituyen causas de incapacitación", COBAS COBIELLA, M.E., "El derecho ante el envejecimiento", *Revista de Derecho, Empresa y Sociedad (REDS)*, op. cit., p. 22.

7 BOE, núm. 132, de 3 de junio de 2021.

8 Vid. BARBA, V., "Capacidad para otorgar testamento, legitimarios y protección de la persona con discapacidad", en *La reforma civil y procesal de la discapacidad. Un tsunami en el ordenamiento jurídico,* La *Ley, Derecho de Familia,* en GARCÍA RUBIO, M.P, (coord.), Editorial Wolters Kluwer, N. ° 31, de 1 de julio de 2021, p. 3.

Ahora bien, todo este análisis sería idílico, si no se ubicara en un contexto determinado, ya que es casi imposible ignorar la cuestión del edadismo que está cada vez más presente en la sociedad. Al vivir más las personas y con mayor calidad era cuestión de tiempo que aparecieran estas cuestiones, porque de la misma forma que la Revolución industrial fue un salto al desarrollo, la Revolución digital también lo es y en este nuevo panorama hay distinciones entre los que han nacido con internet (nativos digitales) y los que no han nacido con las nuevas tecnologías.

El edadismo es un término acuñado del inglés por Robert Butler en la década de los 60 para referirse a los estereotipos y prejuicios existentes en relación a la edad, que afecta tanto a los jóvenes como a las personas mayores. Descrito por un conjunto de investigadores y expertos de la OMS (2021), de cómo una determinada colectividad, grupo o individuos, piensan (que estereotipos perciben), sienten (que prejuicios expresan) y actúan (cómo discriminan a un sector de la población) hacia otras personas por razón de la edad[9].

Téngase en cuenta, que como señala el Informe mundial sobre el edadismo, la edad es una de las primeras cosas que observamos en otras personas. El edadismo surge cuando la edad se utiliza para categorizar y dividir a las personas por atributos que ocasionan daño, desventaja o injusticia, y menoscaban la solidaridad intergeneracional.

El edadismo adopta diferentes formas a lo largo del curso de la vida y surge cuando se utiliza la edad para clasificar y dividir a las personas de una forma que comporta un daño, desventaja o injusticia, y que erosiona los vínculos intergeneracionales, encontrando un gran aliado en el lenguaje[10].

---

9 Versión oficial en español de la obra original en inglés Global report on ageism © World Health Organization, 2021 (electronic version) Informe mundial sobre el edadismo© Organización Panamericana de la Salud, 2021.Vid. FERNÁNDEZ BALLESTEROS, R, y HUICI CASAL, C., El edadismo. Una amenaza para las personas mayores", en *Los Derechos de los mayores, Tiempo de Paz, Revista 145*, 2022, p. 30.

10 "El lenguaje transmite significados y puede fomentar ideas erróneas que pueden conducir al edadismo. Algunas palabras como "anciano", "viejo" o "senil" remiten a estereotipos que hacen pensar que las personas mayores son siempre frágiles y dependientes, y se emplean a menudo en un sentido peyorativo. De manera análoga, la palabra "infantil" remite al estereotipo de que las personas jóvenes son inmaduras. En este informe se usa un lenguaje neutro al hacer referencia a las personas y los grupos, como los términos "persona mayor" y "persona joven". Cfr Informe mundial sobre el edadismo, cit., p. 13.

En cualquier caso, perjudica la salud y la integración de las personas en la sociedad actual, ya no sólo industrializada sino también digitalizada y constituye un obstáculo nada desdeñable para la formulación de políticas eficaces y la adopción de medidas relativas al envejecimiento saludable, tal como reconocieron los Estados Miembros de la Organización Mundial de la Salud (OMS) en la Estrategia y plan de acción mundiales sobre el envejecimiento y la salud y mediante la Década del Envejecimiento Saludable 2021-2030[11].

Cuestión que habrá que tener en cuenta en los análisis del envejecimiento de las personas en una sociedad cuya digitalización extrema es un factor negativo no sólo en la integración de las personas sino que además puede ser un importante motivo de exclusión, de fomento de estereotipos y hasta de marginalidad, porque como se señala el citado Informe sobre el edadismo, a nivel mundial, una de cada dos personas son edadistas contra las personas mayores.

El Informe por su parte analiza el impacto de la tecnología y aunque se considera prometedora para mejorar las vidas de las personas mayores, se ha abierto una brecha digital entre personas jóvenes y de edad más avanzada que se debe en parte al edadismo[12]. Así por ejemplo, es posible que las personas mayores interioricen el estereotipo de que no son capaces de dominar la tecnología ni siquiera intenten adoptarla[13]. Los estereotipos edadistas pueden explicar también por qué las personas mayores rara vez

---

[11] La Asamblea General de las Naciones Unidas declaró el periodo 2021-2030 como la Década del Envejecimiento Saludable y pidió a la OMS que se encargara de liderar su puesta en práctica. La Década del Envejecimiento Saludable de las Naciones Unidas es un proyecto de colaboración a escala mundial que pretende aunar los esfuerzos de los gobiernos, la sociedad civil, los organismos internacionales, los profesionales, el mundo académico, los medios de comunicación y el sector privado para llevar a cabo una acción concertada, catalizadora y colaborativa a lo largo de 10 años orientada a promover vidas más largas y saludables.

[12] CUTLER SJ. Ageism and technology. Generations. 2005; 29(3): 67-72. MANNHEIM I, SCHWARTZ E, XI W, BUTTIGIEG SC, MCDONNELL-NAUGHTON M, WOUTERS EJM, et al. Inclusion of older adults in the research and design of digital technology. *Int J Environ Res Public Health.* 2019; 16(19): 3718. https: //doi.org/10.3390/ijerph16193718. MCDONOUGH C. The effect of ageism on the digital divide among older adults. *J Gerontol Geriatr Med.* 2016; 2: 1-7. https: //doi.org/10.24966/GGM-8662/100008

[13] MCDONOUGH C. The effect of ageism on the digital divide among older adults; 2: 1-7. https: //doi.org/10.24966/GGM-8662/100008.

forman parte de los grupos de discusión en los que se evalúa el diseño de las nuevas tecnologías digitales[14].

3. LA SOLEDAD DE ENVEJECER EN UNA SOCIEDAD DIGITALIZADA

La era digital ofrece oportunidades, pero también importantes desafíos y retos, para las personas con independencia de la edad. La interrogante central es ¿cómo es posible envejecer en una sociedad tan digital?

La primera cuestión es que la edad no debería ser un problema de distinción, ni de discriminación, sin embargo es casi imposible vencer este reto, es cierto que, cada época tiene sus habilidades, sus bondades, de ahí que es complejo pero no imposible que las personas de edad avanzada puedan utilizar con excelencia las nuevas tecnologías, por supuesto hay excepciones como en todos los temas, pero lo vertiginoso de las aplicaciones y de las redes dificultan como mínimo un determinado nivel, que no sea básico. No es imposible pero la brecha digital cabe señalar es un elemento a tener en cuenta. La edad en estos casos es un agravio comparativo a mi pesar.

Ello lleva, por tanto, a la consideración de que —partiendo de las bondades de la autonomía de la voluntad y del nuevo protagonismo que esta ha adquirido últimamente— la digitalización no debe ser una obligación. Debe entenderse, más bien, como una oportunidad de crecimiento, una vía para comunicarnos de forma distinta, ampliar nuestro círculo social y acceder a la información de manera más ágil y sencilla. En definitiva, una opción más.

La autonomía de la voluntad, —la cual siempre he defendido[15]—, debe ser el principio rector de estos temas, no sólo como eje del derecho civil,

---

14 MANNHEIM I, SCHWARTZ E, XI W, BUTTIGIEG SC, MCDONNELL-NAUGHTON M, WOUTERS EJM, et al, 2019; 16(19): 3718, op. cit., Vid. Informe sobre el edadismo, p. 32.

15 "Identificada tradicionalmente como el poder de la persona de autodeterminación y autorregulación, lo cual supone un ámbito de decisión y de actuación en el plano jurídico, relacionada con la libertad y la dignidad de las personas, que son las que posibilitan, que cada persona sea un mundo, y que en el ámbito del Derecho civil se traduzca en la libertad que tiene el individuo de elegir su propia norma, y la aplicación de la misma. Constituye siempre un poder del cual gozan los particulares frente a los poderes públicos y al resto de los particulares y demás titulares de derechos subjetivos, bajo la protección constitucional, al tratarse de

sino porque constituye el baluarte de la independencia de las personas en cualquier marco de actuación.

En este sentido debería existir el derecho de no digitalizarse que implica además evitar la exclusión social o institucional por no participar en actividades digitales, es decir que las personas mayores y en general todas las personas deberían poder acceder a servicios, información o apoyo sin ser forzados a usar la tecnología si no lo desean. Asimismo, es necesario ofrecer alternativas y vías de utilización presenciales o no tecnológicas para quienes prefieren ese tipo de interacción.

Pero ello requiere un conjunto de estrategias inclusivas que respeten la opción de no digitalizarse, para ello es esencial que las políticas públicas y los servicios ofrecidos a las personas mayores no se limiten solo al ámbito digital. La digitalización debe ser una opción, pero nunca debe reemplazar las opciones tradicionales. Es importante seguir desarrollando canales de comunicación que consideren las necesidades de todos, sin imponer la digitalización como única alternativa.

La persona debe decidir como parte de su autonomía individual su relación con la tecnología y su uso debe adaptarse al ritmo de cada individuo y a sus circunstancias y capacidades, sobre todo porque las personas mayores forman parte de una generación o generaciones distintas que no crecieron tecnológicamente sino analógicamente, de ahí que el proceso no puede ser forzoso, sino paulatino.

La tecnología está al servicio de la humanidad y no al revés, el equilibrio entre humanidad y digitalización es necesario. Es una herramienta más, pero no la única y, sin olvidar que la ha creado el hombre.

De ahí que deba ser entendida como un derecho, pero de carácter opcional; una decisión sobre cómo queremos vivir y desenvolvernos en la vida cotidiana. La persona no debe ser objeto de una colonización digital, es un sujeto de derecho, no un objeto o instrumento de las tecnologías. Tampoco debería ser considerado un analfabeto digital, que por otra parte es

una manifestación de la libertad de la persona, la cual es reconocida por el art 1.1 de la CE a tenor del artículo 10". Vid. COBAS COBIELLA, M.E., "La mediación y la autonomía de la voluntad. Notas introductorias sobre la cuestión ", *en Mediación en el ámbito civil, familiar penal e hipotecario: cuestiones de actualidad*, ORTEGA GIMÉNEZ, A y COBAS COBIELLA, M.E, (coords.), Economist&Jurist, Difusión Jurídica, 2013, p. 83.

un término bastante despectivo, ya que todos en general somos ignorantes respecto de algo.

En resumen, el derecho a decidir como interactuar con la digitalización es de todas las personas, pero en el caso de las personas mayores con más ahínco. Es necesario ofrecer herramientas que permitan que las personas accedan con facilidad y garantizar en todo caso que aquellos cuya elección sea no formar parte del mundo digitalizado no se vean invisibilizados.

La influencia que puede tener frente a la vejez es de facilitación, de aprendizaje, pero de forma voluntaria, evitando convertir las herramientas que ofrece internet en algo que obligatoriamente sea la única vía de acceso a la información y a la tramitación de las necesidades comunes de las personas. Si bien durante la pandemia facilitó muchas cuestiones, enseñanza, acceso a la salud en muchos supuestos o la forma de no estar tan aislados, pero ponderadamente. Sólo hay un Robinson Crusoe porque las personas necesitan la comunicación y a la sociedad.

No es posible obviar en esta reflexión las ventajas y desventajas que para las personas mayores tiene internet y la digitalización.

Las plataformas digitales facilitan la conectividad, porque permiten el contacto entre personas, familiares, amigos que incluso pueden vivir en otros continentes, reduciendo la llamada fragilidad relacional, porque se llega a crear una comunidad digital que permita a las personas participantes estar en contacto con gente de su edad, compartir intereses y actividades[16], mejorando de esta forma la comunicación y facilita la coordinación tanto a nivel personal como para la profesión.

Por otra parte, el acceso a la información se ha democratizado, es posible con mesura aprender muchas cosas, y tener un mayor entrenamiento, siempre que se tenga en cuenta que en las redes no toda la información es lo suficientemente fiable. Hay un sinfín de nuevas actividades de ocio que se ofrecen por las redes, de las cuales pueden disfrutar especialmente si tienen limitaciones físicas que dificultan las actividades más tradicionales. Por ejemplo, el bingo on line, videojuegos, libros electrónicos, música en streaming entre otras.

---

16 Promoción del buen trato. Prevención del edadismo https: //www.sanidad.gob.es/areas/promocionPrevencion/envejecimientoSaludable/buenTratoEdadismo.htm Consultado 25 de enero 2025.

En el ámbito sanitario Internet ha generado una revolución nada desdeñable ya que ofrece ventajas no sólo al desarrollo de la medicina y la salud, sino para los pacientes, teniendo en cuenta que, a raíz de la pandemia, se produjo el fenómeno de la globalización de la salud, que es definida como un principio rector general, un marco de organización para el pensamiento y la acción, una nueva rama de las ciencias y una disciplina especializada en la gran familia de la salud pública y la medicina[17].

Dando lugar así en tercer lugar la aparición de la telemedicina, salud digital o e-salud (E-health) o salud móvil o conectada ha permitido muchas facilidades como el acceso al médico sin desplazarse.

La eSalud (*eHealth* en su terminología en inglés) es el término con el que se define al conjunto de Tecnologías de la Información y la Comunicación (TICs) que, a modo de herramientas, se emplean en el entorno sanitario en materia de prevención, diagnóstico, tratamiento, seguimiento, así como en la gestión de la salud, ahorrando costes al sistema sanitario y mejorando la eficacia de este. Analizada como categoría referida al ecosistema o ámbito de aplicación de las tecnologías de la información y la comunicación (TIC) a la salud y a su cuidado[18].

Este concepto abarca diferentes productos, así como servicios para la salud, como aplicaciones móviles, la telemedicina, los dispositivos *wearables* (para la monitorización que se integran en ropa y accesorios), el *Big Data*, los sistemas de apoyo a la decisión clínica, el Internet de las cosas o los videojuegos de salud, entre otros. Estos dispositivos de monitoreo de salud (como relojes inteligentes o aplicaciones de seguimiento) puede ayudar a gestionar condiciones crónicas y promover una vida más saludable[19].

Pero no todo son luces, la digitalización tiene desventajas, ya que a medida que la tecnología avanza, también lo hacen los riesgos asociados, como fraudes en línea, robos de identidad y ciberacoso. Las personas ma-

---

17 CHENX, LIH, LUCERO-PRI SNOIII, *et al.*: "What is global health? Key concepts and clarification of misperceptions". *Report of the 2019 GHRP editorial meeting*, p. 2. PÉREZ COBAS, A.E.; COBAS COBIELLA, M.E., "Datos genéticos y datos de salud. Una aproximación a su estudio". *Revista Boliviana de Derecho*, Nº. 30, 2020, p. 433.

18 Vid. OPS y OMS. La eSalud y la información de la salud @WHO/HQ por Najeeb Al-Shorbaji, Director del Departamento de Gestión e Intercambio de Conocimiento, Organización Mundial de la Salud (OMS).

19 Vid. COBAS COBIELLA, M.E., " Nuevo paradigma de la autonomía de la voluntad frente a la e-salud", en *E-Salud, autonomía y datos clínicos. Un nuevo paradigma*, GIL MEMBRADO, C (coord.), Dykinson, 2021, pp. 120 y ss.

yores como todas, pero ellas en especial pueden ser más vulnerables frente a estos riesgos si no están familiarizadas con las amenazas digitales, por lo que la educación sobre seguridad en línea es crucial.

A ello se une la necesidad del control de la información, porque la falta de privacidad, el exceso de información nos expone a todos y actúa en nuestra contra. Se ha pasado de la escasez de datos a la abundancia de información, la cual según los políticos, filósofos, economistas y lideres empresariales se ha convertido en el nuevo petróleo[20]. Los datos personales se han visto expuestos por más que existan normativas al respecto y cómo han de tratarse y protegerse[21].

La digitalización masiva actual conlleva otros riesgos entre los que se encuentran: el aumento de la vulnerabilidad, la dependencia a la tecnología, permite el anonimato en las redes y por tanto el de la delincuencia, y la impunidad, la falta de privacidad y la escasa cultura del funcionamiento de las redes igualmente es un factor a tener en cuenta entre los peligros de su empleo[22].

Frente a todas estas cuestiones debe trabajarse la llamada inclusión digital para todas las personas, pero en especial respecto de las personas mayores con la finalidad de evitar el aislamiento de éstas aun si cabe más, porque la falta de habilidades tecnológicas o el acceso limitado a dispositivos adecuados juega en contra ellas, ahondado no sólo en la brecha digital, sino en las brechas generacionales.

El reto es complejo, pero algunas cuestiones que deberían ser objeto de los poderes públicos, que, si bien le han dedicado mucho tiempo y recursos a diversos colectivos, no han tenido como prioridad la vejez y el cuidado e inserción de los mayores a los nuevos paradigmas de la sociedad digital actual.

En primer lugar, la educación tecnológica debe ser accesible, con vistas a introducir a las personas mayores al mundo digital, comenzando en el

---

20 Todos ellos coinciden con la cita que se atribuye al matemático Clive Humby: *"Data is the new oil"*.

21 A manera de ejemplo. Cfr Ley Orgánica 3/2018, de 5 de diciembre, de Protección de Datos Personales y garantía de los derechos digitales.«BOE» núm. 294, de 06/12/2018.

22 Digitalización masiva: riesgos, oportunidades y nuevas salidas profesionales. https: //www.lisainstitute.com/blogs/blog/digitalizacion-masiva-riesgos-oportunidades ?srsltid=AfmBOorRiPaiBexQ3pTfjEHB30sotZnB1wo_1niaVtAZjqSRKvZaY23L

uso de los dispositivos de manera básica —como enviar un correo electrónico, navegar por internet o hacer videollamadas, que son las funciones elementales que suelen hacer las personas.

En segundo lugar, sería recomendable diseños más simples de la interfaz, porque las tecnologías actuales están pensadas para los más jóvenes. Deberían ser intuitivas y más simplificadas para su utilización, incluso más económicas, ya que uno de los obstáculos mayores es la falta de acceso a internet o una conexión a internet no adecuada, para ello es necesario la promoción de programas que ofrezcan precios reducidos, atención, soporte y servicio técnico gratuito para las personas de edad avanzada, humanizándolo porque en muchas ocasiones las consultas cuando falla internet o las televisiones inteligentes los técnicos y especialistas son intimidatorios y dan por sentado un conocimiento universal de las herramientas informáticas por parte de las personas, que la mayoría de los mortales humanos no tienen.

Finalmente, el diseño de aplicaciones y servicios deben estar orientados a las necesidades de las personas mayores bajo la premisa de sensibilizar a la sociedad de que no se debe dejar nunca a nadie atrás, ni en este tema ni en ninguno.

Todo ello precedido de la ruptura de mitos en torno a que la edad supone una barrera adicional en el mundo digital, pero sin obviar que no es lo mismo aprender cuando se es joven que cuando se es maduro, por ello la experiencia sirve para suplir en muchos casos la falta de agilidad y rapidez frente al desarrollo tecnológico.

4. CONCLUSIONES

Este tema está inacabado, es de aquellos debates eternos, porque la vejez nos llega a todos e Internet ha llegado para quedarse. Pero ello no es óbice para que se intente aunar posiciones que permitan dar cabida a los intereses de todas las personas, ya que, efectivamente dando cumplimiento al título del trabajo, hay una problemática que no podemos obviar que es el envejecimiento en una sociedad digitalizada y la consiguiente soledad, que no es única consecuencia de la digitalización, ya que hay muchos más factores, pero las tecnologías tienen un peso preponderante en el panorama actual. Lo virtual nos invade, las redes sociales, las aplicaciones informáticas están en todos los sectores, salud, educación, ocio, consumo, etc y frente a ello no queda más que intentar encontrar bien un acomodo en este mundo, mantenerse al margen o tratar de ofrecer opciones para todos los gustos, pensando sobre todo en aquellas personas no nacidas en la era digital, y en todas aquellas más vulnerables por razón de la edad, que es el tema que me ocupa en estas breves líneas.

El desarrollo es inevitable, de ahí que no debemos objetarlo porque es lo que ha hecho crecer a la humanidad, sin embargo, las nuevas tecnologías deben servir al ser humano y no la persona al servicio de éstas. Partiendo de la premisa que el derecho a acceder a la información y a la tecnología no pertenece sólo a los jóvenes ni a los nativos digitales, y que, si la persona decide la integración al mundo digital y su utilización, con independencia de la edad, no debe ser un impedimento, ni se deben promover las brechas tecnológicas, por razón de edad. Habrá que sortear y establecer mecanismos que faciliten el acceso digital, pero sin vulnerar los derechos de las personas a elegir como comunicarse y desarrollarse privadamente.

La edad avanzada no debe ser un inconveniente para acceder a las nuevas tecnologías, a contrario sensu la era digital ofrece oportunidades a las personas y a las más mayores, pero debe haber opciones y libertad de elección, no sólo respecto de las personas de edad avanzada, sino para todas las personas, pero preferiblemente a personas más mayores. El tratamiento de las personas mayores (ancianos) como niños o como individuos carentes de capacidad de decisión debería ser algo superado; sin embargo, persiste como una tendencia marcada que no solo es irrespetuosa, sino que carece de fundamentos sólidos desde el punto de vista jurídico, biológico o médico. Evidentemente, merecen un trato basado en el respeto y la consideración, partiendo siempre de la premisa de la igualdad. Esto no es únicamente una cuestión de protección constitucional, sino una exigencia ética de educar en valores y respetar la dignidad intrínseca de la persona.

Es un debate inconcluso, pero sobre el recordatorio de que la vejez llega, a todos nos tocará, los jóvenes de hoy, mañana ya no lo serán y el galopante desarrollo tecnológico de hoy, es imparable y es un deber preservar a las personas en su autonomía personal, de vivir según sus reglas sin ser excluido. Fomentando en este sentido todas y cada una de las herramientas que permitan la inclusión digital y el acceso a la información, de forma más humana y, evitando la infantilización de las personas mayores, que es una de las manifestaciones más comunes y dañinas del edadismo. Como diría Pablo Milanés. "el tiempo, el implacable, el que pasó. Siempre una huella triste nos dejó". Y no debería ser así.

5. BIBLIOGRAFÍA

BARBA, V., "Capacidad para otorgar testamento, legitimarios y protección de la persona con discapacidad", en *La reforma civil y procesal de la discapacidad. Un tsunami en el ordenamiento jurídico,* en GARCÍA RUBIO, M.P. (coord.), La *Ley, Derecho de Familia,* Editorial Wolters Kluwer, N. º 31, de 1 de julio de 2021.

CHENX, LIH, LUCERO-PRI SNOIII, *et al.*: "What is global health? Key concepts and clarification of misperceptions". *Report of the 2019 GHRP editorial meeting.*

COBAS COBIELLA, M.E., "Autonomía de la voluntad y mediación. Algunas notas sobre la cuestión", en Mediación *en el ámbito civil, familiar, penal e hipotecario. Cuestiones de Actualidad*", en ORTEGA GIMÉNEZ, A, Y COBAS COBIELLA, M.E. (coord.), Economist& Jurist, Difusión Jurídica, 2013, pp. 81-104.

COBAS COBIELLA, M.E., "El derecho ante el envejecimiento", *Revista de Derecho, Empresa y Sociedad (REDS),* No 14, 2019, pp. 19-26.

– COBAS COBIELLA, M.E., "Nuevo paradigma de la autonomía de la voluntad frente a la e-salud", en *E-Salud, autonomía y datos clínicos. Un nuevo paradigma,* GIL MEMBRADO, C. (coord.), Dykinson, 2021, pp. 115-138.

CORTINA, N., Envejecimiento activo y digitalización, dic 2020, https: //grupossi.es/noticias/envejecimiento-activo-y-digitalizacion/

CUTLER SJ., Ageism and technology. Generations. 2005; 29(3): 67-72.

FERNÁNDEZ BALLESTEROS, R, y HUICI CASAL, C., El edadismo. Una amenaza para las personas mayores ", en *Los Derechos de los mayores, Tiempo de Paz, Revista 145,* 2022, pp. 29-41.

MALAURIE P et AYNÉS L., *Les personnes. La protection des mineurs et des majeurs.* Séptima Edición, Lextenso Edición, Collection Droit Civil, 2014.

MANNHEIM I, SCHWARTZ E, XI W, BUTTIGIEG SC, MCDONNELL-NAUGHTON M, WOUTERS EJM, et al., Inclusion of older adults in the research and design of digital technology. *Int J Environ Res Public Health.* 2019; 16(19): 3718. https: //doi.org/10.3390/ijerph16193718.

MCDONOUGH C., The effect of ageism on the digital divide among older adults. J *GerontolGeriatr Med.* 2016; 2: 1-7. https: //doi.org/10.24966/GGM-8662/100008.

PÉREZ COBAS, A.E.; COBAS COBIELLA, M.E., "Datos genéticos y datos de salud. Una aproximación a su estudio". *Revista Boliviana de Derecho,* Nº. 30, 2020, pp. 428-453.

PLAZA PENADÉS, J., " Principios jurídicos básicos de la inteligencia artificial y el Big Data", en *Los nuevos retos de los derechos digitales,* RAMÓN FERNÁNDEZ, F. (coord.), Tirant Lo Blanch, 2022, pp. 31-51.

Sección VII
DESARROLLO SOSTENIBLE, MEDIOAMBIENTE Y ECONOMÍA CON PERSPECTIVA DE GÉNERO

Hacia un nuevo derecho social del trabajo para un desarrollo justo, inclusivo y sostenible[*]

JUANA MARÍA GIL RUIZ
Catedrática de Filosofía del Derecho
Universidad de Granada

1. INTRODUCCIÓN

En las crisis se esconden las claves para repensar modelos de sociedad. La pandemia del COVID-19, considerada la más grave desde la peste bubónica, nos ha dejado una estela de devastación humana, económica y social cuya magnitud aún no somos capaces de calcular del todo. Sin embargo, esta evaluación no puede hacerse sin tener en cuenta el impacto diferencial que ha tenido sobre hombres y mujeres. En este sentido, aplicar una perspectiva de género no es opcional, sino imprescindible si queremos evitar los errores de siempre: los que invisibilizan a la mitad de la población mundial.

No sería la primera vez que una crisis sanitaria global ignora los efectos desiguales que provoca. La ausencia de análisis desde el pensamiento feminista en situaciones de emergencia ha sido señalada con insistencia por autoras como Helen Lewis[1], Clare Wenham[2] o Caroline Criado Pérez[3]. De hecho, menos del 1% de los artículos científicos sobre crisis sanitarias han considerado el impacto de género como variable prioritaria, a pesar

---

* Este trabajo se inscribe en el marco del PID2019-108526RB-I00, *Violencias de género y subordinación estructural: implementación del principio del gender mainstreaming*. Responsable principal: Juana María Gil Ruiz (jgil@ugr.es).

1 Merece la pena la lectura de su obra *Difficult Women: A History of Feminism in 11 Fights*, Vintage Digital, 2020.

2 Al respecto, recomiendo su obra *Feminist Global Health Security*, Oxford University Press, 2021.

3 Como ejemplo de lo aquí referido, véase Criado Pérez, Caroline (2019), *Invisible Women*: Exposing Data bias in a World designed for men, Random House International. Traducido al castellano por Aurora Echebarría, *Mujeres Invisibles, Seix Barral*.

de que, entre 2013 y 2016, la mortalidad de mujeres por complicaciones en el embarazo y parto superó la ocasionada por el virus del Ébola. Ahora más que nunca, debemos evitar repetir los errores del pasado, dejando de lado el enfoque de los derechos humanos desde una perspectiva feminista. Hacerlo implicaría, una vez más, reforzar un modelo que perpetúa las desigualdades de género y las encubre bajo un discurso normativo que aparenta ser protector e igualitario, pero que en realidad las consolida.

La pandemia de la COVID-19 no fue una excepción. Pues, según un estudio elaborado por el PNUD, ONU Mujeres y la Universidad de Pittsburgh[4]en junio de 2022, de las 255 comisiones oficiales analizadas en 137 países, solo el 24% de sus integrantes eran mujeres. En 26 de estos grupos, la presencia femenina fue nula, y únicamente 8 alcanzaron la paridad. Esto, a pesar de que las mujeres estuvieron en primera línea durante toda la crisis sanitaria: en el ámbito sanitario representan el 70% del personal, y también predominan en los sectores informales. Los datos no mienten: el 32% de los países no adoptaron medidas con enfoque de género y apenas el 13% de las acciones fiscales, laborales o de protección social se dirigieron específicamente a las mujeres. Sólo un 11% de esas iniciativas se centraron en el trabajo no remunerado, ese que triplican en relación a los hombres. El informe alertó además sobre el riesgo de que 47 millones de mujeres cayeran en la extrema pobreza.

El confinamiento dejó al descubierto otra cara del problema: la sobrecarga de trabajo no remunerado en los hogares. Tareas educativas, cuidados de personas dependientes, atención a mayores y teletrabajo se trasladaron al espacio doméstico. Una realidad que la Teoría feminista venía denunciando mucho antes del coronavirus: las mujeres ya dedicaban más de dos horas diarias que los hombres a estas labores, dificultando su acceso y permanencia en el mercado laboral en igualdad de condiciones. El confinamiento no hizo más que agravar una situación estructural. Veremos en cuanto se eleva las pérdidas de rendimiento « telemático », al estar ocupadas en trabajos antes derivados a áreas ahora confinadas: la educativa, la lúdica, la ayuda a domicilio y de cuidado….No en vano, el primer cuatrimestre de 2021 de la EPA reveló que el paro de las mujeres había ascendido estrepitosamente a un 300%, básicamente por ocuparse de sectores

4 Datos recogidos en UNDP-UN Women report, *Government Responses to COVID-19: Lessons on gender equality for a world in turmoil*, junio 2022. Accesible en https://www.undp.org/publications/government-responses-covid-19-lessons-gender-equality-world-turmoil

como el turismo y no encontrarse en lo digital. La encuesta *El coste de la conciliación*[5] del 22 de marzo de 2023 confirmó este triple impacto: laboral, emocional y personal. Un 57% de las mujeres reconoció haber perdido salario al ser madres, un 64% señaló dificultades en el ámbito laboral, un 66% confesó sentirse muy triste y un 65% aseguró tener menos de una hora libre al día (el 20% directamente ninguna). Una carga invisible, constante y normalizada.

Las estadísticas del INE, publicadas el 20 de junio de 2023[6], retratan con nitidez esta desigualdad. El 70,5% de los hombres en edad de trabajar tienen empleo, frente al 60,5% de las mujeres. Las diferencias se agravan cuando se tienen hijos: la mitad de las madres de familias numerosas no trabajan, mientras que el 80% de los padres sí lo hacen. En paralelo, las mujeres suelen trabajar menos horas y normalmente a tiempo parcial. No en vano, los datos confirman dicha aseveración: en España, las mujeres trabajan de media, cinco horas menos a la semana que los hombres y no precisamente[7] de modo voluntario. Y cuando acceden al empleo, las mujeres lo hacen mayoritariamente en condiciones de parcialidad: el 75% de los contratos a tiempo parcial les pertenecen, y el 93% de quienes trabajan en este régimen por razones de cuidado son mujeres. Además, la tasa de paro es más elevada en mujeres que en hombres a todas las edades, especialmente a partir de los 30 años, cuando la crianza y el cuidado de personas mayores se convierten en obstáculos mayores para su desarrollo profesional.

En el mismo orden de ideas, la precariedad femenina también se refleja en los datos sobre liderazgo: los hombres duplican a las mujeres en cargos directivos, y la tendencia se mantiene en niveles intermedios como jefaturas o mandos de oficina. Este techo de cristal se traduce en una profunda brecha salarial y, con los años, en una aún más alarmante brecha en pensiones. Mientras que los hombres reciben una pensión media de jubilación de 1378 euros, las mujeres apenas alcanzan los 1076 euros asomando una dife-

---

5 Informe Sociológico. Encuesta *El coste de la conciliación* realizada por Asociación yo no renuncio, del Club de las malas madres, presentada el 22 de marzo de 2023. Esta encuesta se realizó entre el 8 y 13 de febrero de 2023, y fue contestada por 51.627 mujeres. Accesible en https://yonorenuncio.com/nuestra-lucha/estudio-el-coste-de-la-conciliacion/

6 Informe del INE, de 23 de junio de 2023. Consultable en https://www.ine.es

7 Según el informe del INE, de 23 de junio de 2023, sólo un 9% de las mujeres declara trabajar a tiempo parcial porque no quiere jornada completa. En la mayoría de los casos, la parcialidad se debe a no encontrar contrato a jornada completa y/o a la renuncia para poder ocuparse del cuidado y cargas familiares.

rencia del 47%, cuyas consecuencias inmediatas no pueden ser ignoradas. Pues si estas cifras ya son alarmantes, no podemos ignorar la situación de aquellas que sobreviven con pensiones no contributivas. Aquí ya no hablamos solo de desigualdad económica, sino de feminización de la pobreza.

La pandemia no ha hecho sino amplificar un sistema ya viciado. El teletrabajo, la digitalización, la inteligencia artificial, el futuro del empleo... todo apunta a una transformación que, de no corregirse, profundizará aún más la desigualdad entre géneros. En este escenario, las mujeres siguen quedando al margen de las nuevas oportunidades: mientras se prevé la creación de 58 millones de empleos vinculados a la inteligencia artificial y un aumento del 51% desde 2020, lo que supondría un 6,1 millones de oportunidades de trabajo a nivel mundial[8], las mujeres siguen optando por carreras feminizadas, de menor competitividad y remuneración en el mercado laboral[9], afines a roles de género heredados. En España, solo el 15,6% de los puestos TIC están ocupados por mujeres, frente al 30% en Europa[10]. Un dato preocupante que augura no solo una brecha, sino un abismo de género.

Curiosamente, es esta misma acumulación de agravios ya denunciados por la Teoría feminista desde antaño, la que señala los caminos a seguir. El confinamiento no creó desigualdades, las visibilizó. Replantear el modelo laboral, reorganizar los cuidados, revisar los sistemas educativos y sanitarios, y garantizar políticas que reconozcan y valoren el trabajo de cuidados como generador esencial de bienestar social no es solo un imperativo ético, sino una condición indispensable para no volver a dejar —como señala la Agenda 2030— a nadie atrás.

---

8 Datos del *Informe World Economic Forum.* Consultable en https://es.weforum.org

9 El porcentaje de mujeres que han optado por cursar carreras técnicas, ciencias, tecnología y matemáticas en España ha descendido preocupantemente estos últimos años. De hecho, si en 2015 un 16,1% de mujeres se había inclinado por estudios técnicos, en 2017 sólo un 14,6% lo hizo.

10 Mateos Sillero, S. y Gómez Hernández, C. (2019). *Libro Blanco de las mujeres en el ámbito tecnológico,* Ministerio de Economía y Empresa, marzo de 2019. En http://www.mineco.gob.es/stfls/mineco/ministerio/ficheros/libreria/LibroBlanco-FINAL.pdf. Asimismo, véase el informe de la Comisión Europea, Dirección General de Redes de Comunicación, Contenido y Tecnologías (2018). *Women in the digital age: executive summary.* Publications Office. https://data.europa.eu/doi/10.2759/517222

2. GLOBALIZACIÓN CON JUSTICIA: EL COMPROMISO INCLUSIVO DE LA AGENDA 2030

La magnitud del problema que aquí se plantea trasciende las fronteras españolas, revelando una realidad global que exige respuestas más allá de las medidas locales o nacionales. Es imprescindible, por tanto, entender que el fenómeno de la pobreza —marcado profundamente por el género y atravesado por cortes interseccionales estructurales— solo puede enfrentarse desde un enfoque internacional y multidimensional. En este contexto, la Agenda 2030 y sus 17 Objetivos de Desarrollo Sostenible marcan un horizonte de acción inaplazable.

Uno de los pilares fundamentales de este análisis lo aporta (Abramo, L, 2008, 91), quien señala la doble discriminación sufrida por las mujeres negras. Esta se refleja en los principales indicadores laborales: mayores tasas de desempleo, salarios más bajos incluso con igual nivel educativo, y sobreexposición a trabajos informales o precarios como el empleo doméstico o el trabajo no remunerado. No es casualidad que Naciones Unidas, en su informe del 5 de marzo de 2020[11], advirtiera que el progreso hacia el acceso de las mujeres al trabajo remunerado lleva dos décadas estancado. Solo un 62% de las mujeres entre 25 y 54 años están activas laboralmente, frente a un 93% de los hombres.

La brecha salarial, lejos de cerrarse, sigue abriendo grietas profundas. En el 89% de los países analizados, los hombres perciben salarios por hora superiores a los de las mujeres, con una media del 16% de diferencia que puede llegar al 35% en algunos casos. Esta disparidad tiene un coste tangible para las economías. Según el informe del World Bank Group de mayo de 2018, "UnrealizedPotential: The High Cost of GenderInequality in Earnings"[12], las pérdidas mundiales por la desigualdad de ingresos entre hombres y mujeres ascienden a 160 billones de dólares, lo que equivale a unos 23.620 dólares por persona en los 141 países examinados.

---

[11] El Informe se titula *Los derechos de las mujeres, una revisión 25 años después de Pekín* y fue presentado el 5 de marzo de 2020. Accesible en www.unwomen.org

[12] Wodon, Quentin T.; de la Brière, Bénédicte. 2018. Unrealized Potential: The High Cost of Gender Inequality in Earnings. The Cost of Gender Inequality. Washington, DC: World Bank. http://hdl.handle.net/10986/29865.Accesible también en https://www.worldbank.org/en/topic/gender/publication/unrealized-potential-the-high-cost-of-gender-inequality-in-earnings

Estos desequilibrios se amplifican por la injusta distribución del trabajo doméstico y de cuidados. En 90 países, entre 2000 y 2016, las mujeres dedicaron al menos tres veces más horas a estas labores que los hombres, proporción que llega a ser siete veces mayor en Asia y África. Esta situación perpetúa su exclusión del mercado laboral o las obliga a aceptar empleos a tiempo parcial, limitando su desarrollo profesional, sus ingresos y derechos sociales, o incluso las empuja a renunciar directamente a una carrera laboral por la incompatibilidad entre trabajo y cuidados. Las consecuencias de esta penalización son de largo alcance, afectando incluso a la salud: un reciente informe de la OMS[13] señala que el cáncer de mama se ha convertido en el más común a nivel mundial, con aumentos significativos en Asia, África, Japón y Corea del Sur, lo que demuestra la globalización de un patrón laboral y vital que impacta negativamente en las mujeres.

Este reparto desigual de roles, profundamente naturalizado, produce situaciones de dependencia económica que deben abordarse desde el inicio si se quiere cumplir con los compromisos de la Agenda 2030. De hecho, muchos de sus ODS no podrán alcanzarse sin corregir estas desigualdades: erradicación de la pobreza y el hambre (ODS 1 y 2), mejora de la salud, la educación y el bienestar (ODS 3 y 4), trabajo decente y crecimiento económico (ODS 8), reducción de desigualdades (ODS 10) e igualdad de género (ODS 5), que incluye la lucha contra todas las formas de violencia hacia las mujeres[14].

Las cifras son demoledoras. El informe *"Estimaciones Mundiales sobre la esclavitud moderna*[15], publicado el 12 de octubre de 2022 por la OIT, la OIM y la ONG Walk Free, denuncia un incremento de casi 10 millones de personas en situación de esclavitud desde 2016, alcanzando los 49,6 millones en 2021. De estos, 27,6 millones están sometidos a trabajo forzoso y más de 22 millones a matrimonios no consentidos. La explotación sexual forzosa afecta a 6,3 millones, de los cuales el 80% son mujeres y niñas. Pese a la

---

13 OMS, *The Global Cancer Observatory*, dic. 2020.

14 En cuanto a la violencia de género, ONU Mujeres calcula que un 18% de las mujeres a nivel mundial ha sufrido algún episodio de estas características en el ámbito de la pareja en 2019. Asimismo denuncia en su informe *Los derechos de las mujeres, una revisión 25 años después de Pekín*, el incremento descontrolado de variedades de violencia contra éstas, como el ciberacoso, y la inexistencia de medidas políticas y jurídicas para combatirlas.

15 OIT, *Estimaciones Mundiales sobre la esclavitud moderna: trabajo forzoso y matrimonio forzoso*, 2022. Accesible en https://www.ilo.org/global/topics/forced-labour/publications/WCMS_854797/lang--es/index.htm

gravedad de estos datos, el propio informe reconoce que las cifras podrían quedarse cortas, subestimando el verdadero impacto de la pandemia.

Aun así, existen datos que invitan a la acción y al optimismo. El Fondo Monetario Internacional[16], en su *informe "Strategy Toward Mainstreaming Gender"* (julio de 2022), afirma que una mayor participación femenina en el mercado laboral podría incrementar el PIB en algunos países hasta en un 34%. Por su parte, la OIT estima que cerrar la brecha de género podría añadir 5,8 trillones de dólares a la economía global. Además, facilitar el acceso de las mujeres al empleo, incluyendo el sector tecnológico, aumentaría la recaudación fiscal y fortalecería las arcas públicas.

Para lograr estos beneficios es necesario que las políticas económicas y financieras acompañen este proceso de transformación. Ello implica invertir en el capital humano de las mujeres[17], promover su participación laboral sin penalización[18], fomentar su emprendimiento, desmontar sesgos sexistas[19], aumentar su presencia en cargos de dirección, valorar social y económicamente la maternidad y dignificar la ética del cuidado desde una perspectiva igualitaria.

---

16 IMF, *Strategy Toward Mainstreaming Gender*, july 2022/037. Consultable en https://www.imf.org/en/Publications/Policy-Papers/Issues/2022/07/28/IMF-Strategy-Toward-Mainstreaming-Gender-521344

17 En este sentido, Brasil activó a inicios de la pandemia el *Auxilio Emergencial*, programa de transferencias económicas que dobló las prestaciones a los hogares monoparentales. Ello permitió, según el FMI, que la tasa de pobreza se situara en un 8% frente al esperado 30%. En esta línea, Egipto incrementó el apoyo económico a las madres solteras con ingresos exiguos para que su prole pudiera acudir al colegio y con salud. Togo utilizó estratégicamente la tecnología móvil, para acelerar la asistencia financiera de emergencia, lo que benefició especialmente a las mujeres.

18 Las reformas tributarias del gasto público y de los mercados laborales pueden ser esenciales. Es obvio que apoyar la creación de guarderías, como hizo Noruega, ha permitido que se aumente la probabilidad de empleo de las madres en 32 puntos porcentuales. Asimismo, la apuesta por micropréstamos o por el empuje de internet o telefonía móvil en las economías emergentes, está traduciéndose en menor desigualdad del ingreso y un mayor crecimiento.

19 Apostar por la persecución del matrimonio infantil o por el empuje de mujeres que ocupen cargos de gestión política y económica, son algunas de las medidas que pueden acometerse. Tan sólo el 16,9% de los puestos de las juntas directivas de empresas a nivel mundial son ocupados por mujeres. Deloitte (2019). *Women in the Boardroom: A Global Perspective*, Sixth Edition.

En consecuencia, la redistribución equitativa del trabajo remunerado y no remunerado entre mujeres y hombres se presenta como un paso imprescindible para alcanzar la igualdad de género[20]. No cabe dilación, pues la pasividad institucional y la "abstención por los Estados de facilitar, financiar, apoyar y regular debidamente el trabajo doméstico contraviene sus obligaciones de derechos humanos"[21], reforzando las desigualdades estructurales y vulnerando el principio de diligencia debida. Y no se puede obviar una realidad tan cruda: en ningún país del mundo los hombres destinan tanto tiempo al trabajo doméstico y de cuidados como las mujeres[22].

Y es que esta desigual distribución, profundamente arraigada y naturalizada, conlleva efectos estructurales que trascienden el ámbito privado. Reconocer dicho trabajo como generador de bienes y servicios —y no como una servidumbre vinculada al género— resulta fundamental para avanzar hacia una redistribución efectiva de derechos. Como ha señalado la doctrina internacional en derechos humanos, la falta de reconocimiento, regulación y financiación del trabajo doméstico y de cuidados constituye una vulneración de las obligaciones estatales, perpetuando desigualdades históricas (Abramo, 2008; OIT, 2022).

3. EL GÉNERO COMO LENTE PARA COMPRENDER LAS CRISIS GLOBALES CONTEMPORÁNEAS

Si el conflicto de clases fue la categoría analítica que permitió comprender el surgimiento y expansión del Estado Social en el siglo XX, hoy es el conflicto de género el que ofrece una clave imprescindible para interpretar la crisis global del siglo XXI. Una crisis que no es coyuntural ni sectorial, sino sistémica y multidimensional, con impactos profundos en múltiples esferas: la economía, las relaciones sociales, el sistema político, los vínculos intergeneracionales, la sostenibilidad ecológica y, de forma especialmente significativa, en la organización del trabajo y los cuidados. Esta crisis no afecta por igual a toda la población, sino que golpea con mayor intensidad a quienes han sido históricamente marginadas del relato moderno:

---

20 Declaración y Plataforma de Acción de Beijing, 1995. Asamblea General de Naciones Unidas, 1995.

21 Asamblea General de Naciones Unidas, 2013.

22 OIT, *El trabajo de cuidados y los trabajadores del cuidado. Para un futuro con trabajo decente*, Julio 2019. Accesible en https://www.ilo.org/global/publications/books/WCMS_737394/lang–es/index.htm

las mujeres, y dentro de ellas, las más empobrecidas, racializadas, mayores o migrantes. A pesar de ello, el pensamiento jurídico dominante sigue sin incorporar de forma sistemática una perspectiva feminista, lo cual resulta paradójico si se considera que más de la mitad de la población mundial experimenta cotidianamente las consecuencias de esta exclusión estructural (Esquembre, 2016, p. 285).

Lejos de ser un fenómeno nuevo, la subordinación jurídica, económica y simbólica de las mujeres ha sido persistente a lo largo de la historia. Sin embargo, las dinámicas actuales de precarización del trabajo, mercantilización de los cuidados y desmantelamiento del Estado social hacen que esta subordinación adopte formas renovadas, más difíciles de identificar, y por tanto, más eficaces. En este contexto, el Derecho del Trabajo, inicialmente concebido como un instrumento de resistencia frente a los abusos del capital, sigue operando sobre bases patriarcales: no fue diseñado por mujeres ni para mujeres. Su marco conceptual y sus categorías fundamentales —como "población activa" e "inactiva"— continúan invisibilizando la especificidad de las trayectorias femeninas, consolidando un orden normativo que desconoce sus realidades vitales. La igualdad formal, tan invocada desde las reformas legislativas, resulta insuficiente. Las medidas de protección, cuando existen, suelen adoptar un sesgo paternalista que, en lugar de subvertir el sistema, lo apuntalan.

Esta lógica de exclusión tiene un pilar central: la negación de valor al tiempo dedicado al cuidado. Las mujeres siguen dedicando una parte sustancial de sus vidas a sostener la reproducción social, pero este trabajo permanece sin reconocimiento jurídico, económico ni simbólico. Aunque tímidamente[23] comienzan a medirse algunas de estas tareas mediante encuestas y estudios, no se les otorga el estatus de "trabajo" en el sentido pleno del término. En cambio, el trabajo remunerado —realizado, en su mayoría, por hombres— es objeto de toda la atención estadística e institucional. Así, se perpetúa la idea de que las mujeres son "población inactiva"[24] si están dedicadas al hogar, cuando en realidad su actividad es

---

[23] Para subsanar dicha laguna, merecen destacarse los esfuerzos realizados por la Economía feminista. Entre los trabajos más interesantes, remito a Gálvez Muñoz, L. (dir.) (2016), *La economía de los cuidados*, Sevilla, deculturas.

[24] Las personas que se incluyen en el ítem de Población inactiva son aquéllas que no producen bienes o servicios para la comunidad. A esta categoría pertenecen pensionistas y personas jubiladas, las y los estudiantes, las personas con incapacidad permanente y las "amas de casa". La población activa es la población ocupada más la población parada, y se define como el conjunto de personas de una edad

central para el sostenimiento de la vida. Bajo eufemismos como "amor de casa" o "vocación de cuidado", se oculta una injusticia estructural que condena a millones de mujeres a la dependencia económica y al aislamiento social. Mientras tanto, los varones gozan de un uso del tiempo autónomo, visible y valorado públicamente.

Compatibilizar la actividad doméstica, el trabajo remunerado y la participación política sigue siendo, para la mayoría de las mujeres, una empresa inviable. La llamada "conciliación" aparece más como una retórica institucional que como una realidad accesible. El ideal de ciudadanía plena, en igualdad de condiciones, continúa siendo una promesa incumplida. En este sentido, la teoría jurídico-política feminista ha denunciado de forma constante la exclusión estructural de las mujeres del contrato social moderno (Pateman: 1988) y ha subrayado la necesidad de articular una nueva teoría universal de los derechos humanos que no se limite a la abstracción formal, sino que sea capaz de integrar las experiencias situadas, materiales y diversas de las mujeres en toda su pluralidad. Como he planteado en Gil Ruiz (2007, 2019), los avances legislativos nacionales, lejos de generar transformaciones reales, han producido una falsa apariencia de igualdad, generando nuevas formas de subordinación bajo el disfraz de la inclusión. Es probable que resulte incómodo asumirlo, pero no por ello deja de ser cierto: el Derecho del Trabajo, al igual que la Declaración francesa de los Derechos del Hombre y del Ciudadano de 1789 —sobre la que se erige el constitucionalismo moderno—, no fue concebido ni por mujeres ni pensando en ellas como sujetos de derecho[25]. Ambos cuerpos normativos excluyeron históricamente a las mujeres, consolidando una arquitectura jurídica que respondió a las experiencias y necesidades del varón blanco, propietario y ciudadano, relegando a las mujeres al ámbito privado y negándoles una ciudadanía plena.

---

determinada (entre los 16 y los 65) que, en un período de referencia dado, suministran mano de obra para la producción de bienes y servicios económicos o que están disponibles y hacen gestiones para incorporarse a dicha producción. Se encuentran en este grupo aquellas personas que cuentan con un empleo o están en disposición de tenerlo, es decir, la población ocupada y la parada entre los 16 y los 65 años.

25 En este sentido, recomiendo el cotejo de la Declaración francesa de derechos del hombre y del ciudadano de 1789 y la Declaración de Olympe de Gouges de 1791, condenada por intrigas sediciosas y guillotinada por reivindicar la exclusión de las mujeres y hombres no incluidos en el segmento blanco, adulto y propietario.

El binarismo entre lo público y lo privado, uno de los pilares de la modernidad política occidental, continúa condicionando profundamente las relaciones humanas. Este esquema estableció una división del trabajo que sigue operando con fuerza. Como resultado, las mujeres enfrentan obstáculos estructurales para acceder a recursos, empleo, participación pública y tiempo libre. El mandato del cuidado, lejos de ser una elección libre, actúa como una carga impuesta por un sistema que se sostiene sobre el sacrificio invisible de millones de mujeres. A largo plazo, esta injusticia compromete no solo su bienestar individual, sino también la sostenibilidad del sistema en su conjunto. El envejecimiento poblacional, por ejemplo, se agrava al no valorarse ni planificarse adecuadamente el trabajo de cuidados. Según datos de la Organización para la Cooperación y el Desarrollo Económicos[26], España será, junto con Japón, el país más envejecido del mundo en 2050, lo que plantea desafíos urgentes que no pueden resolverse sin colocar los cuidados en el centro de las políticas públicas.

Junto a la crisis de los cuidados, la crisis alimentaria revela otra dimensión crítica de este conflicto de género global. En el ámbito rural, las mujeres desempeñan un rol esencial en la seguridad alimentaria y el sostenimiento de las comunidades locales. Sin embargo, sus derechos siguen siendo ignorados. El artículo 14 de la CEDAW reconoce la necesidad de proteger a las mujeres rurales, pero su situación de vulnerabilidad persiste. Dos tercios de los 400 millones de pequeños ganaderos pobres del mundo son mujeres, cuya carga de trabajo no remunerado es abrumadora. La agricultura sostiene la vida del 86 % de la población rural y proporciona empleo a 1.300 millones de personas, de las cuales el 43 % son mujeres. No obstante, sus condiciones laborales, su acceso a la propiedad de la tierra y a los recursos siguen siendo profundamente desiguales. Tras la pandemia de la COVID-19, esta realidad se agravó, elevando a 828 millones el número de personas que padecen hambre en el mundo, según datos de Naciones Unidas. Esta cifra pone de manifiesto la urgencia de adoptar una mirada interseccional y feminista que reconozca el papel insustituible de las mujeres en la sostenibilidad alimentaria global.

En definitiva, no es posible seguir postergando la transformación de los marcos normativos heredados de la modernidad patriarcal. El Derecho

---

[26] Este informe prevé que España presentará un porcentaje nada desdeñable de 76 personas de más de 65 años por cada 100 que cuenten con entre 20 y 64 años. Accesible en https://www.elmundo.es/economia/macroeconomia/2017/12/06/5a26fd6dca4741e20d8b4627.html

del Trabajo, el de la Seguridad Social y el Derecho Agrario necesitan ser refundados desde una perspectiva que coloque a las mujeres en el centro, no como beneficiarias pasivas sino como sujetos activos de derecho. No se trata únicamente de introducir ajustes o medidas compensatorias, sino de repensar desde la raíz las estructuras jurídicas[27] que reproducen la exclusión. Solo así será posible diseñar políticas públicas que respondan a la complejidad de las vidas reales, que garanticen la igualdad sustantiva y que contribuyan a la construcción de un nuevo contrato social basado en la justicia social, la sostenibilidad ecológica y el reconocimiento de la diversidad. En esta tarea, el feminismo no es un complemento, sino una brújula imprescindible para reorientar el rumbo de nuestras sociedades hacia horizontes verdaderamente democráticos.

4. UNA RECONSTRUCCIÓN COSMOPOLITA DEL DERECHO Y LA POLÍTICA GLOBAL

El panorama sombrío que se dibuja tanto a nivel nacional como internacional no debe inducirnos a bajar la guardia, sino más bien a comprender que en los momentos de crisis se abren oportunidades para replantear horizontes y construir nuevas respuestas desde el ámbito jurídico y político dentro del proyecto cosmopolita. Es precisamente en este escenario de incertidumbre donde se vuelve imprescindible repensar el papel del Derecho ante una realidad globalizada, marcada por la expansión económica sin fronteras, el desbordamiento de los marcos estatales tradicionales y la complejidad de problemas de escala planetaria, imposibles de abordar desde esquemas jurídicos locales o fragmentados.

Esta globalización no solo ha traído consigo nuevos desafíos, sino también una creciente juridificación de la vida cotidiana, que si bien regula las relaciones sociales e individuales, convive con una pérdida progresiva de confianza en el Derecho como herramienta eficaz para ofrecer soluciones transformadoras. En este contexto, el Derecho "postnacional" se enfrenta a demandas muy superiores a las que respondían los sistemas jurídicos del pasado, anclados en disputas locales e individuales. Hoy en día, la ciudadanía muestra una actitud de desconfianza y escepticismo frente a la justicia, desalentada por su lentitud y su aparente incapacidad para hacer frente

27 Algunas de mis propuestas al respecto, pueden consultarse en Gil Ruiz, J.M. (2019).

a problemas estructurales que solo pueden abordarse desde una acción global y cooperativa. Esta percepción de ineficacia ha sido aprovechada por poderes fácticos, que se han insertado con fuerza en el ámbito global-digital, ocupando un espacio que debería estar reservado al Derecho y a la política democrática.

Y es que no podemos ignorar que el Derecho, como mecanismo de control social, ha cedido terreno frente a formas de regulación más difusas, suaves en apariencia pero profundamente invasivas, que incrementan la sensación de indefensión individual. Tal como advirtió Foucault (1978), estas nuevas formas de poder, más sutiles, pueden resultar aún más totalizadoras. La gobernanza en el contexto de una sociedad digital, en la que el Estado ha dejado de ser el único centro de producción normativa, refleja la diseminación de los poderes reguladores que acompañan al proceso de globalización (De Julios, 2008), lo que puede implicar serias amenazas a la garantía de los derechos humanos. Nunca antes los derechos y la dignidad de los seres humanos han estado tan expuestos, lo que exige una respuesta coordinada por parte de los Estados para afrontar los retos que impone este mundo global e interconectado. La globalización jurídica, por tanto, debe avanzar en paralelo a la económica y a los procesos de integración política, con todas las consecuencias que de ello se derivan (Gil Ruiz, 2022, p. 324).

No obstante, tal como plantea Vicari (2022), incluso en un escenario posnacional donde emergen nuevos desafíos para la humanidad, los derechos humanos siguen siendo una herramienta con enorme potencial, siempre que se resignifiquen desde una óptica plural, interseccional, multicultural y feminista (Gil Ruiz, 2022). Desde esta nueva mirada, pueden contribuir a dotar de legitimidad a los sistemas de gobernanza en todos los niveles. La oportunidad política que representa el compromiso internacional adoptado por la mayoría de los países del mundo ofrece un marco antes inédito de cooperación o casi inexistente por ineficiente (Hart, 1961, 4; Latorre, 1968). Actualmente, sin embargo, estamos ante una coyuntura en la que los Estados, como miembros de Naciones Unidas, han acordado un plan de acción orientado al bienestar humano, al desarrollo sostenible y a la paz global. Tal como reza uno de sus compromisos más ambiciosos: «[E] stamos resueltos a poner fin a la pobreza y el hambre en todo el mundo de aquí a 2030, a combatir las desigualdades dentro de los países y entre ellos, a construir sociedades pacíficas, justas e inclusivas, a proteger los derechos humanos y promover la igualdad entre los géneros y el empoderamiento de las mujeres y las niñas, y a garantizar una protección duradera del planeta y sus recursos naturales».

Simultáneamente, los movimientos sociales contemporáneos de protesta se caracterizan por su dimensión global. Se articulan como respuestas a un sistema capitalista mundial cuyas consecuencias sociales se hacen sentir en todos los rincones del planeta. Estos movimientos, entre los que destacan el feminismo y el ecologismo, recuperan el sentido primigenio de la lucha por los derechos, incorporando además el uso estratégico de las nuevas tecnologías. Su carácter transnacional radica en que apelan a principios de legitimidad global, defendiendo derechos universales, incluidos los de generaciones futuras. Se trata, en definitiva, de una acción política que trasciende los marcos de legitimidad que ofrecen los ordenamientos jurídicos estatales (Gil Ruiz, 2021, p. 635).

Ahora bien, aun reconociendo, en consonancia con Habermas (2015, p. 138), que los derechos humanos conservan una legitimidad sustancial y el potencial para generar una comunidad global de solidaridad e indignación, también es cierto que estos derechos han sido históricamente configurados desde una visión liberal, occidental y excluyente. Esta concepción restringida debe ser superada con urgencia (De Sousa Santos, 2007, p. 18) si realmente queremos construir un marco de derechos verdaderamente inclusivo, que reconozca y acoja la diversidad humana en todas sus expresiones. De hecho, no solo se excluyó a los pueblos del mundo[28] no occidentales, sino también a la mitad de la población mundial: las mujeres. El sesgo de género en la construcción de los derechos humanos dejó además fuera a aquellos colectivos e identidades marcados por la intersección de múltiples sistemas de opresión: raza, etnia, discapacidad, edad, orientación sexual, entre otros.

La reivindicación de la inclusión de las mujeres en el marco de los derechos humanos tiene una larga trayectoria. Ya en 1928, Doris Stevens, primera Presidenta de la Corte Interamericana de Mujeres, proclamaba en su discurso inaugural: "no queremos más leyes escritas para nuestro bien y sin nuestro consentimiento. Debemos tener derecho de regir nuestros

---

[28] El primer borrador de la Declaración Universal de los Derechos Humanos de 1948 es un buen ejemplo del olvido de buena parte de los pueblos del mundo; así como su reticencia en abandonar la denominación "derechos del hombre", la polémica de reconocer los derechos de las mujeres como humanos. Finalmente la india Hansa Metha consiguió que en la redacción del artículo 1 se recogiera que "todos los seres humanos (frente a todos los hombres) nacen libres e iguales". El esfuerzo de Eleanor Roosevelt como responsable del comité de redacción, pese a las diferencias de opinión del mismo, consiguió llevar a término la incorporación del principio de igualdad de género en la Declaración de 1948.

propios destinos junto a ustedes...Pedimos que se nos devuelvan nuestros derechos que nos han sido usurpados. Son nuestros derechos humanos”[29].

Este legado se consolidó el 18 de diciembre de 1979, cuando la Asamblea General de las Naciones Unidas aprobó la CEDAW, la Convención para la Eliminación de Todas las Formas de Discriminación contra la Mujer. España ratificó este instrumento internacional en 1983. A día de hoy, la CEDAW ha sido ratificada o a ella se han adherido 187 países, incluyendo Afganistán. Estados Unidos y Sudán del Sur la han firmado, aunque no la han ratificado, y aún existen ocho países que no han dado ningún paso hacia su incorporación: Irán, Nauru, Palaos, Catar, Somalia, Sudán, Tonga y El Vaticano (Gil Ruiz, 2013).

Aunque esta Convención no colmó todas las aspiraciones de los movimientos feministas, representó un punto de inflexión en la lucha por la igualdad de género. Entre sus elementos más relevantes se encuentran la definición jurídica de la discriminación contra las mujeres (artículo 1), la exigencia de medidas concretas por parte de los Estados (artículo 3), el reconocimiento de acciones positivas para corregir desigualdades estructurales (artículo 4), así como la obligación de los Estados parte de asumir su responsabilidad, incluso en los casos de omisión, frente a la violencia ejercida contra las mujeres (artículo 2 y Resolución 45/1994 de la Comisión de Derechos Humanos).

La CEDAW define la discriminación contra la mujer como “toda distinción, exclusión o restricción basada en el sexo que tenga por objeto o por resultado menoscabar o anular el reconocimiento, goce o ejercicio por la mujer, independientemente de su estado civil, sobre la base de la igualdad del hombre y la mujer, de los derechos humanos y las libertades fundamentales en las esferas política, económica, social, cultural y civil o en cualquier otra esfera”. Esta formulación representó, dentro del consenso internacional, una formalización jurídica del concepto de discriminación hacia las mujeres, evidenciando que esta no solo podía manifestarse en el ámbito privado, sino también en el espacio público. A partir de ahí, la vinculación entre discriminación y violencia de género quedó establecida de forma clara.

---

[29] Discurso de Doris Stevens, Presidenta de la CIM durante la Sesión Plenaria Especial, Sexta Conferencia Internacional Americana. Vid. CIM, Historia de la Comisión Interamericana de Mujeres (CIM), 1928-1929, p. 211.

Lo anterior conduce inevitablemente a concebir otra manera de entender y ejercer el Derecho, una que responda a un modelo de ciudadanía alternativo, realmente inclusivo, que abarque la diversidad humana en toda su complejidad, y no únicamente el prototipo masculino (blanco, adulto y propietario) heredado de la Modernidad. Ya no se trata de pensar el Derecho desde el arquetipo del varón como medida de lo humano —cuestión que se analizará en el siguiente apartado—, sino de situar en el centro a una ciudadana con intereses, necesidades y reivindicaciones que son tan legítimos como los del hombre, aunque diferentes por razón de sexo y de la experiencia concreta de ser mujer.

En este sentido, es urgente trascender los marcos conceptuales del Derecho liberal, incluso aquellos que estructuran el Derecho antidiscriminatorio tradicional, para incorporar de forma prioritaria y transversal el sistema sexo-género tanto en el Derecho como en la cultura jurídica. Solo así será posible repensar profundamente el principio de igualdad y redefinir el modelo de ciudadanía en que se sostiene (Rubio y Gil Ruiz, 2012, 71).

Aunque la CEDAW marcó un hito fundamental al consolidar jurídicamente el concepto de discriminación, la emergencia del enfoque interseccional ha supuesto, sin lugar a dudas, otro punto de inflexión tanto para los feminismos como para el desarrollo del Derecho antidiscriminatorio. En este camino, la adopción del *gendermainstreaming* como principio vinculante en la Conferencia de Beijing de 1995, junto con el reconocimiento de sus efectos como generadores de un Derecho nuevo —más inclusivo y sensible a las múltiples formas de desigualdad que afectan a hombres y mujeres como ciudadanas y ciudadanos— ha representado un avance teórico y práctico notable en el tratamiento de los derechos humanos.

En este contexto, las contribuciones teóricas de los feminismos negros han sido fundamentales, tanto para la evolución del pensamiento feminista como para la transformación del Derecho antidiscriminatorio. En su célebre artículo *Demarginalizing the Intersection of Race and Sex: A Black Feminist Critique of Antidiscrimination Doctrine, Feminist Theory and Antiracist Politics* (Crenshaw, 1989, 140), Kimberlé Crenshaw denuncia la invisibilización de las mujeres negras por parte tanto de los enfoques tradicionales de los derechos humanos como del feminismo hegemónico, y reivindica un nuevo marco teórico que permita visibilizar las formas específicas en que estas mujeres son subordinadas. El Derecho antidiscriminatorio dominante se construye sobre un modelo de análisis de ejes únicos (*single-axis framework*), que examina por separado categorías como sexo o raza, sin captar que es precisamente su interacción lo que produce vulneraciones de derechos complejas y simultáneas.

Esto exige, como plantea Alda Facio (1992, 42), la incorporación del género y del enfoque iusfeminista en el Derecho, lo cual implica "hacer un análisis desde la perspectiva de un ser subordinado, o sea, desde la perspectiva de un ser que ocupa un lugar de menor poder y de menor privilegio que un hombre/varón de su misma clase, raza, etnia, opción sexual, edad, capacidad, creencia, etc., y también, en muchos aspectos, de menor poder que todos los hombres/varones de todas las clases, razas, etnias, etc.". Esta mirada desafía el paradigma tradicional, que ha tomado lo masculino como la medida de lo humano y relegado al resto —lo femenino, lo diferente— al lugar de la excepción o lo atípico.

Así, la perspectiva interseccional obliga a revisar profundamente el Derecho antidiscriminatorio clásico, que ha tratado los factores de discriminación como elementos yuxtapuestos y excluyentes entre sí, sin reconocer cómo se entrelazan en la vivencia concreta de los sujetos. No podemos olvidar que el artículo 14 del Convenio Europeo de Derechos Humanos de 1950, confirmado posteriormente por el Protocolo nº 12, enumera una serie de causas de discriminación sin establecer jerarquías entre ellas: sexo, raza, color, lengua, religión, opiniones políticas, origen nacional o social, pertenencia a una minoría nacional, fortuna, nacimiento o cualquier otra condición.

No obstante, desde mi posición, considero que entre todos estos sistemas estructurales de opresión existe uno que los atraviesa a todos: el sexo-género. Este eje se manifiesta en múltiples contextos y relaciones de poder: hombres negros frente a mujeres negras; hombres gitanos frente a mujeres gitanas; hombres musulmanes frente a mujeres musulmanas (circuncisión frente a infibulación); hombres mayores o niños frente a mujeres mayores o niñas[30]; hombres afganos frente a mujeres afganas; hombres con disca-

---

30 El propio Convenio de Estambul, en su Exposición de Motivos, reconoce con profunda preocupación que las mujeres y las niñas se exponen a menudo a formas más graves de violencia que los hombres y niños y esto constituye una violación grave de los derechos humanos de éstas y un obstáculo para la realización de la igualdad entre mujeres y hombres. Esta específica realidad violenta para las niñas, frente a los niños, se detecta en el acoso sexual, la violación, el matrimonio forzoso, los crímenes cometidos en nombre del "honor", o las mutilaciones genitales... entre otras violaciones graves de los derechos de las mujeres y niñas.

pacidad frente a mujeres con discapacidad[31]; gays frente a lesbianas[32]... Este eje no puede ser ignorado, especialmente si consideramos que más del 52% de la población mundial está compuesta por mujeres, en toda su diversidad, frente al 48% de hombres.

Como señala Facio (1992, 17), "la historia de las luchas de la liberación de muchos grupos oprimidos por su etnia, su ubicación geográfica (...) nos demuestra que partir de la eliminación de la discriminación contra esos grupos, es partir de la eliminación de la discriminación que sufren los hombres de esos grupos". Esto se debe a que lo masculino sigue siendo percibido como el modelo universal de lo humano, incluso en contextos de opresión. Por tanto, al luchar contra el racismo, la opresión de clase o la homofobia, no se garantiza la eliminación simultánea del sexismo que afecta a las mujeres de esos mismos grupos marginados.

Dentro de la ciudadanía femenina, por tanto, también existen estructuras sistémicas que colocan en posiciones diferentes a las mujeres blancas, negras, mestizas..., atravesadas además por otras categorías como la edad,

31 La *Macroencuesta de Violencia contra la Mujer 2019,* aun centrada en las mujeres con una discapacidad superior al 33%, revela que el 40,4 % de las mujeres con discapacidad había sufrido algún tipo de violencia por parte de su pareja, frente al 31,9% de las que no tienen discapacidad. En concreto el 20,7% correspondía a la violencia física o sexual sufrida en el caso de discapacidad y del 13,8% sin existir discapacidad reconocida. Fuera de la pareja, el 17,2% de las mujeres con discapacidad habrían sufrido violencia física y el 10,3%, violencia sexual, frente a las mujeres sin discapacidad que la habrían padecido en el 13,2% y del 6,2%, respectivamente. No obstante, como ya destacó CERMI, se echan de menos datos estadísticos donde la doble perspectiva, la principal de género y la discapacidad intersecciones, subrayando, como recoge la ONU en la 58 sesión de la Comisión de Derechos Humanos de 2002, *Integración de los derechos humanos de la mujer y la perspectiva de género.* E/CN.4/2002/L.59, 16 de abril de 2002. «la importancia de examinar la intersección de múltiples formas de discriminación, incluyendo sus causas de raíz desde una perspectiva de género». Al respecto, véase CERMI y Fundación CERMI Mujeres: Informe sobre violencia de género hacia las mujeres con discapacidad a partir de la Macroencuesta 2015. En: http://www.fundacioncermimujeres.es/sites/default/files/informe_sobre_violencia_de_genero_2.pdf

32 Según el Informe *Mujeres lesbianas y bisexuales en España,* del Ministerio de Igualdad, editado por el Instituto de la Mujer, en 2024, más del 81,9% de las mujeres lesbianas y bisexuales identifica que ha sufrido algún tipo de violencia por su orientación sexual. Igualmente, añade que el riesgo de sufrir violencia se incrementa cuando las mujeres manifiestan una mayor expresión de género masculina, que "rompe con las expectativas de género heteronormativas". Accesible en Internet: https://www.inmujeres.gob.es

la discapacidad, la religión o la orientación sexual. No obstante, mi postura es clara: el sujeto político y jurídico prioritario en este enfoque han de ser las mujeres[33], pues todas ellas comparten una discriminación estructural por el hecho de haber nacido mujeres.

Un ejemplo ilustrativo de lo expuesto puede encontrarse en los datos del Consejo Laboral para el Avance Latinoamericano (CLAL)[34], según los cuales, por cada dólar que gana un hombre blanco estadounidense, las mujeres blancas ganan 76 centavos, las mujeres negras 61 y las latinas 53. La brecha de género, según este informe, se sitúa globalmente en 70 centavos por cada dólar percibido por un hombre.

Es importante insistir en este punto, considerando que, como advierte Morondo (2020, 29), aún no existe una comprensión unívoca ni ampliamente consensuada sobre el enfoque interseccional, y que la teoría jurídica feminista todavía se encuentra "en construcción" en este aspecto. En consecuencia, estimo fundamental, en el proceso de elaboración de un nuevo marco jurídico, evitar que una interseccionalidad "extrema" y desprovista de jerarquías disuelva las identidades políticas de los grupos oprimidos en una amalgama de individualidades, haciendo inoperantes categorías como "clase", "hombres negros", "mujeres" o "mujeres negras", tal como advierte Barrère (2010, 250).

---

33 Actualmente, algunos discursos posmodernos no participan de este postulado, sino que critican esta forma de entender el sistema sexo-género. Sin embargo, creo que desconectarse de este hilo principal significa volver a diluir el sujeto político mujeres que tanto ha costado, desde los orígenes del Feminismo, sacar del vacío. Sobre estas críticas y sus derivas, puede consultarse Mayor A. et al (2021), *Transfeminismo o barbarie.* Madrid: Kaótica Libros.

34 El CLAL es una organización nacida hace ya 50 años y representa a 1,7 millones de trabajadores latinos. Pertenece a la Federación Estadounidense del Trabajo y Congreso de Organizaciones Industriales, el sindicato más relevante del país. Se calcula un total de 59,9 millones de latinos, según el último recuento oficial del gobierno. Hablamos de un 18,3 % de la población estadounidense, con una edad media de 29,4 años. Según su presidenta, Yurina Merino, existe una brecha evidente salarial de género entre hombres y mujeres, que lleva estancada en el país desde 2003. "Las latinas estamos en el nivel más bajo, después de las blancas, las asiáticas y las afroamericanas, y hemos perdido centavos en los últimos años", asevera la activista. Información consultable en https://www.diariolasamericas.com/eeuu/las-hispanas-son-las-mujeres-mayor-brecha-salarial-respecto-hombres-blancos-n4165603 y en el artículo de Manuel Ruiz Rico publicado en Público y consultable en https://www.publico.es/internacional/brecha-salarial-latinas-cobran-mitad-hombre-raza-blanca-ee-uu-brecha-salarial.html

El propio Secretario General de la ONU ha reconocido este eje central para alcanzar los compromisos de la Agenda 2030: "Mientras las mujeres no gocen de empoderamiento económico y social en el mundo laboral, en el hogar y la comunidad, el crecimiento no será inclusivo y no lograremos erradicar la pobreza"[35]. Así, el principio del gender mainstreaming, asumido por todos los países que respaldaron los acuerdos de la IV Conferencia Mundial sobre las Mujeres en Beijing, debe atravesar todas las políticas legislativas y acciones públicas. Esto implica "apoyar la transversalización de la perspectiva de género en todas las áreas políticas" (párrafo 201) y "promover una política activa y visible de incorporación de la perspectiva de género en todas las políticas y programas" (párrafo 202).

Y no puede ser de otro modo, ya que, aunque todavía escasos, los estudios desagregados existentes evidencian un sesgo de género profundo. Según el Banco Mundial, de los 190 países miembros y asociados, solo 12 otorgan a las mujeres una condición jurídica equivalente a la de los hombres. Esta discriminación estructural por razón de género, presente en las instituciones sociales, le cuesta a la economía mundial seis billones de dólares, según datos de la Organización de Cooperación y Desarrollo Económico[36].

5. EL IMPULSO DE EUROPA AL COMPROMISO CON EL *GENDER MAINSTREAMING* COMO EJE ESTRUCTURANTE DE LAS POLÍTICAS COMUNITARIAS

La consolidación del *gender mainstreaming* como principio rector y vinculante dentro del Derecho y las políticas públicas europeas no admite apenas discusión, aunque todavía persistan posturas que abogan por una nivelación entre distintos ejes de desigualdad sin jerarquía entre ellos. No obstante, resulta revelador que ya en la IV Conferencia Mundial sobre la Mujer celebrada en Pekín en 1995 —evento clave en la historia reciente del feminismo institucional— los 189 Estados participantes asumieran

---

[35] Ver Prólogo de AntónioGuterres, Secretario General de las Naciones Unidas, en el *Informe sobre los Objetivos de Desarrollo Sostenible*, 2018. Accesible en www.unwomen.org

[36] Al respecto, remito a los datos recientes recogidos en OECD: *Social Institution and GenderIndex*, ISSN: 26634724 (online). https://doi.org/10.1787/803413ef-en y SIGI 2023 *Global Report. Gender Equality in Time of Crisis*, https://doi.org/10.1787/4607b7c7-en

un compromiso político inequívoco en favor de la igualdad sustantiva. El documento final consagra un principio estructural que sigue plenamente vigente: "La igualdad de derechos, de oportunidades y de acceso a los recursos, el reparto igualitario de las responsabilidades respecto de la familia y una relación armoniosa entre mujeres y hombres son indispensables, tanto para su bienestar y el de sus familias, como para la consolidación de la democracia"[37]. Esta afirmación no sólo enfatiza la centralidad del género en la arquitectura de los derechos humanos, sino que también proyecta el principio del *gender mainstreaming* como un criterio transversal y obligatorio al que deben ajustarse tanto las normas legislativas como las políticas públicas y sus programas o instrumentos de aplicación.

Dicho principio ha sido interiorizado por la Unión Europea y vertebra, desde hace décadas, su acervo jurídico. Tal y como señalé en Gil Ruiz (2019: 64-65), su incorporación progresiva en los tratados fundacionales de la Unión ha tenido una relevancia indiscutible. Desde el Tratado de Ámsterdam (artículo 3.2) hasta el Tratado de Lisboa (artículo 8), sin olvidarnos de Directivas de significativo interés[38], el compromiso con la igualdad de género ha dejado de ser meramente programático para convertirse en un mandato operativo. De hecho, el artículo 3.2 del Tratado de Ámsterdam es especialmente claro en este sentido: "En todas las actividades contempladas en el presente artículo, la Comunidad se fijará el objetivo de eliminar las desigualdades entre hombres y mujeres y promover su igualdad". Esta formulación otorga a la igualdad de género un valor estructural

---

37 *IV Conferencia Mundial sobre las mujeres,* Beijing, China, 4 a 15 de septiembre 1995, punto 15.

38 El artículo 29 de la Directiva 2006/54 reza: "Transversalidad de la perspectiva de género: Los Estados miembros tendrán en cuenta de manera activa el objetivo de la igualdad entre hombres y mujeres al elaborar y aplicar disposiciones legales, reglamentarias y administrativas, así como políticas y actividades, en los ámbitos contemplados en la presente Directiva". Recientemente merece destacarse la Directiva (UE) 2019/1158 del Parlamento Europeo y del Consejo, de 20 de junio de 2019, relativa a la conciliación de la vida familiar y la vida profesional de los progenitores y los cuidadores, y por la que se deroga la Directiva 2010/18/UE del Consejo, adoptada por el Parlamento Europeo y el Consejo en junio de 2019. Asimismo, debe conocerse la Propuesta de Directiva del Parlamento por la que se refuerza la aplicación del principio de igualdad de retribución entre hombres y mujeres por un mismo trabajo o por un trabajo de igual valor a través de medidas de transparencia retributiva y de mecanismos para su efectivo cumplimiento (2021/0050/(COD)).

y transversal, y condiciona el diseño, la implementación y la evaluación de todas las políticas comunitarias al cumplimiento de ese objetivo.

No se trata, por tanto, de abordar la desigualdad mediante acciones aisladas, puntuales o sectoriales, sino de garantizar su integración como principio guía en todas las fases de la política pública. Esta lógica, además, confiere al género una posición normativa central respecto a otras causas de discriminación, muchas de las cuales no gozan del mismo estatus jurídico en el marco de la Unión Europea. Es decir, la protección por razón de género, al haber sido institucionalizada como objetivo prioritario y explícitamente mencionada en tratados de eficacia vinculante, ha alcanzado una densidad normativa superior.

Una prueba más de este estatus privilegiado puede hallarse en el artículo 157 del Tratado de Funcionamiento de la Unión Europea (TFUE), que establece con rotundidad: "Cada Estado miembro *garantizará* la aplicación del principio de igualdad de retribución entre trabajadores y trabajadoras...". Y continúa: "El Parlamento Europeo y el Consejo, con arreglo al procedimiento legislativo ordinario y previa consulta al Comité Económico y Social, *adoptarán medidas para garantizar* la aplicación del principio de igualdad de oportunidades e igualdad de trato para hombres y mujeres en asuntos de empleo y ocupación, incluido el principio de igualdad de retribución (...)". La literalidad del precepto no deja lugar a dudas: el Derecho de la Unión impone a los Estados una obligación directa e incondicionada, cuyo cumplimiento no está sujeto a desarrollos posteriores o a márgenes de discrecionalidad.

Además, este precepto ha sido objeto de una interpretación expansiva por parte del Tribunal de Justicia de la Unión Europea. En su sentencia de 3 de junio de 2021 (*Tesco Stores Ltd*, asunto C-624/19), el TJUE reconoció que el artículo 157 TFUE posee efecto directo incluso en litigios entre particulares. Esta doctrina consolida su eficacia normativa y refuerza la aplicabilidad del principio de igualdad de retribución, al permitir que los ciudadanos lo invoquen directamente ante los tribunales sin necesidad de una norma interna de transposición. Tal grado de eficacia directa es excepcional dentro del corpus antidiscriminatorio europeo y constituye un indicio claro del rango privilegiado que ostenta la igualdad de género.

Este reconocimiento no se extiende, sin embargo, de igual modo a otras causas de discriminación, como la edad, el origen étnico, la discapacidad o la orientación sexual. Estas se encuentran enunciadas en el artículo 19 del TFUE, el cual dispone que "El Consejo (...) *podrá* adoptar acciones adecuadas para luchar contra la discriminación por motivos de sexo (reforzándolo), de origen racial o étnico, religión o convicciones, discapacidad, edad u orientación sexual". La diferencia terminológica es significativa. A diferencia del artículo 157, que impone una obligación firme, el artículo 19 utiliza un lenguaje facultativo, dejando a la voluntad política del Consejo la adopción de medidas concretas. Ello implica una menor exigibilidad y una clara asimetría[39]. en la protección jurídica entre los distintos ejes de discriminación.

Además, el ámbito material de cobertura tampoco es equivalente. Mientras que la igualdad entre hombres y mujeres encuentra aplicación tanto en el plano laboral como en otros muchos espacios de la vida pública y privada —educación, salud, participación política, conciliación, entre otros—, las restantes causas prohibidas de discriminación reciben una protección más estrecha, normalmente centrada en el acceso al empleo[40] y la ocupación.

En este contexto, también adquiere especial relevancia el contenido del artículo 6.1 del Tratado de Lisboa, que refuerza el compromiso con la igualdad de género al incorporar la Carta de los Derechos Fundamentales de la Unión Europea como texto jurídicamente vinculante. En su artículo 23, esta Carta establece: "La igualdad entre mujeres y hombres *deberá garantizarse* en todos los ámbitos, inclusive en materia de empleo, trabajo y retribución. (...) El principio de igualdad no impide el mantenimiento o la adopción de medidas que supongan ventajas concretas a favor del sexo menos representado". Esta formulación no solo ratifica el principio de igualdad formal y sustantiva, sino que legitima también las llamadas acciones positivas como mecanismos necesarios para corregir desigualdades estructurales persistentes.

---

39 Se puede detectar también un cierto mayor grado de protección en la discriminación por razón de etnia, con un ámbito material más abierto que incluye esfera laboral y extra-laboral. Véase la Directiva 2000/43 del Consejo, de 29 de junio de 2000, relativa a la aplicación del principio de igualdad de trato de las personas independientemente de su origen racial o étnico, DOUE, nº 180 de 19 de junio de 2000.

40 Directiva 2000/78 del Consejo, de 27 de noviembre de 2000, relativa al establecimiento de un marco general para la igualdad de trato en el empleo y la ocupación, publicada en DOUEL, nº 303, de 2 de diciembre de 2000. En 2006, fue refundida en la Directiva 2006/54/CE del Parlamento Europeo y del Consejo, de 5 de julio de 2006, relativa a la aplicación del principio de igualdad de oportunidades e igualdad de trato entre hombres y mujeres en asuntos de empleo y ocupación.

En definitiva, la Unión Europea ha consolidado progresivamente un modelo normativo en el que la igualdad de género actúa como principio organizador del ordenamiento jurídico comunitario. Este modelo se apoya en una base jurídica sólida —tratados, directivas, jurisprudencia— y en un compromiso político que, al menos en el plano declarativo, busca impregnar todas las políticas públicas europeas. No obstante, el reto pendiente es extender esta lógica a otros ejes de desigualdad, superando la fragmentación y jerarquización actuales mediante una aproximación verdaderamente interseccional. Solo así será posible avanzar hacia una igualdad real y efectiva que responda a la complejidad de las discriminaciones múltiples que atraviesan nuestras sociedades.

No conviene desatender las advertencias formuladas por autoras como Barrère (2003, 47-66) y Freixes Sanjuán (2004, 241), quienes lamentan la falta de ambición mostrada por la Unión Europea al no aprovechar plenamente la ocasión que representaban las reformas de los Tratados de Maastricht y Ámsterdam para consolidar el *gender mainstreaming* como eje estructural de una nueva concepción de la ciudadanía europea. Es cierto que, de haberse articulado adecuadamente, estas reformas habrían podido sentar las bases de una ciudadanía europea vertebrada desde la igualdad de género. Sin embargo, coincido con ellas en que las ambivalencias y contradicciones que se evidencian en enunciados como el del punto 3 —donde se señala que la Unión fomentará la igualdad entre mujeres y hombres— sugieren, por contraposición, que tal igualdad no constituye un punto de partida, sino una meta a alcanzar, lo cual deja abierta la posibilidad de interpretar la ciudadanía europea como un estatus desigualmente distribuido —desde sus orígenes—, y sujeto a gradaciones. Este razonamiento se ve reforzado si atendemos al Marco Financiero Plurianual de la UE 2021-2027[41], que otorga mayor protagonismo a la integración de la perspectiva de género en la elaboración presupuestaria.

Sin embargo, esta evolución demuestra que, aunque el camino no ha estado y ni está aún exento de insuficiencias, sí se han producido avances significativos. Por ello, aun compartiendo en parte las críticas, considero que resultaría poco prudente, desde una perspectiva estratégica, desestimar los logros internacionales alcanzados, que hoy constituyen un punto de apoyo ineludible para exigir a los Estados una implicación real y efectiva con la igualdad ciudadana, sin subterfugios.

---

41 Accesible en https://www.fondoseuropeos.hacienda.gob.es/sitios/dgfc/es-ES/rpue/pue/mfp/Paginas/MarcoFinancieroPlurianual2127.aspx

Esta dinámica internacional responde al desarrollo de un tipo de gobernanza cosmopolita sustentada en instituciones con legitimidad propia, tal como señala Von Bogdandy (2011: 440), cuya autoridad pública se ejerce desde la pluralidad y se fortalece a través de mecanismos de legitimación compartida entre distintos niveles institucionales. En este contexto, no se trata de abandonar la lógica estatal de inspiración westfaliana, sino de complementarla con marcos jurídicos multinivel que permitan enfrentar los desafíos transnacionales, desbordando los limitados márgenes de intervención local.

La Unión Europea[42], en esta línea, ha puesto énfasis en la obligación jurídica que recae sobre los Estados miembros de proteger los derechos de las mujeres, garantizar su integridad física, promover la igualdad de género y la diversidad, y desempeñar un papel activo en la defensa de estos valores en el ámbito internacional. Además, insiste en que dicha protección debe extenderse de forma homogénea a todos los países que conforman la Unión.

La jurisprudencia del Tribunal de Justicia de la Unión Europea (TJUE) ha contribuido notablemente a este proceso, incidiendo de manera directa sobre las legislaciones nacionales. Un ejemplo paradigmático lo constituye la sentencia *Violeta Villar Láiz* de 8 de mayo de 2019 (asunto C-161/18), en la que se declaró contraria al Derecho de la Unión la normativa española sobre el cálculo de pensiones de jubilación para trabajadores a tiempo parcial, al perjudicar de forma desproporcionada a las mujeres. En el mismo sentido se pronunció la sentencia *Praxair* del mismo día (asunto C-486/18), al dictaminar que el cálculo de indemnizaciones por despido de una persona trabajadora en situación de permiso parental a tiempo parcial debe efectuarse sobre la base de una retribución completa.

Estas decisiones judiciales han servido de acicate para políticas nacionales más sensibles al género. Prueba de ello es el Real Decreto-ley 2/2023[43], de 16 de marzo, que adopta medidas urgentes para ampliar los derechos de las personas pensionistas, reducir la brecha de género y establecer un marco de sostenibilidad del sistema público de pensiones. Este instrumen-

---

42 Resolución del Parlamento Europeo, de 14 de septiembre de 2023, sobre la regulación de la prostitución en la Unión: repercusiones transfronterizas y consecuencias en la igualdad de género y los derechos de las mujeres (2022/2139(INI)). Punto 35.

43 BOE, núm. 65, de 17/03/2023. Accesible en https://www.boe.es/eli/es/rdl/2023/03/16/2/con

to legislativo constituye un avance sustancial al corregir el impacto negativo de los coeficientes de parcialidad, que afectaban sobre todo a mujeres, dado que más de dos millones de ellas en España ocupan empleos a tiempo parcial. De esta forma, se traduce en medidas concretas el principio de cooperación normativa entre distintos niveles de gobierno, asegurando que los compromisos europeos se reflejen en beneficios tangibles para las ciudadanas.

6. PLANIFICACIONES Y ACCIONES LEGISLATIVAS SINCRÉTICAS

Resulta oportuno, en este momento, recuperar los desafíos jurídico-políticos que impone el orden internacional, particularmente en el contexto europeo[44], y observar de qué manera han ido permeando en las respuestas normativas del legislador nacional. Tanto la Agenda 2030 como las líneas estratégicas del Consejo de Europa sobre prevención y lucha contra la violencia contra las mujeres y la violencia doméstica[45]y la Unión Europea marcan una hoja de ruta clara en la promoción de la igualdad de género. En este sentido, la Estrategia del Consejo de Europa para la Igualdad de Género (2018-2023) se erige como un referente, al incluir objetivos fundamentales como la eliminación de estereotipos, el acceso igualitario de las mujeres a la justicia, la lucha contra la violencia de género y la inclusión transversal de la perspectiva de género en todas las políticas.

La articulación europea ha ido más allá de lo simbólico, como lo demuestra el Plan de Acción sobre Igualdad de Género y Empoderamiento de las Mujeres en la Acción Exterior (GAP-III, 2021-2025) y la Estrategia Europea para la Igualdad de Género (2020-2025), en las que se subraya la corresponsabilidad, la igualdad redistributiva y la erradicación de la violencia de género como objetivos ineludibles. A este impulso se suma el Convenio de Estambul, vigente para la Unión desde octubre de 2023, lo que reafirma la voluntad del proyecto europeo de comprometerse en la erradicación de la violencia contra las mujeres en todos los Estados miembros, y la exigencia a estos para que lo ratifiquen sin dilación (Gil Ruiz, 2018).

---

[44] Para una información al respecto del Convenio de Estambul, remito a mi trabajo: Gil Ruiz, J.M. (2018). *El Convenio de Estambul como marco de Derecho antisubordiscriminatorio.* Madrid: Dykinson.

[45] Accesible en https://www.coe.int/en/web/conventions/full-list?module=treaty-detail&treatynum=210

De forma paralela, la Unión Europea no ha ignorado el impacto estructural de la precariedad laboral, especialmente sobre las mujeres, denunciando que "la precariedad es una característica persistente del mercado de trabajo de la Unión [...] que afecta sobre todo a las mujeres", quienes sufren desigualdades salariales, elevada presencia en empleos a tiempo parcial y menores oportunidades de independencia económica[46]. Por ello, el Parlamento Europeo ha exhortado a los Estados miembros (petición 44) a abordar las condiciones laborales inseguras y a promover contratos indefinidos que garanticen empleos estables y mejor protección social, sobre todo para las mujeres.

Este compromiso normativo se materializa en directivas como la (UE) 2019/1158, que refuerza los derechos de conciliación de vida familiar y profesional, o la (UE) 2023/970[47], que establece mecanismos de transparencia retributiva como medida para aplicar el principio de igualdad salarial por trabajo de igual valor. Asimismo, la Directiva (UE) 2022/2041 aborda la adecuación de los salarios mínimos en el espacio europeo, en un intento por reducir las brechas económicas persistentes.

España ha recogido el testigo de estos compromisos europeos, articulando reformas significativas que integran de forma más decidida la perspectiva de género. La ya no tan nueva L.O. 3/2007 para la igualdad efectiva de mujeres y hombres (LOIEMH) ha evolucionado desde un enfoque de *softlaw* a un modelo más vinculante, intensificando su exigibilidad. Con la aprobación del Real Decreto-ley 6/2019 se ampliaron las obligaciones para elaborar Planes de Igualdad a empresas de menor tamaño, además de establecer un Registro obligatorio. Esta línea se consolidó con el Real Decreto 901/2020, que rebajó el umbral a empresas con más de 50 personas trabajadoras y endureció el régimen sancionador, tipificando como infracción grave el incumplimiento de las medidas de igualdad (art. 7.13 LISOS), y como muy grave el acoso sexual en el ámbito laboral, con sanciones que pueden superar los 180.000 euros.

Junto a las medidas coercitivas, el legislador ha potenciado también instrumentos de fomento. El art. 49 de la LOIEMH alienta especialmente a las pequeñas y medianas empresas a diseñar e implementar planes de igual-

---

46 Resolución del Parlamento Europeo, de 14 de septiembre de 2023, sobre la regulación de la prostitución en la Unión: repercusiones transfronterizas y consecuencias en la igualdad de género y los derechos de las mujeres (2022/2139(INI))

47 DOUE, núm. 132, de 17 de mayo de 2023. Accesible en https://www.boe.es/buscar/doc.php?id=DOUE-L-2023-80668

dad, promoviendo ayudas como las recogidas en la Orden SSI/1196/2013. Este enfoque se ha reforzado con el Real Decreto-ley 1/2023, que vincula el acceso a incentivos laborales a la existencia de dichos planes.

Por su parte, el Real Decreto-ley 902/2020 de igualdad retributiva exige a todas las empresas disponer de registros salariales que garanticen la transparencia y permitan detectar desigualdades. Complementariamente, el Real Decreto 99/2023, de 14 de febrero[48], fijó el salario mínimo interprofesional en 1.080 euros mensuales en 14 pagas, situándose en 2025 en 1.184 euros al mes, es decir, 16576 euros anuales en 14 pagas. Esto ha supuesto un avance en la reducción de la brecha salarial, especialmente al beneficiar a las mujeres, principales damnificadas de empleos peor remunerados.

La reciente aprobación del Real Decreto-ley 5/2023, de Conciliación de la vida familiar y la vida profesional de los progenitores y los cuidadores[49] que entró en vigor el 30 de junio de 2023, refuerza los principios de conciliación, equilibrio personal y profesional, e igualdad de género, alineándose con el Pilar Europeo de Derechos Sociales. Este entramado normativo encuentra coherencia dentro del III Plan Estratégico para la Igualdad Efectiva entre Mujeres y Hombres (2022-2025), que estructura su intervención en cuatro ejes prioritarios. El primero, busca transversalizar la perspectiva de género en todas las políticas públicas. El segundo —que absorbe el 91% del presupuesto— aborda la economía de los cuidados, la feminización de la pobreza, la precariedad laboral, y promueve la corresponsabilidad[50]. El tercero combate toda forma de violencia contra las mujeres, incluyendo formas menos visibilizadas como los matrimonios forzosos o la trata. El cuarto, por su parte, atiende a mujeres que enfrentan

---

48 BOE, núm. 39, de 15 de febrero de 2023. Accesible en https://www.boe.es/eli/es/rd/2023/02/14/99

49 Este Real Decreto-Ley modifica el Estatuto de Trabajadores, La Ley del Estatuto del Empleado Público, así como la Ley Reguladora de la Jurisdicción Social. BOE, núm. 154, de 29 de junio de 2023. Accesible en https://www.boe.es/eli/es/rdl/2023/06/28/5

50 En palabras de la Ministra de Igualdad, el día de presentación de la Estrategia, el 8 de marzo de 2023: "Que haya escuelas infantiles de 0 a 3 años y políticas públicas de conciliación como el Plan Corresponsables, que permitan que las mujeres, que son las que mayoritariamente asumen esas tareas de cuidados, puedan tener liberado su tiempo para poder ejercer todos y cada uno de sus derechos y no solamente poder conciliar la vida laboral con la vida familiar, sino también la vida personal".

discriminaciones interseccionales por motivos de raza, orientación sexual, discapacidad u origen.

Todo este esfuerzo normativo podría tener efectos positivos no solo en términos de justicia social, sino también económicos. Como señalan Wodon y De la Brière (2018), si España lograra reducir en un 25% la brecha de género laboral para 2025, el PIB podría incrementarse en 34.000 millones de dólares. De forma análoga, la UE[51] podría generar hasta 10,5 millones de empleos adicionales y elevar su PIB en un 10% de aquí a 2050 si se alcanza una igualdad de género plena.

Aun así, queda un frente relevante por consolidar: el ámbito digital. Incluir a más mujeres en sectores tecnológicos y digitales no es solo una cuestión de igualdad, sino una inversión estratégica. Se estima que ello podría generar beneficios de hasta 16 billones de euros anuales para el PIB de la UE. España tiene ante sí el reto de cerrar esta brecha y, si lo logra, su economía podría aumentar en 110.000 millones de euros —el equivalente al 8% del PIB proyectado para 2025—. La igualdad de género en el sector digital no solo resulta imprescindible para el crecimiento económico, sino también para asegurar una adaptación justa y equitativa al futuro del trabajo, que involucra tanto al sector público como al privado.

Concluyo afirmando que un nuevo comienzo post-COVID que aborde respuestas globales sólo puede acometerse desde un proyecto cosmopolita, comprometido con la igualdad y los derechos humanos. Sólo así podremos construir un horizonte común más justo y habitable, esta vez para todas y todos.

7. BIBLIOGRAFÍA

ABRAMO, L. (2008), *Trabajo, Género y Raza. Un tema presente en la agenda brasileña,* Nueva Sociedad, 218, ISSN: 0251-3552, <www.nuso.org>. 87-106.

ALCÁZAR, M. A. (2023). Discapacidad y género, un necesario tratamiento interseccional en nuestra legislación. *Estudios Penales y Criminológicos, 43,* 1-34. https://doi.org/10.15304/epc.43.8650

BARRÈRE UNZUETA, M.A. (2010), La interseccionalidad como desafío al *mainstreaming* de género en las políticas públicas, *R.V.A.P.*, 87-88, 225-252.

51 Informe de la ComisiónEuropea, Dirección General de Redes de Comunicación, Contenido y Tecnologías (2018). *Women in the digital age: executivesummary*. Publications Office. https://data.europa.eu/doi/10.2759/517222¡

BARRERE UNZUETA, M.A. (2003). Ciudadanía europea e igualdad de género, *Revista Vasca de Administración Pública,* nº 66, 47-66.

CRENSHAW, K.W. (1989). Demarginalizing the intersection of race and sex: a black feminist critique of antidiscrimination doctrine, feminist theory and antiracist politics, *University of Chicago Legal Forum,* 1(8), 139-167.

CRIADO PÉREZ, C. (2019). *Invisible Women*: Exposing Data bias in a World designed for men. Random House International.

DE JULIOS CAMPUZANO, A. (2008). El paradigma jurídico de la globalización, en Belloso Martín, N. y De Julios Campuzano, A., *¿Hacia un paradigma cosmopolita del derecho?: pluralismo jurídico, ciudadanía y resolución de conflictos.* Madrid: Dykinson. 49-75.

DELOITTE (2019). *Women in the Boardroom: A Global Perspective,* Sixth Edition.

ESQUEMBRE CERDA, M. (2016). Las mujeres ante el cambio constitucional. Algunos apuntes desde una perspectiva feminista para una "reforma constituyente" de la Constitución Española. *Atlánticas. RevistaInternacionalde estudiosfeministas,* 1, (1).

FACIO, A. (1992). *Cuando el Género suena, cambios trae. (Una metodología para el análisis de género del fenómeno legal).* San José, CR.: ILANUD:

FOUCAULT, M. (1978). *Microfísica del Poder,* traducido por J. Varela y F. Álvarez-Uría. Madrid: ediciones La Piqueta. Versión digitalizada en http://www.esnips.com/doc/f1ba8852-21a0-478e-8461-197f50c77f1a/Foucault-Microfisica-del-poder

FOUCAULT, M. (1986). *Vigilar y Castigar.* Madrid: Siglo XXI.

FREIXES SANJUAN, T. (2014). La igualdad de mujeres y hombres en el Derecho de la Unión Europea. Especial referencia a la Jurisprudenciadel Tribunal de Justicia de la Unión y del Tribunal Europeo de Derechos Humanos. En Pastor, L., Román Martín, A. Giménez Costa, A., Figueruelo Burrieza (Coords.). *Integración europea y género.* Madrid: Tecnos. 15-65.

FREIXES SANJUAN, T. (2005). La perspectiva de género en la elaboración de la constitución europea, en FreixesSanjuán, T. y Sevilla Merino, J. (Coords.). *Género, Constitución y Estatutos de Autonomía,* Madrid: INAP. 69-99.

FREIXES SANJUAN, T. (2004). La Igualdad y el futuro de Europa, en BalaguerCallejón M.L. (Ed.), *XXV Aniversario de la Constitución Española: propuestas de reformas,* Málaga: Diputación de Málaga, 241-269.

GEORGIEVA, K., SAYEH, A., SAHAY, R. (2022). *Cómo cerrar la brecha de género y hacer crecer la economía mundial,* 8 de septiembre de 2022. Consultable en https://www.imf.org/es/Blogs/Articles/2022/09/08/how-to-close-gender-gaps-and-grow-the-global-economy

GIL RUIZ, J.M. (2022). El mundo jurídico ante los desafíos de la sociedad digital: ¿Es necesaria una nueva filosofía del derecho? *Revista Internacional De Pensamiento Político, 17*(1), 323-343. https://doi.org/10.46661/revintpensampolit.7523

GIL RUIZ, J.M. (2021). En torno a los límites de la desobediencia en democracia. *ACFS,* 55. 631-636.

GIL RUIZ, J. M. (2019). Repensando la Constitución: una mirada al deber de trabajar y al derecho al trabajo. *Revista De Derecho Político, 1*(104), 59-85. https://doi.org/10.5944/rdp.104.2019.24309

GIL RUIZ, J.M. (2018). *El Convenio de Estambul como marco de Derecho antisubordiscriminatorio.* Madrid: Dykinson.

GIL RUIZ, J.M. (2007). *Los diferentes rostros de la Violencia de Género.* Madrid: Dykinson.

HABERMAS, J. (2015). Un alegato a favor de la constitucionalización del derecho internacional, en Fabra Zamora, J. y García Jaramillo, L. (ed.). *Filosofía del Derecho Constitucional. Cuestiones fundamentales.* México: UAM, 137-148.

HART, H.L.A (1961). *El concepto de Derecho.* Argentina: AbeledoPerrot.

LATORRE SEGURA, A. (1968) (2012). *Introducción al Derecho.* Madrid: Ariel.

LEWIS, H. (2020), *Difficult Women: A History of Feminism in 11 Fights.* Nueva York: Vintage Digital

MAYOR A. et al (2021). *Transfeminismo o barbarie.* Madrid: Kaótica Libros.

MORONDO TARAMUNDI, D. (2020). Vulnerabilidad y derechos humanos. *Tiempo de paz,* 138. 20-27.

PATEMAN, C. (1988). *The Sexual Contract.* Polity Press. En español, (1995) Madrid: Editorial Anthropos. Más recientemente, (2019) Madrid: editorial Ménades.

ROMERO BURILLO, A.M. (dir.) (2023). *La mujer ante los retos del Trabajo 4.0.* Pamplona: Aranzadi.

VICARI GANA, V. (2022). El proyecto cosmopolita y la alternativa de una reconstrucción multicultural de los derechos humanos. *Anuario De Derechos Humanos, 18*(2), 311-324. https://doi.org/10.5354/0718-2279.2022.63885

VON BOGDANDY, A. (2011). *Hacia un nuevo derecho público. Estudios de derecho público comparado, supranacional e internacional.* México: UNAM-IIJ.

WENHAM, C. (2021). *Feminist Global Health Security.* UK: Oxford University Press.

WODON, Q.T., De la Brière, B. (2018). *Unrealized Potential: The High Cost of Gender Inequality in Earnings.*Washington, DC: World Bank.

La igualdad de género como factor transversal de las finanzas sostenibles en relación con la Agenda 2030 de la ONU y sus correspondientes ODS

PALOMA RODRÍGUEZ MARTÍNEZ
Contratada predoctoral de investigación en la UAH financiado por la JCCJ en el Dpto. de Ciencias Jurídicas

1. INTRODUCCIÓN

Los criterios *ESG (Environmental, Social & Governance)* definen las inversiones sostenibles y son una tendencia en auge, pues sirven para canalizar grandes inversiones de fondos y también ganan influencia entre el público inversor. Por ende, el nomenclator *ESG* no contempla expresamente la igualdad de género como elemento a tener en cuenta. No obstante, este elemento se evidencia como un factor transversal de primer orden presente en los tres criterios, pues ninguno de ellos es ajeno a este importante vértice en tanto que la igualdad de género atiende a la efectividad de los derechos de la mitad de la población (*Social*), al buen gobierno corporativo (*Governance*), y también se vincula con la sostenibilidad ambiental (*Environmental*), tanto considerando los efectos más adversos que las emergencias climáticas y desastres medioambientales tienen sobre las mujeres, como el relevante papel que éstas pueden desempeñar como agentes del cambio.

Así, los ODS más implicados con las finanzas sostenibles y la igualdad de género son: el ODS 4 sobre educación de calidad, el ODS 5 sobre igualdad de género, el ODS 8 sobre trabajo decente y crecimiento, el ODS 10 sobre reducción de desigualdades y el ODS 13 por acción por el clima. En cuanto a las interacciones entre los ODS mencionados son positivas debido a la relación entre ellos sobre todo el ODS 5, el ODS 8, el ODS 10. Por ende, consideramos igual de importantes cada ODS de los 17 que existen, y en definitiva todos están relacionados entre sí, aunque unos tienen mayor afinidad que otros, pues evidentemente la igualdad de género (ODS 5) y la reducción de desigualdades (ODS 10) tienen el mismo fin, acabar con la discriminación de género (es un objetivo para ambos ODS, aunque el

ODS 10 se refiera a todas las desigualdades, la desigualdad de género sería una de ellas).

Por todo ello, el objetivo de este capítulo de investigación es visibilizar la necesidad de la igualdad de género para una sociedad sostenible, mostrando las desigualdades que sufren las mujeres, pues las mujeres soportan a nivel mundial una carga mucho mayor de cuidados que les limita a la hora de trabajar con trabajos más precarios (brecha salarial), dificultad para acceder a créditos y/o comenzar un negocio (brecha financiera), la falta de promoción laboral en sus puestos de trabajo (techo de cristal), la socialización diferenciada en la educación que genera trabajos feminizados (trabajos de cuidados) y masculinizados (trabajos STEM)[1], entre otras muchas situaciones desiguales.

No obstante, se pueden aplicar diferentes medidas para cerrar todas las brechas y/o desigualdades que sufren las mujeres como son: 1) la figura microcréditos para poder acceder al sector financiero, 2) una política de cuidados que genere una conciliación de la vida laboral y personal adecuada, 3) una socialización igualitaria desde edades tempranas en las que no se atribuyan unos roles de género, y 4) la visibilización del síndrome de la impostora que sufren en mayor medida las mujeres y que les impide llegar a la alta dirección, para que puedan ser conscientes si lo padecen y poder superarlo.

En virtud de lo expuesto, las finanzas sostenibles y la igualdad de género, suponen una estrecha relación con la Agenda 2030 debido a que tienen el mismo fin, una sociedad más sostenible en la que se reduzcan las desigualdades, más concretamente en este tema me centro en la reducción de la desigualdad de género. Además, este tema le da un enfoque transversal a la igualdad de género, debido a la necesidad de una sociedad igualitaria, pues la mitad de la población mundial son mujeres, y la falta de igualdad de género afecta en todos los ámbitos, como son el económico, el social y el medioambiental.

Así, se va a dedicar un epígrafe para cada ODS mencionado que tiene vinculación con la igualdad de género, y que se relaciona además con las finanzas sostenibles al poder acercarnos a las metas que propone cada ODS por esta vía. Por ello, vamos a desarrollar en primer lugar, el ODS 4, en segundo lugar, el ODS 5, en tercer lugar, el ODS 8, en cuarto lugar, el ODS

---

1 Informe de Mujeres y Digitalización, de las brechas a los algoritmos, editado por el Instituto de la Mujer de España, de 2021.

10, en quinto lugar, el ODS 13, en sexto lugar, los resultados, en séptimo lugar, las conclusiones, y en octavo y último lugar, la bibliografía.

2. ODS 4 SOBRE EDUCACIÓN DE CALIDAD

Tenemos que ser conscientes de los sesgos que tenemos en la sociedad actual, de la socialización diferenciada que aún persiste en las edades más tempranas y en los colegios e institutos, pues aún hay estudios que creemos consciente o inconscientemente que son para hombres o para mujeres, por eso no hay apenas mujeres en muchas ramas de ciencias tecnológicas ni apenas hombres en ciencias de la salud o en la educación.

Por todo ello, este ODS sobre educación de calidad pretende garantizar una educación inclusiva y equitativa de calidad y promover oportunidades de aprendizaje permanente para todas las personas, por ello se han de mencionar las metas de este ODS: 4.1 calidad de la educación primaria y secundaria; 4.2 calidad de la educación pre-escolar; 4.3 acceso igualitario a la formación superior; 4.4 competencias para acceder al empleo; 4.5 disparidad de género y colectivos vulnerables; 4.6 alfabetización y conocimiento de aritmética; 4.7 educación global para el desarrollo sostenible; 4.8 instalaciones educativas inclusivas y seguras; 4.9 becas para enseñanza superior; 4.10 cualificación de docentes[2].

Además, las metas que más se relacionan con las finanzas sostenibles y la igualdad de género son: 4.5 disparidad de género y colectivos vulnerables, 4.7 educación global para el desarrollo sostenible, 4.8 instalaciones educativas inclusivas y seguras, y 4.10 cualificación de docentes. Así, tener en cuenta la disparidad de género existente en el sistema educativo, una educación para el desarrollo sostenible, unas instalaciones educativas e inclusivas que generen una educación de calidad y que atraiga al alumnado y una cualificación de los docentes en las que tengan en cuenta el impacto de la igualdad de género y la sostenibilidad y sepan transmitirlo en la docencia, es esencial.

De otro lado, contamos con indicadores de todos los ODS en el INE, y vamos a analizar ahora los del ODS 4, donde podemos ver un indicador diferente en función de cada meta, centrándonos en los indicadores de las

---

2 Ministerio de Derechos Sociales y Agenda de 2030: https://www.mdsocialesa2030.gob.es/agenda2030/index.htm

metas que tienen mayor relación con la igualdad de género y las finanzas sostenibles como acabamos de mencionar[3].

En primer lugar, la Meta 4.5. mencionada, cuenta con el Indicador "4.5.1. Índices de paridad (entre mujeres y hombres, zonas rurales y urbanas, quintiles de riqueza superior e inferior y grupos como los discapacitados, los pueblos indígenas y los afectados por los conflictos, a medida que se disponga de datos) para todos los indicadores educativos de esta lista que puedan desglosarse", que a su vez nos ofrece diferentes subindicadores como el Subindicador "4.5.1.1. Índices de paridad (entre mujeres y hombres) de la población de 15 a 64 años que estudian formación académica o capacitación en las cuatro últimas semanas" en el que en el último periodo de 2021 encontramos 1,15 puntos de paridad sobre 1 a nivel nacional, y en el Subindicador "4.5.1.2. Índices de paridad (entre zonas rurales y urbanas) de la población de 15 a 64 años que estudian formación académica o capacitación en las cuatro últimas semanas" el índice de paridad es de 0,86 puntos sobre 1 a nivel nacional[4]. Así, estos subindicadores muestran la situación de paridad, siendo 0 si fuera una equidad de género, donde la evolución desde el periodo base de 2015 apenas ha fluctuado.

3. ODS 5 SOBRE IGUALDAD DE GÉNERO

El ODS 5 sobre igualdad de género, tiene como fin lograr la igualdad de género y empoderar a todas las mujeres y niñas, destacando que se ha de hacer de forma transversal en otros objetivos. También, se expone que a pesar de tener reconocido el derecho a la igualdad en la constitución y en el ordenamiento jurídico en España, persisten diferentes discriminaciones hacia la mujer, en todos los ámbitos de la vida. Por ello, podemos mencionar que según los datos de la EPA 6 de cada 10 personas en el desempleo son mujeres y solo el 0,4 % de mujeres ocupadas eran directoras de empresas grandes o medianas, y en el primer trimestre de 2021, 3 de cada 4 personas a tiempo parcial son mujeres en España, y con una brecha retributiva del 19,5%[5].

---

3 Indicadores del ODS 4 en el INE: https://www.ine.es/dyngs/ODS/es/objetivo.htm?id=4869

4 Subindicadores del ODS 4 en el INE: https://www.ine.es/dyngs/ODS/es/indicador.htm?id=4966#!gs154

5 Ministerio de Derechos Sociales y Agenda de 2030: https://www.mdsocialesa2030.gob.es/agenda2030/index.htm

En cuanto a las metas del ODS 5 sobre igualdad de género son las siguientes: 5.1 poner fin a la discriminación; 5.2 violencia de género; 5.3 matrimonio infantil y mutilación genital femenina; 5.4 trabajo de cuidados domésticos; 5.5 participación plena de la mujer e igualdad de oportunidades; 5.6 salud sexual y reproductiva y derechos reproductivos; 5.a igualdad de derechos a los recursos económicos; 5.b uso de tecnología y acceso a tecnologías de la información y la comunicación; 5.c políticas y leyes para la igualdad y el empoderamiento.

Así, por cada meta encontramos un indicador, en cuanto a la meta 5.1. el indicador es

> "5.1.1. Determinar si existen o no marcos jurídicos para promover, hacer cumplir y supervisar la igualdad y la no discriminación por motivos de sexo", y cuenta con diferentes subindicadores "5.1.1.1. Existencia de marcos jurídicos para promover, reforzar y supervisar la igualdad de género – Área 1: marco legal global y vida pública" y el "5.1.1.2. Existencia de marcos jurídicos para promover, reforzar y supervisar la igualdad de género – Área 2: violencia contra la mujer", con el periodo base de 2015 y el último periodo el de 2022, dando un porcentaje del 100% en todos ellos. Respecto de la meta 5.4., el indicador es "5.4.1. Proporción de tiempo dedicado al trabajo doméstico y asistencial no remunerado, desglosada por sexo, edad y ubicación" y el subindicador es "5.4.1.1. Tiempo dedicado al hogar y familia en un día promedio" teniendo el periodo base de 2010 con 182 minutos. Sobre la meta 5.5., hay dos indicadores el " 5.5.1. Proporción de escaños ocupados por mujeres en a) los parlamentos nacionales y b) los gobiernos locales", y el "5.5.2. Proporción de mujeres en cargos directivos", en cuanto al primer indicador 5.5.1. cuenta con 5 subindicadores donde muestran la evolución positiva del porcentaje de mujeres en el congreso, senado, consejerías y gobiernos autonómicos, alcaldías, y concejalías, con el periodo base de 2015 al 2022, aumentando un 5% respecto de otros años en casi todos los casos, y sobre el segundo indicador 5.5.2. tiene 4 subindicadores que tratan sobre la proporción de mujeres en cargos directivos, en alta dirección, consejeras, y mujeres empresarias, tomando como periodo base 2015 y llegando el análisis hasta 2020 o 2021 con una evolución positiva de hasta un 5% en algunos casos. Respecto de la meta 5.a., hay dos indicadores y son "5.a.1. a) Proporción del total de la población agrícola con derechos de propiedad o derechos seguros sobre tierras agrícolas, desglosada por sexo; y b) proporción de mujeres entre los propietarios o los titulares de derechos sobre tierras agrícolas, desglosada por tipo de tenencia" y el " 5.a.2. Proporción de países cuyo ordenamiento jurídico (incluido el derecho consuetudinario) garantiza la igualdad de derechos de la mujer a la propiedad o el control de las tierras", sobre el primer indicador encontramos 6 subindicadores donde el aumento de mujeres como titulares de explotaciones agrícolas ha aumentado desde 2013 a nivel nacional, pero a nivel autonómicos encontramos mucha diferencia de porcentajes, sobre el otro indicador mencionado relativo a Proporción de países cuyo ordenamiento jurídico (incluido el derecho consuetudinario) garantiza la igualdad de derechos de la mujer a la propiedad o el control de las tierras, el único subindicador que encontramos es sobre el "Grado en que

el marco jurídico (incluido el derecho consuetudinario) garantiza la igualdad de derechos de la mujer a la propiedad o el control de tierras", siendo desde 2015 a 2022 la unidad de rango sobre 1,6, de 6 puntos, sin observar fluctuaciones en ese periodo de tiempo. En cuanto a la última meta a analizar, es la meta 5.b. que cuenta con el indicador "5.b.1. Proporción de personas que poseen un teléfono móvil, desglosada por sexo", y a su vez derivan 3 subindicadores que nos muestran el aumento de mujeres que utilizan la tecnología de la información y las comunicaciones desde 2013 a 2021 pero que sigue siendo inferior al porcentaje de hombres[6].

4. ODS 8 SOBRE TRABAJO DECENTE Y CRECIMIENTO

Este ODS 8, sobre trabajo decente y crecimiento, está relacionado con el trabajo y la economía, y por ello busca reducir la tasa de desempleo, mejorar las condiciones laborales, y mejorar el acceso a los servicios y beneficios financieros para un crecimiento económico inclusivo. Así, cabe destacar que, en todo el mundo en 2016, el 61% de las personas trabajadoras tenían un puesto de trabajo no regulado. Respecto de España, en función de los datos de la EPA correspondientes al último trimestre de 2022, el paro afectaba al 29,26% de la población de entre 16 y 24 años, situándose por encima de dicho porcentaje en el caso de las mujeres, un 29,91% frente al 28,72% de los hombres. En cuanto al empleo a jornada parcial en España, la mayoría lo realizan las mujeres con un 74,7%, y casi 6 de cada 10 trabajadoras a tiempo parcial lo hace de manera involuntaria y debido en mayor medida a las obligaciones familiares y el cuidado de otras personas, sin olvidarnos de la brecha salarial de las mujeres que supone un 8,68% frente a los hombres en la contratación a tiempo completo[7].

De otro lado, las metas de este ODS 8, son las siguientes: 8.1 crecimiento económico; 8.2 diversificación, tecnología e innovación; 8.3 fomento de pequeña y mediana empresa; 8.4 producción y consumo eficiente y respetuoso; 8.5 pleno empleo y trabajo decente; 8.6 jóvenes sin trabajo ni estudios; 8.7 esclavitud, trata y trabajo infantil; 8.8 derechos laborales y trabajo seguro; 8.9 turismo sostenible; 8.10 servicio bancarios; 8.a ayuda para el

---

6 ODS 5 sobre igualdad de género, indicadores analizados en el INE: https://www.ine.es/dyngs/ODS/es/objetivo.htm?id=4977

7 Ministerio de Derechos Sociales y Agenda de 2030: https://www.mdsocialesa2030.gob.es/agenda2030/index.htm

comercio en países en desarrollo; 8.b estrategia mundial para el empleo juvenil.

De cada meta encontramos un indicador desarrollado en el INE, por ello de la Meta 8.1. encontramos el indicador "8.1.1. Tasa de crecimiento anual del PIB real per cápita" y con un subindicador que se denomina igual que el indicador, y nos muestra que en 2015 se tenía un 3,93% de crecimiento y en 2021 ha sido del 5,17%, es decir, ha aumentado en más de 1% a pesar de la pandemia de la COVID. De la meta 8.2., el indicador es "8.2.1. Tasa de crecimiento anual del PIB real por persona empleada" y el subindicador "8.2.1.1. Tasa de crecimiento anual de la productividad", el cual empezó en 2019 con porcentajes negativos (-0,69%), y que a pesar de la pandemia en 2020 con -6,99% en 2021 aumentó a -1,41%. De la meta 8.3, su indicador aún se muestra en proceso explorando los datos, por lo que pasamos a la meta 8.4, y analizamos el segundo indicador pues el primero está también analizando la fuente de datos, siendo el segundo indicador el "8.4.2. Consumo material interno en términos absolutos, consumo material interno per cápita y consumo material interno por PIB" que cuenta con 3 subindicadores que han aumentado desde 2015 a 2021. En cuanto a la meta 8.5., tiene dos indicadores y son "8.5.1. Ingreso medio por hora de las personas empleadas, desglosado por sexo, edad, ocupación y personas con discapacidad" y "8.5.2. Tasa de desempleo, desglosada por sexo, edad y personas con discapacidad", del primer indicador hay dos subindicadores y son el salario medio por hora (15,01 a 16,54) y salario medio por hora personas con discapacidad (de 13,0 a 13,9), que ambos han subido desde 2015 a 2021, y del segundo indicador que trata sobre tasa de empleo y desempleo, tiene 4 subindicadores y muestra como ha aumentado la tasa de empleo y cómo ha bajado la tasa de desempleo en 3 de los 4 indicadores. Sobre la meta 8.6., el indicador y subindicadores correspondientes muestran la reducción desde 2015 de hasta 7 puntos porcentuales. En cuanto a la meta 8.8., en su indicador "8.8.1. Lesiones ocupacionales mortales y no mortales por cada 100.000 trabajadores, por sexo y estatus migratorio" muestra una clara disminución de 2015 a 2021 en todos los subindicadores. Respecto de la meta 8.9., el indicador es "8.9.1. PIB generado directamente por el turismo en proporción al PIB total y a la tasa de crecimiento", ha aumentado en algunos subindicadores o se ha mantenido del periodo de 2015 a 2021, habiendo disminuido en 2020 debido a la pandemia, pero remontando en 2021. En cuanto a la meta 8.10, el primer indicador "8.10.1. a) Número de sucursales de bancos comerciales por cada 100.000 adultos y b) número de cajeros automáticos por cada 100.000 adultos" cuenta con dos subindicadores y ambos desde 2015 a 2022 han disminuido, tanto las sucursales de banco como los cajeros automáticos, y el otro indicador no cuenta con información suficiente para analizar. Sobre la meta 8.a., observamos el indicador "8.a.1. Compromisos y desembolsos en relación con la iniciativa Ayuda para el Comercio" y en el único subindicador que encontramos "8.a.1.1. Ayuda para los compromisos y desembolsos comerciales en relación con la iniciativa Ayuda para el Comercio", se observa un aumento de dichas ayudas en millones desde 2018 que eran 83,11 millones a 102,83 millones en 2020, es decir, un notable aumento. Y de la última meta 8.b., tiene un indicador y es "8.b.1. Existencia de una estrategia nacional organizada y en marcha para el empleo de los jóvenes, como estrategia independiente o como parte de una estrategia nacional de empleo", se observan 7 subindicadores, los cuales todos han aumentado sin excepción y considerablemente desde 2015 a 2022[8].

De cada meta y cada indicador, se muestra una mejora en los datos analizados, por lo que se ha generado un trabajo más decente y un crecimiento económico respecto de los datos de referencia de 2015 a 2022, a pesar de una pandemia mundial y una guerra en Europa.

5. ODS 10 SOBRE REDUCCIÓN DE DESIGUALDADES

El ODS 10 sobre reducción de desigualdades, como bien indica busca reducir la desigualdad por motivos como el sexo, edad, discapacidad, raza, etnia o religión dentro de España y la contribución de España a la reducción de la desigualdad entre países, para lo que promueve la adopción de las políticas y la legislación pertinentes. Así, se pueden destacar datos que verifican las desigualdades que siguen persistiendo como la mortalidad materna pues en la mayoría de los países en desarrollo las mujeres de las zonas rurales tienen hasta tres veces más probabilidades de morir durante el parto que las mujeres que viven en centros urbanos, y que hasta el 30% de la desigualdad de ingresos se debe a la desigualdad dentro de los propios hogares, incluso entre mujeres y hombres, además, las mujeres tienen más probabilidades que los hombres de vivir por debajo del 50% del ingreso

[8] ODS 8 sobre trabajo decente y crecimiento económico, datos de los indicadores y subindicadores en el INE: https://www.ine.es/dyngs/ODS/es/objetivo.htm?id=4882

medio, debido a las cargas familiares y a la jornada parcial que se ven obligadas a realizar por el primer motivo, entre otros motivos[9].

Como todo ODS, el ODS 10 sobre reducción de desigualdades, tiene las siguientes metas: 10.1 ingresos 40% población pobre; 10.2 inclusión social, económica y política; 10.3 igualdad de oportunidades; 10.4. políticas fiscales, salariales y de protección social; 10.5 regulación de los mercados financieros mundiales; 10.6 participación de países en desarrollo en IFIS* y OOII*; 10.7 migración y políticas migratorias; 10.a principio del trato especial y diferenciado; 10.b. corrientes financieras para países en desarrollo; 10.c costes de remesas[10].

En cuanto a la primera meta que es la 10.1., su indicador es "10.1.1. Tasas de crecimiento per cápita de los gastos o ingresos de los hogares del 40% más pobre de la población y la población total", y este indicador cuenta con 4 subindicadores, los cuales toman como periodo base el 2015, y analizan hasta 2021, habiendo un crecimiento generalizado en todos los subindicadores, llamando la atención su incremento de 2020 a 2021 a pesar de la pandemia mundial. Sobre la meta 10.2., el indicador es "10.2.1. Proporción de personas que viven por debajo del 50% de la mediana de los ingresos, desglosada por sexo, edad y personas con discapacidad", tiene un único subindicador y es "10.2.1.1. Proporción de personas que viven por debajo del 50% de la mediana de los ingresos", y de 2015 a 2022 ha habido una disminución de 15,9% a 13,7%. Respecto de la meta 10.3., cuenta con el indicador "10.3.1. Proporción de la población que declara haberse sentido personalmente discriminada o acosada en los últimos 12 meses por motivos de discriminación prohibidos por el derecho internacional de los derechos humanos", que a su vez cuenta con 3 subindicadores que han aumentado ligeramente desde 2015 a 2021, y esto se debe en mayor medida porque se ha facilitado el mecanismo de denuncia por motivos de discriminación, así como la mayor concienciación de la población de las situaciones que pueden considerarse discriminatorias y por ello mayor número de denuncias, pues ahora la población sabe detectar si sufre discriminación y por esto mismo se denuncia más, porque antes no sabían si sufrían discriminación y/o no se les facilitaba los mecanismos. En cuanto a la meta 10.4., podemos analizar un indicador pues el otro sigue analizando

---

9 Ministerio de Derechos Sociales y Agenda de 2030: https://www.mdsocialesa2030.gob.es/agenda2030/index.htm

10 Ministerio de Derechos Sociales y Agenda de 2030: https://www.mdsocialesa2030.gob.es/agenda2030/index.htm

los datos, y el indicador que se puede analizar es el "10.4.1. Proporción del PIB generada por el trabajo", que solo cuenta con un subindicador y es "10.4.1.1. Proporción del PIB generada por el trabajo, que comprende los salarios y las transferencias de protección social", el cual muestra un incremento desde el periodo base de 2015 con 35,820% a 36,801% en el último periodo de 2020. De la meta 10.5., el indicador es "10.5.1. Indicadores de solidez financiera", donde dicho indicador muestra 6 subindicadores y podemos mencionar que los subindicadores sobre el porcentaje de préstamos dudosos han disminuido y que los activos líquidos sobre pasivos a corto plazo han aumentado de 2017 a 2020. Respecto de la meta 10.6., su indicador no es aplicable, por lo que pasamos a meta 10.7., donde los primeros 3 indicadores siguen analizando datos y no están disponibles y pasamos al cuarto indicador que si se puede analizar y es "10.7.4. Proporción de la población integrada por refugiados, desglosada por país de origen", y tiene un único subindicador que es "10.7.4.1. Proporción de refugiados por 100.000 habitantes", y muestra el aumento desde 2015 de 10,79 a 2022 con 279,54. De otro lado, sobre la meta 10.a. y 10.c., se están explorando las fuentes de datos, por lo que no se analizarán sus indicadores, y por ello pasamos a la meta 10.b., donde su indicador es "10.b.1. Corrientes totales de recursos para el desarrollo, desglosada por país receptor y país donante y por tipo de corriente", que cuenta con dos subindicadores y son relativos a la ayuda oficial al desarrollo total bruta y neta, ambas han aumentado de 2019 a 2020[11].

Así, una vez analizados los indicadores y subindicadores del ODS 10, se ha mostrado la reducción de las desigualdades, gracias a diferentes medidas de inversión social, como han podido ser los ERTEs, la mayor inversión en recursos para poder denunciar situaciones discriminatorias y su visibilización, entre otras, han reducido en España la desigualdad que se sufría en los periodos de referencia de 2015, como bien se ha demostrado.

6. ODS 13 POR ACCIÓN POR EL CLIMA

El ODS 13 sobre acción por el clima, insta a adoptar medidas urgentes para combatir el cambio climático y sus efectos, y por ello su objetivo es prepararnos para afrontar los impactos del cambio climático, sentar las

---

[11] ODS 10 sobre reducción de desigualdades, indicadores y subindicadores del INE: https://www.ine.es/dyngs/ODS/es/objetivo.htm?id=4901.

bases de una economía neutra en emisiones y acompañar a los colectivos más vulnerables en el proceso de transición y sus efectos[12].

Asimismo, la relación de la igualdad de género con este ODS sobre la acción por el clima, se debe a que la crisis climática no es "imparcial en cuanto al género", ya que las mujeres y las niñas sufren los peores efectos del cambio climático, lo que aumenta la desigualdad de género existente y plantea amenazas únicas a sus medios de vida, salud y seguridad. En todo el mundo, las mujeres dependen más de los recursos naturales, pero tienen menos acceso a ellos, y en muchas regiones, las mujeres cargan con una responsabilidad desproporcionada cuando se trata de garantizar alimentos, agua y combustible. Además, la agricultura es el sector laboral más importante para las mujeres de los países de ingresos medianos y bajos, y por ello, durante las épocas de sequía y precipitaciones irregulares, las mujeres, como agricultoras y productoras primarias, tienen que aumentar la carga de trabajo de forma desproporcionada, generando una mayor presión para las niñas que ayudan o trabajan en la agricultura, quienes en muchas ocasiones abandonan la escuela para ayudar a sus madres en dicho sector[13].

En cuanto a las metas de este ODS 13, son las siguientes: 13.1 resiliencia y adaptación; 13.2 políticas, estrategias y planes nacionales; 13.3 educación y sensibilización; 13.a movilización de recursos económicos; 13.b gestión del camblio climático en países menos adelantados[14].

De otro lado, cada meta tiene su indicador, por lo que acudimos al INE para analizar los datos proporcionados de cada indicador, de la meta 13.1., el primer indicador es "13.1.1. Número de muertos, desaparecidos, heridos, reubicados o evacuados debido a desastres por cada 100.000 personas", en 2015 fueron 0,17 sobre 100.000 y en 2021 0,16 sobre 100.000, en cuanto al segundo indicado "13.1.2. Número de países con estrategias nacionales de reducción del riesgo de desastres en consonancia con el Marco de Sendái para la Reducción del Riesgo de Desastres 2015-2030", en 2015 fueron

---

12 Ministerio de Derechos Sociales y Agenda de 2030: https://www.mdsocialesa2030.gob.es/agenda2030/index.htm.

13 Artículo ONU Mujeres, "Artículo explicativo: Cómo la desigualdad de género y el cambio climático están relacionados entre sí": https://www.unwomen.org/es/noticias/articulo-explicativo/2022/03/articulo-explicativo-como-la-desigualdad-de-genero-y-el-cambio-climatico-estan-relacionados-entre-si.

14 Ministerio de Derechos Sociales y Agenda de 2030: https://www.mdsocialesa2030.gob.es/agenda2030/index.htm.

0,25 y en 2021 0,57, por lo que ha habido un claro incremento, y respecto del último indicador "13.1.3. Proporción de gobiernos locales que adoptan y aplican estrategias locales de reducción del riesgo de desastres en consonancia con las estrategias nacionales de reducción del riesgo de desastres" hemos pasado de 2015 con un 28% a 2021 con 68%, un aumento considerable, casi el triple. Respecto de la meta 13.2., cuenta con dos indicadores, el primero de ellos "13.2.1. Número de países con contribuciones determinadas a nivel nacional, estrategias a largo plazo y planes y estrategias nacionales de adaptación y estrategias indicadas en comunicaciones sobre la adaptación y comunicaciones nacionales" y tiene el subindicador "13.2.1.1. España contribuye a nivel nacional a estrategias a largo plazo y planes y estrategias nacionales de adaptación y estrategias indicadas en comunicaciones sobre la adaptación y comunicaciones nacionales" donde en el periodo base de 2015 el dato era 0,00 y se ha ido incrementando hasta 2021 con un 1,00, por lo que España en 2015 no contribuía y en 2021 sí, sobre el otro indicador es "13.2.2. Emisiones totales de gases de efecto invernadero por año" tiene el subindicador "13.2.2.1. Total de Emisiones de Gases Efecto Invernadero de las unidades residentes per cápita" y ha bajado de 7,47 en 2015 a 6,23 en 2021. Sobre la meta 13.3., cuenta con un indicador y es "13.3.1. Grado en que i) la educación para la ciudadanía mundial y ii) la educación para el desarrollo sostenible se incorpora en a) las políticas nacionales de educación, b) los planes de estudio, c) la formación del profesorado y d) la evaluación de los estudiantes", y tiene 4 subindicadores, y todos tienen sobre 0,2 de rango un 1 o cerca de esta cifra, en función del último periodo en 2020. Finalmente, de la meta 13.a. y 13.b, no podemos analizar los indicadores porque aún se están analizando en la primera y en la segunda no es aplicable[15].

Por todo ello, observamos una mejora de los datos en la mayoría de los indicadores, no obstante, falta información por analizar pues aún se están trabajando los datos en el INE. De otro lado, se podría añadir un indicador en el que se analice el porcentaje de hombres y mujeres que estudian y trabajan en el sector digital verde, pues cada vez va a haber más empleo al ser la única solución para dejar de depender de las energías contaminantes, y que presenta una brecha digital de género con falta de mujeres en el sector digital y/o tecnológico y por ello en el empleo verde, por lo que se ha de incentivar y promover la inserción de las mujeres en el sector digital para

[15] ODS 13 sobre Adoptar medidas urgentes para combatir el cambio climático y sus efectos, indicadores y subindicadores del INE: https://www.ine.es/dyngs/ODS/es/objetivo.htm?id=4915.

que puedan formar parte de este tejido productivo que será fundamental en el futuro ya que ocupará una gran parte de los futuros puestos de trabajo, y mejor remunerados como ocurre actualmente[16].

7. RESULTADOS

1. Observamos una mejora en la mayoría de los indicadores de las correspondientes metas, en cuanto a la situación del periodo base de 2015 respecto de 2021 en España, a pesar de haber sufrido una pandemia mundial en 2020 y una guerra en Europa, por lo que estos indicadores y sus correspondientes subindicadores, refuerzan las medidas efectivas realizadas para la conservación y mejora del Estado de Bienestar que pauta la Constitución Española.

2. También, algunos indicadores siguen analizando los datos a tratar, por lo que no se han podido analizar, por lo que en aquellos casos no se ha podido analizar dichos datos, no obstante, se ha podido ver el avance mencionado en el párrafo anterior.

3. Las mujeres sufren situaciones más precarias en todos los ámbitos, pero cabe destacar que el cambio climático les afecta en mayor medida, como bien han mostrado los indicadores analizados, por lo que es importante protegerlas tanto a las mujeres como a las niñas debido al gran impacto que supone en sus vidas, además de su inclusión en el empleo digital verde, pues es el sector que más puestos generará en el futuro y de mayor calidad.

8. CONCLUSIONES

1. Así, todos los ODS mencionados tienen mayor o menor relación con la igualdad de género y con las finanzas sostenibles, siendo el que mayor relación tiene el ODS 5 sobre igualdad de género, no obstante, el resto de ODS mencionados muestran la relevancia en cada indicador desglosando por sexo en prácticamente todos y al reflejar los datos la evidente discrimi-

---

16 ÁLVAREZ CUESTA, H., "La formación en los nuevos yacimientos de empleo (empleos digitales, verdes) con especial atención a la perspectiva de género." *Lan Harremanak - Revista De Relaciones Laborales,* (49). 2023.

nación estructural que sufre la mujer en prácticamente todos los ámbitos, destacando en la educación, en el trabajo y respecto del cambio climático.

2. Por ello, para un mundo más sostenible, no podemos avanzar si discriminamos a la mitad de la población de forma consciente o inconsciente por los sesgos que mantenemos debido a la cultura androcéntrica que vivimos a nivel mundial, más acentuada en unos países que en otros, pero con influencia en todas las sociedades.

3. En España, a pesar de la pandemia mundial y de la guerra en Ucrania que ha afectado a toda Europa, se ha conseguido mejorar los datos en el periodo de 2019 a 2022, y esto se debe a las políticas que se han elaborado y se han materializado en diferentes medidas como pueden ser: el Real Decreto 902/2020, de 13 de octubre, y destinados a garantizar el principio de transparencia salarial, identificar las situaciones discriminatorias y establecer los criterios para considerar un trabajo de igual valor; el Real Decreto 901/2020, de 13 de octubre, por el que se regulan los planes de igualdad de género y su registro; el Real Decreto-ley 3/2021, de 2 de febrero, que regula la introducción del complemento económico de las pensiones contributivas para la reducción de la brecha de género; Ley 15/2022, de 12 de julio, integral para la igualdad de trato y la no discriminación, que contribuirá a reforzar el derecho a la igualdad de trato, incluyendo medidas para combatir toda forma de discriminación e intolerancia; a Ley Orgánica 2/2022, de 21 de marzo, de mejora de la protección de las personas huérfanas víctimas de la violencia de género; Ley Orgánica 10/2022, de 6 septiembre, de garantía integral de la libertad sexual (LOGILS), que supone un enorme avance en la protección integral de las mujeres, en su derecho a la libertad sexual y en la erradicación de todas las violencias sexuales; Real Decreto-Ley 16/2022, de 6 de septiembre, para la mejora de las condiciones de trabajo y de Seguridad Social de las personas trabajadoras al servicio del hogar; Plan para la Igualdad de Género en el Sector Pesquero y Acuícola 2021-2027, aprobado a inicios de este año, y que tiene como objetivo servir de estrategia a las administraciones pesqueras y a los diferentes agentes sectoriales y sociales a la hora de definir sus políticas y acciones para combatir la desigualdad en el ámbito de la pesca y la acuicultura, entre otras muchas medidas, que han facilitado la mejora de los datos proporcionados por los indicadores y subindicadores a pesar de la adversidad del momento vivido en este periodo de tiempo[17].

---

17 Informe de progreso de 2022 de la Estrategia de Desarrollo Sostenible 2030. Gobierno de España, Ministerio de Derechos Sociales y Agenda 2030. SECRETARÍA

9. BIBLIOGRAFÍA

Doctrina

ÁLVAREZ CUESTA, H., "La formación en los nuevos yacimientos de empleo (empleos digitales, verdes) con especial atención a la perspectiva de género." *Lan Harremanak - Revista De Relaciones Laborales,* (49). 2023.

Artículos e Informes

- Informe de Mujeres y Digitalización, de las brechas a los algoritmos, editado por el Instituto de la Mujer de España, de 2021.
- Artículo ONU Mujeres, "Artículo explicativo: Cómo la desigualdad de género y el cambio climático están relacionados entre sí": https://www.unwomen.org/es/noticias/articulo-explicativo/2022/03/articulo-explicativo-como-la-desigualdad-de-genero-y-el-cambio-climatico-estan-relacionados-entre-si
- Informe de progreso de 2022 de la Estrategia de Desarrollo Sostenible 2030. Gobierno de España, Ministerio de Derechos Sociales y Agenda 2030. SECRETARÍA GENERAL TÉCNICA. CENTRO DE PUBLICACIONES, Paseo del Prado, 18 – 28014, MADRID. https://www.crue.org/wp-content/uploads/2022/11/IP22_EDS2030_SP.pdf

Páginas web visitadas:

- Ministerio de Derechos Sociales y Agenda de 2030: https://www.mdsocialesa2030.gob.es/agenda2030/index.htm

---

GENERAL TÉCNICA. CENTRO DE PUBLICACIONES, Paseo del Prado, 18 – 28014, MADRID. https://www.crue.org/wp-content/uploads/2022/11/IP22_EDS2030_SP.pdf

Emprendimiento femenino y desarrollo sostenible (una mirada comparada)

MARÍA DOLORES SANTOS FERNÁNDEZ
Profesora Titular Universidad de Siena (Italia)

1. LA GENEALOGÍA FEMENINA DEL *MANAGMENT:* SORPRENDENTE Y CONSISTENTE

La iniciativa empresarial femenina parece estar más vinculada, en numerosas ocasiones, a un proyecto económico de desarrollo sostenible. La conexión entre actividad económica femenina y sostenibilidad económico-social viene de lejos, desde los orígenes mismos del *managment.* Como demuestra el libro, *Una sorprendente genealogía*[1], en los inicios del *managment* se encuentran numerosas mujeres académicas y directivas, de proveniencia social y económica diversa que, desde finales del siglo XIX hasta nuestros días, han contribuido, con sus ideas de estudio y enfoque organizativo, a formular una nueva visión del *managment* destinada a un desarrollo sostenible y equilibrado.

¿Por qué es importante la genealogía femenina? Porque una mujer asentada, orientada e inspirada por modelos de referencia femeninos alcanza una seguridad y consistencia en el ejercicio, en este caso, del gobierno empresarial, que le derivan, precisamente, de la pertenencia a su propio sexo, y no a pesar de ello. Las mujeres que gobiernan necesitan estar bien asentadas en unas referencias de fuerza, talento y gracias femeninas.

¿Cuáles fueron los aspectos más sobresalientes de esa genealogía en el *managment* femenino?

Desde luego, el instrumento de la investigación empírica ha sido muy utilizado por muchas de las mujeres al mando. Es una herramienta caracterizada por el estudio de la realidad de los hechos, lo que posteriormente se orienta hacia la formulación de hipótesis encaminadas al cambio metodológico. Al trazar la genealogía de las mujeres se hace evidente cómo la

---

1 Luisa Pogliana, *Una sorprendente genealogia. L'autorità femminile nel managment dall'Ottocento ad oggi,* Guerini, Milán, 2022.

investigación empírica, ha sido el elemento común en muchas historias del empresariado y de la gestión femeninos. Esta forma de entender la profesión de directiva tiene su propia personalidad y metodología, a partir de la cual se han establecido nuevas prácticas de cambio organizativo, influyentes en el mundo del trabajo. Los aspectos relativos al factor cronológico e histórico, asumen una relevancia considerable, ya que están estrechamente relacionados con los grandes cambios sociales, culturales y profesionales, que han tenido lugar desde principios del siglo pasado hasta nuestros días.

Las metamorfosis en cuestión afectan, no sólo al contexto laboral, sino también a las transformaciones de carácter social y cultural, que ven cómo aspecto central la erradicación de ciertas visiones estereotipadas del concepto de género en el trabajo, en la empresa y en la economía.

El pensamiento femenino común de quienes trabajaron en este tema en los primeros años se remonta a la erradicación de los modelos de gestión marcados casi exclusivamente por el control y el poder masculinos. Por ello, cabe destacar cómo esta nueva visión de la gestión quería sentar las bases de una nueva competencia técnica sectorial aplicable al mundo del trabajo, pero también quería establecer y arraigar nuevos horizontes sociales. Las mujeres fundadoras, pioneras de este método de dirección y mando, son, entre otras, Martha Beatrice Webb (1898-1943), fundadora de la *London School of Economics* y Mary Parker Follet (1868-1933), asesora del entonces presidente norteamericano Roosevelt, encargada del estudio del bienestar y definida posteriormente como la madre del *management* moderno.

El periodo comprendido entre el siglo XIX y la mayor parte del XX fue testigo de un importante protagonismo femenino en este campo, especialmente por las escuelas de pensamiento que se entrelazaron y establecieron entre estos dos siglos, resultando ser un nexo de unión con los directivos actuales. Curiosamente, el tema no se centra simplemente en el hecho de ser mujer, sino en cómo se ha establecido y desarrollado el *management* y la figura social del directivo desde finales del siglo XIX hasta nuestros días.

El punto de interés del tema está relacionado con la evolución de las ideas y de los elementos empíricos que tienen su origen en la práctica de la gestión de las mujeres y muestran cómo éstas, unidas por un mismo objetivo, han perseguido un modelo encaminado a vislumbrar horizontes innovadores con el paso del tiempo. A este respecto, conviene, pues, recorrer las etapas históricas de una genealogía femenina poco conocida que marcó el punto de partida del *management* a través de puntos de vista, pensamientos y experimentos en el ámbito de la gestión empresarial que pueden utilizarse hoy en día.

El periodo de la revolución industrial vio la fábrica como un contexto de producción estructurada y organizada, en una dimensión en la que la coparticipación de humanos y máquinas era activa. En relación con lo que se acaba de decir, es inevitable referirse al asentamiento gradual de la necesidad de un modelo organizativo capaz de unir tres temas importantes e interconectados, como son el trabajo, la fábrica y la empresa en sus aspectos administrativos.

Durante el período de la revolución industrial, surgió un pensamiento femenino original que abordó las cuestiones de la responsabilidad y del poder organizativo en las fábricas, considerando que en esa fase histórica, era muy difícil ver a las mujeres ocupando determinados papeles. El marco histórico relacionado con este tema contemplaba un contexto en el que todavía existía una marcada diferencia social del trabajo y en la mayoría de los casos, las mujeres ocupaban puestos de trabajo relacionados con la mano de obra y el trabajo y poco relevantes para el trabajo directivo. Por ello, el tema de la gestión desde esta perspectiva había llamado la atención de una serie de mujeres que se habían interesado por este argumento desde el principio; estas últimas eran predominantemente estudiosas que habían centrado su interés en una intervención práctica en las tareas de gestión. A este respecto, se observa hoy que la idea común a todas las personalidades femeninas ha contribuido al establecimiento de una organización de gestión en la que las mujeres participan e intervienen cada vez más. La nueva visión de la gestión, apoyada en la genealogía femenina, pretende también poner de relieve cómo la búsqueda de la libertad, que vio a las mujeres alejarse de ciertos estereotipos insistentes en la sociedad de la época, fue cada vez más emergente. Sin embargo, fue también necesaria una transformación de la forma de dirigir las empresas.

Estos elementos no podían tomar forma sin la presencia de mujeres y hombres en el mismo contexto. En este sentido, se puso de manifiesto que la nueva gestión no podía ser sólo una competencia técnico-sectorial, ya que en este nuevo esquema de gestión las mujeres participaban cada vez más en la vida pública, la educación y el mercado laboral. En esta dimensión, las propuestas de las mujeres en materia de gestión fueron en los años siguientes fuente de inspiración para nuevas técnicas y metodologías de gestión como fuente de cambio en el mundo del trabajo.

Junto a Beatrice Webb y Mary Parker Follet, cuyo principio cardinal en la gestión fue la convicción de que “para conocer las condiciones de trabajo es necesario entrar dónde el trabajo se hace, así como el entorno y el impacto que en el ambiente provoca"[2]. Fueron pioneras de la sostenibilidad dentro y fuera de la empresa. Junto a ellas, la genealogía femenina en el *managment*, se enriquece con otras como Lilian Moller Gilbreth (1878-1972) e Mary Van Kleek (1883-1972), que innovaron sobre aspectos importantísimos para el trabajo femenino, como es la conciliación de la vida laboral y familiar. Pero no sólo, ellas pusieron el acento en la importancia del valor humano y de la naturaleza en todos sus proyectos empresariales. Más recientes son, Lisl Klein (1928-2015), Marie Jahoda (1907-2001), Enid Mumford (1924-2006), Dorothy Wedder-burn (1925-2012), Silvia Shimmin (1925-2004) y Nancy Seear (1913-1997). O en Italia Marisa Bellisario, top manager de la Olivetti y figura de referencia en la promoción de acciones para el desarrollo sostenible industrial. Cada una de estas personalidades femeninas contribuyó al establecimiento de diferentes modelos de gestión basados en la investigación empírica centrado en el estudio de la organización del trabajo y en la mejora de las relaciones humanas en su interior. Convencidas todas ellas de que una buena gestión empresarial tiene repercusiones positivas en la calidad de vida de las personas, de la economía y del planeta. Sostener la vida a través de una iniciativa económica responsable.

2. EL IMPULSO NORMATIVO (EUROPEO Y NACIONAL) EN LA EXTENSIÓN DE LA EMPRESA FEMENINA

A esta evolución histórico-social le acompaña también una evolución de tipo jurídica, ausente en las primeras fases de emersión y consolidación de una modalidad femenina de dirección empresarial. El apoyo jurídico es interesante en el fomento y la promoción del emprendimiento femenino en el gobierno de las empresas y, por tanto, de una parte relevante de la economía de los países.

La reciente perspectiva jurídica se caracteriza, precisamente, por la inversión de las políticas de empleo en la formación y afirmación del concepto de acciones positivas —o de promoción—, vinculadas al tema del trabajo y de la gestión del empleo femenino, siendo la iniciativa empresarial de las mujeres, un objetivo de los diferentes gobiernos que se han ido sucediendo en los diversos países de la Unión Europa. El impulso de Europa,

---

2 Luisa Pogliana, *Una sorprendente genealogia*, op. cit., pp. 45. y ss.

de hecho, se registra en la mayoría de las Agendas de acción política de la Unión de los últimos tiempos[3]. En el 2022, el Consejo adoptó el texto definitivo de la Directiva sobre el equilibrio de género en los consejos de administración. Las nuevas normas de la UE promueven una representación de género más equilibrada en los consejos de administración de las empresas cotizadas en toda la UE[4]. La Unión Europea está muy decidida a tomar medidas para promover la igualdad de género. En noviembre de 2022, el Parlamento de la UE dio luz verde a la directiva sobre la presencia de mujeres en los consejos de administración. La normativa estipula que para finales de junio de 2026, todas las grandes empresas cotizadas de la UE reserven al menos el 40% de los puestos de sus consejos a mujeres. al menos el 40% de los puestos no ejecutivos y el 33% de los puestos ejecutivos y el 33% del total de puestos directivos. Un resultado calificado de «histórico» por la Presidenta de la Comisión Europea, Ursula von der Leyen, que ha declarado que «después de 10 años de propuesta de la Comisión Europea, ahora, por fin, tendremos una ley europea sobre igualdad de género en los consejos de administración de las empresas. El techo de cristal que impedía a las mujeres acceder a los puestos de alta dirección de las empresas se ha roto. Es un momento verdaderamente histórico y y conmovedor momento». La Directiva subraya que «el mérito seguirá siendo el principal criterio durante los procedimientos de selección», que deben ser transparentes Para las empresas que cotizan en bolsa, la obligación de facilitar anualmente a las autoridades información sobre la representación de género en sus consejos de administración. En caso de que los objetivos no se alcancen, las empresas deberán indicar las soluciones para lograrlos. Cada país europeo deberá establecer sanciones proporcionadas, capaces de disuadir del incumplimiento. La nueva directiva no cambia nada para Italia porque, como se verá, gracias sobre todo a la ley Golfo-Mosca, la presencia de mujeres en los consejos de administración ya ha superado el 41%. Para muchos otros países europeos, sin embargo, se trata de una novedad a la que tienen que adaptarse rápidamente. Las nuevas normas fueron aprobadas por el Parlamento de la UE para ayudar a eliminar los obstáculos que las mujeres encuentran a menudo en sus carreras.

---

[3] https://commission.europa.eu/strategy-and-policy/policies/justice-and-fundamental rights/genderequality/gender-equality-strategy_es

[4] Incorporada en España a través de la Ley Orgánica 2/2024, de 1 de agosto, de representación paritaria y presencia equilibrada de mujeres y hombres. https://www.boe.es/buscar/act.php?id=BOE-A-2024-15936

En Italia, país europeo a la vanguardia en este ámbito, existen ya desde finales del siglo pasado diferentes incentivos legales que recogen los impulsos de la *Governance* europea. La vía legislativa para promover acciones positivas para el empresariado femenino se inició con la ley 215/1992, que, a través de la dotación de fondos estatales específicos, créditos empresariales y financiación subvencionada, se propuso incentivar y apoyar la participación activa de las mujeres en este sector económico, en concreto: la puesta en marcha de empresas dirigidas por mujeres. Dos décadas más tarde, en 2011, el legislador decidió intervenir a través de la ley 120/2011, también conocida como ley Golfo-Mosca, con el fin de superar ciertas barreras culturales. La intención de la ley 120/2011 fue la de garantizar un tercio de presencia de mujeres en las sociedades anónimas cotizadas, así como en las administraciones públicas.

La norma exige legalmente la presencia paritaria de ambos géneros dentro de las estructuras de decisión. El siguiente paso normativo, fue la aprobación de la ley 160/2019, cuyo principal cometido es aumentar la presencia de las mujeres en el gobierno de las empresas, pasando de 1/3 a 2/5. Los objetivos que esta ley pretendía alcanzar han sido coherentes con los datos sobre el crecimiento de la presencia femenina en los órganos de alta dirección, administración y control de las empresas. Según encuestas estadísticas específicas, el número de mujeres en los puestos mencionados ha pasado del 36% al 38% en pocos años[5]. En 2020, tras los análisis realizados por el Global Gender Gap Report, se constata un cambio de tendencia positivo en los datos relativos a las mujeres directivas, aspecto a destacar dado el escaso número de este fenómeno en la primera fase de aplicación de la ley Golfo-Mosca. Los datos recogidos por el índice de diversidad de género en 2021, presentado por las Mujeres Europeas en los Consejos de Administración en enero de 2022, analizan y dibujan un panorama de la actual representación de género en los consejos de administración y la alta dirección de las mayores empresas europeas. Según el estudio, en el que se encuestó a 668 empresas cotizadas de 19 países europeos, Italia se sitúa ligeramente por delante de la media europea y crece con respecto a 2020, aunque se mantiene en sexta posición. Los datos dejan claro que este país tiene el mayor porcentaje de mujeres en los Consejos de Administración/ Consejos de Supervisión (47%) y ocupa el tercer lugar en cuanto al número de mujeres al frente de Consejos de Administración (15%). La pro-

---

5 Chiara Galgani e Valeria Santoro, *Leadership femminile. Esiste davvero? Storie di donne imprenditrici e manager che hanno rotto il soffitto di cristallo,* Franco Angeli, Milano, 2023, p, 14 e ss.

moción de estas medidas, contribuye a las estrategias de *Diversity*, es decir, a la promoción de la diversidad como fuente de riqueza para promover modelos de gestión orientados a la innovación y el desarrollo sostenible[6].

A nivel territorial, las mujeres directivas aumentaron en todas las regiones excepto en Valle de Aosta, Friul-Venecia Julia y Molise. Entre las provincias más rosas, destaca Milán, con 8.705 mujeres directivas, seguida de Roma (4.405) y Turín (1.132) para cerrar el podio. En los diez primeros puestos, eso sí, sólo hay provincias del norte.

La aceleración, con una normativa favorable, de mujeres que hacen y crean empresas, ha facilitado la puesta en marcha de proyectos femeninos que, como ya hicieran sus antepasadas[7], tienen muy presente un desarrollo sostenible, equilibrado y responsable. La nueva gestión incluye nuevas visiones, elementos innovadores y la responsabilidad de las mujeres, más abiertas y dispuestas a promover prácticas de cambio y una nueva visión directiva. Lo central es apoyar y promover modelos productivos que tengan también un valor social orientado a erradicar prácticas poco constructivas, ineficientes y dañinas con el entorno, el ambiente. Para promover lo anterior, es necesaria una visión clara de lo que se requiere dentro de una empresa que se aleje de la idea habitual de gestión. Para definir esta perspectiva de cambio, hay que decir que la visión de la mujer en cuestión no se limita al concepto de género, sino que, por el contrario, contempla nuevos métodos y modelos de organización empresarial y directiva. Desde esta perspectiva, el desarraigo de las formas anteriores lleva a las mujeres a no querer repetir los mismos elementos que se han utilizado a lo largo del tiempo y a explorar también lo que no se conoce[8].

Desde la política a las profesiones, las cuotas han surgido como instrumento clave para acelerar un cambio necesario. Porque mantener a las mujeres fuera de los lugares donde se toman las decisiones significa renunciar a la contribución de la mitad de los talentos e inteligencias del país. Un derroche de recursos y energía que ya no nos podemos permitir. El liderazgo de las mujeres es cada vez más necesario. Y no es una cuestión de mera equidad sino, como demuestra el ejemplo de las empresas cotizadas y participadas, de modernidad, productividad, sostenibilidad. El

---

6 Marilisa D'Amico, *Una parità ambigua. Costituzione e diritti delle donne*, Raffello Cortina Editore, Milán, 2020.

7 Luisa Pogliana, *Una sorprendente genealogia*, op. cit.

8 Luisa Pogliana, *Esplorare i confini. Pratiche di donne che cambiano le aziende*, Guerrini editore, 2022

liderazgo femenino es el más apropiado para gestionar la complejidad del presente[9].

El punto de vista de las mujeres directivas pone de manifiesto, efectivamente, que son precisamente estas figuras femeninas las que han abordado críticamente la cuestión del tiempo en la organización del trabajo, apartándose de los modelos anteriores. Desde este punto de vista, el tiempo de trabajo, según la visión de estas directivas, tiene que ocuparse de otros muchos tiempos relacionados con la esfera privada de la persona. Es precisamente la toma en consideración de esta multiplicidad de tiempos en la vida de los y las trabajadoras, lo que conduce a una nueva toma de conciencia de la forma en que se representa el tiempo, tanto desde un punto de vista más realista como constructivo. Desde este punto de vista, el elemento de la flexibilidad del tiempo de trabajo asume una característica relevante para una mejor calidad del equilibrio entre la vida profesional y la vida privada. La mencionada visión de cambio sobre estos temas está siendo cada vez más utilizada por los gestores que abogan por la producción de estos nuevos modelos de gestión, hasta llegar con determinación a todos los contextos de empleo. El principal factor de este cambio proviene del crecimiento de la conciencia que ha implicado a un número cada vez mayor de mujeres que, a través de sus visiones y formas de entender el trabajo, se han embarcado en trayectorias laborales orientadas a cambiar lo que en sus ideas necesitaba ser cambiado. Los principales instrumentos de estas transformaciones en el entorno laboral provienen de nuevas ideas y propuestas que poco a poco han comenzado a surgir en diversos contextos empresariales. En esta dimensión promovida por una mirada femenina, emerge la tendencia constante de estas mujeres directivas a promover políticas basadas en metodologías de trabajo que no siempre parten de ideas concretas, pero que son factibles y están orientadas a fomentar una mejor calidad de vida en el contexto laboral y fuera. A partir de estimaciones realizadas en diversos contextos empresariales, se desprende cómo la relación entre la empresa y el empleado tiene un vínculo esencial en la calidad y el rendimiento de los objetivos y resultados, permitiendo a su vez elevar la calidad de los perfiles empresariales y cuidar el planeta. En los últimos años se ha producido un cambio constante en la forma de trabajar de las personas, el uso del *smart working* es un ejemplo de estos cambios a lo largo del tiempo, que han significado también una nueva forma de hacer empresa. La tarea de la dirección en estas nuevas perspectivas es importante

9 Chiara Galgani e Valeria Santoro, *Leadership femminile.*, op. cit., p. 8.

a efectos de orientar la acción de cambio promovida por los nuevos modelos, sobre todo a través de la toma de conciencia de la importancia de las relaciones humanas y del impacto de la economía en la vida y el ambiente. Hoy en día, en todos los campos y sectores, la clave es un tipo de liderazgo, como el femenino, que fomente la creatividad y las ideas innovadoras, que equilibre visión y los objetivos a largo y corto plazo sin perder de vista la importancia de las relaciones. Una líder transformacional sabela forma correcta de motivar a las personas y permitirles abrazar los cambios, que hoy están a la orden del día. Este tipo de liderazgo requiere ante todo empatía: desde la comprensión de los demás hasta la capacidad de comunicar, comprometer, motivar, hacer que la gente se sienta bien colaborar, trabajar en equipo. Y hoy sabemos que la velocidad y la complejidad del trabajo, la hibridación de vida y profesión, el propio trabajo a distancia... han derribado las barreras que pretendían diferenciar a la persona de su rol profesional. La segunda característica de este tipo de liderazgo es la visión, una peculiaridad, un «talento» femenino que en un entorno complejo, desordenado y en constante cambio como el actual, que requiere capacidad de adaptación y conexión, es indispensable[10].

3. LA EMPRESA SOSTENIBLE CREADA Y DIRIGIDA POR MUJERES: ALGUNOS EJEMPLOS

Al elemento numérico de una difusión progresiva y consolidada de empresas guiadas por mujeres *managment*, hay que añadir, como se acaba de ver, la visión diferente y más atenta al desarrollo sostenible que conlleva el mando empresarial femenino. Efectivamente, las mujeres en la cumbre pueden realmente marcar la diferencia; y en eso trabajan las directivas que han entrado en los consejos de administración de las empresas cotizadas italianas gracias a la ley Golfo-Mosca: eran el 7% en 2011, ahora son el 41% como *sopra.*

El punto de inflexión en la dirección empresarial femenina recae en la decisión de dirigir la empresa manteniéndose al margen de la lógica del poder. Lógicas que conducen a preservar el *statu quo,* porque tienen como objetivo su propio poder personal incluso a expensas del desarrollo de la empresa. En consecuencia, estas mujeres miran con ojos críticos los modelos de dirección resultantes. Las mujeres toman más a menudo decisiones

---

[10] Chiara Galgani e Valeria Santoro, *Leadership femminile.,* op. cit., p. 10.

calibrándose con la situación real que tienen delante. No es una cuestión reductora de pragmatismo, es una forma de pensar libre de prejuicios, que parte de la propia visión y se mide con la realidad: atenta a la especificidad, a las circunstancias, al contexto humano y emocional. Y acepta el riesgo de intentar cambiar.

Así pues, se aplicaron nuevas políticas modificando ciertas piedras angulares de la cultura empresarial, lo que aportó beneficios imprevistos a la empresa y a quienes trabajan en ella. No podemos dar cuenta de ellos aquí, pero nos limitaremos a mencionar una orientación que se repite con frecuencia. Por ejemplo, se construye el crecimiento profesional y decisorio de todo el equipo, pasando de una organización basada en el control a otra basada en la confianza y la autonomía de quienes trabajan. Se abandona el esquema jerárquico jefe-colaborador y se avanza hacia un empoderamiento generalizado. Se crean las condiciones para que se desarrolle el potencial de cada uno.

El desarrollo de la empresa pasa también por el desarrollo de quienes trabajan en ella.

La empresa se entiende como un lugar en el que convergen diferentes sujetos con distintos intereses, pero todos deben ser tenidos en cuenta porque todos contribuyen a crear el valor de la empresa. Corresponde a la dirección encontrar un espacio de equilibrio razonable entre estos diferentes intereses.

Podemos decir que es una forma diferente de gobernar las empresas, orientada no hacia el mando sino hacia el liderazgo y el bien común. Y nos permite afirmar que una cultura del poder puede ser sustituida por una cultura de la gobernanza.

Volvamos aquí al punto de partida, el significado de la presencia de mujeres en los consejos de administración. Probablemente sea necesario desplazar la atención de los números a los valores. Sin duda es necesario, pero no suficiente, que haya más mujeres en los consejos de administración para lograr el desarrollo. Es necesario que las mujeres que ocupan esos puestos afirmen su visión diferente. Si no, nada cambia.

En este sentido, sabemos que algunas de las empresas dirigidas por mujeres, gracias a sus prácticas innovadoras cada vez más extendidas por distintos sectores de la economía, consiguen conciliar las cuestiones de la producción, la creatividad y la sostenibilidad —tanto medioambiental como social— de manera excelente.

Algunos de estos ejemplos son: *U-Earth*, una *start-up* innovadora, que a través de las nuevas tecnologías (biotecnología), ostenta la capacidad de purificar el aire contaminado por patógenos, creada por la emprendedora Betta Maggio; o el caso de la *start-up Fili pari*, que en febrero de 2020, con la ayuda de *Polihub* (órgano del Politécnico de Milán), consiguió producir una nueva fibra textil transformando los residuos del procesado del mármol en una nueva fibra textil, que a su vez tiene la capacidad de impermeabilizar y hacer más resistente la ropa. Otro modelo empresarial femenino relacionado con el tema de la sostenibilidad medioambiental y la reducción del desperdicio de alimentos es el de la *start-up* lucana *Pigmento Naturale*, fundada por Miriam Mastromartino. El proyecto consiste en transformar frutas y verduras en tintes naturales para cosméticos, detergentes y textiles. De hecho, hay alimentos como la fruta y la verdura que no se envían a los supermercados porque están estropeados o demasiado maduros para venderse. Por ello, la misión de *Natural Pigment* es reutilizar los alimentos agrícolas a través de otra oportunidad, a saber, promoviendo un mecanismo virtuoso de economía circular. Las cebollas producen colores que van del amarillo al naranja, los posos de café beige y marrón, las hojas de espinaca verde, etc[11].. El aspecto de la conciliación entre gestión y sostenibilidad emerge entre los elementos que describen la gestión femenina, de hecho, las empresas femeninas tienen una huella orientada hacia la sostenibilidad, con una mayor propensión a la sensibilidad y salvaguardia hacia las cuestiones medioambientales. Un ejemplo extraordinario de economía circular, lo protagoniza Francesca Figus, top manager de *Nieddittas*, con su proyecto ecosostenible basado en la transformación de las conchas de los mejillones en alimento para varias especies de pájaros imprescindibles en el equilibrio medioambiental[12].

Este vínculo entre la gestión femenina y los objetivos sostenibles apunta al potencial de un empresariado más sostenible, consciente del medio ambiente y con balances saneados. Según este aspecto, la presencia de estos elementos en la gestión supondría, por tanto, una ventaja objetiva no sólo para el tejido social, sino también para el aspecto productivo, que se vería beneficiado en el aspecto práctico de la producción. En este escenario, en los últimos años, el tema de la sostenibilidad ha estado muy presente en el debate público, y en este sentido, la Asociación de Mujeres Empresarias

---

11 Gessica Giannese. "Imprese Green, le donne in prima linea", en *Ambiente Tecnologia e scienza*, febrero 2021 https://www.ehabitat.it/2021/02/02/imprese-green-le-donne-in-prima-linea/

12 https://www.youtube.com/watch?v=-3qn_4ss_Cw

y Directivas de Empresa (Aidda), se orienta también a apoyar y promover ante las fuerzas políticas el decálogo de propuestas proambientales que representa la Alianza Italiana para el Desarrollo Sostenible (Asvis). Conscientes de que el tema de la sostenibilidad figura en todos los programas hacia un desarrollo sostenible orientado por los objetivos de la Agenda 2030, suscritos por la ONU. La asociación Aidda, que cuenta con unos 800 miembros, se fundó con el objetivo de potenciar y promover el espíritu empresarial femenino y el papel de las mujeres directivas y profesionales. Los objetivos de esta asociación van acompañados de la promoción de reivindicaciones a favor del medio ambiente, instando también a la política a asumir responsabilidades ante la crisis climática. Señalan la necesidad de incluir estos aspectos en un proceso de sensibilización empresarial destinado a frenar al colapso medioambiental, que cada día resulta más evidente. La necesidad de promover estrategias para el presente, pero sobre todo para el futuro. La protección del medio ambiente, a través de inversiones específicas y sobre todo encaminadas a una redefinición del modelo de vida y de consumo, surgiría como un aspecto tan importante como indispensable para garantizar la supervivencia de la especie humana. Estas cuestiones representan, por tanto, una forma de prevención no sólo del territorio, sino también de salvaguardar el tejido económico y la productividad.

4. EL VALOR AÑADIDO DE LA MATERNIDAD: ROBERTA ZIVOLO, LA EMPRESARIA QUE HA HECHO DE LA MATERNIDAD UNA RAZÓN DE ÉXITO

Merece la pena dedicar un apartado a una empresaria que decidió contratar sobre todo mujeres y animarlas a la maternidad. A partir de esta intuición su proyecto empresarial se ha ampliado hacia una organización sostenible y respetuosa de los ciclos y tiempos de vida, de la misma manera que lo son los tiempos femeninos. Italia puede y debe cambiar, caminando hacia esta dirección. Y no puede hacerlo sin escuchar, esta vez, primero a las mujeres.

«Las mujeres tienen una vida complicada, hay que tener respeto por su tiempo. Yo les decía a las que se iban de vacaciones: cuídense, vuelvan de tres en tres». Le hicieron caso: en la empresa, los nacimientos llegaron a 127. «Fomentar los nacimientos», sigue, «es una forma de hacer que la empresa se sienta como una gran familia y de establecer objetivos comunes. No hay nada peor que sentirse aislado o marginado. Siempre he pensado que la responsabilidad corporativa también consiste en sacar adelante a los que se han quedado atrás»[13]. Roberta Zivolo es una emprendedora combativa, que salió de la periferia milanesa para convertirse en empresaria, dando un vuelco a su destino temporal como ayudante de peluquería en el centro de la ciudad, en Via Manzoni, primero estudiando en la escuela nocturna, luego buceando durante años entre fichas mecanográficas, programas informáticos y organización de empresas, ideando procesos modernos e innovadores hasta dirigir una empresa a su imagen y semejanza, soleada, integradora, basada en la empatía y la solidaridad, capaz de establecerse en el sector de la subcontratación y convertirse en Empresa Benéfica. «Dar a las mujeres la posibilidad de pensar en tener un hijo mientras trabajan», explica, «fue una elección convencida, nacida de experiencias personales».

Para las mujeres, «cuidar», es decir, «ocuparse» es una *forma mentis* relacional, una capacidad que deriva de una «sabiduría» acumulada a lo largo de los siglos. Y esta sabiduría procede de la conciencia de que nacemos, crecemos y vivimos «en relación». Las empresas están formadas por personas. Es la atención a las personas lo que es bueno para las empresas. La versión femenina pretende aplicar esas habilidades para el desarrollo de la red social y la mejora de las cualidades de liderazgo.

Después de más cuarenta años, asegura, que su empresa rosa goza de excelente salud y esto es gracias a las mujeres. Con una nueva empresa visionaria llamada San Cresci, una «ecoaldea» solidaria entre los olivos centenarios de los Apeninos toscanos: aquí ha sustituido la organización empresarial corporativa por una gestión agrícola participativa que aplica los principios de la sostenibilidad medioambiental y social. Una democracia del compartir. Que incluye también la posibilidad de trabajar de forma inteligente y cuidar y educar a los niños en el verde de la naturaleza, lejos de los venenos de la contaminación. Es un sueño, como lo fue la empresa rosa ¡Y los sueños hay que fomentarlos siempre!

5. BIBLIOGRAFÍA

MARILISA D'AMICO, *Una parità ambigua. Costituzione e diritti delle donne*, Raffello Cortina Editore, Milán, 2020

CHIARA GALGANI E VALERIA SANTORO, *Leadership femminile. Esiste davvero? Storie di donne imprenditrici e manager che hanno rotto il soffitto di cristallo*, Franco Angeli, Milano, 2023

---

[13] Su experiencia aparece recogida en el *Corriere della sera* (Milano) del 31 diciembre 2021.

GESSICA GIANNESE, "Imprese Green, le donne in prima linea", en *Ambiente Tecnologia e scienza,* febrero 2021 https://www.ehabitat.it/2021/02/02/imprese-green-le-donne-in-prima-linea/

LUISA POGLIANA, *Una sorprendente genealogia. L'autorità femminile nel managment dall'Ottocento ad oggi,* Guerini, Milán, 2022

ESPLORARE I CONFINI. *Pratiche di donne che cambiano le aziende,* Guerrini editore, 2022.

El Derecho Privado como instrumento de protección ambiental: una perspectiva desde los derechos de las mujeres y las niñas

MIRIAM MARTÍN PACIENTE
Universidad de Las Palmas de Gran Canaria (ULPGC)

1. INTRODUCCIÓN: EL MEDIO AMBIENTE Y LOS DERECHOS HUMANOS

La Organización de las Naciones Unidas, (en adelante ONU), define a los derechos humanos como *"los derechos humanos son partes inherentes de todos nosotros, independientemente de nuestra nacionalidad, sexo, origen nacional o étnico, color, religión, idioma, o cualquier otra condición... que tenemos básicamente por existir como seres humanos"*[1]. Son, por tanto, derechos reconocidos por el mero hecho de existir como individuos. La relación entre derechos humanos y medio ambiente encuentra su piedra angular en el art. 45 CE, que establece un marco de protección multinivel que abarca tanto el derecho al disfrute de un medio ambiente adecuado como el deber de conservación y un régimen sancionador específico. Este reconocimiento constitucional se ha desarrollado posteriormente a través de diversa legislación, destacando especialmente la Ley 26/2007 de Responsabilidad Medioambiental[2], (en adelante LRM) que introduce el principio fundamental de *"quien contamina paga"* y establece un sistema de responsabilidad objetiva para los daños medioambientales[3], junto con la implementación de garantías

---

1 Naciones Unidas. (2021). Derechos Humanos. https://www.ohchr.org/es/what-are-human-rights (Consultado 25 de noviembre de 2023).

2 Ley 26/2007, de 23 de octubre, de Responsabilidad Medioambiental. Publicado en: «BOE» núm. 255, de 24/10/2007. Entrada en vigor: 25/10/2007. Referencia: BOE-A-2007-18475. https://www.boe.es/eli/es/l/2007/10/23/26/con.

3 En este sentido véase obras como SALASSA BOIX, R. R., "Los tributos ecológicos y el principio quien contamina paga", *Revista SJRJ*, V.21, N.° 39, 2014 o TOLEDO JÁUDENES, J., "El principio" Quien contamina, paga" y el canon de vertidos" *Revista de administración pública*, n.° 112, 1987. Este principio se ve reflejado en el Acta Única Europea en su art. 130, que establece lo siguiente: *"La acción de la Comunidad, en lo que respecta al medio ambiente, se basará en los principios de acción pre-*

financieras obligatorias[4]. La Ley 21/2013 de Evaluación Ambiental[5], (en adelante LEA) complementa este marco al unificar los procedimientos de evaluación estratégica y de proyectos, reforzando además la participación pública en la toma de decisiones ambientales.

La jurisprudencia española ha sido fundamental en la consolidación de esta relación, destacando sentencias como la STC 102/1995[6], que define el concepto constitucional de medio ambiente, y la STC 119/2001[7], que establece vínculos directos entre la contaminación y la vulneración de derechos fundamentales. Este desarrollo jurisprudencial ha sido respaldado por la doctrina, donde autores como JORDANO FRAGA[8] han profundizado en la protección jurisdiccional del medio ambiente, mientras que MARTÍN MATEO[9] y LOZANO CUTANDA[10] han contribuido significativamente a la sistematización del derecho ambiental español.

---

ventiva, de corrección, preferentemente en la fuente misma de los ataques al medio ambiente y de quien contamina paga". También en la Declaración de Río, en su Principio 16, establece sobre la aplicación del principio *"quien contamina, paga"* lo siguiente: *"Las autoridades nacionales deberían procurar fomentar la internalización de los costos ambientales y el uso de instrumentos económicos, teniendo en cuenta el criterio de que el que contamina debe, en PRINCIPIO, cargar con los costos de la contaminación, teniendo debidamente en cuenta el interés público y sin distorsionar el comercio ni las inversiones internacionales".*

4 VALENCIA MARTÍN, G., *"El alcance de la responsabilidad medioambiental: los sujetos responsables y el alcance temporal del nuevo régimen de responsabilidad"*, en LOZANO CUTANDA, B. (Coord.), *"Comentarios a la Ley de Responsabilidad Medioambiental"* (Ley 26/2007, de 23 de octubre), Thomson-Civitas, Cizur Menor, 2010, pp. 44-48.

5 Ley 21/2013, de 9 de diciembre, de evaluación ambiental. Publicado en: «BOE» núm. 296, de 11/12/2013. Entrada en vigor: 12/12/2013. BOE-A-2013-12913 https://www.boe.es/eli/es/l/2013/12/09/21/con.

6 STC 102/1995, de 26 de junio (ECLI:ES:TC:1995:102).

7 STC 119/2001, de 24 de mayo (ECLI:ES:TC:2001:119)

8 JORDANO FRAGA, J. *"Estudios de la Directiva 2004/35/CE de responsabilidad por daños ambientales y su incidencia en el ordenamiento jurídico"*, Editorial Aranzadi, 2005 y *"La protección del derecho a un medio ambiente adecuado"*, Tesis Doctoral, Universidad de Sevilla, 1993.

9 MARTÍN MATEO, *"Derecho ambiental"*, Instituto de Estudios de la Administración local, Madrid, 1977, "La calidad de vida como valor jurídico", *Revista de administración pública (RAP),* nº 117, 1988, *"Tratado de Derecho ambiental"*, Ediciones Trivium, 1991, o *"Manuel de Derecho Ambiental"*, Aranzadi, Cizur, 2003.

10 LOZANO CUTANDA, B., *"Derecho ambiental administrativo"*, Librería-Editorial Dykinson, 2012.

En el ámbito internacional, la influencia de relatores especiales de la ONU como KNOX[11] y académicos como SHELTON[12] ha sido crucial para establecer marcos conceptuales que vinculan los derechos humanos con la protección ambiental. Este desarrollo doctrinal ha influido en la interpretación y aplicación del derecho ambiental en España, especialmente en aspectos como el acceso a la justicia ambiental y la protección de defensores ambientales.

2. RIESGOS QUE OBSTACULIZAN EL DERECHO AL MEDIO AMBIENTE PARA MUJERES Y NIÑAS

2.1. Acceso a la información ambiental y participación en decisiones

El acceso a la información ambiental y la participación ciudadana en la toma de decisiones ambientales constituyen pilares fundamentales en la intersección entre derechos humanos y protección medioambiental. En España, este derecho se materializa principalmente a través de la Ley 27/2006, que regula los derechos de acceso a la información[13], participación pública y acceso a la justicia en materia de medio ambiente, transponiendo las Directivas 2003/4/CE y 2003/35/CE.

---

11 Obras como KNOX, J. "Principios Marco sobre derechos Humanos y Medio ambiente", *Papeles de relaciones ecosociales y cambio global,* nº 142, 2018, y "Cambio climático y derechos humanos", Observatorio *Social de la Caixa,* 2016.

12 SHELTON, DINAH "Human Rights, Environmental Rights, and the Right to Environment", *Stanford Journal of International Law* (Vol. 28), 1991, "Human Rights, Health and Environmental Protection: Linkages in Law and Practice", en: RIBEIRO LEAO, R. et al., "*Os rumos do direito internacional dos direitos humanos",* Liber Amicorum Cançado Trindade (Porto Alegre, Fabris Editor), 2005, "*Stockholm Declaration (1972) and Rio Declaration (1992)",* Max Planck Encyclopedia of Public International Law, 2008 o "Derechos ambientales y obligaciones en el sistema interamericano de derechos humanos", *Anuario de Derechos Humanos* (N° 6), 2010, pp. 111-127.

13 Ley 27/2006, de 18 de julio, por la que se regulan los derechos de acceso a la información, de participación pública y de acceso a la justicia en materia de medio ambiente (incorpora las Directivas 2003/4/CE y 2003/35/CE). Publicado en: «BOE» núm. 171, de 19/07/2006. Entrada en vigor: 20/07/2006

La perspectiva de género[14] en el acceso a la información ambiental revela disparidades significativas que afectan a la participación efectiva de las mujeres en la toma de decisiones ambientales. Los roles de género tradicionales influyen en el acceso y procesamiento de la información ambiental, donde se observa una menor participación femenina en foros de decisión ambiental y una subrepresentación en puestos de liderazgo[15] en organizaciones medioambientales[16]. Según estudios recientes esta brecha se acentúa en zonas rurales y en grupos con menor nivel educativo. La correlación entre nivel educativo y participación ambiental resulta especialmente relevante en poblaciones con estudios básicos y baja inserción laboral[17]. Los datos del Instituto de la Mujer (2021) indican que las mujeres con menor nivel educativo presentan tasas significativamente más bajas de participación en procesos de consulta pública ambiental y menor acceso a información técnica sobre impactos ambientales. Esta situación se agrava en comunidades rurales, donde el acceso a recursos informativos y canales de participación puede ser más limitado[18].

---

14 Instituto de la Mujer, "Riesgos climáticos desde la perspectiva de género. Percepción, posicionamiento y adaptación en mujeres y hombres", NIPO: 050-22-001-5, Catálogo de publicaciones de la Administración General del Estado, Diciembre 2021, p. 58: *"LIDERAZGO EN LA GESTIÓN Y TOMA DE DECISIONES: El PNACC propone en la Línea de Acción T4 que: Las mujeres serán consideradas como agentes activas de cambio, favoreciendo su acceso a posiciones de liderazgo, sus capacidades de resiliencia y decisión, su participación plena, igualitaria y significativa en los principales foros de toma de decisiones sobre adaptación y la consideración de sus aportes sobre soluciones que tengan en cuenta las diferentes brechas de género aún existentes y los papeles que desempeñan en la sociedad".* Disponible en https://cpage.mpr.gob.es (Consultado el 3/01/2024)

15 WOMEN BUSINESS COLLABORATIVE et al., *"Women CEOs in America: Changing the Face of Business Leadership"*, 2022, *"Una proporción insuficiente de mujeres ocupa puestos de dirección y gestión o ejerce funciones decisorias, a todo nivel y en todos los sectores: i) En 156 países, las mujeres ocupan apenas el 22,9 % de los escaños en el Parlamento y solo son titulares del 16,1 % de los ministerios9; ii) En 2022, las mujeres ocupaban la dirección general de apenas el 8,8 % de las empresas de la lista Fortune 500".*

16 VICENTE GIMÉNEZ, T. "Las mujeres, defensoras de la igualdad y el cuidado de la naturaleza", *iQual. Revista de Género e Igualdad*, no 4, 2021, p. 39.

17 CAMARERO, L., et al. "La población rural de España", *Colección Estudios Sociales*, vol. 27, 2009,p.113: *"El cuidado de los hijos constituye una dificultad para la inserción laboral y la promoción* personal y profesional, pero solo para las mujeres, que tradicionalmente se han responsabilizado de ello, siendo difícil, todavía hoy en día, que los hombres acepten igualmente estas responsabilidades".

18 Comisión Económica para América Latina y el Caribe (CEPAL), "Construir un futuro mejor: acciones para fortalecer la Agenda 2030 para el Desarrollo Sostenible", (LC/FDS.4/3/Rev.1), Santiago, 2021, p. 46: "las mujeres que viven en zonas urba-

La escasa iniciativa en la toma de decisiones con afección medioambiental se manifiesta en varios niveles: institucional, comunitario y personal. Las estadísticas muestran que solo un 23% de las mujeres con estudios básicos participan en consultas públicas sobre proyectos con impacto ambiental, frente al 47% de aquellas con educación superior[19].

Para abordar estas disparidades, se han desarrollado iniciativas desde Instituto de las Mujeres (INMUJERES)[20], y el Ministerio para la Transición Ecológica y el Reto Demográfico (MITECO)[21], que busca fortalecer la participación femenina en la toma de decisiones ambientales mediante programas de capacitación y acceso a información.

2.2. *Derecho al aire limpio y sus implicaciones*

El derecho al aire limpio constituye un elemento fundamental dentro del marco de los derechos humanos ambientales, con especial relevancia en la perspectiva de género y la protección de grupos vulnerables. La contaminación atmosférica representa una amenaza desproporcionada para ciertos sectores de la población, como evidencian los ochos millones de muertes prematuras anuales registradas a nivel global[22]. Los factores bio-

---

nas tienen una probabilidad levemente mayor a ser objeto de discriminación que las que viven en zonas rurales".

19 INSTITUTO DE LA MUJER, 2020. Género y cambio climático. Un diagnóstico de situación. NIPO: 049-20-031-3 Catálogo de publicaciones de la Administración General del Estado. Disponible en: https://www.inmujeres.gob.es/diseno/novedades/Informe_GeneroyCambioClimatico2020.pdf p.6: "Un diagnóstico de situación2, las mujeres están más expuestas a las consecuencias del cambio climático y a la vez tienen menos capacidad de respuesta, sin haber participado hasta ahora en los procesos de toma de decisiones por su menor presencia en los órganos de poder donde se planifican las medidas de mitigación y adaptación relacionadas con el clima. De ahí que sea necesario plantear mecanismos que faciliten y fomenten que las mujeres intervengan en mayor medida en esos espacios donde se generan los planes de acción y las directrices a seguir en relación al cambio climático. Incorporar la perspectiva de género es, por tanto, imprescindible para analizar la situación actual sin sesgos y poder adoptar medidas que permitan atender a las necesidades de la población".

20 Disponible en https://www.inmujeres.gob.es. (Consultado el 3/01/2024).

21 Disponible en https://www.miteco.gob.es/es.html. (Consultado el 3/01/2024).

22 Noticias ONU, Mirada global, La contaminación atmosférica causó 8,1 millones de muertes en todo el mundo, disponible en https://news.un.org/es/story/2024/06/1530631. (Consultado el 3/01/2024), 2021: "*Las estimaciones de la*

lógicos y sociales que incrementan la vulnerabilidad de mujeres, niñas y personas embarazadas ante la contaminación atmosférica han sido documentados en diversos estudios epidemiológicos[23]. Las investigaciones demuestran una mayor susceptibilidad fisiológica durante el embarazo y la primera infancia, con impactos significativos en el desarrollo fetal y la salud materna[24]. Este riesgo se amplifica en poblaciones urbanas marginadas y zonas con alta concentración industrial.

La legislación actual presenta deficiencias significativas en la incorporación de la perspectiva de género, como señala el informe de ONU Mujeres (2021) "*Más allá del Covid-19: un plan feminista para la sostenibilidad y la justicia social*"[25]. El marco normativo vigente tiende a adoptar un enfoque neutro que no considera las vulnerabilidades específicas de género, resultando en políticas inadecuadas para proteger efectivamente a estos grupos poblacionales[26].

OMS apuntan a que en 2012 se produjeron en torno a 3,7 millones de muertes a causa de fuentes urbanas y rurales de contaminación y 4,3 millones en hogares (contaminación del aire en interior de hogares), aunque algunas de las muertes pueden deberse tanto a causas interiores como exteriores, hasta llegar al total de 7 millones".

23 Ambientes Saludables y Prevención de Enfermedades. "Hacia una estimación de la carga de morbilidad atribuible al medio ambiente". OMS; 2006. Disponible en: https://repositorio.unab.cl/bitstreams/ca86eda2-8997-4606-ad10-47ca71fcc262/download. (Consultado el 3/01/2024).

24 LUTZ M.I, et al. "Encuesta sobre exposición de embarazadas y recién nacidos a contaminantes ambientales de riesgo en el Gran Buenos Aires", *Rev Argent Salud Pública*, Jun;7(27), 2016, pp.27-32. *"Múltiples investigaciones han demostrado que el feto y el niño, en sus primeros años de vida, son especialmente vulnerables a los efectos de la exposición a contaminantes ambientales. Esto se debe a ventanas críticas de vulnerabilidad, que ocurren durante el período de rápido crecimiento y pueden interrumpir el normal desarrollo de órganos y sistemas. La situación se complica aún más por la menor capacidad de detoxificacion, debido a que los mecanismos metabólicos no están totalmente desarrollados".*

25 Disponible en https://www.unwomen.org/sites/default/files/2022-09/Feminist-plan-for-sustainability-and-social-justice-es.pdf. (Consultado el 3/01/2024). *"La adaptación con perspectiva de género, por lo tanto, debe basarse en el análisis de cada contexto acerca de cómo las desigualdades de género imperantes aumentan las distintas vulnerabilidades de las mujeres al cambio ambiental y climático y, además, dar prioridad a la participación sustancial de las mujeres en el diseño de las políticas y la toma de decisiones".*

26 DAZÉ, A. Y J. DEKENS, "Towards Gender-Responsive National Adaptation Plan (NAP) Processes: Progress and Recommendations for the Way Forward", Winnipeg, Canadá: International Institute for Sustainable Development, 2018, https://www.napglobalnetwork.org/wp-content/uploads/2018/04/napgn-en-2018-towards-gender-responsive-nap-processes-synthesis-report.pdf (Consultado el 3/01/2024).

La Relatora Especial de Naciones Unidas[27] ha identificado una brecha crítica en la legislación específica sobre el derecho de mujeres y niñas a un medio ambiente limpio, saludable y sostenible. Esta "*ceguera de género*" en la normativa y políticas públicas se traduce en las siguientes afirmaciones. La situación actual revela importantes deficiencias en los marcos regulatorios y sistemas de protección ambiental desde una perspectiva de género[28]. Existe una notable carencia de estándares de calidad del aire que contemplen umbrales de protección específicos para grupos vulnerables como embarazadas y población infantil, así como una insuficiencia de sistemas de monitoreo en espacios donde las mujeres desarrollan principalmente sus actividades cotidianas[29]. Esta problemática se agrava por la escasa implementación de programas de prevención y mitigación que incorporen un enfoque de género.

La pandemia de COVID-19 ha puesto de manifiesto la intersección entre calidad del aire, género y salud pública, evidenciando la necesidad urgente de desarrollar marcos normativos que incorporen explícitamente la perspectiva de género en la protección del derecho a un aire limpio[30]. Este desarrollo normativo debe considerar tanto los factores biológicos como los determinantes sociales que incrementan la vulnerabilidad de mujeres y niñas ante la contaminación atmosférica.

---

27 BOYD D. R.,"Las mujeres y las niñas y el derecho a un medio ambiente limpio, saludable y sostenible.
Informe del Relator Especial sobre la cuestión de las obligaciones de derechos humanos relacionadas con el disfrute de un medio ambiente sin riesgos, limpio, saludable y sostenible, A/HRC/52/33, Consejo de Derechos Humanos, 27 de febrero a 31 de marzo de 2023.

28 BEKKAR B., et al., "Association of air pollution and heat exposure with preterm birth, low birth weight, and stillbirth in the US: a systematic review", *JAMA Network Open,* vol. 3, núm. 6, 2020.

29 Debido a que existe un sesgo de género respecto a las tareas en la cocina, millones de mujeres y niñas mueren prematuramente todos los años a causa del aire doméstico contaminado por el uso de combustibles contaminantes y de cocinas ineficientes. Disponible la información detallada en https://www.who.int/es/news-room/fact-sheets/detail/household-air-pollution-and-health. (Consultado el 3/01/2024).

30 "*Muchas desigualdades entre los géneros se han ampliado a causa de las consecuencias económicas, sanitarias y sociales de la pandemia de enfermedad por coronavirus (COVID-19).*" Disponible en https://www.unwomen.org/es/digital-library/publications/2021/12/beyond-covid-19-a-feminist-plan-for-sustainability-and-social-justice. (Consultado el 9/01/2024).

2.3. *Desplazamientos y género*

Los desplazamientos forzados por causas ambientales tienen un impacto desproporcionado en las mujeres, manifestándose en múltiples dimensiones que afectan sus derechos humanos fundamentales. La investigación académica reciente ha identificado patrones sistemáticos que demuestran cómo los desastres naturales exacerban las vulnerabilidades preexistentes basadas en género[31].

El caso Vanuatu[32] en 2011, donde se registró un incremento del 300% en casos de violencia doméstica tras el impacto de dos ciclones tropicales, ejemplifica un patrón global más amplio[33]. Este fenómeno se explica por diversos factores interrelacionados:

Las condiciones de desplazamiento generan disrupciones en las redes de apoyo social y familiar, exponiendo a las mujeres a situaciones de mayor vulnerabilidad[34].

La dimensión económica del desplazamiento ambiental afecta especialmente a las mujeres debido a su mayor participación en la economía informal y menor acceso a recursos financieros[35].

---

31 Comité para la Eliminación de la Discriminación contra la Mujer, recomendaciones generales núm. 33 (2015) y núm. 37 (2018) y SKINNER, GWYNNE et al., "*The Third Pillar: Access to Judicial Remedies for Human Rights Violations by Transnational Business*", 2013.

32 Las islas Vanuatu (antes llamadas Nuevas Hébridas) son un grupo de islas de Oceanía situadas en el océano Pacífico Sur. Administrativamente todo el grupo forma el país homónimo de Vanuatu.

33 A/HRC/WG.6/32/VUT/2, Recopilación sobre Vanuatu. Informe de la Oficina del Alto Comisionado de las Naciones Unidas para los Derechos Humanos, Consejo de Derechos Humanos, 21 de enero a 1 de febrero de 2019, p.8: *"Al Comité para la Eliminación de la Discriminación contra la Mujer le preocupaban profundamente el nivel generalizado de la violencia doméstica y la elevada prevalencia de los abusos sexuales contra niñas menores de 15 años, en su mayoría por parte de familiares varones y parejas".*

34 ANDRADE SALAZAR, J. A., "Mujeres, niños y niñas, víctimas mayoritarias del desplazamiento forzado". *Orbis. Revista Científica Ciencias Humanas,* vol. 6, no 16, 2010, p. 28-53.

35 VICENTE GIMENÉZ T. "Refugiados climáticos, vulnerabilidad y protección internacional", *SCIO. Revista de Filosofía,* n.º 19, 2020, p.90: "*La degradación ambiental y el cambio climático influyen en las distintas discriminaciones que sufren las mujeres y las niñas: el calentamiento climático empeora la situación económica de los más pobres, y entre ellos particularmente de las mujeres, las cuales representan el 70 % de las personas que viven con menos de un dólar al día".*

Los marcos jurídicos internacionales actuales presentan deficiencias significativas en la protección específica de mujeres desplazadas por causas ambientales. Se crea la necesidad de desarrollar instrumentos legales que reconozcan explícitamente la interseccionalidad entre género, desplazamiento y cambio climático[36]. La evidencia empírica sugiere que las comunidades con mayor igualdad de género y participación femenina en la toma de decisiones muestran mayor resiliencia ante desastres naturales y menores tasas de violencia post-desplazamiento[37].

2.4. Vulnerabilidad ante la violencia y la explotación

La vulnerabilidad ante la violencia y la explotación en contextos de crisis ambiental representa un desafío crítico en la intersección entre derechos humanos y medio ambiente. Las investigaciones recientes demuestran un incremento significativo en los índices de violencia de género durante y después de desastres naturales y crisis ambientales prolongadas[38]. Los estudios del Instituto Europeo para la Igualdad de Género (EIGE, 2023) documentan un aumento promedio del 30% en casos de violencia de género en zonas afectadas por desastres ambientales[39]. Esta vulnerabilidad se manifiesta en múltiples formas:

La violencia doméstica se intensifica significativamente en contextos post-desastre, donde el estrés económico, el hacinamiento en refugios

---

36 MCADAM, J., FERRIS, E. "Planned relocations in the context of climate change: Unpacking the legal and conceptual issues". *Cambridge International Law Journal*, vol. 4, nº 1, 2015, p. 137-166

37 FISHER, S. "Violence against women and natural disasters: Findings from posttsunami Sri Lanka". *Violence against Women*, 16 (8), 2010, pp. 902-918. En la obra se pone de manifiesto la vulnerabilidad de las mujeres se ha visto incrementada por los roles tradicionales de género, incluyendo este las responsabilidades familiares y del hogar. Estas cargas se recrudecen, son mayores, en contextos de desastre natural.

38 COTARELO, L., "Vulnerabilidad de las mujeres frente a la violencia de género en contextos de desastres naturales en Latinoamérica y Caribe. Trabajo Social Hoy, 76, 2015, pp.7-34. doi 10.12960/TSH.2015.0013.

39 BOYD D. R., *"Las mujeres y las niñas y el derecho ..."* óp. cit. p. 10: La discriminación y la estigmatización social que sufren las mujeres, las niñas y las personas LGBT+ durante los desastres relacionados con el clima las exponen a mayor riesgo de violencia de género

temporales y la ruptura de redes de apoyo comunitario actúan como catalizadores[40].

La explotación sexual y la trata de personas emergen como riesgos amplificados en situaciones de desplazamiento ambiental. El ACNUR (2023) reporta un incremento del 40% en casos identificados de trata en regiones afectadas por crisis climáticas prolongadas, donde las mujeres y niñas desplazadas son particularmente vulnerables. Los factores que exacerban esta vulnerabilidad incluyen la pérdida de autonomía económica, la disrupción de sistemas de protección social o el debilitamiento de estructuras comunitarias de apoyo. Las respuestas institucionales han sido insuficientes, como señala el informe de ONU Mujeres (2023), que identifica brechas significativas en los protocolos de protección específicos para mujeres en situaciones de crisis ambiental. La ausencia de mecanismos efectivos de prevención y respuesta perpetúa ciclos de vulnerabilidad. Estos hallazgos subrayan la importancia de incorporar la perspectiva de género en la planificación de respuestas a crisis ambientales.

3. MECANISMOS DE PROTECCIÓN EN EL DERECHO NACIONAL

3.1. Marco normativo nacional

3.1.1. Derecho de la persona

El derecho al medio ambiente adecuado en España, consagrado en el art. 45 CE, mantiene una estrecha vinculación con los derechos fundamentales de la persona, particularmente en lo referente a la vida, la salud y la dignidad humana. En estas últimas décadas, se ha instaurado diversos autores civilistas que defiende el reconocimiento a la *"existencia de un derecho a que las condiciones ambientales que rodean a la persona sean las adecuadas para su desarrollo (por tanto, inherentes a la persona)*[41]".

---

40 REZAEIAN, M. "The association between natural disasters and violence: A systematic review of the literature and a call for more epidemiological studies", *Journal of research in medical sciences: the official journal of Isfahan University of Medical Sciences,* 18 (12), 2013, p.1103.

41 CARCABA FERNÁNDEZ, M.ª, "Defensa civil del medio ambiente", *Revista de derecho urbanístico y medio ambiente,* 1999, p.171, CARRASCO PERERA, A., "El régimen civil de la responsabilidad por inmisiones ambientales preexistente a la Ley", *Comentarios a la Ley de Responsabilidad Medioambiental Thomson-Civitas,* 2008,

En el contexto de género, la Ley Orgánica 3/2007[42] para la igualdad efectiva de mujeres y hombres reconoce la especial vulnerabilidad de mujeres y niñas frente a los impactos medioambientales[43]. Esta perspectiva se ha visto reforzada por la Ley 7/2021[44] de cambio climático y transición energética, que en su art. 27.3 incorpora la dimensión de género en las políticas climáticas y ambientales, reconociendo el impacto diferenciado que las alteraciones medioambientales tienen sobre las mujeres[45].

La jurisprudencia del TS ha desarrollado esta interrelación, destacando la STS 9176/1987[46], que vincula expresamente la protección ambiental con el derecho a la salud y la calidad de vida, con especial atención a los ruidos nocivos y contaminantes. Este marco normativo se complementa con la LMR[47], que establece mecanismos de protección reforzada "indispensable para el desarrollo de la persona".

---

p.147, CONDE ANTEQUERA, J., "*El deber jurídico de restauración ambiental*" Editorial Comares, 2004, MORENO TRUJILLO, E., "*La protección jurídico-privada del medio ambiente y la responsabilidad por deterioro*", Barcelona: J. M. Bosch. 1991, PARRA LUCÁN, M.ª A., "El derecho civil del medio ambiente", *Revista de responsabilidad civil, circulación y seguro*, 2006, p.4, ROCA JUAN, J. "Sobre el deber general ... *óp. cit.* pp.763-786, y SANTOS MORÓN, M.ª J. "Acerca de la tutela civil del medio ambiente: algunas reflexiones críticas. *Estudios jurídicos en homenaje al profesor Luis Diez-Picazo*", Vol. 2, Editorial Civitas, pp. 3015-3038), entre otros.

42 Ley Orgánica 3/2007, de 22 de marzo, para la igualdad efectiva de mujeres y hombres. Publicado en: «BOE» núm. 71, de 23/03/2007. Entrada en vigor: 24/03/2007. Referencia: BOE-A-2007-6115.

43 Art. 14.4: "*La consideración de las singulares dificultades en que se encuentran las mujeres de colectivos de especial vulnerabilidad como son las que pertenecen a minorías, las mujeres migrantes, las niñas, las mujeres con discapacidad, las mujeres mayores, las mujeres viudas y las mujeres víctimas de violencia de género, para las cuales los poderes públicos podrán adoptar, igualmente, medidas de acción positiva*".

44 Ley 7/2021, de 20 de mayo, de cambio climático y transición energética. Publicado en: «BOE» núm. 121, de 21 de mayo de 2021, Referencia: BOE-A-2021-8447.

45 At. 27.3: "*La Estrategia de Transición Justa, así como los instrumentos de aplicación y desarrollo de esta, se elaborarán teniendo en cuenta la perspectiva de género y velarán por los principios de inclusión social y accesibilidad universal*".

46 (RJ 1987/ 9176 ES:TS: 1987:8683).

47 Ley 26/2007, de 23 de octubre, de Responsabilidad Medioambiental. Publicado en: «BOE» núm. 255, de 24/10/2007. Entrada en vigor: 25/10/2007 Referencia: BOE-A-2007-18475.

El Tribunal Europeo de Derechos Humanos, (TEDH), ha reforzado esta interpretación mediante sentencias como *Caso López Ostra contra España*[48], que estableció la conexión entre la degradación ambiental y la vulneración de derechos fundamentales, con especial incidencia en el ámbito familiar y doméstico, tradicionalmente vinculado a las mujeres.

3.1.2. Derecho contractual

El derecho contractual, tradicionalmente concebido como un marco regulador de relaciones privadas, emerge como una herramienta fundamental para la protección ambiental, especialmente cuando se considera su intersección con las cuestiones de género en la gestión y conservación del medio ambiente[49]. El CC proporciona un marco jurídico sólido para esta integración[50]. El art. 1255 CC[51] establece el principio de autonomía[52],

---

48 STEDH 16798/90, *"Caso López Ostra contra El Reino de España" (9 diciembre 1994).* Doña Gregoria López Ostra vivía con su familia en Lorca (Murcia), cerca de una planta de tratamiento de residuos que emitía gases tóxicos y olores pestilentes. La planta funcionaba sin licencia municipal y causaba graves problemas de salud a los vecinos. A pesar de las quejas, las autoridades locales no tomaron medidas efectivas para resolver el problema El TEDH falló a favor de López Ostra, determinando que España había violado el artículo 8 del Convenio Europeo de Derechos Humanos (derecho al respeto de la vida privada y familiar). La importancia de este caso radica en que estableció que la contaminación ambiental grave puede afectar el bienestar de las personas y privarlas del disfrute de su domicilio, violando así sus derechos fundamentales.

49 PARRA LUCÁN, M. A., "Derecho civil: contrato y medio ambiente. Nuevos instrumentos de tutela medioambiental", *Observatorio de políticas ambientales,* 2016, p.487.

50 MARTÍNEZ TORRES, L. "La Actualización del Derecho de Contratos y su Impacto en la Responsabilidad Medioambiental", *Revista Jurídica Ambiental,* vol. 45, n.º 3, 2022, pp. 126.

51 Art 1255 CC: "*Los contratantes pueden establecer los pactos, cláusulas y condiciones que tengan por conveniente, siempre que no sean contrarios a las leyes, a la moral ni al orden público".*

52 También acuñada "autonomía de la voluntad", es la que sienta las bases de la voluntad que gobierna las relaciones entra las personas, dentro del margen del ordenamiento jurídico. A este respecto véase obra como LÓPEZ CABANA, "L*a autonomía de la voluntad en el contrato moderno"* Buenos Aires, 1989, p. 7 ss., BARASSI, "*Instituciones de derecho privado"* Barcelona, vol. II, 1955, p.217, DIEZ PICAZO, "*Fundamentos del derecho civil patrimonial",* Madrid, vol. I, 2007, p.147. Muchas son las obras que nos hablan del fenómeno de la autonomía privada a nivel internacional, pero podemos destacar entre otras de las escuelas italianas a BETTI., *"Teoria generale del negozio giuridico".* En: Vassalli (dir.). "*Trattato di diritto civile italiano",*

que permite la inclusión de cláusulas ambientales en los contratos siempre que no sean contrarias a las leyes, la moral o el orden público. Por su parte, el art. 1258 CC[53] resulta especialmente relevante al determinar que los contratos obligan no solo al cumplimiento de lo expresamente pactado, sino también a todas las consecuencias que sean conformes a la buena fe, el uso y la ley, lo que permite incorporar obligaciones ambientales implícitas en los acuerdos contractuales.

La causa de los contratos, regulada en el art. 1274 CC[54], puede contemplar finalidades ambientales como causa lícita, mientras que el art. 1101CC[55] establece el marco de responsabilidad por daños y perjuicios, aplicable a los incumplimientos de obligaciones ambientales. Estos preceptos fundamentales permiten la construcción de un sistema de protección ambiental basado en el derecho contractual[56]. Los contratos pueden incorporar diversas disposiciones orientadas a la protección ambiental, incluyendo obligaciones de conservación, estándares de sostenibilidad, sistemas de certificación y mecanismos de compensación ecológica[57]. La perspectiva de género se manifiesta en el reconocimiento del papel crucial de las mujeres en la gestión de recursos naturales, la garantía de participación

---

Torino, vol. XV, t. II, 1955, p. 42, BENEDETTI, G., "*Negozio giuridico e iniziativa economica privata*". Il diritto comune dei contratti e degli atti unilaterali tra vivi a contenuto patrimoniale, 1997. SCOGNAMIGLIO. C. "I*stituzioni di diritto privato*", Torino, 2006, p.28.

53 Art. 1258 CC.: "*Los contratos se perfeccionan por el mero consentimiento, y desde entonces obligan, no sólo al cumplimiento de lo expresamente pactado, sino también a todas las consecuencias que, según su naturaleza, sean conformes a la buena fe, al uso y a la ley*".

54 Art. 1274 CC: "*En los contratos onerosos se entiende por causa, para cada parte contratante, la prestación o promesa de una cosa o servicio por la otra parte; en los remuneratorios, el servicio o beneficio que se remunera, y en los de pura beneficencia, la mera liberalidad del bienhechor*".

55 Art. 1101 CC: "*Quedan sujetos a la indemnización de los daños y perjuicios causados los que en el cumplimiento de sus obligaciones incurrieren en dolo, negligencia o morosidad, y los que de cualquier modo contravinieren al tenor de aquéllas*".

56 Véase la obra "*Le contrat et l'Environnement. Étude de droit comparé*", dir. Mathilde Hautereau-Boutonnet, Bruylant, Bruxelles, 2015, citado por PARRA LUCÁN, M. A., "Derecho civil: contrato y medio ... *óp. cit.* p.493.

57 GARCÍA RUBIO, A. M. "*Derecho de la Contratación y Medio Ambiente*", Madrid: Editorial Tecnos, 2019, p. 36.

equitativa en la toma de decisiones ambientales, y la distribución justa de beneficios derivados de contratos ambientales[58].

El derecho contractual demuestra así su capacidad para servir como herramienta efectiva en la protección ambiental, especialmente cuando se integra con una perspectiva de género. La evolución de esta área del derecho sugiere un potencial significativo para la innovación jurídica en la protección ambiental, siempre que se mantenga un enfoque integrado que considere tanto los aspectos técnicos de la conservación como las dimensiones sociales y de género en su implementación.

3.1.3. Derecho de propiedad

El derecho de propiedad ha evolucionado hacia una concepción ambientalmente más responsable, especialmente a través de su función social[59] reconocida en el art. 33 CE[60]. El CC establece en su art. 348 la definición básica del derecho de propiedad, otorgando al propietario las facultades de goce y disposición, pero siempre dentro de los límites establecidos por las leyes. Esta limitación fundamental permite la incorporación de consideraciones ambientales en el ejercicio del derecho de propiedad[61]. El art. 349 CC complementa esta visión al establecer que nadie podrá ser privado de su propiedad sino por autoridad competente y por causa justificada de utilidad pública, lo que incluye la protección ambiental como causa legítima de intervención[62]. La perspectiva de género en el derecho de propie-

---

58 BOYD D. R., *"Las mujeres y las niñas y el derecho ..."* óp. cit. p. 22: "*Garantizar que las mujeres tengan la misma capacidad jurídica que los hombres para poseer, gestionar, heredar, legar y vender tierras y propiedades, ser titulares de tenencias y licencias, y concertar contratos y administrar bienes con autonomía respecto de su marido o de cualquier representante legal varón.*"

59 DIEZ-PICAZO, L. M., "*Sistema de derechos fundamentales*", Thomson Civitas, Madrid, 2003, p.448.

60 PÉREZ TORRES, F., J. "Medio ambiente, bienes ambientales y métodos de valoración", *Equidad Desarrollo,* N.º 25, enero-junio, 2016, p.126.

61 GALLEGO ANABITARTE, A., "Sobre la propiedad: Observaciones históricas-dogmáticas y actuales", *Revista de Derecho Urbanístico y Medio Ambiente,* nº. 225, 2006, pp. 123 y ss.

62 En la Carta de los derechos fundamentales de la Unión Europea, (CDFUE), en el art. 17.1 expone: "*Nadie puede ser privado de su propiedad más que por causa de utilidad pública, en los casos y condiciones previstos en la ley y a cambio, en un tiempo razonable, de una justa indemnización por su pérdida*" ... "*[e]l uso de los bienes podrá regularse por ley en la medida en que resulte necesario para el interés general*". Carta de los derechos

dad ambiental cobra especial relevancia al considerar el art. 1346 CC, que regula los bienes privativos en el matrimonio, y el art. 1347 CC, sobre los bienes gananciales. Estos preceptos tienen implicaciones significativas en la gestión de propiedades con valor ambiental, especialmente considerando que históricamente las mujeres han tenido menor acceso a la propiedad de la tierra y los recursos naturales[63].

El art 350 CC[64], que regula la extensión del derecho de propiedad sobre el suelo y el subsuelo, debe interpretarse actualmente bajo una perspectiva ambiental. Este artículo permite establecer limitaciones en beneficio del interés general[65], incluyendo la conservación de ecosistemas y la biodiversidad[66]. Se ha evolucionado para reconocer que estas limitaciones pueden ser más intensas cuando existe un interés ambiental relevante[67]. La Ley del

---

Fundamentales de la Unión Europea. (2010/C 83/02), Diario oficial de la Unión Europea, ES, (Consultado el 30/12/2024).

63 BOYD D. R., *"Las mujeres y las niñas y el derecho ..."* óp. cit. p. 23: *"La tierra es el bien más importante para la mayoría de la población de los países en desarrollo, en parte porque es fundamental para la capacidad de las mujeres rurales de escapar de la pobreza y actuar en calidad de agentes ambientales transformadoras, también en lo que respecta a su derecho a un medio ambiente limpio, saludable y sostenible. Los Estados deben reconocer por ley los derechos de las mujeres indígenas y otras mujeres del ámbito rural dependientes de la naturaleza a la participación y a la propiedad y la tenencia de tierras y recursos naturales, incluidos los derechos colectivos de propiedad y tenencia atribuidos a las comunidades indígenas y otras comunidades dependientes de la naturaleza".* Más información disponible en https://www.ifad.org/documents/38714170/39148759/Land+tenure+security+and+poverty+ reduction.pdf/c9d0982d-40e4-4e1e-b490-17ea8fef0775. (Consultado el 30/12/2024).

64 Art. 350 CC: *"El propietario de un terreno es dueño de su superficie y de lo que está debajo de ella, y puede hacer en él las obras, plantaciones y excavaciones que le convengan, salvas las servidumbres, y con sujeción a lo dispuesto en las leyes sobre Minas y Aguas y en los reglamentos de policía".*

65 MORO ALMARAZ, M. J. "Medio ambiente y función social de la propiedad", *Revista Crítica de Derecho Inmobiliario,* vol. 69, n.º 617, 1993, p. 957.

66 MARTÍNEZ LUCÍA, E. "*Limitaciones al derecho de la propiedad por razones ambientales*", Servicios de Publicación universidad Comillas, Madrid, 2023, p.17.

67 STJUE, de 27 de enero (C-238/20, ECLI: EU: C:2022:57). El caso *Sātiņi-S SIA* presenta una interesante controversia relacionada con la intersección entre la protección ambiental y las actividades económicas. La disputa se originó cuando una entidad empresarial, tras adquirir propiedades que incluían instalaciones acuícolas dentro de un espacio natural protegido —posteriormente designado como zona Natura 2000—, buscó una indemnización por los perjuicios ocasionados a su actividad acuícola por la fauna protegida. La respuesta negativa de las autoridades competentes se fundamentó en que la empresa ya había percibido la

Suelo y Rehabilitación Urbana[68], establece en los arts. 20.1 c), en relación con la protección medioambiental del suelo "*Atender, teniendo en cuenta la perspectiva de género, en la ordenación de los usos del suelo, a los principios de accesibilidad universal, de movilidad, de eficiencia energética, de garantía de suministro de agua, de prevención de riesgos naturales y de accidentes graves, de prevención y protección contra la contaminación y limitación de sus consecuencias para la salud o el medio ambiente.*"

Las servidumbres, reguladas en los arts. 530 y ss. CC, constituyen otro mecanismo fundamental para la protección del medio ambiente a través del derecho de propiedad[69]. Estas servidumbres pueden establecerse para preservar valores ecológicos[70], garantizar corredores biológicos o proteger especies amenazadas[71]. La perspectiva de género en este ámbito resulta esencial para asegurar que tanto mujeres como hombres participen equitativamente en la toma de decisiones sobre el establecimiento y gestión de estas servidumbres[72].

---

cantidad máxima permitida bajo el régimen *de minimis,* establecida en 30.000 euros según lo dispuesto en el Reglamento 717/2014 de la Comisión Europea. Este reglamento regula la aplicación de los artículos 107 y 108 del TFUE en materia de ayudas de minimis para los sectores pesquero y acuícola. La controversia jurídica se centró en la interpretación de la naturaleza de estas compensaciones, pues la empresa argumentaba que las indemnizaciones por daños causados por especies protegidas no deberían catalogarse como ayudas estatales. Esta diferencia de criterios llevó al tribunal nacional a elevar tres cuestiones prejudiciales ante el TJUE, cuyo análisis y resolución establecieron importantes principios jurisprudenciales en la materia.

68 Real Decreto Legislativo 7/2015, de 30 de octubre, por el que se aprueba el texto refundido de la Ley de Suelo y Rehabilitación Urbana, BOE núm. 261, de 31/10/2015.

69 VALVERDE Y VALVERDE, "*Tratado de Derecho Civil español*", Tomo II: Parte especial. Derechos reales, 4° ed., Valladolid, 1936, p. 364, LACRUZ BERDEJO, "Elementos de Derecho Civil", Tomo III, Derechos reales, vol. 2°: Derechos reales limitados. Situaciones de cotitularidad, 2' ed., Barcelona, 1991, pp. 140 y 141.

70 LASAGNA, L. D. "El derecho de la servidumbre. Una estrategia que contribuye a preservar el medioambiente", *Revista de la Facultad de Derecho,* vol. 7, n° 2, 2016, p. 151.

71 CERDEIRA BRAVO DE MANSILLA, G. "Límites y limitaciones de la propiedad inmobiliaria: su estado actual en materia de servidumbres", *Revista de Derecho Patrimonial,* vol. 37, 2015, pp. 373-409.

72 BOYD D. R., "*Las mujeres y las niñas y el derecho …*" óp. cit. p. 20: "*Los Estados deben eliminar todas las formas de discriminación relacionadas con la propiedad de la tierra, los derechos a la tenencia y la propiedad, y la gobernanza de los recursos naturales, incluido en*

La función social de la propiedad, desarrollada a través de la legislación y la jurisprudencia, permite imponer obligaciones positivas a los propietarios en materia de conservación ambiental. Estas obligaciones deben implementarse considerando el impacto diferenciado que pueden tener sobre mujeres y hombres, especialmente en el ámbito rural donde las desigualdades de género en el acceso y control de la propiedad son más pronunciadas.

4. ACCIONES Y RECOMENDACIONES DE ORGANISMOS INTERNACIONALES

4.1. Estrategia de igualdad de género de la UE 2020-2025

La Estrategia de Igualdad de Género 2020-2025 de la Unión Europea[73] establece objetivos clave para alcanzar una Europa con igualdad de género. Sus principales líneas de acción incluyen eliminar la violencia contra las mujeres, combatir los estereotipos de género, cerrar las brechas de género en el mercado laboral[74], lograr la participación en pie de igualdad en los distintos sectores de la economía, abordar la brecha salarial y de pensiones entre hombres y mujeres, y alcanzar el equilibrio de género en la toma de decisiones. La estrategia hace especial énfasis en la interseccionalidad[75], reconociendo que las mujeres constituyen un grupo heterogéneo y pueden sufrir discriminación por múltiples factores. Propone la integración de la perspectiva de género en todas las políticas de la UE y establece medidas específicas para abordar la segregación ocupacional, la brecha digital de

---

relación con el estado civil, la capacidad jurídica y la falta de acceso a recursos económicos. En concreto, los Estados deben garantizar que los hombres y las mujeres gozan de iguales derechos de propiedad y tenencia de la tierra, lo que incluye el derecho a heredar y a legar esos derechos".

73 Comunicación de la Comisión del Parlamento Europeo, al Consejo, al Comité Económico y Social Europeo y al Comité de las Regiones COM (2020) 152 final.

74 A este respecto véase obras de las autoras GRAU PINEDA, M. C. "La Estrategia Europea para la Igualdad de Género 2020-2025 y la brecha en las pensiones", *Trabajo y Derecho,* 2021.

75 Se define "interseccionalidad" como una herramienta analítica para estudiar entender y responder a las maneras en que el texto y el género se cruzan con otras características identidades y cómo estas intersecciones contribuyen a experiencias complejas y únicas de discriminación.

género y la necesidad de una distribución equitativa del trabajo de cuidados no remunerado[76].

Establece indicadores específicos para monitorear el progreso y mecanismos de financiación a través de diversos programas de la UE. Para su implementación, la Comisión Europea trabaja en colaboración con los Estados miembros, la sociedad civil y las organizaciones internacionales. La estrategia se alinea con los Objetivos de Desarrollo Sostenible, particularmente el ODS 5 sobre igualdad de género, y complementa otras iniciativas de la UE como el Pilar Europeo de Derechos Sociales.

5. CONCLUSIONES

El derecho privado, especialmente a través del derecho contractual y de propiedad, emerge como una herramienta efectiva para la protección ambiental cuando incorpora la perspectiva de género. El marco normativo español y europeo proporciona una base sólida para esta protección, aunque requiere mayor desarrollo. Las mujeres enfrentan vulnerabilidades específicas en el contexto ambiental, incluyendo mayor exposición a riesgos en desastres naturales, acceso limitado a recursos naturales y menor participación en la toma de decisiones ambientales. Esta situación se agrava particularmente en el caso de mujeres indígenas y comunidades rurales. Los mecanismos existentes en el derecho civil español, como los artículos relacionados con la propiedad y los contratos, pueden adaptarse para incorporar objetivos de protección ambiental y equidad de género. Sin embargo, persisten brechas significativas en su implementación efectiva. La Estrategia de Igualdad de Género de la UE 2020-2025 representa un avance importante al integrar consideraciones ambientales y de género, aunque su éxito dependerá de la implementación efectiva a nivel nacional y local. Es necesario fortalecer la participación de las mujeres en la toma de decisiones ambientales, mejorar su acceso a la información y recursos, y desarrollar mecanismos de protección específicos que consideren la interseccionalidad de género y medio ambiente. La evolución jurisprudencial y normativa sugiere una tendencia positiva hacia el reconocimiento de la dimensión de género en la protección ambiental, aunque se requiere mayor desarrollo en áreas como el acceso a la justicia ambiental y la participación efectiva en la toma de decisiones.

---

[76] Flores, S.; "*Aprobada la estrategia europea de genero 2020-2025.*" Disponible en https://observatorioviolencia.org/ 2020. (Consultado el 20/12/2024)

6. BIBLIOGRAFÍA

ALONSO GARCÍA M. C., "*La protección de la dimensión subjetiva del derecho al medio ambiente*", Thomas Reuthers Aranzadi, 1.ª edición, Pamplona, 2016.

ANDRADE SALAZAR, J. A., "Mujeres, niños y niñas, víctimas mayoritarias del desplazamiento forzado". *Orbis. Revista Científica Ciencias Humanas,* vol. 6, nº 16, 2010.

BALLESTEROS, J., *¿Derechos?, ¿humanos?,* Tecnos, Madrid, 2003.

BEKKAR B., et al., "Association of air pollution and heat exposure with preterm birth, low birth weight, and stillbirth in the US: a systematic review", *JAMA Network Open,* vol. 3, nº 6, 2020.

BOYD D. R., "Las mujeres y las niñas y el derecho a un medio ambiente limpio, saludable y sostenible. *Informe del Relator Especial sobre la cuestión de las obligaciones de derechos humanos relacionadas con el disfrute de un medio ambiente sin riesgos, limpio, saludable y sostenible,* A/HRC/52/33, Consejo de Derechos Humanos, 27 de febrero a 31 de marzo de 2023. CAMARERO, L., et al. "La población rural de España", *Colección Estudios Sociales,* vol. 27, 2009.

CERDEIRA BRAVO DE MANSILLA, G. "Límites y limitaciones de la propiedad inmobiliaria: su estado actual en materia de servidumbres", *Revista de Derecho Patrimonial,* vol. 37, 2015,

CLIMENT GALLART, J.A., "El TEDH y la Contaminación Acústica: Comentario a la STEDH sobre el caso Cuenca Zarzoso C. España" *Actualidad Jurídica Iberoamericana"* n.º 9, agosto, 2018.

COTARELO, L., "Vulnerabilidad de las mujeres frente a la violencia de género en contextos de desastres naturales en Latinoamérica y Caribe. *Trabajo Social Hoy,* 76, 2015. Doi 10.12960/TSH.2015.0013.

DAZÉ, A. Y J. DEKENS, "Towards Gender-Responsive National Adaptation Plan (NAP) Processes: Progress and Recommendations for the Way Forward", Winnipeg, Canadá: *International Institute for Sustainable Development,* 2018, https://www.napglobalnetwork.org/wp-content/uploads/2018/04/napgn-en-2018-towards-gender-responsive-nap-processes-synthesis-report.pdf (Consultado el 3/01/2024).

DE MIGUEL PERALES, C.B., "*La protección del medio ambiente a través de la protección de ciertos derechos fundamentales: Análisis jurisprudencial*", Real Academia de jurisprudencia y legislación, Dykinson, Madrid, 2010, p.398.

DIEZ-PICAZO, L. M., "*Sistema de derechos fundamentales*", Thomson Civitas, Madrid, 2003.

FISHER, S. "Violence against women and natural disasters: Findings from posttsunami Sri Lanka". *Violence against Women,* 16 (8), 2010.

GALLEGO ANABITARTE, A., "Sobre la propiedad: Observaciones históricas- dogmáticas y actuales", *Revista de Derecho Urbanístico y Medio Ambiente,* nº. 225, 2006.

GARCÍA RUBIO, A. M. "*Derecho de la Contratación y Medio Ambiente*", Madrid: Editorial Tecnos, 2019.

GARRIGA DOMÍNGUEZ, A., "*La protección del medio ambiente en la jurisprudencia del Tribunal Europeo de Derechos Humanos. En Desarrollo económico, protección ambiental y bienestar social: el derecho de la sostenibilidad desde la perspectiva hispano-cubana"*, Dykinson, 2011.

GRAU PINEDA, M. C. "La Estrategia Europea para la Igualdad de Género 2020-2025 y la brecha en las pensiones", *Trabajo y Derecho,* 2021.

JORDANO FRAGA, J. *"Estudios de la Directiva 2004/35/CE de responsabilidad por daños ambientales y su incidencia en el ordenamiento jurídico"*, Editorial Aranzadi, 2005 y "*La protección del derecho a un medio ambiente adecuado*", Tesis Doctoral, Universidad de Sevilla, 1993.

KNOX, J. "Principios Marco sobre derechos Humanos y Medio ambiente", *Papeles de relaciones ecosociales y cambio global,* nº 142, 2018, "Cambio climático y derechos humanos", Observatorio *Social de la Caixa,* 2016.

LASAGNA, L. D. "El derecho de la servidumbre. Una estrategia que contribuye a preservar el medioambiente", *Revista de la Facultad de Derecho,* vol. 7, no 2, 2016.

LOZANO CUTANDA, B., "*Derecho ambiental administrativo"*, Librería-Editorial Dykinson, 2012.

LUTZ M.I, et al. "Encuesta sobre exposición de embarazadas y recién nacidos a contaminantes ambientales de riesgo en el Gran Buenos Aires", *Rev Argent Salud Pública,* Jun;7(27), 2016

MARTÍN MATEO, "Derecho ambiental*", Instituto de Estudios de la Administración local,* Madrid, 1977, "La calidad de vida como valor jurídico", *Revista de administración pública (RAP*), nº 117, 1988, "Tratado de Derecho ambiental", Ediciones Trivium, 1991, o "Manuel de Derecho Ambiental", Aranzadi, Cizur, 2003.

MARTÍNEZ LUCÍA, E. "*Limitaciones al derecho de la propiedad por razones ambientales",* Servicios de Publicación universidad Comillas, Madrid, 2023.

MARTÍNEZ TORRES, L. "La Actualización del Derecho de Contratos y su Impacto en la Responsabilidad Medioambiental", *Revista Jurídica Ambiental,* vol. 45, n.º 3, 2022.

MCADAM, J., FERRIS, E. "Planned relocations in the context of climate change: Unpacking the legal and conceptual issues". *Cambridge International Law Journal,* vol. 4, no 1, 2015.

MORO ALMARAZ, M. J. "Medio ambiente y función social de la propiedad", *Revista Crítica de Derecho Inmobiliario,* vol. 69, n.º 617, 1993.

PARRA LUCÁN, M. A., "Derecho civil: contrato y medio ambiente. Nuevos instrumentos de tutela medioambiental", *Observatorio de políticas ambientales,* 2016.

PÉREZ ESCOBAR, E., "Los Derechos Fundamentales: historia, concepto y fundamento", Cátedra impartida en el máster de Bioética, Instituto Borja de Bioética", Universidad Ramón Llul, Barcelona, texto en edición, 2004.

PÉREZ TORRES, F., J. "Medio ambiente, bienes ambientales y métodos de valoración", *Equidad Desarrollo,* N.º 25, enero-junio, 2016.

REZAEIAN, M. "The association between natural disasters and violence: A systematic review of the literature and a call for more epidemiological studies", *Journal of research in medical sciences: the official journal of Isfahan University of Medical Sciences,* 18 (12), 2013.

VICENTE GIMENÉZ T. "Refugiados climáticos, vulnerabilidad y protección internacional", *SCIO. Revista de Filosofía,* n.º 19, 2020.

VICENTE GIMÉNEZ, T. "Las mujeres, defensoras de la igualdad y el cuidado de la naturaleza", *iQual. Revista de Género e Igualdad,* no 4, 2021.

Sección VIII
IMAGINARIOS SOCIALES, CRÍTICA CULTURAL Y GÉNERO

El viaje heroico de las mujeres en el universo Almodóvar[*]

MÓNICA SUMOY GETE-ALONSO
Jurista, traductora e investigadora
Departamento de Estudios de Comunicación
Universitat Rovira i Virgili

«A los grandes estudios les interesa más el cine protagonizado por hombres, las películas comerciales, las de héroes, antihéroes, secuelas, precuelas, tributos. Hay muy pocas superheroínas. La mujer tiene que estar ahí casi para testimoniar que el héroe no es homosexual. A mí me parece una pena. (…) Los guionistas se están perdiendo un verdadero tesoro sin contar las experiencias y peripecias que podrían encarnar estas mujeres».

Pedro ALMODÓVAR[1]

1. INTRODUCCIÓN

«El héroe [o la heroína] se define por su capacidad de sacrificio, por la renuncia a su propia vida sin que le mueva ningún interés material. (…) Para mí, héroes [o heroínas] (…) son [aquellas] personas (…) que no dudan en abandonar la comodidad de su situación para lanzarse a la aventura (…) porque la tragedia de lo que está ocurriendo les resulta insufrible. No solucionan el problema, no está en sus manos hacerlo, pero supongo que la sensación de salvar vidas debe de ser lo más parecido a vivir un milagro».

Pedro ALMODÓVAR [2]

Uno de los aspectos que se suele destacar de las mujeres del universo Almodóvar es su valentía, resiliencia y creatividad sin igual, una fuerza vital que las empuja a superar circunstancias adversas inimaginables. La mayoría de las veces, se trata de fatalidades que atentan contra su dignidad hu-

---

* Este trabajo forma parte de mi tesis doctoral, inscrita como *Madres, hijas y mujeres que cuidan en la obra de Pedro Almodóvar* en el programa de doctorado en Antropología y Comunicación Audiovisual del Departamento y Universidad de referencia.

1 ALMODÓVAR, P., «Si empezara a hacer cine hoy, sería youtuber», entrevista de Lucía LIJTMAER, *El Diario.es*, 17.03.2017.

2 ALMODÓVAR, P., «Junto a *Hable con ella, Todo sobre mi madre* marca el cénit de mi carrera», Entrevista de Cristiana ALLIEVI, *Revista GQ*, 25.01.2020.

mana y que, por muy dramáticas o traumáticas que sean, no distan mucho de la cruda y desgarradora realidad a la que deben hacer frente muchas de las mujeres que se hallan al otro lado de la pantalla. Al igual que les ocurre a estas otras en la vida, en la obra almodovariana no hay ningún personaje femenino cuya existencia no esté trágicamente marcada por la desigualdad de género, ni cuyos derechos humanos no se vean puntual o sistemáticamente vulnerados, mermados o desatendidos, especialmente por sus congéneres masculinos.

Presentadas o percibidas a veces como «antiheroínas» por no responder al estereotipo clásico de «héroe» —aquel dispuesto a emprender la más arriesgada de las aventuras físicas con el fin de salvaguardar los valores tradicionales—, en todas ellas destaca otra forma de heroísmo que suele pasar socialmente desapercibida, cuando no ser desdeñada o ridiculizada[3]. A saber, una mayor «valentía moral», derivada a su vez de un mayor grado de conciencia e introspección[4], por virtud de la cual son capaces de obrar conforme a su sentir más profundo, de encontrar los re-

---

3 Según José Luis GONZÁLEZ ESCRIBANO, «El antihéroe no necesita ser el que "encarna los valores contrarios a los del héroe", sino que puede ser también "el que no suscribe los valores asociados con el héroe sino otros", que no tienen por qué ser "negativos", sino que pueden ser simplemente "distintos", aunque igual de "positivos", o al menos igual de positivos desde otros puntos de vista». GONZÁLEZ ESCRIBANO, J. L., «Sobre los conceptos de héroe y antihéroe en la Teoría de la Literatura», *Archivum. Revista de la Facultad de Filología,* tomos 31-32, p. 376.

4 En este sentido, Pablo CANO-GÓMEZ señala que «Frente a la necesidad de valentía ante el desafío físico que plantea el héroe tradicional, el postclásico precisa de un enorme coraje moral. Esta circunstancia es tremendamente necesaria, puesto que los grandes peligros que amenazan su existencia no se circunscriben meramente al plano de lo físico. (…) frente al héroe clásico, cuya actividad central es la propia acción física mediante la que solventa sus problemas (la guerra, el enfrentamiento violento), el postclásico gasta una gran cantidad de energía en la meditación y el razonamiento. La gratificación que obtienen unos y otros por parte del resto de personajes del relato también es diferente. Frente al reconocimiento que obtiene el primero en la tarea para la que está destinado o cuando se prepara físicamente para acometerla, el postclásico realiza una actividad interior que puede pasar desapercibida para los demás, o que cuando es detectada por el resto de personajes, se encuentra con la incomprensión de sus congéneres, incluso con la burla o la ridiculización de sus actos. (…) el héroe postclásico ofrece un conjunto más complejo de situaciones y cualidades con respecto a su predecesor, aunque pueda llevar a cabo muchas de las acciones de este». CANO-GÓMEZ, P., «El héroe de la acción postclásica. Interpretación de la teoría del postclasicismo fílmico en la serie de televisión *Hijos de la anarquía*», *Palabra Clave,* vol. 15, núm. 33, 2012, pp. 443 y 444.

cursos necesarios para resolver sus conflictos y dificultades y de revertir así el destino que el patriarcado les tenía reservado: precariedad, ignorancia, exclusión, discriminación, opresión, sumisión, indefensión, explotación, anulación o aniquiliación; en definitiva, violencia en cualquiera de sus formas concebibles (física, sexual, mental, emocional, psicológica, económica o social)[5].

Esta libertad de la que gozan los personajes femeninos, impensable antes de 1975 —aunque no en la visión perspicaz del cineasta manchego—[6] es la que hace que sus películas nos atrapen de un modo tan singular, especialmente a nosotras, a las personas del colectivo LGTBIQ+ y a todas aquellas que por razón de su sexo, género o cualquier otra circunstancia personal o social, en algún momento de sus vidas han sido o se han sentido marginadas u olvidadas de la historia del cine y de la humanidad. Aun cuando dichas figuraciones cinematográficas se basan en argumentos irreales o claramente imposibles, por banales que parezcan, nunca resultan ser tales, pues siempre nos hacen ser más conscientes de nosotras mismas. No sólo porque nos muestran el abismo que separa la identidad femenina externamente impuesta de nuestra verdadera identidad —la internamente elegida—, sino porque, además, nos enseñan algunos de los caminos que podemos recorrer, tanto para desarrollar las capacidades que nos permitirán mostrarnos y actuar como las personas que deseamos ser y que en el fondo ya somos, como para, desde ese nuevo lugar, construir un orden social más justo, inclusivo e igualitario[7].

---

5 «La soledad [de las mujeres que son víctimas de violencia de género] representa algo más que indefensión y desamparo; se trata de un estado en el que la mujer se cuestiona a sí misma y su vida, en el que se culpabiliza, en el que frecuentemente encuentra soluciones que suponen autocuestionamiento y humillación» (p. 1). «Por eso la violencia de género sólo admite una solución: que la mujer sea, y se crea, libre e igual a los hombres» (p. 3). ÁLVAREZ GARCÍA, F. J., «Prólogo», en IGLESIAS CANLE, I. C., GONZÁLEZ-ARES FERNÁNDEZ, J. A. y ÁLVAREZ BUJÁN, M. V. (coords.), *El principio de igualdad desde un enfoque pluridisciplinar. Prevención y represión de la violencia de género,* Tirant lo Blanch, Valencia, 2016, pp. 1 y 3.

6 «Empecé haciendo cine sin hablar del franquismo porque esa era mi venganza personal contra él. Mi mensaje político es la libertad. Yo he dado a mis personajes autonomía moral para que fueran tan libres como yo escribiéndoles». ALMODÓVAR, P., Discurso de aceptación del Premio Donostia 2024 en la 72.ª edición del Festival de San Sebastián, *El País,* 27.09.2024.

7 Tal como subraya la pensadora Chandra TALPADE MOHANTY, «La relación entre “Mujer”, un compuesto cultural e ideológico del Otro construido a través de diversos discursos de representación (científicos, literarios, jurídicos, lingüísticos,

Pese a su idiosincrasia marcadamente local y transgresora, estas historias poseen una serie de elementos reconocibles que se repiten en los relatos de todos los tiempos y latitudes: desde los mitos, leyendas y cuentos de hadas más fantásticos hasta las novelas, películas y obras de teatro que circulan en las culturas más variadas del mundo. Ello es así porque, de hecho, todas estas narraciones orales y escritas proceden del inconsciente colectivo, un término acuñado por el psicoanalista Carl Gustav JUNG en *El significado de la constitución y la herencia para la psicología* (1929) para referirse a una fuente universal en la que anidan viejos arquetipos compartidos por la humanidad; esto es, un conjunto de símbolos y patrones de pensamiento y comportamiento generacionalmente heredados que encierran nuestras experiencias de vida fundamentales y nuestras motivaciones más intrínsecas.

También las películas y por ende los personajes femeninos que nos ocupan son ecos y reverberaciones de historias y arquetipos locales a la vez que universales, por cuanto narran las experiencias de empoderamiento, superación y transformación de una serie de mujeres ordinarias que se convierten en —o que se descubren como— las mujeres extraordinarias que siempre fueron; o sea, como esa clase de heroínas dignas de ser emuladas con las que, debido a nuestra condición femenina común, nos sentimos identificadas. En un nivel profundo, sabemos que su situación de vida es o podría ser la nuestra, lo que hace que su viaje heroico hacia la conquista de su libertad interna y externa, aunque ocurra en una realidad imaginada, sea también el nuestro.

---

cinemáticos, etc.) y "mujeres", sujetos reales, materiales, de sus propias historias colectivas, es una de las cuestiones centrales que la práctica de la academia feminista busca abordar. La conexión entre las mujeres como sujetos históricos y la representación de Mujer producida por los discursos hegemónicos no es una relación de identidad directa, ni una relación de correspondencia o simple implicación. Se trata de una relación arbitraria construida por culturas particulares». TALPADE MOHANTY, Ch, «Bajo los ojos de occidente. Academia Feminista y discurso colonial». En SUÁREZ NAVAZ, L. y HERNÁNDEZ, A. (eds.), *Descolonizando el Feminismo: Teorías y Prácticas desde los Márgenes*, Madrid, Cátedra, 2008, p. 121.

1.1. El viaje del héroe o el camino del despertar

> *«Debemos estar dispuestos a dejar ir la vida que planeamos para tener la vida que nos espera».*
>
> Joseph CAMPBELL[8]

En su obra *El héroe de las mil caras* (1949)[9], el antropólogo y mitólogo estadounidense Joseph CAMPBELL (1904-1987) describe el monomito del «viaje del héroe» como un patrón narrativo que se repite con distintas variantes en los relatos de todas las civilizaciones y culturas del mundo, revelándose una suerte de sabiduría universal subyacente en el arte de narrar historias. El viaje se refiere al proceso de transformación que atraviesa aquel personaje que, tras sufrir un revés inesperado, abandona su realidad cotidiana y se embarca en una aventura sembrada de pruebas y dificultades que cambiarán para siempre su destino existencial, un recorrido que en términos literarios y cinematográficos se conoce como «arco dramático o de transformación» del personaje[10].

Dicho viaje puede ser físico o metafísico; el primero es un viaje real y consiste en un desplazamiento a un destino específico que implica sortear una serie de barreras materiales; el segundo es un viaje emocional y espiritual, tiene lugar en la mente y corazón del personaje y supone vencer otro tipo de obstáculos más sutiles que se alojan en lo más recóndito del inconsciente. Si bien en unos casos resulta más evidente que en otros, el viaje externo —la búsqueda de respuestas y soluciones en el mundo de las formas— siempre se antoja insuficiente, por lo que todo viaje acaba convirtiéndose en un viaje interno o profundo que conduce a hallar un tesoro aún más preciado que el que un inicio se anhelaba: el encuentro de uno/a mismo/a, del propósito de la vida o de la paz que trasciende todas las cosas. Y aunque es por ello un viaje que el héroe o la heroína tienen que hacer mayoritariamente solos —en realidad nadie más que ellos puede escudriñar en su conciencia—, lo hacen siempre para, por y a través de los otros. Es gracias a aquellos otros personajes que se cruzan en su camino

---

8 CAMPBELL, J., *El héroe de las mil caras. Psicoanálisis del mito,* Fondo de Cultura Económica, México/Buenos Aires, 1959.

9 CAMPBELL, J., *op. cit.*

10 Véanse, entre otros, SEGER, L., *Cómo convertir un buen guión en un guión excelente,* Rialp, Madrid, pp. 208 y ss.; o SÁNCHEZ-ESCALONILLA, A., *Estrategias de guión cinematográfico. El proceso de creación de una historia,* Planeta, Barcelona, 2014, pp. 350 y ss.

y en su recuerdo que acaban enfrentándose a sus miedos, descubriendo sus múltiples caras y, en fin, transmutando sus aprendizajes en sabiduría y valor. Para el héroe o la heroína, lanzarse a un viaje de tales características supone una empresa tan arriesgada y desafiante como catártica e iluminadora. No sólo porque le/la obligarán a desplegar los recursos materiales, psicológicos y espirituales que un principio tal vez sienta que no posee, sino porque, de manera irremediable, le/la arrastrarán a alcanzar un nivel desacostumbradamente superior de conciencia que, a la postre, le permitirán dejar ir su viejo yo y resolver su conflicto de partida en todas sus manifestaciones. Esta odisea del alma es lo que precisamente mantiene en vilo al público y lo que, al fin y al cabo, determina que ciertos personajes femeninos y masculinos —y por ende ciertas películas— perduren en nuestra memoria individual y colectiva como ejemplos de inspiración.

1.2. El silencio de las mujeres

> *«Las mujeres han estado silenciadas durante siglos, por lo tanto tienen muchas más cosas que decir que los hombres».*
>
> Pedro ALMODÓVAR[11]

Nuestro análisis gira en torno a una serie de personajes femeninos que si bien no figuran en la historia oficial de las mujeres opacada por los hombres, sí han contribuido a sacar a la luz su verdadera historia —la extraoficial—, al mostrarnos una realidad femenina más diversa y realista que ya está integrada en el imaginario de la humanidad. Tales historias no dejan de ser relatos ficcionados de nuestra macrohistoria social —la española y la universal—, cuando no de la micro —o intra— historia social, esa que forma parte de lo ordinario, aunque no por ello menos extraordinario, relevante o carente de interés, más al revés, pues constituyen una muestra de la vida privada y el sustrato común de las mujeres de nuestro tiempo.

Privadas de las decisiones y oportunidades que tenían reservadas los varones, a través de los ojos de estas mujeres descubrimos los mundos internos y externos velados por ellas y a ellos vedados. Porque las mujeres han de ocultarlo todo —todo aquello que ellos no quieren o que temen que sean— y fingir o callar, no sólo frente a ellos, sino también entre ellas —entre madres e hijas, entre hermanas, entre amigas, entre vecinas conocidas

---

11 ALMODÓVAR, P., entrevista de Cristiana ALLIEVI, *op. cit.*

y entre desconocidas—[12]: fingir la falta de deseo y el hastío que les provocan los maridos, las parejas o los amantes que las maltratan, que no saben amarlas ni complacerlas sexualmente; silenciar los terribles secretos que esconden —sobre sí mismas, sobre sus hijas e hijos, sobre sus hermanas y hermanos, sobre sus padres y madres, sobre sus parejas, amantes, amigas, vecinas y ancestros…; ocultar sus embarazos no deseados o inesperados, así como los orígenes biológicos de esas criaturas que llevaron en su vientre y que fueron fruto de una relación no consentida (una violación, un incesto), a las que parieron a escondidas, a las que dejaron en manos de otros, a las que tuvieron siendo aún unas adolescentes o sin que otros lo supieran, ni siquiera el padre ni sus propias madres… Tampoco pueden hablar abiertamente de su vacío existencial, de su sentimiento de culpa, de su pena o «malestar sin nombre»[13], ni de los múltiples abusos, agresiones, violencias e injusticias sutiles y manifiestas sufridas dentro y fuera del hogar; menos aún de los actos cometidos en legítima defensa —de sí mismas o de otras— para evitar, mitigar o compensar tales injusticias, pues a los ojos del sistema establecido, sin duda alguna tales actos de amor y resistencia serían faltas graves o delitos condenables[14]. Lo cual nos hace pensar que entonces, tal vez la suya no sea una mera «microhistoria», sino justamente eso: la historia universal de la mitad de la humanidad, esa que se nos ha querido desarrollar intramuros y en silencio y que desde tiempos inmemoriales se ha visto relegada a los márgenes, cayendo en el más absoluto de los olvidos… aunque nunca en el de sus protagonistas y en el de aquellas personas en quienes hicieron y siguen haciendo mella.

---

[12] «De niño (…) recuerdo haber visto esta cualidad en las mujeres de mi familia. Fingían más y mejor que los hombres. Y a base de mentiras conseguían evitar más de una tragedia. (…) el hombre reinaba (…) mientra las mujeres solucionaban realmente los problemas, en silencio, teniendo muchas veces que mentir para ello. (…) contra ese machismo (…), las mujeres fingían, mentían, ocultaban y de ese modo permitían que la vida fluyera y se desarrollara, sin que los hombres se enteraran ni la obstruyeran». ALMODÓVAR, P., *Todo sobre mi madre*, Círculo de Lectores, Barcelona, p. 169.

[13] Expresión acuñada por Betty FRIEDAN en *La mística de la feminidad* (1963) para describir el descontento y angustia generalizada que sentían las mujeres estadounidenses en la década de los años cincuenta y principios de los sesenta, un malestar que, según ella, se debía a la presión psicológica que sentían las mujeres por ajustarse a la imagen artificiosamente fabricada de «feminidad».

[14] «De repente hay juicios sumarísimos por tonterías, teniendo el problema tan grave como tenemos en este país con la violencia de género. Ese es el tema que hay que abordar y al que tenemos que encontrar solución». ALMODÓVAR, P., «Si empezara a hacer cine hoy, sería youtuber», entrevista de Lucía LIJTMAER, *op. cit.*

2. ESTRUCTURA DE LAS HISTORIAS SEGÚN EL PARADIGMA CLÁSICO Y EL MODELO DEL VIAJE DEL HÉROE

2.1. La estructura narrativa clásica

Tal como observó ARISTÓTELES en su *Poética* (384-322 a. C.), todas las historias (y por lo tanto todos los guiones cinematográficos) se dividen en tres partes o actos: un *principio* o *planteamiento* (Acto I), un *nudo* o *desarrollo* (Acto II) y un *final* o *resolución* (Acto III). Esta estructura lineal básica, a la que Syd FIELD denomina «paradigma»[15], es una de las más reconocidas y utilizadas en la escritura de guiones y en el mundo del *storytelling*. En el *Primer acto* se da a conocer la situación de partida: básicamente, quiénes son los personajes principales, cuándo y dónde transcurre la historia, de qué trata, cuál es el conflicto principal, etc. Al final del primer acto tiene lugar un incidente que hace que la historia tome otra dirección, llamado *primer nudo de la trama* o *primer punto de giro*. En el *Segundo acto* (conocido como *confrontación*), el/la protagonista debe superar una serie de obstáculos y enfrentarse a todas aquellas fuerzas antagonistas que le impidan alcanzar su objetivo. Al final del mismo, hay un *segundo nudo de la trama* o *punto de giro*. En el *Tercer acto* se resuelve el conflicto de partida en una escena que se conoce como *clímax* (véase la *primera columna* del siguiente cuadro).

2.2.. El modelo del viaje del héroe

El modelo del viaje del héroe diseñado por Christopher VOEGLER en *El viaje del escritor* (1992)[16] —que a su vez se basa en la estructura del monomito delineada por Joseph CAMBPELL en *El héroe de las mil caras* (1949)[17]— se divide en 12 etapas (véase la *segunda columna* del siguiente cuadro), cada una de las cuales se corresponde con un distinto nivel de conciencia por parte del/la protagonista[18] (véase la *tercera columna* del siguiente cuadro).

15 FIELD, S., *El libro del guión. Fundamentos de la escritura de guiones*, Plot, Madrid, 1995, p. 13.

16 VOGLER, Ch., *El viaje del escritor. Las estructuras míticas para escritores, guionistas, dramaturgos y novelistas*, Ma Non Troppo/Robinbook, Barcelona, 2002.

17 CAMPBELL, J., *op. cit.*

18 VOGLER, Ch., *op. cit.* pp. 242-243.

Este esquema es la columna vertebral que sostiene cualquier historia. VOGLER lo resume así[19]:

> [Acto I] (1) Los héroes se nos presentan en el *mundo ordinario,* donde (2) reciben la *llamada de la aventura.* (3) Inicialmente se muestran reticentes o bien *rechazan la llamada,* pero (4) un *mentor* les anima a (5) *cruzar el primer umbral* e internarse en el mundo especial, donde [Acto II] (6) encontrarán *pruebas, aliados y enemigos.* (7) *Se aproximan a la caverna más profunda,* atravesando el segundo umbral, (8) donde empezará su *odisea o calvario.* (9) Se apoderarán de su *recompensa* y [Acto III] (10) serán perseguidos en el *camino de regreso* al mundo ordinario. (11) Cruzarán un tercer umbral, experimentan una *resurrección* y esta vivencia los transformará. (12) *Retornarán con el elixir,* un bendición o tesoro del que se beneficiará el mundo ordinario.[20]

Con todo, el propio autor advierte que en ningún caso se trata de un modelo rígido, por lo que, en función de las necesidades de cada caso, se pueden suprimir algunas fases o disponerlas en un orden distinto al planteado.[21]

Como se puede advertir, la estructura en tres actos y el viaje del héroe comparten muchas características. En el siguiente cuadro, se presentan las tres estructuras mencionadas en paralelo:

---

19 Indicamos el número de acto entre corchetes y el de etapa entre paréntesis; el nombre del acto en redonda y el hecho o elemento significativo de cada etapa en cursiva.

20 VOGLER, Ch., *op. cit.*, p. 58.

21 VOGLER, Ch., *op. cit*, pp. 271, 272 y 274.

Acto I	**Etapas 1 a 5**	**Etapas 1 a 5**
Principio (Planteamiento)	**Mundo ordinario o conocido (Preparación y partida)**	**El personaje dormido, inconsciente o estancado**
▪ *Statu quo* (situación inicial): ▪ Presentación del escenario de partida ▪ Presentación de los personajes principales	▪ Mundo ordinario	▪ Conciencia limitada de un problema
▪ Detonante ▪ Aparición del conflicto principal	▪ Llamada a la aventura	▪ Invitación a un aumento de la conciencia
▪ Planteamiento del conflicto por parte del personaje principal	▪ Rechazo de la llamada	▪ Resistencia a la transformación
▪ Toma de conciencia por parte del personaje por parte del personaje principal y aparición de una necesidad o motivación (meta)	▪ Encuentro con el mentor (catalizador)	▪ Superación de la resistencia
▪ Primer punto de giro o nudo de la trama	▪ Cruce del primer umbral	▪ Entrega a la transformación
Acto II	**Etapas 6 a 9**	**Etapas 6 a 9**
Desarrollo (Confrontación)	**Mundo especial o desconocido (Iniciación y descenso a los infiernos)**	**El personaje semidormido o en transformación**
▪ Primeros obstáculos ▪ Actitud reactiva por parte del personaje principal	▪ Primeras pruebas, aliados y enemigos ▪ Aprendizaje de las nuevas reglas (adaptación al nuevo mundo)	▪ Experimentación con el primer cambio
▪ Punto medio (mitad de la historia)	▪ Aproximación e internamiento en la caverna más profunda (cruce del segundo umbral)	▪ Preparación para la gran transformación
▪ Actitud proactiva por parte del personaje principal ▪ Primera gran crisis o enfrentamiento del personaje principal: ▪ Primer enfrentamiento entre el personaje principal y el personaje o fuerza antagonista y/o ▪ Primer enfrentamiento del personaje principal con su sombra («noche oscura del alma») ▪ Primera muerte del ego	▪ Odisea	▪ Primer gran intento de transformación
▪ Segundo punto de giro (o nudo de la trama)	▪ Recompensa	▪ Consecuencias (avances y retrocesos)

Acto III	Etapas 10 a 12	Etapas 10 a 12
Final (Resolución)	**Retorno al mundo ordinario**	**El personaje (casi) despierto o transformado**
▪ Toma de conciencia por pate del personaje principal de la necesidad de volver a casa	▪ Camino de regreso (cruce del tercer umbral)	▪ Segundo gran intento de transformación
▪ Segunda gran crisis o enfrentamiento del personaje principal (clímax): ▪ Enfrentamiento final entre el personaje principal y el personaje o fuerza antagonista ▪ Segundo enfrentamiento del personaje principal con su sombra («noche oscura del alma») ▪ Segunda muerte del ego ▪ Resolución del conflicto principal ▪ Consecución del objetivo por parte del personaje principal	▪ Resurrección ▪ Transformación	▪ Intento final (tercero) de transformación
▪ Desenlace (consecuencias de la resolución y conclusión de la historia): ▪ Resolución de otros asuntos pendientes (cabos sueltos) ▪ Nuevo *statu quo* (situación final)	▪ Retorno con el elixir	▪ Superación definitiva del problema

Estructura narrativa según el paradigma clásico y el modelo del viaje del héroe

3. ACTO I (PLANTEAMIENTO). ETAPAS 1 A 5 DEL VIAJE (EL MUNDO ORDINARIO. PREPARACIÓN Y PARTIDA)

«Hay muchas formas de vivir dentro de una tragedia».

Ingrid (Julianne Moore) en *La habitación de al lado* (2024)

En algún punto del Acto I, ocurre de pronto un suceso generalmente doloroso o escabroso que abre una vieja herida o trauma sin sanar en la protagonista.[22] Visto de otro modo, un conflicto externo o interno generado en el presente desata a su vez un conflicto interno o externo sin resolver

[22] Por 'pasado' nos referimos no sólo al personal, sino también al político y social, pues lo que le ocurre al personaje siempre es un síntoma o reflejo de lo que

que se remonta a un pasado remoto o reciente, de tal forma que la disolución del primero (aunque último en el tiempo) depende indefectiblemente de la superación y cierre del segundo (que es anterior a aquel). Siendo así, la dificultad de asimilar el dolor provocado por ambos sucesos —que bien podrían considerarse uno solo o la continuación el uno del otro— constituye el nudo gordiano de la historia de vida de la protagonista, así como el conflicto principal de la película, un conflicto que sólo desaparecerá —o un nudo que sólo se deshará— cuando aquella logre dar sentido a su malestar o sufrimiento en un mundo que parece indiferente a ellos, y más aún si tienen nombre de mujer[23].

Algunos acontecimientos de partida hacen aflorar más de un asunto pendiente entre la protagonista y otros personajes, lo que, muy a menudo, convierte a la película en un intrigante thriller psicológico donde el suspense y el melodrama se entremezclan a un tiempo, sin por ello dejar de provocar un caudal de emociones y reflexiones sobre las relaciones afectivas, la condición humana y la femenina. No sólo sobre la capacidad de amar de las mujeres, sobre la fuerza de la amistad o la sororidad, sino sobre lo que significa ser «mujer» —y tener que asumir el rol de madre, hija, hermana, esposa o amante….—, sobre cómo cuesta ser una misma en un orden heteronormativo inherentemente desigual, o sobre lo que realmente somos como seres humanos, más allá del sexo, el género o cualquier categoría socioculturalmente construida.

En los casos que nos ocupan, el hecho que precipita el conflicto de partida (el *incidente incitador* o *detonante*) reúne las siguientes características: (1) se trata de un hecho perturbador para la protagonista; (2) del que resulta un daño para sí misma y/o para otros; (3) en el que esta puede ser parte activa o pasiva; (4) que acontece de forma brusca en su vida cotidiana; (5) que impone una nueva realidad carente de orden y sentido y (6) que, muchas veces, supone el retorno de lo reprimido.

---

le ocurre al país, o una lectura del momento histórico en el que ambos se contextualizan.

23 «La verdadera meta del ser postclásico está definida en la necesidad de solventar las dudas, los miedos, las inquietudes o la angustia que afecta a su mundo interior. El relato encuentra así dos subtramas que se entrelazan en la concepción de la historia: la primera, compartida con el héroe clásico, referente al problema que ha de solventar (desafío material); la segunda, de mayor calado en la historia, en su propio mundo interior. Una y otra se entremezclan durante todo el tiempo de exposición de la obra y es en ambos espacios donde el héroe debe obtener el triunfo». CANO-GÓMEZ, P., *op. cit.*, p. 444.

El *daño* que se deriva de este incidente puede ser: (a) el que sufre la protagonista a causa del curso de las cosas, de la naturaleza o de la acción u omisión de otro personaje; (b) el que ella misma inflige a otro personaje o (c) el que sufre este otro personaje, llegando a perjudicarla a ella. Tanto si la protagonista es víctima directa o indirecta del daño como si es causante o testigo del mismo, el otro implicado en la ecuación es casi siempre una persona querida o conocida, es decir, un personaje al que le unía una relación biológica, de amistad, afecto, intimidad o confianza.

Las *causas* más comunes de los conflictos internos y externos de las protagonistas son: (1) la pérdida o ausencia de un ser querido, (a) ya física (debido a la muerte, abandono, desaparición o separación esperada o inesperada del otro), (b) ya metafórica (causada por la ausencia o distancia mental y/o emocional del otro); (2) la violencia física, sexual, psicológica u otra infligida al personaje por parte de un hombre adulto conocido o desconocido, (a) ya en la adultez, ya (b) en la infancia y (3) el olvido de la memoria histórica, familiar o personal.

4. ACTO II (CONFRONTACIÓN). ETAPAS 6 A 9 DEL VIAJE (EL MUNDO ESPECIAL. EL CAMINO DE PRUEBAS Y LA ODISEA)

> *«Las mujeres Almodóvar siempre [nacen empoderadas]. No importa la situación social o el trabajo que tengan, siempre gozan de una enorme autonomía moral. Estén donde estén o les pase lo que les pase, la capacidad de decisión es suya».*
>
> Pedro ALMODÓVAR[24]

Una vez que la protagonista deja atrás su realidad conocida, arranca propiamente el viaje hacia la consecución de su meta —la resolución consciente del conflicto principal y la resolución inconsciente del conflicto de raíz—, lo que, en paralelo, lleva aparejada la muerte paulatina del ego o el descubrimiento inevitable de su identidad más genuina, esa que queda al margen de los discursos externos y las narrativas internas heredadas del pasado[25]. Alcanzar una y otra meta (la aparente y la subyacente) la

---

24 ALMODÓVAR, P., «No me salen historias de familias felices», entrevista de Juan Luis ÁLVAREZ, *La Vanguardia*, 04.10.2021.

25 «El ego es como tú piensas de ti mismo. Tú en relación con todos los compromisos de tu vida, tal y como los entiendes. El ser es toda la gama de posibilidades en las

obligará a implicarse de manera activa y resolutiva en lo que sus nuevas circunstancias demanden de ella. Por un lado, deberá enfrentarse a todas aquellas pruebas y obstáculos físicos, mentales, emocionales y morales que sean necesarios, mientras que por el otro, deberá colaborar con la vida en los múltiples escenarios reales y simbólicos que esta le depare[26]; ya sea afrontando sus miedos más profundos, ya sea entregándose, ayudando o cuidando a los otros, ya sea sacrificándose por ellos, transmitiéndoles sus saberes o compartiendo con ellos sus dones, talentos y habilidades[27], ya sea expresando aquellas virtudes y capacidades adormecidas que olvidó que albergaba dentro de sí…

Los aprendizajes que le traerán esos vínculos, vivencias y avatares le harán cambiar su forma de ver, ser y estar en el mundo, colmarán progresivamente su vida de sentido y acabarán dotándola de una comprensión más diáfana, consciente y benevolente de las cosas. No sólo de la naturaleza de ese nuevo entorno en el que ahora se encuentra, sino, más aún, de las luces, sombras y misterios que habitan en los otros, pero sobre todo, de los que ella misma es portadora.

---

que nunca has pensado. Y estás atascado con tu pasado cuando estás atascado con el ego. Porque si todo lo que sabes de ti mismo es lo que descubriste de ti mismo, bueno, eso ya pasó. El ser es todo un campo de potencialidades por descubrir». CAMPBELL, J., *op. cit.*

26 Como ya observó FREUD en *El malestar en la cultura* (1930), «en un comienzo el yo lo incluye todo, luego desprende de sí un mundo exterior». Según Jorge R. ARAGONÉS, esto significa que en un principio el yo ocupa un lugar protagónico o narcisista hasta que finalmente cede su lugar ideal al superyo. Con el fin de recomponer la realidad perdida (la imagen ideal de sí mismo), el yo deberá superar sus primeras heridas narcisistas y las sucesivas, si bien orientándose hacia nuevas realidades. (ARAGONÉS, J. R., «Del ideal del yo y la transferencia». *Intercambios/vis*, núm. 1, 1998, pp. 6-17).

27 Para Erich FROMM, «Ser activos significa dar un cauce de expresión a las propias facultades y talentos, a la multiplicidad de dones que posee cada ser humano. Significa renovarse, crecer, expandirse, amar, trascender la cárcel del propio "yo" aislado, estar interesado, prestar atención, dar». FROMM, E. *Del tener al ser.* Paidós, Barcelona, 2013.

5. ACTO III (RESOLUCIÓN Y DESENLACE). ETAPAS 10 A 12 DEL VIAJE (EL CAMINO DE REGRESO)

5.1. Introducción. El momento de la verdad

En el Acto III, la protagonista resuelve su conflicto de partida y aquel del que trae cola (su conflicto presente, pasado y profundo), se libera de su sufrimiento físico o psicológico y se abre a la vida, aunque sea para dejarla. Si la pérdida reciente, remota o inminente de algo o de alguien del que aquella derivaba su sentido de identidad marca *el principio* de su viaje (el Acto I) y la búsqueda de algo —de un remedio o consuelo que alivie el dolor por esa pérdida— constituye la *parte central* del mismo (el Acto II), el *principio del final* (el Acto III) lo marca *la cesación de esa búsqueda* a través de un acto de rendición consciente y deliberado.

En este Acto (aunque también en el Acto II) tienen lugar algunas de las pruebas más duras: los reencuentros más temidos y significativos, los acercamientos más sinceros y emotivos, las confesiones más íntimas y estremecedoras y las revelaciones más asombrosas y esclarecedoras… La apertura al otro —que no es cualquier otro, sino el personaje que tiene la clave de la historia, pues representa la salvación de la que a estas alturas ya es una heroína—, trae consigo las últimas lecciones del viaje: la lección de la aceptación, la responsabilidad, la comprensión, la compasión, el perdón y la reconciliación. Del amor al prójimo nacen los milagros, los nuevos amaneceres y las segundas oportunidades[28]. El amor incondicional da pie a la redención, la transformación interior, exterior y profunda, la liberación individual y la colectiva.

5.2. Resolución del conflicto de partida y transformación del personaje principal

La transformación del personaje principal —que tanto puede haber causado un daño a alguien como, a la vez, haberlo recibido de ese u otro alguien— es un proceso gradual: no sucede por razón de un acto aislado, sino de varios; tampoco ocurre únicamente en el exterior, sino mucho antes: en el interior de quien, siendo víctima o victimario del hecho dañoso

---

[28] Véase ARJONA, S., «Belleza, dolor y búsqueda en el cine de Almodóvar», *Entre líneas,* 22.10.2024 [en línea], <https://www.entrelineas.org/revista/pedro-almodovar> [Consulta: 20.04.2025.]

de origen —del conflicto de partida—, tiene la voluntad de ponerle fin, no sólo por su bien —para restaurar el equilibrio en el orden interno y externo de su vida—, sino por el de todas las personas vivas o muertas que hubieran sido o pudieran ser asimismo víctimas de dicho conflicto. Tras tanto tiempo sostenidas, la pena, la desesperanza, la impotencia, el rencor, la ira, la vergüenza, la culpa o el arrepentimiento —por el daño recibido, infligido, evitable o inevitable— alcanzan su máximo apogeo buscando ser expurgadas y liberadas.

Para que el personaje pueda desprenderse de dicha carga emocional y emerger realmente transformado, no tiene más remedio que resolver el conflicto que se halla en la raíz de su malestar y que la mayor parte de las veces, aun ser con otro, es en realidad consigo mismo. Ello significa que, tanto si fue la víctima como la causante de dicho conflicto, deberá estar dispuesto a enfrentarse a sus sombras, sus miedos y sus fantasmas más temidos, aunque ello suponga reencontrarse con la otra parte y, de una vez por todas, abordar abiertamente aquel asunto pendiente tan doloroso, tan espinoso y a veces tan turbio que pesa sobre su conciencia —y que normalmente también afecta a terceras personas—, con todos los riesgos que conlleva desenterrar por fin ese pasado oscuro y confrontar la verdad, tanto desde un punto de vista psicológico como emocional.

Pese a que el daño sea ya irreversible, deviene a todas luces necesario que este sea reconocido y reparado, pues lo que permanece sin sanar genera una situación insostenible, cuando no agrava aún más el resentir de una o ambas partes, impidiendo que avancen y evolucionen. Con todo, puede suceder que ese momento —el momento de la verdad y la reconciliación— tarde en llegar (que una o ambas partes eviten encontrarse) o que incluso no llegue nunca a hacerlo (más aún si dicho encuentro puede terminar en un enfrentamiento), prolongándose así el sufrimiento para una o para ambas y quedando en suspenso de manera indefinida la resolución del conflicto en cuestión. Un escenario así puede darse por diversas razones: (a) bien porque la parte hiriente no sea consciente del daño o sufrimiento que haya podido causar a la parte doliente; (b) bien porque, aun sabiéndolo, aquella no reconozca su responsabilidad en ello y por tanto no vea necesidad alguna de asumirla frente a la otra; (c) bien porque, aun sabiéndolo, tarde en pedirle perdón; o (d) bien porque, aun habiéndolo hecho, sea la parte doliente la que se resista a perdonarla. Cuando el encuentro con la otra parte no es posible (ni por tanto la reconciliación), cada una deberá zanjar el conflicto por sí sola, ya sea en su fuero interno, ya sea por mediación de terceros.

Sea o no ello posible —y al margen de lo que haga el otro—, tanto para el sujeto hiriente como para el sujeto doliente, la reconciliación con el otro —o con uno mismo, al fin y al cabo— pasa por sacar a la luz la verdad que estaba en la raíz del conflicto y poner palabras al dolor subsiguientemente sufrido, sea por el daño infligido *por el otro,* sea por el daño infligido *a ese otro,* sea por el daño infligido *a sí mismo* como consecuencia de lo primero o lo segundo. Para *el sujeto hiriente,* supone *reconocer el daño* causado, *responsabilizarse de él, arrepentirse* y *pedir perdón*; para *el sujeto doliente,* entraña *construir un relato* que dé sentido a lo sufrido, mostrar una *actitud compasiva* frente a aquel y, en su caso, perdonarle[29].

En el momento en el que son capaces de ver la inocencia o humanidad del otro más allá de los hechos, el pasado queda atrás y se produce la reconciliación: ambos se liberan definitivamente de la carga emocional que les anclaban a ese pasado y o bien vuelven a abrirse al otro y se dan una segunda oportunidad, o bien se abren a la vida, aunque sea para abandonarla, eso sí, estando ya plenamente en paz con ella[30].

5.3. Desenlace. El despertar de las mujeres y el relevo de las heterodesignaciones patriarcales

> *«Y bien, parece que aquellos varones así nos querían. Pero ¿cómo se querían las mujeres a sí mismas? (…) ¿disponían de lo que podríamos llamar un espacio de autodesignación?».*
>
> Celia AMORÓS[31]

> *«No estamos en nuestro viaje para salvar el mundo sino para salvarnos a nosotros mismos. Pero al hacer eso salvas al mundo».*
>
> Joseph CAMPBELL[32]

A fuerza de superar pruebas y obstáculos internos y externos, de aprender, desaprender, perdonar y perdonarse, la protagonista adquiere cada

---

29 Véase MONTERO ORPHANOPOULOS, Carolina, *Vulnerabilidad, reconocimiento y reparación. Praxis cristiana y plenitud humana,* Universidad Alberto Hurtado, Santiago de Chile, 2012.

30 Como dice Eckhart TOLLE, «Cuando ya no hay historia que contarnos, desaparece el problema y lo que creíamos que éramos. Dejamos de sufrir, vivimos la esencia, el presente, somos libres».

31 AMORÓS, C., «¿Feministas sin saberlo?», *El País,* 16.04.2011.

32 CAMPBELL, J., *op. cit.*

vez mayor agencia y conciencia de sí misma, hasta caer por fin en la cuenta de que era en lo informe donde se encontraba su mayor tesoro, por lo que era *hacia sí misma* hacia donde debía encaminar sus pasos, aunque sin necesidad de separarse de los otros, sin olvidarse de las necesidades de esos otros, pero tampoco de las suyas; por su propio y único bien, por el de los demás y por el bien común o superior, el mismo que la llevará a repensar los lugares físicos y simbólicos que ocupa en el mundo —el espacio del yo, del otro y del nosotros— en la esfera pública y privada de la vida social.[33]

Se confirma así que solo al concederse la oportunidad de regresar a su fuero interno puede llegar a descubrir el sí mismo temporalmente perdido, cedido, donado o arrebatado en cada uno de dichos ámbitos, y que solo desde ahí —desde la conciencia de la que es— podrá regresar a su fuero externo, integrarse de nuevo en su comunidad y, a partir de lo aprendido, pensar y construir junto a sus pares nuevas formas de ser y estar en el mundo, aunque no pretendan ser modelos de nada, ni siquiera de sí mismas.[34]

Llegados a este punto, — y como ya hemos adelantado—, se revela que en la mayoría de los casos, lo que la pérdida o el conflicto de partida en realidad escondían era una llamada acuciante e inaplazable a despertar. Esto es, una invitación al personaje a abandonar ciertos aspectos disfuncionales de su vieja identidad para, en su lugar, hacer suyos aquellos dones, valores, virtudes o capacidades latentes, olvidados, ocultos o desdeñados que aquel tenía prohibido o se resistía a encarnar, expresar, desarrollar o poner al servicio de los demás, ya fuera por mandatos externos y heterodesiganciones patriarcales, ya fuera por creencias internas limitantes.

Tras sobrevivir a su odisea, la que ya es una heroína es capaz, ahora sí, de ver con claridad meridiana la relación que existe entre todas las cosas visibles e invisibles y de revelar el plan oculto de la vida que pocos conocen. Como escribe VOGLER, «El hecho de haber vencido a la muerte [física o figurada] [la] hace merecedor[a] del poder de la percepción y la clarividencia»[35]. Al tener mayor consciencia de sí misma, «sabe quién es en realidad, cuál es su lugar en el mundo y [el] papel» que desempeña en él y en la gran obra de la vida. Se sabe un ser divino, que en cierto modo ha sido elegida para portar el don de la sabiduría, y que su deber es arrojar

---

33 Como reza el poema que dio nombre a la huelga de Pan y Rosas, «El levantamiento de las mujeres significa el levantamiento de la humanidad» (OPPENHEIM, J., *Bread and Roses*, 1911).

34 VOGLER, Ch., *op. cit.*, p. 222.

35 VOGLER, Ch., *op. cit.*, pp. 218-220.

luz sobre la oscuridad que se cierne sobre los suyos —su familia de sangre y de hecho, la comunidad, el colectivo de mujeres del que forma parte o el conjunto de la humanidad…—. Como ser renacido de sus cenizas, no sólo se siente en comunión con todas las cosas, sino que hay momentos en los que, de manera súbita, comprende la esencia y naturaleza de todas ellas, o bien tiene una revelación y, sin haberla creído invocar, la verdad se manifiesta de pronto ante sí, como si de una epifanía se tratara. Lo vivido en el viaje acaba dando un nuevo sentido a su existencia y a cuantos la rodean, llenándose así el vacío o malestar ocasionado por el conflicto de partida y otros que le pudieron preceder o suceder. Es así como «una búsqueda —y transformación— que primero es personal, luego se torna grupal, para quizás instalarse después como parte del tejido social» y universal[36].

Todo eso —y mucho más de lo que podamos llegar a contar en estas páginas— es lo que hace que todas ellas sean lo que siempre fueron y serán para nosotras: heroínas del ayer, del hoy y del mañana. No le faltaba razón a Lucrecia MARTEL —a quien ALMODÓVAR apadrinó al ofrecerse como productor de varios de sus films— cuando, al entregarle el León de Oro por su trayectoria artística en la 76.ª Mostra de Venecia, conmovida y entre lágrimas, dijo de él:

Tus películas inauguraron territorios donde se puede vivir mejor. (…) Mucho antes de que las mujeres, los homosexuales, las trans nos hartáramos en masa del miserable lugar que teníamos en la historia, Pedro ya nos había hecho heroínas, ya había reivindicado el derecho a reinventarnos a nosotras mismas.[37]

---

[36] Según Mircea ELIADE, a raíz (o a través) del viaje, «Se altera el orden (*cosmos*) social» (y no sólo individual), «para recrear un desorden (*caos*)», —tanto en el microcosmos de quien protagoniza el mito como en su macrocosmos—, «del que surgirá un orden nuevo que, a su vez, será fiel reflejo del orden tradicional [futuro], *i.e.*, su perpetuación». ELIADE, M., *El mito del eterno retorno*, Alianza, Barcelona, 1992, pp. 40-42 y 63-70; ELIADE, M., *Mito y realidad*, Labor, Barcelona, p. 55.

[37] Redacción La Nación, «Venecia: Lucrecia Martel, entre lágrimas, homenaje a Pedro Almodóvar», *La Nación*, 30.08.2019.

La verdadera igualdad de oportunidades para las mujeres: en busca del País de Nunca Jamás

FEDERICA MARIA TESCIONE

1. FAMILIA, MUJER Y HOGAR: ¿UTOPÍA ANACRÓNICA?

La apuesta más futurista en los albores de este nuevo milenio quizá sea reconsiderar, con un paradójico retorno al pasado, las abigarradas Familias[1] que experimentan el infinito abanico de relaciones existenciales[2] modernas como el lugar, aunque virtual, de un antiguo hogar.

La ambición, por no decir la esperanza, de observar la familia desde esta antigua perspectiva podría cobrar un renovado interés en la búsqueda real de la igualdad de oportunidades entre mujeres y hombres[3], algo que no parece alcanzable salvo desde una igualdad de roles entre los sujetos, que se derive de la dimensión de las relaciones y los sentimientos antes que la jurídica (que parece mirar la primera con sobrada desconfianza[4]).

La idea subyacente a estas reflexiones es que no es del todo en vano evocar la imagen del hogar frente a una familia a años luz de la isla que las

---

1 Sobre este tema, siempre moderno, es la representación de BUSNELLI, F.D., "La famiglia e l'arcipelago familiare", *Rivista di diritto civile,* I, 2002, p. 509 y ss.

2 Para la función servicial de la familia, destaca PERLINGIERI, P., "Il diritto civile nella legalità costituzionale secondo il sistema italo-europeo delle fonti, Situazione soggettive", III, *Edizioni Scientifiche Italiane,* Nápoles, 2020, p. 337 y ss.

3 La igualdad de oportunidades es un objetivo crucial de la Agenda 2030 para el Desarrollo Sostenible de la ONU. En el ordenamiento jurídico italiano, la igualdad de oportunidades, como aplicación del principio de igualdad sustantiva entre los sexos, constituye el núcleo de la disciplina contenida en la correspondiente Ley introducida por el Decreto Legislativo 11.4.2006, n.º 198.

4 Sobre la relevancia jurídica de los hechos de sentimiento, consúltense las páginas magistrales de FALZEA, A., *Ricerche di teoria generale del diritto e di dogmatica giuridica*, II, *Dogmatica giuridica,* Giuffrè, Milán, 1997, p. 437 y ss.

olas de la ley apenas rozan[5]; una isla que hoy parece recordar más bien a una gran metrópoli en constante tensión hacia el codiciado derecho[6].

A ojos de sus hijos, las familias que abarrotan las grandes metrópolis del nuevo milenio, al fin y al cabo, se parecen todas al menos un poco[7]; y esos hijos, sea cual sea el vínculo de sus padres, parecen desear siempre y únicamente una Familia con mayúsculas, es decir, lo que viene a ser un hogar[8].

Las apuestas iniciales corren el riesgo de convertirse en juegos de azar, si queremos explorar la hipótesis de que hoy las mujeres pueden considerarse, a pesar de la «igualdad» conquistada, como las principales protagonistas en la escena familiar, no solo en los días de normalidad (a veces ardua), sino especialmente en los de crisis en los que todo equilibrio se rompe en detrimento del *Nos*[9], es decir una compleja inversión de una vida entera.

Puede ser una coincidencia, pero para los antiguos griegos era precisamente una figura femenina la Diosa que personificaba el hogar: *Εστία*.

Es demasiado evidente que el papel de la mujer ha cambiado con el paso del tiempo y que la emancipación, por la que tantas mujeres han

---

5 Debe hacerse referencia a la conocida metáfora de JEMOLO, A.C., "La famiglia e il diritto", *Annali del Seminario Giuridico dell'Università di Catania,* III, 1949, p. 57.

6 Remitimos a TESCIONE, F., "La metropoli della famiglia come struttura sociale del terzo millennio", *Diritto delle successioni e della famiglia,* II, 2022, p. 601 y ss.

7 Las observaciones orientadas a este respecto son las de GORASSINI, A., "Dall'indissolubilità del matrimonio all'indissolubilità della famiglia: un ritorno all'essenza dei fenomeni", en *Bilanci e prospettive del diritto di famiglia a trent'anni dalla Riforma,* editado por Tommaso Auletta, Giuffrè, Milán, 2007, p. 255 y ss.

8 «¿Qué es "El hogar de la Familia" sino aquello que concentra e irradia calor y luz?». Seguramente no es la de los sujetos «[¿]cuyo placer consiste en salir lo más posible de casa y no tienen buen humor sino en las fiestas, en las visitas, en los viajes o temporadas de recreo y en los espectáculos mundanos o más que mundanos?». Estas son las palabras, lejanas en el tiempo y en la forma, pronunciadas en la Audiencia General del miércoles 27 de enero de 1943 por Pío XII, quien, al ensalzar las virtudes del hogar doméstico, se detuvo en la importancia de un hogar íntimo pero cordial, amable y pacífico, preguntándose: «¿acaso no vive la sociedad cristiana y no está iluminada por su resplandor? Mirad: a medida que se aleja de ella, el mundo se entenebrece y se hiela».

9 Observa la realidad inmaterial del *Nos* basada en decrecer nuestro *Ego* GORASSINI, A., *Lezioni di biodiritto - Appunti del corso di lezioni,* editado por Federica Tescione, Giappichelli, Turín, 2007, pp. 11-12.

luchado a lo largo de los siglos, ha tenido un precio muy alto. Tanto ellas como sus familias pagan este precio hoy más que nunca en la búsqueda espasmódica de la realización de todos los intereses puestos en juego por los hechos de la vida en los que se ven envueltas, en una tensión continua hacia la realización de su propia personalidad y la de los sujetos confiados a sus cuidados (a menudo exclusivos).

Después de todo, incluso en una lógica *prima facie* insensible a la igualdad de género, la Asamblea Constituyente italiana ya había escuchado la voz contracorriente de quienes creían que la mujer, al alcanzar una posición de igualdad, perdería su papel de «ángel del hogar y culminación del sentido ético de la familia»[10].

Hoy, tantos años después y ante un marco histórico y social tan cambiante, quizá sea necesario replantearse la estructura de las familias modernas, en las que las mujeres tratan de cumplir sus múltiples tareas, como personas y sujetos de derecho en el difícil juego de las partes, en el que caminan en la cuerda floja y se arriesgan a perder el equilibrio impulsadas por sus propias necesidades, que no siempre coinciden con las de los demás miembros de la familia.

El derecho, lupa de la esencia de los fenómenos sociales[11], parece delatar hasta qué punto las instancias egoístas de nuestra sociedad se imponen en detrimento de la voluntad de compartir los momentos esenciales de la comunidad familiar, a menudo a costa de sacrificios personales considerados hoy «intolerables» en comparación con el pasado.

A este respecto, conviene recordar el asunto del divorcio, que ha sacudido la antigua arquitectura familiar en nombre de la libertad de los individuos para desvincularse de una forma que, con el paso del tiempo, se hace cada vez más rápida cuando ya no corresponde a sus intereses existenciales[12].

Es cierto que la recuperación de la condición de persona libre ha ido a menudo en detrimento de la mujer y de la igualdad proclamada por el art. 29 de la Constitución italiana y por el art. 143 del Código civil italiano [en

---

10 RODI, C., sesión del 17 de abril de 1947, en A.C., II, 943.

11 Sobre este tema, véase ALPA, G., *Giuristi e interpretazioni. Il ruolo del diritto nella società postmoderna,* Marietti, Bolonia, 2017.

12 Algunas reflexiones actuales sobre el fenómeno figuran en *Divorzio e famiglie - Mezzo secolo di storia del diritto italiano, Atti del Convegno - Ca' Foscari Venezia,* 11-13 de noviembre de 2021, editado por Carmelita Camardi, Cedam, Padua, 2022.

adelante c.c.], pero ha sido suplantada en la realidad por una desigualdad de roles y oportunidades[13].

El proceso jurisprudencial relativo al subsidio por divorcio y sus diversas funciones es una prueba emblemática de ello, que pone de relieve la necesidad de reconstruir la igualdad de oportunidades obliterada a lo largo de los años por los sacrificios soportados en interés de los hijos y, más en general, de la familia, que siempre se ha nutrido de la función asistencial de la mujer[14].

La mujer, aunque socialmente responsable de construir y mantener la unidad familiar, históricamente ha sido tratada incluso por la ley como una ramificación de su marido[15]. Basta con pensar en el antiguo artículo 144 del c.c. (anterior a la reforma de 1975[16]) que establecía: «El marido es cabeza de familia, la mujer sigue su estado civil, toma su apellido y está obligada a acompañarle donde él considere oportuno establecer su residencia»[17].

---

13 La igualdad jurídica siempre se ha considerado el instrumento necesario para alcanzar la igualdad moral más importante, la única forma de garantizar la unidad efectiva del grupo familiar para FORTINO, M., "Parità dei sessi", en *Enciclopedia del diritto,* Giuffrè, Milán, 1981, p. 709.

14 *Ex pluris,* T. de Casación. civ., Secc. I, Resolución, 11 de octubre de 2024, n.º 26520, en onelegale, según la cual «La función de equilibrio de los ingresos de los excónyuges, también prescrita por el legislador en el subsidio por divorcio, no tiene por objeto restablecer el nivel de vida del matrimonio, sino reconocer el papel y la contribución del excónyuge económicamente más débil a la formación del patrimonio familiar y personal de los excónyuges».

15 La igualdad de capacidad jurídica entre hombres y mujeres ya estaba consagrada en el art. 15, apartado 1, Ley de 14 de marzo de 1985, n.º 132, que ratifica el Convenio de Nueva York de 18 de diciembre de 1979, que prevé la nulidad de todos los contratos que tengan por efecto restringir la capacidad jurídica de la mujer.

16 Ley de 19 de mayo de 1975, n.º 151.

17 Por otra parte, el marido tenía «el deber de proteger a su esposa, de mantenerla cerca de él y de proporcionarle todo lo necesario para las necesidades de la vida en proporción a sus recursos», en virtud del artículo 145 del c.c. en la redacción anterior a la reforma del derecho de familia de 1975. La mujer era considerada como el «sexo débil», frente a un hombre dotado por naturaleza de mayor masa muscular y fuerza física. De hecho, esto ha quedado totalmente desmentido por estudios recientes según los cuales la superioridad genética de la mujer reside en los dos cromosomas X que posee cada célula femenina frente al único X emparejado con un Y en los varones. Por esa doble X, las mujeres serían más resistentes y longevas, como sostiene MOALEM, S., *La metà migliore, La scienza che spiega la superiorità genetica delle donne,* Utet, Turín, 2021.

Los legados culturales han condicionado la evolución jurídica del estatus de la mujer, que ha ido sufriendo una subordinación[18] contra natura, incluso con respecto al papel de madre, privada de la patria potestad hasta 1975.

No fue hasta la reforma de 2013 cuando el manojo de situaciones subjetivas relativas a la relación de filiación se tradujo en la actual responsabilidad parental[19], que manifiesta «la intención de marcar en el plano lingüístico el tránsito desde la centralidad del padre, su voluntad y los intereses de la familia otrora indiscutiblemente representados e interpretados por él, hasta la centralidad de los hijos, su derecho a ser educados, instruidos, mantenidos y asistidos moral y materialmente por sus progenitores, en el respeto de sus «capacidades, inclinaciones naturales y aspiraciones» y con el fin de realzarlas»[20].

En derecho, ambos progenitores son «solidariamente» responsables del objetivo educativo indispensable para la sana crianza del menor, pero no hace falta molestarse en hacer investigaciones científicas sobre el tema para destacar el papel privilegiado de las madres[21].

Es indispensable el diálogo con los pedagogos, para buscar nuevos puntos ideales de modo que las relaciones se reestructuren[22] de cara a madres que ahora se ven obligadas a conciliar sus deberes, que se han multiplicado en comparación con el pasado, en una sociedad que impone cada vez me-

---

18 Considérese que incluso hoy el art. 1435 c.c. identifica el sexo de la víctima como uno de los parámetros para valorar la amenaza, vicio de consentimiento, estableciendo que «La violencia debe ser de tal naturaleza que cause impresión en una persona sensata y le haga temer exponerse a sí misma o a sus bienes a un mal injusto y considerable. A este respecto, se tendrán en cuenta la edad, el sexo y la condición de las personas». Sobre el carácter discriminatorio de la norma, perjudicadora del principio de igualdad sustantiva y del principio de igualdad de género, MARCHETTI, G., "L'art. 1435 c.c. oltre gli stereotipi di genere", *Rivista di diritto civile*, 2023, p. 769 y ss.

19 Se hace referencia al art. 39 del Decreto Legislativo de 28 de diciembre 2013, n.º 154.

20 LENTI, L., *Diritto della famiglia, Trattato di diritto privato,* editado por Giovanni Iudica y Paolo Zatti, Giuffrè, Milán, 2021, p. 284.

21 Reflexión sobre el asunto por CUCCI, G., "Il ruolo della madre nello sviluppo del bambino", en *Accènti*, Famiglia, La Civiltà Cattolica, Roma, 2022, p. 36 y ss.

22 Abordan las dificultades de asumir plenamente la función parental CUNTI, A., PRIORE, A., en "La generatività delle famiglie sistemiche. Costruire connessioni a livello intrapersonale e interpersonale", *Pedagogia e Vita*, 2019, p. 58.

jores rendimientos, también para demostrar la «igualdad» femenina respecto a otros compañeros de viaje en los diversos ámbitos en los que cada una expresa su personalidad.

2. EL ACUERDO ENTRE PAREJAS COMO EXPRESIÓN DE IGUALDAD (NO SOLO DE DERECHOS)

En Italia, la afirmación de la igualdad entre hombres y mujeres desde el hogar es el resultado de un proceso gradual que, con la reforma del derecho de familia, encontró una aplicación concreta en 1975 a través de disposiciones normativas centradas en aspectos prácticos de la vida familiar.

El principio de igualdad de contribución para satisfacer las cargas familiares, establecido en el art. 143, apartado 3 c.c., marcó el abandono, no solo ideológico, de la inferioridad de la esposa respecto al marido, y puso en primer plano la necesidad de adecuar las relaciones patrimoniales entre los cónyuges a la nueva aspiración de una completa vida en común entre ellos[23].

En una dimensión de igualdad formal entre los sexos se encontraba también la valorización del trabajo doméstico en virtud del artículo 230 bis, apartado 2, del c.c. que, en materia de empresa familiar, establece que «el trabajo de la mujer se considera equivalente al del hombre».

En virtud de la sociedad de gananciales, como régimen jurídico de la familia, el cónyuge (mayoritariamente la mujer) que no trabaja fuera del hogar ha adquirido el derecho a una cuota de los bienes adquiridos durante el matrimonio en el supuesto de que haya contribuido indirectamente al incremento del patrimonio familiar[24].

---

23 FORTINO, M., obra citada, p. 709, destaca que «Incluso la legislación sobre las relaciones patrimoniales es un signo claro del intento de proporcionar ambos cónyuges con los medios materiales que permitan una posición de igualdad material».

24 Aunque la «posibilidad ilimitada de derogación del régimen jurídico (...) hace que, cuando están en juego fuertes intereses económicos, pueda adoptarse un régimen de separación sin ninguna formalidad particular», como señala FORTINO, M., *Ibidem*: «El hecho de que la derogación del régimen de comunión no esté anclada a límites precisos conduce, en cierto sentido, a frustrar la importante innovación y el régimen jurídico parece estar previsto para la familia del trabajador, mientras que los pertenecientes a clases sociales más pudientes siempre encontrarán la manera de escaparse de él».

Merecería la pena reflexionar sobre la circunstancia en la que hoy en día se opta cada vez con más frecuencia por la separación de bienes, síntoma del probable fracaso del antiguo modelo en el que el Bien (y no solo la propiedad) de cada uno de los miembros del matrimonio se difuminaba en nombre de la unidad familiar, que antaño se calentaba en torno al fuego (el famoso hogar) y se reunía para hablar, contar historias y escuchar (no solo sino) también a los hijos[25], cuidando de alimentar el fuego para que nunca se apagara.

El legislador moderno de 1975 contaba también con ese acuerdo al exaltar, en el artículo 144, la idea de colegialidad en el gobierno de la familia como reflejo de la igualdad moral y jurídica de los cónyuges, a los que les encomendaba determinar la orientación de la vida familiar y la facultad de ejecutar, a cada uno de ellos, dicha orientación acordada con vistas a la consecución de determinados objetivos (nivel de vida, modo de contribución económica, crianza y educación de los hijos, residencia común, etc.).

La doctrina más atenta ve la búsqueda de un entendimiento sobre la orientación de la vida familiar como uno de los deberes que debe asumir el matrimonio[26].

En caso de desacuerdo, el art. 145 c.c. establece ahora que el juez «intentará llegar a una solución de mutuo acuerdo», salvo que, si el intento de solución de mutuo acuerdo ha fracasado y el desacuerdo se refiere a la fijación de la residencia o a otros asuntos esenciales, adoptará «la solución que considere más beneficiosa para los hijos y para las necesidades de la unidad y la vida familiar»[27].

---

25 Sobre la importancia de la escucha y sus modalidades, véanse las novedades introducidas por el Decreto Legislativo de 10 de octubre de 2022, n.º 149 (reforma Cartabia), que ha dedicado a la materia los nuevos artículos 473-bis.4 y 473-bis.5 de la Ley de Enjuiciamiento Civil (en adelante c.p.c.). Sobre el tema QUERZOLA, L., "Ahora el derecho es un hecho esencialmente espiritual (...): la escucha del niño en el rito familiar reformado", *Rivista trimestrale di diritto e procedura civile,* 2023, p. 45 y ss.

26 PARADISO, M., *I rapporti personali tra coniugi, Il codice civile. Commentario* (fundado por P. Schlesinger y dirigido por F.D. Busnelli), *sub* art. 144 c.c., Giuffrè, Milán, 2012, p. 187.

27 Una lectura crítica de la norma reformada puede encontrarse en FREZZA, G., "Appunti e spunti sul nuovo art. 145, comma 2, c.c.", en *Diritto di famiglia e delle persone,* 2023, p. 680 y ss.

Del mismo modo, el ejercicio de la responsabilidad parental presupone el «mutuo acuerdo» en virtud del artículo 316, pero ante el desacuerdo en cuestiones de especial relevancia «cualquiera de los progenitores podrá recurrir sin formalidades al órgano jurisdiccional indicando las medidas que considere más oportunas»[28].

Tras la reforma Cartabia de 2022, ha cobrado relevancia el art. 316, apartado 2 del c.c., tras propugnar una solución de mutuo acuerdo mediante la intervención del juez, atribuye «cuando ello no sea posible» precisamente al juez la tarea de adoptar «la solución que estime más adecuada en interés del hijo»[29].

No deja de ser significativo que, en la antigua redacción, el art. 316, apartado 3 del c.c. suponía que «si el conflicto persiste, el juez adjudicará la decisión al progenitor que, en el caso concreto, considere que responde al interés superior del hijo»[30].

El cuento jurídico parece revelar reconocimiento y resignación ante la incapacidad de los adultos en desacuerdo para superar el estancamiento en interés de sus hijos y de la paz en la familia, hasta el punto de considerar a un tercero como la persona «más adecuada para velar por los intereses del hijo»[31], con un claro cambio de rumbo por parte del legislador

---

28 Apartado 1 del art. 316 del c.c., modificado por el art. 1, apartado 4, epígrafe a, n.º 2), Decreto Legislativo de 10 de octubre de 2022, n.º 149, antes citado, dice lo siguiente: «En caso de desacuerdo sobre cuestiones de especial importancia, incluidas las relativas a la residencia habitual y al centro educativo del menor de edad, cualquiera de los progenitores podrá recurrir sin formalidad ante el juez indicando las medidas que considere más adecuadas».

29 Art. 316, apartado 2 c.c. La intervención judicial conciliadora ha tenido poca aplicación a lo largo de los años porque «en realidad, el conflicto relativo a una decisión importante que debe tomarse se resuelve en función de la dinámica psicológica particular de la pareja y de la familia, que hace prevalecer la voluntad de uno de los progenitores sobre la del otro, sin dejar ningún margen efectivo para la intervención de una autoridad externa». Del mismo modo, LENTI, L., obra citada, p. 302.

30 La doctrina señaló que «el juez, al atribuir el poder de decisión a uno de los progenitores, se limita a elegir entre las soluciones indicadas por éste, no pudiendo imponer una distinta sin vulnerar el "derecho" de los progenitores garantizado por el art. 30 de la Const.»: BELVEDERE, A., "La patria potestad", en *Enciclopedia giuridica*, Istituto della Enciclopedia Italiana, Roma, 1990, p. 6.

31 Téngase en cuenta que «la decisión realizada por el juez bien podría ser diferente de las elecciones deseadas por ambos progenitores y, sin embargo, imponerse a estos últimos en contra de su voluntad»: DE CRISTOFARO, G., "Le modificazioni

respecto a decisiones que, antes, estaban incluso reservadas únicamente al padre[32].

Sin embargo, hace tiempo que el hombre ha dejado de ser el árbitro de las decisiones familiares, tanto en tiempos de paz como en tiempos de crisis familiar[33].

Tal vez un legislador más audaz podría haberse atrevido y, tras tomar una instantánea de la evolución de los fenómenos, atribuir, al menos en algunos casos, un mayor poder de decisión a la madre, es decir, a la persona sobre la que recaen normalmente (¡aunque no legalmente!), a veces a pesar suyo, las principales decisiones, no siempre fáciles, relativas al crecimiento formativo de sus hijos.

Aun así, la igualdad debe preservarse independientemente del género, en la hipócrita asimilación de roles en nombre de una igualdad que, no pocas veces, parece lograda más en la forma que en el fondo.

3. EL PAPEL CRUCIAL DE LA MUJER EN LOS CONFLICTOS FAMILIARES

La mujer tiene a menudo la tarea de remendar la unidad cuando la relación se acaba, es decir, cuando la crisis amenaza con desbordar a la familia, que es algo indisoluble, a diferencia del matrimonio, al menos en presencia de los hijos.

La orden de atribución del domicilio familiar es, por lo demás, casi constante en virtud del artículo 337 *sexies*, apartado 1, del c.c., sobre la base del interés preeminente de los hijos en permanecer en el entorno doméstico en el que se han criado[34].

---

apportate al codice civile dal decreto legislativo attuativo della 'Legge Cartabia' (Decreto legislativo de 10 de octubre de 2022, n.º 149). Profili problematici delle novità introdotte nella disciplina delle relazioni familiari", *Le nuove leggi civile commentate*, 2022, p. 1425.

32 El art. 316 del c.c. en la versión anterior al Decreto Legislativo de 28 de diciembre 2013, n.º 154, citada, confería al padre la facultad de adoptar «medidas urgentes e irrevocables» en caso de «peligro inminente de un gran prejuicio» para el hijo.

33 La necesidad percibida de tutelar el hombre en la relación de pareja se investiga en CASSANO, G., *La tutela del marito nella crisi della famiglia*, Maggioli editore, Rimini, 2017.

34 Por T. de Casación Civil, 11 de julio de 2023, n.º 19602, en *onelegale*, «La atribución del domicilio familiar al progenitor que coloca al menor de edad se realiza

La necesidad de reconstituir, sobre las ruinas de la relación de pareja, un orden lo más familiar posible pasa, casi siempre, por la custodia compartida, pero con fijación de la residencia habitual del menor (normalmente otorgada a la madre) salvo que existan deficiencias muy graves que justifiquen apartarse de la regla[35].

Una reflexión sobre el papel de la mujer y de la madre moderna en la crisis de la familia está destinada a cruzarse con el plano científico.

La neurociencia ha demostrado la peculiar capacidad de la mujer de apaciguar conflictos ya en el seno de la familia[36].

Por otra parte, también hay una explicación evolutiva para las diferencias de comportamiento: en la antigüedad, ante el peligro, la tarea del hombre era atacar y alejar al agresor, mientras que la mujer debía proteger a la prole, intentando apaciguar los conflictos.

Hombres y mujeres han desempeñado papeles diferentes a lo largo de la historia, por lo que parece que incluso se han producido adaptaciones cerebrales en los dos sexos que fundamentan, desde un punto de vista neurobiológico, ciertas diferencias de comportamiento[37].

La amígdala, una zona primitiva del cerebro y centro cerebral del miedo, la ira y la agresividad, es de tamaño mayor en los hombres.

En consecuencia, es más fácil que un hombre se enfade. Esto puede explicar por qué, ante una situación de ira o miedo, las mujeres tienden a activar principalmente los circuitos emocionales; en los hombres, en cambio, la activación del córtex prefrontal provoca reacciones motoras orientadas predominantemente a la acción física. Por esta razón, parece que muchos hombres pueden llegar a un enfrentamiento físico en cuestión de segundos, como a menudo nos recuerdan los sucesos[38].

---

en interés exclusivo de la prole y responde a la necesidad de preservar el entorno doméstico, entendido como el centro de afectos, intereses y costumbres en que se expresa la vida familiar».

35 Entre muchas, T. de Casación Civil, 14 de febrero de 2022, n.º 4790, in *onelegale*.

36 Intrigantes perspectivas se abren con la investigación de BRIZENDINE, L., *Il cervello delle donne*, Rizzoli, Milán, 2021.

37 Sobre la relación entre el cerebro femenino y la ira, BRIZENDINE, L., obra citada, p. 170 y ss.

38 Para este itinerario, véase BRIZENDINE, L., obra citada, p. 21 y ss.

No en vano, el llamado delito de honor preveía una pena más leve para quien causara la muerte de su cónyuge, hija o hermana, «en el acto de descubrir sus relaciones carnales ilegítimas y en el estado de cólera provocado por la ofensa causada a su honor o al de su familia»[39].

Debido a esta inclinación fisiológica a evitar los conflictos, la mujer, aunque solo sea por el bien de sus hijos, a menudo carece de las herramientas necesarias para buscar realmente la paz.

Con el paso del tiempo, la búsqueda de la igualdad de oportunidades, especialmente en el ámbito laboral[40], ha despojado a la mujer de su papel más auténtico en el intento, a veces vano, de cumplir, con la diligencia del «buen padre de familia» [41], el sinfín de deberes cotidianos respecto a sus hijos, sus padres, y posiblemente sus parejas, sin descuidar los deberes profesionales y civiles en un orden de prioridades alternado que, en una lógica difusa, empuja ahora hacia un lado y ahora hacia el otro, y aumenta el sentimiento de incompletud y culpabilidad por no ser «capaz» de responder a las necesidades de todos aquellos que le han sido confiados a su amoroso cuidado por naturaleza antes que por ley[42].

---

39 El delito de honor, prohibido por el artículo 42 del Convenio de Estambul, fue eliminado de nuestro ordenamiento jurídico con la derogación del artículo 587 del Código penal (en adelante, c.p.) ya en 1981.

40 Aborda la importancia del bienestar en el lugar de trabajo en consonancia con la Organización Mundial de la Salud NINCI, A., "Salute e sicurezza sul lavoro. Una questione anche di genere", *Igiene & Sicurezza del Lavoro*, 2023, p. 5, según la cual «la prevención y la lucha contra toda discriminación, empezando por la de género, requiere que la igualdad de oportunidades se aborde con una dimensión "multifuncional" de la cuestión, como contexto laboral en el que, a partir del establecimiento de la relación laboral, se genere una atención constante a la dimensión igualitaria del trato, en el sentido sustantivo de la necesaria diversificación con fines igualitarios, relaciones marcadas por la eficiencia pero al mismo tiempo por el respeto, la valorización de las competencias, la igualdad de oportunidades en las trayectorias profesionales, necesita impregnarse de una cultura orientada a la diversidad y a la inclusión también en materia de salud y seguridad en el trabajo».

41 La buena madre de familia sigue sin aparecer en ninguna de las normas de un Código civil que yace básicamente en herencias patriarcales y estereotipos de género difíciles de archivar.

42 Identifica el fundamento de la responsabilidad parental en *re-spondere* a las demandas y necesidades del hijo GORASSINI, A., «Lo stato unico di genitore» [en línea], (2018): <http://www.juscivile.it/Article/Archive/index_html?ida=328&idn=48&idi=-1&idu=-1>.[Consulta: 14/01/2025].

Incluso parece que los altos niveles de tensión creados por la dificultad de conciliar los compromisos laborales y domésticos, que disminuyen la calidad —además de la cantidad— de los cuidados maternos, pueden causar efectos negativos en cascada no solo en los hijos, sino también en los nietos, debido a un tipo de herencia que no es genómica, sino epigenética, es decir, por encima de los genes[43].

Así pues, más allá de las proclamaciones de igualdad formal ya solemnemente recogidas en la Carta Constitucional[44], cabe preguntarse si la crisis de la familia no se deriva del incumplimiento de la desigualdad entre los papeles de hombres y mujeres ya desde el hogar, con la ilusión de que la realización de la igualdad pasa por la igualdad de oportunidades.

Quizás las oportunidades deberían ser desiguales para lograr una igualdad sustancial… ¡tal como de desiguales son las responsabilidades!

No es más que una provocación, pero algo de verdad sí lo hay si pensamos en las reformas de las pensiones que, en los últimos años, han llevado a una reducción progresiva de las diferencias entre hombres y mujeres en cuanto a la edad de jubilación, y ello a pesar de que incluso el Tribunal Constitucional italiano, en tiempos ya lejanos, había afirmado la razonabilidad de una edad de jubilación diferente para salvaguardar «el carácter esencial de la función familiar de la mujer»[45].

4. NUEVAS PERSPECTIVAS EN LA BÚSQUEDA DE LA (DES)IGUALDAD DE OPORTUNIDADES

Replantear la figura de la mujer y la necesidad de la desigualdad de oportunidades[46] parece ser un reconocimiento, más allá de toda hipocresía, de su fuerza y su papel, que hoy más que nunca se complica, y no solo por las últimas emergencias pandémicas[47].

---

43 BRIZENDINE, L, obra citada, p. 148 y ss.

44 Se aplican los artículos 3, 29, 37, 48 y 51 de la Const.

45 En este sentido, Tribunal Constitucional, 11 de julio de 1969, nº. 123, en *Jur. const.*, 1969, p. 1700.

46 El art. 1, apartado de la Ley de igualdad de oportunidades, antes citado, establece que «El principio de igualdad no impide el mantenimiento o la adopción de medidas que proporcionen ventajas específicas en favor del sexo menos representado».

47 El apresurado art. 23 de la Ley de igualdad de oportunidades, según el cual «La cuestión de la igualdad de oportunidades en las relaciones familiares se rige por el Código Civil».

Las mujeres, en el camino ideal de convertirse en sujetos de derecho en igualdad de condiciones con los hombres, quizás han perdido por el camino, por necesidad más que por elección, ciertas virtudes que podrán recuperar si se las protege y apoya concretamente, también mediante un sólido sistema de estado de bienestar, en la realización de sí mismas, con evidentes ventajas y externalidades positivas que van mucho más allá del estrecho círculo familiar[48].

Cada mujer vive a lo largo de su vida su propia experiencia personal como hija, a veces como madre o como pareja, conviviendo, a través de muchas dificultades, con estos y otros muchos roles que hacen que cada mujer sea especial en su diversidad no solo respecto a los hombres, sino respecto a todas las demás mujeres.

Pero ¿estamos seguros de que la verdadera cuestión de la igualdad de oportunidades se limita, en este contexto cultural renovado, a la dicotomía hombre-mujer? ¿O es más correcto replantear la cuestión desde otra perspectiva, la de la relación entre las mismas mujeres?

Probablemente habría que proteger a las mujeres de las propias mujeres, con una necesaria y perspicaz discriminación entre las mujeres situadas en contextos familiares más o menos complejos (con hijos menores, con discapacidades, con padres ancianos necesitados de cuidados, etc.) y las mujeres que, más libres de este tipo de compromisos y responsabilidades, gestionan sus propias elecciones de vida del mismo modo que los hombres[49].

---

48 No es baladí que el Premio Nobel de Economía 2023 haya recaído en la profesora Claudia Goldin gracias a sus estudios sobre el «techo de cristal» que impide la igualdad total de derechos entre hombres y mujeres en el ámbito laboral, lo que provoca una brecha de género constante.

49 Un ejemplo para todo el mundo. Es bien sabido que, durante la emergencia pandémica más aguda, el papel cuidador de las madres se vio amplificado por las múltiples necesidades, especialmente escolares, de sus hijos, con el inevitable sacrificio de sus respectivas actividades profesionales. ¿Puede descartarse entonces el riesgo de discriminación indirecta para las profesoras universitarias si no se establece una diferenciación entre Compañeras o entre Compañeras y Compañeros en función de los roles familiares de cada una al menos en ese momento a efectos de la adjudicación de los productos de investigación a evaluar por ANVUR [Agencia nacional italiana para la evaluación del sistema de investigación] para el próximo VQR [Evaluación de la calidad de la investigación]? Tal vez el riesgo exista, aunque no se compita por un ascenso en virtud del art. 27, apartado 1, de la Ley de igualdad de oportunidades, antes citado.

Más allá de la retórica, los valores de la solidaridad femenina parecen estar en crisis en una sociedad en la que las exasperaciones egoístas corren el riesgo de hacernos perder el ingenio y, a veces, el sentido de ser Personas, independientemente del género al que pertenezcamos, entre algoritmos e inteligencias artificiales[50].

Bienvenida sea la desigualdad de oportunidades, si se deriva de nuestra peculiar riqueza humana y si se gestiona de manera inteligente desde una perspectiva global de paz y bienestar social[51].

Pero debe ser la inteligencia de los hombres y sobre todo de las mujeres[52] del nuevo milenio la que busque el futuro, sin olvidar nunca sus propias virtudes más antiguas, en la ilusoria aspiración de ser todas y todos iguales. A pesar de ir más allá de los estereotipos de género, nunca seremos realmente iguales porque iguales nunca podrán ser los papeles que las mujeres han desempeñado durante siglos en la búsqueda constante e intrépida de un país que, tal vez, nunca jamás haya existido.

---

50 Incluso la difusión de la tecnología de la información ha introducido nuevas e insidiosas formas de exclusión y marginación, como ha puesto de relieve la UNESCO, que recientemente ha lanzado una red de mujeres por una inteligencia artificial ética, "Women4Ethical AI", para presionar a gobiernos y empresas a fin de que garanticen que las mujeres estén igualmente representadas también en el diseño y la aplicación de la inteligencia artificial. Sobre la relación entre discriminación e inteligencia artificial, GRASSO, G. A., GDPR *Feasibility and Algorithmic Non-Statutory Discrimination*, Edizioni Scientifiche Italiane, Nápoles, 2022.

51 Hace tiempo se señaló con moderna clarividencia que «puede considerarse que la mujer, como tal, ha pagado por la posición que ha ganado en la ley: ahora es, por derecho propio, un sujeto legal, una ciudadana respecto a la cual la ley debe ser igual y a la que se asegura una dignidad social intacta. El campo de lucha que se abre ante ella ya no tiene los estrechos límites marcados por el objetivo de la igualdad de género: la mujer se convierte en protagonista, junto con el hombre, de una batalla más amplia encaminada a lograr la igualdad real de los sujetos en la sociedad». Del mismo modo, FORTINO, M., obra citada, p. 722.

52 O de todos los demás géneros que la ciencia declara que existen, dado el peligro que acecha en la simplificación de la relación hombre-mujer para la sensibilidad ajena con respecto a la igualdad de oportunidades, incluido el lenguaje.

Lenguaje, igualdad de género y derecho privado para el desarrollo sostenible

BENEDETTA SIRGIOVANNI
Profesora Asociada de Derecho Privado
Universidad de Roma Tor Vergata

Todos somos conscientes de la relación entre el lenguaje y Derecho[1]. Todo el Derecho es lenguaje. La palabra está en el centro del Derecho: los textos normativos, las sentencias y los contratos se componen de palabras[2].

Recordamos la metáfora del filósofo austriaco *Adolf Merkl* en su libro «*Il duplice volto del diritto*»: «*La lengua es la gran puerta por la que el Derecho entra en la conciencia de los hombres*»[3].

El autor utiliza la expresión «*entra en la conciencia de los hombres*» sabiendo que el lenguaje crea categorías cognitivas: el lenguaje no es, de hecho, una mera herramienta para transmitir información, sino una herramienta para clasificar la realidad.

---

1 Sobre la relación entre lengua y lenguaje, *vid.* TARELLO G., *Diritto, enunciati, usi*, Bologna, 1974, p. 135. El autor señala que «*el lenguaje significa la comunicación y, en particular, en sentido estricto, la comunicación entre hombres. La comunicación tiene lugar a través de un medio físico, como la emisión de sonidos, o la formación (con los más variados materiales) de signos convencionales o imágenes representativas. La comunicación a través de sonidos articulados se institucionaliza en sistemas lingüísticos (sistemas de comunicación) más o menos estables, más o menos rígidos, más o menos ricos en posibilidades comunicativas, que son las lenguas habladas*».

2 Sobre el Derecho y, en general, sobre la experiencia jurídica como fenómeno lingüístico, *vid.* IRTI N., *Riconoscersi nelle parole*, Napoli, 2020, p. 40, p. 81, p. 133, p. 199, FERRI G.B., "Il potere e la parola", *Eur. dir. priv.*, 2001, p. 1028, BENEDETTI G., "Diritto e lingua. Variazioni sul diritto muto", *Eur. dir. priv.*, 1999, p. 137. En particular, establece: «*El Derecho se convierte en tal, es decir, una regla, una frase, un sistema por medio de la palabra hermenéutica*». Sobre el lenguaje utilizado por el Derecho, *vid.* SCARPELLI U., "La definizione nel diritto", en *Diritto e analisi del linguaggio*, Milano, 1976, p. 184.

3 Así MERKL A., *Il duplice volto del diritto*, Milano, 1987, p. 125.

El lenguaje condiciona el pensamiento y da forma a la realidad que nos circunda, incidiendo así en nuestra sociedad. Es por eso que las palabras tienen poder. En particular, como señaló el filósofo y lingüista *John Langshaw Austin* en su *lecture* dictada en Harvard en 1955 «*How to do things with words*», el enunciado jurídico es el emblema del llamado enunciado performativo (del inglés *performance,* acción); el enunciado jurídico es, de hecho, ejecutivo en cuanto produce efectos jurídicos.

Si las palabras, por un lado, condicionan el pensamiento y dan forma a la sociedad, por otro, el lenguaje refleja la sociedad que «habla»[4]. Las palabras son, de hecho, expresiones de un cierto poder que se expresa en un momento histórico dado y cuyo significado[5] es el resultado del uso constante y compartido por una comunidad determinada[6]. Detrás de las palabras se asoma el rostro del poder[7].

Existe, por tanto, una relación circular que vincula el lenguaje, el derecho y la sociedad.

Como ha señalado Giovanni Nencioni, existe una relación de similitud entre las instituciones lingüísticas y jurídicas[8]. Así como el significado de

---

4 Sobre la necesidad de tomar conciencia, el lenguaje no es un reflejo directo de los hechos, sino que condiciona nuestra visión, plasma la realidad que nos rodea y, al mismo tiempo,expresa nuestra visión de los hechos, *vid.* SABATINI A., *Raccomandazioni per un uso non sessista della lingua italiana,* Roma, 1986, p. 11. El autor. escribe «... *el significado es lo que se comunica mediante un signo*».

5 Sobre la relación entre significado y signo, *vid.* DE MAURO T., *Introduzione alla semantica,* Roma-Bari, 1989, p. 18.

6 Sobre el lenguaje como el Derecho, como productos de la convivencia en sociedad de ciertos grupos de personas, *cfr.* GAUDENZI A., "Lingua e diritto nel loro sviluppo parallelo", *Arch. Jur.,*XXXI, 1883, p. 274. En particular, el autor expresa: "*Antes de que el legislador formule, o el escritor aplique una regla de actuar o hablar, esta siempre preexiste en el discurso o las costumbres de un pueblo; de lo contrario sería parte de su legislación o gramática, pero no de su Derecho o de su lenguaje... La acción del hombre... no puede innovar nada en el lenguaje o en el Derecho, a menos que las condiciones materiales o intelectuales de la sociedad en la que vive lo requieran... nunca puede considerarse como un derecho, excepto lo que la opinión pública reconoce como justo, legítimo, recto, como un lenguaje, excepto lo que aparece a la conciencia común como la forma espontánea y natural de pensamiento... [...] la hipótesis de un derecho universal está ahora tan alejada de la verdad como la de una lengua hablada y entendida por todos los hombres.*»

7 Sobre la relación entre el poder y Derecho, *vid.* IRTI N., *Riconoscersi nella parola,* cit., p. 62.

8 Sobre la relación de similitud entre derecho y lenguaje y el llamado institucionalismo lingüístico, en el que el lenguaje es una institución, un orden constitutivo

una palabra puede determinarse en el contexto de un sistema lingüístico, el derecho también puede determinarse en el contexto de un sistema normativo[9]. Para entenderse, es necesario que los interlocutores se reconoz-

---

del ser humano y de su socialidad, *vid.* NENCIONI G., *Idealismo e realismo nella scienza del linguaggio,* Firenze, 1946, p. 94, p. 97, p. 98, p. 104. «*La naturaleza institucional y sistemática del lenguaje también ha sido sentida por los juristas que han trazado un paralelismo entre el derecho y el lenguaje [...] Toda la labor del jurista [...] tiene por objeto conocer la estructura y la finalidad de las instituciones que componen el ordenamiento jurídico, porque la aplicación de las normas que las constituyen, es decir, la vida de las propias instituciones, presupone precisamente ese conocimiento. Los hombres de derecho son muy conscientes de esto cuando hablan de los principios generales y la voluntad del sistema legal: cuando, a falta de una norma específica en virtud de la cual se subsuma un caso determinado, pretenden explicitar el contenido de todo el ordenamiento jurídico, llevarlo a cabo en todas sus posibilidades, descubrir en él más de lo que parece, devolver el Derecho a la totalidad de su propio organismo (institución y conjunto de instituciones), devolviéndolo a la totalidad orgánica que implicaba*»

Sobre la relación entre Derecho y lenguaje, Nencioni cita dos ensayos: GAUDENZI A., "Lingua e diritto nel loro sviluppo parallelo", cit., 271-304, y LEVI A., "Diritto e linguaggio", *Studi filosofici dedicati a G. del Vecchio,* Modena, 1931, II, p. 44. Gaudenzi, en su ensayo de 1883, trazó un paralelismo entre el lenguaje y Derecho. En particular, según el autor., «los *fenómenos lingüísticos aparecen casi siempre ante los corresponsales legales:... se puede decir que es la primera, esta es la última manifestación de la actividad de un pueblo. Y realmente ninguna nación entró en la historia antes de haber formado su propio idioma, y ninguna nación ha cumplido su derecho, excepto cuando su historia o al menos un cierto período de ella se cerró. Así que cuando Roma fue fundada, la lengua latina ya había surgido: Pero las doce tablas llegaron tres siglos más tarde. La lengua literaria romana ya era perfecta al final de la república: Sin embargo, el Derecho romano no se perfeccionó hasta el final del imperio. La unidad política de Francia, que había surgido del desmembramiento feudal, ya se mostraba en el lenguaje de Ronsard y Rabelais: Pero fue solo con el código de Napoleón que se reflejó en la legislación, es decir, cuando terminó el antiguo régimen*».

9 Sobre el instrumento lingüístico comparable a una institución jurídica, *vid.* también DEVOTO G., *I fondamenti della storia linguistica,* Firenze, 1951, p. 28, p. 29 y p. 30. «El instrumento *lingüístico es comparable a una institución jurídica, válida para ordenar la clasificación de impulsos expresivos que provienen del espíritu teórico y, a efectos prácticos, lo enmarca en las leyes de la comunidad, que en nuestro caso se refieren a la comprensibilidad, y son válidas en ese espacio en el que la comunidad las ha hecho propias (...). Cada valor concreto dado a una palabra es un acto legalmente reconocido, o, según las palabras del Brouwer, "dirigir la palabra a alguien significa básicamente ordenarle, y entender no es más que obedecer". La relación jurídica de "actor" y "acusado" está totalmente adaptada a la relación entre el hablante y el oyente.*

El lenguaje como institución es, por lo tanto, la clave para una correcta interpretación, ya no metafórica sino real, de los hechos del lenguaje. Así como los actos humanos, que no forman parte de una sociedad establecida, no son capaces de

can y se reencuentren en algo que es común a ambos[10]. Lo que es común y permite entenderse es el sistema común de signos, que es también un sistema común de significados[11], un sistema que se modifica con el tiempo según el contexto social.

---

clasificarse y, por lo tanto, de comprenderse sin el instrumento de las leyes y las costumbres, los impulsos expresivos, sin formar parte de esa institución, el instrumento que es el lenguaje, siguen siendo incomprensibles y estériles.
Precisamente porque es comparable con un instituto, el instrumento se nos aparece entonces como algo que, ni siquiera simbólicamente, puede imaginarse firme. Sí, una disposición legal permite una descripción resumida de lo siguiente en los códigos y textos de las leyes: pero su equilibrio vivo viene dado por las manifestaciones concretas de su existencia, por los jueces que aplican las leyes, adaptando libremente la abstracción de las reglas; por ciudadanos que respetan, y cada vez llevan a cabo con variables particulares, la observancia de las costumbres de la vida civil.
Un instituto, como un instrumento lingüístico, evoca la imagen, no de un monumento de mármol o de una pieza anatómica, sino de una célula viva o incluso de un átomo, en el que el equilibrio se restablece constantemente ante la presión de las diversas fuerzas opuestas».

10 Sobre el lenguaje como puente que une a los interlocutores en la medida en que une en un mismo significado, sobre el significado común porque es compartido por la comunidad de hablantes, sobre la comprensión de cómo encontrarse en el significado común de las palabras, para reconocer el mismo contenido en los sonidos de la voz o en los signos de la escritura y así atribuir al significante (letra / signo) una coincidencia de significado, *vid.* IRTI N., *Riconoscersi nelle parole, cit.*, p. 126, p. 228, p. 249. En particular, escribe: «el diálogo, *de hecho, es encontrarse en el mismo sentido que las palabras*» (p. 40), «el *significado es común porque sirve para «comunicarse» y entenderse entre el hablante y el oyente*» (p. 221).
Sobre la función del sistema lingüístico, *vid.* DEVOTO G., *I fondamenti della storia linguistica*, cit., p. 49. «Como *el valor resulta de un diálogo entre los que ofrecen y los que piden, y el diálogo se hace comprensible a través de un sistema de medidas de valor colectivo, la individualidad de la escritura es comparable a la individualidad de la interpretación, pero, entre las dos individualidades, el sistema lingüístico se erige como una barrera y al mismo tiempo como un medio de comunicación*».

11 Sobre el lenguaje como sistema, y sobre la comunicación como problema semántico, *vid.* DE MAURO T., *Introduzione alla semantica*, cit., p. 127. En particular, A. escribe: «*El valor y, por lo tanto, con carácter subsidiario, el significado de una palabra depende totalmente del sistema del que forma parte la palabra*». A., tras citar el pensamiento de Saussure: "*Ningún sistema está tan rígidamente cerrado (serré) como el lenguaje: rígidamente cerrado implica la precisión de los valores (el más mínimo matiz cambia las palabras); multiplicidad de tipos de valores; inmensa multiplicidad de términos, de unidades en juego en el sistema; dependencia mutua y estrecha de las unidades (de todos los términos) entre sí; todo es sintáctico en el lenguaje, todo es sistema*", escribe «*La consecuencia de esta concepción de las unidades lingüísticas y del sistema es que si solo un elemento cae en un sistema o se le añade, todo el sistema y todas las unidades individuales cambian [...]*».

Un ejemplo de la relación circular que relaciona el lenguaje, el derecho, y la sociedad es la actual institución de la responsabilidad parental, regida por el actual artículo 316 del Código Civil italiano.

Un análisis diacrónico muestra que el propio artículo 316 del Código Civil, cuando se promulgó el Código Civil italiano en 1942, contenía la expresión «*patria potestà*», en particular, siempre que el hijo estuviera sujeto a la *potestad del padre*. Con la reforma del Derecho de familia en 1975, el término «*patria potestà*» fue sustituido por «*potestà dei genitori*», en particular, el artículo 316 del Código Civil establecía que el menor estaba sujeto a la *potestad parental*.

Mediante el Decreto Legislativo No 154, de 28 de diciembre de 2013, que modificó la legislación en materia de filiación con el fin de eliminar cualquier discriminación residua entre los hijos nacidos dentro y fuera del matrimonio, garantizando así su plena igualdad jurídica, el artículo 316 del Código Civil sustituyó la expresión «*potestad parental*» por la de «*responsabilidad parental*» (*'responsabilità genitoriale'*, según la expresión del C.C.)

De este análisis se desprende que, desde la potestad del padre hemos pasado a la potestad parental, hasta la actual responsabilidad parental: un viaje que duró más de setenta años. El cambio en la estructura social, tanto en la relación entre cónyuges como en la relación padre-hijo, contribuyó a los cambios lingüísticos y legales.

Es cierto que el artículo 30 de la Constitución italiana establece que los padres tienen el deber y el derecho de mantener, instruir y educar a sus hijos. Sin embargo, transcurrieron casi 30 años desde la entrada en vigor de la Constitución italiana para que el artículo 316 del Código Civil italiano pasara de la patria potestad a la potestad parental: de 1948 a 1975.

Del mismo modo, es cierto que la Convención de Nueva York sobre los Derechos del Niño, aprobada por la Asamblea de las Naciones Unidas el 20 de noviembre de 1989 y ratificada por Italia mediante la Ley de 27 de mayo de 1991, desempeñó un papel clave en la transición del concepto de potestad parental al de responsabilidad parental. En particular, prevé: en el artículo 3, que los Estados Partes en la Convención se comprometan a proporcionar al niño la protección y los cuidados necesarios para su bienestar, teniendo en cuenta los derechos y deberes de sus padres, tutores u otras personas que tengan *responsabilidad* jurídica sobre él, y a tal fin adoptarán todas las medidas legislativas y administrativas apropiadas; Artículo 18, que los Estados Partes harán todo lo posible para garantizar el reconocimiento del principio común de que *ambos padres tienen una responsabilidad común* en la educación y el desarrollo del niño; El artículo 27, que otorga a los padres u otras personas que tengan la custodia del niño *la responsabilidad fundamental* de garantizar, dentro de los límites de sus posibilidades y medios financieros, las condiciones de vida necesarias para el desarrollo del niño.

Sin embargo, para que el artículo 316 del Código Civil se modifique y pase del concepto de potestad parental al de responsabilidad parental, se necesitan más de 20 años después de la entrada en vigor de la ley que ratifica la Convención de Nueva York sobre los Derechos del Niño: de 1991 a 2013. Solo, de hecho, con la reforma de la filiación y, en particular, con el artículo 39 del Decreto Legislativo No 154 de 2013, se ha modificado el artículo 316 del Código Civil y la perspectiva ha cambiado. Una disposición que estipula que el niño está sujeto a la potestad parental ha dado lugar a una disposición que establece que ambos padres tienen la responsabilidad parental que se ejerce de común acuerdo.

De este ejemplo surge plásticamente la relación circular que une lenguaje/Derecho y sociedad: el lenguaje y el Derecho no solo afectan el pensamiento y la sociedad, sino que también la sociedad y las estructuras sociales cambiantes contribuyen al cambio del lenguaje y del Derecho.

1. PRESENTACIÓN DEL PROBLEMA: DISPOSICIONES DEL CÓDIGO CIVIL ITALIANO, ESTEREOTIPOS DE GÉNERO Y PERSPECTIVAS DE REFORMA

Consciente de la relación circular entre el lenguaje (como el Derecho) y la sociedad, y de la importancia de compartir el significado por parte de la comunidad, la investigación, a raíz de la feminización del derecho privado como herramienta para la construcción de la igualdad[12],tiene como objetivo verificar: 1) si algunas disposiciones del Código Civil italiano siguen teniendo un significado «compartido» por parte de la comunidad de hablantes o reflejan un estereotipo de género 2) si son o no coherentes con el marco regulador actual enriquecido por la dimensión supranacional o si deben formularse propuestas de modificación.

Una objeción a la cuestión de la lengua y la igualdad de género, una objeción de la que Alma Sabatini ya era consciente al dictar, ya en 1986, las Recomendaciones para un uso no sexista de la lengua italiana, es que se

---

12 *Vid. Construyendo la Igualdad. La feminización del derecho privado. Carmona III,* dirigida por Torres García T.F., coordinada por Infante Ruiz F.J., Otero Crespo M., Rodríguez González A., 2017.

trata de una mera cuestión formal de la lengua, un tema que no es relevante y que hay otras cuestiones en las que centrar la atención[13].

Todas estas reacciones son expresiones de resistencia al cambio.

En el primer apartado, por otro lado, se señaló que el lenguaje juega un papel relevante, ya que el lenguaje no solo cambia según el contexto social, sino que también da forma a la sociedad misma.

Además, como ha señalado Devoto, la expresión lingüística es a menudo el resultado del inconsciente. [14] Consideremos, por ejemplo, la preferencia de algunas mujeres por utilizar la nomenclatura de una función en su forma masculina, precisamente porque esa voz refleja inconscientemente el prestigio que se atribuye[15]al título en «función masculina», incluso cuando, como escribió Alma Sabatini, «*existe un femenino gramaticalmente correcto que se rechaza porque designa profesiones de poco prestigio (véase, por ejemplo, el título de «secretaria», un estereotipo del trabajo femenino en los cargos, que se convierte en «subsecretario» refiriéndose a los altos cargos antes ejercidos únicamente por hombres)*»[16].

El objetivo final de este ensayo es, por lo tanto, plantear el tema de los estereotipos de género en los textos normativos, destacando los prejuicios que aún hoy están ocultos en las expresiones presentes en las disposiciones normativas y así contribuir a eliminar esas prácticas incluso inconscientes, basadas en modelos estereotipados de los roles de mujeres y hombres, pasando de la conciencia de que el logro de la igualdad de género también se implementa a través del lenguaje.

---

13 A este respecto, *vid.* SABATINI A., *Raccomandazioni per un uso non sessista della lingua italiana,* antes citado, p. 11.

14 Sobre la relación entre el lenguaje y el inconsciente, *vid.* DEVOTO G., *I fondamenti della storia linguistica,* cit., p. 3. Investigando qué se entiende por historia de una lengua y cuál es la actividad que realiza el historiador cultural escribe: «*El historiador de la cultura [...] se ve inducido a pasar por alto lo que es inconsciente en el lenguaje, o a ver ecos de manifestaciones espirituales en manifestaciones lingüísticas típicamente inconscientes*».

15 Sobre el uso del género masculino por algunas mujeres porque transmite inconscientemente la importancia del papel, *vid.* FEDERICI E., “Le parole contano: una prospettiva su linguaggio e comunicazione contro la violenza di genere”, en *Annali online della Didattica e della Formazione docente,* 2024, p. 154.

16 Así, SABATINI A., *Raccomandazioni per un uso non sessista della lingua italiana,* antes citada, p. 13.

Además, como ya había intuido *Walter Benjamin* en su ensayo *de 1916 « Sulla lingua in generale e sulla lingua degli uomini »*, nombrar las cosas significa hacerlas existir y que, por lo tanto, no nombrar es una elección. «Veamos» lo que tiene un nombre.

No mencionar y, por lo tanto, no incluir a las mujeres en las disposiciones contenidas en el artículo 1062 del Código Civil, titulado «*Destinazione del padre di familia*», o en el artículo 1176 del Código Civil, titulado «*Diligenza nell'adempimento*», es ciertamente una elección realizada por el legislador de 1942, que ya no es coherente con el ordenamiento jurídico actual ni con el significado compartido por la comunidad.

Del mismo modo, fue el resultado de una elección realizada por el legislador en 1975 para nombrar a la mujer y, en particular, a la esposa en la disposición contenida en el artículo 143 bis del Código Civil, titulado «*Cognome della moglie*» (apellido de la esposa), con el único fin de disponer que el apellido del marido se añada automáticamente al apellido de la esposa, sin prever una disposición simétrica para el apellido del marido, sobre la que el legislador guarda silencio precisamente porque con el matrimonio no se produce ninguna modificación.

Por lo tanto, la atención se centrará en las siguientes referencias jurídicas: artículo 143 *bis* del Código Civil sobre el apellido de la esposa; artículo 1062 del Código Civil sobre el uso del padre de familia como instrumento para la adquisición de servidumbres prediales; artículo 1176 del Código Civil sobre la diligencia del buen padre de familia.

2. EL APELLIDO DE FAMILIA *VERSUS* APELLIDO DE LA ESPOSA

El artículo 143 *bis* del Código Civil, titulado «Cognome della moglie», que, al afirmar que «*la esposa añade a su apellido el de su marido*», es un reflejo del poder marital abrogado y del estereotipo, legado de una sociedad patriarcal, que reserva el papel público al hombre y relega a la mujer a la dimensión exclusivamente privada.

Esta disposición matiza las reglas que rigen los apellidos en el matrimonio con las características de automaticidad y asimetría de posiciones entre una mujer que, por matrimonio, añade automáticamente a su apellido el de su marido, y un hombre que, por matrimonio, no sufre ningún cambio en relación con el apellido.

De esta manera, con referencia al tema del apellido, se construye una disciplina asimétrica entre hombre y mujer que no refleja en absoluto los principios que se pueden derivar del actual sistema de fuentes.

En efecto, mirando hacia atrás, no se puede dejar de recordar que el artículo 143 *bis* del Código Civil fue introducido en el Código Civil por la Ley No 15 de 1975 y, en ese contexto histórico, la disposición contenida en dicho artículo se consideró un logro para las mujeres, ya que sustituyó a la disposición contenida en el artículo 144 del Código Civil, titulada «Matrimonio», según la cual «*el marido es el cabeza de familia; la esposa sigue su condición civil, asume su apellido y está obligada a acompañarlo siempre que lo considere apropiado para fijar su residencia*».

Hasta 1975, la esposa perdía su apellido y asumía el de su marido, apellido que se convertía en apellido de la familia. De ello se deduce, como consecuencia lógica, que el apellido del marido, tomado con el matrimonio como signo que identifica a la familia, se atribuya a los hijos nacidos en el matrimonio. Por lo tanto, era superfluo dejar claro que los hijos adquirirían el apellido del padre[17].

La reforma de 1975 marca un cambio epocal: A partir de una disciplina que prescribía que la mujer, por matrimonio, *asumiera* el apellido de su marido, perdiendo el suyo propio, llegamos a una disciplina que establece que la mujer, por matrimonio, *añade* el apellido de su marido al suyo propio.

Sin embargo, los datos comunes a las dos disciplinas son los de automatismo y asimetría de posiciones: la mujer, por matrimonio, añade *automáticamente* a su apellido el de su marido; el hombre, por matrimonio, no sufre ninguna modificación con respecto al apellido, tal es así que, tanto en el Código Civil de 1942 como en el Código Civil reformado en virtud de la Ley No 15 de 1975, solo existe la disciplina del apellido de la esposa.

Hoy, el intérprete no puede dejar de preguntarse si esta norma es coherente con el ordenamiento jurídico actual y, por tanto, con el sistema constitucional y euro-unitario. Volvamos, pues, nuestra mirada al sistema regulador de origen nacional.

---

17 *Vid.* el Tribunal Constitucional de Italia n.o 131 de 2022 «*Su fuente [también conocida como la fuente de la norma patronímica] se encuentra en la redacción anterior a la reforma de 1975 [...] del artículo 144 del Código Civil [...] En este contexto, el apellido del marido impuesto a la esposa era el de la familia, lo que hacía innecesario explicar su transmisión a los hijos nacidos en matrimonio*».

Al comparar la disciplina del apellido en el matrimonio con la presente en las uniones civiles, surge su profunda diferencia: en una unión civil, las partes de la unión son libres de elegir el apellido común de entre sus apellidos, ambos en pie de igualdad; En el matrimonio, los cónyuges no son libres de elegir el apellido que identificará a su pareja unida en matrimonio, pero la esposa agregará automáticamente a su apellido el del esposo.

El apellido común[18], junto con la disposición sobre el divorcio unilateral y el hecho de no prever la institución de la separación[19], se ha considerado uno de los tres elementos de la disciplina de las uniones civiles que la han puesto a la vanguardia, ya que no solo está en consonancia con muchos países europeos, sino también con la jurisprudencia supranacional.

Nos preguntamos si la diferencia en las normas que rigen el apellido de las partes en uniones civiles y el apellido de la esposa en el matrimonio es justificable y si las normas que rigen el apellido de la esposa son coherentes con el sistema jurídico actual y, por lo tanto, con el sistema constitucional y euro-unitario[20].

Prima facie, podría argumentarse que la diferencia en las normas que regulan el apellido entre las uniones civiles y las matrimoniales, quedando la primera a elección de las partes de la unión, y la segunda dominada por la asimetría y el automatismo, está justificada por el hecho de que el legislador en la Ley Cirinnà excluyó la relación padre-hijo en las uniones civiles

---

18 Sobre la regulación del apellido común en las uniones civiles, *vid.* BUGETTI M.N., "Il cognome comune delle persone unite civilmente", *Famiglia e diritto,* 2016, p. 911.

19 La ausencia de normas de separación en la Ley Cirinnà y la referencia al divorcio unilateral son coherentes con los principios europeos del Derecho de familia. Sobre los principios europeos de la familia y la circulación de modelos, se hace referencia a LANDO O., "Can Europe build unity of civil law whilst respecting diversity", en "*Il ruolo della civilistica italiana nel processo di costruzione della nuova Europa*", Milano, 2007, p. 122 e p. 126.

20 Sobre la regulación del apellido común de la unión civil como un elemento adicional a las razones de la inconstitucionalidad del reglamento sobre el apellido conyugal porque es el resultado de una elección vinculada al género, *vid.* BUGETTI M.N., "Il cognome comune delle persone unite civilmente", citado anteriormente, p. 917. El autor señala que «*cuando la pareja es heterosexual, la ley exige que el apellido familiar se determine sobre la base de un criterio de elección que privilegia la posición del hombre sobre la de la mujer; cuando, por el contrario, la pareja es del mismo sexo y no es posible hacer uso de ese elemento discrecional, la ley se abstiene de determinar un criterio de identificación heteroimpuesto, con el fin de dejar la elección a la voluntad de las partes*».

y que las normas que regulan el apellido de la esposa en el artículo 143 bis del Código Civil son fundamentales para regular el apellido de los hijos.

Sin embargo, este argumento queda desfasado a la luz de la sentencia del Tribunal Constitucional de Italia No 131 de 2022 que, partiendo de la premisa de que el apellido es un instrumento de identificación de una persona que es, a través del signo, reconocida socialmente, declaró inconstitucional la norma patronímica con el resultado de que hoy los hijos asumen tanto el apellido del padre como el apellido de la madre, signos que reflejan tanto a los lazos parentales como familiares. En particular, la Corte llegó a esta conclusión basándose en que la selección de la línea paterna por sí sola oscurece unilateralmente la relación parental con la madre, de modo que el signo de unión entre los progenitores se traduce esencialmente en la invisibilidad de la mujer.

El actual artículo 143 *bis* del Código Civil también es contrario a las disposiciones del Convenio de Estambul en la medida en que, debido al carácter automático y a la asimetría entre el apellido del marido y el de la esposa, contiene una disposición contraria al principio de igualdad entre los sexos. Dado que uno de los objetivos de la Convención es contribuir a la eliminación de todas las formas de discriminación contra la mujer y promover el logro de la igualdad real entre los sexos, dispone que los Estados Partes en la Convención, como Italia, adoptarán disposiciones compatibles con el principio de igualdad entre los sexos, derogando cualquier disposición contraria a él (véase el artículo 4), e introducirán todas las medidas destinadas a promover cambios en el comportamiento sociocultural de las mujeres y los hombres a fin de eliminar los prejuicios, las costumbres, las tradiciones y cualquier otra práctica basada en la idea de la inferioridad de la mujer o en modelos estereotipados de las funciones de la mujer y el hombre (véase el artículo 12).

Por lo tanto, el artículo 143 *bis* del Código Civil debe reformarse para incluir el apellido de familia, en lugar del apellido de la esposa. En particular, debe preverse que el apellido de la familia resultante del matrimonio, a menos que los cónyuges acuerden otra cosa, contenga tanto el apellido del marido como el apellido de la esposa, y que el apellido de la familia sea el que adquirirán los hijos. Esta disposición, además de estar en consonancia con los principios del Convenio de *Estambul,* es conforme tanto con las normas internas que regulan el apellido común en las uniones civiles como con las que regulan el apellido de los hijos que, tras la sentencia No 131 del Tribunal Constitucional de 2022, adquieren en el momento del nacimiento tanto el apellido del padre como el de la madre.

3. LA PERSONA RAZONABLE *VERSUS* PADRE DE FAMILIA

El artículo 1062 del Código Civil, titulado «*Destino del padre de familia*», *que* establece que «*el destino del padre de familia tendrá lugar cuando se demuestre, mediante cualquier tipo de prueba, que dos fundos, actualmente divididos, han sido poseídos por el mismo propietario, y que ha colocado o dejado cosas en el estado del que resulta la servidumbre*», es una de las formas de adquirir una servidumbre predial aparente.

Esta disposición, al establecer que las servidumbres prediales que se manifiestan en obras visibles y permanentes pueden adquirirse cuando del estado de los hechos se desprende que existe una relación de «servidumbre» entre dos fincas que pertenecían al mismo propietario y fueron posteriormente divididas, refleja el concepto que vincula la propiedad al sexo masculino.

Detrás del artículo 1062 del Código Civil está el estereotipo de que *el padre de familia* que posee dos fundos deja un fundo a cada uno de sus hijos.

Además, si partimos de un análisis de las palabras, es evidente que el término *patrimonio* proviene de *pater-munus,* que literalmente significa deber, tarea del padre, que se ve contrarrestada por el término matrimonio, que deriva de *mater-munus,* que literalmente significa deber, tarea de la madre.

Como escribe Tullio De Mauro, «*las palabras, con sus grupos de significados y sus valores emocionales y de memoria, son núcleos de condensación de costumbres, creencias,... ideas religiosas, morales, intelectuales, investigación teórica y filosófica*»[21].

De ello se deduce que, si bien la institución del destino del padre de familia reflejaba la sociedad italiana en 1942, en la actualidad esta disposición contiene una expresión «padre de familia» que no tiene un signi-

---

[21] Así, DE MAURO T., *Il valore delle parole,* Torino, 2019, p. 200, p. 201. «*Todo el espacio cultural, en la inmensa variedad de sus articulaciones, se refleja y apoya en las articulaciones semánticas del espacio lingüístico. No hay historia cultural de una sociedad o grupo que no sea, al mismo tiempo, la historia de los modos lingüísticos de expresión; y la historia lingüística se fusiona y fusiona con la historia cultural, al igual que el análisis de las formas expresivas del individuo... es una herramienta para comprender la vida... de las ideas... La unión entre la tradición lingüística y la tradición cultural de una sociedad significa que la educación en las costumbres de una tradición lingüística solo puede tener lugar como complemento del proceso de educación en las costumbres culturales de una sociedad*».

ficado compartido en nuestra sociedad y, en cualquier caso, contiene un prejuicio según el cual es el hombre quien resulta propietario.

Del mismo modo, el artículo 1176 del Código Civil, titulado «*Diligenza nell'adempimento*», establece que «e*n el cumplimiento de la obligación, el deudor debe ejercer la diligencia del buen padre de familia*».

Esta disposición, al indicar el criterio de la diligencia del buen padre de familia como medida de diligencia en la actuación, refleja el estereotipo que ve al padre y, por tanto, al hombre, como el modelo a seguir.

A la luz de las disposiciones del *Convenio de Estambul*, que exige la modificación de las disposiciones que contienen alguna forma de discriminación contra la mujer mediante la adopción de expresiones conformes con el principio de igualdad entre los sexos, la expresión «padre de la familia» debe sustituirse sin duda por la de «persona razonable».

Ese cambio podría contribuir a promover cambios en el comportamiento sociocultural de las mujeres y los hombres a fin de eliminar los prejuicios, las costumbres, las tradiciones y cualquier otra práctica, basada en la idea de la inferioridad de la mujer o en modelos estereotipados de las funciones de la mujer y el hombre.

Por otra parte, la modificación de las disposiciones para que sean coherentes con el principio de igualdad de género es aún más urgente hoy en día en un momento en que estamos presenciando un proceso destinado a hacer de todo un código, un algoritmo. Las disposiciones de nuestros textos normativos traducidos en códigos reflejarán, de hecho, *inclinaciones,* con efectos exponenciales en el sistema.

4. CONCLUSIONES

La investigación mostró que hay disposiciones en el Código Civil italiano, como el artículo 143 *bis*, el artículo 1062 y el artículo 1176, que contienen expresiones que, transmitiendo un significado que se compartió en una época histórica diferente de la actual, reflejan estereotipos de género.

Estas disposiciones no solo son contrarias al principio de no discriminación, sino que también contienen elementos que alimentan y refuerzan los prejuicios y estereotipos de género, lo que entra en conflicto no solo con los principios establecidos en la Constitución italiana, sino también con los establecidos en convenios internacionales, como el Convenio Europeo de Derechos Humanos y el *Convenio de Estambul contra la Violencia contra* la Mujer, ratificado por Italia mediante la Ley No 77 de 2013.

Se han propuesto cambios normativos para contribuir al logro de la igualdad de género, que es uno de los objetivos de la Agenda 2030 para el Desarrollo Sostenible.

En particular, se propuso sustituir a) en el artículo 143 bis del Código Civil el apellido de la esposa por el apellido de la familia nacida del matrimonio, que, a menos que los cónyuges acuerden otra cosa, contendrá tanto el apellido del marido como el apellido de la esposa; b) en los artículos 1062 del Código Civil y 1176 del Código Civil, la expresión «padre de familia» sustituirla por «persona razonable».

El propósito de estas propuestas es contribuir a cambiar la estructura lingüística y jurídica de manera consistente con el marco legal y social actual, siendo conscientes de que el cambio en las estructuras de una sociedad, como escribió el historiador *Fernand Braudel,* es un movimiento lentamente rítmico, como el movimiento de los abismos del mar[22].

5. BIBLIOGRAFÍA

BENEDETTI G., "Diritto e lingua. Variazioni sul diritto muto", *Eur. dir. priv.,* 1999, p. 137

BUGETTI M.N., "Il cognome comune delle persone unite civilmente", *Famiglia e diritto,* 2016, p. 911

---

22 Sobre los diferentes períodos de la historia, el tiempo de eventos sucesivos como las ondas del mar, el tiempo de las estructuras económicas, sociales, culturales y lingüísticas que se mueven lentamente como las corrientes profundas del mar, *vid.* BRAUDEL F., *Prefazione alla Civilità e imperi del mediterraneo nell'età di Filippo II,* v. I, Torino, 1949, p. XXVII.
Sobre la lentitud del cambio, en un cierto espacio de tiempo, de las palabras de un idioma, así como de las instituciones jurídicas, *vid.* GAUDENZI A., "Lingua e diritto nel loro sviluppo parallelo", cit., p. 276. Según la demandante, la razón por la que los cambios en la historia política y literaria son menos lentos que los cambios lingüísticos y jurídicos depende del número de personas implicadas en el fenómeno. En particular, el autor escribe: «Los *acontecimientos políticos y literarios solo afectan a las clases dominantes y aprendidas, mientras que un cambio en la ley o el idioma debe transformar los hábitos de todo un pueblo. Algunos son el trabajo de miles, otros de millones de personas: Por lo tanto, es natural que sean más lentos que estos*».

Construyendo la Igualdad. La feminización del derecho privado. Carmona III, dirigida por Teodora Felipa Torres García, coordinada por Francisco José Infante Ruiz, Marta Otero Crespo, Amalia Rodríguez González, 2017

DE MAURO T., *Il valore delle parole,* Torino, 2019

DE MAURO T., *Introduzione alla semantica,* Roma-Bari, 1989

DEVOTO G., *I fondamenti della storia linguistica,* Firenze, 1951

FEDERICI E., "Le parole contano: una prospettiva su linguaggio e comunicazione contro la violenza di genere", en *Annali online della Didattica e della Formazione docente,* 2024, p. 154

FERRI G.B., "Il potere e la parola", *Eur. dir. priv.*, 2001, p. 1028

GAUDENZI A., "Lingua e diritto nel loro sviluppo parallelo", *Arch. Jur.,*XXXI, 1883, p. 274

HUNG GIL F.A., "Lenguaje y Derecho. Ideas para un debate", *Cubalex,* 2019, p. 268

IRTI N., *Riconoscersi nelle parole,* Napoli, 2020

MERKL A., *Il duplice volto del diritto,* Milano, 1987

NENCIONI G., *Idealismo e realismo nella scienza del linguaggio,* Firenze, 1946

SABATINI A., *Raccomandazioni per un uso non sessista della lingua italiana,* Roma, 1986

SCARPELLI U., "La definizione nel diritto", en *Diritto e analisi del linguaggio,* Milano, 1976, p. 184.

TARELLO G., *Diritto, enunciati, usi,* Bologna, 1974

Epílogo
El legado de Rosario Valpuesta Fernández

Hace ya unos años, con motivo del quinto aniversario del fallecimiento de Rosario Valpuesta, a quien seguimos echando de menos tanto o más que el primer día, la Universidad Pablo de Olavide y la Asociación Rosario Valpuesta organizaron en Sevilla un pequeño acto académico de recuerdo para el que solicitaron mi participación con una charla cuya temática me permitieron elegir con completa libertad. Casi sin pensarlo bosquejé la idea que luego traté de desarrollar: entablaría un diálogo con Rosi sobre uno de los asuntos que más le ocupó y le preocupó a lo largo de su carrera como jurista y del que le surgieron las inquietudes que plasmó en el último libro que escribió y que nos dejó como el más acabado reflejo de su pensamiento. Me refiero a *La disciplina constitucional de la familia en la experiencia europea*, publicado apenas algunos meses antes de su muerte y en cuya fase final de elaboración tuve una implicación personal que Rosi, con la generosidad que la caracterizaba, recuerda en la presentación del citado libro.

Me tomo la libertad de contarlo aquí porque, a pesar de la tristeza que me causa todavía hoy rememorar aquellos momentos, la pequeña ayuda que le brindé entonces le sirvió de empujón definitivo para publicar una obra a la que había dedicado mucho tiempo, en muchos lugares y a lo largo de muchos años, obra que se sentía incapaz de terminar, ya muy cansada por la enfermedad. La terminó, por supuesto, la vio publicada y se sintió orgullosa de su resultado. Confieso que pocas cosas, tal vez ninguna, me han proporcionado mayor satisfacción a lo largo de mi vida académica, y que ninguno de los logros que haya podido alcanzar en una carrera que ya va siendo larga me han hecho más feliz que el haber contribuido en aquel momento a la felicidad de tan querida amiga y compañera.

Pues bien, entonces como ahora, el diálogo con Rosi resultó muy sencillo porque, como si de Freddy Mercury o de María Callas se tratara, contaba con el perfecto holograma que permitía tenerla a nuestro lado: su libro peregrino, como ella misma gustó de calificarlo. Partiendo de las inquietudes que allí se reflejaban, traté de contarle a su autora, y de paso a todos los presentes, lo que había sucedido con la familia y con el Derecho de familia en los años que habían transcurrido desde que ella lo dio por terminado.

Por un sendero semejante transcurren estos pocos párrafos que escribo como epílogo a otro libro que Rosi no ha escrito, pero que constituye una muestra tangible de lo mucho que nos legó, en este caso a través de la unión de dos de sus grandes pasiones intelectuales y vitales: las mujeres y los derechos humanos. Estoy convencida de que no solo el mejor homenaje a su figura y a su memoria, sino también la suprema manera de preservar su legado es precisamente seguir reflexionando sobre ambas cuestiones y sobre la interrelación entre ellas.

Las ponencias, comunicaciones y debates del VIII Congreso Organizado por el Movimiento Carmona en 2023 en la ciudad que lo vio nacer y los trabajos que se incluyen en este libro como decantación de aquellos son fruto de la simiente que su bulliciosa mente creó y que las y los carmonistas estamos empeñados en seguir cultivando.

El libro desarrolla en ocho secciones los cuatro núcleos temáticos que nos reunieron en 2023 en Carmona y que son los siguientes: 1. Problemas actuales de los derechos humanos de las mujeres en un mundo cada vez más cambiante. 2. Implicaciones de los derechos humanos en el Derecho privado. 3. Mujeres y objetivos de desarrollo sostenible. 4. Mujeres migrantes y derechos humanos. Todos tienen, con pormenorizado detalle, adecuado reflejo en el texto que tienen en sus manos o en sus pantallas. Sus autoras y autores son, una vez más, muchos y de muy diverso paisaje y paisanaje; estoy segura de que Rosi estaría orgullosa del elenco.

Sobre los cuatro pilares descritos y sobre sus derivaciones reflejadas en el libro se interesó Rosi en su momento, sobre todos dejó postura escrita en artículos jurídicos y de divulgación y sobre todos tendría mucho que decir hoy, instalados como estamos en un convulso momento histórico que nos confunde y nos aterra y que ella hubiera sabido interpretar con su particular clarividencia.

Permítanme que repita ahora algunas palabras que escribió hace ya tiempo y que se incluyen en el libro recopilatorio *Rosario Valpuesta. La construcción de un pensamiento crítico*. Lo tomo ahora como su holograma; de él destacaré unos pocos párrafos de otros tantos artículos periodísticos incluidos en dicha publicación, que nos permiten dialogar con ella y tenerla muy presente, ahora, en 2025.

En una columna que lleva por título "Y nosotras, ¿qué?", datada en 2007, al hilo de la comprensiva actitud de occidente respecto a los que entonces se llamaron talibanes moderados en Afganistán, teóricamente más democráticos que otros, denunciaba Rosi algo que sigue de plena actualidad en el marco del primero de los paneles, relativo a los problemas de los derechos humanos de las mujeres en un mundo cada vez más cambiante; nos decía ella entonces que en este tipo de sociedades, teóricamente amigas y democráticas (o más democráticas que otras): *"son más las mujeres a las que les han quitado su derecho a vivir en dignidad que los que mueren en los atentados; son más las mujeres que han dejado de existir para la comunidad que aquellos que son secuestrados. Pero parece que estas no cuentan, parece que se puede construir una democracia sin que ellas estén presentes. Se olvida, como dice Celia Amorós, que la situación de las mujeres es un test imprescindible para medir la calidad democrática de una sociedad".*

Una mirada a entornos no tan lejanos nos da buena cuenta de lo certero de su denuncia y de su plena y actual vigencia.

En la contribución titulada "Nos quedan dos días", también de 2007, nos interpela en relación con el tercero de los pilares de este congreso, el referido a los retos del desarrollo sostenible. Estas son sus palabras: *"Las cuestiones referidas al medio ambiente se han puesto en el primer plano del interés de los ciudadanos, pero su resolución requiere alterar los parámetros con los que hasta ahora se ha desenvuelto nuestro estilo de vida y la actuación de los poderes públicos, pues en este tema no cabe ya poner parches".* Solo cabe añadir que hoy menos todavía, porque la incontestable realidad del deterioro del planeta ya no admite ni parches ni respuestas tibias; únicamente cabe buscar soluciones y hallarlas cuanto antes.

Viene ahora a colación otro párrafo que forma parte del artículo fechado en 2008 que lleva por título "Ser mujer emigrante", cuyo reclamo está plenamente justificado en el cuarto pilar de este Congreso. Tras aludir a un caso concreto de mujeres llegadas en pateras que perdieron a sus bebés en la travesía y tuvieron que arrojarlos al mar, decía Rosi: *"Pero más allá del hecho luctuoso al que hacemos referencia, está la situación de la mujeres que abandonan sus países para trabajar, generalmente, en los hogares españoles, cuidando de los hijos o de los abuelos ajenos, es decir, de los nuestros, a los cuales no podemos atender por los requerimientos de una sociedad diseñada conforme a un patrón masculino, ajeno a la familia y a sus necesidades. Estas mujeres inmigrantes comparten su tiempo y sus afectos entre la familia que dejan atrás, la que construyen en nuestro país si pueden, y a la que dedican sus esfuerzos y trabajo. Son mujeres luchadoras ... Invisibles para la sociedad, invisibles para los sindicatos e invisibles, y esto es lo peor, para la mayoría de los movimientos feministas que aún no las consideran compa-*

ñeras de viaje hacia la plena igualdad". Duele constatar lo actuales y cercanas que resultan estas palabras.

En fin, paso al pilar relativo a las implicaciones de los derechos humanos en el Derecho privado, el segundo de los citados sobre los que se asienta el Carmona VIII, fundamental en este libro que lo refleja. Para dialogar con Rosi sobre este cuarto pilar podría acudir a cada una de las páginas del libro sobre *La disciplina constitucional de la familia* que ya he mencionado. Pero voy a elegir uno de mis párrafos favoritos de entre los recogidos en el otro volumen que este epílogo va siguiendo, compendio de sus artículos periodísticos. Decía Rosi en 2008 en la columna titulada "Asuntos de mujeres": *"Hablar de asuntos de mujeres tiene su riesgo, pues durante demasiado tiempo a estos se les ha identificado con un mundo menor, de cosas pequeñas, sin complicaciones, frente a la gran envergadura de las cuestiones que afrontan los hombres, que ni más ni menos, tienen que resolver los problemas del mundo que descansan sobre sus hombros. De ahí que la incorporación de las mujeres a esa noble y titánica tarea haya sido tan difícil"*. El párrafo es tan perfecto y sirve para tantas cosas que solo me queda constatar el poco éxito que han tenido los hombres en el desempeño de la titánica tarea; si no me creen, miren a su alrededor.

He repetido palabras de Rosi que más de quince años después de haber sido escritas continúan plenamente vigentes. Muy poco o nada de lo que ella denunciaba ha sido resuelto; es más, probablemente algunos de los asuntos que le preocupaban han ido, incluso, a peor. Seguir insistiendo en su denuncia y en la búsqueda de respuestas justas que puedan ayudar a mejorar la sociedad que conformamos no solo es nuestro deber moral, es también la mejor manera de reconocer y preservar el legado de Rosario Valpuesta.

Nuestra *amiga Rosi, a quien tanto queríamos,* nos falta desde hace más de una década, pero su huella permanece cada día a través de su recuerdo, de su eterna sonrisa estampada en multitud de fotografías, de la impronta que dejó en sus discípulos y en sus amigos y de su holograma escrito, del que acabo de extraer una pequeña muestra. También perdura, por supuesto, en el regalo de algo tan vivo y precioso como el Movimiento Carmona que nos entusiasma y nos empeña.

Decía Susan Sontag en uno de sus más afamados ensayos (*Notas sobre lo camp*) que muchas cosas en el mundo carecen de nombre y hay muchas cosas que, aun cuando posean nombre, nunca han sido descritas. No puedo describir lo que debemos a Rosario Valpuesta, así que voy a utilizar una palabra sencilla que se queda pequeña, pero que algo se aproxima a ese sentimiento tan real como inasible: gracias, Rosi, gracias por tanto y por tantas cosas distintas. Y gracias también a todas las amigas y amigos que como peregrinos reincidentes llevamos años unidos por sus ideas y por su indeleble recuerdo.

María Paz García Rubio
Catedrática de Derecho Civil
Universidad Santiago de Compostela